**Avis aux GEOVoyageurs**

Entre l'enquête faite sur le terrain
et la parution du guide, les établissements proposés
peuvent avoir disparu et certaines informations peuvent
avoir été modifiées : n'hésitez pas à nous faire part
de vos commentaires et de vos corrections !

Boîte aux lettres GEOGuide

5, rue Gaston-Gallimard 75328 Paris Cedex 07
www.geo-guide.fr contact@geo-guide.fr

GEOGUiDE

Espagne
côte est

David Fauquemberg
Julie Subtil

Ont également collaboré à cet ouvrage
Séverine Bascot, Antoine Biboud,
Jordi Canal, Francesc Castro,
Óscar Checa Algarra,
Raphaëlle Duchemin, Antoine Leonetti

ESPAGNE CÔTE EST

GEO**PANORAMA**

GEO**PRATIQUE**

GEO**REGION**

▶ GEO**DOCS**

ESPAGNE CÔTE EST

Voyagez à la carte

GEOGuide a sélectionné pour vous des lieux de séjour, des sites à visiter, des adresses-plaisir et des activités multiples. Choisissez ce qui vous ressemble et goûtez pleinement votre voyage...

... au gré de vos envies

Culturel

Emoción garantie auprès des beautés antiques et médiévales de l'Aragon et des Pyrénées catalanes comme de tous les sites de renommée internationale classés par l'Unesco.

Avec les enfants

Barcelone, son architecture féerique, ses plages et ses immenses espaces verts sont à la hauteur des plus petits !

Château de Montearagón, Quincena (province de Huesca).

Barcelone dans tous ses états

Parce qu'il y a mille façons de découvrir la radieuse cité catalane.

En amoureux

Balades sur la plage au coucher du soleil, rêveries amoureuses sur les terrasses ensoleillées, flâneries dans les ruelles des villages médiévaux et le long des petits ports de pêche, escapades au cœur des reliefs spectaculaires des Pyrénées : des bonheurs à partager à deux.

Grandeur nature

Canyons et sierras, sommets des Pyrénées, calanques de Méditerranée... : une leçon de géographie, des eaux turquoise et cristallines où piquer une tête aux parois escarpées à escalader en passant par les profondeurs de la grande bleue à explorer.

Gourmand

Tapas et paella, charcuterie catalane, anchois et *bomba*... il fait si bon manger à l'heure espagnole !

Hors des sentiers battus

À l'ouest d'un mont Perdu, des vallées où demeurent intacts dialecte, légendes et habitat...

... au fil de nos itinéraires

ESPAGNE CÔTE EST

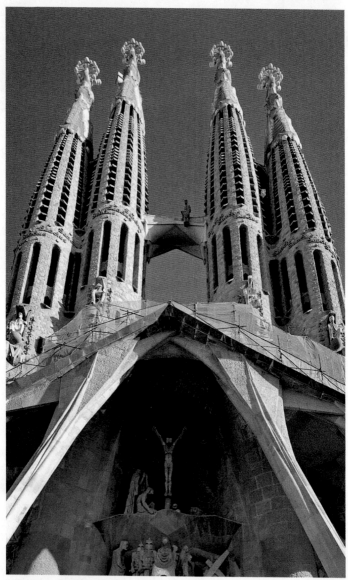

La Sagrada Família (p.169), chef-d'œuvre inachevé de Gaudí.

GÉOPANORAMA

COMPRENDRE L'ESPAGNE

Géographie et environnement

Une position privilégiée

Le territoire espagnol, avec sa capitale, Madrid, occupe la majeure partie de la péninsule Ibérique, à laquelle s'ajoutent les îles Baléares et les Canaries, ainsi que les enclaves de Ceuta et de Melilla au nord du Maroc. Sa superficie totale, de 505 975km², le place au quatrième rang européen. Il a quatre États frontaliers : la France, le Portugal, la principauté d'Andorre et le Maroc, auxquels il faut ajouter Gibraltar. L'Espagne se trouve à la jonction de l'Atlantique et de la Méditerranée, de l'Europe et de l'Afrique, dont elle n'est séparée que par les 13km du détroit de Gibraltar. Sa côte méridionale marquait jadis, au cap Sagres, la limite des terres connues. La proximité des vents alizés en faisait le point de départ idéal des grands voyages d'exploration. Ces facteurs ont eu une influence évidente sur l'histoire politique, coloniale et économique du pays. Revers de la médaille : cette situation excentrée, renforcée par la présence des Pyrénées, a longtemps été synonyme d'isolement.

Un relief contrasté

DE HAUTES MONTAGNES La Meseta, élément majeur, est un immense plateau central d'une altitude moyenne de 660m. Très rigide, ce socle hercynien a pu résister aux plissements alpins. Ces derniers ne réussirent qu'à le soulever et à l'incliner légèrement vers l'ouest, créant à sa périphérie des contreforts élevés : monts Cantabriques au nord, monts Ibériques au nord-est, Serranía de Cuenca à l'est et Sierra Morena au sud. Deux chaînes montagneuses rattachées au système alpin complètent cet ensemble : au nord, les Pyrénées et, au sud, les cordillères Bétiques. L'Espagne est ainsi le pays dont l'altitude moyenne est la plus élevée d'Europe, après la Suisse ; seule une faible portion du territoire se situe sous les 500m. Exceptions notables, les bassins d'effondrement de l'Èbre, au nord, et du Guadalquivir, au sud, qui sont, avec le Douro, le Tage et le Guadiana, les grands fleuves espagnols.

UN LITTORAL ESCARPÉ Avec 3 900km de littoral, le pays a également une vocation maritime. Cependant, les plaines côtières dépassent rarement 30km de largeur. La côte méditerranéenne est la plus escarpée, les grands sites portuaires y étant assez rares à l'exception de Barcelone et de Valence.

CATALOGNE (32 108KM²) Au nord, les Pyrénées catalanes s'étendent sur plus de 230km, du val d'Aran jusqu'à la péninsule du cap de Creus. Les temps glaciaires y ont dessiné de profondes vallées et des cirques naturels grandioses, au pied de sommets voisinant les 3 000m. Juste au sud, les pré-Pyrénées rassemblent plusieurs massifs d'altitude moyenne, dont la spectaculaire Serra del Cadí, qui culmine à 2 650m. Dans la région d'Olot, la Garrotxa se distingue par son relief volcanique. La Catalogne compte par ailleurs plus de 500km de côtes : au nord, la Costa Brava, dont les falaises découpées esquissent d'étroites calanques ; au sud, sur le Maresme et la Costa Daurada, un littoral ouvert où se succèdent de longues plages de sable. Très accidentée, la région compte plusieurs cordillères intérieures ou côtières dépassant les 1 200m, notamment celles de Montserrat et de Montseny, près de Barcelone. Le centre de la Catalogne est marqué par la vaste dépression du bassin de l'Èbre, ancien golfe marin dont l'altitude oscille entre 200m et 750m. Deux bassins d'effondrement, le Vallès et le Penedès, s'y sont formés. Au niveau de Tortosa s'ouvrent les lagunes et rivières du delta de l'Èbre. Les deux autres fleuves importants de la région, le Besòs et le Llobregat, ont dessiné des vallées fertiles.

ARAGON (47 669KM²) Coincé entre les Pyrénées et les monts Ibériques, le bassin de l'Èbre se situe au cœur de la région aragonaise. Zones désertiques et champs fertiles des régions irriguées s'y côtoient. Au nord, les Pyrénées aragonaises forment la zone la plus élevée du massif, avec le pic de Posets (3 371m), le mont Perdu (3 355m) et le pic d'Aneto, toit des Pyrénées (3 408m). Au pied des Pyrénées, les massifs pré-pyrénéens sont dominés par la Sierra de la Peña et le mont Collarada (2 893m). Près de Huesca, l'érosion a creusé au cœur de la magnifique Sierra de Guara (2 077m) d'impressionnants canyons. Enfin, au sud, se dressent les montagnes de la cordillère Ibérique, culminant à plus de 2 300m. À l'ouest de Teruel s'étendent les Montes Universales, véritable château d'eau du pays où le Tage prend sa source.

VALENCE (23 255KM²) ET MURCIE (11 317KM²) Le relief du Levant est lui aussi dominé par de grandes chaînes montagneuses, soit la continuation des cordillères Bétiques au sud et Ibérique au nord. Ces massifs accidentés surplombent d'étroites plaines alluviales, au bord de la Méditerranée. De longues plages de sable forment la Costa del Azahar, au nord de Valence, et la Costa Blanca, entre Alicante et Águilas. Ces côtes éminemment touristiques (480km pour la seule Communauté valencienne) ont malheureusement subi une urbanisation excessive, inquiétante pour l'environnement et les ressources en eau de la région.

Un environnement à préserver

SÉCHERESSES ET INONDATIONS

Les conséquences de ce relief compartimenté sont réelles : des sols arides, mais riches en minerais (fer, manganèse…), une répartition irrégulière des précipitations due à l'omniprésence des montagnes, et par conséquent de cruelles sécheresses alternant avec des inondations parfois dramatiques.

PANORAMA

Carte d'identité

Superficie : Catalogne 32 108km²
Aragon 47 669km²
Valence 23 255km²
Murcie 11 317km²
Situation géographique : dans la péninsule Ibérique, baignée par la Méditerranée et séparée de la France par les Pyrénées
Point culminant : pic d'Aneto (3 408m)
Statut : 4 communautés autonomes – Catalogne, Aragon, Communauté valencienne (Valence), région de Murcie (Murcie) – regroupant 11 provinces
Population :
Catalogne 7,5 millions
Aragon 1,3 million
Valence 5,1 millions
Murcie 1,4 million
Langues : castillan, catalan, aranais, aragonais et valencien
Religion : catholicisme

UNE URBANISATION SAUVAGE Le peuplement massif des côtes méditerranéennes et l'irrigation à outrance des zones agricoles entraînent une pénurie chronique en eau et de graves conséquences sur l'environnement, surtout dans le Levant. Depuis les années 1980, plusieurs lois visant à protéger le littoral de l'urbanisation sauvage ont ainsi été votées... mais ne sont apparemment que rarement appliquées.

LES PARCS NATURELS Depuis le milieu des années 1980, de nombreux parcs naturels se sont créés en Espagne, mais les premiers espaces protégés datent de 1918. La Catalogne et l'Aragon en comptent ainsi plusieurs, de montagne, qui raviront les amateurs de nature sauvage et de randonnée. Les parcs nationaux d'Ordesa (Huesca, Aragon, créé en 1918) et d'Aigüestortes (Lleida, Catalogne, en 1955) sont les plus spectaculaires. Quant aux réserves marines des îles Medes (Costa Brava, Catalogne) et d'Águilas (Murcie), elles abondent d'une faune sous-marine qui attire des milliers de plongeurs. Enfin, une bonne partie du delta de l'Èbre a été classée "parc naturel" en 1983 et 1986.

Climat et saisons

La diversité climatique de l'Espagne répond à celle du relief. La Meseta (le plateau castillan) se caractérise par un climat continental extrême, avec des étés caniculaires et des hivers parfois glacials. Si les côtes septentrionales bénéficient d'un climat océanique frais et pluvieux, le Sud s'avère extrêmement sec, les températures estivales y étant les plus élevées d'Europe (plus de 40°C à l'ombre).

CATALOGNE La Catalogne se divise en plusieurs zones climatiques. Sur le littoral, les hivers sont doux et les étés cléments, sans excès. Les températures, très agréables d'avril à septembre, culminent en juillet entre 30° et 35°C. Les précipitations, peu importantes, courent sur quelques jours. Les orages d'automne sont cependant violents et provoquent souvent des crues. En descendant vers le sud, les températures s'élèvent, hiver comme été, et les précipitations diminuent. Le climat du bassin de l'Èbre se révèle continental, et les hivers très froids contrastent avec des étés secs. Cette zone est balayée presque toute l'année par un fort vent de nord-ouest, le Cierzo. Enfin, dans l'arrière-pays, les pré-Pyrénées se caractérisent par un climat méditerranéen assez peu pluvieux, tandis que les Pyrénées catalanes offrent des conditions météorologiques typiquement montagnardes, même si le val d'Aran, ouvert aux influences atlantiques, connaît de fortes précipitations annuelles et des températures moins extrêmes.

ARAGON Les Pyrénées aragonaises sont marquées par des hivers longs et rigoureux et des étés bien plus chauds que sur le versant nord, mais nettement plus supportables que dans le Centre et le Sud, où ils sont étouffants.

VALENCE ET MURCIE Le Levant connaît des hivers doux et agréables mais l'été y est écrasant. Quand le vent chaud de la Meseta (le Poniente) se met à souffler, l'air devient vite irrespirable, surtout dans les villes. Les sierras de l'arrière-pays connaissent des hivers rigoureux et les chutes de neige sur les hauteurs ne sont pas exceptionnelles. Sur les côtes, en revanche, le climat reste agréable toute l'année, même en juillet-août, grâce aux brises marines.

Le littoral murcien subit cependant de grands changements de température avec l'influence du Leveche, vent venu du Sahara. Enfin, dans le sud de la région de Murcie, le climat est extrêmement aride.

Faune et flore

Une végétation méditerranéenne

La majeure partie de la région offre une végétation sèche typiquement méditerranéenne : chênes verts, chênes-lièges, arbustes (genévriers, lentisques, arbousiers, oliviers sauvages), buissons épineux et plantes aromatiques telles que le romarin, le thym, la lavande, et pins parasols sur le littoral…

PLAINES ET LITTORAL La région aride de Lleida est formée de steppes, parsemées de chênes kermès et de lentisques, avec des palmiers nains en bordure des côtes. En Aragon, la dépression de l'Èbre alterne végétation aride et zones humides. Dans le Levant, des siècles de cultures irriguées ont remplacé la végétation méditerranéenne sèche par des *huertas* (terres irriguées). La flore du sud de Valence et de Murcie s'adapte aux conditions désertiques de ces régions, souvent amplifiées par l'érosion et la pollution. Dans ces steppes rudes dominent l'alfa et les buissons ras. On y trouve aussi des espèces plus exotiques comme l'aloès ou le figuier de Barbarie.

LA "HUERTA"
Verger, potager, grenier du pays, la *huerta* de Valence constitue la région agricole la plus cultivée d'Europe. Sillonnées de canaux, ses terres fertiles, favorisées par la clémence du climat, peuvent donner jusqu'à quatre récoltes par an !

EN ALTITUDE Les sommets des Pyrénées présentent une végétation de type alpin, formée d'herbes rases, de mousses et de lichens. Peut-être aurez-vous la chance d'apercevoir la reine des montagnes, l'edelweiss, qui pousse sur les hauteurs. Les flancs des montagnes et les parties hautes des pré-Pyrénées et des sierras sont couverts de conifères (sapins et pins noirs) et de feuillus. En moyenne montagne dominent chênes rouvres et hêtres.

La vie sauvage

LE PARADIS DES OISEAUX Située sur la route des grandes migrations entre l'Europe et l'Afrique, l'Espagne accueille dans ses espaces humides d'innombrables oiseaux aquatiques. Les flamants roses sont omniprésents une bonne partie de l'année, notamment près des étangs de la Communauté valencienne (l'Albufera près de Valence). En Aragon, les vastes lagunes de Gallocanta (sud-ouest de Saragosse) et de Galacho de la Alfranca (près de Saragosse) accueillent en hiver garcettes, grues et canards. Le delta de l'Èbre est un véritable paradis ornithologique : flamants, cormorans, hérons y abondent.

LES HABITANTS DES MONTAGNES Les isards (chamois des Pyrénées), les chèvres sauvages, les marmottes et les grands rapaces (aigles, vautours percnoptères) sont courants dans les Pyrénées catalanes et aragonaises. Les espaces naturels protégés (parcs d'Ordesa, d'Aigüestortes ou de Cadí-Moixeró, Sierra de Guara…) abritent ainsi des espèces rares telles que le desman, sorte de petit rat amphibie au nez en forme de trompette, et le gypaète barbu, vautour de grande envergure. Sans oublier la dizaine d'ours qui évoluent dans les Pyrénées catalanes. On note également la présence d'importantes colonies de coqs de bruyère et de tritons (amphibiens).

Les fonds marins

Les eaux qui baignent la côte est de la péninsule ont la particularité d'abriter des espèces méditerranéennes et atlantiques. Cependant, le réchauffement des eaux de surface gêne la physiologie des espèces atlantiques venues par le détroit de Gibraltar. Un redoux qui attire des poissons jusqu'ici présents dans la partie est de la Méditerranée (barracudas et raies pastenagues). Longtemps maltraitée, la mer fait depuis peu l'objet de mesures de protection et voit réapparaître des espèces devenues rares (mérous et corbs). Constituées en réserve, les îles Medes constituent aujourd'hui un véritable sanctuaire de la faune et de la flore méditerranéennes.

Histoire

Antiquité et Hispania romaine

Jusqu'à l'arrivée des Romains, la péninsule Ibérique reste un "bout du monde". Son relief cloisonné et son ouverture vers l'Europe, la Méditerranée et l'Atlantique ont encouragé le brassage de populations très diverses. Dès le néolithique, la culture ibère se développe à l'est de la péninsule, de l'Andalousie au Languedoc. Des centaines de sites ibères ont été retrouvés en Catalogne, dont le plus fameux à Ullastret, sur la Costa Brava. Dans la foulée de la création d'Emporion (Empúries) par les Phocéens au VIᵉ siècle av. J.-C., les Grecs arrivent dans la région, alors baptisée Iberia. Parallèlement, au nord du pays et dans la vallée de l'Èbre se sont installées dès le Xᵉ siècle av. J.-C. des peuplades celtes. Se mélangeant peu à peu aux populations ibères, elles vont donner naissance à la culture celtibère, qui résistera longtemps aux Romains. Avec sa colonisation par Rome, la péninsule va connaître sa première unification politique et culturelle. En 241 av. J.-C., Rome gagne contre Carthage (près de l'actuelle Tunis) la première guerre punique (265-241 av. J.-C.). Perdant leurs bases en Corse, en Sicile et en Sardaigne, les Carthaginois se tournent alors vers le sud de la péninsule Ibérique. Ils créent Carthago Nova (Carthagène) vers 226 av. J.-C. et concluent avec les Romains le traité de l'Èbre, délimitant leurs zones d'influence respectives : au nord de l'Èbre pour Rome, au sud pour Carthage. En 219 s'amorce la deuxième guerre punique (219-202 av. J.-C.). Les armées carthaginoises d'Hannibal attaquent Sagunto (près de Valence), alliée de Rome, puis franchissent les Pyrénées et les Alpes pour attaquer Rome. En 218 av. J.-C., menés par Scipion l'Africain, les soldats romains débarquent en Espagne pour couper l'arrière-garde des Carthaginois. Scipion prend Tárraco (Tàrragone) puis Carthago Nova. Victorieux, les Romains établissent deux provinces en 197 av. J.-C. : l'Hispania Citerior ("la plus proche" : Levant, Catalogne et Aragon, avec pour capitale Tárraco) et l'Hispania Ulterior ("la plus lointaine" :

Andalousie). Le Centre et le Nord, où résistent les farouches populations celtibères, ne seront pacifiés qu'à la fin du Ier siècle av. J.-C. En 59 av. J.-C., Jules César se dirige vers l'Espagne après avoir franchi le Rubicon, déclarant la guerre à son rival Pompée. La péninsule, pro-Pompée, est le théâtre de nouveaux affrontements, dont César sort vainqueur en remportant la bataille de Lleida. Dès lors, la majeure partie du pays jouit de la Pax Romana, et connaît une ère de grande prospérité. Elle compte trois provinces : la Tárraconaise, la Bétique et la Lusitanie. Valence et Tarragone sont alors les villes les plus brillantes.

Le royaume wisigoth

La crise politique qui secoue Rome de 235 à 285 ap. J.-C. affecte les provinces hispaniques, régulièrement attaquées par des tribus venues du nord des Pyrénées. En 409, l'invasion de la péninsule par les Vandales, les Suèves et les Alains met fin à la domination de Rome. Les Wisigoths arrivent à leur tour, faisant reculer tous ces clans rivaux. S'ils contrôlent entièrement la région depuis Toulouse, ils sont battus par Clovis dès 507 et contraints de s'exiler au sud des Pyrénées. Ils établissent alors un royaume dont la capitale sera Barcelone (531), puis Tolède (après 561). Durant leur règne, les Wisigoths vivent en bonne intelligence avec les populations hispano-romaines, reprenant le système politique et fiscal en place. Pourtant, si l'Hispania romaine comptait à son apogée quelque quatre millions d'habitants, ils ne sont pas plus de 2 millions en 711. À l'exception de certaines villes dynamiques comme Barcelone et Tolède, le royaume connaît rapidement un déclin économique.

Al-Andalus

Depuis la mort de Mahomet, en 632, les successeurs du Prophète, ou califes, vont de conquête en conquête au Moyen-Orient. Ils occupent à présent toute l'Afrique du Nord (Ifriqiya), devenue province du grand califat de Damas (actuelle Syrie). En 711, Musa ibn Nusayr, gouverneur de cette province, ordonne à ses troupes de passer le détroit de Gibraltar, le Sud espagnol prenant presque aussitôt le nom légendaire d'Al-Andalus. Celles-ci remportent la grande bataille du Guadalete contre les soldats wisigoths du roi Rodéric, remontent le cours du Guadalquivir et atteignent Cordoue. Bientôt, elles prennent Tolède, Saragosse (713), puis Barcelone (719), avant de franchir les Pyrénées jusqu'au bas Languedoc. L'arrêt de cette marche vers le nord a lieu en 732 à Poitiers. En 751, Al-Andalus devient un émirat dépendant du califat omeyyade de Damas. Ses frontières sont fixées au sud des Pyrénées et au sud du Douro. En 756, Abd al-Rahmân Ier, seul survivant de la dynastie des Omeyyades massacrée à Damas par les Abbassides, arrive à Cordoue. Il prend vite le pouvoir et rompt les liens politiques avec Damas en proclamant l'émirat indépendant de Cordoue (indépendance administrative mais non religieuse). La ville devient alors le centre de la brillante civilisation omeyyade, suscitant l'admiration de tous les voyageurs. Les *huertas* de Valence, d'Alicante, de Murcie et d'Andalousie prospèrent comme jamais auparavant, grâce à l'introduction de nouvelles techniques d'irrigation. Les musulmans apportent avec eux les moulins à eau et à vent, le coton, la canne à sucre, le riz et la soie. L'artisanat et le commerce fleurissent. Sous le règne d'Abd al-Rahmân III

PANORAMA

(Xᵉ siècle), le prestige dont jouit Al-Andalus dans le monde musulman est à son apogée. L'émir en profite pour sauter le pas de l'indépendance politique *et* religieuse d'Al-Andalus en proclamant le califat de Cordoue en 929. L'âge d'or des Omeyyades continue sous le règne d'Al-Hakam II. En 976, son fils Hisham II prend le pouvoir : ses glorieuses campagnes contre les chrétiens lui vaudront le surnom d'Al-Mansûr (le Victorieux). En 1002, la mort d'Hisham II annonce le déclin de Cordoue. La guerre civile, qui fait rage dès 1008, entraînera en 1031 la chute définitive du califat et l'émiettement d'Al-Andalus en une multiplicité de petits royaumes – les *taifas* – que se partagent alors Arabes, Berbères et anciens esclaves slaves.

La Reconquête chrétienne : des comtés...

Dès le début du VIIIᵉ siècle, de petits royaumes chrétiens commencent à se créer dans les montagnes retirées du Nord et de l'Est. À l'est des Pyrénées, ce sont les offensives des Francs qui ont permis la création d'enclaves chrétiennes. En 778, Charlemagne échoue devant Saragosse, avant de perdre son arrière-garde au col de Roncevaux. Mais, de 785 à 811, les Carolingiens conquièrent tout le nord-est du territoire, jusqu'au nord de Tarragone, où sera longtemps fixée la frontière avec le monde musulman. Ils créent alors les six comtés de la "Marche Hispanique" : Barcelone, Gérone, Empúries, Urgell, Roussillon et Cerdagne.

Dès 888, le comte d'Urgell et de Cerdagne, Guifré le Velu, encourage le repeuplement des plaines et des côtes catalanes, longtemps désertées, et réorganise le système politique et juridique de la région. Bientôt, il fonde la dynastie des comtes de Barcelone et exerce une tutelle de fait sur les autres comtés, se détachant officieusement de toute dépendance à l'égard des Francs. La Catalogne devient à cette époque le foyer de l'art roman en Espagne. En Aragon, les monastères de San Pedro de Siresa et de San Juan de la Peña jouent un rôle important. En 985, Barcelone est pillée par Al-Mansûr. La rupture avec les Francs est consacrée en 988. Au début du IXᵉ siècle, profitant du recul des musulmans, se crée le comté d'Aragon. Coincé entre le récent royaume de Navarre et le comté de Catalogne, le comté s'étend vers le sud au XIᵉ siècle, jusqu'à la vallée de l'Èbre. À sa mort, en 1035, Sanche III le Grand, qui a réussi à unifier tout le nord de l'Espagne, partage entre ses deux fils les royaumes de Castille, d'Aragon et de Navarre : Ferdinand Iᵉʳ obtient le royaume de Castille et de León, Ramire I le royaume d'Aragon. Celui-ci progresse alors vers le sud : Huesca tombe en 1096, Barbastro en 1101, la principauté de Saragosse en 1118, Teruel en 1171. Le célèbre Rodrigo Díaz, plus connu sous le surnom d'"El

● **"NOUS PARTÎMES CINQ CENTS..."**
D'abord rangé aux côtés du roi de Castille, Rodrigo Díaz de Vivar (1043-1099), appelé le *Campeador* ("vainqueur de batailles"), sert ensuite le frère ennemi du roi, Alphonse VI, qui lui donne en mariage sa nièce Jimena (Chimène). Puis, accusé de trahison, banni de Castille, il s'illustre aux côtés de princes musulmans. En 1095, **le Cid** (de *sidi*, "seigneur", en arabe), s'empare du royaume maure de Valence – dont il restera le souverain jusqu'à sa mort – en faisant inonder la *huerta*. Symbole de la chevalerie castillane, le héros légendaire sera à l'origine de l'un des fleurons de la littérature espagnole du Moyen Âge, le *Cantar de mio Cid*.

Cid", s'empare de Valence en 1095 pour son propre compte. Tout au long des XIe et XIIe siècles, les royaumes chrétiens agissent de manière divisée. Plutôt que de conquérir les territoires musulmans proches – qu'ils seraient bien incapables de repeupler –, ils préfèrent leur faire payer des tributs annuels (*parias*), en échange de la paix. Les comtes de Barcelone tirent ainsi de grands profits de leurs voisins de Saragosse ou de Lleida. En 1137, le mariage du comte de Barcelone Raymond Bérenger IV avec l'héritière d'Aragon, Pétronille, fait entrer la Catalogne dans le royaume d'Aragon au sein duquel elle jouera un rôle moteur. Les rois d'Aragon, appartenant désormais à la lignée des comtes de Barcelone, s'installent durablement dans la capitale catalane. L'année 1212 est une date charnière : les rois de Castille (Alphonse VIII), d'Aragon (Pierre II) et de Navarre (Sanche le Fort) s'unissent enfin pour vaincre les Almohades à Las Navas de Tolosa.

... aux royaumes

Dès lors, les choses s'accélèrent. En 1236, Ferdinand III le Saint, roi de Castille-León (deux royaumes unis depuis 1230), prend Cordoue. Son fils, Alphonse X le Sage, reprend Cadix, Murcie et Carthagène en 1264. De son côté, le roi d'Aragon Jacques Ier se lance dans la reconquête des Baléares (1229-1235) et du royaume de Valence (1238). D'un côté, la Castille règne sur une grande majorité de la péninsule, de la Galice à Murcie. De l'autre, l'Aragon (et en premier lieu sa composante catalane) devient une grande puissance économique et politique en Méditerranée, en annexant la Sicile (1246), le duché d'Athènes (1311), la Corse, la Sardaigne (1326) et le royaume de Naples (1445). Chaque composante du royaume (Aragon, Valence, Catalogne) possède ses propres institutions et privilèges (*fueros*). À Barcelone, les Corts Catalanes se réunissent dès 1283. Composé de nobles, d'évêques et de marchands, ce parlement participe au gouvernement du royaume. La ville, débouché naturel de l'Aragon, profite également de l'ouverture sur le grand commerce méditerranéen. Valence se distingue par ailleurs par sa céramique et ses soieries. L'Aragon, lui, exporte céréales, huile, chevaux et laine. Entre 1250 et 1340, Barcelone est à son apogée. C'est alors que s'abat sur le pays une succession de mauvaises récoltes qui amènent la famine, et dans son sillage la grande épidémie de peste en 1348. La population de Catalogne est durement touchée. Barcelone voit au début du XVe siècle son économie décliner. Ce qui profite à Valence, qui devient la ville la plus peuplée d'Espagne, et un important pôle économique, artistique et culturel. La Castille, moins touchée par les épidémies et les famines, devient la puissance dominante. En 1412, la dynastie aragonaise est privée de descendant, et le compromis de Caspe place sur le trône le Castillan Ferdinand Ier, de la famille des Trastamare. Barcelone voit la cour d'Aragon s'exiler et l'équilibre du pouvoir basculer en sa défaveur.

L'empire des Habsbourg

Isabelle de Castille et Ferdinand II d'Aragon se marient en 1469. La Catalogne, unie de fait à cet immense royaume de Castille et d'Aragon, conserve cependant ses institutions et son système juridique et fiscal. Dès 1478, Isabelle et Ferdinand mettent en place l'Inquisition. En 1482, ils lancent une croisade contre

● **ROI CATHOLIQUE**
Bien qu'Aragonais, le roi Ferdinand eut peu d'égard pour la culture de son pays natal où l'Inquisition, menée sur ces terres au mépris de ses barons, provoquera l'assassinat du Grand Inquisiteur (1485) dans la cathédrale de Saragosse.

le royaume nasride : c'est la guerre de Grenade, la ville tombe en 1492. La même année, le couple accorde à Christophe Colomb son appui pour tenter de gagner les Indes par l'ouest. Le 12 octobre, Colomb accoste sans le savoir sur les rives d'un nouveau continent. En 1494, les époux reçoivent le titre de Rois Catholiques, que leur attribue le pape. Charles Ier, petit-fils de Ferdinand et héritier de Maximilien Ier, saint empereur germanique, hérite du trône en 1517. Son royaume est immense : Castille, Aragon, premières colonies d'Amérique, Navarre, Sardaigne, Sicile et Naples. Il met plusieurs années à faire accepter son autorité en Espagne. En 1520, il prend la tête du Saint Empire germanique sous le nom de Charles Quint. Durant son règne, il guerroie sans relâche, dilapidant l'argent des colonies. En 1555, il perd l'Allemagne, où s'est développée la Réforme luthérienne, et abdique, laissant le pouvoir à son fils Philippe II. La Contre-Réforme fait rage. La domination des Habsbourg espagnols sur l'Europe reste bien réelle, surtout après l'intégration du Portugal à l'Espagne en 1580. Mais, en 1588, la prétendue *Invincible Armada* espagnole échoue dans sa tentative d'envahir l'Angleterre. Le xviie siècle est marqué par une série de famines et d'épidémies. La couronne d'Espagne, engagée dans d'incessantes guerres, décline à partir de 1640, avec la révolte du Portugal et une succession de défaites contre les Français et les Hollandais. La Catalogne, sortie exsangue de la guerre de Trente Ans, se rebelle : c'est la guerre "des Faucheurs" (Guerra dels Segadors, 1640-1652). Elle se proclame même brièvement République indépendante sous protectorat français. En 1659, le traité des Pyrénées reconnaît la victoire de Louis XIV et signe la fin de l'hégémonie espagnole.

La guerre de Succession

La guerre de Succession d'Espagne (1702-1714) officialise la fin des Habsbourg sur le trône. Dans cette lutte pour le trône espagnol, Louis XIV soutient son petit-fils Philippe d'Anjou, tandis que l'Angleterre et les Provinces-Unies penchent pour Charles III de Habsbourg, lequel, reconnu roi par l'Aragon, la Catalogne et Valence, s'installe à Barcelone. La ville chute le 11 septembre 1714. Le traité d'Utrecht prive ensuite l'Espagne de toutes ses possessions du nord de l'Europe, et de Gibraltar. Il confie le pouvoir à Philippe d'Anjou qui, sous le nom de Philippe V, inaugure en Espagne la dynastie des Bourbons. Celui-ci abolit les institutions des régions qui lui avaient été défavorables, en particulier la Generalitat catalane. Il est ainsi le premier à régner sur une Espagne unifiée administrativement. La Catalogne reprend son essor. Les campagnes prospèrent de nouveau, la population croît rapidement et le commerce maritime explose.

Napoléon et la guerre d'Indépendance

À la fin du xviiie siècle, l'Espagne se trouve dans une situation critique. D'un côté, des structures dépassées : la noblesse est toujours propriétaire de la terre, le clergé et l'Inquisition sont omniprésents, l'agriculture reste archaïque et l'industrie très limitée. De l'autre, un profond désir de changement. En 1793, suite à la Révolution de 1789, la France déclare la guerre à l'Espagne, dont l'armée, incapable de réagir, recule. En 1795, la paix de Bâle fait de l'Espagne un allié de la France et donc une ennemie de l'Angleterre. En 1807, les Espagnols partent de nouveau en guerre contre le Portugal avec les Français. Mais Napoléon a d'autres projets : occuper l'Espagne. En juillet 1808, son frère Joseph Bonaparte est placé sur le trône. Face aux forces d'occupation napoléoniennes, des foyers de résistance s'organisent : la guerre d'Indépendance durera cinq ans. En 1808, les Français viennent difficilement à bout de Saragosse, Gérone, Barcelone puis Valence et Alicante. Le gouvernement des patriotes se retire à Séville puis Cadix. Là, le parlement des Cortes rédige en 1812 une constitution d'inspiration ouvertement libérale, visant à réformer la monarchie. En 1813, les troupes anglaises de Wellington font reculer les Français et Joseph Bonaparte se replie sur la France. Ferdinand VII, le fils de Charles IV, revient en Espagne en mars 1814 : c'est la première restauration des Bourbons. Il abolit la Constitution rédigée à Cadix, réprime les libéraux et rétablit l'Inquisition.

Les guerres carlistes et la Première République

Entre 1810 et 1825, les colonies obtiennent l'une après l'autre leur indépendance. En 1820, le lieutenant-colonel Rafael del Riego proclame la Constitution de Cadix et rallie à sa cause les libéraux de Barcelone, La Corogne, Saragosse ou encore Murcie. Le roi Ferdinand VII est contraint d'accepter la Constitution. Pendant la période du Triennat libéral (1820-1823), les conflits se succèdent : entre libéraux et partisans de l'Ancien Régime, mais aussi entre libéraux eux-mêmes, qui s'opposent sur la radicalisation du processus révolutionnaire. La fin de l'épopée constitutionnelle n'est pourtant pas imposée par les royalistes, mais par l'armée française, les "Cent Mille Fils" de Saint Louis commandés par le duc d'Angoulême. Une fois ses pouvoirs à nouveau en main, Ferdinand VII supprime la législation libérale et applique une forte répression. C'est la deuxième et dernière restauration des Bourbons. Jusqu'à sa mort, en 1833, le roi règne en tyran, puis désigne comme héritière sa fille, Isabelle. Période cruciale dans l'essor de la révolution libérale et la construction d'un nouvel État, le règne d'Isabelle II (1833-1868) est marqué par des désaccords entre libéraux modérés et progressistes, par l'influence croissante des militaires et les résistances de l'Église et, surtout, par des luttes intestines entre carlistes et libéraux. Les guerres carlistes – Première Guerre carliste (1833-1840), guerre des Matiners (1846-1849) et Deuxième Guerre carliste (1872-1876) – constituent la principale expression des querelles intra-hispaniques du XIXe siècle. D'un point de vue économique, la période *isabelina* est celle de l'implantation du capitalisme : abolition définitive des droits féodaux, suppression et vente des biens de l'Église (*desamortización*), construction du réseau ferroviaire… Courte période, quoiqu'intense, le Sexenio démocratique (1868-1874) est mis en place par un coup d'État, qui entraîne le déclenchement d'un processus révolutionnaire ("Glorieuse Révolution") et la chute d'Isabelle II. La régence, conduite par le général Francisco Serrano, fait place à la monarchie d'Amédée Ier de Savoie (1871-1873), et l'abdication du roi mène directement à la Première République, faible et menacée. En un peu moins d'un an, la République cumule des problèmes à la fois passés (Troisième Guerre carliste, 1872-1876 ; première guerre de Cuba, 1868-1878…) et nouveaux, tels que la pression des factions monarchistes ou le déclenchement des insurrections cantonalistes. En 1874, les coups d'État des généraux Pavía et Martínez Campos marquent la fin du Sexenio démocratique.

La Restauration et la crise de 1898

La monarchie est rétablie et Alphonse XII, fils aîné de l'ex-reine Isabelle II, est proclamé roi d'Espagne (1875-1885). Ainsi commence la Restauration, période de stabilité tout à fait exceptionnelle dans l'Espagne contemporaine, qui durera jusqu'au coup militaire du général Miguel Primo de Rivera en 1923. Le décès du roi, en 1885, ravive les hostilités entre les oppositions, rapidement désamorcées suite à l'affermissement de la régence de sa veuve Marie-Christine d'Autriche (1885-1902) au nom de leur fils, le futur Alphonse XIII. Si le moment coïncide avec une extension des libertés, il correspond aussi à l'éclatement de plusieurs crises fin-de-siècle, surnommées "crise de 98" : retombées de la guerre de Cuba (1895-1898), échec cuisant pour l'Espagne impliquant la fin de l'empire colonial espagnol ; problèmes économiques et conflits sociaux, avec la prolifération des idéaux socialistes et anarchistes (création de l'UGT, Union générale des travailleurs, en 1888). Barcelone est l'épicentre des principales actions violentes à visée anarchiste, et les politiciens de la Restauration deviennent les cibles privilégiées des jeunes intellectuels de la "Génération de 98".

La monarchie et la Deuxième République

La régence cède la place, comme prévu, au règne d'Alphonse XIII (1902-1931). Restée neutre lors de la Première Guerre mondiale, l'Espagne tire d'abord de grands profits de ses exportations. Cependant, en 1917, le blocus allemand crée une brusque récession. Dans une ambiance sociale surchauffée par les nouvelles de la Révolution russe, une grève générale éclate en août 1917. Le climat politique est désormais très tendu et le syndicalisme à son apogée. Miguel Primo de Rivera, en 1923, s'impose à la tête d'une dictature militaire avec la bénédiction d'Alphonse XIII. Il attaque durement les organisations ouvrières et le régionalisme catalan cf. Le nationalisme catalan en politique (p.21), et interdit la Mancomunitat de Catalunya. En avril 1931, la gauche républicaine remporte les élections municipales. Alphonse XIII abdique, la Deuxième République est proclamée. Les mesures du gouvernement se heurtent à une forte opposition. Les anarchistes de la CNT provoquent des grèves de plus en plus violentes, surtout à Barcelone. Dans le même temps, la gauche catalane proclame la république de Catalogne, autonome au sein d'une fédération espagnole. En 1932, la Generalitat voit de nouveau le jour. Les élections de novembre 1933 amènent au pouvoir une coalition de droite et d'extrême droite. Devant la politique ultra-conservatrice du gouvernement et l'abolition de la Generalitat catalane, les mouvements sociaux et régionalistes mettent le pays en ébullition. En coulisses, des complots militaires se trament.

La guerre civile et l'Espagne franquiste

En réaction se crée pour la première fois une large alliance des partis de gauche qui remporte les élections de janvier 1936 : le Front populaire. L'autonomie de la Catalogne est alors officiellement reconnue. Tout va désormais aller très vite. Un groupe de militaires, dont Franco, fomente un coup d'État depuis le Maroc, pour restaurer l'ordre et la monarchie. Bien vite, les deux camps s'organisent, républicains contre "nationalistes" insurgés, reprenant à peu près la carte des élections de 1936 : les grandes villes industrielles du Nord et de l'Est du côté des républicains, le Centre et le Sud plutôt favorables aux conservateurs. Cependant, les insurgés échouent complètement à Valence, en Catalogne et dans le Pays basque. Le coup d'État est contré et une terrible guerre civile qui durera trois ans divise les Espagnols. Franco est désigné généralissime et chef des insurgés. À Madrid, les syndicalistes et les communistes entrent dans le gouvernement républicain. Les milices ouvrières sont armées dès octobre 1936. Les insurgés obtiennent l'aide de Mussolini et de Hitler. La France et l'Angleterre, favorables aux républicains, ne font rien. Seule la Russie soviétique soutient le régime. À Barcelone, en mai 1937, de violents combats opposent les communistes du Psuc (Parti socialiste uni de Catalogne) à ceux du Poum (Parti ouvrier d'unité marxiste) et aux anarchistes. En 1938, l'Aragon est le théâtre de terribles batailles : les franquistes battent les républicains à Tortosa, puis à Teruel. Barcelone tombe début 1939, Madrid peu après. Des milliers de

PANORAMA

Le nationalisme catalan en politique

Au milieu du XIXe siècle, la Catalogne se hisse au rang des grandes puissances industrielles et Barcelone donne naissance à la classe ouvrière "espagnole", suscitant une *renaixença* du nationalisme catalan. Premier parti politique de masse en Catalogne, la Lliga Regionalista est créée en 1901 ; la formation, dirigée par Enric Prat de la Riba et Francesc Cambó, peut être caractérisée comme nationaliste, conservatrice, industrialiste et non dynastique. La Lliga parvient à réunir les bourgeois catalans, mécontents de l'inefficacité de l'État et des partis de la Restauration, et les intellectuels catalanistes. Les élections de 1901 ouvrent la voie, à Barcelone, à un système de partis spécifiquement catalan.

La Lliga Regionalista devient vite le parti hégémonique en Catalogne, menant un intense processus d'expansion sociale à l'échelle nationale, ceci dans tous les domaines. En 1909, un soulèvement des ouvriers barcelonais contre la guerre du Maroc est durement réprimé : c'est la "Semaine tragique". L'organisation anarchiste CNT (Confédération nationale du travail) est fondée en 1911, tandis que la Mancomunitat de Catalunya, embryon de parlement régional autonomiste, voit le jour trois ans plus tard. En 1931, la gauche catalane proclame l'autonomie de la Catalogne. En 1932, la Generalitat, "parlement" catalan né au XIVe siècle, revoit le jour ; il sera restauré en 1938, après avoir été aboli une nouvelle fois.

● **"¡ NO PASARÁN !"**
"Ils ne passeront pas !" Tel fut le mot d'ordre de la députée communiste Dolores Ibárruri, la célèbre Pasionaria, le 19 juillet 1936, au lendemain du coup d'État franquiste. Les républicains espagnols venaient de trouver leur cri de ralliement.

républicains s'exilent aussitôt, notamment vers la France. Franco règne désormais sans partage sur l'Espagne, avec la bénédiction de l'Église et des militaires. La répression est féroce. Déjà, au cœur de la guerre civile, il avait par anticipation aboli la Generalitat de Catalunya. Une fois au pouvoir, il interdit l'usage officiel du catalan. L'Espagne, restée à l'écart de la Seconde Guerre mondiale, est mise au ban de l'Onu de 1945 à 1955. La dépression économique et le sous-développement se font cruellement sentir dans certaines régions. Mais à partir de 1960, le pays connaît un développement économique sans précédent. En 1969, Franco, qui restera à la tête du pays jusqu'à sa mort, en 1975, désigne Juan Carlos Iᵉʳ de Bourbon, petit-fils d'Alphonse XIII, comme son successeur.

La période contemporaine

Ceux qui soupçonnaient Juan Carlos de vouloir reprendre la ligne dure de Franco allaient être surpris : il remettra le pays sur la voie d'une transition démocratique. Adolfo Suárez, nommé Premier ministre, rétablit en 1977 la liberté des partis politiques. Des élections ont lieu l'année suivante. Le parti centriste de Suárez (UCD) l'emporte devant les socialistes du Psoe. La même année est votée par référendum une nouvelle Constitution, définissant les cadres de la monarchie parlementaire comme la création de communautés autonomes. En 1979, la Generalitat de Catalunya est rétablie. Jordi Pujol en sera le président de 1980 à 2003. En février 1981, Juan Carlos déjoue avec sang-froid une tentative de coup d'État militaire. En 1982, le Psoe gagne les élections et Felipe González prend la tête du gouvernement. Comme l'Aragon, les deux régions du Levant, Valence et Murcie, acquièrent leur autonomie cette même année. En 1986, l'Espagne entre dans la CEE. En 1992, les jeux Olympiques de Barcelone, l'Exposition universelle de Séville (Expo' 92) et le 500ᵉ anniversaire de la découverte du Nouveau Monde par Christophe Colomb mettent l'Espagne en pleine lumière. En 1996, le Parti populaire de José María Aznar remporte les élections. Il entame une politique d'austérité pour réduire le déficit et le chômage. Réélu haut la main en 2000, il engage une politique sociale et économique libérale, durement critiquée par l'opposition. En 2002, l'Espagne passe à l'euro et exerce la présidence de l'Union européenne. En mars 2004, le pays, touché par le terrorisme islamiste (attentats de Madrid du 11 mars), décide de porter au pouvoir le socialiste José Luis Rodríguez Zapatero, reconduit en 2008 mais battu en 2011 par le Parti populaire, cf. Économie (p.24). Mariano Rajoy, du Parti populaire, prend alors la tête du gouvernement.

Politique

Une monarchie parlementaire

POUVOIRS EXÉCUTIF ET LÉGISLATIF L'Espagne est une monarchie consti-tutionnelle, où le roi, Juan Carlos Iᵉʳ de Bourbon, chef de l'État et commandant en chef des forces armées, désigne le chef du gouvernement (*Presidente del Gobierno*) et peut dissoudre le Parlement (*Cortes Generales*). Ce dernier est composé de deux chambres : la Chambre des députés (*Congreso de los Diputados*) et le Sénat (*Senado*). Leurs membres sont élus au suffrage universel tous les quatre ans.

LES PRINCIPAUX PARTIS POLITIQUES ESPAGNOLS Actuellement au pouvoir, le Parti populaire (PP) de Mariano Rajoy appartient à la droite libérale. Le Parti socialiste ouvrier espagnol (Psoe) de J. L. Zapatero, premier ministre de 2004 à 2011, est le premier parti de gauche, devant la Gauche unie (IU, Izquierda Unida), à majorité communiste.

DES REVENDICATIONS NATIONALISTES ? Sur la période 2003-2007, un nouveau statut d'autonomie a été approuvé pour la Catalogne, renforçant ses prérogatives déjà étendues dans des domaines comme l'énergie, l'équipement, l'eau, l'environnement, l'aménagement du territoire. Le parti catalan de centre droit d'Artur Mas, Convergence et union (CiU), au pouvoir depuis novembre 2010, a désormais pour principal opposant Parti indépendantiste ERC (Esquerra Republicana de Catalunya, gauche républicaine de Catalogne) allié au Parti socialiste catalan (PSC), dirigé par Pere Navarro, et auxquels s'ajoutent l'ICV (Initiative pour la Catalogne-Verts) et l'EUiA (gauche unie et alternative). Les élections anticipées de novembre 2012, qui visaient à octroyer la majorité au CiU et ainsi porter son projet politique d'indépendance, n'ont pas eu l'effet escompté : la coalition présidée par Artur Mas a, en effet, perdu 12 des 62 sièges obtenus en 2010 ; le Parti indépendantiste ERC en totalise désormais 21, et le PSC 20. En Aragon, le Parti populaire (PP) est depuis 2011 le premier parti de la région, qu'il dirige avec le Psoe et le Parti aragonais (Par). Enfin, le Parti populaire gouverne la communauté valencienne, avec la majorité absolue depuis 1999 ; il en va de même dans la région de Murcie, qui en est le bastion depuis 1989.

Les communautés autonomes

Si le partage du pouvoir entre l'État et les *comunidades autónomas* est envisagé dans la Constitution de 1978 et accepté en 1982, la mise en place législative de cette "autonomie" ne prend effet qu'en 1983. Aujourd'hui, le territoire espagnol est divisé en dix-sept communautés autonomes (avec les îles Baléares et les Canaries), possédant chacune sa propre assemblée et dirigée par un président élu tous les quatre ans. Cette assemblée est associée à un conseil exécutif dont les pouvoirs sont plus ou moins étendus selon les communautés. Les domaines de la défense, de la politique étrangère, de la justice et de la monnaie sont exclusivement réservés au gouvernement national ; les communautés jouissent d'une réelle autonomie dans les autres domaines. Ces dix-sept entités sont ensuite scindées en cinquante-deux provinces (divisions administratives nationales). Enfin, les municipalités (plus de 8 000), dirigées par un maire élu tous les quatre ans, possèdent également des prérogatives assez étendues.

CATALOGNE La Catalogne jouit d'un grand pouvoir décisionnel en matière d'industrie, de transports, d'aménagement du territoire, d'éducation, de culture, d'environnement et de santé. Elle doit ce privilège à son poids économique (c'est l'une des cinq régions les plus dynamiques d'Europe) et démographique (7,5 millions d'hab.), mais aussi à la longue histoire de la langue, de la culture et de l'autonomie politique catalanes, cf. Le nationalisme catalan en politique (p.21). La communauté autonome de Catalogne possède sa propre organisation politique, la Generalitat, qui siège à Barcelone. Celle-ci se compose d'un parlement élu de 135 sièges, d'un gouvernement (*Consell Executiu*), organe collégial composé de conseillers (*Consellers*), et d'une présidence. Le président, élu par le parlement et nommé par le roi, nomme les conseillers et dirige le gouvernement de la Généralité ; c'est aussi le représentant de l'État espagnol en Catalogne. Enfin, avec le Tribunal de Justicia de Catalunya, la communauté autonome dispose d'un organe judiciaire indépendant, et elle possède sa propre police (Mossos d'Esquadra). La région est découpée en quatre provinces (avec pour capitales Barcelone, Tarragone, Lleida et Gérone), divisées en 41 *comarques*.

ARAGON Même si les autorités aragonaises se plaisent à rappeler le passé glorieux du royaume d'Aragon, la région ne peut rivaliser en indépendance avec sa voisine catalane. Ses trois provinces sont : Saragosse, Teruel et Huesca.

VALENCE ET MURCIE La Communauté valencienne fait partie des communautés autonomes les plus influentes. Elle se compose de trois provinces : Valence, Castellón de la Plana et Alicante. La région de Murcie, formée d'une province unique, cherche à rattraper son retard – et commence à obtenir de bons résultats – par rapport au peloton de tête des régions.

Une Espagne européenne

Entrée dans la CEE en 1986 – après de longues négociations –, l'Espagne a su d'emblée profiter des aides, essentiellement régionales, proposées par l'Europe. L'Espagne a par ailleurs assumé à plusieurs reprises la présidence de l'Union européenne, à laquelle elle a fourni des hommes politiques de grand talent. Javier Solana, haut représentant de l'UE pour la politique étrangère, a chapeauté la diplomatie des Vingt-sept, tandis que Pedro Solbes, membre de la Commission européenne de 1999 à 2004 en tant que chargé des Affaires économiques et monétaires, a supervisé l'introduction de l'euro.

Économie

L'entrée de l'Espagne dans la CEE marque le début du redressement économique d'un pays longtemps peu développé. Après la crise du début des années 1990, le gouvernement Aznar opte pour une politique d'austérité. Jusqu'en 2007, l'économie espagnole se porte relativement bien : elle occupe le neuvième rang mondial. La baisse du chômage est d'ailleurs significative : les demandeurs d'emploi ne représentent plus qu'environ 8% de la population active en 2007, contre 21% en 1997. Mais L'Espagne est fortement secouée par l'explosion de la bulle immobilière – qui a porté son économie pendant 10 ans –, la chute de la construction et la crise financière internationale, cf. La construction (p.26). Le pays subit de plein fouet les turbulences que traverse la zone euro depuis 2007 et entre officiellement en récession une première fois en 2008, avec une croissance de 0,9% (contre 3,5% en 2008), puis à nouveau en 2010, après une brève amélioration due à ses exportations. Si, au printemps 2011, l'endettement de la Grèce retient l'attention des pays européens, les inquiétudes portent aussi sur l'Espagne (dont le déficit public atteignait déjà plus de 11% du PIB en 2009). Porté à la tête du gouvernement par la victoire du Parti socialiste (Psoe) en 2008, José Luis Zapatero se voit obligé d'instaurer un plan d'austérité. Le climat social se détériore, syndicats, jeunes (dont la moitié sont touchés par le chômage) et milieux conservateurs rejoignent le mouvement des Indignés, qui reproche au gouvernement sa gestion libérale de la crise. Celui-ci doit convoquer des élections législatives anticipées pour novembre 2011. Le Parti populaire (PP), fort d'une majorité absolue, met alors fin au règne socialiste. Mais "le panorama ne peut pas être plus sombre" annonce lors de son investiture le chef du gouvernement conservateur, Mariano Rajoy. En effet, en mars 2012, le chômage touche plus de 5 millions d'individus, soit un taux de 24,1% (et 52% des jeunes actifs), du jamais vu en Espagne depuis 1994, et un record parmi les pays industrialisés. Surveillée par le FMI et l'UE, qui lui demandent d'enrayer cette hausse par une réforme du marché du travail, l'Espagne doit aussi s'attaquer à une croissance en berne tout en ramenant le déficit budgétaire à 4,4% du PIB. À l'échelle régionale, la colère gronde également : si le riche Pays basque reste relativement épargné, les autres régions autonomes se voient acculées à des plans d'austérité, la Catalogne étant amenée à réduire de 10% son budget santé, Valence procédant à des coupes sombres dans l'éducation.

Des inégalités qui s'estompent

Les richesses ont longtemps été très inégalement réparties entre les différentes communautés autonomes mais ces disparités tendent à s'estomper Aujourd'hui, on vit globalement aussi bien dans un petit village des Pyrénées qu'à Barcelone. En 2008, le PIB des Espagnols, comparativement aux autres Européens et à pouvoir d'achat équivalent, se situait dans la moyenne, voire au-dessus dans le cas de la Catalogne et de l'Aragon. En effet, la **Catalogne** a longtemps figuré au premier rang économique, loin devant les autres communautés de cette partie de l'Espagne, mais ces dernières se sont développées, réduisant l'écart. L'arrivée du TGV à Saragosse au début du troisième millénaire et l'Exposition internationale de 2008 avaient largement redynamisé la ville ; l'**Aragon** possède une agriculture très productive dans les plaines irriguées de l'Èbre ; quant à la petite **communauté de Murcie**, son essor avait été soutenu à partir de l'an 2000 par le développement des secteurs du bâtiment et du tourisme. Enfin, la ville de **Valence** s'est affirmée comme une métropole culturelle.

POINT FAIBLE Le déséquilibre de la balance commerciale, avec un rythme de progression des exportations, même s'il se montre dynamique, inférieur à celui des importations, reste le point faible. Ce déséquilibre provient d'une perte importante de parts sur les marchés européens notamment, due à leur forte concentration géographique et leur faible valeur ajoutée. Avant la crise, le déficit commercial espagnol avait déjà atteint un record historique en 2007.

L'agriculture

L'ESPAGNE, "JARDIN DE L'EUROPE" Le secteur primaire emploie 4,2% des actifs et génère 3% du PIB. Parmi les produits les plus classiques figurent l'olive (1er rang mondial) et l'orange (3e rang mondial). Le vin est aussi un secteur très développé (3e rang mondial). Les vignobles aragonais et surtout catalans sont de plus en plus prospères. Mais les fruits et légumes sont les vraies vedettes de l'agriculture espagnole. La Communauté valencienne est l'une des régions agricoles les plus productives du monde. Les produits les plus lucratifs sont ceux de la *huerta* (domaines agricoles irrigués – *regadíos*) et des serres chaudes qui s'étendent le long des côtes méditerranéennes, de Valence à Málaga. Pastèques, melons, poivrons, asperges, tomates : tout y pousse. Les oranges, cultivées de Tarragone à l'Andalousie en passant par Valence et Murcie, font de l'Espagne le premier exportateur mondial. Plus inattendu : l'Espagne exporte du riz produit dans l'Albufera, près de Valence, dans le delta de l'Èbre, en Catalogne et en Andalousie.

LA PÊCHE EN CRISE La flotte de pêche espagnole est l'une des plus importantes du monde. Les principaux ports sont Vigo et La Corogne au nord-ouest, Cadix au sud. Mais avec la fermeture de la pêche dans les eaux marocaines et les mesures européennes, ce secteur vit une vraie mutation pour assurer la modernisation de sa flotte et la pérennité de ses zones d'activité.

L'industrie

LA CONSTRUCTION Avec le changement de siècle, la construction est devenue l'un des moteurs de l'économie espagnole. Ce secteur a connu une croissance spectaculaire à partir de 1999. Mais l'offre dépassait largement la demande et l'endettement des ménages pour l'achat de biens immobiliers avait atteint un niveau préoccupant en 2007, les prix de l'immobilier ayant pratiquement doublé en 8 ans dans certaines régions. Depuis le début de la crise financière, en 2008, et l'éclatement de la bulle immobilière, la construction a entamé un déclin tout aussi vertigineux : le nombre de logements mis en chantier, divisé par 11 depuis 2006, a chuté de plus de 14% entre 2010 et 2011.

LE TISSU INDUSTRIEL Le pays a une longue tradition d'industries lourdes, chantiers navals et sidérurgie en tête, mais les bassins industriels du Nord (Bilbao, Barcelone) ont vécu une énorme reconversion dans les années 1980. Autres secteurs majeurs : le textile et la chaussure (notamment dans la Communauté valencienne).

Les services et le tourisme

Les services occupent environ 66,5% de la population active et représentent plus de 70% du PIB. Le domaine le plus lucratif est évidemment le tourisme (10% du PIB) : l'Espagne est le deuxième pays touristique d'Europe (près de 60 millions de visiteurs chaque année). Enregistrant environ 26 millions de touristes par an, pour plus de la moitié venus de l'étranger, la Catalogne reste la première destination touristique de la péninsule ibérique ; Valence, avec, ces dernières années, une croissance record de 130% du nombre de nuitées, était devenue la troisième destination la plus visitée d'Espagne.

Population

Une répartition inégale

UNE FAIBLE DENSITÉ DÉMOGRAPHIQUE Avec plus de 47 millions d'habitants, l'Espagne possède l'une des populations les plus clairsemées d'Europe : 93,4 habitants au km². Certaines zones rurales ont presque été entièrement désertées telles l'Andalousie, la Castille-León et l'Aragon. À l'inverse, des régions prospères comme le Pays basque (303 hab./km²), la Catalogne (234) ou la Communauté valencienne (214) attirent encore une large population.

UNE CONCENTRATION URBAINE Environ 78% des Espagnols vivent en ville, dont plus de 20% à Madrid et à Barcelone. Dans le Sud, Valence et Séville s'imposent peu à peu face à ces deux métropoles. Avec ses 8,2 millions d'habitants, l'Andalousie est la communauté la plus peuplée, devant la Catalogne (7,5 millions – dont 1,6 million à Barcelone), Madrid (7,1 millions) et la Communauté valencienne (5,1 millions). L'Aragon ne compte que 1,3 million d'habitants, dont près de la moitié dans la seule ville de Saragosse ; la région de Murcie compte 1,4 million d'habitants.

Mutations sociales

UN VIEILLISSEMENT CROISSANT Au cours des trente-cinq dernières années, l'Espagne a subi de profondes transformations sociales. Les comportements et les caractéristiques de la population ont rejoint ceux des autres grands pays occidentaux. L'image d'une population espagnole jeune et en forte croissance ne correspond plus à la réalité. Certes, les Espagnols sont jeunes, mais le pays, en ce domaine, vit encore sur ses acquis. Depuis 1975, le taux de natalité a fortement régressé pour atteindre en 2008, 9,87‰. Si le taux de croissance amorce une récente hausse (taux de natalité de 10,4‰ en 2012), c'est surtout grâce à l'arrivée massive d'immigrés, à partir de l'an 2000, que la pyramide démographique a donné de signes de stabilisation. Mais outre l'abandon des plans de relance qui comme en 2008 prévoyaient le versement d'un chèque-bébé de 2 500 euros pour chaque nouveau-né, la crise, associée à une forte hausse du taux de chômage (plus de 20% en 2011, 26% en 2013) a également entraîné une aggravation de la situation démographique avec le départ de centaines de milliers de travailleurs migrants en quête de perspectives plus propices.

LA NOUVELLE FAMILLE ESPAGNOLE L'image de la famille espagnole typique en subit le contrecoup : la taille moyenne des familles diminue et la proportion de personnes vivant seules augmente. Le niveau d'éducation et l'indépendance économique des Espagnoles ont beaucoup progressé. La part des femmes dans la population active, qui n'était que de 20% dans les années 1960, atteint aujourd'hui près de 49,55%. Autre surprise, dans un pays traditionnellement catholique : le nombre de mariages a chuté ces dernières années. Sacrilège : on se marie moins en Espagne que dans tout autre pays d'Europe, Suède exceptée. Le concubinage est de mieux en mieux accepté. Le taux de divorce est au moins aussi élevé que dans le reste de l'Europe, et la proportion des enfants nés hors mariage augmente. La famille garde tout de même une grande importance dans la vie quotidienne, surtout dans le Sud. Les différentes générations sortent souvent ensemble. Le domicile reste le lieu de l'intimité familiale : les repas et fêtes entre amis à la maison sont rares, d'autant que les prix bon marché des restaurants incitent à se retrouver plus facilement à l'extérieur. L'évolution récente des mœurs espagnoles a donc produit un mélange contradictoire et attachant : on préserve les traditions (la gastronomie, les fêtes, la famille), tout en cherchant à être au goût du jour.

PANORAMA

Mouvements migratoires

L'Espagne a longtemps été une terre d'émigration, en raison de son retard économique et des conflits politiques du XXe siècle. En 1969, 3,4 millions d'Espagnols vivaient hors de leur pays, mais ce chiffre avait largement reculé avec le "miracle économique" des années 1986-2008. Au cours de cette période faste, la Costa del Sol et la Costa Blanca ont accueilli de nombreux Européens en quête de soleil, puis des travailleurs en provenance du Maroc, d'Amérique latine et d'Europe de l'Est. En 2010, ces immigrés représentaient 12,22% de la population totale espagnole, contre 2,3% en 2000. Mais depuis 2011, le solde migratoire est redevenu négatif. Pour fuir le chômage, les Espagnols – et surtout les 20-35 ans, dont plus de 50% se trouvant sans emploi – sont de plus en plus nombreux à partir tenter leur chance en Allemagne, en Grande-Bretagne ou dans les deux Amériques, tandis que de nombreux immigrés s'en retournent au pays.

Langues

CASTILLAN ET CATALAN Reconnu au XIIIe siècle comme langue officielle au détriment du latin, le castillan – l'"espagnol" – est parlé partout. La Catalogne possède, avec le catalan, la seconde langue officielle, utilisée aussi bien dans l'administration que dans l'enseignement. Si cette langue romane appartient à la même famille que le castillan et le provençal, certains linguistes reconnaissent sa parenté avec l'occitan. Le catalan fut la langue officielle de la Catalogne, de Valence et des Baléares, avant d'être peu à peu interdit après 1714, puis de nouveau dans les années 1930, lors de la guerre civile. Le catalan actuel, très proche de ce qu'il était au XIIIe siècle, comprend deux "dialectes" assez semblables : le catalan occidental (vallée de l'Èbre) et le catalan oriental (reste de la Catalogne, Baléares). Trace de l'ancienne hégémonie catalane, ils sont encore parlés dans certaines régions rurales d'Aragon, du Roussillon et même de Sardaigne.

VALENCIEN ET AUTRES DIALECTES Le valencien, seconde langue officielle de la Communauté valencienne, ressemble au catalan, avec quelques légères variantes. Même s'il s'est imposé comme langue administrative, il reste beaucoup moins parlé que le catalan en Catalogne, surtout dans les grandes villes. Les habitants des régions reculées des Pyrénées (val d'Aran, Catalogne) utilisent l'aranais, dérivé de la langue d'oc, proche du gascon. La *fabla* est aussi parlée dans les vallées d'Ansó et d'Hecho (Aragon).

Architecture

L'art ibère (néolithique-VIe s. av. J.-C.)

Sur la façade méditerranéenne, les Ibères ont laissé de nombreux vestiges de villages, comme celui d'Ullastret (Costa Brava). Non loin, le site d'Emporion (Empúries) est formé des ruines du premier comptoir grec de la péninsule.

L'architecture romaine (IIIe-Ier s. av. J.-C.)

L'architecture romaine en Espagne reprend les principes de celle des villes italiennes. La ville est fortifiée et ses deux axes principaux (*cardo* et *decumanus maximus*) se coupent au niveau du forum, espace public où sont regroupés les monuments civils et religieux. Pour aménager leurs routes (Via Augusta puis Via de la Plata, de Rome à Cadix), les Romains construisent également des ponts monumentaux. À voir : Sagunto (nord de Valence), Empúries, les ruines romaines et le Museu d'Història de la Ciutat de Barcelone, et surtout Tarragone, qui a conservé une grande partie de son patrimoine antique, sans oublier les belles mosaïques et sculptures présentées dans son musée archéologique. En Aragon, seule Saragosse présente des vestiges romains dignes d'intérêt.

L'art maure (VIIIe-XVe s.)

L'architecture hispano-andalouse reprend les préceptes de l'art maure, tout en adoptant des éléments originaux hérités des civilisations antérieures. Avec quelques innovations : alternance entre la pierre blanche et les briques rouges, chapiteaux sculptés en forme de copeaux, grand usage du stuc – enduit principalement composé de plâtre, que l'on moule pour composer des dessins variés – dans l'ornementation des murs. Décors d'atauriques (végétation stylisée), tracés géométriques et inscriptions calligraphiées ; si les motifs sont identiques dans l'ensemble du monde musulman, ceux d'Al-Andalus ont la réputation d'être plus raffinés. Apparaissent aussi les séries d'arcs entrecroisés (mixtilignes), les arcs polylobés, les décorations à base d'arcs entremêlés et colorés au-dessus des portes. La côte est de l'Espagne a gardé bien peu de témoignages de cette époque : en Aragon, le palais de l'Aljaferia de Saragosse (XIe siècle) ; en Catalogne, la forteresse de Tortosa.

Le mudéjar (XIIe-XVIe s.)

Ce style architectural est sans doute le seul qui soit propre à l'Espagne. C'est un art de synthèse, né de la coexistence de deux civilisations : le mot

PANORAMA

"mudéjar" vient de l'arabe *mudayyan* ("soumis") et désigne les musulmans demeurés en Espagne après la Reconquista. Pour bâtir églises et palais, les chrétiens font alors appel aux artisans mudéjars, capables de construire vite et bien avec des matériaux peu coûteux. Ainsi, à Tolède, un style original apparaît au XIe-XIIe siècle. La brique succède à la pierre, les arcs séparant les nefs sont en fer à cheval (au lieu de l'arc en plein cintre roman) ; les voûtes sont remplacées par des armatures en bois, les clochers adoptent les formes caractéristiques des minarets. Plus tard, lorsque le gothique s'impose, les artisans mudéjars mêlent les formes ogivales aux motifs décoratifs musulmans et à l'usage des briques. L'Aragon est l'un des hauts lieux du mudéjar : vous remarquerez les somptueuses peintures des plafonds à caissons (*artesonados*) ou des poutres dans la cathédrale de Teruel, ou la salle du trône de l'Aljafería de Saragosse. Tarazona et Teruel possèdent le patrimoine mudéjar le plus riche.

L'art roman (Xe-XIIIe s.)

Le style roman est intimement lié à l'histoire de la reconquête chrétienne. Du début du Xe siècle à la fin du XIIe siècle, sa progression du nord au sud suit celle des armées. Il est donc quasiment absent au sud de Tolède et dans le Levant, reconquis plus tard, tandis que s'imposait déjà le gothique. Le style roman se développe dès le Xe siècle dans les églises du Nord, notamment le long de l'itinéraire menant à Saint-Jacques-de-Compostelle. L'influence lombarde se fait alors sentir dans ces édifices sobres et austères, dont l'extérieur, déterminé par des bandes dites précisément "lombardes" (séries d'arcatures aveugles hautes et étroites), est dominé par des clochers anguleux tout en hauteur. Autres apports du roman : les absides s'ouvrent sur la nef et les cryptes souterraines, accueillant des reliques, deviennent de véritables ouvrages d'art. Les églises d'importance adoptent pour la première fois un transept surmonté d'une coupole. Les montagnes de Catalogne et d'Aragon, très tôt reconquises par les chrétiens, comptent beaucoup d'édifices de ce type. Les premiers éléments du monastère de Ripoll (portail), le cloître de l'église de Sant Pau del Camp à Barcelone (El Raval) et surtout les églises du val de Boí en sont les meilleurs exemples catalans. Il faut aussi citer, en Aragon, le majestueux Castillo de Loarre, la plus importante forteresse romane d'Espagne. Au nord de la Costa Brava, l'abbatiale du monastère de Sant Pere de Rodes se distingue quant à elle par ses colonnes et chapiteaux sculptés ; un art de la sculpture qui se développe vers la moitié du XIIe siècle, avec la seconde époque du roman. Le cloître de la cathédrale de La Seu d'Urgell et celui de Sant Pere de Galligants à Gérone valent le détour, ainsi que le monastère de Sant Joan de les Abadesses, célèbre pour sa Descente de Croix sculptée. L'Aragon suit bientôt le mouvement : l'ornementation des cloîtres de San Pedro el Viejo à Huesca et de San Juan de la Peña, avec leurs personnages difformes et expressifs, a fait leur renommée. Mais le roman s'épanouit également à travers des fresques murales et des panneaux peints

● **BERCEAU DE L'ART ROMAN**
Symbole de la reconquête du Nord de l'Espagne par les chrétiens, l'art roman émerge et s'épanouit en **Catalogne** dont le patrimoine roman est l'un des plus remarquables d'Europe.

ornant les autels. Les plus beaux exemples de ces peintures richement colorées et inspirées de l'art byzantin (formes géométriques, gammes de couleurs), réalisées pour la plupart dans le val de Boí, sont désormais conservés au Mnac de Barcelone et dans les musées de Vic et de Gérone. En Aragon, peu de peintures romanes ont survécu, même si quelques-unes sont exposées dans le musée de la cathédrale de Jaca et dans le Mnac. Au XIIIᵉ siècle, les régions de Tarragone et de Lleida, récemment reconquises, voient se construire des monastères cisterciens, véritable transition entre roman et gothique, avec l'apparition de la voûte d'ogive remplaçant la voûte en berceau. Les monastères cisterciens (Poblet, Santes Creus et Vallbona de les Monges) sont ainsi de vrais chefs-d'œuvre.

Le gothique (XIIIᵉ-XIVᵉ s.)

L'arrivée – tardive – du gothique en Espagne coïncide avec les prémices de l'entrée de la lumière dans les églises (baies, rosaces). Il présente cependant des caractéristiques propres, telles que la présence d'un chœur fermé doté de stalles sculptées au centre de la nef. On notera également l'importance accordée aux retables. Ils occupent généralement le maître-autel, ainsi que les chapelles latérales. Très vite, des styles régionaux se développent. Le gothique apparaît en Catalogne dans la seconde moitié du XIIIᵉ siècle, sous le règne de Jacques Iᵉʳ. Il s'impose dans les grandes villes marchandes, tandis que l'arrière-pays reste encore attaché au roman. Barcelone possède ainsi un extraordinaire patrimoine gothique, qui se distingue par la sobriété de l'ornementation et la largeur peu commune des édifices religieux. La nef, en général unique, est souvent dépourvue de transept. Si, à Barcelone, il ne faut pas manquer les églises de Santa Maria del Mar et de Santa Maria del Pi, ainsi que le monastère de Pedralbes, les cathédrales de Gérone et de Tarragone méritent également le détour. La bourgeoisie prospère des grandes villes, enrichie par le commerce méditerranéen, participe également à l'apparition en Catalogne de splendides édifices gothiques civils. À Barcelone, on visitera la salle de réception du Saló del Tinell dans le Palau Reial Major, les hôtels particuliers de la rue de Montcada, l'Antic Hospital de la Santa Creu et l'arsenal des Drassanes sur le port. L'Aragon, uni à la Catalogne depuis le XIIᵉ siècle, adopte le gothique sous sa forme catalane, comme on peut le voir à Saragosse, avec le plan des églises de San Pablo et de la Magdalena (nef unique) ainsi que dans sa cathédrale (trois nefs de hauteur semblable). Particularité de la région aragonaise, bastion du mudéjar, l'utilisation des briques et des techniques décoratives d'inspiration musulmane, notamment dans les clochers gothiques de Teruel. Après sa reconquête par la couronne d'Aragon (comprenant alors la Catalogne) à la fin du XIIIᵉ siècle, la région de Valence adopte également le gothique catalan. La Lonja (Bourse des marchands) de Valence est un chef-d'œuvre absolu du genre, sans oublier tout naturellement sa majestueuse cathédrale.

● **QUARTIER GOTHIQUE**
Ce n'est pas sans raison que le cœur historique de **Barcelone** se nomme "Barri Gòtic" : la plupart de ses palais et autres constructions majeures ont été édifiés entre le XIIIᵉ et le XVᵉ siècle, période faste de la ville.

La Renaissance (xve-xvie s.)

Dès la fin du xve siècle, les nouvelles richesses venues d'Amérique et l'ouverture de l'Espagne au reste de l'Europe créent les conditions idéales pour un grand renouveau architectural. Les liens de plus en plus étroits tissés entre l'Espagne et l'Italie vont ainsi permettre d'introduire la Renaissance dans les arts du pays. Si l'architecture plateresque, désignant la première Renaissance (de *platería*, "argent repoussé"), commence par imposer des façades ciselées bien peu orthodoxes, la deuxième architecture Renaissance va s'imposer avec plus d'austérité et de rigueur tout au long du xvie siècle. L'architecte Juan de Herrera donnera son nom à cet art très proche des canons romains : le style herrerien. Mais le royaume d'Aragon, comprenant alors la Catalogne et la région de Valence, subit le déplacement du pouvoir et des richesses vers la Castille et l'Andalousie. Ainsi, les régions de l'Est sont donc restées très pauvres en architecture Renaissance. Parmi les rares œuvres catalanes dignes d'intérêt, on retiendra la façade du palais de la Generalitat et le *trascoro* ("arrière-chœur") de la cathédrale de Barcelone dans le Barri Gòtic, divers éléments des cathédrales de Tarragone, Gérone et Tortosa, du monastère de Poblet ainsi que des châteaux de Roses et Peratallada ; en Aragon, on remarquera plusieurs chapelles de la cathédrale de Saragosse et quelques-uns des édifices civils de la ville.

Le baroque (XVIIᵉ-XVIIIᵉ s.)

Le baroque est l'art de la Contre-Réforme. Destiné à soutenir la foi au moyen de nombreuses représentations de saints, il se caractérise par la richesse de sa statuaire et de ses ornementations. Les façades et l'intérieur des églises des siècles antérieurs sont remaniés dans ce sens. Les murs se couvrent de volutes tourmentées et de stucs colorés aux formes complexes ; les retables adoptent des proportions gigantesques et se parent de décors exubérants ; les colonnes prennent la forme dite "salomonique" (torsadée). En témoignent les cathédrales de Gérone et Tortosa ; à Barcelone, les églises de la Mercè et de Sant Felip Neri ; à Saragosse, l'élégant sanctuaire de Nuestra Señora del Pilar et certaines chapelles de la cathédrale ; à Murcie, la monumentale façade baroque de la cathédrale ; à Valence, la façade délirante du palais du Marquis de Dos Aguas. Au début du XVIIIᵉ siècle, la famille d'architectes des Churriguera donne son nom à un style qui pousse jusqu'à l'extrême les lois du baroque : le churrigueresque.

Le modernisme (XIXᵉ-XXᵉ s.)

À la fin du XIXᵉ siècle, c'est Barcelone, dynamisée par son industrialisation réussie et sa croissance urbaine, qui va apporter à l'architecture espagnole ses nouvelles lettres de noblesse. Dans la lancée de l'Art nouveau français et du *modern style* anglo-américain, la ville est le berceau du mouvement moderniste. Formes fantaisistes (motifs floraux), préférant la courbe aux angles droits et tirant parti des possibilités offertes par les nouveaux matériaux industriels (béton, verre, métaux) et les techniques contemporaines, intégration des arts décoratifs et appliqués (céramiques colorées, fer forgé, vitraux, mobilier) au travail même de l'architecte, telles sont les principales caractéristiques du mouvement. Son chef de file est le Barcelonais Antoni Gaudí i Cornet, auteur à Barcelone de la Sagrada Família, de la Casa Batlló, de la Pedrera et du Parc Güell. Ses œuvres témoignent d'une maîtrise exceptionnelle des matériaux et des structures, mise au service de formes audacieuses, quasi organiques, et d'un symbolisme envoûtant. Les deux autres chefs de file du modernisme sont Lluís Domènech i Montaner (Palau de la Música Catalana, Casa Lleó Morera, Hospital de la Santa Creu i de Sant Pau) et Josep Puig i Cadafalch (Casa Amatller). La grande bourgeoisie industrielle barcelonaise joua un rôle essentiel de mécénat, en finançant la construction d'édifices religieux et publics, mais aussi de résidences particulières. Si Barcelone regroupe plus de la moitié des édifices modernistes catalans, ce courant fut également vivace dans la région de Valence (marché municipal et gare ferroviaire, avec leurs immenses structures métalliques). Dans la région de Murcie, le centre-ville de Carthagène rassemble quelques belles demeures modernistes.

L'époque contemporaine (depuis le XXᵉ s.)

En réaction aux innovations débridées du modernisme, le mouvement du noucentisme, ou "nouveau siècle" (de *nou*, ou "nouveau" en catalan), créé en 1906, tente sans grand succès un retour aux sources classiques en exaltant la culture catalane. Plus récemment, l'architecte valencien Santiago

Calatrava a imposé ses monuments aux lignes audacieuses : la Cité des arts et des sciences de Valence, la tour de télécommunications de Montjuïc à Barcelone. Le Barcelonais Ricardo Bofill a conçu les plans du nouvel aéroport de la capitale catalane et de son Teatro Nacional. Pour dynamiser l'intense développement urbain qu'elle a connu ces dernières années, la métropole régionale a également fait appel au talent de grands architectes internationaux, tels que Richard Meier (Macba), Norman Foster (Torre de Collserola, Camp Nou), Isozaki (Palais des sports de Sant Jordi), Jean Nouvel (Torre Agbar), etc. À Valence, depuis la Coupe de l'America de 2007, l'emblématique bâtiment Veles e vents ("voiles et vents"), conçu par David Chipperfield, fait face à la mer.

Peinture et sculpture

L'art sacré (Xᵉ-XVᵉ s.)

L'Église est le lieu d'épanouissement des premiers grands peintres et sculpteurs espagnols qui s'illustrent à travers l'art roman et l'art gothique (fresques murales, statues, peintures sur bois, etc). Une véritable école gothique se crée ainsi à Barcelone au XIVᵉ siècle, soutenue par les riches marchands et artisans de la région. Ferrer Bassa dessine par exemple les fresques de la chapelle de Sant Miquel au monastère de Pedralbes ; les frères Serra, remarquables créateurs de retables gothiques, s'inspirent des modèles toscans. À la fin du XIVᵉ siècle, le grand peintre cordouan Bartolomé Bermejo installe son atelier dans la capitale catalane. Le début du XVᵉ siècle est dominé par le talent de Lluís Borrassá, puis de Bernat Martorell, avant que n'apparaisse le maître du gothique catalan, influencé par la peinture naturaliste flamande : Jaume Huguet. Tous ces artistes exportent leur talent en Aragon. Chez les sculpteurs, on retiendra le nom de Pere Johan, qui créa notamment le retable du maître-autel de la cathédrale Tarragone. Dans le Levant, l'école des peintres primitifs valenciens est l'une des plus brillantes du XVᵉ siècle. Ses figures de proue, Jacomart et son élève Joan Reixach, sont marquées par des influences italiennes et flamandes. On pourra admirer nombre de leurs œuvres dans les églises et musées de la Communauté valencienne (Valence et Játiva).

L'âge d'or (XVᵉ-XVIIIᵉ s.)

Si l'art est encore considéré comme un moyen d'expression au service de la foi, les siècles suivants voient s'exercer l'influence des grands artistes italiens sur leurs homologues espagnols. L'esthétique de la Renaissance pénètre en effet par Valence au début du XVᵉ siècle, par l'intermédiaire de peintres-voyageurs qui s'inspirent de Léonard de Vinci – Fernando Yáñez et Fernando de los Llanos – ou de Raphaël – Vicent Macip. La Catalogne et l'Aragon, dépourvus d'artistes de renom, font venir au début du XVIᵉ siècle des sculpteurs d'autres régions, tels le Castillan Bartolomé Ordóñez (*trascoro* de la cathédrale de Barcelone), le plus grand sculpteur espagnol de l'époque, le Valencien Damián Forment (retables du maître-autel du monastère de Poblet, de la basilique del Pilar à Saragosse et surtout de la cathédrale de Huesca) ou encore le Français Gabriel Joly (plusieurs retables dans les cathédrales de Saragosse, Jaca et Teruel). Le XVIIᵉ siècle est l'âge d'or de la peinture espagnole. Le baroque, fer de lance de la Contre-Réforme, est alors particulièrement brillant en Andalousie, qui bénéficie des richesses importées des colonies américaines. À Valence se distingue la grande figure de Francisco Ribalta, représentant du ténébrisme, style créé par le Caravage en Italie et caractérisé par un réalisme cru aux violents contrastes. José de Ribera, l'un des plus grands peintres du Siècle d'or, passe l'essentiel de sa carrière en Italie. Mais la figure majeure du XVIIᵉ siècle reste Diego Vélasquez, peintre officiel de Philippe IV. La composition subtile des *Ménines*, par exemple, a eu une grande influence sur l'histoire de la peinture. Sans oublier, bien sûr, le Greco, né en Crète mais qui s'installe à Tolède après quelques années passées en Italie. Son œuvre reste l'une des plus originales de l'époque baroque, avec un art des formes et des couleurs plus tourné vers l'émotion que soucieux de réalisme. La sculpture baroque se distingue essentiellement par les *pasos* – statues de saints promenées en procession dans les rues lors de la Semaine sainte –, où dominent l'expressivité et le sens du pathétique. Au XVIIIᵉ siècle, le sculpteur murcien Francisco Salzillo est l'un des maîtres du genre.

PANORAMA

Le siècle de Goya (XIXᵉ s.)

Bien moins riche que les précédents, ce siècle voit cependant éclore le talent de celui qui occupe, avec Vélasquez et le Greco, le panthéon de la peinture espagnole et mondiale : Francisco de Goya y Lucientes. Né à Fuendetodos, près de Saragosse, en 1746, il débute sa carrière en travaillant aux fresques de la basilique Del Pilar. Plus tard, il réalise de superbes portraits et tableaux de cour (aristocrates peints avec un réalisme assez cru), mais aussi des toiles et des gravures plus personnelles qui s'attachent à montrer la folie de son temps et ses propres démons. Son célèbre tableau *El Dos de Mayo*, conservé au musée du Prado à Madrid et représentant les exécutions sommaires de civils le 2 mai 1808 par les troupes bonapartistes, souligne la violence de la guerre d'Indépendance. Les successeurs de Goya, bridés par l'académisme ambiant, seront pour la plupart des émules sans grande originalité du néoclassicisme, puis du romantisme et enfin de l'impressionnisme naissant. Plus intéressante, l'apparition à la fin du siècle d'un style réaliste centré sur les coutumes et l'âme des régions espagnoles : le *costumbrismo*. En Catalogne, la Renaixença, mouvement culturel revendiquant l'héritage culturel catalan influencé par l'école française de Barbizon, culmine dans l'école paysagiste d'Olot, dont les chefs de file sont Joaquim Vayreda et Josep Berga. À Barcelone, le mouvement moderniste (fin XIXᵉ-début XXᵉ siècle) mêle étroitement arts décoratifs et architecture. Chez les peintres, influencés par l'impressionnisme et le symbolisme, on retiendra Joaquim Mir, Joan Brull et Santiago Rusiñol. Parmi les sculpteurs se dégagent les figures de Miquel Blay et Josep Llimona, imprégnés des œuvres d'Auguste Rodin. En réaction au modernisme apparaît le mouvement noucentiste, cf. L'époque contemporaine (depuis le XXᵉ s.) (p.33), partisan d'un classicisme méditerranéen. Le peintre Joaquim Torres-Garcia et le sculpteur Josep Clarà en seront les meilleurs représentants, à une époque où triomphent également les sculpteurs catalans Pablo Gargallo et Manolo Hugué.

L'art moderne et contemporain (depuis le XXᵉ s.)

Dans le premier tiers du XXᵉ siècle, Valence voit apparaître deux grands créateurs : Joaquín Sorolla, postimpressionniste dont les tableaux sont un vibrant hommage à la lumière du Levant espagnol, et Mariano Benlliure, dont les sculptures en bronze les plus connues représentent des scènes taurines. Mais avec Picasso, Miró, Dalí ou Tàpies, la peinture contemporaine espagnole semble avoir pour épicentre Barcelone et la Catalogne. Né en 1881 à Málaga, Pablo Ruiz Picasso part tôt pour Barcelone, où se tiendra sa première exposition et où il côtoiera le peintre Isidre Nonell, qui influencera sa période bleue. Ses *Demoiselles d'Avignon* sont inspirées par les maisons closes du Barri Gòtic. Il serait vain de résumer ici une œuvre multiple et mouvante, dont le génie marquera le siècle, du cubisme à l'art contemporain. Le musée Picasso de Barcelone se concentre tout particulièrement sur ses œuvres de jeunesse. L'autre grande figure du cubisme espagnol est le Madrilène Juan Gris, qui comme Picasso s'installe vite à Paris. Par ailleurs, le Catalan Joan Miró intrigue par des compositions colorées aux mystérieux symboles. Dans les années 1930, celui-ci se détache du surréalisme pour se consacrer surtout à la sculpture et au collage. À voir à Barcelone : la fondation Miró et le Parc Miró. La palme du surréaliste le plus fantasque revient sans conteste à Salvador Dalí, qui étudie l'art à Madrid avant de voyager en France et aux États-Unis. La région du haut Empordà, entre Figueres et Cadaqués, joua un rôle important dans sa vie et son œuvre "cosmique". La guerre civile et les débuts du franquisme entraîneront l'exil d'une grande partie des artistes espagnols, comme le peintre catalan Antoni Clavé. Après la Seconde Guerre mondiale apparaissent des créateurs novateurs, tel le Catalan Antoni Tàpies, maître de la peinture abstraite. Dans les années 1960, des collectifs d'artistes se forment à Valence (Equipo Crónica), Madrid (El Paso), Cuenca (Equipo 57) et Barcelone (Ultima Promoció, Grup de Treball). Le peintre et sculpteur Miquel Barceló occupe le devant de la scène depuis les années 1980. Le Basque Eduardo Chillida (1924-2002) se distingue par ses sculptures monumentales aux formes abstraites, réalisées surtout en métal. L'une d'elles, Elogi de l'Aigua, est suspendue au-dessus de l'étang du parc de la Creueta del Coll, en banlieue de Barcelone ; une autre orne la Plaça del Rei, au cœur de la ville. À voir : les collections d'art moderne et contemporain des musées de Valence, le petit musée de l'Asegurada à Alicante, le MACBA, le MNAC, le MEAM, les fondations Tàpies et Miró à Barcelone, les maisons-musées Dalí de Figueres, Portlligat et Púbol.

● **ÉTAPES ARTY À BARCELONE**
Musée Picasso, fondation Miró et Parc Miró, fondation Tàpies, MACBA, MNAC... : Barcelone est un écrin d'art moderne et contemporain.

● **ARTS IDENTITAIRES**
Vous trouverez de bons exemples du mouvement *costumbrismo* au musée des Beaux-Arts de Valence. Quant à la Renaixença catalane, elle est à l'honneur dans les musées d'Olot, Montserrat et Sitges. Enfin, vous aurez une bonne introduction aux mouvements moderniste et noucentiste au musée d'Art de Catalogne (MNAC) de Barcelone.

Littérature

Les précurseurs (Iᵉʳ-XVᵉ s.)

Les premières grandes œuvres espagnoles sont en fait latines. Originaires de Cordoue, Sénèque et son neveu Lucain (Iᵉʳ siècle ap. J.-C.) eurent un grand rayonnement dans l'Empire romain. Au XIᵉ siècle, la poésie arabe hispano-andalouse atteint son apogée avec les poètes Ibn Zaydin, Ibn Khafaja et Al-Mu'tahib. Au début de la Reconquête naissent également les premières grandes œuvres en castillan, qui deviendra la langue officielle à la place du latin sous le règne d'Alphonse X (XIIIᵉ siècle). Au XIIᵉ siècle, *El Cantar del Mío Cid*, qui conte les hauts faits du célèbre Cid dans la région de Valence, inaugure en Espagne le genre du poème épique. Si les premiers écrits catalans datent du XIIᵉ siècle, c'est à la fin du siècle suivant que s'illustre Ramon Llull, premier grand poète de langue catalane (*El Llibre d'Amic i Amat*). Autre œuvre importante, *El Llibre dels Feyts*, chroniques du royaume d'Aragon rédigées par le roi Jacques Iᵉʳ. Au XIVᵉ siècle, l'archiprêtre Juan Ruiz fait preuve d'un sens aiguisé de l'observation des hommes dans le *Libro del Buen Amor*. Au XVᵉ siècle apparaissent les romances, chansons populaires et poétiques à la gloire des chevaliers espagnols. Jorge Manrique, gentilhomme andalou, écrit ses *Coplas*, poèmes émouvants sur la mort de son père. Une époque également marquée par le talent des écrivains valenciens (de langue catalane) : Ausiàs March et Jordi de Sant Jordi appartiennent au mouvement humaniste de la Renaissance, tandis que Jaume Roig et Joanot Martorell préfigurent respectivement le roman picaresque et le *Don Quichotte* de Cervantès.

Le Siècle d'or (XVIᵉ-XVIIᵉ s.)

La poésie mystique connaît son heure de gloire avec saint Jean de la Croix et sainte Thérèse d'Avila. Pour le théâtre, les grands noms de cette période sont Lope de Vega et Tirso de Molina, créateur du personnage de Don Juan, sans oublier Calderón de la Barca, auteur de *La vie est un songe*. Le Cordouan Luis de Góngora se distingue par le lyrisme et le raffinement de sa poésie, le jésuite Baltasar Gracián par sa prose empreinte de philosophie et de morale, Francisco de Quevedo, enfin, par ses poèmes baroques. La littérature romanesque est marquée par l'apparition du genre picaresque, avec l'œuvre d'un anonyme, *La Vie de Lazarillo de Tormes*. Le genre, mettant en scène de jeunes hommes débrouillards et sans trop de scrupules cherchant à réussir dans un monde cruel, eut beaucoup de succès. Et puis il reste Cervantès. Son *Don Quichotte* (en deux parties, 1605 et 1615), chef-d'œuvre universel, tourne en dérision les romans de chevalerie qui proliférèrent après 1508, date de la publication de l'*Amadis de Gaule*. C'est pour avoir trop lu ces romans que l'antihéros Don Quichotte sombre dans la folie et part à l'aventure sur sa Rossinante, accompagné de son fidèle Sancho Pança, et pour les beaux yeux de sa Dulcinée.

Les nouvelles générations (depuis le XVIIIᵉ s.)

Le XVIIIᵉ siècle est marqué par l'avènement des Lumières, relayées en Espagne par de nombreux essais critiques. On nomme *afrancesados* ces auteurs qui

PANORAMA

reprennent les idées des grands écrivains français de l'époque. Le Valencien Vicente Blasco Ibáñez (1867-1928) s'inspire par exemple des préceptes naturalistes de Zola. À Barcelone, la Renaixença produit des auteurs engagés dans la glorification de la culture catalane : Carles Aribau publie *Oda a la Pàtria* en 1833, tandis que les poètes Jacint Verdaguer et Joan Maragall, ainsi que le dramaturge Ángel Guimerà, signent, à la fin du XIXᵉ et au début du XXᵉ siècle, le renouveau de la langue catalane. Née en 1898, la "Génération de 98" va ensuite dominer la scène littéraire pendant trente ans, s'attachant à redéfinir l'identité de l'Espagne en étudiant son histoire et sa culture. Ses rangs comptent le Valencien Azorín qui s'illustre dans *Don Juan* (1922) ou *Superrealismo* (1929). La talentueuse "Génération de 27" (1927) se réclame, elle, du poète et ecclésiastique Luis de Góngora y Argote (mort en 1627), au style affecté et riche en métaphores. Ainsi, Miguel Hernández chante dans ses poèmes les sentiments humains tels l'amour, l'amitié ou la révolte (*Perito en Lunas*, 1932 ; *El Rayo que no cesa*, 1936). Après la victoire de Franco en 1939, l'exil de nombreux auteurs et la censure jugulent la création littéraire. Au début des années 1970, le Barcelonais Manuel Vázquez Montalbán (1939-2003) crée un inénarrable personnage de détective, Pepe Carvalho. Eduardo Mendoza, autre Barcelonais, se distingue également par ses romans policiers un peu décalés. N'oublions pas Mercè Rodoreda (1908-1983), principal auteur du XXᵉ siècle à écrire en catalan (*La Place du Diamant*, 1957). Puis citons le Carthaginois Arturo Pérez-Reverte (né en 1951), au succès plus récent, ou le Barcelonais Quim Monzó (né en 1952), qui ravit ses lecteurs avec des histoires d'amour en faux-semblants et à l'humour absurde (*L'Île de Maians*, 1994 ; *Le Pourquoi des choses*, 1995 ; *Le Meilleur des mondes*, 2003 ; *Mil Cretins* en 2008 en catalan ; *Esplendor i glòria de la Internacional Papanates* en 2010). Enfin, Carlos Ruiz Zafon, né en 1964 à Barcelone où se déroule son best-seller, *L'Ombre du vent*, paru en France en 2004 ; son livre, *Le Jeu de l'ange*, paru en France en 2009, a été tiré à un million d'exemplaires en Espagne en 2008. Il a, depuis, publié la *Trilogie de la Brume* (2010-1012). Dans son roman *Le Prisonnier du ciel*, paru en 2012, on retrouve les personnages de *L'Ombre du vent*.

Cinéma

Le premier grand nom du cinéma espagnol est Luis Buñuel (1900-1983), qui commence sa carrière à Paris. Ses films *Un chien andalou* (1928), réalisé en collaboration avec Dalí, et *L'Âge d'or* (1930) sont deux sommets du cinéma surréaliste. En 1932, le cinéaste s'attaque au sujet dramatique de la pauvreté touchant les régions isolées d'Espagne dans *Terre sans pain*. Pendant la guerre civile, il réalise un documentaire prorépublicain, *Madrid 36*, avant de s'exiler. Il réapparaîtra quelques décennies plus tard, avec des films moins osés, comme *Le Journal d'une femme de chambre* (1963), *Belle de jour* (1966) ou encore *Cet obscur objet du désir* (1977). Dans les années 1960, la Nouvelle Vague espagnole défie la censure franquiste. Carlos Saura, originaire de Huesca, dénonce le système dans *Ana et les loups* (1972). À la même période, l'école de Barcelone produit des films en rupture avec le conservatisme. Si les années 1980 voient éclore le talent du réalisateur madrilène Pedro Almodóvar, elles montrent aussi les performances du Barcelonais Bigas Luna (1946-

2013), qui a révélé les acteurs Penélope Cruz et Javier Bardem. Ainsi, si vous voulez pénétrer dans l'univers du macho espagnol, ne manquez pas de voir *Jamón, Jamón* (1992) ou *Macho* (1995). Cependant, d'autres réalisateurs tiennent aujourd'hui une place importante dans le paysage audiovisuel espagnol : Alejandro Amenábar, qui s'affirme comme une valeur sûre du cinéma ibérique (*Tesis*, 1996 ; *Ouvre les yeux*, 1997 ; *Les Autres*, 2001 ; *Mar adentro*, Oscar 2005 du meilleur film étranger), Fernando Trueba, qui obtient en 1993 l'Oscar du meilleur film étranger pour sa *Belle Époque*, et Julio Medem, qui se fait connaître sur la scène internationale avec *Les Amants du cercle polaire*, 1998 puis *Lucie et le sexe*, 2001. Par ailleurs, depuis 1981, la Generalitat de Catalunya subventionne des films en catalan, favorisant, mais sans grand succès, les adaptations des classiques de la littérature catalane.

Musique et danse

COMPOSITEURS À l'orée du XXe siècle, Isaac Albéniz, Enric Granados et surtout Manuel de Falla illustrèrent le nationalisme musical : il s'agissait, à l'image de ce qui se faisait alors dans d'autres pays, d'exalter dans la musique l'âme d'une nation. Quant au compositeur et guitariste Joaquín Rodrigo, il a signé avec son *Concerto de Aranjuez* une œuvre universelle.

INTERPRÈTES L'Espagne s'enorgueillit d'être la patrie du grand violoncelliste catalan Pau Pablo Casals, des stars de l'art lyrique comme la Barcelonaise Montserrat Caballé, Placido Domingo ou José Carreras, et de Jordi Savall, Catalan lui aussi, qui a remis au goût du jour la viole de gambe. Côté musique populaire, le Catalan Lluis Llach et le Valencien Raimon furent, avec Paco Ibañez et Joan Manuel Serrat, de grands chanteurs engagés de la fin du franquisme.

DANSE Très présente en Catalogne, la sardane est une danse folklorique où les danseurs forment de larges cercles en se tenant la main, enchaînant des pas codifiés, accompagnés par de *coblas* ("orchestres"). Elle se pratique lors des fêtes locales et même sur les places des villages en fin de semaine. On retiendra également la *jota*, danse populaire à trois temps de la région aragonaise.

Fêtes et traditions

Les fêtes religieuses

Si elles sont d'origine religieuse, elles donnent parfois lieu à des manifestations qui le sont bien peu…

PÈLERINAGES : LES "ROMERÍAS" Plus ponctuelles, mais tout aussi populaires : les *romerías*, pèlerinages ancestraux vers tel ou tel sanctuaire local. En Aragon, les célébrations de Daroca de la Fête-Dieu (*Corpus Christi*, en mai-juin), appelées los Corporales, sont très connues. Jaca et Yebra de Basa accueillent aussi les *romerías* de Santa Orosia (dernière sem. de juin), dédiées à la sainte dont chacun des deux villages conserve une partie des reliques (respectivement le corps et la tête). Dans la région de Valence, le pèlerinage de la Santa Faz, à Alicante, est le second du pays (2ᵉ jeudi après Pâques). À la Fête-Dieu, on sort le saint sacrement dans les rues jonchées de pétales de fleurs. En Catalogne, c'est à Berga qu'il faut se rendre pour les festivités de la Patum, vouées au culte du feu. Pour les Barcelonais, c'est l'occasion de ressortir les *gegants* ("géants") – qui peuvent atteindre jusqu'à 5m de haut – et autres *capgrossos* ("grosses têtes"), et d'aller voir l'*ou com balla* ("œuf qui danse") sur le jet de la fontaine du cloître de la cathédrale. Une coutume célébrée aussi à Gérone…

FÊTES PATRONALES La plupart des villes et villages célèbrent une fois par an leur saint patron, le plus souvent l'été. À Saragosse, les Fiestas del Pilar durent une semaine (autour du 12 oct.) pendant lesquels se succèdent défilés de géants et de *cabezudos* (équivalent des *capgrossos* catalans), fanfares, courses de taureaux dans les arènes (ouvertes au public) et les plus grandes corridas de l'année. Fin juin, ou début juillet, commencent, à Teruel, les Fiestas del Ángel ("fêtes de l'ange"), avec lâcher de *toros bravos* dans les rues, défilés, concerts et corridas pendant dix jours. Huesca s'anime aussi à l'occasion de la San Lorenzo, aux alentours du 10 août. Mi-septembre, Graus célèbre le Christ et San Vicente Ferrer (fêté à Valence après Pâques), et la procession grotesque de la Mojiganga donne l'occasion aux habitants de dresser une satire de la vie de la ville. En Catalogne, chaque village, chaque ville, chaque quartier a sa fête patronale. À Barcelone, le 24 septembre voit débuter les Festas de la Mercè, où l'on célèbre la patronne de la ville à grand renfort de sardane et de compétitions sportives. Le quartier de Gràcia s'anime à la mi-août. Sitges, Lleida et Vilafranca del Penedès accueillent aussi de belles fêtes pendant ce même mois.

Les fêtes folkloriques

"CORREFOCS" ET "CASTELLERS" S'il est impossible de dresser la liste de toutes les fêtes locales, issues d'une longue tradition remise chaque année au goût du jour, on peut distinguer les *correfocs* (litt. "les feux qui courent") et les fêtes mettant en scène les célèbres *castells* ("châteaux" humains), inscrits

La Semaine sainte

La plus importante fête religieuse reste bien sûr la Semana Santa, qui a lieu la semaine précédant le dimanche de Pâques. En Aragon, elle est l'occasion de grandes célébrations populaires. La Ruta del Tambor ("route du tambour"), célèbre dans toute l'Espagne, se déroule au matin du Vendredi saint dans neuf villages du Sud (autour d'Alcañiz), où est annoncée la mort du Christ au son des tambours. Les célébrations de Huesca sont aussi réputées. À Barcelone et à Murcie, les processions lugubres des pénitents - traînant des chaînes derrière eux en cadence -, le Vendredi saint, valent malgré tout le détour, comme les célébrations de Gérone, Tarragone, Vic ou Lorca.

en 2010 par l'Unesco sur la liste du Patrimoine immatériel de l'humanité. Les premiers, très populaires, sont des parades spectaculaires sur le thème du feu que crachent des figurants déguisés en diable ou en dragon. Quant aux concours de tours humaines formées par les *castellers*, ils relèvent d'une spécialité du sud de la Catalogne (Tarragone et le Penedès) et animent de nos jours un grand nombre de fêtes locales. Les tours atteignent entre 6 et 10 étages. Si la partie supérieure, appelée *pom de dalt*, est uniquement composée d'enfants, tout le monde est invité à prendre part à la *pinya*, la base de la tour. Les mélodies traditionnelles, jouées sur des instruments à vent, qui accompagnent la formation des *castells* servent à donner le rythme.

LES GRANDES FÊTES FOLKLORIQUES Archétype de ces grands rassemblements : les Fallas de Valence, où plusieurs millions de visiteurs mettent la ville sens dessus dessous pendant une semaine autour du 19 mars. À Murcie, les Fiestas de Primavera ("fêtes du printemps"), qui culminent avec le fameux Entierro de la Sardina ("enterrement de la sardine"), ont lieu la semaine suivant le lundi de Pâques, devant trois millions de visiteurs. Les histoires épiques de la Reconquête chrétienne ont également donné naissance dans le Levant aux célèbres Fiestas de Moros y Cristianos ("fêtes des Maures et des chrétiens"), telles celles de Caravaca de la Cruz (début mai) ; des célébrations très populaires également dans la province de Saragosse, où elles ont lieu dans la capitale et de nombreux villages. Organisé en février-mars, l'exubérant carnaval de Bielsa est l'un des plus anciens d'Espagne et côtoie celui de Reus, en Catalogne (province de Tarragone). Dans les montagnes aragonaises, les fêtes médiévales sont remises au goût du jour depuis quelques années, à Jaca (premier vendredi de mai) et Ainsa (la Morisma, le dimanche le plus proche du 14 septembre, les années impaires). Le 19 mai, Cetina organise la Fiesta de la Contradanza ("fête de la contredanse"), danse folklorique où le diable, vêtu de rouge, tient la vedette pour finir hissé au sommet d'une tour humaine. Le 23 avril, la Sant Jordi (Saint-Georges, patron de la Catalogne) annonce de nombreuses manifestations. Ce jour-là, les Barcelonais organisent la Festa de les Roses i Llibres ("fête des roses et des livres") : si, à l'origine, les amoureux offraient une rose à leur dulcinée qui, en échange, leur donnait un livre, chacun est libre aujourd'hui de s'offrir un quelconque présent ; tandis que le village de Montblanc commémore la célèbre légende du dragon. Les Festas de la Sant Joan (fêtes de la Saint-Jean, 24 juin) sont célébrées dans toute la région. Sur les places des villes et sur les plages du littoral de grands brasiers s'enflamment : c'est la Nit del Foc ("nuit du feu"). Des feux d'artifice sont tirés un peu partout. Dans le val d'Aran, des processions, illuminées de troncs d'arbres enflammés, descendent le flanc des montagnes. Enfin, dans tout le pays, le soir du 31 décembre, on a pour coutume de commencer l'année en avalant douze grains de raisin pendant les douze coups de cloche de minuit.

Les ferias : les foires agricoles

La tradition des grandes foires agricoles est née au Moyen Âge dans le but de développer le commerce entre les villes. La Feria de Julio ("fête de juillet") emplit les rues de Valence d'un océan de fleurs. Au programme : soirées animées, feux d'artifice et corridas. Début septembre vient le tour de

PANORAMA

Murcie. Teruel organise chaque année sa Feria del Jamón ("fête du jambon"). Dans les régions agricoles, on célèbre bien sûr la fin des vendanges et des récoltes. En Aragon, Cariñena accueille la Fiesta de la Vendimia ("fête des vendanges"), tandis que Calatayud s'enorgueillit de son Festival de la Fruta ("fête des fruits") et Caspe de son Festival de la Aceituna ("fête de l'olive"). Sans oublier quelques fêtes inclassables, comme la fameuse Tomatina de Buñol dans la Communauté valencienne : le dernier mercredi d'août, les habitants rassemblent les surplus de la récolte des tomates qu'ils se lancent en une gigantesque bataille.

Les festivals

Fin juillet ou début août, a lieu à Benicasim (Valence) l'un des meilleurs festivals de rock européens : le Festival Internacional de Benicasim (FIB). Dans la région de Murcie, le Festival de Las Minas, à La Unión est l'un des festivals de flamenco les plus réputés. Sallent de Gallego, près de Jaca, accueille durant 15 jours en juillet le festival Pirineos Sur, qui rassemble des groupes du monde entier. Barcelone organise en juin le plus grand festival européen de musiques électroniques, le Sonar, et, en été, le Festival del Grec proposant concerts, danse et théâtre. Le Festival Internacional de Jazz a lieu quant à lui en novembre à Barcelone.

Gastronomie

La cuisine espagnole

La gastronomie espagnole est souvent réduite à trois clichés : charcuterie, paella et gaspacho. Elle est pourtant très variée, tant chaque région, chaque ville a su garder vivantes ses traditions culinaires. On peut cependant dégager quelques constantes au niveau national : l'huile d'olive (*aceite*, castillan/*oli*, catalan), la tomate (*tomate*/*tomàquet*), l'ail (*ajo*/*all*) et l'oignon (*cebolla*/*ceba*). Les provinces catalanes de Lleida et de Tarragone produisent d'excellentes huiles d'olive, certaines bénéficiant d'une Appellation d'origine contrôlée telles siurana (Tarragone) et les garrigues (Lleida). En Aragon, l'huile d'Alcañiz est aussi très réputée. Par ailleurs, la viande (*carne*/*carn*) et les œufs (*huevos*/*ous*) sont omniprésents. La cuisine espagnole s'est traditionnellement développée autour de la marmite familiale, accrochée dans l'âtre de la cheminée, où les plats mijotaient pendant des heures, d'où l'importance des ragoûts et des pot-au-feu (*guiso*/*cazuela*), dont chaque région possède ses propres variantes. Le jambon (*jamón*/*pernil*) est également un pilier de la gastronomie espagnole. Il en existe deux grands types : le *jamón serrano*, d'une part, provenant du porc blanc, et le *jamón ibérico* d'autre part, élaboré à partir du porc noir de race ibérique, populairement connu sous le nom de *pata negra*. Quand les porcs noirs sont

● **RÉGIME DE COMMUNAUTÉS**
De la Grèce à l'Espagne, de l'huile d'olive aux produits de la mer, des champs à la marmite, la diète méditerranéenne, notion qui recouvre tout un mode de vie, un savoir-faire ancestral, le respect de la biodiversité et des traditions, a été reconnue "patrimoine immatériel" de l'humanité en 2010.

nourris à base de glands, on parle alors de *jamón de bellota* – le fin du fin ! Parmi les grands jambons *ibéricos,* on compte notamment ceux de Huelva, de Guijuelo et de la Dehesa d'Extremadura. Le jambon serrano de Teruel, en Aragon, jouit d'une excellente réputation. Les différents types de fromage (*queso/formatge*) sont enfin des classiques, de même que les fruits de mer (*marisco/marisc*) et les poissons (*pescado/peix*).

LES TAPAS : UNE INSTITUTION Ce sont bien sûr ces petits amuse-gueule que l'on mange au comptoir, en dégustant une bière ou un verre de *fino* (xérès), une coutume née dans la région andalouse de Jerez au XIXᵉ siècle, lorsque les aubergistes ont commencé à recouvrir les verres de vin d'une soucoupe contenant une tranche de jambon, du fromage et des olives. L'origine du nom viendrait de cette pratique visant, selon les versions, à couvrir (*tapar*) les verres pour les protéger des mouches ou à couvrir… les petites faims ! Le mot désigne également la taille du plat que l'on commande (par opposition à la *media ración/mitja ració* et la *ración/ració*, plus copieuses). Parmi les tapas les plus courantes, citons les *patatas bravas* (pommes de terre sautées avec une sauce piquante), la *tortilla,* l'*ensaladilla rusa* (pommes de terre, petits pois et mayonnaise), les *albóndigas* (boulettes de viande aux herbes), les *croquetas* (croquettes de morue ou au jambon), les *pimientos* (poivrons marinés, parfois farcis), les *boquerones* (anchois marinés ou grillés), les *pinchos* et *montaditos* (petits canapés).

UNE TRADITION VINICOLE L'amour des Espagnols pour les vins n'est pas récent : voici trente siècles, les Phéniciens importèrent sur la péninsule des plants de vigne. Rares sont les repas sans vin, qu'il soit rouge (*vino tinto/vi negre*), blanc *(vino blanco/vi blanc)* ou rosé (*vino rosado/vi rosat*). Les meilleures régions viticoles sont la Catalogne (très bons rouges et rosés), la Ribera del Duero (rouges de grande qualité), Rueda (blancs à base de *verdejo*) et la Rioja (excellents vins rouges). Sans oublier ce grand classique andalou qu'est le jerez, ou xérès, décliné en *fino* (le jerez le plus léger), *amontillado* et *oloroso*, et dont la fameuse manzanilla de Sanlúcar de Barrameda est un succulent cousin.

La gastronomie catalane

ENTRÉES ET TAPAS Contrastée, la gastronomie catalane s'appuie toujours sur des ingrédients de qualité. L'*amanida catalana* (salade catalane) fait parfois appel à un grand nombre de légumes (fèves, aubergines…), accompagnés d'œufs, de poisson ou de charcuterie. Autre salade, spécialité de Sitges et de Vilanova i la Geltrú : le *xató*, mélange de scarole, d'anchois et de morceaux de morue crue, servi avec une sauce légèrement pimentée à base d'amandes, de noisettes pilées, d'ail, d'huile d'olive… À goûter également : l'*escalivada*, poivrons rouges, oignons et aubergines grillés et pelés, servis froids et accompagnés d'huile d'olive. Les Catalans raffolent par ailleurs des *calçots amb romesco*, variété d'oignon long accompagné d'une sauce *romesco* et surtout de l'inénarrable *pa amb tomàquet*, pain enduit de coulis de tomates et d'huile d'olive, relevé d'ail et de sel. Autres spécialités, la *coca*, pizza à pâte fine recouverte d'ingrédients sucrés, parfois salés, et la *torrada*, tartine grillée garnie.

PANORAMA

PANORAMA

CHARCUTERIES Les charcuteries catalanes (*embutidos/embotits*) sont très réputées. Les *butifarras* (sorte de boudins blancs ou noirs) sont servies avec des haricots blancs (*judías/mongetes*) ou en omelette (*tortilla/truita*). Autres classiques : les *bisbes* (gros saucissons), les *bulls* (saucisses au foie) ainsi que les *fuets* et *llonganises* (minces saucisses sèches) de Vic.

LE MÉLANGE "MER ET MONTAGNE" Méditerranée oblige, les fruits de mer sont préparés de mille façons. Anchois (*anchoa/anxove*) de L'Escala, crevettes (*gamba/llagostin*) de Roses, rougets (*salmonete/moll*), soles (*lenguado/llenguado*), seiches (*sepia/sèpia*) et langoustes (*langosta/llagosta*) de toute la côte font le bonheur des gourmets. La Catalogne a évidemment sa bouillabaisse, le *suquet de peix*. Autre incontournable, la *sarsuela*, plat de poisson et de fruits de mer accompagné d'une sauce *sofregit*. L'*esqueixada* (salade de morue émiettée avec des tomates, des poivrons, des haricots blancs, des oignons, des olives et de l'huile d'olive) et la *bacallà a la llauna* (morue cuite au four dans une sauce à base de vin, d'ail, de tomates et de paprika) sont aussi à essayer absolument. Si viandes et poissons se dégustent séparément, les Catalans aiment encore à les marier. Ce mélange, appelé "mer et montagne" (*mar y montaña/mar i muntanya*), se retrouve dans le plat emblématique de la Costa Brava, le *pollastre amb escarmerlans* (poulet aux crevettes), également servi avec des langoustes ou des langoustines. Les *mandonguilles amb sèpia* (boulettes de viande à la seiche) sont une autre spécialité locale. Les palais aventureux pourront enfin essayer le sucré-salé (langouste au chocolat, poulet au caramel…).

SAUCES La grande majorité des plats font appel aux sauces traditionnelles de la région : *picada* (amandes ou noisettes, ail, pain grillé et huile d'olive), *sofregit* (oignons, tomates et aromates revenus dans de l'huile d'olive), *samfaina*

Questions d'étiquette

De nos jours, près de six cents cépages différents sont cultivés en Espagne. Le tempranillo, le monastrell (mourvèdre) et le bobal sont les trois principaux cépages rouges. Pour les vins blancs, ce sont l'albariño, le macabeo et le moscatel. La classification des vins espagnols, stricte et fiable, vous aidera à vous y retrouver. Les vins de table sont bon marché ; les vins régionaux d'une qualité légèrement supérieure. Le **vino de la tierra** (appellation correspondant au VDQS – vin de qualité supérieure – français) est la dernière étape avant d'atteindre le statut de **DO** (**Denominación de Origen**, "appellation d'origine contrôlée"), qui garantit un vin produit avec sérieux. On compte plus de cinquante DO en Espagne. Autre indication : la méthode de vieillissement du vin. Le *vino joven* est destiné à être consommé dans l'année. Le *vino de crianza* est conservé deux ans pour le rouge, un an pour le blanc et le rosé. Les mentions *reserva* puis *gran reserva* indiquent un vieillissement plus long.

(tomates, oignons, aubergines, courgettes et poivrons) et *romesco* (amandes, tomates, poivrons, huile d'olive et vinaigre). Enfin, l'*allioli* (aïoli, mayonnaise à l'ail) vient souvent garnir viandes, escargots, poissons ou plats de riz.

LÉGUMES ET ACCOMPAGNEMENTS Le lapin (*conejo/conill*) est souvent accompagné d'escargots (*caracoles/cargols*, spécialité de Lleida), aussi appréciés en soupe ou grillés à la braise. Les fèves (*habas/faves*), petits pois (*guisante/pèsols*), aubergines (*berenjena/albergínia*), poivrons (*pimiento/pebrot*), tomates (*tomate/tomàquet*) et artichauts (*alcachofa/carxofa*) sont omniprésents. Vous aurez en outre l'occasion de goûter aux champignons (*setas/bolets*), péché mignon des Catalans, qui raffolent surtout des *rovellons* (lactaires).

VINS Les appellations qui ont donné à la région une réputation mondiale sont celles du priorat et de penedès. Les rouges du Priorat, à base de grenache, sont de plus en plus reconnus. Ils profitent de sols et d'un microclimat presque parfaits. Certains, comme le *scala dei* ou le *clos l'ermita*, comptent parmi les plus recherchés et les plus chers du monde : de véritables pièces de collection à faire vieillir au moins vingt-cinq ans. Depuis 1872, l'Espagne possède son propre champagne (*cava*), produit à 95% en Catalogne. Si l'appellation penedès recèle de délicieux vins rouges, elle offre aussi de bons *cavas*. La maison Miguel Torres est ainsi une véritable institution de la viticulture espagnole. À Sant Sadurní d'Anoia, ne manquez pas la visite de la Bodega Freixenet, premier producteur mondial de "bulles", et de Codorniu, avec sa cave et son musée viticole. Les vignobles de l'Empordà, autour de Peratallada, produisent de bons rosés. Autre spécialité régionale, le *garnatxa*, liqueur à base de grenache (15°-16°).

FROMAGES, FRUITS ET DESSERTS Si les fromages de la Mancha (*quesos manchegos*) restent les plus réputés d'Espagne, on en trouve également de succulents en Catalogne : goûtez les fromages de l'Alt Urgell (chèvre et vache), les fromages de brebis de Tupí (marinés à l'huile d'olive) ou de Serrat, ou encore les chèvres de Montsec et Garrotxa. Le brossat et le brull sont des fromages frais liquides. Les fruits de Lleida, surtout les pommes (*manzana/poma*), les poires (*pera/pera*) et les cerises (*cereza/cirera*) sont succulents. De nombreuses recettes font appel aux fruits secs : les noisettes (*avellana/avellana*) de Reus jouissent ainsi d'une appellation d'origine contrôlée. En ce qui concerne les desserts sucrés, on retiendra les *panellets* (gâteaux aux amandes, aux pignons et à la patate douce) et les *carquinyols* (biscuits aux amandes). À goûter également, les *lioneses* (beignets à la crème), le *mel i mató* (fromage blanc au miel) ou encore les *pastissets* et les *flaons* (gâteaux aromatisés à l'anis). Sans oublier la fameuse *crema catalana*, crème renversée recouverte de sucre caramélisé.

La gastronomie aragonaise

TAPAS ET CHARCUTERIE À défaut d'être la plus raffinée, la cuisine aragonaise reste très copieuse et bon marché. La région décline sa propre variété de pain à l'ail et à l'huile d'olive, connue sous le nom de *migas* (mie de pain frite, servie le plus souvent avec des grains de raisin). Teruel est par ailleurs réputée pour la qualité de son délicieux jambon serrano.

VIANDES La région se distingue par l'extraordinaire qualité de sa viande d'agneau de lait (*cordero/xai, be, corder*), que l'on retrouve un peu partout et reconnue par une DO : le *ternasco de Aragón* – une merveille ! –, cuite au four. Autre valeur sûre de la région, le *pollo al chilindrón* (poulet aux poivrons rouges). Si vous en avez l'occasion, savourez en outre les délicieuses recettes traditionnelles que sont les *colas de cordero* ("queues de mouton") et les *madejas* (tripes de mouton panées et frites). En saison, le gibier est très prisé, en particulier la caille (*codorniz/guatlla*).

LÉGUMES ET ACCOMPAGNEMENTS Si l'asperge (*espárrago/espárrec*) et l'artichaut (*alcachofa/carxofa*) occupent les premières places des légumes consommés dans la région, vous saurez aussi apprécier les spécialités comme la *fritada aragonesa* (friture de légumes), les *huevos al salmorejo* (œufs aux asperges et à la saucisse) ou les *boliches* (haricots blancs cuisinés avec des oreilles et une queue de porc, ainsi que du chorizo). Enfin, Graus est un important centre producteur de truffes (*trufa/trufa*).

VINS Au sud, les immenses caves coopératives de Catalayud produisent des rouges de style *joven* (à consommer jeunes). Non loin de là, l'appellation *cariñena* est célèbre pour ses agréables rouges, blancs et rosés, servis jeunes et très populaires dans tout l'Aragon pour accompagner les tapas. Mais le nec plus ultra, l'appellation *somontano*, est à chercher près de Barbastro, au sud-est de Huesca, avec des rouges, blancs et rosés très en vogue depuis quelques années.

FROMAGES, FRUITS ET DESSERTS En Aragon, essayez le *benasque* (chèvre), le *tronchón* (brebis ou chèvre) ou encore le *queso* de Tauste (province de Saragosse) au lait de brebis. Le bas Aragon fournit de très bons fruits, tels que poires (*pera/pera*), figues (*higo/figua*), abricots (*albaricoque/albercoc*), cerises (*cereza/cirera*) et framboises (*frambuesa/gerd*). Les amateurs de sucreries essaieront les *frutas de Aragón*, fruits confits enrobés de chocolat (*chocolate/xocolat*). À Saragosse, on goûtera le *guirlache*, sorte de nougat dur.

Les spécialités du Levant

TAPAS ET CHARCUTERIE L'*alojaharina* est une galette de farine à l'ail, garnie de légumes et de charcuteries. Dans les montagnes du Nord, ne manquez pas de goûter la *cecina*, le jambon de taureau. À l'ouest de Valence – en particulier à Requena –, la proximité du grand plateau central se ressent jusque dans les spécialités culinaires comme le gaspacho *manchego* (ragoût de tomates, viande et jambon mélangés avec des pâtes au blé) ou l'*ajo arriero* (boudin à l'ail).

PAELLAS : LE RIZ EN VEDETTE La paella tient son nom de la large poêle en métal munie de deux anses (*paellera*) utilisée pour cuire le riz au safran. Mais derrière ce nom générique se cache aujourd'hui près d'une centaine de recettes réalisées à base de riz (*arroz/arròs*). Les variétés les plus courantes sont la *paella valenciana* (à base de légumes et de viande), la *paella de mariscos* (aux fruits de mer), la *paella mixta* (viande et fruits de mer), l'*arroz a banda* (un riz sec cuit dans le bouillon du poisson et des fruits de mer, servis à part), l'*arroz al horno* (cuit au four). Sans oublier le succulent *arroz negro*, un riz cuit dans de l'encre de seiche. Enfin, la *fideuà* remplace le riz par de petites nouilles.

VIANDES, POISSONS ET FRUITS DE MER Les pâtissiers murciens se sont fait une spécialité des *pastels* (feuilletés très fins à la viande), que l'on peut acheter dans les *pastelerias*. Pour les poissons, la lotte, ou baudroie (*rape/rap*), est préparée avec art, et l'anguille de l'Albufera (*anguila/anguila*) est un *must* pour les gourmets. Les crevettes (*gamba/llagostin*) sont souvent servies dans une sauce à l'ail et aux piments, l'*all i pebre*. En été, on déguste les *clóchinas*, petites moules à chair blanche de la côte valencienne. À Murcie, goûtez le *rin-ran*, une spécialité de morue accompagnée de pommes de terre et de poivrons.

VINS La région de Valence est sûrement plus connue pour ses orangeraies et ses rizières que pour ses vins, et pourtant, c'est la troisième région viticole du monde par sa superficie. La principale appellation est celle d'*utiel-requena*, produite à l'ouest de Valence. Outre des rouges assez capiteux, mais qui manquent un peu de finesse, on y produit du *cava* (sorte de champagne). Situées au nord de la région de Murcie, *jumilla* et *yecla* sont deux DO en quête de reconnaissance. Si les rosés restent la valeur sûre du Levant, on trouve également d'agréables petits rouges. Peu connu, mais étonnant, le *fondillan*, un vin liquoreux d'Alicante produit à base de monastrell (mourvèdre), vieilli en fût pendant huit ans, et sur lequel la Bodega Primitivo Quilès de Monóvar a établi sa réputation depuis 1780.

FROMAGES, FRUITS ET DESSERTS Valence s'est fait une spécialité des fromages de *servilleta*, ainsi nommés parce qu'on les égoutte dans une serviette dont ils gardent la forme. Oranges (*naranja/taronja*) et citrons (*limón/llimona*), servis en marinade, desserts ou jus pressés, occupent une place de choix. Enfin, les succulents desserts sucrés portent l'empreinte de la présence judéo-arabe : *cordiales* (petits gâteaux aux amandes, au zeste de citron et au confit de courge), *paparajotes* (feuilles de citronnier enrobées d'une pâte à la cannelle et frites). Sans oublier les *turrones*, nougats de la région d'Alicante.

PANORAMA

Palais de la Musique catalane (p.131), Barcelone

Fête de la **Tomatina**, Buñol, Communauté valencienne (p.468).

GEOPRATIQUE

INFORMATIONS UTILES DE A À Z

PRATIQUE

ALLER SUR LA CÔTE EST DE L'ESPAGNE EN AVION

de France

Iberia En association avec Air Nostrum, sa filiale régionale, et Vueling (compagnie low-cost avec laquelle la compagnie nationale espagnole a conclu un accord de "codesharing"), Iberia propose tlj. de 3 à 9 vols directs à destination de Barcelone au départ de Paris-Orly (certains étant opérés par Vueling), 4 ou 5 de Nice (opérés par Air Nostrum), de 5 à 7 vols de Marseille (avec escale à Madrid). De Lyon, Bordeaux et Toulouse, il faut aussi prévoir une escale à Madrid. Au départ de Paris : à partir de 120€ AS en haute saison. Tarifs préférentiels pour les jeunes et les étudiants. *www. iberia.com France Points de vente à Paris (Orly-Ouest Hall 1), et en province (aéroports de Lyon, Marseille, Nice et Toulouse) Tél. 0825 800 965 Espagne Tél. 807 11 70 11 (remboursements et échanges)*

Air France Air France assure tlj. des liaisons directes entre Barcelone et Paris (6-11/j., 1h45 de vol, à partir de 135€ AR), Lyon (1-3/j.) et Bordeaux (1-2/j.), et entre Valence et Paris (2-3 liaisons/j. effectuées par Air Europa, 2h de vol, à partir de 154€ AR). *www. airfrance.fr France 49, av. de l'Opéra 75002 Paris Tél. 36 54 (0,34€/min) ou 36 54 (info) ou 0033 892 70 26 54 (de l´étranger) ou 36 54 Espagne Tél. 902 20 70 90*

VOLS "LOW-COST" La filiale régionale d'Iberia, Air Nostrum, relie Barcelone à Nantes (1 vol direct/j.), et Barcelone à Marseille et Nice (via Madrid), et Paris à Murcie. Air Europa relie plusieurs fois par jour (via Madrid) Paris à Alicante et à Barcelone. Vueling propose des vols Paris-Barcelone à partir de 98€ AR, plusieurs vols/sem. entre Paris, Valence et Alicante et entre Bordeaux, Brest, Lille, Nice, Nantes, Lyon, Strasbourg et Barcelone. La compagnie Ryanair propose, au départ de Beauvais, 2 vols quotidiens pour Barcelone, 1 vol/j. pour Gérone, 4 vols/sem. pour Valence et de 3 à 4 vols hebdomadaires vers Saragosse et Alicante. Enfin, EasyJet relie quotidiennement Barcelone à Lyon et Paris. **Air Nostrum** *Comptoir Iberia dans les aéroports de Lyon, Marseille, Nice, Toulouse et Paris Tél. 902 400 500 www.airnostrum. es* **Air Europa** *58 A, rue du Dessous-des-Berges 75013 Paris Tél. 01 42 65 08 00 www.aireuropa.com* **Vueling** *Tél. 0899 23 24 00 www.vueling.com* **Ryanair** *Tél. 0892 56 21 50 www.ryan air.com* **Easyjet** *www.easyjet.com www.easyjet.fr*

de Belgique

Iberia Iberia propose 1 à 3 vols AR/jour entre Bruxelles et Barcelone (opérés par Vueling). Billet AR à partir de 105€. *www.iberia.com Belgique Tél. 070 70 00 50 Espagne Tél. 902 40 05 00*

Brussel Airlines Bruxelles-Barcelone : 1 à 3 liaisons/j. à partir de 98€. *www.brusselsairlines.com Belgique Brussels Airport Zaventem Terminal des départs Rangées 4 et 5 Tél. 0902 51 600 Espagne Tél. 807 22 00 03*

VOLS "LOW-COST" Ryanair assure des liaisons directes entre Bruxelles-Charleroi et Barcelone (2 à 3 vols/j.), Gérone (1 vol/j.), Alicante et Valence (1 à 2 vols/j.). Tarifs et promotions sur Internet. Jet Airfly propose 2 à 7 vols/sem. de Bruxelles-Zaventem vers Gérone (1-3 vols/sem.), Reus (2 vols/sem. d'avr. à oct.) et Alicante

Accès

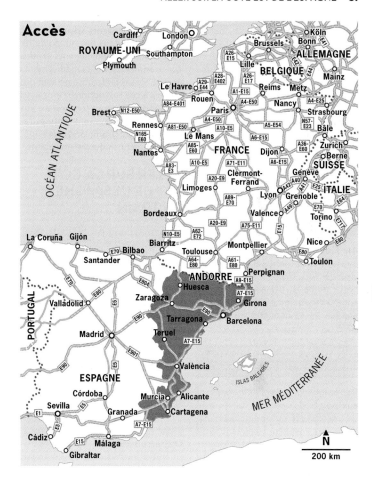

PRATIQUE

200 km

(3-7 vols/sem.). Vueling fait la liaison Bruxelles-Barcelone (1-3 vols/j.). **Ryanair** *Tél.* 090 23 36 60 *www.ryanair.com* **Jetairfly** *Tél.* 070 22 00 00 *www.jetairfly.com* **Vueling** *Tél.* 0899 23 24 00 *www.vueling.com*

de Suisse

Iberia 3-4 vols/j. entre Genève et Barcelone, avec escale à Madrid. *www. iberia.com* **Suisse** *Tél.* 0707 000 50 **Espagne** *Tél.* 902 40 05 00

Swiss International Air Lines La compagnie effectue 3 vols directs/j. Genève-Barcelone (1h20 de vol) à partir de 250CHF AR. Également des vols directs Zurich-Barcelone (4/j.) à partir de 250CHF AR. *www. swiss.com* **Suisse** *Aéroport* Genève-Cointrin *Tél.* 0848 700 700 **Espagne** *Tél.* 901 11 67 12

VOLS "LOW-COST" Air Berlin propose plusieurs vols hebdomadaires à partir de Bâle-Mulhouse ou de Zurich et à destination d'Alicante, Barcelone, Murcie et Valence. Darwin Airline relie Genève à Valence (1 ou 2 vols/sem.). Ryanair dispose d'une ligne régulière entre Bâle-Mulhouse et Alicante. Enfin EasyJet assure plusieurs liaisons hebdomadaires entre Genève et Bâle-Mulhouse d'une part, Barcelone et Alicante de l'autre. **Air Berlin** *Tél. 0848 73 78 00 www.air berlin.com* **Darwin Airline** *Tél. 09 16 12 45 00 www.darwinairline.com* **Ryanair** *www.ryanair.com* **Easyjet** *www. easyjet.com*

du Canada

Air Canada Liaisons quotidiennes entre Toronto, Montréal et Barcelone via New York, Munich ou Francfort (à partir de 850$ AR). *www.aircanada. com* **Canada** *Tél. 1 888 247 2262 ou 514 393 33 33* **Espagne** *Tél. 900 93 52 65*

mesures de sécurité pour le bagage de cabine

Rappelons que, lorsqu'ils passent aux points de contrôle de sécurité des aéroports européens et canadiens, les voyageurs peuvent avoir en leur possession des produits liquides (gels, substances pâteuses, lotions, contenu des récipients à pression, dentifrice, gel capillaire, boissons, potages, sirops, parfums, mousse à raser, aérosols...) à condition que les contenants ne dépassent pas, chacun, 100ml ou 100g et qu'ils soient regroupés dans un sac en plastique transparent à fermeture par pression et glissière, bien scellé, d'une capacité maximale de 1l (environ 20cmx20cm). Les articles ne doivent pas remplir le sac à pleine capacité ni en étirer les parois. Un seul sac est permis par personne. Les aliments pour bébé et le lait,

quand les passagers voyagent avec un enfant de deux ans ou moins, de même que les médicaments vendus sur ordonnance et les médicaments essentiels en vente libre ne sont pas soumis à ces restrictions. Nous vous conseillons donc de placer dans vos bagages de soute, avant l'enregistrement, tous les produits liquides dont vous n'aurez pas besoin en cabine.

ALLER SUR LA CÔTE EST DE L'ESPAGNE EN TRAIN

de France

Le train-hôtel Elipsos Joan Miró, exploité par la compagnie nationale espagnole Renfe, part chaque jour de Paris-Austerlitz à destination de Barcelone via Orléans, Figueres et Gérone (billet AR plein tarif classe "touriste" à partir de 140€). La mise en service de la connexion grande vitesse côté espagnol met désormais les deux villes à 6h33 de trajet. Par ailleurs, le train catalan Talgo relie quotidiennement les villes de Montpellier, Béziers, Narbonne et Perpignan à Barcelone via Figueres et Gérone. De Barcelone, correspondances fréquentes pour Valence (3h de trajet, AS à partir de 45€) et Murcie (7h de trajet, AS à partir d'env. 56€). **SNCF** *Tél. 3635 www.voyages-sncf. com* **Elipsos** *www.elipsos.com* **Renfe** *Tél. 902 32 03 20 www.renfe.com* **Iberrail France** *57, rue de la Chaussée-d'Antin 75009* **Paris** *Tél. 01 42 81 27 27*

de Belgique

SNCB Prenez l'une des nombreuses liaisons Thalys qui circulent entre Bruxelles-Midi et Paris-Gare-du-Nord (environ 20 trajets/j., AS 90€), et prenez une correspondance

PRATIQUE

pour le Sud, cf. de France (p.52). *Tél. 070 79 79 79 www.b-europe.com www.thalys.com*

de Suisse

Elipsos Le train-hôtel Elipsos Pau Casals quitte Zurich pour rejoindre Barcelona Estació de França via Berne, Fribourg, Lausanne, Genève, Perpignan, Figueres et Gérone. Départ de Genève à 17h42 et arrivée à Barcelona-França à 9h45. Trois départs/sem. en basse saison (lun., mer. et ven.), tlj. en haute saison. Billet AR Genève-Barcelone à partir de 140CHF en couchette. *Tél. 0900 300 300 www.cff.ch www. elipsos.com*

pass InterRail

Les compagnies de chemin de fer de plusieurs pays se sont unies pour proposer deux pass, permettant de voyager en 1re ou en 2e classe. *www. interrail.eu*
Global Pass Il est valable dans 30 pays d'Europe, pour une durée de 5 jours à un mois, sans limite de trajets. Pour un pass de 5 jours (consécutifs ou non, sur une période de 10 j.) en 2e classe, comptez 276€ le plein tarif, 181€ pour les moins de 26 ans. Pour 1 mois, comptez 658€/435€.
One Country Pass On l'utilise dans un seul pays européen pour une durée de 3, 4, 6 ou 8 jours consécutifs ou non, sur une période d'un mois. En Espagne, le prix du pass pour un adulte en 2e classe va de 187€ (3 j. d'utilisation) à 321€ (pour 8 j.). Pour les jeunes, comptez de 127 à 212€.

ALLER SUR LA CÔTE EST DE L'ESPAGNE EN CAR

de France

Eurolines propose une centaine de destinations en Espagne au départ de 90 villes de France. Liaisons quotidiennes Paris-Barcelone 85€ AS. Il existe aussi des liaisons quotidiennes entre Perpignan (35€ AS), Lyon (77€ AS) et Barcelone, 2 départs/sem. entre Rennes et Barcelone (103€ AS) et entre Lille et Valence (110€ AS). *Gare routière internationale de Paris-Gallieni 28, av. du Général-de-Gaulle 313 93541 **Bagnolet** Tél. 0892 89 90 91 www.eurolines.fr*

de Belgique

Un car de la compagnie Eurolines relie Brussel-Noord à Barcelona Nord jusqu'à 5 fois par semaine (environ 21h de trajet). Tarif AS 118€. Il dessert également de nombreuses villes tout au long de la Costa Brava (Bruxelles-Valence 140€ AS, Bruxelles-Murcie 148€ AS, jusqu'à 6 fois par semaine). *Gare du Nord Gare routière Rue du Progrès, 80 1000 **Bruxelles** Tél. 02 201 03 09 www.eurolines.be*

de Suisse

La compagnie de bus Alsa+Eggman propose une liaison entre Genève et Barcelone 3-5 fois/sem. (env. 13h30 de voyage). AS 112CHF. *Alsa + Eggmann Rue du Mont-Blanc, 14 1201 **Genève** Tél. 022 716 91 10 www.eurolines.ch*

pass et réductions

Le pass Eurolines, valable 15 ou 30 jours consécutifs, permet de voyager entre 51 villes européennes.

Pass jeune 15 jours à 300€ et à 355€ pour le Pass adulte en haute saison. Des réductions, jusqu'à 70% sur la plupart des destinations, sont proposées en fonction de la date d'achat ; plus la réservation est éloignée de la date de départ, plus la réduction est importante. Par ailleurs, une réduction de 10% sur les tarifs flexibles Eurolines est attribuée aux jeunes et aux seniors. *www.eurolines-pass.com et www.eurolines.eu*

ALLER SUR LA CÔTE EST DE L'ESPAGNE EN VOITURE

de France

De Paris, prenez les autoroutes A10 jusqu'à Orléans, A71 jusqu'à Clermont-Ferrand, A75 jusqu'à Béziers puis l'A9 vers l'Espagne, qui devient AP7 à la frontière espagnole, jusqu'à Barcelone. Pour le trajet Paris-Barcelone, comptez 1 040km et env. 55€ de péage. De Lyon, empruntez l'A7 jusqu'à Orange et ensuite l'A9 vers l'Espagne (640km et env. 41,30€ de péage). De Marseille, prenez d'abord l'A7 vers Avignon puis bifurquez sur l'A54 vers Nîmes pour rejoindre l'A9 (510km et 27€ de péage). De Nantes (977km et env. 65,9€ de péage), prenez l'A83 vers Niort puis l'A10 vers Bordeaux avant d'emprunter l'A61 jusqu'à Toulouse et Montauban (ensuite, voir ci-dessus l'itinéraire de Paris).

de Belgique

De Bruxelles, descendez vers Paris (E19 et A21 en France), via Valenciennes, puis prenez l'autoroute A1 jusqu'à Paris cf. de France (p.52). Bruxelles-Barcelone : 1 350km et env. 70€ de péage. Autre

possibilité, passer par Luxembourg, Metz, Nancy (A31) jusqu'à Dijon puis l'A6 jusqu'à Lyon, l'A7 jusqu'à Orange et ensuite l'A9 vers l'Espagne.

de Suisse

De Genève, passez par Lyon avec l'A41 et prenez l'A7 (France) dans la vallée du Rhône jusqu'à Orange. De là, vous pourrez prendre la "Languedocienne" (A9-E15) jusqu'à Perpignan, et retrouver la côte est de l'Espagne par l'AP7-E15. Pour le trajet Genève-Barcelone, comptez 790km et env. 60€ de péage (sans la partie suisse).

formalités

Pour circuler sans souci dans l'Union européenne, n'oubliez pas de vous munir de tous les papiers requis : papiers du véhicule, attestation d'assurance, permis de conduire et carte nationale d'identité ou passeport.

AMBASSADES ET CONSULATS

Pour les représentations diplomatiques de pays francophones sur place, se reporter à la rubrique "Mode d'emploi" de chaque ville.

FRANCE Consulats généraux d'Espagne en France hors Paris : Bayonne, Bordeaux, Lyon, Marseille, Montpellier, Pau, Perpignan, Strasbourg et Toulouse.
Ambassade d'Espagne *22, av. Marceau Cedex 08 75381* **Paris** *Tél. 01 44 43 18 00 www.mae.es Ouvert lun.-ven. 9h-13h30 et 15h-18h*
Consulat général d'Espagne *165, bd Malesherbes 75017* **Paris** *Tél. 01 44 29 40 00 www.cgesparis.org Ouvert lun.-jeu. 8h30-14h30, ven. 8h30-14h 1er sam. du mois (hors j. fér.) 8h30-12h*

PRATIQUE

PRATIQUE

BELGIQUE
Ambassade d'Espagne *Rue de la Science, 19 1040* **Bruxelles** *Tél. 02 230 03 40 www.mae.es*
Consulat général d'Espagne *Rue Ducale, 85-87 1000* **Bruxelles** *Tél. 02 509 87 70*

CANADA
Ambassade d'Espagne *74, av. Stanley K1M 1P4* **Ottawa** *Tél. 613 747 22 52 www.mae.es*
Consulat général d'Espagne *1, Westmount Square, suite 1456 H3Z 2P9* **Montréal** *Tél. 514 935 52 35*

SUISSE Autres consulats généraux d'Espagne en Suisse : Bern et Zurich.
Ambassade d'Espagne *Kalcheggweg 24, Postfach 99 3000* **Bern** *Tél. 031 350 52 52 www.mae.es*
Consulat général d'Espagne *58, av. Louis-Casaï 1216* **Cointrin** *Tél. 022 749 14 60*

ARGENT ET CHANGE

monnaie et change

La monnaie nationale espagnole est l'euro. La plupart des banques offrent un service de change, moyennant une commission. Leurs taux restent plus avantageux que ceux des bureaux de change mais ces derniers, omniprésents autour des grands sites touristiques, ont des horaires d'ouverture bien plus étendus. Dans la mesure du possible, évitez de changer de l'argent dans les aéroports, les gares et les hauts lieux du tourisme. À titre indicatif, en octobre 2013, 1€ vaut environ 1,38 CAD et 1,23 CHF.

cartes de crédit

Les cartes de crédit American Express, Diners Club, Eurocard-Mastercard et Visa sont acceptées par la plupart des hôtels et des restaurants. En revanche, dans les pensions et les petits bars-restaurants, surtout à la campagne, mieux vaut vous assurer en arrivant que vous pourrez payer par carte. Les commerçants qui acceptent le paiement par carte bancaire affichent en général les logos correspondants sur leur vitrine. Pour ce faire, vous n'aurez pas à taper votre code personnel, mais à signer au bas du ticket d'achat, et on vous demandera de présenter une pièce d'identité. Conservez les reçus afin de pouvoir vérifier au retour les montants débités sur vos relevés de compte et contester les fraudes éventuelles.

EN CAS DE PERTE OU DE VOL
American Express *Tél. 00 33 1 47 77 70 00 (France depuis l'Espagne)* ou *900 81 45 00 www.americanexpress.com*
Carte bleue *Tél. 00 33 1 41 05 81 38 36 (France depuis l'Espagne)*
Diners *Tél. 902 40 11 12 www.diners-club.com*
Mastercard *Tél. 900 97 12 31 www.mastercard.com*
Visa *Tél. 900 99 11 24 www.visa.com*

chèques de voyage

Les chèques de voyage (*traveller's cheques*) les plus courants (American Express, Visa, Thomas Cook) sont acceptés dans les principales banques espagnoles et dans les bureaux de change sur présentation d'une pièce d'identité. Renseignez-vous sur le montant des commissions et le taux de change pratiqué, souvent défavorable près des sites touristiques. De toute façon, il revient toujours moins cher d'établir des chèques d'un montant assez élevé. Si les agences American Express sont peu nombreuses dans l'est de l'Espagne, la société a signé des accords avec Banco Santander, BBVA et Caja España, où vous pourrez encaisser vos chèques sans commission (à partir de 100€ au BBVA). Par ailleurs, conservez séparément les chèques et la liste de leurs numéros, ainsi que votre reçu d'achat. En cas de vol ou de perte, ils vous seront remplacés rapidement. Enfin, très rares sont les commerçants qui acceptent les chèques de voyage.

EN CAS DE PERTE OU DE VOL
American Express *Tél. 900 81 00 29*
Thomas Cook Mastercard *Tél. 900 94 89 71*
Visa *Tél. 900 94 89 78*

virements internationaux

Le plus simple est de passer par Western Union et MoneyGram. La commission est assez élevée, mais le transfert plus rapide. À deux conditions toutefois : que quelqu'un puisse vous envoyer de l'argent (en espèces) à partir d'une agence d'une de ces deux sociétés, et que vous-même trouviez une agence à proximité de votre lieu de séjour. En Espagne, le réseau bancaire Banco Popular Español et certaines centrales de téléphone (*locutorio/locutori*) représentent MoneyGram. Pour Western Union, adressez-vous aux bureaux de poste : vous pourrez envoyer de l'argent (commissions importantes) ou en recevoir (service gratuit) par le biais de cette compagnie. Vous trouverez sur le site Internet des deux compagnies toutes les informations sur les démarches à effectuer, les commissions et les coordonnées des bureaux en Espagne et dans votre pays.
MoneyGram *Tél. 901 20 10 10 www.moneygram.com*
Western Union *Tél. 900 98 32 73 www.westernunion.com*

ASSURANCES

Si votre assurance bancaire ou domestique et votre mutuelle santé ne vous permettent pas d'être dédommagé en cas d'annulation de votre voyage, de perte ou de vol de vos bagages, ni de bénéficier d'une assistance médicale (remboursement des frais médicaux engagés sur place et rapatriement sanitaire éventuel), vous devez souscrire un contrat d'assurance-assistance auprès d'une agence de voyages ou d'une compagnie spécialisée. Cette assurance est parfois comprise dans le prix du billet d'avion lorsqu'il est payé par carte bancaire. Prenez donc soin d'acquitter vos titres de transport et vos contrats de location avec celle-ci. Le cas échéant, vérifiez bien que le contrat d'assurance couvre les sports à risques comme la randonnée. Pensez à vous faire préciser le montant des frais d'hospitalisation, de recherche et de rapatriement couverts par votre contrat, et conservez sur vous les coordonnées de votre assureur ainsi que vos identifiants d'assuré.
AVA Assurance Voyages et Assistance. *Tél. 01 53 20 44 20 www.ava.fr*
Europ Assistance *Tél. 01 41 85 93 65 www.europ-assistance.fr*
Mondial Assistance *Tél. 01 42 99 82 81 www.mondial-assistance.fr*

BOISSONS

eau

L'eau du robinet est potable partout, même si son goût laisse parfois à désirer. Au restaurant, vous pouvez demander de l'eau du robinet (*agua del grifo* en castillan/*aigua de l'aixeta* en catalan), une bouteille d'eau minérale gazeuse (*agua mineral con gas/aigua mineral amb gas*) ou plate (*sin gas/sense gas*). En période de séche-

PRATIQUE

resse, il peut y avoir des coupures d'eau ; mieux vaut donc avoir toujours une bouteille d'eau en réserve.

café, thé et rafraîchissements

Quand vous commandez un café (*café/cafè*), précisez si vous le voulez noir (*café solo/cafè sol*), au lait (*café con leche/cafè amb llet*) ou crème (*café cortado/cafè tallat*). Si vous demandez simplement un café, on vous apportera en général un café au lait. Même chose pour le thé (*té/ te*), souvent noyé dans le lait. Si vous l'aimez nature, demandez-le avec le lait à part (*con la leche aparte/amb la llet a part*). Les cafés proposent également un choix de jus de fruits (*zumo/ suc*). En vedette, le *zumo de naranja/ suc de taronja* (jus d'orange) et le *mosto,* jus de raisin (blanc ou noir) servi avec de la glace et une rondelle d'orange. N'oubliez pas de déguster une *horchata/orxata*. Cette boisson épaisse à base de *chufa* (souchet jaune, ou amande de terre) est très désaltérante. Enfin, les *granizados* sont des boissons fraîches aromatisées avec de la glace pilée.

bière

Climat oblige, la bière (*cerveza/ cervesa*) est servie très fraîche. Le demi (25cl de pression) se dit *caña/ canya*. Un *tubo* fait 33cl et une *jarra/ gerra* correspond à une pinte (50cl).

Si vous demandez simplement une *cerveza/cervesa,* on vous servira en général une bière en bouteille, plus chère. Les bouteilles se déclinent en *quinto* ou *botellín* (25cl), *tercio* (33cl) ou *media* (50cl). Les inconditionnels du panaché commanderont, suivant la taille, une *clara* ou un *tubo/una caña con gaz* (Aragon). Parmi les bières locales figurent l'Estrella Dam (Barcelone), la Victoria, la San Miguel (Lleida) et la Cruz-Campo. Pour les vins, cf. Gastronomie (p.42).

BUDGET ET SAISONS TOURISTIQUES

budget quotidien

Comptez au moins 60 à 70€ par jour et par personne (en voyageant à 2) : logement en pension ou dans de petits hôtels, transports en commun, menus économiques, quelques visites et sorties. Avec 100€ par jour, vous pourrez dormir dans de bons hôtels, goûter la gastronomie locale, louer éventuellement une voiture. Mais attention, votre budget dépendra de la saison : en haute saison, ces indications sont à revoir à la hausse. En général, en Catalogne, et surtout à Barcelone, la vie est plus chère que sur le reste de la côte est.

saisons touristiques

Les tarifs de basse saison sont en principe appliqués de novembre à

Taxe IVA : attention à l'addition !

La taxe sur la valeur ajoutée, ou **IVA** (Impuesto sobre el Valor Añadido, prononcez "iba"), appliquée à la restauration et à l'hôtellerie, s'élève à 10%. Les prix affichés l'incluent – *IVA incluido* –, ou pas – *más IVA* (comme c'est souvent le cas dans l'hôtellerie). Pour la location de voitures, l'IVA atteint 21%.

février (hors fêtes de fin d'année et fêtes locales)... sauf, bien sûr, dans les stations de ski des Pyrénées. La moyenne saison correspond aux périodes les moins animées du printemps à l'automne : d'avril à début juillet sur la Costa Brava et en montagne, par exemple. La haute saison comprend la Semaine sainte (fin mars-début avril), les grandes fêtes locales (telles les Fallas de Valence et les fêtes d'El Pilar à Saragosse), les vacances d'été – le mois d'août étant le plus chargé de l'année sur toute la côte – et les fêtes de fin d'année, notamment à Barcelone. À savoir : Barcelone et certaines stations balnéaires comme Cadaqués, Tossa de Mar et Sitges sont très fréquentées le week-end, et ce toute l'année.

hébergement et restauration

Les catégories de prix retenues dans ce guide correspondent au prix moyen d'une chambre pour deux personnes (avec sdb, sans petit déjeuner, sauf indications contraires) et d'un repas (entrée + plat ou plat + dessert, boisson non comprise) en haute saison.

CARTES D'ÉTUDIANT

carte d'étudiant internationale Isic

En Espagne, la carte ISIC (International Student Identity Card) donne droit à des réductions dans les auberges de jeunesse – cf. Hébergement (p.62) –, sur les entrées des sites et des musées, sur les trajets en train, en car ou en bateau avec certaines compagnies. Elle permet également d'acheter des billets d'avion à prix réduits dans les agences agréées. En France, elle coûte 13€. Pour l'obtenir, munissez-vous d'un justificatif officiel (carte d'étudiant, certificat d'inscription), d'une photo, et présentez-vous dans l'une des agences de voyages mentionnées ci-après, cf. Voyagistes, Jeunes et étudiants (p.80). Pour des informations complémentaires, consultez le site www.isic.fr.

www.tujuca.com Pour la Catalogne, le réseau Tujuca possède un site en plusieurs langues.

ISIC (France) *2, rue de Cicé 75006* **Paris** *Tél. 01 40 49 01 01 www.carteisic.com www.isic.fr www.isic.org*

CJB L'Autre Voyage (Belgique) *Rue Alphonse-Hottat, 22-24 Boîte 2 1050* **Bruxelles** *Tél. 02 640 97 85 www.cjb-to.be*

Connections *Rue du Midi, 19-21 1000* **Bruxelles** *Tél. 02 550 01 30 www.connections.be*

STA Travel (Suisse) *Rue Rousseau, 29 1204* **Genève** *Tél. (22) 058 450 49 49 www.statravel.ch*

Voyages Campus (Québec) *Carte ISIC 20$ pour l'année scolaire. Université de Québec à Montréal 407, bd de Maisonneuve Est H2L 4J5* **Montréal** *Tél. 1 800 667 2887 ou 514 843 8511 www.voyagescampus.com*

PRATIQUE

GAMME DE PRIX	RESTAURATION	HÉBERGEMENT
Très petits prix	moins de 12€	moins de 50€
Petits prix	de 12 à 20€	de 50 à 65€
Prix moyens	de 20 à 30€	de 65 à 85€
Prix élevés	de 30 à 50€	de 85 à 130€
Prix très élevés	plus de 50€	plus de 130€

PRATIQUE

carte Youth Hostelling International Fuaj

Cette carte offre des tarifs préférentiels dans les auberges de jeunesse membres du réseau Youth Hostelling International. cf. Hébergement (p.62).

FUAJ (France) *27, rue Pajol 75018 Paris Tél. 01 44 89 87 27 www.fuaj.org*
Les Auberges de Jeunesse (Belgique) *Rue de la Sablonnière, 28 1000 Bruxelles Tél. 02 219 56 76 www.laj.be*
Schweizer Jugendherbergen (Suisse) *Schaffhauserstrasse, 14 CH 8042 Zürich Tél. 044 360 14 14 www.youthhostel.ch*
Hostelling International (Canada) *Suite 400 205 Catherine Street ON K2P 1C3 Ottawa Tél. 1 800 663 5777 ou (613) 237 7884 www.hihostels.ca*

CARTES ET PLANS

Pour une vue d'ensemble de la péninsule Ibérique, consultez la carte Michelin 734 *Espagne-Portugal*. La carte Michelin 574 rassemble la Catalogne et l'Aragon. La 577 couvre le Levant, c'est-à-dire la Communauté valencienne et la région de Murcie. Les offices de tourisme tiennent à votre disposition des plans souvent très bien faits sur lesquels figurent la plupart des rues, les principaux monuments et parfois les hébergements et les restaurants. Pour les grandes villes, demandez un plan avec index des rues (*callejero/llista de carrers*), plus pratique. Ceux que l'on trouve dans le commerce (librairies, marchands de journaux) sont en général trop encombrants et compliqués à utiliser. Le plan Michelin 41 *Barcelone* se révélera cependant pratique pour préparer votre séjour, grâce à sa petite échelle et à son index détaillé. Si vous désirez randonner dans l'est de l'Espagne, mieux vaut vous procurer une

carte éditée par l'IGN, l'Institut cartographique de Catalogne (www.icc.es, possibilité de télécharger des cartes), les éditions Alpina (www.editorial alpina.com) ou Prames (www.prames.com). Enfin, vous trouverez en librairie de nombreuses collections de topoguides et de brochures en espagnol sur les meilleurs itinéraires de randonnée, région par région.

DÉCALAGE HORAIRE

L'Espagne vit à l'heure GMT + 1 en hiver et GMT + 2 en été (les horloges sont avancées d'une heure du dernier dimanche de mars au dernier dimanche d'octobre). L'heure est donc la même à Barcelone qu'à Paris, Bruxelles ou Berne, et en avance de 6h par rapport à celle de Montréal.

DOUANES

La Belgique, la France et l'Espagne appartiennent à l'espace douanier européen "Schengen", espace où la circulation des marchandises n'est soumise à aucune taxe. En vertu d'accords bilatéraux entre la Suisse et l'Espagne, les citoyens suisses n'auront pas à déclarer les produits les plus courants. Les échanges entre le Canada et l'Espagne sont conditionnés par un certain nombre de règles. Ainsi, chaque visiteur pourra emporter avec lui, sans payer de taxes de douane (*duty-free*), un maximum de 2l de vin ou 1l d'alcool fort, 200 cigarettes (ou 50 cigares), 50ml de parfum, ses effets personnels (rubrique incluant matériel de camping, appareil photo, caméscope, appareil audio, instrument de musique). Peuvent également être importés sans frais de douanes : une canne à pêche, un vélo, une paire de skis, une raquette de tennis ou encore un équipement de golf. Aucune limite n'est fixée à l'importation de devises étrangères émises sous formes de pièces, billets ou encore chèques de voyage.

ÉLECTRICITÉ

Le réseau électrique espagnol répond aux normes européennes et fonctionne en 220V, avec des prises à deux fiches rondes, comme en France. La fréquence du courant est de 50Hz, comme dans le reste de l'Europe hors Royaume-Uni.

FÊTES ET JOURS FÉRIÉS

Les jours fériés, nationaux ou régionaux, sont légion en Espagne. S'y ajoutent les grandes fêtes religieuses, folkloriques et autres *ferias* locales, telles les Fallas de Valence et les fêtes de la Mercè à Barcelone cf. Fêtes et traditions (p.39). À noter que la plupart des musées et offices de tourisme ferment les 25 et 31 décembre, les 1er et 6 janvier et parfois aussi le 1er mai. Attention, lorsqu'un jour férié tombe un dimanche, le lundi suivant est souvent chômé.

FORMALITÉS

Pour tout séjour de moins de 3 mois (touristique ou professionnel), aucun visa n'est nécessaire pour les ressortissants de l'Union européenne, les

PRATIQUE

fêtes et jours fériés

JOURS FÉRIÉS NATIONAUX

1er janvier	Nouvel An (Año Nuevo)
6 janvier	Épiphanie/Jour des Rois mages (Epifanía/Día de los Reyes Magos)
Fin mars-début avril	Vendredi saint (Viernes Santo)
1er mai	Fête du travail (Fiesta del Trabajo)
15 août	Assomption (La Asunción)
12 octobre	Fête nationale (Día Nacional)
1er novembre	Toussaint (Todos los Santos)
6 décembre	Jour de la Constitution (Día de la Constitución)
8 décembre	Immaculée Conception (La Inmaculada Concepción)
25 décembre	Noël (Navidad)

JOURS FÉRIÉS SUPPLÉMENTAIRES

19 mars	**Communauté valencienne** Saint-Joseph (San José)
	Région de Murcie Saint-Joseph (San José)
Mars-avril	**Catalogne** Lundi de Pâques (Dilluns de Pasqua Florida)
	Aragon Jeudi saint
	Communauté valencienne Lundi de Pâques
	Région de Murcie Jeudi saint
23 avril	**Aragon** Saint-Georges (San Jorge)
9 juin	**Région de Murcie** Fiesta de Murcia
24 juin	**Catalogne** Saint-Jean (Sant Joan)
11 septembre	**Catalogne** Fête nationale catalane (Diada Nacional de Catalunya)
9 octobre	**Communauté valencienne** Fiesta Nacional del País Valenciano
26 décembre	**Catalogne** Saint-Étienne (Sant Esteve)

Suisses, les Canadiens et les détenteurs d'un passeport américain. Pour un séjour plus long, il faudra faire une demande de carte de résident avant la fin du premier mois passé sur place, cf. Ambassades et consulats (p.55).

HÉBERGEMENT

généralités

RÉSERVATIONS Pour voyager en haute saison, vous devrez impérativement réserver longtemps à l'avance. Il est toujours possible de trouver une chambre à Barcelone lors de la Semaine sainte, à Valence pendant les Fallas ou sur la côte au mois d'août, mais il faut s'armer de courage (faire le tour des pensions), être chanceux (annulations de dernière minute) ou peu regardant sur la qualité ou le prix. Attention : rares sont désormais les établissements qui acceptent les réservations sans acompte, surtout en haute saison. Que vous reteniez une chambre par téléphone ou en ligne, on vous demandera les coordonnées de votre carte de crédit, ou un virement bancaire ou postal. En basse et moyenne saison, la réservation, moins indispensable, offre cependant un plus grand confort. cf. Budget et saisons touristiques (p.58).

DÉSAGRÉMENTS L'auberge espagnole ne doit pas sa réputation au hasard... Si vous avez le sommeil léger, armez-vous de patience et de boules Quiès car le niveau sonore est souvent élevé dans les hôtels : télévision du réceptionniste hurlant toute la nuit (pour éviter qu'il ne s'endorme !), voisins se douchant et discutant bruyamment en rentrant du restaurant (à 2h du matin, vous êtes en Espagne !), ambiance survoltée à la sortie du pub situé sous votre fenêtre ou non loin de votre hôtel (il est 5h). Et que

dire des travaux qui commencent de bon matin dans la chambre d'à côté (le patron avait "oublié" de vous en parler) ?

hôtels

L'appellation *hotel* recouvre un vaste éventail d'établissements, allant de la pension plutôt miteuse au palace. Et mieux vaut ne pas trop se fier à leurs étoiles (de 1 à 5). Il est en effet fréquent qu'un 1-étoile possède une piscine, des chambres décorées avec goût et avec vue sur mer, tandis que certains 2-étoiles se révèlent pires que des pensions bas de gamme. En revanche, l'échelle des prix reflète assez bien le niveau de confort. Une chambre double louée entre 45 et 55€ sera en général simple mais propre. À partir de 60-70€, surtout en basse saison et plus encore dans les petits villages, il n'est pas rare de tomber sur des hôtels de caractère installés dans des demeures anciennes. Enfin, si vous disposez de 120€ ou plus par nuit, tournez-vous vers le réseau des Paradores de España, qui se positionnent comme des hôtels de grand standing, souvent exceptionnels par leur architecture (Alcañiz, Tortosa...) ou par leur environnement (Vic-Sau, parc national d'Ordesa...). Bâtiments classés, œuvres d'art aux murs, décoration raffinée, service attentionné et restaurant gastronomique... : le tout relativement accessible, puisque le prix des doubles débute à environ 100€, petit déjeuner-buffet rarement compris. Il existe par ailleurs de nombreuses offres spéciales, accessibles hors saison et sur réservation : couples de moins de 35 ans (env. 112€ la nuit pour 2), séjours de plus de 2 nuits (-30%), carte 5 nuits (env. 540€), couples de plus de 55 ans (-30%).
Paradores de España *Tél.* 902 54 79 79 ou 902 52 54 32 *www.paradores.es*

pensions

Ce type d'adresses conviendra parfaitement à ceux qui voyagent avec un budget serré et qui ont le goût de l'aventure. Mais attention : les *pensiones* (*hostales, fondas, casas de huéspedes, hospedajes, residencias, moteles*) désignent aussi bien les vieilles pensions de famille délabrées que des établissements flambant neufs style 2-étoiles. Les prix débutent autour de 30€ pour une chambre double (draps, serviettes et parfois petit déjeuner compris) : à ce tarif, vous n'aurez pas de salle de bains indépendante, le confort sera rudimentaire et la propreté variable selon les établissements. Pour 35-45€, vous aurez une salle de bains avec douche ou baignoire. Entre 45 et 65€, il s'agira d'une pension de caractère bien située ou d'un établissement moderne au profil 2-étoiles. Il est conseillé de jeter un rapide coup d'œil à la chambre avant de se décider. Sachez également négocier les prix, surtout si vous comptez occuper les lieux plusieurs nuits. Enfin, les pensions n'acceptent pas toutes les règlements par carte bancaire et réclament souvent le paiement à l'arrivée.

gîtes et chambres d'hôtes

Le tourisme rural s'est beaucoup développé ces dernières années en Espagne, et maintes *casas rurales/cases de pagès* - l'équivalent de nos gîtes et chambres d'hôtes - se sont ouvertes dans les petits villages ou en pleine nature. Ce type d'hébergement est une solution plutôt économique, idéale pour sortir des sentiers battus et découvrir des paysages sauvages, notamment dans les Pyrénées, le delta de l'Èbre, la région viticole du Penedès, l'arrière-pays de Murcie ou sur la route des monastères cisterciens (près de Tarragone).

www.gencat.cat/temes/cat/turisme. htm Le site de l'office de tourisme de Catalogne regroupe un grand nombre de chambres à la ferme, maisons rurales à louer...

Asetur C'est l'association espagnole de tourisme rural. Son site est très complet et en plusieurs langues. *www. ecoturismorural.com*

Agroturisme de la Unió de Pagesos de Catalunya *www.agroturisme.org*

Faratur Federación Aragonesa de Asociaciones de Alojamientos Rurales. *Pl. Cristo Rey 44140* **Cantavieja** *(provincia de Teruel) Tél. 964 18 52 50 www.ecoturismoaragon.com*

Casas Rurales de la Comunidad Valenciana *www.casasrurales-cv.com*

Club Rural *Tél. 911 19 12 90 www.clubrural.com*

refuges de montagne

Les Pyrénées espagnoles sont parsemées de refuges de montagne gardés et payants (autour de 13€/nuit).

FEM Federación Española de Montañismo. *C/ Floridablanca 84 08015* **Barcelone** *Tél. 934 26 42 67 www. fedme.es*

Association pyrénéenne d'auberges et refuges *www.refugiosyalbergues. com*

FEEC Federació d'Entitats Excursionistes de Catalunya. Tout sur les refuges en Catalogne. *Ramblas, 41, Principal 08002* **Barcelone** *Tél. 934 12 07 77 www.feec.org*

Refugios de Montaña en Aragón Coordonnées des refuges de montagne aragonais. *www.pasapues.es/ aragonesasi/refugios.php www.aragoneria.com*

auberges de jeunesse

Les *albergues juveniles* sont assez nombreuses. Si chaque grande ville touristique en compte au moins une,

PRATIQUE

Barcelone en possède plus d'une dizaine. Ces auberges sont en général affiliées aux réseaux Inturjoven (Espagne) : carte de membre obligatoire – type Fuaj, (p.59) – et prix réduits pour les moins de 25 ou 26 ans. En Catalogne, le réseau Tujuca prend le relais : pas de carte de membre, mais tarif réduit pour les moins de 25 ou 26 ans titulaires de la carte Isic. À ces AJ labellisées s'ajoutent des établissements indépendants, particulièrement nombreux à Barcelone, qui n'exigent aucune carte. Les auberges sont en général bien tenues et elles disposent souvent, outre de grands dortoirs à lits superposés, de chambres doubles, triples ou quadruples, avec ou sans salle de bains individuelle. Autres avantages, les activités et visites organisées sur place, la possibilité de rencontrer d'autres voyageurs et de partager de bons plans. Les inconvénients : une situation parfois excentrée et des horaires de fermeture stricts, excepté à Barcelone. Attention, la durée du séjour est parfois limitée à trois jours consécutifs (cinq en basse saison). De plus, il est presque toujours impossible de cuisiner sur place, mais un service de restauration bon marché est fréquemment proposé en haute saison. Comptez de 15 à 28€/nuit.

Reaj Red Española de Albergues Juveniles. *Tél. 912 98 72 45 www.reaj.com*

Tujuca Turisme Juvenil de Catalunya. *C/ Calabria, 147 08015 Barcelone Tél. 934 83 83 83 www.tujuca.com*

Ivaj Institut Valencià de la Joventut. *C/ Guardia Civil, 21 46007 Valence Tél. 963 10 86 70 www.gvajove.es*

location d'appartements

Une solution souvent avantageuse pour de longs séjours. La durée de location minimale est en général de deux nuits, mais il est plus économique de louer à la semaine. Dans ce cas, il n'est pas rare que la location d'un appartement revienne, à confort égal, moins cher qu'une chambre d'hôtel. Une formule qui se développe à Barcelone, où les appartements touristiques sont de moins en moins rares et onéreux. À Gérone, en revanche, les appartements "historiques" sont une excellente surprise.

campings

Ouverts généralement d'avril à octobre, les campings espagnols affichent des tarifs comparables à ceux que l'on pratique en France. Fixés par la loi en fonction du niveau de confort, ils sont placardés à l'entrée du camping. Pour deux adultes, une tente et une voiture, comptez de 25 à 35€. Les prix sont généralement majorés sur la côte en été. Bien équipés, les campings du littoral ont cependant quelques défauts. À de rares exceptions près, ils sont excentrés et souvent situés au bord des grands axes. De plus, ils restent très appréciés des Espagnols, et donc fort animés en journée et bruyants la nuit, surtout le week-end. Enfin, à climat sec, sol dur ! Les campings des Pyrénées merveilleusement situés en pleine nature se révèlent beaucoup plus calmes. À noter : de plus en plus de campings louent des tentes familiales ou des cabanes tout équipées. Pour ce qui est du camping sauvage, il est rarement toléré, et il est interdit dans les parcs naturels et sur la plupart des plages. Les communes disposant de *zonas de acampada*, terrains gratuits sans équipements, sont de plus en plus rares. Quelques auberges de jeunesse possèdent des aires de camping à prix réduit : env. 10€/pers., douche et petit déjeuner inclus.

Vaya camping Centrale de réservation par Internet. *www.vayacamping.net*

HEURES D'OUVERTURE

La journée type est étroitement liée aux heures des repas : une tradition à respecter pour vivre au mieux le rythme du pays ! cf. Restauration (p.70).

banques, postes et administrations

Les banques sont en principe ouvertes du lundi au vendredi de 9h à 14h, et parfois le samedi de 9h à 13h. Le bureau de poste principal des grandes villes reste généralement ouvert du lundi au vendredi de 8h30 à 20h, et le samedi de 9h à 13h. Les bureaux secondaires et ceux des villes petites et moyennes n'ouvrent en revanche que le matin, de 8h30 à 13h-14h. Les services administratifs ferment à 14h et les jours fériés.

musées et sites touristiques

Ils ouvrent habituellement du mardi au samedi de 9h(-10h) à 13h(-14h) et de 16h(-17h) à 18h(-19h), le dimanche de 9h à 14h. Le lundi est souvent jour de relâche, donnée qu'il faudra toujours prendre en compte dans la préparation de vos excursions. Cependant, ces horaires varient grandement en fonction du lieu, de la saison et d'autres facteurs parfois mystérieux pour le non-initié. Afin d'éviter les mauvaises surprises, vérifiez les heures d'ouverture sur les sites Internet ou auprès des offices de tourisme. Rappelez-vous, enfin, que certains musées ferment les jours fériés.

commerces

Si les grands magasins ouvrent du lundi au samedi de 10h à 20h sans interruption, la plupart des petits commerçants travaillant du lundi au vendredi de 9h30 (10h) à 13h (14h) puis de 16h30 (17h) à 20h30 (21h), voire 22h en été. Certains magasins sont aussi ouverts le samedi matin et parfois même le dimanche. D'autres font la journée continue.

INTERNET

www.spain.info Site officiel de l'office de tourisme espagnol.
www.tourspain.es
www.ambafrance-es.org Site de l'ambassade de France en Espagne.
www.espana.gc.ca Site de l'ambassade du Canada en Espagne.
www.lanetro.com En espagnol, de bonnes adresses ville par ville.
www.gencat.cat Site officiel de la Generalitat de Catalunya.
www.enviedecatalogne.fr
www.catalunya.com Sites de l'Agence catalane de tourisme
www.barcelona-on-line.es et www.barcelonaturisme.com Les deux sites les plus utiles sur Barcelone, avec la possibilité de réserver en ligne.
www.bcn.cat/barcelonawifi/es Liste des hotspots wifi à Barcelone, quartier par quartier.
www.turismodearagon.com Bonne source d'informations sur l'Aragon, notamment sur l'hébergement et les activités de plein air.
www.aragon.es Site d'informations générales du gouvernement d'Aragon.
www.pirineos.com Site sur les Pyrénées espagnoles, avec notamment des infos sur les activités de montagne et un service de réservation en ligne.
www.comunitatvalenciana.com Site touristique sur la région de Valence.
www.gva.es Site officiel de la Communauté valencienne.
www.murcia.es et www.carm.es Sites officiels de la région de Murcie.

PRATIQUE

PRATIQUE

LANGUES

Si vous désirez améliorer votre espagnol – soit le **castillan** – en vous rendant dans l'est de l'Espagne, sachez qu'il n'est pas parlé partout. L'usage du **catalan** est de rigueur en Catalogne que ce soit sur les plans de villes ou dans les conversations. Ainsi, nous avons privilégié cette langue dans les quatre premières GEORégions du guide : Barcelone et ses environs, La Costa Daurada et l'arrière-pays, La Costa Brava et l'arrière-pays, Les Pyrénées catalanes. En outre, les habitants de la Communauté valencienne parlent autant le castillan que le **valencien** mais les panneaux et les enseignes sont souvent en valencien. Par mesure de simplicité, ladite région de cet ouvrage est, comme Murcie, traitée en castillan. Enfin, sachez que vous pourrez (parfois !) utiliser le français et surtout l'anglais, très bien compris dans les zones touristiques.

cours de langue

Chaque ville compte au moins une école de langues, permettant d'apprendre ou d'améliorer sur place son espagnol. Les universités également organisent des programmes d'initiation ou de perfectionnement, dont certains sont limités à quelques semaines, et des cours d'été. Cette solution a l'avantage de présenter un excellent rapport qualité-prix : un mois de cours à 30 heures par semaine revient à environ 355€, hébergement et repas non compris. Les écoles de langues privées sont, elles, un peu plus chères et la qualité des cours est variable, mais l'offre est plus importante. Certains stages débouchent sur des diplômes officiels, au premier rang desquels ceux du DELE, reconnus par le ministère de l'Éducation espagnol. Sur les panneaux d'affichage des universités et des écoles, on trouve également des propositions de cours particuliers, plus onéreux. Sachez que les universités et les écoles de langues proposent en général à leurs étudiants des solutions d'hébergement à prix réduit (chambre chez l'habitant, résidence universitaire, colocation, etc.). Pour améliorer votre connaissance du catalan, cf. Mode d'emploi (p.90).

Institut Cervantès Renseignements sur les écoles de langues. *www.cervantes.es* **France** 7, rue Quentin-Bauchart 75008 Paris Tél. 01 40 70 92 92 **Belgique** Avenue de Tervuren, 64 1040 Bruxelles Tél. 2 737 01 90 **Canada** University of Calgary, Craigie Hall D 401B, 2500 University Dr. NW, T2N 1N4 Calgary

MÉDIAS

presse écrite

QUOTIDIENS Les principaux quotidiens nationaux sont *El País*, fondé en 1976 juste après la mort de Franco, symbole de l'Espagne démocratique, *El Mundo*, créé en 1990, et *ABC*, qui représente une droite plus conservatrice. Ces trois journaux disposent d'éditions locales à Barcelone, Saragosse et Valence et sont présents sur le Web (www.elpais.com, www.elmundo.es, www.abc.es). En Catalogne, *La Vanguardia* (www.lavanguardia.es) et *El Periódico de Catalunya* (www.elperiodico.com), publiés en castillan et en catalan, visent également le marché national. Les quotidiens régionaux et locaux sont nombreux et très populaires : citons *Avui* (www.elpuntavui.cat) en Catalogne, *Levante* (www.levante-emv.com) ou *Las Provincias* (www.lasprovincias.es) à Valence, *El Periódico de Aragón* (www.elperiodicodearagon.com) ou *Heraldo de Aragón* (www.heraldo.es) en Aragon. Leur actualité "de proximité" permet par ailleurs d'obtenir rapidement des informations pratiques de toutes sortes, par exemple les horaires de bus. Les quotidiens sportifs, avec *As* (www.as.com) et *Marca* (www.marca.com) au premier plan, jouissent aussi d'une grande popularité. Au programme ? Du football... Autres titres vendeurs : *El Mundo Deportivo* (www.elmundodeportivo.es) et *Sport* (www.sport.es).

MAGAZINES La majorité des journaux régionaux publient une fois par semaine un supplément consacré aux sorties. Les hebdomadaires d'information les plus vendus restent *Cambio 16, El Tiempo, Época* et *Tribuna*, tous d'actualité et d'information. Enfin, la presse du cœur est également plébiscitée, notamment l'incontournable *¡Hola !* ou *Diez Minutos*. Pour tout savoir sur les frasques des têtes couronnées et des célébrités ibériques...

PRESSE INTERNATIONALE Les grands journaux et magazines anglais, allemands et américains sont disponibles dans les centres touristiques avec un ou deux jours de décalage. À l'exception du *Monde,* les titres francophones sont plus rares, sauf en Catalogne et dans les zones frontalières de l'Aragon où on les trouve le jour même de leur parution.

PRESSE GRATUITE Les grandes villes publient souvent des magazines touristiques bilingues (espagnol/anglais et parfois français), avec les coordonnées des monuments à visiter, des suggestions de sorties et l'actualité culturelle du mois. On les trouve dans les offices de tourisme, certains bars...

télévision

L'État espagnol gère deux chaînes, TVE1 et TVE2. Cinq chaînes nationales indépendantes émettent sur tout le territoire : Antena 3, Tele 5, Cuatro, La Sexta et Canal Plus. Comme en France, cette dernière est payante et fonctionne avec un décodeur. En outre, plusieurs régions possèdent leur(s) propre(s) chaîne(s) locale(s), comme TV3 ou El 33 en Catalogne (programmation en catalan), Antena Aragón en Aragon ou Canal Nou dans la Communauté valencienne. Certaines villes disposent de leurs propres chaînes (à Barcelone : BTV, gérée par la municipalité, et City TV, privée). Rien de bien extraordinaire concernant les programmes diffusés : ils tournent autour du football, de la variété, des jeux et des innombrables *telenovelas* (feuilletons télévisés). Enfin, les chaînes francophones TV5 Monde et France 24 (information continue) sont disponibles sur le câble et par satellite, notamment sur le bouquet Canal Satellite Digital. TV5 Monde diffuse les journaux de France Télévisions, de Radio Canada, de la RTBF et de la TSR.

radio

Les principales radios nationales sont Radio Nacional de España, Cadena Ser et Onda Cero. En Catalogne, Catalunya Radio émet en catalan et dispose de canaux spécialisés (musique, infos, etc.). À écouter les soirs où joue le "Barça" (l'équipe de football barcelonaise), pour le plaisir d'entendre le *¡Gooooooool !* des présentateurs. À Valence, vous pourrez écouter Radio Nou. Malheureusement, le réseau FM espagnol est peu sophistiqué. Vous vous en rendrez vite compte en voiture : les fréquences de chaque radio changent très souvent

PRATIQUE

PRATIQUE

et rendent l'écoute d'autant plus problématique qu'il existe une multitude de radios locales (souvent plusieurs par ville). On capte certaines radios françaises dans le nord de la Catalogne et de l'Aragon.

OFFICES DE TOURISME

sur la côte est de l'Espagne

Plus rares dans l'arrière-pays catalan et les régions de montagne isolées de l'Aragon, les offices de tourisme sont présents dans la majorité des villes et villages touristiques de l'est du pays. Vous y trouverez en général un accueil chaleureux et professionnel, ainsi qu'une documentation sur la ville concernée : plans (*mapa/plan*), liste des hébergements et parfois, dans les grandes agglomérations, un service de réservation de dernière minute. Le personnel parle l'anglais, plus rarement le français, très répandu cependant en Catalogne et dans les Pyrénées.

à l'étranger

L'Espagne dispose d'un solide réseau d'offices de tourisme à l'étranger. Par ailleurs, des sites Internet en langue française permettent de découvrir la Catalogne.

FRANCE
Office de tourisme espagnol 22, rue Saint-Augustin 75002 **Paris** Tél. 01 45 03 82 50/52 www.spain.info Office fermé au public **Permanence téléphonique** lun.-jeu. 9h-17h, ven. 9h-14h **Maison de la Catalogne** 4-8, cour du Commerce Saint-André 75006 **Paris** Tél. 01 56 81 29 29 www.gencat.cat

BELGIQUE
Office de tourisme espagnol Rue Royale, 97 1000 **Bruxelles** Tél. 02 280

19 26 ou 02 280 19 29 www.spain.info Ouvert lun.-ven. 9h-14h
Tourisme de Catalunya Fournit des informations par mail, fax ou courrier uniquement. Rue de la Loi, 227 1040 **Bruxelles** Tél. 02 640 61 51 www.gencat.cat

SUISSE
Office de tourisme espagnol Seefeldstrasse 19 8008 **Zürich** www.spain.info

CANADA
Office de tourisme espagnol 2, Bloor Street West 34e étage M4W 3E2 **Toronto** Tél. 416 961 31 31 www.spain.info Ouvert lun.-ven. 9h-15h

POSTE

À la campagne, il vous sera parfois difficile de trouver un bureau de poste (*correos/correus*), mais il y aura toujours une boîte aux lettres jaune (*buzón/bústia*), souvent à l'épicerie du village.
Correos Tél. 902 19 71 97 www.correos.es

poste restante

Vous pouvez vous faire adresser du courrier en poste restante (*lista de correos/llista de correus*), soit en indiquant juste le nom de la ville ou du village, le courrier arrivant en principe dans le bureau de poste central ; soit en indiquant l'adresse du bureau de poste de votre choix, à condition toutefois qu'il assure un service de poste restante. Le délai moyen de réception est semblable à celui de l'envoi vers l'étranger. Pensez à vous munir d'une pièce d'identité. Si vous utilisez une carte ou des chèques de voyage American Express, il vous est également possible de recevoir des lettres dans l'une de leurs agences.

tarifs et délais

Envoyer une lettre (*carta*) de moins de 20g ou une carte postale coûte env. 0,37€ pour l'Espagne, env. 0,75€ pour l'Europe et env. 0,90€ pour les autres pays. Pour les envois urgents (*urgentes*), comptez 5€/6€/6,05€. Si vous envoyez vos plis en recommandé (*certificado*), il faudra acquitter un supplément de 2,35€ env. Les timbres (*sellos*) sont en vente dans les bureaux de tabac (*estancos*) et de poste (*correos*). Le courrier arrive à destination en trois à quatre jours en moyenne pour l'Europe, et une dizaine de jours pour l'Amérique du Nord. En service rapide (*urgente*), il mettra un ou deux jours de moins pour arriver. Envoyer un colis en Europe ou en Amérique revient respectivement à env. 26,93€ et env. 20,28€ le kg. Pour les colis express (*EMS Postal Exprés*), il vous en coûtera env. 44,26€ le kg pour la France et la Belgique, env. 53€ pour la Suisse et env. 59,80€ pour l'Amérique du Nord.

POURBOIRE

Dans les bars et dans les restaurants, les prix indiqués comprennent le service. Le pourboire n'a donc rien d'obligatoire, même s'il est de coutume d'en laisser un. Si le service vous est agréable, n'hésitez pas à vous montrer généreux. Là encore, pas de règle absolue, même si 5 à 10% du prix de la consommation semblent une bonne moyenne. À noter : le pourboire n'est pas obligatoire dans les taxis, mais il reste toujours apprécié.

QUAND PARTIR ?

De manière générale, la saison touristique s'étend de la Semaine sainte (fin mars-début avril) au mois d'octobre. En été, il faudra cependant compter avec la foule des vacanciers sur la côte et une chaleur étouffante dans l'arrière-pays. Au printemps et à l'automne, vous bénéficierez d'une plus grande tranquillité et d'un climat très agréable. Mais vous trouverez alors nombre d'établissments fermés dans les stations balnéaires. En montagne, la période des sports d'hiver s'étend de décembre à mars-avril, avec une affluence maximale de Noël à la fin janvier, tandis que la fonte des neiges ouvre la voie aux randonneurs de juin à septembre. Enfin, les grandes villes comme Barcelone et Valence constituent toute l'année des destinations idéales pour un week-ends prolongé.

PRATIQUE

climat et saisons

Saisons touristiques	été	hiver
	fin mars-octobre	décembre-avril
Températures	**Barcelone**	**Alicante**
Min./max. en février	7°C/14°C	6°C/17°C
Min./max. en août	21°C/28°C	20°C/31°C
Ensoleillement		
Moyenne en février	6h/j.	7h/j.
Moyenne en août	9h/j.	11h/j.
Précipitations		
Moyenne en février	40mm/5j.	20mm/4j.
Moyenne en août	50mm/6j.	14mm/2j.
Température de la mer		
Moyenne en février	12°C	14°C
Moyenne en août	23°C	25°C

PRATIQUE

RESTAURATION

Pour les fourchettes de prix, cf. Budget et saisons touristiques (p.58). Pour en savoir plus sur la tradition gastronomique, cf. Gastronomie (p.42)

le rythme espagnol

La journée de travail commence vers 8h-9h. Le petit déjeuner (*desayuno/esmorzar*) se résume généralement à un simple café. La matinée est coupée vers 11h-12h par une pause gourmande (*almuerzo*), composée d'un café et de tartines grillées, ou d'une bière avec une omelette ou un sandwich. Vers 14h-15h, on prend un vrai repas, le plus copieux de la journée (*comida/dinar*). Vers 17h-18h, certains s'autorisent un goûter (café, pâtisseries) (*merienda/berenar*). À 20h, c'est l'heure de l'apéritif (*aperitivo/aperitiu*), l'occasion, pour bien commencer la soirée, de boire une bière et de grignoter quelques tapas au comptoir ou en terrasse. Une soirée qui se prolonge tard dans la nuit, après un dîner (*cena/sopar*) pris vers 21h, voire 22h. Attention : en hiver, dans certaines vallées des Pyrénées, les habitudes sont bien plus proches de celles que l'on observe en France, et l'on mange plus tôt le soir.

bars à tapas et bars-restaurants

Que choisir au menu (*carta/carta*) ? Les bars à tapas et les bars-restaurants, qui proposent tapas, menus et plats, sont les plus économiques. Les tapas, souvent présentées derrière une vitrine à même le comptoir, existent en trois formats : amuse-gueule, petite portion (*media ración/mitja ració*) et portion copieuse (*ración/ració*). La plupart des établissements proposent également un menu du jour (*menú del día/menú del dia*) : entrée,

plat et dessert, le tout pour 10 à 15€, vin ou café parfois inclus (vérifiez toujours que l'IVA – 10% –, les boissons et le pain sont compris). Moins copieux et moins chers, les *platos combinados/plats combinats*, ou plats garnis, sont des assortiments de viande, de poisson ou de charcuterie souvent servis avec des œufs, quelques légumes et des frites (attention, garniture parfois en sus). La taille des différentes formules varie sensiblement d'un établissement à l'autre. Mieux vaut observer vos voisins, et ne pas hésiter à leur demander conseil, car ils sauront souvent vous indiquer quelle est la spécialité de la maison. Si vous vous contentez d'un sandwich, examinez la liste des *bocadillos/entrepans* inscrite sur un tableau. En Catalogne, vous trouverez aussi des *tostadas/torrades*, grosses tartines grillées.

restaurants

Les restaurants proprement dits, plus confortables et globalement de meilleure qualité, sont aussi onéreux qu'en France. Les plus modestes proposent à l'heure du déjeuner des menus du jour à 15€ environ. Pour une bonne table, on déboursera facilement 30-35€/pers., vin non compris. À savoir : nombre de bars-restaurants conjuguent les deux formules détaillées précédemment. Dans la salle du bar et au comptoir, on commande des tapas ou des plats bon marché, tandis que dans la salle de restaurant, au fond, la carte s'étoffe et les prix montent. Enfin, n'oubliez pas les restaurants des Paradores, cf. Hébergement (p.62) : ils sont souvent très honnêtes.

granjas et fondas

Particularité catalane, la *granja* est un café-restaurant qui propose des jus de fruits, des chocolats chauds, des pâtisseries et des menus assez économiques. Enfin les *fondas*, équivalent de nos "auberges", proposent le gîte et le couvert.

SANTÉ ET DÉSAGRÉMENTS

troubles et maladies

Pour le voyageur, la plupart des soucis de santé sont liés à la chaleur et au changement de régime alimentaire. Dans ce dernier cas, les malaises intestinaux sont le plus souvent bénins et passagers ; c'est la fameuse *turista*. Attention aux risques d'insolation et de déshydratation lors des chaudes journées estivales. Que ce soit en ville, en montagne ou à la plage, la prudence s'impose. En règle générale, la consommation régulière d'eau, l'usage d'une crème solaire à fort indice ainsi que le port de lunettes de soleil et d'un chapeau à large bord permettront de réduire les risques. Autre nuisance, les moustiques, qui sévissent une bonne partie de l'année dans les régions marécageuses, comme le delta de l'Èbre (Catalogne) ou l'Albufera (au sud de Valence). Manches longues et produits répulsifs de rigueur. Voir aussi la rubrique Urgences (p.80).

consultations médicales

Avec la Carte européenne de santé – délivrée gratuitement par courrier dans les 15 jours suivant la demande –, les ressortissants de l'UE bénéficient d'une couverture médicale dans tous les pays membres. Cette carte couvre les frais médicaux (urgents) sur place et vous évite d'en avancer le paiement. De retour en France, vous n'aurez aucune démarche à entreprendre. L'organisme qui vous a prodigué les soins contactera directement votre caisse d'assurance-maladie. Attention, seuls seront couverts dans ce cadre les soins dispensés par des médecins et organismes publics. Si vous préférez vous adresser à des cliniques ou praticiens privés, sachez que les consultations, non remboursables, coûtent de 60 à 90€. Les voyageurs qui suivent un traitement particulier sont invités à se munir d'une lettre de leur médecin, traduite en espagnol et décrivant état de santé, traitement et médicaments prescrits.

SÉCHERESSE

Depuis plusieurs années, l'Espagne subit une sécheresse très préoccupante. Une campagne nationale a donc été lancée pour sensibiliser la population au problème de l'eau et pour indiquer la conduite à suivre pour l'économiser : ne pas laisser couler l'eau inutilement pendant la toilette, préférer la douche au bain, réutiliser l'eau bouillie pour l'entretien ménager... Dans les hôtels, il peut être demandé de poser sa serviette de toilette sur le porte-serviettes quand elle peut resservir, plutôt que de la jeter par terre ou dans la baignoire pour un lavage après chaque usage.

SÉCURITÉ

Les précautions d'usage sont valables en Espagne comme ailleurs : ne laissez ni sacs ni objets de valeur sans surveillance, prenez garde aux pickpockets dans les lieux touristiques (surtout dans les stations de métro, aux terrasses des restaurants et dans les bars). Et ne laissez jamais rien dans votre voiture. Sans qu'il soit besoin de dramatiser, les vols avec effraction existent bel et bien. Dans le centre des grandes villes, en particulier à Barcelone, Valence et Alicante,

PRATIQUE

redoublez de prudence. Déposez vos affaires à l'hôtel dès votre arrivée, puis garez votre voiture dans un parking souterrain payant. Confiez vos papiers et effets de valeur à la réception de l'hôtel, si elle dispose d'un coffre. À condition de faire preuve d'un minimum de vigilance, les villes de l'Est ne présentent pas de risques particuliers. Les gares, aéroports, lieux touristiques et certains quartiers (nous les indiquons si nécessaire) invitent à plus de prudence, surtout la nuit. Pour les numéros de secours, cf. Urgences (p.80).

SHOPPING

Avec des prix souvent avantageux, la côte est de l'Espagne ravira les inconditionnels du shopping. Les grandes villes (tout particulièrement Barcelone, capitale de la mode) possèdent de grandes galeries marchandes et accueillent des marchés animés. Parmi les principaux centres commerciaux, on retiendra les immenses Corte Inglés.

que rapporter de Catalogne ?

Outre les grands magasins de mode et de design de Barcelone, on jettera un coup d'œil aux épiceries catalanes pour acheter des spécialités de charcuterie, de l'huile d'olive (celle des garrigues de Lleida est très réputée), des vins et cavas régionaux. Sur la Costa Brava, faites un détour par La Bisbal d'Empordà, haut lieu de la céramique catalane. Enfin, dans les Pyrénées, n'oubliez pas les fromages de chèvre et les pots de miel vendus directement par les producteurs.

que rapporter d'Aragon ?

Citons les belles céramiques de Muel et de Teruel, cette dernière égale-ment connue pour son *jamón serrano*, les fromages des régions de montagne et l'huile d'olive d'Alcañiz.

que rapporter de Valence et de Murcie ?

Tradition arabo-musulmane oblige, la poterie occupe le devant de la scène. Manises, près de Valence, a toujours été un important centre producteur de céramiques : les carreaux de faïence traditionnels (azulejos) y connaissent un franc succès. Autre grande spécialité de la région, la vannerie. Palme, osier et roseau servent à fabriquer des paniers, des meubles, des nattes, ainsi que divers objets traditionnellement liés au travail agricole. Gata de Gorgos et Elche sont ainsi les principaux centres de la vannerie valencienne. Par ailleurs, Valence elle-même se distingue par ses éventails en liège ou en nacre, finement peints à la main. Près de Murcie, les villes de Muta et de Lorca sont spécialisées dans la réalisation des broderies dont on revêt les statues lors de la Semaine sainte. À Murcie, les santons de Noël reprennent le flambeau de l'imagerie baroque. Enfin, les gourmands profiteront de leur séjour à Alicante pour s'approvisionner en *turrón*, le délicieux nougat local.

SPORTS ET PLEIN AIR

cyclotourisme

Un important réseau de chemins vicinaux, pistes et sentiers offre des conditions idéales pour faire du vélo en pleine nature, aussi bien pour le cyclotourisme le plus tranquille que pour des randonnées plus sportives à VTT (*BTT/BTT*). En bord de mer ou en montagne, les belles promenades sont nombreuses. Si elles sont rarement balisées, une bonne carte permettra de s'y retrouver facilement. On peut ainsi citer les Vías Verdes, voies ferrées reconverties en pistes cyclables, comme celle qui relie Gérone à Sant Feliu de Guíxols, sur la Costa Brava (39km), ou encore la Ruta del Carrillet, entre Olot et Gérone. Il est possible de louer des vélos sur la plupart des sites touristiques, notamment dans les campings et auberges de jeunesse.

www.turismedecatalunya.com/btt Le gouvernement régional catalan, la Generalitat de Catalunya, a entrepris de créer un réseau de centres VTT, proposant des circuits balisés, des points d'information et divers services aux cyclistes.

www.viasverdes.com Pour connaître toutes les données sur les Vías Verdes.

golf

Les parcours de golf sont nombreux dans l'est du pays, sur la côte comme en montagne. La plupart d'entre eux sont accessibles sans carte de membre. Un parcours coûte de 40 à 70€. La Catalogne compte 43 golfs. Le green d'El Saler (Valence) jouit d'une excellente réputation.

RFEG Coordonnées de tous les parcours de golf du pays. *Real Federación Española de Golf Tél. 902 20 00 52 www.golfspain.com*

FCG Federació Catalana de Golf. *C/ Tuset, 32 8° **Barcelone** Tél. 934 14 52 62 www.catgolf.com*

FAG Federación Aragonesa de Golf. *Avda. César Augusto, 3 3° 50015 **Saragosse** Tél. 976 73 13 74 www.aragongolf. com*

FGCV Federación de Golf de la Comunidad Valenciana. *C/ El Bachiller, 15 46010 **Valence** (Porte 27, 7°) Tél. 963 93 54 03 www.golfcv.com*

FGRM Federación de Golf de la Región de Murcia. *Av. del Rocio, 16 4° 30006 **Murcie** Tél. 968 28 48 32 ou 968 28 10 24 www.fgolfmurcia.com*

plages et baignade

La Costa Blanca (au sud de la Communauté valencienne et la région de Murcie) et la Costa del Azahar (au nord de Valence) font partie des côtes les plus fréquentées d'Europe. Elles offrent de longues plages de sable brun bondées en été, surtout en août. Un cadre défiguré par l'urbanisme sauvage qui y sévit depuis plusieurs décennies. Le summum du gigantisme est atteint par la station balnéaire de Benidorm (près d'Alicante), avec ses immeubles de trente étages dont l'ombre gagne la plage dès le début d'après-midi. En Catalogne, la Costa Brava offre un décor assez semblable, mais à une moindre échelle car elle reste plus sauvage. Si l'on y trouve encore quelques calanques isolées (uniquement accessibles à pied, notamment aux abords du cap de Creus), la plupart des plages ont été annexées par les stations balnéaires et les résidences touristiques, surtout dans le Sud, de Blanes à Begur. À noter : chaque année, la Catalogne compte quelque 90 plages labellisées "pavillon bleu", label octroyé par la Fondation pour l'éducation à l'environnement aux plages propres et bien aménagées (www.blueflag.org), Valence en compte une centaine et Murcie une douzaine ; mais attention aux méduses certains jours ! À savoir : il est interdit de se baigner dans les lacs et les étangs des parcs naturels. Mais n'oubliez pas que vous pourrez vous baigner en toute tranquillité dans les cours d'eau des Pyrénées catalanes et aragonaises.

plongée sous-marine

Les eaux chaudes et limpides de la Méditerranée sont propices à la plongée sous-marine (*buceo/submarinisme*). Les meilleurs sites sont situés

PRATIQUE

PRATIQUE

sur la Costa Brava. La réserve marine des îles Medes, au large de l'Estartit, est réputée tant pour la variété de ses fonds que pour l'abondance de sa faune aquatique. Les calanques du cap de Creus, plus au nord, offrent un terrain de jeu fort apprécié. Le littoral murcien, riche en flore et en faune sous-marines ainsi qu'en épaves, est aussi une destination de choix pour les plongeurs. Parmi les meilleures plongées de cette province, on retiendra le cap de Palos et Águilas.

Fedas Federación Española de Actividades Subacuáticas. C/ Aragó, 517 **Barcelone** Tél. 932 00 67 69 www.fedas.es

Fecdas Federació Catalana d'Activitats Subaquàtiques. Moll de la Vela, 1 08930 **Sant Adria de Besos** (Barcelona Fórum) Tél. 933 56 05 43 www.fecdas.cat

Fmas Federación Murciana de Actividades Subacuáticas. Gran Vía Escultor Salzillo, 28, 6° I 30005 **Murcie** Tél. 968 21 51 41 www.fasrm.com

www.buceo.com Autre site spécialisé.

CLUBS ET TARIFS La plongée sous-marine se révèle ici assez bon marché : à partir de 25€ la plongée sans équipement, 45€ avec équipement. La plupart des centres proposent en outre des forfaits, comprenant plusieurs plongées, encore plus économiques. Sur la côte est espagnole, les clubs de plongée sont innombrables et capables d'encadrer un grand nombre de plongeurs. Ils doivent répondre à des règles de fonctionnement (horaires, quota de participants) pour garantir le respect de la faune et de la flore et de bonnes conditions de plongée aux amateurs. Parmi les clubs les plus sûrs, tous affiliés à la fédération espagnole et aux fédérations commerciales américaines (Padi, Naui, SSI), citons :

Club-Escuela de Buceo Estela Paseo de Parra, 38 30880 **Águilas** Tél. 968 44 81 44 ou 627 52 22 33 www.escueladebuceo.com

Centre de Buceo La Almadraba Réservation conseillée la veille (une semaine avant en haute saison) C/ de Ernest Hemingway, 13 30889 **Calabardina** Tél. 968 41 96 32 ou 626 95 59 58 www.buceoalmadraba.com

Poseidon Plage Port Pelegrí Calella 17210 **Palafrugell** Tél. 972 61 53 45 ou 679 84 67 65 www.divecalella.com Ouvert avr.-nov. : lun.-sam. 9h-18h, dim. 9h-14h

Snorkel Av. del Mar Llafranc 17211 **Palafrugell** Tél. 972 30 27 16 www.snorkel.net Fermé 15 nov.-15 mars.

La Sirena Passeig marítim, 2 L'Estartit 17258 Tél. 972 75 09 54 www.la-sirena.net

Sotamar Av. del Caritat Serinyana, 17 17488 **Cadaqués** Tél. 972 25 88 76 www.sotamar.com

randonnée pédestre

L'Espagne est sillonnée de chemins PR® (de petite randonnée) et de GR® (grande randonnée), entretenus et balisés. Les grands parcs naturels d'Aragon et de Catalogne se prêtent à des randonnées (senderismo/senderisme) de tous niveaux, de la balade familiale jusqu'au trekking montagnard d'une semaine en autonomie complète. Les offices de tourisme et centres d'information locaux sauront vous conseiller sur les itinéraires les mieux adaptés à vos attentes. En Aragon, le parc national d'Ordesa, et ses hauts sommets pyrénéens dépassant les 3 000 m, offre de sompteuses routes de haute montagne, praticables de juin à septembre. Citons en particulier les vallées de Pineta et d'Ordesa, et les superbes gorges de la Garganta d'Añisclo. Plus au sud, la Sierra de Guara, au départ de Rodellar, ravira les amoureux de la nature, avec ses canyons abrupts peuplés de vautours.

Les Pyrénées catalanes se prêtent bien aux randonnées montagnardes, en particulier le val d'Aran, le parc national d'Aigüestortes et l'immense parc de Cadí-Moixeró. Des régions traversées par de nombreux GR®, dont le GR®11 (traversant les Pyrénées d'est en ouest), le GR®107 (chemin des Bonshommes, suivant les anciens sentiers cathares depuis l'Ariège), le GR®150 (tour du parc de Cadí-Moixeró), le GR®211 (boucle du val d'Aran). Les sierras de l'arrière-pays, moins connues, réservent également de bonnes surprises, en particulier le massif de Montseny (près de Vic), la Serra del Montsant et les montagnes de Prades. Près de Barcelone, on peut faire des balades de difficulté variable dans le cadre exceptionnel de Montserrat, la "montagne sacrée". Si vous rêvez plutôt de longues promenades en bord de mer, visitez les parcs naturels côtiers, comme ceux d'Águilas et de Calblanque (au sud de Murcie), ou du cap de Creus (au nord de la Costa Brava). Le parc naturel du delta de l'Èbre recèle encore des plages de sable brun épargnées par les urbanistes. Aux alentours des stations balnéaires (Roses notamment), les anciens chemins de ronde épousent le littoral, et permettent de rejoindre des criques isolées. Enfin, les réserves ornithologiques des marais catalans (delta de l'Èbre et parc naturel dels Aiguamolls de l'Empordà, sur la Costa Brava) permettent d'allier plaisir de la marche et observation d'oiseaux migrateurs. Le GR®92, qui part de Portbou à la frontière française, longe la côte méditerranéenne catalane jusqu'au delta de l'Èbre. À savoir : nous indiquons dans le guide les coordonnées des centres d'accueil des principaux parcs naturels traités, ainsi que quelques-uns des meilleurs itinéraires de randonnée. cf. Cartes et plans (p.60).

FEDME Federación Española de Deportes de Montaña y Escalada. *C/Floridablanca, 84 08015* **Barcelone** *Tél. 934 26 42 67 www.fedme.es*

FEEC Federació d'Entitats Excursionistes de Catalunya. *Ramblas, 41, Principal 08002* **Barcelone** *Tél. 934 12 07 77 www.feec.org*

Generalitat de Catalunya-Departament de Medi Ambient Renseignements sur les parcs naturels de Catalogne. *www.parcsdecatalunya.net*

FAM *Federación Aragonesa de Montañismo. Albareda, 7 50004* **Saragosse** *Tél. 976 22 79 71 www.fam.es*

sports de montagne

ESCALADE ET ALPINISME Les voies d'alpinisme (*montañismo/muntanyisme*) et d'escalade (*escalada*) ne manquent pas. En hiver, les hauteurs enneigées et les cascades de glace des sommets pyrénéens forment un terrain de jeu fort prisé. En été, les grimpeurs accourent pour défier les falaises parmi les plus réputées du monde : les sites de Los Mallos de Riglos (près de Huesca) et de la Sierra de Guara (près de Rodellar) offrent des voies dont la difficulté atteint le niveau 9. Les passionnés apprécieront !

FEDME Federación Española de Deportes de Montaña y Escalada *C/Floridablanca, 84 08015* **Barcelone** *Tél. 934 26 42 67 www.fedme.es*

FAM Federación Aragonesa de Montañismo. *Albareda, 7 50004* **Saragosse** *Tél. 976 22 79 71 www.fam.es*

FEEC *Ramblas, 41, Principal 08002* **Barcelone** *Tél. 934 12 07 77 www.feec.org*

SKI La grande majorité des 35 stations de ski (*esquí*) de la péninsule se trouvent dans les Pyrénées catalanes et aragonaises. Les pistes sont en général ouvertes de décembre

PRATIQUE

PRATIQUE

à avril. La Catalogne rassemble dix stations de ski alpin, dont au moins quatre proposent aussi du ski de fond. La plus étendue est celle de Baqueira-Beret (www.baqueira.es), au-dessus de Vielha, avec près de 120km de pistes de ski alpin, dont 7 noires et 29 rouges. Les stations catalanes les plus courues sont situées en Cerdagne. Celle de La Molina (www.lamolina.cat), très bien équipée, dispose de 53km de pistes, auxquels il faut ajouter les 74km de la station voisine de Masella (www.masella.com). La Catalogne abrite aussi la station de Boí-Taüll Resort (www.boitaullresort.com), qui, du haut de ses 2750m, se révèle la plus haute des Pyrénées. Mais les meilleures stations, en termes d'altitude, de qualité des pistes et de difficulté, restent celles des Pyrénées aragonaises, dans les environs de Huesca. Les cinq stations de la région sont réparties sur trois vallées : celles d'Aragón (Astún (www.astun.com) et Candanchú (www.candanchu.com), modernes et bien équipées), de Tena (El Formigal, moderne et cosmopolite, la plus grande d'Espagne avec 137km de pistes de ski alpin www.formigal.com), de Panticosa (www.panticosaloslagos.com), plus rustique et familiale, et de Benasque, avec la station de Cerler (www.cerler.com) située dans un cadre somptueux.

RFEDI Real Federación Española de Deportes de Invierno. *C/ Benisoda, 3 28043 Madrid* Tél. 913 76 99 30 Fax 913 76 99 31 www.rfedi.es

FCEH Federació Catalana d'Esports d'Hivern. *Avinguda del carrilet, 3 Edifi D, planta 3 Ciutat de la Justícia* Tél. 934 15 55 44 www.fceh.org
Voir aussi www.lospirineos.com et www.esquinieve.net

FADI Federación Aragonesa de Deportes de Invierno. *Avda. Ranillas, 101 50018 Saragosse* Tél. 976 74 29 68 www.fadiaragon.com

ATUDEM Asociación Turística de Estaciones de Esquí y Montaña. *Padre Damián 43 1ª oficina 11 28036 Madrid* Tél. 913 59 15 57 ou 913 59 75 26 www.atudem.org

sports d'eaux vives

Les amateurs de rafting, de kayak et d'hydrospeed pourront descendant les eaux tumultueuses de la Noguera Pallaresa, dans le sud-est du parc national d'Aigüestortes. Les gorges des massifs aragonais, mondialement réputées, attirent chaque année des milliers d'amateurs de canyoning (*barranquismo/barranquisme*). Sensations fortes garanties dans la Sierra de Guara. Mais il s'agit d'une activité qu'il ne faut surtout pas pratiquer seul : la connaissance du terrain et les conseils d'un guide spécialisé sont indispensables.

www.lespyrenees.net La page www.lespyrenees.net/fr/annuaire,11,Sports-d-eaux-vives.html recense les prestataires français qui organisent des descentes en raft de la Noguera Pallaresa.

www.eauxvives.org Les kayakistes y trouveront, notamment, des topoguides des rivières pyrénéennes.

sports nautiques

Du ski nautique au jet-ski, en passant par la voile et le kite-surf... Il y en a pour tous les goûts, en particulier dans les marinas des grandes stations balnéaires.

RFEV Real Federación Española de Vela. *C/ Luis de Salazar, 9 28002 Madrid* Tél. 915 19 50 08 www.rfev.es

TÉLÉPHONE

d'où appeler ?

Pour utiliser votre portable (*móvil/móvil*), contactez votre opérateur avant le départ et sachez que le réseau espagnol est satisfaisant sauf peut-être sur les plages et dans les régions montagneuses. Côté tarifs, les appels locaux via l'international reviennent très cher, bien sûr ; une solution consiste à débloquer votre portable dans un *locutorio/locutori* et à remplacer votre carte SIM d'origine par une carte à puce espagnole. À noter : les numéros de téléphone cités dans ce guide qui commencent par 6 correspondent à des portables. Les cabines téléphoniques (*cabina/cabina*), reconnaissables à leur couleur verte, fonctionnent à carte (*tarjeta/targeta telefónica*) et à pièces (de 0,10 à 2€). Mieux vaut acheter une carte – 6 ou 12€ dans les bureaux de tabac et les boutiques de Telefónica –, car les problèmes sont fréquents avec les pièces. Vous pouvez aussi appeler d'une agence *Telefónica* (la compagnie de téléphone nationale) ou d'un centre d'appel international (*locutorio/locutori*). Ce sont les solutions les moins chères. Les téléphones publics des cafés sont plus onéreux. Dans les chambres d'hôtel, renseignez-vous sur les prix : comme partout, ils sont fixés par les gérants de l'établissement. Sachez que, dans l'ensemble, le tarif des communications baisse après 20h pour les appels nationaux et 22h à l'international.

appels nationaux

Tous les numéros espagnols comportent neuf chiffres, à composer intégralement quel que soit l'endroit d'où l'on appelle en Espagne. Les deux ou trois premiers chiffres de chaque numéro forment l'indicatif de la province. Les grandes villes, telles Barcelone ou Valence, comptent autant d'indicatifs que de quartiers. Les numéros commençant par 900 sont gratuits.
Renseignements nationaux *Tél. 11 888*

appels internationaux

Pour appeler l'Espagne de l'étranger : composez l'indicatif international 00 puis le 34 (code de l'Espagne), suivi du numéro à neuf chiffres de votre correspondant. Pour appeler l'étranger d'Espagne : composez le 00 puis le code du pays concerné (France 33, Belgique 32, Suisse 41, Canada 1), suivi du numéro de votre correspondant (sans le 0 initial pour les appels vers la France, la Belgique et la Suisse). En cas de difficulté de connexion, appelez le 1008 (service d'information téléphonique pour l'Europe) ou le 1005 (service d'information téléphonique international). Vous serez mis en relation avec un opérateur parlant l'anglais ou le français. Pour appeler à l'étranger en PCV (*cobro revertido*) d'Espagne : composez le 900 99 00, suivi du code du pays que vous désirez joindre. Vous serez alors mis en relation avec un opérateur du pays choisi.
Renseignements internationaux *Tél. 11 886*

TRANSPORTS LOCAUX

train

L'Espagne est dotée d'un vaste réseau de trains confortables et rapides. Il est administré par la Renfe, certaines lignes régionales secondaires étant gérées quant à elles par de petites compagnies. À noter : le réseau TGV s'agrandit. Madrid est reliée depuis 2008 à Barcelone via Saragosse, Lleida et Tarragone. Moyen de transport très pratique pour se déplacer,

PRATIQUE

PRATIQUE

notamment le long de la côte dans la région de Valence et d'Alicante, ou pour rejoindre Gérone et Figueres à partir de Barcelone, le train offre des tarifs avantageux. À titre indicatif, le trajet Barcelone-Saragosse coûte de 25 à 67€ (de 1h30 à 5h). Le prix varie, bien sûr, en fonction du type de train : AVE (TGV), *grandes líneas, regionales, cercanías*. Les enfants et les seniors bénéficient d'une réduction de 25% ou de 40% selon les jours, les 14-26 ans d'une réduction de 30% (Carnet Joven). La carte d'abonnement Bono AVE est valable pour 10 voyages dans les trains régionaux et sur les *cercanías* (lignes reliant différentes villes d'une même province). La carte touristique (Renfe Spain Pass) permet aux étrangers de voyager sur l'ensemble du réseau national. Elle est valable 1 mois à partir de la date du premier voyage. La carte InterRail est généralement valable dans les trains régionaux et interrégionaux.

Centre d'appel *Tél. 902 32 03 20 (service clientèle) www.renfe.es*

FGC Ferrocarrils de la Generalitat de Catalunya. *Tél. 900 90 15 15 www.fgc.cat*

FGV Ferrocarrils de la Generalitat Valenciana. *Tél. 900 46 10 46 (métro, réseau très vaste) ou 900 72 04 72 (train, ligne Alicante-Denia) www.fgv.es*

car

Beaucoup plus utilisé qu'en France, le car est un moyen de transport très pratique, avec des départs réguliers et des horaires bien respectés. La plupart des véhicules longue distance sont équipés de toilettes, de la climatisation et d'un projecteur de vidéos. Les prix sont en général comparables à ceux du train, en particulier pour les petites et moyennes distances, mais se révèlent plus intéressants pour les longs trajets. Il dessert les villes secondaires et les régions isolées, avec un réseau dense et des passages fréquents. Veillez cependant à bien vérifier les horaires avant de vous aventurer au fin fond des montagnes aragonaises ou catalanes, surtout le week-end, lorsque les départs se font plus rares. De plus, certaines destinations ne sont accessibles qu'à partir d'une seule ville. Sur les lignes régionales circulent généralement cars directs et omnibus : à prix égal, un voyage peut ainsi durer de 1h à 3h. Les réductions varient selon les compagnies. Renseignez-vous dans les offices de tourisme et les gares routières, souvent situées près des gares Renfe.

voiture et deux-roues

RÉSEAU ROUTIER Le réseau routier espagnol est dans l'ensemble excellent, même si certaines routes de montagne, notamment en Aragon, laissent à désirer. Restez prudent cependant ; surtout la nuit, en fin de semaine et par temps de pluie : l'Espagne se situe en tête du triste palmarès européen

Tableau kilométrique

	Barcelone	Gérone	Murcie	Saragosse	Tarragone
Gérone	103				
Murcie	570	713			
Saragosse	307	389	598		
Tarragone	100	193	528	234	
Valence	351	444	224	328	259

des accidents de la route. L'instauration du permis à points, en 2006, une surveillance accrue des routes et de constantes campagnes institutionnelles pour une conduite responsable ont toutefois eu un effet modérateur. La police se montre en outre très stricte sur le respect des limitations de vitesse : 110km/h sur autoroute, 90 sur les nationales et 50 en ville. Les grandes villes sont desservies par des autoroutes : *autovías* (4-voies gratuites) et *autopistas* (payantes et souvent chères). Les routes nationales qui suivent leur tracé sont souvent encombrées, rendant les dépassements hasardeux, surtout le long de la côte et encore plus en été. Si des tunnels ont nettement amélioré les conditions d'accès aux Pyrénées catalanes à partir de Barcelone, il n'en va pas de même dans les montagnes aragonaises où il faudra s'armer de patience et conduire prudemment. Les autoroutes (A) sont depuis 2006 signalisées AP et les nationales (N) sont devenues A. À retenir aussi : il est interdit de circuler en voiture dans les parcs naturels.

CONDUITE EN VILLE La conduite dans les grandes villes espagnoles tient souvent du cauchemar : trafic intense, stationnement impossible, rues à sens unique... Sachez que les bandes bleues indiquent les zones où le stationnement est payant en journée, les bandes jaunes celles où il est interdit et que toute infraction au code de la route en la matière se solde par un envoi en fourrière. Si vous avez dépassé le temps de stationnement prévu et que l'on vous a verbalisé, vous pouvez payer le forfait maximal indiqué sur le parcmètre jusqu'à 1h après avoir reçu la contravention. Il s'agit de l'*anulación de multa*. N'oubliez pas de vous munir de deux triangles de présignalisation et d'un gilet réfléchissant sous peine d'encourir une amende de 92€.

LOCATION Pour louer un véhicule (*coche/cotxe*) en Espagne, il faut être âgé de plus de 21 ans, voire 23, et être titulaire du permis de conduire depuis plus d'un an, parfois deux, et la carte de crédit est le plus souvent de rigueur, notamment pour payer la caution. Les compagnies internationales de location sont représentées dans les aéroports, dans certaines gares et dans les centres touristiques. Renseignez-vous avant le départ : il est souvent moins onéreux de réserver de l'étranger. Le contrat en main, prenez bien garde à la clause concernant le kilométrage et aux assurances comprises dans le prix de base, avec ou sans franchise et protection contre le vol.
Avis *Tél. 902 18 08 54 www.avis.com www.avis.es*
Europcar *Tél. 902 50 30 10 www. europcar.com www.europcar.es*
Hertz *Tél. 915 09 73 00 www.hertz.com www.hertz.es*

taxi

Les taxis sont nombreux en ville et assez bon marché : 0,90€/km en moyenne le jour et 1,15€/km la nuit et les jours fériés, avec une prise en charge de 2 à 4€. Les taxis libres sont signalés par une lumière verte. Les courses au départ des aéroports peuvent se révéler ruineuses, surtout si vous ne parlez pas l'espagnol et que le chauffeur décide de vous emmener à votre insu faire le tour des faubourgs. Demandez donc au préalable une estimation du prix et vérifiez que le compteur fonctionne dès le départ. Certains chauffeurs peuvent en effet vous proposer une sorte de forfait, notamment sur le trajet aéroport-centre. À savoir : les taxis de Tarragone sont les plus chers d'Espagne.

PRATIQUE

URGENCES

En cas d'urgence, un numéro national : le 112. Pour un accident de la route survenu en Catalogne, appelez le 088 ; ailleurs, appelez le Centro de trafico à Madrid au 917 42 12 13. Pour la prise en charge des frais médicaux, cf. Santé et désagréments (p.71). Les déclarations de vol et les plaintes sont à déposer auprès de la police nationale ou de la Guardia Civil dans les petits villages.

Urgences *Tél.* 112
Urgences en Catalogne *Tél.* 088
Police nationale *Tél.* 091
Guardia civil *Tél.* 092
Pompiers *Tél.* 080
Pharmacies 24h/24 *Tél.* 900 17 17 27
Ambassade de France *Tél.* 914 23 89 00 *(permanence)*
Consulat de France *Tél.* 917 007 800

VALISE

vêtements et chaussures

Si vous partez en plein été, des vêtements légers et amples, de bonnes lunettes de soleil et un chapeau à large bord vous permettront de mieux supporter la chaleur, assez étouffante. D'octobre à avril, prévoyez quelques vêtements de demi-saison et de pluie : il pleut régulièrement à l'intérieur des terres, en particulier dans les sierras, et la tramontane de la Costa Brava apporte avec elle des averses violentes. Pensez également à emporter une paire de chaussures de marche, même si vous ne comptez pas faire de randonnée, car la visite des villages de montagne aux rues escarpées aura vite raison des tongs en plastique et des espadrilles... À l'inverse, sachez que le port de chaussures de sport vous interdira l'entrée de certaines boîtes de nuit ! Si vous prenez l'avion,

attention aux mesures de sécurité imposées aux bagages de cabine (p.52).

trousse à pharmacie

Si vous avez choisi de sortir des sentiers battus et de partir à la découverte de lieux retirés, il peut être prudent d'emporter avec vous un antidiarrhéique (type Immodium) accompagné d'un antiseptique intestinal (type Ercefuryl), un antihistaminique (pour les rhumes, allergies et piqûres d'insectes), du paracétamol ou de l'aspirine, un antiseptique ou désinfectant à appliquer sur les égratignures, coupures ou brûlures, des pansements, une bande et des compresses stériles, un répulsif à moustiques, une crème solaire d'indice élevé ou un écran total. Pour la grande randonnée, des comprimés pour stériliser l'eau (de type Micropur). Avant de partir, consultez un médecin pour les médicaments délivrés sur ordonnance. Sur place, tous les produits de parapharmacie s'achètent en pharmacie, en grande surface et dans les grands magasins comme Corte Inglés.

VOYAGISTES

Séjour, circuit, croisière ou aventure : à vous de définir les critères de votre voyage suivant votre budget et vos envies.

spécialistes de l'Espagne

Iberrail France Séjours à la carte dans les Paradores et les Pousados. Représentant dans l'hexagone de la Renfe et de Trasmediterranea. *57, rue de la Chaussée-d'Antin 75009* **Paris** *Tél.* 01 42 81 27 27 www.iberrail-agence-voyage.fr
Maeva Résidences et hôtels à la mer, à la montagne ou à la campagne ; 3 for-

mules de locations de vacances en Espagne notamment : clubs de plein air (chalets, mobil-homes), résidences et villages (maisonnettes jumelées). *(autres points de vente à Toulouse, Paris et Lille) www.maeva.com* **France** *11, rue de Cambrai-L'Artois 75019 Paris Tél. 01 58 21 58 21 (standard siège) ou 0892 70 23 40 (réservations)* **Belgique** *Tél. 070 24 61 00* **Suisse** *Tél. 33 (0)1 58 21 55 50*

jeunes et étudiants

Contacts Immersion avec cours particuliers ou en groupe, stages en entreprise, jobs au pair et séjours de perfectionnement en Europe, aux États-Unis, Canada et Australie à partir de 18 ans. Hébergement en famille d'accueil ou résidence. *27, rue de Lisbonne 75008* **Paris** *Tél. 01 45 63 35 53 www.contacts.org*
Service Voyages ULB (Université libre de Bruxelles) Ce voyagiste spécialisé dans les périples pour les jeunes offre un grand nombre de séjours à l'étranger et des formules à prix négociés. *Campus ULB Av. Paul-Héger, 22 CP 166 1000* **Bruxelles** *Tél. 02 650 40 20 www.servicevoyages.be*
STA Travel Voyages pour étudiants dans le monde : billets Euro Train, vols secs, location de voitures. Cartes jeunes Isic (étudiants) et GO25 (moins de 25 ans). *www.statravel.ch* **Lausanne** *Université de Lausanne Bât. L'Anthropole Tél. 058 450 49 20* **Genève** *Rue Pierre-Fatio, 19 Tél. 058 450 48 00 (autres points de vente dans les grandes villes suisses)*
UCJG (Unions chrétiennes de jeunes gens)/YMCA (Young Men's Christian Association) Alliance œcuménique à orientation protestante proposant des hébergements en chambres individuelles ou en chambres doubles à petits prix. Carte de membre obligatoire. *www.ymca.int*

France *5, pl. de Vénétie 75013 Paris Tél. 01 45 83 62 63 www.ucjg.fr* **Suisse** *Sihlstrasse, 33 8021 Zürich Tél. 044 213 20 40 www.cevi.ch* **Canada** *1867, rue Yonge ON M4S 1Y5 Toronto Bureau 601 Tél. 416 967 9622 www.ymca.ca*
Travel Cuts/Voyages Campus Voyages économiques pour étudiants : voyage-étude pour apprendre une langue, PVT (Programme-Vacances-Travail), bénévolat... *407, bd de Maisonneuve Est H2L 4J5* **Montréal** *Tél. 1 800 667 2887 (gratuit) ou 514 843 85 11 www.voyagescampus.com*

séjours sportifs

Adventure Center Ce tour-opérateur canadien organise safaris, expéditions, mais aussi voyages de trekking, voile, rafting et VTT à travers plus de 300 itinéraires dans le monde. *Richmond Street West, 579, 4e* **Toronto** *Tél. +1 (416) 922 75 84 www.adventurecenter.com*
Aéromarine Spécialiste de la plongée sous-marine. Séjours sportifs en Espagne, Tunisie, Caraïbes, Jordanie, Égypte, océan Indien, Pacifique sud et Asie. *22, rue Royer-Collard 75005* **Paris** *Tél. 01 43 29 30 22 www.aeromarine.fr*
Allibert Spécialiste des randonnées à pied, à skis ou à VTT dans les montagnes et déserts du monde. Circuits possibles pour tous niveaux. *www.allibert-trekking.com* **France** *37, bd Beaumarchais 75003 Paris Tél. 04 76 45 50 50* **Belgique** *Tél. 02 526 92 90* **Suisse** *Tél. 02 28 49 85 51*
Fun & Fly Voyage sportif en mer (plongée, golf, windsurf, kitesurf et surf). Possibilité de passer des brevets de plongée et activités "outdoor" en dehors des sentiers battus (VTT, rafting, quad, motoneige, etc). *www.fun-and-fly.com* **France** *27, bd des Minimes 31200 Toulouse Tél. 0820 420 820 (centrale de réservation)* **Étranger** *Tél. 33 5 67 31 16 11*

PRATIQUE

PRATIQUE

Nomade Aventure 450 aventures à pied ou en 4x4, en famille ou en liberté sur tous les continents. *www.nomade-aventure.com Paris 40, rue de la Montagne-Sainte-Geneviève Toulouse 43, rue Peyrolières Tél. 0825 701 702*

Terres d'Aventure Spécialiste du voyage à pied. Nombreux circuits toutes destinations : "Voyages à pied", "Découvertes et explorations", "Désert d'aventure", "Neige d'aventure", "Famille". *www.terdav.com France 30, rue Saint-Augustin 75002 Paris Tél. 0825 700 825 (0,15€/min) Belgique Chaussée de Charleroi, 23 1060 Bruxelles Tél. 02 543 95 60*

UCPA (Union nationale des centres sportifs de plein air) Une soixantaine d'activités, selon votre élément : "Air" (parachutisme, planeur), "Neige" (ski, raquettes), "Eau" (surf, raft) ou "Terre" (escalade, équitation). *www.ucpa.com France 12, rue des Halles 75001 Paris Tél. 0825 880 800 (nombreux autres points de vente en province) ou +33 969 325 095 Ouvert lun.-mer. et ven. 9h-20h, jeu. 9h-22h, sam. 9h-19h Belgique Action Sport ASBL Rue au Bois, 350 1150 Bruxelles Tél. 02 734 94 16 www.actionsport.be Suisse Planète Évasion 3, rue du Pont-Neuf 1227 Carouge Tél. 022 342 37 77 www.planete-evasion.ch*

séjours à la carte

Arts et Vie Voyages culturels (approche des arts et civilisations) dans le monde entier. *251, rue de Vaugirard 75015 Paris Tél. 01 40 43 20 21 www.artsetvie.com*

Clio Itinéraires culturels classiques (animés par un conférencier) ou thématiques (festivals musicaux ou expositions dans les capitales du monde). Près de 200 voyages dans 80 pays différents. *34, rue du Hameau 75015 Paris Tél. 01 53 68 82 82 www.clio.fr*

Costa Croisières Organisation de croisières vers les Caraïbes, la Méditerranée, l'Europe du Nord, le continent américain, les Émirats, l'Extrême-Orient... *France Bâtiment C 2, rue Joseph-Monier 92859 Rueil-Malmaison Tél. 0821 20 01 44 www.costacroisieres.fr Belgique Bd de l'Impératrice/Keizerinlaan 15 1000 Bruxelles Suisse Stampfenbachstrasse 61 8006 Zürich Tél. 03 60 20 22*

Croisières MSC (Mediterranean Shipping Cruises) Montez à bord d'un paquebot de luxe et voguez sur la Méditerranée, l'Atlantique... *5, rue Barbès 92120 Montrouge Tél. 01 70 74 00 55 www.msccroisieres.fr*

Donatello Voyages sur mesure en Europe, en Afrique et dans l'océan Indien. *Agences à Paris et dans de nombreuses villes de France France Tél. 0826 10 20 05 www.donatello.fr*

Euro-Mer & Ciel Agence spécialisée dans le transport par mer. Elle propose des liaisons entre Barcelone et les Baléares (les trois îles, Majorque, Minorque et Ibiza). Départs de Valence et Dénia en direction d'Ibiza et de Palma de Majorque. *5-7, quai des Sauvages CS 10024 Cedex 3 34078 Montpellier Tél. 04 67 65 67 30 ou 04 67 65 95 11 www.euromer.com*

Fram Le leader français des voyages organisés : courts, moyens et longs séjours, circuits, autotours, croisières, combinés et clubs Framissima. *Nombreux points de vente en France Tél. 0826 463 727 www.fram.fr*

Idée Nomade Vacances à vocation culturelle. Agence proposant des formules autocar + hébergement en hôtel ou en auberge de jeunesse. Départs des grandes villes de province. *Bâtiment Le Calypso 25, rue de la Petite Duranne 13857 Aix-en-Provence Tél. 08 97 69 00 05 www.ideenomade.fr*

Intermèdes Séjours, circuits et croisières culturels accompagnés par des

conférenciers historiens. *60, rue La Boétie 75008* **Paris** *Tél. 01 45 61 90 90 www.intermedes.com*
Terre Entière Voyages culturels sur mesure avec conférenciers (circuits, croisières, pèlerinages...). Groupes constitués à la carte. *10, rue de Mézières 75006* **Paris** *Tél. 01 44 39 03 03 www.terreentiere.com*
Voyageurs du Monde Spécialiste du voyage individuel sur mesure dans 70 pays sur les cinq continents. À Paris, la Cité des voyageurs vous accueille dans un espace de 1 800 m². *www.voyageursdumonde.fr* **France** *Cité des Voyageurs 55, rue Sainte-Anne 75002 Paris Tél. 01 42 86 16 00 (autres points de vente en province)* **Belgique** *Chaussée de Charleroi, 23 1060 Bruxelles Tél. 02 54 395 50*

Le palau Baró de Quadras (p.166), Barcelone.

GEOREGION

BARCELONE ET SES ENVIRONS

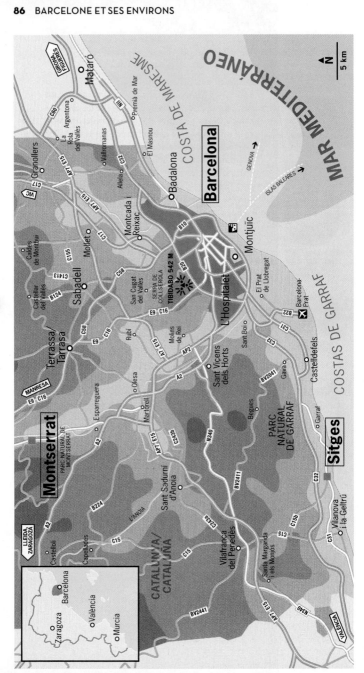

★ ☺ **BARCELONE** *de 08001 à 08010*

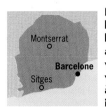

Montserrat ○

Barcelone ●

Sitges ○

Même si elle ne compte qu'un million six cent mille habitants (deux millions trois cent mille pour l'agglomération), Barcelone possède une atmosphère grisante de grande métropole. Cette ville en perpétuel changement surprend à chaque visite, à l'image de son monument emblématique, à jamais inachevé, la Sagrada Família. La fièvre immobilière déclenchée par les jeux Olympiques de 1992, qui dota la ville d'une séduisante façade maritime, ne semble pas près de s'éteindre. Mais Barcelone a su préserver toute la richesse de son splendide patrimoine gothique et moderniste, symbole du glorieux passé catalan. Comme au temps où elle était la capitale d'un vaste empire méditerranéen, la ville est redevenue le grand pôle d'attraction de l'Europe du Sud. Architecture, art, design et mode, autant de domaines dans lesquels se manifeste un profond souci de l'image, comme en témoigne le slogan affiché partout depuis les années 1990 : *Barcelona, posa't guapa !* ("Barcelone, fais-toi belle !").
Les Barcelonais sont fiers de leur ville et s'enorgueillissent devant cette majesté retrouvée après tant d'années d'isolement. La définition que les Catalans aiment à donner d'eux-mêmes, mélange instable de *seny* (pragmatisme tranquille, sérieux) et de *rauxa* (débordement soudain d'émotions), sied à merveille à leur capitale. À l'image des riches marchands et industriels des siècles passés, les Barcelonais ont une réputation de travailleurs terre à terre. Mais il suffit d'un match de football "Barça"-Madrid, d'une manifestation contre le gouvernement central, d'une fête populaire ou d'une simple virée de fin de semaine pour que leur âme passionnée se révèle. Les vastes avenues de Barcelone, bruyantes à l'excès, appartiennent aux voitures, mais le plaisir le mieux partagé est celui du Passeig, de l'esplanade où l'on flâne et discute. Restaurants, bars et marchés comptent aussi parmi ces lieux de convivialité où plus rien ne presse. Car si elle possède de nombreux musées et des monuments majeurs, Barcelone est avant tout une ville que l'on prend plaisir à regarder vivre.

LES ORIGINES Nombre de légendes courent sur la fondation de Barcelone, certaines l'attribuant même à Hercule. La peuplade des Layetans s'installe dès l'Antiquité sur les hauteurs de Montjuïc. Sous le règne de l'empereur Auguste, en 15-10 av. J.-C., les Romains fondent la colonie de Barcino sur le site du mont Tàber, au cœur de l'actuel Barri Gòtic. Une modeste cité dont les murailles seront renforcées et ponctuées de tours au IIIe siècle, pour protéger les habitants des invasions venues de la mer. Barcino, jusqu'ici restée dans l'ombre de la glorieuse Tárraco (Tarragone), devient alors un important centre épiscopal. Vers l'an 300, les persécutions religieuses donnent à Barcelone une martyre, sainte Eulalie (Santa Eulàlia), future sainte patronne de la ville. Au Ve siècle, la cité devient un vaste pôle administratif

et politique du royaume wisigoth et même un temps sa capitale.
En 719, les Arabes s'en emparent mais leur domination est brève :
la ville est reprise par Louis le Pieux dès 785.

L'ÂGE D'OR Les seigneurs locaux conquièrent peu à peu leur
indépendance. Au xᵉ siècle, les comtes de Barcelone, descendants
du légendaire Guifré, dit le Velu, règnent en maîtres sur la ville. Barcelone
est à même de supplanter Tarragone comme capitale de la Catalogne.
On construit bientôt une cathédrale et de riches édifices dans toute la ville,
dont l'essor s'amorce. En 1137, la Catalogne s'unit par le jeu des alliances
au royaume d'Aragon, et le roi Raymond Bérenger IV installe sa cour
à Barcelone. Elle y restera plusieurs siècles. Le règne de Jacques Iᵉʳ,
au xiiiᵉ siècle, inaugure une ère de prospérité. Barcelone contrôle
une grande partie de la Méditerranée, ses marchands et armateurs
rivalisant même avec ceux de Gênes. Le centre de la ville garde de cette
époque de somptueux édifices gothiques, mais son patrimoine roman n'a
malheureusement pas été conservé. De puissantes corporations d'artisans
s'organisent, et Barcelone se dote d'organes gouvernementaux qui
garantissent une certaine autonomie à la ville et à la Catalogne vis-à-vis
du roi (Consell de Cent, 1274 ; Corts Catalanes, 1283). Deux nouvelles
murailles, élargies, sont érigées au xiiiᵉ-xivᵉ siècle afin de répondre
au développement urbain. Dans les années 1330-1340, la ville est
durement touchée par la famine (qui tue un quart de ses habitants),
puis par une terrible épidémie de peste. La communauté juive, bouc
émissaire, est alors harcelée jusqu'à son expulsion à la fin du siècle suivant.

LE DÉCLIN Le xvᵉ siècle marque le début du long déclin économique et
politique de la ville, qui durera près de trois cents ans. En 1473, les troupes
du roi Jean II assiègent la cité, dont les nobles se sont rebellés. À la fin
du siècle, avec l'avènement des Rois Catholiques, la cour s'exile en Castille,
alors que les richesses des nouvelles colonies d'Amérique sont réservées à
Séville. Barcelone n'est plus le centre de gravité du royaume. Ses rébellions
contre le pouvoir castillan lors de la guerre des Faucheurs (1640-1652), puis
lors de la guerre de Succession d'Espagne (1702-1714) lui coûteront cher.
Le roi Philippe V assiège la ville, qui tombe le 11 septembre 1714. Il impose
à la Catalogne un système politique, fiscal et juridique centré sur Madrid :
Barcelone perd ainsi indépendance et privilèges, le catalan est peu à peu
interdit. Le fort de Montjuïc au sud et la gigantesque citadelle au nord ont
pour rôle d'empêcher tout soulèvement. Mais, alors même qu'elle vit sous
la menace des canons, Barcelone connaît au xviiiᵉ siècle un remarquable
essor économique. Grâce à la libéralisation du commerce avec les colonies,
en 1778, elle redevient le principal centre textile de la péninsule
et sa population passe de 30 000 à 100 000 habitants. Après la sanglante
parenthèse de la guerre d'Indépendance (1808-1814) et l'occupation
de la ville par les armées napoléoniennes, une véritable révolution industrielle
bouleverse Barcelone au xixᵉ siècle. Les fabriques textiles prospèrent
et profitent de l'arrivée de la vapeur et des métiers mécaniques. Le quartier
de La Ribera se peuple d'ateliers. Le faubourg de Poblenou, aux deux
cents usines, fera bientôt de cette cité la "Manchester de la Méditerranée".

Mais l'agitation sociale s'accroît. En 1835, des émeutiers brûlent plusieurs couvents. Le catalanisme grandissant oppose souvent la population au pouvoir autoritaire de Madrid. Parallèlement, le développement de la ville prisonnière de ses remparts génère une surpopulation et des conditions de vie inhumaines pour les ouvriers. On décide de raser les murailles en 1854.

UNE VILLE EN EXPANSION La ville s'étend de toutes parts selon un plan d'aménagement conçu par Idelfons Cerdà. C'est la naissance de l'Eixample ("extension"), avec ses avenues perpendiculaires et ses pâtés de maisons répétés à l'identique. Bientôt, l'urbanisation englobera les villages voisins : Gràcia, Sants, Horta, Pedralbes. La vaste esplanade de la Rambla est tracée, des avenues donnent un nouveau souffle aux labyrinthiques quartiers médiévaux. La haute bourgeoisie industrielle s'enflamme pour la renaissance culturelle et linguistique catalane, ou Renaixença, et rêve de renouer avec la splendeur de l'âge d'or médiéval. Elle soutient les talentueux architectes locaux qui donneront naissance au modernisme. Pour marquer son nouveau statut de métropole dynamique, Barcelone accueille en 1888 une exposition universelle dans le parc de la Citadelle. Ce grand succès populaire (deux millions de visiteurs), allié à une fièvre de construction, laissera la municipalité durablement endettée. La fin du XIXe siècle est marquée par la progression des mouvements ouvriers et de l'anarchisme, fils de la révolution industrielle. Les nombreux attentats qui sont quotidiennement commis à Barcelone lui valent le surnom de "Rose de feu". En 1909, les protestations contre l'enrôlement de soldats pour la guerre du Rif, au Maroc, dégénèrent : des dizaines d'églises et d'établissements religieux sont incendiés. C'est la "Semaine tragique", suivie d'une féroce répression. En 1929, Barcelone accueille à Montjuïc une seconde exposition universelle.

DES RÊVES BRISÉS Avec le rétablissement de la Generalitat en 1931, Barcelone espère une autonomie politique et culturelle. Des rêves brisés lorsqu'éclate la guerre civile en 1936. Barcelone résiste aux franquistes, et devient un bastion des républicains, forte du soutien de milliers de volontaires des Brigades internationales. Mais ceux-ci souffrent bientôt de luttes intestines, qui débouchent en mai 1937 sur de féroces combats de rues entre factions rivales, décrits par Orwell dans son *Hommage à la Catalogne*. Durement touchée par les bombardements de l'aviation italienne, Barcelone résiste fièrement avant de tomber au début de l'année 1939. Franco au pouvoir, le nationalisme catalan est réduit au silence, même si la contestation reprendra dans les années 1960. La ville, sans cesse humiliée, souffre. On change les noms des rues de l'Eixample, trop connotés. La forte croissance industrielle de Barcelone, contrastant avec la pauvreté des régions rurales, attire de 1955 à 1975 des centaines de milliers d'ouvriers, en majorité andalous. On construit vite et mal pour répondre à ces nouveaux besoins. Les faubourgs de Barcelone, où s'égrènent des immeubles sans âme et voués au règne de l'automobile, portent l'empreinte de cette politique à court terme, menée par le maire franquiste Porcioles.

BARCELONE AUJOURD'HUI Franco meurt en 1975. En 1977, la Generalitat est rétablie, et deux ans plus tard, l'autonomie de la Catalogne est proclamée. Dans les années 1980, Barcelone change de visage, avec la création de nombreux parcs et de zones piétonnes, ainsi que la commande de centaines de sculptures pour les espaces publics. Une politique renforcée à l'approche des JO de 1992, qui dotent la ville d'infrastructures modernes et l'ouvrent sur le large. Autrefois borné par des voies ferrées et des friches industrielles, le front de mer se transforme en une longue promenade émaillée de parcs et de complexes de loisirs. Puis, c'est le nord du littoral qui fait peau neuve, dans l'optique du Forum universel des cultures de 2004. Des délégations du monde entier s'y réunissent pour évoquer les grands problèmes de la planète, le renouvellement de la création artistique et l'amélioration des conditions de vie. C'est l'occasion de développer, avec l'aide d'architectes de renom, les nouveaux quartiers de 22@, le district technologique de Barcelone (le long de l'avenue Diagonal, entre la place Glòries Catalanes et le Parc del Centre del Poblenou) et de Diagonal Mar (à l'endroit même où l'avenue Diagonal rencontre la mer), un projet titanesque en voie d'achèvement qui fait apparaître un immense complexe immobilier, festif et commercial, tourné vers le large.

MODE D'EMPLOI

accès

EN AVION
Aéroport Barcelona-El Prat Le principal aéroport de Catalogne (et le deuxième d'Espagne) se trouve à 18km au sud-ouest du centre de Barcelone, cf. Aller sur la côte est de l'Espagne en avion (p.50). Consignes au terminal B. *El Prat de Llobregat Tél. 902 40 47 04 ou 913 21 10 00 (de l'étranger) www.aena.es*
Renfe Des trains de banlieue (R2-Nord) relient l'aéroport au centre-ville toutes les 30min de 5h40 à 23h40. Compter 20-35min de trajet (3,80€). Gares desservies : Sants-Estació, Passeig de Gràcia. *www.renfe.com*
Aerobús Un bus toutes les 5min en semaine, 10-20min le week-end, de 6h à 0h pour la Plaça de Espanya, la Plaça de la Universitat et la Plaça de Catalunya (5,90€ AS, 10,20€ AR). Un bus de nuit (Nitbus n°17) toutes les 20min de 23h à 5h (vers l'aéroport) et de 21h55 à 4h45 (vers le centre-

ville). *Tél. 902 10 01 04 www.aero-busbcn.com*
Taxis De 20 à 30€ selon la destination en ville, le jour et l'heure, avec un supplément de 1€ par valise.

EN TRAIN
Gare Renfe Barcelona-Sants (plan 1, A2) Nombreux TGV (AVE) entre Barcelone et Madrid (2h40-3h20 de trajet et un train de nuit Estrella (9h). Également des liaisons AVE quotidiennes avec Valence (3h-4h15), Murcie (6h40-7h), Alicante (4h30-5h30), Saragosse (env. 1h30-2h ; env. 5h en train express et train de nuit). Trains régionaux fréquents entre Barcelone et Gérone (ligne Ca2, 1h15), Figueres (ligne Ca2, 1h45), Lleida (Ca4, 2h) et Tarragone (Ca4, 52min-1h20). Consignes sécurisées ouvertes de 5h30 à 23h (3,60€/j. pour un petit casier, 5,20€ pour un grand ; 15j. maximum). *Pl. dels Països Catalans Tél. 902 32 03 02 www.renfe. com Guichets ouverts lun.-sam. 5h40-22h30, dim. et j. fér. 6h-22h30.*

Liaisons avec le centre-ville La gare de Sants est reliée à la Plaça de Catalunya et au centre historique par le métro L3 (station "Sants-Estació"), et au Passeig de Gràcia par la L3 et le bus n°43. Entre 22h40 et 5h, bus de nuit N14, N16 et N17, départs toutes les 20min de la Plaça de Espanya, proche de Sants. *www.tmb.cat*
Gare Renfe de França (plan 2, D2) Gare secondaire : pratique pour arriver directement dans le centre-ville. *Av. del Marquès de l'Argentera*

EN CAR
Estació del Nord (plan 1, C3) Nombreuses liaisons quotidiennes à l'international (Maroc, Portugal, France, Italie...) ainsi qu'avec les grandes villes du pays. *Carrer d'Alí Bei, 80 Tél. 902 26 06 06 www.barcelonanord.com*
Eurolines Une liaison quotidienne avec Paris (départ Paris 14h45, arrivée 5h45, départ Barcelone 20h30 arrivée 12h15, 146€ AR) et d'autres villes françaises. *Tél. 08 92 89 90 91 www.eurolines.fr*
Linebús Liaisons avec Lyon (1 car/j., env. 8h, 126€ AR), Marseille (1 car/j. minimum, env. 8h, 74€ AR), Nice (3 départs/sem., env. 11h, 94€ AR), Paris (1 départ/j., env. 15h, 141€ AR), Rennes (2 cars/sem., env. 17h, 174€ AR), Toulouse (1 car/j., env. 6h, 67€ AR) et Tours (2 cars/sem., 15h env., 130€ AR). *Tél. 932 65 07 00 www.linebus.es*
Sarfa Cette compagnie relie Barcelone à Pals (2h35, 18,25€), Begur (2h15,

17,75€), Palafrugell (2h15, 16,85€), Sant Feliu de Guíxols (1h25, 14,05€) et Tossa de Mar (1h20, 9,95€). *Tél. 902 30 20 25 www.sarfa.com*
Alsa La compagnie relie Barcelone à Saragosse (3h45, 25,85€ AR), Valence (env. 4h, 51-61€ AR), Alicante (env. 8h, 81,50 AR), Murcie (env. 9h, 92,50 AR), LLeida (env. 3h, 33,30€ AR) mais aussi Tarragone, Carthagène... Liaisons quotidiennes entre Andorre et Barcelone, via La Seu d'Urgell, Berga et Manresa (env. 3h50, 46,25€ AR). *Tél. 902 42 22 42 www.alsa.es*

EN VOITURE
Du sud-ouest de la France, prendre l'A15 via Pampelune puis l'A2 par Saragosse. De Perpignan, prendre l'AP7 (payante) par la côte est espagnole, sortie "Barcelone-centre" qui mène à la Gran Via de les Corts Catalanes.

orientation

Le **centre historique** (ou Ciutat Vella) proprement dit est délimité au sud-ouest par la colline de Montjuïc (site olympique, remarquables musées, jardins), au nord par la Plaça de Catalunya, au sud-est par le Parc de la Ciutadella. Il comprend trois quartiers distincts : au centre, le **Barri Gòtic**, séparé d'**El Raval** (ou "Barrio Chino", à l'ouest) par la fameuse Rambla, et de **La Ribera** (à l'est), par la Via Laietana. Au sud de la **Rambla**, qui relie

Tableau kilométrique

	Barcelone	Gérone	Cadaqués	Lérida	Saragosse	Tarragone
Gérone	103					
Cadaqués	170	73				
Lérida	173	258	324			
Saragosse	307	389	457	150		
Tarragone	100	193	260	100	234	
Tortosa	181	275	341	125	198	87

la **Plaça de Catalunya** au **quartier du port**, commence la façade maritime réaménagée à l'occasion des JO de 1992 et du Forum des cultures en 2004. Du sud au nord, on trouve **Port Vell** et son complexe de loisirs, le vieux quartier de pêcheurs de **La Barceloneta** et ses restaurants de poisson, puis **Port Olímpic**, lieu de sortie très fréquenté repérable par ses deux tours jumelles. De La Barceloneta part une esplanade qui longe la plage en direction du quartier de **Poblenou** plus au nord-est, jusqu'au **Fòrum**. Au-delà de la Plaça de Catalunya débute l'**Eixample**, traversé par les deux principales avenues de la ville : la Gran Via de les Corts Catalanes et l'Avinguda Diagonal. Le Passeig de Gràcia et la Rambla de Catalunya, hauts lieux du modernisme et... du shopping, partent au nord-ouest de la Plaça de Catalunya. En remontant le **Passeig de Gràcia**, on accède au plaisant quartier populaire éponyme. Plus loin, vers le nord-est, s'étend le fameux **parc Güell**, œuvre de Gaudí. Le point culminant de la Serra de Collserola, quelques kilomètres plus haut, est le **Tibidabo**, avec son Sacré-Cœur et son parc d'attractions, non loin de l'immense tour de télécommunications de Norman Foster. Au pied des montagnes, la **Zona Alta** de Barcelone est formée de riches quartiers résidentiels (**Sarrià, Sant Gervasi...**). À la périphérie ouest de la ville se situent les quartiers de **Sants** (gare), de **Les Corts** (Camp Nou, stade du FC Barcelone) et de **Pedralbes**.

circulation

Outre l'attrait de ses rues anciennes et modernes, de ses parcs et de sa façade maritime, Barcelone compte plus d'une centaine de musées et de monuments. Le choix s'annonce difficile. D'autant que les ruelles médié-vales du centre, la promenade du bord de mer, la Rambla, le parc Güell ou les jardins de Montjuïc propices à la flânerie, sont peu compatibles avec un emploi du temps trop serré. Si les transports en commun permettent de se déplacer aisément d'un quartier à l'autre et d'atteindre les sites excentrés, la marche reste le meilleur moyen de profiter d'une ville dont les rues offrent un spectacle continuel. Sauf peut-être dans l'Eixample, où les distances s'allongent. Attention : en saison, les principaux sites et musées sont bondés, mieux vaut réserver.

EN VOITURE

La voiture est vraiment peu pratique à Barcelone. La circulation est d'abord très chargée : en semaine, évitez d'arriver aux heures de pointe (7h-9h et 19h-21h). Dans le centre, les embouteillages sont également fréquents à l'heure du déjeuner (14h). Les voies majoritairement à sens unique et l'affluence des deux-roues ne vous faciliteront pas non plus la tâche. Le stationnement est, en outre, très difficile. Les parkings publics sont nombreux, mais chers (env. 3€/h, 30€/j.), et gare aux amendes (demandez toujours conseil car la signalisation est difficile à comprendre, et ne laissez jamais rien dans votre véhicule).

transports en commun

MÉTRO, TRAIN ET BUS

Barcelone possède huit lignes de métro, que viennent renforcer plusieurs lignes de trains de banlieue. Elles fonctionnent du lundi au jeudi, le dimanche et les jours fériés de 5h à 0h, le vendredi de 5h à 2h et sans interruption le samedi et les veilles de fête. Le site de la TMB vous permettra de bien planifier vos itinéraires. Les bus urbains, fréquents et nombreux, circulent de 6h à 22h environ, relayés

À chacun son quartier

La Rambla (plans 2 et 3) Descendre la Rambla, symbole de Barcelone, c'est remonter l'histoire récente de la ville et plonger dans la vie quotidienne de ses habitants, au milieu du bruit et des spectacles de rue aussi nombreux qu'insolites (p.100)

Le Barri Gòtic (plans 2 et 3) Il comblera tous les appétits : découverte du patrimoine (l'un des plus importants ensembles gothiques d'Europe), emplettes au marché et shopping en tout genre, et soirées animées dans les nombreux bars et restaurants (p.115)

El Raval (plans 2 et 3) Également appelé Barrio Chino, il montre toute l'effervescence de la vie barcelonaise : si sa réputation sulfureuse et ses bars historiques attirent, côté Ramblas, une faune branchée et des touristes curieux, une ambiance moins sûre, voire franchement glauque, plane autour de la rue de Sant Pau (p.126)

La Ribera (plans 2 et 3) Avec le Barri Gòtic et El Raval, elle occupe le cœur historique de Barcelone et abrite comme eux la vie trépidante de la cité. Ses rues bordées de palais cossus et ses boutiques bohèmes et arty invitent à la flânerie tandis que le soir, on se retrouve dans les bars branchés du quartier du Born (p.131)

La façade maritime (plan 2) Ancien quartier de sans-abri puis de pêcheurs et de dockers, La Barceloneta a gardé son côté très populaire et bon enfant. Au nord, Poblenou, le "nouveau village", accueille, dans ses anciennes usines et ses entrepôts convertis en bars et clubs, une jeunesse plutôt lookée et alternative : une destination aux forts accents catalans (p.141)

Montjuïc (plan 6) Désignée comme centre des JO de 1992, réservant des panoramas inégalables sur la ville, la colline de Montjuïc est le haut lieu des musées et des jardins ; populaire et festif, le quartier de Poble Sec abrite autour de son Moulin-Rouge d'authentiques et conviviales tavernes (p.149)

L'Eixample (plan 4) Chic et sélect, il est, depuis la fin du XIXe siècle, le terrain de jeux des grands architectes de Gaudí pour la Sagrada Família, et des architectes contemporains de renommée internationale (p.161)

Gràcia et le Parc Güell (plan 5) Le quartier-village de Gràcia s'anime joyeusement à la nuit tombée quand les enfants jouent dans la rue et que les plus âgés entament sur le trottoir des discussions sans fin. Ses boutiques bohèmes drainent en fin de semaine la jeunesse arty qui aime s'y retrouver pour faire la fête (p.174)

L'ouest de Barcelone (plan 1) Si l'ouest de la ville a été marqué par l'urbanisation des dernières décennies, Pedralbes vaut le détour pour la richesse de son patrimoine. Du côté de Diagonal, sage en apparence, les clubs les plus branchés assurent une ambiance débridée la nuit ! (p.179)

BARCELONE ET SES ENVIRONS

de 22h à 5h par les Nitbus, qui convergent pour la plupart vers la Plaça de Catalunya. Tickets en vente dans les bus et stations de métro et gares, tarifs zone 1 : ticket à l'unité (bus/métro) 2€, Tdía (à la journée) 7,25€, T10 (10 voyages avec correspondance) 9,80€, T50/30 (50 voyages en 30 jours) 39,20€.

EMT Entitat Metropolitana del Transport. *Tél. 932 23 51 51 www.emt-amb.com*
TMB Transports Metropolitans de Barcelona. *Tél. 902 07 50 27 www.tmb.cat*
FGC Ferrocarrils de la Generalitat de Catalunya. *Tél. 900 90 15 15 www.fgc.cat*

TRAMWAY

Seul survivant du réseau de tramways historique, le "Tramway bleu" circule entre la Plaça J. F. Kennedy et la Plaça del Doctor Andreu, au pied de la colline du Tibidabo. Le Trambaix, qui part de la place Francesc Macià, se ramifie en trois lignes (T1, T2 et T3) pour desservir L'Hospitalet de Llobregat, Esplugues de Llobregat, Cornellà de Llobregat, Sant Joan Despí, Sant Just Desvern et Sant Feliu de Llobregat. Il peut vous aider à monter vers Pedralbes. Le Trambesòs se ramifie également en trois lignes. La T4 relie le parc de la Ciutadella au Fòrum, en passant par l'Auditori, le Teatre Nacional de Catalunya et la tour Agbar. Les lignes T5 et T6 partent de la place des Glorièes pour atteindre respectivement Badalona (Gorg) et la gare de Sant Adrià de Besòs en passant par Gran Via. **TRAM** *Tél. 900 70 11 81 www.tram.cat*

TÉLÉPHÉRIQUES ET FUNICULAIRES

Un réseau de téléphériques et de funiculaires permet de rejoindre les hauteurs de la ville : Montjuïc, le Tibidabo ou encore la Torre de Collserola.

BUS TURÍSTIC

Bus turístic Les bus à plate-forme découverte de la TMB sillonnent la ville entre 9h et 20h (19h en hiver), tous les 5 à 25min selon la saison ; ils desservent les principaux sites, y compris Montjuïc et Pedralbes. Trois itinéraires : Nord (rouge), Sud (bleu) et Fòrum (vert). Ticket 1 j. 26€ (adulte), 20€ (seniors et personnes à mobilité réduite) et 15€ (4-12 ans), 2 j. consécutifs 34€/25/19€. Le prix inclut des réductions pour les principaux musées et monuments desservis. En vente à l'office de tourisme, dans les stations de métro Sants-Estació, Sagrada Família, Diagonal ou Universitat, dans certains hôtels, à bord des bus et sur www.tmb.cat, onglet "compra on line" ou "Discover the City" ou sur www.barcelonabusturistic.cat (réduction de 10%). De déb. juin à mi-sept., parcours nocturne de 2h30. Départ Plaça de Catalunya ven.-dim. 21h30. *Tél. 932 85 38 34* **Barcelona City Tour** Cette société privée propose des prestations similaires (mêmes horaires, mêmes tarifs, même mode d'utilisation) sur ses deux lignes d'autobus à étage panoramique qui relient la Plaça Catalunya à la Casa Batllo et retour. La ligne Est dessert le port Olimpic, le Forum, la Sagrada Familia, etc. ; la ligne Ouest les jardins Mirama ; la fondation Míro, le MNAC, la gare de Sants, etc. Billets en vente à bord des bus, dans les agences de voyages, certains hôtels et au comptoir de la société. Réduction de 10% sur le site Internet. *Balmes 5 Tél. 933 17 64 54 www.barcelonacitytour.cat*

TAXIS

Les taxis, jaune et noir, sont nombreux dans le centre et leurs tarifs intéressants (8h-20h : prise en charge 2€, 0,90€/km ; 20h-8h, sam.-dim. et j. fér. : prise en charge 2€, 1,15€/km), excepté pour les très courtes distances (tarif

Barcelone (métro)

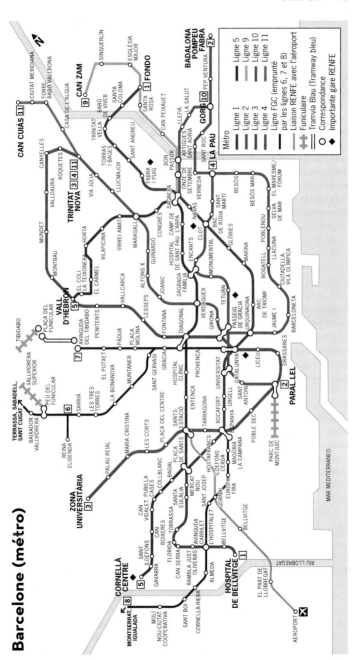

Métro

Ligne 1	Ligne 5
Ligne 2	Ligne 9
Ligne 3	Ligne 10
Ligne 4	Ligne 11

Ligne FGC (emprunté par les lignes 6, 7 et 8)

Liaison RENFE avec l'aéroport

Funiculaire

Tramvia Blau (Tramway bleu)

○ Correspondance

◆ Importante gare RENFE

minimum fixe 7€). La lumière verte indique la disponibilité. La principale station de taxis du centre fait l'angle de la Plaça de Catalunya et de la Rambla.
Ràdio Taxi Miramar *Tél.* 934 33 10 20
Ràdio Taxi 033 *Tél.* 933 03 30 33 *www. radiotaxi033.com (rés. par Internet)*

VÉLO-TAXI

Les pousse-pousse du XXIe siècle ! Une formule originale pour découvrir les quartiers de la ville. Possibilité de choisir différents circuits préétablis.
Trixi (plan 2, C1) 15€/30min, 25€/h (prix pour 2 pers.) Station principale : Catedral. *Pl. Traginers, 4 Tél.* 699 98 47 26 *ou* 677 73 27 73 *www.trixi.com Ouvert tlj.* 12h-20h
Funky Cycle (plan 1, C3) 7€/15min (prix pour 2 pers.). *C/ Zamora, 62 Tél.* 677 34 29 00 *www.funkycycle.es*

location de voitures

Les principales compagnies internationales sont présentes à l'aéroport et à la gare de Sants, cf. Transports locaux (p.77).

location de vélos

Pour faciliter vos déplacements et rouler sans danger, procurez-vous la carte Barcelona Bici à l'office de tourisme. Notez que les vélos Bicing en libre-service sont réservés aux résidents.
Mattia 46 (plan 2, B1) Location de vélos de ville (5€/j.) et de scooters (15-25€/j.) à deux pas de la Rambla. *C/ de la Unió, 30 Tél.* 933 02 85 21 *www. mattia46.com Ouvert tlj.* 9h30-19h30
Biciclot (plan 2, D3) Vélos de tous types, sur la plage entre La Barceloneta et Port Olímpic : 7€/2h, 17€/j. *Passeig Marítim de La Barceloneta, 33 Tél.* 932 21 97 78 *www.biciclot.net Ouvert été :* tlj. 10h-20h ; *reste de l'année :* tlj. 11h-17h

Barcelona by Bike NaturBike (plan 1, C3) Pour des visites guidées en groupes, en plusieurs langues dont le français, de 22 à 37€. Au bout de la jetée du Port Olímpic. *Escullera de Poble Nou, 298-299 Tél.* 932 68 81 07 *www.barcelonabybike.com Visites guidées tlj. sur rdv*
Bike Rental Barcelona (plan 2, A1) Location de vélos de ville, VTT ou pliables. Possibilité de livraison de la bicyclette directement à l'hôtel. Tarifs en fonction du modèle, de la durée et des prestations à partir de 12€ pour 3h. *C/ Montserrat, 8 Tél.* 666 05 76 55 *www.bikerentalbarcelona.com Ouvert tlj.* 10h-14h et 16h-20h *Réserver*
Un Cotxe Menys – Bicicleta Barcelona (plan 2, C1) Des locations en plein centre d'El Born. Vélos 5€/h, 15€/j. Également des tours guidés à vélo, en anglais (22€/3h). *C/ Esparteria, 3 Tél.* 932 68 21 05 *www.bicicleta-barcelona.com Ouvert haute saison :* tlj. 10h-19h ; *basse saison :* tlj. 10h-18h *Circuits guidés* en anglais : tlj. 11h (et 16h30 ven.-lun. avr.-mi-sept.) *Départ Plaça Sant Jaume*

informations touristiques

Office de tourisme de Barcelone Le bureau principal de l'office de tourisme – et le plus pratique – est installé **Plaça de Catalunya (plan 3, C2)**. Informations sur les visites guidées et l'actualité culturelle, service de réservations hôtelières de dernière minute, vente de places de spectacles et de pass (transport/visites de musées), réservations d'excursions en Catalogne (Montserrat et Sitges, Figueres et Gérone, tours des vignobles, Vic, Reus...). *Pl. de Catalunya, 17 (au sous-sol) Tél.* 932 85 38 34 *(informations) ou* 932 85 38 33 *(réservations) www.barcelonaturisme.com Ouvert tlj.* 8h30-20h30 **Bureau de la Mairie (plan 2, B1)** *C/ Ciutat, 2 Ouvert lun.-ven.*

8h30-20h, sam. 9h-19h, dim. et j. fér. 9h-14h ; 26 déc., 6 jan. : 9h-14h Fermé 1er jan. et 25 déc. **Bureau de la gare Barcelona-Sants (plan 1, A2)** Pl. dels Països Catalans Ouvert tlj. 8h-20h ; 26 déc., 6 jan. : 9h-15h **Bureau de l'aéroport (terminaux A et B)** Tél. 934 78 81 75 ou 933 78 81 49 Ouvert tlj. 8h30-20h30 Fermé 1er jan. et 25 déc. **Point Info Rambla (plan 2, B1)** Rambla dels Estudis, 115 Ouvert tlj. 8h30-20h30 ; 26 déc., 6 jan. : 9h-15h Fermé 1er jan. et 25 déc. **Point Info Mirador de Colom (plan 2, A-B2)** Pl. Portal de la Pau Ouvert tlj. 9h30-15h30

Centre d'information touristique de Catalogne (plan 4, B2) Pour des informations sur la région. Palau Robert, Passeig de Gràcia, 107 Tél. 932 38 80 91, 92 ou 93 www.gencat.cat Ouvert lun.-mer. et ven.-sam. 10h-20h, dim. et j. fér. 10h-14h30 Fermé 1er jan., 6 jan., 25-26 déc.

Institut de Cultura (plan 3, B3) Renseignements et billeterie pour les expositions, concerts et autres spectacles donnés en ville. Palau de la Virreina, Rambla de Sant Josep, 99 Tél. 933 16 10 00 www.bcn.cat/ barcelonacultura Ouvert tlj. 10h-20h30 Fermé 1er jan., 1er mai, 25-26 déc. **Billetterie** Tél. 933 16 11 11 Ouvert tlj. 10h-20h30

tarifs et abonnements

Barcelona Card Utilisation illimitée des transports urbains, réductions dans les musées, monuments, salles de spectacles, certains restaurants et magasins. Tarifs 37€ (enfant 26€) pour 2 jours, et 52,70€/40€ pour 5 jours. En vente dans les OT (-15% sur le site Internet). Tél. 932 85 38 32 http://bcnshop.barcelonaturisme.com **Articket** Billet combiné qui permet de visiter les principaux musées d'art de la ville (MNAC, MACBA, CCCB, Museu Picasso et les fondations Tàpies et Miró). Tarif 30€. En vente

dans les OT et les musées concernés (-5% par Internet). Tél. 932 85 38 32 http://bcnshop.barcelonaturisme.com **Arqueoticket** Donne accès à 4 musées : Museu d'Història de Barcelona, Museu Marítim, Museu Egipci, Museu d'Arqueologia de Catalunya. Tarif 13€ En vente dans les musées concernés, les offices de tourisme et sur Internet Tél. 932 85 38 32 www.barcelonaturisme.com (onglet "Musées, loisirs et gastronomie")

actualité culturelle

Pour le programme des concerts et des spectacles, consultez l'hebdomadaire Guía del Ocio, en vente le jeudi (également en ligne www.guiadelociobcn.com), les pages "Cosas de la Vida" dans El Periódico de Catalunya ou le supplément "Quèfem ?" de La Vanguardia, paraissant le vendredi. Demandez à l'office de tourisme l'excellent dépliant bimensuel Barcelona, activités culturelles.

visites guidées

Barcelona Walking Tours Plusieurs visites thématiques de 2h env., organisées par l'OT, offrent une bonne opportunité de découvrir la ville et ses secrets, dans le quartier Gòtic, l'Eixample moderniste, au gré des marchés et tables gourmandes ou encore sur les traces de Picasso... Tarif 15-18,90€, 4-12 ans 5-7€ (-10% sur Internet). Et pour découvrir Gaudí et douze de ses édifices emblématiques, la Barcelone médiévale ou bien le quartier futuriste de 22@, téléchargez l'audioguide MP3 et PDF (3€) sur le site Internet de l'OT. Tél. 932 85 38 32 **Ruta del Modernisme** Si les principaux forfaits de visite sont vendus dans les offices de tourisme, celui de la Ruta del Modernisme est disponible en librairie, à l'OT de la

Pl. de Catalunya, à l'Hospital de Santa Creu et aux Pavellons Güell. Le forfait (env. 18€) comprend un petit guide détaillant les principaux édifices modernistes et une réduction de 10% à 50% sur la visite du Palau de la Música, de la fondation Tàpies, du musée d'Art moderne et du musée zoologique, ainsi que pour les principaux monuments de Gaudí (Casa Batlló, Pedrera, Sagrada Família, Palau et Parc Güell). *www.rutadel modernisme.com*

Itinera Plus (plan 3, C3) Une équipe de jeunes guides professionnels très sympathiques invite à se promener dans la ville pour la découvrir sous ses facettes historiques, culturelles et artistiques les plus originales. Pour tout savoir sur la guerre civile, la Barcelone de Dalí ou d'Eduardo Mendoza, la Barcelone Bohème (sur les traces des artistes modernistes) ou la Barcelone Magique (des sorcières et des esprits errants des légendes)... C/ Copons, 3 Tél. 933 42 83 33 *www.*

Fêtes et manifestations

5 janvier	Épiphanie : défilé des Rois Mages sur le port
Février-mars	Carnaval de Mardi gras
	Fête de sainte Eulalie, patronne de Barcelone, dans le Barri Gòtic, El Raval et La Ribera
Mars-avril	Semaine sainte
23 avril	Fête en l'honneur de saint Georges (Sant Jordi), saint patron de la Catalogne
	Fête des roses et des livres
Avril-mai	Festival de musique antique dans le centre culturel CaixaForum de Montjuïc et dans le Barri Gòtic
Avril-juin	Festival de guitare classique, rock, jazz et flamenca, notamment au Palau de la Música
Mai	Festival de flamenco au CCCB
	Maig Coral, festival de chant choral dans les églises de la ville
	Journée internationale de la sardane (danse)
	Grand Prix d'Espagne de Formule 1
Fin mai-début juin	Célébrations de Corpus Christi (Fête-Dieu)
Juin	Grand Prix moto de Catalogne
Mi-juin	Sonar, festival européen de musiques électroniques(4 jours), notamment dans le CCCB
Nuit du 23 au 24 juin	Fête de la Saint-Jean
Fin juin-mi-juillet	Fadfest : festival de design
Juin-juillet	Festival grec : théâtre, danse et musique, au Teatre Grec (en plein air) notamment
15 août	Assomption
	Fête patronale du quartier de Gràcia
Mi-août-mi-septembre	Dansalona : festival international de danse
11 septembre	Fête nationale catalane
24 septembre	Fêtes de la Mercè, dans le Barri Gòtic et sur la Rambla
12 octobre	Fête nationale espagnole
Fin octobre-début décembre	Festival international de jazz

itineraplus.com (calendrier et réservations)

Aborígens - Local Food Insider (plan 4, A3) Du mardi au samedi, quatre heures durant (9h45-13h45), les fins gourmets d'Aborígens vous invitent à flâner en petit groupe – pas plus de 8 pers. – sur les marchés barcelonais et à faire une quinzaine de dégustations… L'occasion de percer quelques petits secrets de la gastronomie catalane et de bavarder avec les commerçants et les badauds (100-110€/pers.). Autres propositions, une tournée des meilleurs bars et des bodegas les plus authentiques de la ville de 17h45 à 21h45 (même tarif) et une escapade d'une journée dans la campagne pour aller saluer des artisans fromagers, vignerons, éleveurs, pêcheurs et chefs réputés de la région (possible tlj., prix sur demande). *C/ Aragó, 184 Entl. C Tél. 931 87 37 50 ou 645 07 53 27 www.aborigensbarcelona.com*

poste

Bureau de poste central (plan 2, C1) *Pl. d'Antonio López, s/n Tél. 934 86 80 50 Ouvert lun.-ven. 8h30-21h30, sam. 8h30-14h*
Bureau de l'Eixample (plan 4, B3) *C/ Aragó, 282 Tél. 932 16 04 53 Ouvert mi-juil.-mi-sept.: lun.-ven. 8h30-14h30, sam. 9h30-13h ; reste de l'année : lun.-ven. 8h30-20h30, sam. 9h30-13h*

représentations diplomatiques

Consulat de France (plan 3, B1) *Ronda de la Universitat, 22bis Tél. 932 70 30 00 www.consulfrance-barcelone.org Ouvert lun.-ven. 9h-13h*
Consulat de Belgique (plan 4, B-C3) *C/ de la Diputació, 303 Tél. 934 67 70 80 www.diplomatie.be/barcelonafr Ouvert lun.-ven. 9h-13h*

Consulat de Suisse (plan 1, A1) *Gran Via Carles III, 94 Tél. 934 09 06 50 www.eda.admin.ch Ouvert lun.-ven. 9h-12h30 (14h-17h30 par téléphone sauf ven.)*
Consulat du Canada (plan 3, C2) *Pl. de Catalunya, 9, 1º, 2ª Tél. 932 70 36 14 www.canadainternational.gc.ca Ouvert lun.-ven. 9h-12h30*

cours de langues

Universitat Central (plan 1, A1) L'université de Barcelone propose des cours d'espagnol intensifs de différents niveaux (40h en 2 ou 4 semaines, 485€) toute l'année, ainsi que des cours d'été (457€/40h, 668€/60h et 866€/80h). Sont également proposés des cours spécialisés de courte durée : préparation aux diplômes du DELE, espagnol des affaires, conversation, espagnol écrit. Le département de langue catalane propose des cours de catalan général ou spécialisé. *C/Melcior de Palau, 140 Bureaux Ouvert lun.-jeu. 8h30-20h30, ven. 8h30-15h ; juil. : lun.-ven. 9h-13h Fermé en août Cours d'espagnol Estudios Hispánicos Gran Vía de les Corts Catalanes, 585 Tél. 934 03 55 19 www.eh.ub.edu Cours de catalan Servei de Llengua Catalana Tél. 934 03 54 78 www.ub.edu/sl*

DÉCOUVRIR
☆ La Rambla

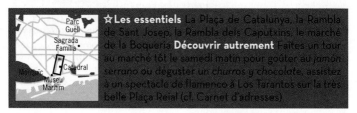

☆**Les essentiels** La Plaça de Catalunya, la Rambla de Sant Josep, la Rambla dels Caputxins, le marché de la Boqueria **Découvrir autrement** Faites un tour au marché tôt le samedi matin pour goûter au *jamón serrano* ou déguster un *churros y chocolate*, assistez à un spectacle de flamenco à Los Tarantos sur la très belle Plaça Reial (cf. Carnet d'adresses)

Cette somptueuse esplanade encadrée de deux contre-allées réservées aux voitures est devenue l'emblème de la ville, comme l'avenue des Champs-Élysées pour Paris. À cette différence près que, tout en étant la première destination des touristes, la Rambla reste un trépidant lieu de vie où les Barcelonais aiment à se promener à toute heure du jour et de la nuit ! Au XVIIIe siècle, ce n'était qu'une étroite rue suivant le tracé des anciennes murailles, le long d'un cours d'eau nauséabond, le Cagalell. Son nom vient d'ailleurs de l'arabe *ramla*, le lit de la rivière. Au Moyen Âge s'y tiennent des joutes, des marchés, et l'on vient de bon matin y recruter les travailleurs journaliers. C'est en 1776 que naît le projet de la reconvertir en une large avenue qui unira la Plaça de Catalunya au port de Barcelone, sur une longueur de 1,2km. Des palais somptueux sont alors érigés le long de cette nouvelle artère. Les célèbres platanes n'apparaîtront, eux, que vers 1860. Lors de la guerre civile, la Rambla fut le lieu de nombreux affrontements entre les diverses factions républicaines : les anarchistes contrôlaient en effet El Raval, tandis que le Barri Gòtic était tenu par les forces gouvernementales.

☆ La Plaça de Catalunya

Centre névralgique de Barcelone ouvrant la voie à la Rambla, la Plaça de Catalunya (plan 3, C2) fut créée à la fin du XIXe siècle pour unir les vieux quartiers à l'Eixample naissant. L'architecte Puig i Cadalfach dessine les premiers plans, mais le projet ne sera achevé qu'en 1925. Aujourd'hui dominée par de grands édifices commerciaux et financiers, la place compte de nombreuses sculptures, la plupart attribuées sur concours en 1928, rendant hommage à la Catalogne éternelle, œuvres des grands sculpteurs catalans Josep Llimona, Eusebi Arnau, Pablo Gargallo, Frederic Marès et Josep Clarà. Plus récent, le monument au président Macià (1991) de Subirachs (sculpteur de la controversée façade de la Passion de la Sagrada Família) présente deux escaliers imbriqués qui pourront laisser perplexe.

Au fil des Ramblas

Rambla dels Canaletes (plan 3, C2) La partie supérieure de la Rambla tire son nom à sa célèbre fontaine du XIXe siècle – en ce temps-là, son eau était si bonne que ceux qui en buvaient, dit-on, ne manquaient pas de revenir à

● **RAMBLA OU RAMBLAS ?** Si l'on parle plus communément des Ramblas (Rambles en catalan), c'est parce que la Rambla est divisée en cinq tronçons (pour une seule numérotation) dont les noms renvoient aux institutions religieuses construites à l'extérieur des murailles jusqu'au XVIIIe siècle.

Barcelone. C'est le point de ralliement des fans de football, venus discuter du dernier match du "Barça" au milieu des kiosques à journaux.

Rambla dels Estudis (plan 3, C2) Elle doit son nom à l'université fondée en 1402 et fermée par Philippe V en 1717. Plus communément appelée la Rambla dels Ocells (oiseaux) parce qu'elle accueille depuis toujours un populaire marché aux oiseaux (ouvert lun.-sam.). Sur la droite s'élève l'**église baroque de Betlem** (1681-1722), fondée par les jésuites et saccagée au début de la guerre civile.

☆ **Rambla de Sant Josep (plan 3, B3)** Elle tire son nom d'un couvent disparu. Ici, les cages à oiseaux font place aux marchands de fleurs. La **Rambla de les Flors**, comme on la nomme généralement, s'ouvre avec sur la droite le majestueux **Palau de la Virreina** (au n°99), qui abrite l'**Institut de Cultura** (p.97) et les expositions temporaires du **Centre de la Imatge** : art, photo, littérature… Ce palais baroque fut construit en 1772-1778 pour le vice-roi du Pérou, qui mourut peu après, laissant sa veuve seule dans cette grande demeure. Plus bas, au n°85, se remarque l'élégante entrée du marché Sant Josep, plus connu sous le nom de marché de **la Boqueria**. La "cathédrale des sens", comme on l'appelle ici, occupe le site d'un marché à l'air libre créé au Moyen Âge à l'extérieur des murailles. Le marché ouvrit en 1840 en lieu et place d'un couvent incendié lors des émeutes de 1835, mais son élégante halle à charpente métallique date de 1870, cf. Où faire son marché ? (p.114). Juste à côté, au n°83, ne manquez pas la belle façade moderniste de la célèbre **pâtisserie Escribà** (Antigua Casa Figueres). Le **café L'Arc**, au n°77, lui aussi de facture moderniste, arbore une majestueuse arcade ornée du blason catalan. De l'autre côté de l'avenue, au n°82, la Casa Bruno Cuadros (1883) présente un étonnant décor d'inspiration asiatique : ombrelles japonaises et dragon chinois. Cette portion de la Rambla s'achève avec le **Plà de la Boqueria**, avec sa mosaïque de sol colorée, signée Joan Miró (1976). Située à mi-Rambla, cette esplanade est un lieu de rendez-vous par excellence. **Palau de la Virreina** *www.virreina.bcn.cat Ouvert mar.-dim. et j. fér. 10h-20h Fermé 1er jan., 1er mai, 25-26 déc. Entrée libre*

Descendre les Ramblas, mais en douceur(s)

Coincés entre les étals, les bars du marché de la Boqueria invitent à de délicieuses pauses quand on descend les Ramblas…
El Quim de la Boqueria (plan 3, B3 n°105) (p.201) *Ouvert mar.-jeu. 7h-16h, ven.-sam. 7h-17h Fermé*

3 sem. en août et 1 sem. en jan.
Bar Pinotxo (plan 3, B3 n°80) (p.194) *Ouvert lun.-sam. 6h-16h Fermé en août*
☺ **Kiosko Universal (plan 3, B3 n°111)** (p.200) *Ouvert lun.-sam. 7h-16h*

BARCELONE ET SES ENVIRONS

Plan 1 Barcelone

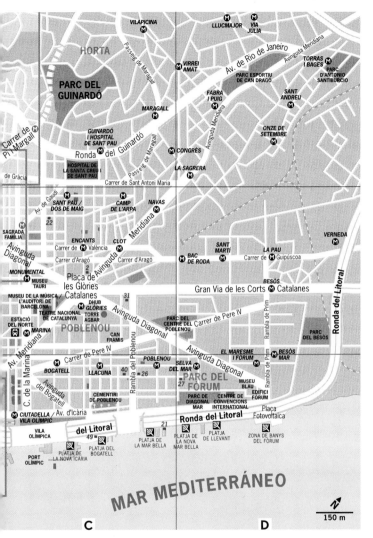

MAR MEDITERRÁNEO

C

D

150 m

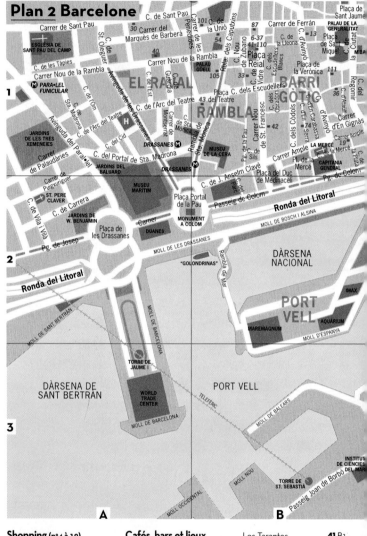

Plan 2 Barcelone

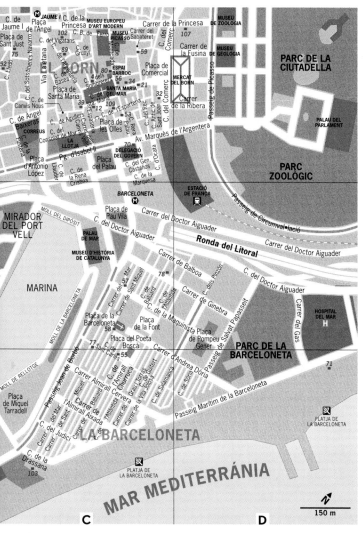

C

D

MAR MEDITERRÁNIA

150 m

BARCELONE ET SES ENVIRONS

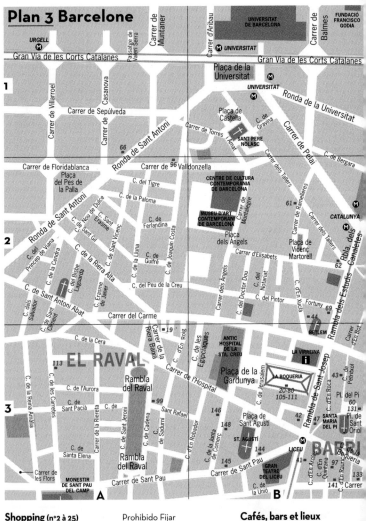

Plan 3 Barcelone

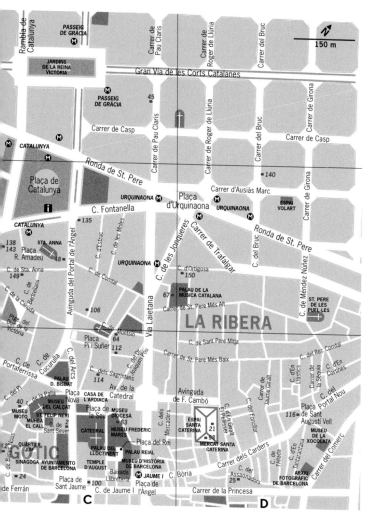

Restaurants (n° 96 à 116)

Ca L'Estevet	**96** A2
Can Culleretes	**97** B3
Casa Leopoldo*	**99** A3
Conesa*	**100** C3
Cuines de Santa Caterina*	**98** D3
El Quim de la Boqueria	**105** B3
Els Quatre Gats	**106** C2
Kiosko Universal	**111** B3
Koy Shunka	**112** C3
Las Fernández	**113** A3
Mundial Bar	**116** D3
Shunka	**114** C3

Hébergement (n°131 à 150)

Hostal-Alberg Fernando	**133** B3
Hostal El Jardi	**131** B3
Hostal Residència Lausanne	**135** C2
Hostal San Remo	**140** D2
Hotel Adagio	**141** B3
Hotel Continental	**143** C2
Hotel España	**144** B3
Hotel Peninsular	**145** B3
Hotel Principal	**146** B3
Hotel Toledano / Hostal Res. Capitol	**138** C2
La Terrassa	**148** B3
Nouvel Hotel	**149** C2
Pensió 2000	**150** D2

*À RETROUVER DANS LA PARTIE DÉCOUVRIR

BARCELONE ET SES ENVIRONS

Plan 4 Barcelone

Shopping (n°1 à 31)
Adolfo Domínguez*____ **1** B2
Bulevard Rosa*____ **2** B3
Colmado Quilez*____ **7** B3
El Bulevard dels
Antiquaris*____ **9** B3
Purificación García*__ **22** B3
Vinçon*____ **31** B2

Pauses sucrées (n°40 et 42)
Cacao Sampaka ____ **40** B3
Mauri ____ **42** B2

Cafés, bars et lieux de sortie (n°54 à 58)
Dry Martini ____ **54** B2
La Terraza del Claris _ **56** B3
Monvínic*____ **58** B3

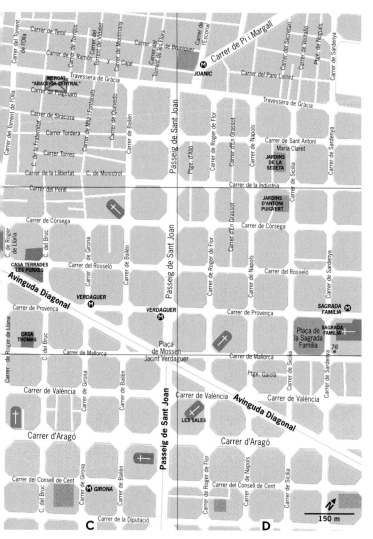

Tapas (n°70 à 76)

Bar Mut	**70** C2
Bar Roure	**71** B1
Bar Velódromo	**75** A1
Bodega del Poblet	**76** D2
La Bodegueta	**72** B2

Restaurants (n°85 à 90)

Gresca	**85** C2
Loidi	**88** C2
Nomo	**90** B1

Hébergement (n°100 à 104)

Hostal Oliva	**100** B3
Hotel Claris	**102** B3
Majestic Hotel	**104** B3
RoomMate Emma	**101** A2

*À RETROUVER DANS LA PARTIE DÉCOUVRIR

BARCELONE ET SES ENVIRONS

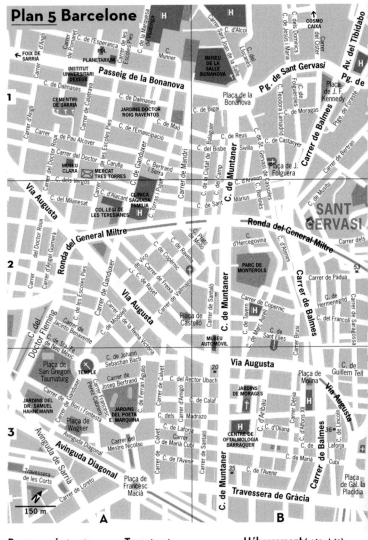

Plan 5 Barcelone

Pause sucrée (n°20)
Crustó* _____ **20** B3

Cafés, bars et lieux de sortie (n°32 à 36)
Café del Sol _____ **32** C3
KGB _____ **34** D3
Luz de Gas _____ **35** B3
Otto Zutz _____ **36** B3

Tapas (n°40)
La Pubilla _____ **40** C3

Restaurants (n°50 à 53)
Bodega Manolo _____ **50** D3
Botafumeiro _____ **51** C3
Florentina _____ **53** B2

Hébergement (n°60 et 61)
Pensión Norma _____ **61** C3
Youth Hostel Mare de Déu de Montserrat _____ **60** D1

* À RETROUVER DANS LA PARTIE DÉCOUVRIR

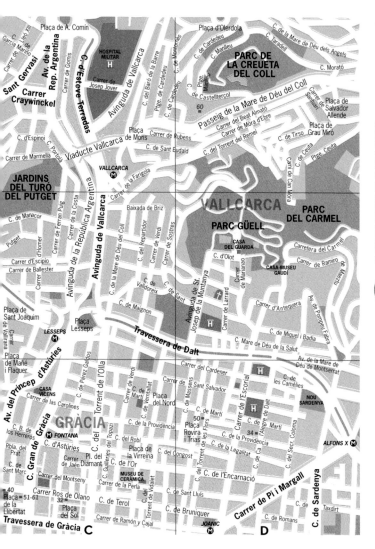

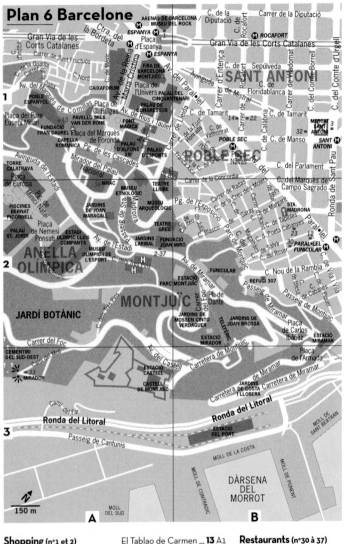

Plan 6 Barcelone

☆ **Rambla dels Caputxins (plan 2, B1)** On l'appelle également Rambla du centre. Sur la droite, au n°51, le prestigieux **Gran Teatre del Liceu**. Inauguré en 1847, il s'imposa vite comme le temple de l'art lyrique en Espagne. S'y sont fait connaître les plus grandes voix du pays, notamment Montserrat Caballé et José Carreras. À la fin du XIXe siècle, les grandes familles de la ville se devaient d'y posséder une loge, et elles s'y montraient en tenue d'apparat les soirs de concert. Le Cercle du Liceu était alors le club le plus fermé de la ville. C'est au Liceu, qu'eut lieu, en 1893, le plus célèbre attentat anarchiste de l'époque. Du poulailler, Santiago Salvador lança deux bombes sur le parterre, dont une seule explosa, tuant vingt personnes et faisant de nombreux blessés. S'ensuivit une terrible répression : des centaines d'anarchistes furent arrêtés et torturés au fort de Montjuïc par l'armée. Touché par deux graves incendies en 1944 et 1994, le Liceu a été totalement reconstitué et doté des équipements les plus modernes, avant de rouvrir ses portes en 1999. Plus bas, de l'autre côté de l'avenue, la rue Colon mène à la **Plaça Reial**. Une place néoclassique, d'une remarquable unité architecturale, aménagée en 1848 sur le site du couvent des Capucins qui a laissé son nom à la Rambla. Une fontaine en fer forgé ornée des Trois Grâces (1875) en marque le centre. Plus remarquables, les lampadaires modernistes de Gaudí, ornés des attributs d'Hermès, une de ses premières commandes (1879). Les élégants immeubles classiques à deux

BARCELONE ET SES ENVIRONS

étages qui la cernent devaient accueillir de riches commerçants, mais ceux-ci s'exilèrent bientôt dans le nouveau quartier de l'Eixample, laissant la place aux trafics en tous genres. **Gran Teatre del Liceu (plan 3, B3)** *Tél. 934 85 99 14 www. liceubarcelona.com Visites rapides tlj. à 11h30, 12h, 12h30 et 13h (5,50€) Visites guidées anglais/espagnol tlj. à 10h (11,50€, réduit 7€, moins de 10 ans gratuit) Visite guidée du Liceu à 10h + récital dans le salon des Miroirs pour les groupes Visite à 9h sur rdv pour accéder aux parties autrement inaccessibles (scène, salles de répétition, loges, réserves...) Attention, fermeture possible certains jours pour les besoins des spectacles, se rens.*

Rambla de Santa Mònica (plan 2, B1) La dernière partie de l'avenue, qui descend jusqu'au port, ne fut achevée qu'à l'occasion de l'Exposition universelle de 1888. L'ancien couvent Santa Mònica, sur la droite, accueille le **Centre d'Art Santa Mònica** et ses expositions temporaires. De l'autre côté de la Rambla, un étroit passage mène au **Museu de Cera** (musée de Cire), cousin du musée Grévin de Paris. À ne pas manquer : la cafétéria du musée, décorée comme une forêt avec fées et cascades. **Centre d'Art Santa Mònica** *Rambla, 7 Tél. 935 67 11 10 www.artsantamonica.cat Ouvert mar.-ven. 11h-21h, sam. 11h-14h et 16h-20h Entrée libre* **Museu de Cera** *Passatge de la Banca, 7 Tél. 933 17 26 49 www.museocerabcn.com Ouvert oct.-juin : lun.-ven. 10h-13h30 et 16h-19h30, w.-e. et j. fér. 11h-14h et 16h30-20h30 ; juil.-sept. : tlj. 10h-22h Tarif 15€, réduit 9€, audioguide 3,50€* **Cafétéria** *Bosc de les Fatges Passatge de la Banca, 5 Ouvert lun.-ven. 10h-1h, w.-e. et j. fér. 11h-1h*

● Où faire son marché ?
☆**Mercat de Sant Josep – la Boqueria (plan 3, B3 n°20)** Vous entrez dans le temple de la gastronomie barcelonaise, où se vendent les meilleurs produits du terroir et de la mer ; ses stands sont un vrai régal pour les yeux. Au centre s'égrènent les étals de poissons, disposés en cercle et décorés de mosaïques multicolores. *La Rambla, 91 Tél. 933 18 20 17 www.boqueria.info*

● Où faire du lèche-vitrines ?
Aux nombreuses boutiques des abords de la Plaça de Catalunya (plan 3, C2) s'ajoute le plus pratique des grands magasins barcelonais, le Corte Inglés, très bien approvisionné.

● Où faire une pause sucrée ?
Escribà (plan 3, B3 n°42) La plus célèbre pâtisserie de la ville, fondée en 1906. Son nom d'origine, Antigua Casa Figueras, orne toujours la vitrine. Les mosaïques, ferronneries et vitraux de la devanture sont un véritable manifeste moderniste, dessiné par Antoni Ros i Güell. À l'intérieur, tout vaut le coup d'œil, des vieilles étagères aux frises murales en passant par les plafonds colorés. Et, bien sûr, les délicieuses spécialités catalanes, comme le gâteau Rambla (orange et chocolat). *La Rambla, 83 Tél. 933 01 60 27 www.escriba.es Ouvert tlj. 9h-21h* **Autre adresse** *Gran Via de les Cortes Catalanes, 546 (plan 3, D1)*
Cafè de l'Òpera (plan 3, B3 n°41) Idéal pour faire une pause dans la descente de la Rambla. Installé en 1929 dans une ancienne chocolaterie de 1890 – en face du Liceu, temple de l'art lyrique –, ce café a des airs Belle Époque : fresques enjôleuses, serveurs en tenue. Mais c'est un lieu plutôt décontracté, où se mêlent touristes et habitués. Pour le goûter, savoureux chocolat

chaud, épais à souhait, à accompagner d'une pâtisserie du jour. *Rambla dels Caputxins, 74 Tél. 933 17 75 85 www.cafeoperabcn.com Ouvert tlj. 8h30-2h30*

● Où déguster une glace ?

Maximum (plan 3, B3 n°47) Depuis 1940, trois générations d'artisans glaciers italiens se sont succédé derrière ce comptoir multicolore. Une trentaine de sorbets et crèmes glacées, 100% naturels, et des parfums dans la plus pure tradition (fraise ou chocolat), carrément innovants (huile d'olive, gazpacho, sangria, roquefort) ou exotiques (matcha, kulfi-glace indienne pistache/miel)... *Rambla dels Caputxins, 78 Tél. 933 02 30 67 www.maximumhelados.com Ouvert avr.-nov. : tlj. 10h-0h*

● Où boire un verre en terrasse ?

Terraza La Isabela (plan 3, B2 n°69) L'élégante terrasse de l'hôtel 1898 surplombe la Rambla et offre de belles vues sur la vieille ville et les montagnes en toile de fond. Ouverte dès le matin pour le petit déjeuner par exemple, mais on pourrait y passer la journée entière confortablement installé sur des banquettes aux coussins moelleux, au bord de la piscine. Quelques tapas et un cocktail (12,50-14€) et déjà, le soleil se couche et la ville s'illumine. Un must ! *Rambla dels Estudis, 109 Tél. 935 52 95 52 www.terraza-laisabela.com Ouvert avr.-oct. : tlj. 11h-2h*

Le Barri Gòtic

☆**Les essentiels** La cathédrale **Découvrir autrement** Assistez à une démonstration de sardane devant la cathédrale le dimanche matin, allez admirer l'architecture du Palau Reial Major au musée d'Histoire de la ville, prenez l'apéritif à la Cala del Vermut (cf. Carnet d'adresses)

Le quartier gothique doit son nom à son plan d'ensemble et à ses monuments médiévaux. C'est, avec Venise, l'un des plus importants patrimoines gothiques d'Europe. Mais ce quartier porte l'empreinte d'un passé plus ancien encore. C'est là, sur les hauteurs du mont Tàber, que naquit la Barcino romaine, dont subsistent plusieurs vestiges. Avec ses places pittoresques, qui accueillent, aux beaux jours, maints spectacles de rue, ses monuments et ses musées, le Barri Gòtic invite à la flânerie et à la découverte. Sans oublier les rues commerçantes du nord du quartier, entre la Rambla et l'avenue del Portal de l'Àngel. Un peu partout ont fleuri les écriteaux : *Respecteu el descans dels veïns* ("Respectez le repos des riverains") : il faut dire que les bars et restaurants apportent leur lot de nuisances sonores jusqu'à une heure avancée de la nuit, surtout au plus fort de la saison touristique !

Autour de la Plaça de Sant Josep Oriol

Basílica de Santa María del Pi (plan 3, B3) Cette église du XIVe siècle, au cœur d'un pittoresque quartier artisanal, ne manque pas d'allure. L'extérieur massif se distingue par l'immense rosace de la façade principale. À l'intérieur, la nef unique, prolongée par une abside à sept pans, répond aux canons du gothique catalan. Les hautes chapelles latérales furent saccagées au début de la guerre civile, à l'exception de la chapelle baroque Saint-Michel, à droite en entrant. Sur la gauche s'ouvre une chapelle dédiée à Sant Josep Oriol (1650-1702), auquel on prête de nombreuses guérisons miraculeuses. Le saint repose dans la chapelle voisine. Face à l'église s'étend la **Plaça del Pi**, avec le pin qui lui a donné son nom, quelques orangers et des façades décorées en trompe l'œil. De là part la Carrer de Petritxol, une agréable ruelle commerçante. À gauche de l'église, la Plaça de Sant Josep Oriol est l'une des plus plaisantes du quartier, avec ses platanes et ses terrasses nonchalantes au pied de vieux immeubles aux balcons fleuris. Le dimanche, elle accueille des peintres amateurs. La Carrer del Pi, bordée de boutiques, est tout aussi plaisante. *Plaça del Pi, 7 ou C/ Cardenal Casanas, 16 Tél. 933 18 47 43 basilicadelpi.com Ouvert lun.-ven. 11h-18h, sam. 10h-17h, dim. 9h30-14h et 17h-20h Musée : mêmes horaires que la basilique Entrée libre Musée (+ visite cloître et jardin) : 3€, réduit 1€ Possibilité de visite guidée en français (45mn)*

Plaça de Sant Felip Neri (plan 3, B3) Cette place très romantique avec ses pavés irréguliers, ses vieilles façades portant encore la marque des bombar-

Barcelone gothique

Barcelone ne doit pas tout son charme à Gaudí ! La ville possède un magnifique patrimoine gothique, précieux témoin de son âge d'or.

Art et architecture
La Catedral (p.118)
Le retable en bois polychrome de Lluís Borrassà, dans la Catedral (p.118)
Le sépulcre en marbre de sainte Eulalie, dans la Catedral (p.118)
Le Saló del Tinell (Casa Padella, MUHBA, p.122)
L'ancien siège du Conseil des Cent (p.123)
Le patio central de l'hôtel de ville (Ajuntament, Plaça de Sant Jaume p. 124) et la chapelle Sant Jordi du Palau de la Generalitat p.124)
L'Antic Hospital de la Santa Creu (p.128)
Les palais Baró de Castellet

et Berenguer d'Aguilar (musée Picasso, p.133)
La Basílica de Santa María del Mar (p.134)
Les Drassanes (Muséeu Marítim, p.142)
Le rez-de-chaussée (aile droite) du MNAC (Museu Nacional d'Art de Catalunya, p.154)
Le cloître et les fresques gothiques (de Ferrer Bassa) du Monestir de Pedralbes (p.181)

Douceurs conventuelles
Pour goûter aux saveurs médiévales...
Les "Délices et autres tentations de monastère" dans l'ambiance de sacristie de Caelum (p.117)

Cierges et bougies
Question d'atmosphère.
Antigua Cereria Lluís Codina (p.121)

dements italiens de la guerre civile et sa fontaine médiévale, est l'une des plus séduisantes du quartier. Elle est dominée par l'église Saint-Philippe Néri, où le pieux Gaudí venait se recueillir chaque soir. On aperçoit, du côté opposé à l'église, l'ancien siège de la corporation des cordonniers qui, restauré, accueille désormais le Museu del Calçat, musée de la Chaussure. **Església de Sant Felip Neri** *Tél. 933 17 31 16 Ouvert tlj. 9h-13h visite sur rendez-vous uniquement Ouvert pour le culte : lun.-sam. 8h15, sam. 19h15, dim. 10h, 12h, 13h* **Museu del Calçat** *Pl. Sant Felip Neri, 5 Tél. 933 01 45 33 Ouvert mar.-dim. 11h-14h Tarif 3€*

● Où dénicher antiquaires et bouquinistes ?
La rue de Banys Nous (plan 3, C3) – et celle d'Avinyó qui la prolonge (plan 2, B1) – rassemble de nombreux antiquaires et bouquinistes, de même que la rue de la Palla, près de la cathédrale.

● Où découvrir l'artisanat catalan ?
Empremtes de Catalunya (plan 3, C3 n°12) Alternative bienvenue aux magasins de souvenirs fabriqués loin d'ici, la boutique du label d'artisanat catalan, "Traces de Catalogne", sélectionne bijoux, textiles, céramiques et créations originales d'une très grande qualité, évalués par un comité et répondant à des exigences strictes. Une superbe vitrine du talent et du savoir-faire régional ! *C/ Banys Nous, 11 Tél. 934 67 46 60 www.artesania-catalunya.com Ouvert lun.-sam. 10h-20h, dim. et j. fér. 10h-14h*

● Où prendre le petit déjeuner ?
Granja La Pallaresa (plan 3, B3 n°43) Une ancienne laiterie, réputée depuis 1947 pour ses petits déjeuners et ses *berenars* (goûters) copieux. Commencez la journée par des *churros* croustillants à tremper dans un onctueux chocolat suisse à la crème ou joignez-vous aux familles du samedi après-midi venues se régaler d'un flan, d'un riz au lait ou d'une crème catalane. *Horchata* fraîche en saison. *C/ Petritxoll, 11 Tél. 933 02 20 36 www.lapallaresa.com Ouvert lun.-sam. 9h-13h et 16h-21h, dim. 9h-13h et 17h-21h Fermé en juillet*

● Où faire une pause sucrée ?
Caelum (plan 3, C3 n°40) Sous la devise "Délices et autres tentations de monastère", le Caelum nous propose un séduisant voyage sucré dans l'univers des friandises de couvent ! Des gâteaux surgis d'un autre âge pour des plaisirs on ne peut plus païens, à déguster religieusement dans une ambiance de sacristie... *Carrer de la Palla, 8 Tél. 933 02 69 93 Ouvert lun.-jeu. 10h30-20h30, ven. 10h30-23h30, sam. 11h-23h30, dim. 11h-21h Sous-sol tlj. à partir de 15h30 Fermé 1 sem. en août, 1er jan. et 25 déc.*

● Où prendre un verre en terrasse ?
Bar del Pi (plan 3, B3 n°60) Ce bar moderniste, véritable classique du quartier, est un lieu chargé de nostalgie. C'est là que fut fondé, en 1936, le Psuc, parti communiste qui joua un grand rôle lors de la guerre civile. Vieux murs couverts de dessins d'artistes locaux. En cas de petit creux, commandez quelques tapas (à partir de 2-3€), même si ce ne sont pas les meilleures de la ville. *Pl. de Sant Josep Oriol, 1 Tél. 933 02 21 23 www.bardelpi.com Ouvert mar.-ven. 9h-23h, sam. 9h30-23h, dim. et j. fér. 10h-22h*

Le quartier de la Cathédrale

Au pied de la cathédrale s'étend une vaste esplanade animée, avec sur la gauche la petite Plaça Nova. Sur celle-ci, devant d'imposantes ruines romaines, des lettres dessinent l'ancien nom de la ville (Barcino), une œuvre de Joan Brossa (1994). En face de la cathédrale, à droite du portail, se dresse la **Casa de l'Ardiaca**, construite au XVe siècle sur des vestiges romains : un pan de muraille et un aqueduc. Ce bel édifice gothique, dont le patio au palmier plus que centenaire mérite le coup d'œil, abrite les archives de la ville. Remarquez également l'étonnante boîte aux lettres moderniste de l'entrée, dessinée par Domènech i Montaner. Longeant le flanc droit de la cathédrale, la Carrer del Bisbe, accidentée et bordée d'édifices médiévaux, est l'une des plus pittoresques du quartier. Elle rejoint la Plaça de Sant Jaume. À l'arrière de la cathédrale, un détour s'impose par la sinueuse Carrer del Paradís. Au n°12 se trouve le siège du **Centre Excursionista de Barcelona**, fondé en 1870. Ce haut lieu du nationalisme catalan organisa dès la fin du XIXe siècle des excursions destinées à redécouvrir les sites oubliés du glorieux passé catalan. Au fond de la cour, une surprise vous attend : trois colonnes romaines, restes d'un temple romain, celui d'Auguste, qui coiffait le mont Tàber, lieu de fondation de Barcino. **Casa de l'Ardiaca (plan 3, C3)** *C/ Santa Llúcia, 1 Tél. 933 18 11 95 Ouvert août : lun.-ven. 8h-19h30 ; sept.-juil. : lun.-ven. 8h-20h30 Ouvre parfois sam. 9h-13h Se renseigner par tél. Entrée libre* **Temple d'Auguste (plan 3, C3)** *C/ del Paradís, 12 Tél. 933 15 23 11 Ouvert mai-oct. : mar.-sam. 10h-19h ; nov.-avr. : mar.-sam. 10h-17h ; dim. 10h-20h Entrée libre*

● **ASSISTER À UNE SARDANE**
En saison, des danseurs de sardane donnent un spectacle chaque week-end au pied de la cathédrale. **Parvis de la cathédrale (plan 3, C3)** *Dim. midi*

☆ **Catedral (plan 3, C3)** La construction de cette cathédrale-basilique débuta en 1298, sous le règne de Jacques II, et dura jusqu'au milieu du XVe siècle. Elle a remplacé une cathédrale romane devenue trop exiguë, elle-même érigée en lieu et place d'une basilique wisigothique aux fondations romaines détruite par Al-Mansur en 986. La façade de la Seu restera inachevée jusqu'à la fin du XIXe siècle. Ses architectes modernistes, Josep Oriol Mestres et August Font, prirent heureusement soin de respecter les plans gothiques du XVe siècle. On leur doit également les trois clochers, aux flèches ciselées. L'illusion est parfaite pour l'œil non averti. Les lignes verticales et tranchées, inspirées du gothique flamboyant français, détonnent cependant avec le reste du quartier. La façade est dédiée à sainte Eulalie, martyrisée par les Romains en 304 et patronne de la ville. *Plaça de la Seu Tél. 933 42 82 60 www.catedralbcn.org Ouvert lun.-sam. 8h-12h45 et 17h15-19h30, dim. 8h-13h45 et 17h15-19h30 Salle capitulaire, chœur et toits (visite payante) : lun.-ven. 13h-17h, dim. et j. fér. 14h-17h Tarif 6€, moins de 10 ans gratuit*

Salles et chapelles Les trois nefs de la cathédrale ne manquent pas d'allure. À droite en entrant, la superbe salle capitulaire aménagée en 1397-1405, rebaptisée chapelle de Sant Crist de Lepant, abrite l'une des figures saintes les plus vénérées de la ville. Ce magnifique christ en bois sculpté du début du XIVe siècle servit de figure de proue au navire amiral de Jean d'Autriche lors de la bataille navale de Lépante, que les puissances chrétiennes remportèrent sur les Ottomans, en 1571. On dit que le torse du Christ se tordit – sa forme actuelle – pour esquiver un boulet lancé par l'ennemi. Plus loin, sur la droite de la nef, s'ouvre la chapelle dédiée à Sant Josep Oriol, dont le mausolée a été sculpté dans le marbre par Josep Llimona (1909). La chapelle Saint-Pacien, juste avant le portail du cloître, recèle un remarquable retable baroque dû au grand sculpteur Joan Roig (1687). Plus loin sont accrochés au mur les sépulcres des comtes de Barcelone qui fondèrent en 1058 la cathédrale romane : Raymond Bérenger Ier et son épouse Almodis. Derrière le maître-autel, la chapelle de Sant Gabriel et de Santa Helena abrite un beau retable en bois polychrome (1381-1390), œuvre du grand peintre gothique Lluís Borrassà. Sur le côté gauche de la nef, dans la chapelle de la Mare de Déu

Qué calor !

Trop chaud pour battre le pavé (et les *rajoles*) de Barcelone ? Envie, même, de piquer une petite siesta ? Gardez la tête froide : il y a des solutions pour profiter de la ville "à la fraîche".

Visitez...

La Catedral - il y fait si frais qu'il vous faudra sortir dans le patio pour calmer vos frissons (p.118)
La Can Framis - prévoyez un pull pour ne pas prendre froid dans son air ultraclimatisé (p.173)

Désaltérez-vous

Les stands du marché de la Boqueria (p.114) regorgent de verres de jus de fruits frais ou de barquettes de fruits en morceaux à emporter... et à savourer, non loin, dans le patio de l'Antic Hospital de la Santa Creu (p.128)
Rafraîchissez-vous à la cafétéria de l'étage noble du magnifique Palau Gomis, parmi les œuvres d'art hyperréalistes du MEAM (p.134)
Faites une pause autour d'une *horchata* à la terrasse du Tío Che - réfugiez-vous derrière les baies vitrées pour profiter d'une belle vue sur la mer tout en évitant les coups de soleil (p.146)

Prenez le large

Contemplez la ville sous la brise marine à bord d'un bateau de "Las Golondrinas" (p.143)

Faites une microsieste

Devant un écran du MIBA : rêverie assurée (p.125)
Dans un "nid", au Parc del Centre del Poblenou (p.146)
Sous la plaque photovoltaïque de l'esplanade du Forum (p.147)
Dans un recoin du MNAC (p.154)
Dans les jardins des sculptures de la Fundació Fran Daurel (p.158)
Devant les vidéos de stars du musée du Rock : so cool ! (p.160)
Au creux de gros coussins, sur la terrasse d'un hôtel chic : La Terraza del Claris (p.190), Alaire Terrasse (Hotel España p.210), Dolce Vitae (Majestic Hotel, p.211), etc.

Piquez une tête

Dans le lac du parc Creueta del Col (p.179)

Ou combattez le mal par le mal !

Dans un des bars *muy calientes* de la ville et, pourquoi pas, El Copetín (p.188)

de Montserrat, trône un retable sculpté (1688) de Joan Roig. Toujours sur la gauche, admirez les autres retables gothiques peints et les retables baroques sculptés. Sous le maître-autel, un escalier monumental descend vers la crypte où les restes de sainte Eulalie sont conservés dans un sarcophage d'albâtre.

Chœur Le chœur de la cathédrale, fermé par de massives cloisons, illustre les canons du gothique espagnol. Il abrite de délicates stalles, aux pinacles élancés, sculptées par Pere Ça Sanglada (fin du XIVᵉ s.). Sur leurs dossiers, Jean de Bourgogne peignit en 1519 une série de devises et les armoiries des chevaliers de la Toison d'or, Charles Quint ayant décidé de réunir le chapitre de l'ordre dans la cathédrale. À l'entrée du chœur, une fresque sculptée dans le marbre (XVIᵉ s.) illustre l'histoire de sainte Eulalie. Au fond à gauche se dresse une splendide chaire en bois noble, comme soutenue dans les airs par quatre chérubins.

Cloître On y accède par un élégant portail ciselé, à droite de la nef. Érigé en 1413-1441, c'est la partie la plus séduisante de l'édifice, avec ses voûtes gothiques enlevées. Ses arcades massives encadrent la belle fontaine de Sant Jordi, point d'eau destiné aux treize oies caquetant depuis toujours sous les palmiers – elles symbolisent l'âge auquel Sainte Eulalie fut martyrisée. À droite, sous les arcades, s'élève la remarquable chapelle dédiée à Santa Llúcia, autre patronne de Barcelone. Juste à côté, le musée de la sacristie expose, hélas sans les mettre en valeur, quelques belles œuvres d'art gothique. Ses pièces maîtresses sont une *Pietà* du peintre castillan Bartolomé Bermejo (1490) et le splendide retable de Saint-Bernard réalisé par le Catalan Jaume Huguet en 1462-1470. Sur la gauche du cloître, une chapelle commémore le souvenir des 930 religieux et fidèles assassinés pendant la guerre civile.

Museu Diocesà (plan 3, C3) La Casa de la Pía Almoina (hospice des chanoines de Saint-Augustin), dont l'origine remonte à 935, a remplacé une singulière tour du IVᵉ siècle (de plan hexagonal sur une base circulaire) qui défendait l'angle nord de la muraille. Maintes fois remanié, l'ensemble mêle les styles gothique, Renaissance et baroque. Derrière une magnifique porte en fer forgé, le Musée diocésain renferme une intéressante collection de peintures, de sculptures, d'orfèvrerie et d'objets religieux du Moyen Âge au XXᵉ siècle. Ces pièces, provenant des églises paroissiales du diocèse, sont exposées par roulements. Parmi les plus remarquables figurent les peintures murales (XIIᵉ s.) de l'église Sant Salvador à Polinyà, une statue de la Vierge (XIIIᵉ s.) de Santa María de Toudell à Viladecavalls, une croix romane en argent de Riells del Fai et un retable de Saint-Jean-Baptiste attribué à Bernardo Martorell (v.1390-1452). Le musée organise aussi des expositions temporaires (photo, peinture, architecture). Un espace est également réservé à Gaudí et à l'expression de sa foi dans son art : à voir, la maquette *polifunicular* (élaborée grâce à un système de chaînettes et de contrepoids suspendus au-dessous d'un miroir) de l'église de la Colònia Güell, cf. Les environs de Barcelone (p.184) telle que Gaudi l'avait imaginée. *Monument de la Pía Almoina Av. Catedral, 4 Tél. 933 15 22 13 www.cultura.arqbcn.cat Ouvert mar.-sam. 10h-14h et 17h-20h, dim. 11h-14h Tarif 6€, réduit 3€, gratuit pour les moins de 7 ans et le 18 mai*

● **Où faire du shopping ?** La rue de Portaferrissa (plan 3, B3-C3) et l'Avinguda del Portal de l'Àngel (plan 3, C3) sont des incontournables, surtout en période de soldes (*rebaixas*).

● **Où acheter des cierges, des objets de piété ?**

Antigua Cereria Lluís Codina (plan 3, C3 n°2) Une des plus anciennes boutiques de la ville, au décor charmant. Spécialité de bougies et de cierges, mais aussi des objets religieux (médailles, croix...). C/ del Bisbe, 2 Tél. 933 15 08 08 Ouvert lun.-ven. 9h30-13h30 et 16h30-20h15, sam. 10h-14h et 16h30-20h15 (été 10h-14h)

● **Où déguster une glace ?**

Planelles Donat (plan 3, C2 n°48) C'est la coutume ici : chaque après-midi de shopping sur le Portal de l'Àngel se solde par un arrêt dans cette maison vieille de 150 ans. De fin avril à fin septembre, un vaste choix de crèmes glacées artisanales séduit jusqu'aux diabétiques. Le reste du temps, on croque dans un *turron* (nougat) avec un *leche merengada* (lait à la meringue)... *Horchata* fraîche en saison. Av. del Portal de l'Àngel, 7 Tél. 933 17 29 26 www.planellesdonat.com Ouvert avr.-oct., déc. : tlj. 10h-20h30 ; nov., jan. : lun.-sam. 10h-21h

Autour de la Plaça del Rei

Sans aucun doute la plus jolie place de la ville d'un point de vue architectural. Encadrée par de hauts édifices historiques, elle jouit d'une acoustique magnifique, qui attire aux beaux jours des musiciens de rue, venus chanter des airs d'opéra ou jouer du flamenco. Au fond de la place, un bel escalier en pierre monte vers l'élégant **Palau Reial Major**, demeure des rois d'Aragon construite à la fin du XIIIe siècle (accessible par le Museu d'Història de la Ciutat). À gauche se dressent les murs lisses du **Palau del Lloctinent**, sous des gargouilles ricanantes. Ce palais construit sous Charles Quint (XVIe s.) pour accueillir le vice-roi d'Aragon ne se visite pas, mais on peut admirer son splendide patio Renaissance. À droite, la **Casa Padellàs**, palais du XVe-XVIe siècle, a la particularité d'avoir été démontée et transportée là lors des réaménagements urbains de 1907 : elle se trouvait en effet sur le tracé de la Via Laietana. Elle abrite le Museu d'Història de Barcelona, qui permet d'accéder aux vestiges souterrains de l'antique Barcino. Une sculpture abstraite en acier oxydé d'Eduardo Chillida, *Topos*, orne la place depuis 1986.

● **CAFÉ D'ÉTÉ** La terrasse du Cafè d'Estiu profite du cadre magnifique de la cour intérieure du Palau Reial, dans l'enceinte du musée Marès. **Cafè d'Estiu (plan 3, C3 n°63)** *Pl. Sant Iu, 5-6 Tél. 932 68 25 98 Ouvert avr.-sept. : mar.-dim. 10h-22h*

☺ **MUHBA – Museu d'Història de Barcelona (plan 3, C3)** Installé dans l'ensemble monumental de la Plaça del Rei comprenant le Grand Palais Royal (Palau Reial Major) et la Casa Padellàs (voir ci-dessus), le musée, ouvert depuis 1943, illustre l'évolution de la ville de l'Antiquité à la Renaissance. *Plaça del Rei, s/n Tél. 932 56 21 22 w110.bcn.cat Ouvert mar.-sam. 10h-19h, dim. 10h-20h Fermé 1er jan., 1er mai, 24 juin et 25 déc. Tarif 7€ (incluant la visite du monastère de Pedralbes, du Museu-Casa Verdaguer, du Domus Romana i Sitges Medievals et du parc Güell), réduit (moins de 25 ans et plus de 65 ans) 5€, gratuit pour les moins de 16 ans et le dim. à partir de 15h*

BARCELONE ET SES ENVIRONS

● **LE SALON
OÙ L'ON CAUSE**
Chef-d'œuvre du gothique catalan, le **Saló del Tinell** déploie de grandioses proportions : 33m sur 18 pour 12m de haut. C'est là que Christophe Colomb aurait offert aux Rois Catholiques la relation de son premier voyage en Amérique en 1493.
Rdc du Palau Reial Major

Sous-sol La visite commence par celle des **vestiges romains** et **wisigothiques** (Ier s. av. J.-C.-VIIe s.), parfaitement mis en valeur, qui s'étendent sous la place. On déambule parmi les ruines des murailles et tours de la Barcelone romaine et l'on devine le tracé d'une voie du quartier artisanal de la Colonia Iulia Augusta Paterna Faventia Barcino. L'un des éléments phares du site est une usine de salaison du poisson, d'où l'on exportait le *garum*, condiment à base d'entrailles et de têtes de poissons dont les Romains étaient friands. La fabrique jouxte un quartier épiscopal du IVe siècle, période où le christianisme était en pleine expansion. Barcino possédait alors une basilique et son imposant palais épiscopal reflétait le rôle prépondérant joué par l'évêque – autorité temporelle autant que spirituelle – dans la politique locale. On découvre ensuite des chais assez bien préservés… et qu'à l'époque romaine, il se buvait 210 à 260l de vin par personne et par an ! L'enchevêtrement des édifices d'époques différentes montre bien comment la cité s'est développée par strates. Plus loin, deux impressionnantes salles voûtées abritent une collection de stèles et de bustes.

Entresol Ses salles sont consacrées à l'histoire de la **Barcelone médiévale**, entre le VIIIe et le XIIIe siècle, de la reconquête carolingienne sur les musulmans jusqu'à la politique d'expansion de la couronne d'Aragon. Elles présentent objets et documents d'illustration thématique (les habitants, la communauté juive, les femmes, l'éducation, les palais…).

Rez-de-chaussée On accède ensuite au Palau Reial Major, résidence des comtes de Barcelone et rois d'Aragon, lorsque la cour de ce puissant empire siégeait encore à Barcelone. Il fut agrandi à partir du XIIIe siècle, et c'est de là que Jacques Ier dirigea l'expansion de son royaume sur toute la Méditerranée. Mais les principales modifications, véritables merveilles du gothique catalan, datent du XIVe siècle. Il s'agit d'abord du splendide **Saló del Tinell**, salle d'apparat aux immenses voûtes, d'une portée impressionnante. Si l'ornementation se réduit aux quelques lucarnes et niches creusées dans les murs latéraux, l'ensemble possède une majesté et une harmonie hors du commun. C'est l'un des chefs-d'œuvre du gothique catalan, cf. Le Salon où l'on cause, ci-dessus. Autre merveille, la **chapelle palatine**, sur la gauche de l'édifice. Édifiée en 1302-1316 par Bertran de Riquer, sous le règne de Jacques II, et consacrée à la Vierge, elle fut rebaptisée chapelle Sainte-Agathe par une bulle papale de 1601. Sa nef gothique se distingue par un plafond à caissons *artesonado* et d'élégantes baies donnant sur la Plaça del Rei. Le maître-autel porte le retable de l'Épiphanie (1464), œuvre du maître catalan Jaume Huguet.

Tour de guet Autre élément remarquable, le **Mirador del Rei Martí** (XVIe s.), immense tour aux arcades ouvertes dominant la Plaça del Rei (ne se visite pas). Enfin, la cour (Jardí) du palais est accessible par l'entrée du musée Frederic Marès.

☺ **Museu Frederic Marès (plan 3, C3)** Installé dans une splendide dépendance du Palau Reial Major, à deux pas de la Plaça del Rei. Le sculpteur et historien d'art barcelonais Frederic Marès (1893-1991) y a réuni un ensemble d'œuvres d'art et d'objets du quotidien aussi vaste qu'hétéroclite, fruit de son érudition et d'une passion aiguë de collectionneur. Cette collection particulière se distingue par ses sculptures espagnoles du XIIᵉ au XIXᵉ siècle. *Pl. de Sant Iu, 5-6 Tél. 932 56 35 00 www.museumares.bcn.cat Ouvert mar.-sam. 10h-19h, dim. et j. fér. 11h-20h Fermé 1ᵉʳ jan., 1ᵉʳ mai, 24 juin et 25 déc. Tarif 4,20€ ; réduit 2,40€ (moins de 29 ans et plus de 65 ans) ; moins de 16 ans, 1ᵉʳ dim. du mois, dim. à partir de 15h, 12 fév., 23 avr., 18 mai, Fête-Dieu et 24 sept. gratuit*

Rez-de-chaussée Il rassemble une superbe collection de sculptures antiques et médiévales. À voir dans la Salle du monde ancien de splendides ex-voto ibères, des statuettes grecques, des marbres et des bronzes romains, ainsi qu'un sarcophage paléochrétien magnifiquement ciselé. Mais le point fort de la visite est la section médiévale, bien plus riche que celle du musée national d'Art de Catalogne lui-même ! Ne manquez pas l'incroyable relief en marbre sculpté par le Mestre de Cabestany pour le monastère Sant Pere de Rodes. Suivent de belles statues romanes en bois polychrome (XIIᵉ-XIII s.).

Sous-sol La crypte abrite des sculptures romanes et gothiques sur pierre et sur marbre : des chapiteaux et des portails d'églises, déplacés et reconstruits ici !

Premier étage La collection de sculptures se poursuit avec des œuvres gothiques et modernes. Les étages supérieurs recèlent des collections insolites, témoignage unique des mœurs de la bonne société barcelonaise du passé.

Deuxième étage La salle consacrée au fer forgé (clés, grilles, etc.) illustre un savoir-faire désormais oublié. La Salle féminine contient une foule d'éventails, de gravures de mode, de boucles d'oreilles ou d'aiguilles à chignon. La Salle du fumeur rassemble des centaines de pipes ouvragées, des tabatières, des machines à fabriquer les cigarettes, des bagues de cigares et des jeux de cartes désuets. La Salle du gentilhomme évoque la vie des grands bourgeois du XIXᵉ siècle : cannes à pommeau sculpté, jumelles et lorgnons de théâtre, montres à gousset, boutons de manchettes… Sans oublier la Salle de la foi, avec ses crucifix, cantiques et baguettes de lecture hébraïques. Dans le studio-bibliothèque, où Frederic Marès s'installa en 1952, sont exposées plusieurs œuvres du sculpteur, qui étudia à Paris auprès de Rodin, puis à Barcelone avec Eusebi Arnau, collaborateur de Gaudí, avant de se rapprocher du noucentisme.

Troisième étage La Salle des divertissements est consacrée aux jouets anciens, mais également aux affiches de spectacles et de fêtes populaires.

Plaça de Sant Jaume (plan 2, B1-C1) Réaménagée en 1823, la place Sant Jaume (Saint-Jacques) est depuis toujours l'endroit où "tout se cuisine", c'est-à-dire où se prennent les grandes décisions concernant la ville. C'est là que s'étendait le forum, centre de la vie politique, à l'époque romaine. Aujourd'hui, elle

● **ENTREPANS**
Un petit creux ? Voici une adresse bien connue des Barcelonais depuis 1951 : de l'avis général, on y prépare les meilleurs sandwichs (3-5€ env.) de la ville ! Froids ou chauds, à la viande ou *vegetals*, avec ou sans gluten : le choix est vaste et la file d'attente parfois impressionnante… mais le service est *muy rapido* et on ne vous laissera pas hésiter longtemps !
Conesa (plan 3, C3 nº100)
C/ Llibreteria, 1-3
Ouvert lun.-sam. 8h15-22h15

rassemble les deux symboles de la politique barcelonaise et catalane. À l'est, la **Casa de la Ciutat** abrite l'**Ajuntament** (hôtel de ville). Pourvu d'une façade néoclassique (1847), l'édifice s'organise autour de la belle salle gothique du XIVe siècle où siégeait le **Conseil des Cent**. À l'ouest, le **Palau de la Generalitat**, où siège le gouvernement de l'Autonomie catalane. Sa façade Renaissance (fin du XVIe s.) cache quelques trésors du gothique flamboyant, notamment un patio et la chapelle Sant Jordi. De part et d'autre de la place partent deux larges artères tracées au XIXe siècle, les rues Jaume I et Ferran. Cette dernière, devenue rapidement l'axe commerçant le plus prisé des Barcelonaises élégantes, compte encore de belles boutiques. **Casa de la Ciutat** *Tél. 934 02 70 00 Ouvert dim. 10h-13h30 ; 23 avr. : 10h-18h30 Ouvert Fête-Dieu 10h-20h Fermé lors des cérémonies officielles* **Palau de la Generalitat** *Visites guidées par groupes de langue, se rendre C/ Bisbe, 1 Tél. 934 02 46 00 Ouvert le 23 avril, pour la Sant Jordi, le 11 et le 24 sept., 2e et 4e dim. du mois 10h-13h30*

El Call, l'ancien quartier juif

El Call (plan 3, C3), de l'hébreu *kahal* (pour communauté), fait référence, comme à Gérone, à l'ancien quartier juif de la ville. Un quartier où Jacques Ier réunit la communauté juive, riche en théologiens, médecins et financiers de la couronne d'Aragon, pour la protéger des violences dont elle faisait alors l'objet. Mais les épidémies de peste et la pauvreté trouvèrent à nouveau en elle un bouc émissaire à la fin du XIVe siècle. Après bien des pogroms, notamment en 1391, les Juifs furent expulsés du Call en 1424, puis d'Espagne par le décret des Rois Catholiques en 1492. De ce quartier autrefois brillant ne subsistent que quelques rues : la Carrer del Call, qui débouche sur la Plaça de Sant Jaume, la Carrer de l'Arc de Sant Ramon del Call et la Carrer Sant Domènec del Call, qui abritait la grande synagogue. Au n°1 de la Carrer Marlet, qui donne sur cette dernière, on peut lire une plaque en hébreu datée de l'an 692, dédiée à un certain Samuel Hasseri, rabbin de son état.

Domus Romana i Sitges Medievals (plan 3, C3) En 1999, les travaux de rénovation de la Casa Morell (1851) ont mis au jour un trésor archéologique. À l'entrée du quartier juif, à deux pas de la place Sant Jaume (l'ancien forum), le sous-sol de cette résidence baroque a révélé les vestiges (pans de murs et mosaïques décoratives) d'une luxueuse villa (*domus*) et de trois commerces (*tabernae*) de l'époque romaine (IVe s.), sur lesquels s'appuyaient les six silos (*sitges*) d'un magasin juif de l'époque médiévale (XIIIe-XIVe s.). *C/ Fruita, 2 Tél. 932 56 21 00 Ouvert sam.-dim. 10h-14h Tarif 2€, gratuit avec le billet d'entrée du MUHBA*

Centre d'Interpretació del Call / MUHBA (plan 3, C3) Au cœur du Call, ce centre évoque l'évolution du quartier de l'époque romaine au XIXe siècle. À l'étage, le MUHBA organise des expositions temporaires liées à la culture juive. Demandez le fascicule *Barcelona's Call* (édité en français) pour une balade documentée au gré des centres d'intérêt du quartier. *Placeta Manuel Ribé Tél. 932 56 21 22 Ouvert mar.-ven. 11h-14h, sam.-dim. 11h-19h, j. fér. 11h-14h Fermé 1er jan. 1er mai, 24 juin et 25 déc. Entrée libre au rdc Tarif expo temporaires 2,20€, gratuit moins de 16 ans et avec le billet d'entrée du MUHBA*

● **Où faire du shopping ?**
Obach (plan 3, C3 n°24) Une chapellerie qui fait la joie des élégants depuis 1924, du feutre au panama. *C/ del Call, 2 Tél. 933 18 40 94 Ouvert lun.-ven. 9h30-13h30 et 16h-20h, sam. 10h-14h et 16h30-20h Fermé sam. ap.-m. en août-sept.*

Le sud du Barri Gòtic

Au sud du Barri Gòtic, à deux pas de la Plaça de Sant Jaume, se cache la tranquille **Plaça de Sant Just** (plan 2, C1) avec, au pied de la belle façade de l'église éponyme, une auguste fontaine gothique de 1367. Les rues qui partent de la place forment l'un des plus charmants recoins du quartier, en particulier la rue Lledó, jalonnée d'imposants porches gothiques. À parcourir également, la rue d'En Gignàs et la rue Ample, qui abritait jadis les palais des grandes familles nobles. Plus à l'ouest, derrière la mairie, la Baixada de Sant Miquel part de la place du même nom. Sur la droite, on peut admirer un magnifique passage couvert, comme il s'en construisait en Europe à la fin du XIXᵉ siècle : le **Passatge del Crèdit**. Une plaque signale la maison où naquit le peintre Joan Miró en 1893. La **Carrer d'Avinyó**, que prolonge la rue Banys Nous, est l'une des plus plaisantes du quartier, avec son mélange de bars populaires, d'antiquaires, de bouquinistes et de boutiques de mode. C'est à elle que les célèbres *Demoiselles d'Avignon* de Picasso doivent leur nom : le tableau représente en fait les pensionnaires d'une maison close de cette rue près de laquelle vivait le jeune Picasso, avant de quitter Barcelone pour Paris en 1900. À deux pas de là, la Plaça de George Orwell (surnommée "Plaça del Trippy") est le rendez-vous de la bohème d'un quartier où fleurissent ateliers et squats d'artistes.

● **BODEGA À L'ANCIENNE**
Dans une ruelle voisine de la Plaça de Sant Just, une vraie *bodega* de quartier où se mêler aux habitués. **Bodega La Palma (plan 2, C1 n°52)** *C/ Palma de Sant Just, 7 Ouvert lun.-ven. 9h-13h et 19h-0h, sam. 13h-17h et 19h-0h ; août : lun.-sam. 19h-0h*

MIBA – Museu d'Idees i Invents de Barcelona (plan 2, B1) Sis dans l'ancien siège du parti communiste, le musée des Idées et des Inventions a été créé par l'inventeur-écrivain Pep Torres. Le périscope installé avant les caisses permet de "scruter" l'intérieur du musée, idéal pour se décider à aller à la découverte de cet univers stimulant où créativité et philosophie se rejoignent, des inventions les plus brillantes, simples et pratiques (lunettes universelles, bottes de pluie à mettre par-dessus les chaussures…) aux gadgets les plus absurdes (un balai avec micro pour chanter façon karaoké en faisant le ménage…) ! *C/ Ciutat, 7 Tél. 933 32 79 30 www.mibamuseum.com Ouvert mar.-ven. 10h-14h et 16h-19h, sam. 10h-20h, dim. et j. fér. 10h-14h Tarif 7€, réduit (enfants 4-12 ans, étudiants, chômeurs et retraités) 5€, moins de 4 ans gratuit*

● **Où s'offrir une paire d'authentiques espadrilles ?**
La Manual Alpargatera (plan 2, B1 n°13) Le temple de l'espadrille catalane, fabriquée sous vos yeux. Modèles et couleurs variés. *Carrer d'Avinyó, 7 Tél. 933 01 01 72 www.lamanual.net Ouvert lun.-sam. 9h30-13h30 et 16h30-20h Fermé sam. après-midi en oct.-nov.*

● **Où dénicher des boutiques de jeunes créateurs ?** La partie basse du Barri Gòtic, autour de la rue d'Avinyó (plan 2, B1) est l'un des repaires des jeunes créateurs de mode barcelonais, la rue Ferrán (plan 2, B1) se prêtant, elle, à un lèche-vitrine plus *mainstream* avec la présence notamment des marques espagnoles Desigual (aux n°s 51-53) ou Custo Barcelona (au n°36).

● **Où acheter des bonbons ?**
Papabubble (plan 2, B1 n°19) Cette boutique-fabrique de bonbons à l'ancienne mais très design a des allures de parfumerie avec tous les flacons colorés sur les rayonnages. Dans les effluves sucrés, observez la technique des confiseurs-créateurs et craquez pour quelques sachets (ou bouteilles) de ces friandises design et pleines de fantaisie. Le concept Papabubble a fait des émules jusqu'à New York et Tokyo ! N'hésitez pas à faire une demande personnalisée. *Carrer Ample, 28 Tél. 932 68 86 25 www.papabubble.com Ouvert lun.-ven. 10h-14h et 16h-20h30, sam. 10h-20h30*

El Raval

☆ **Les essentiels** Le palais Güell **Découvrir autrement** Goûtez à l'ambiance nocturne du "Barrio Chino", faites une pause sur le toit terrasse du palais Güell, dénichez l'accessoire vintage dont vous avez toujours rêvé, visitez le musée d'Art contemporain ou profitez des bars à tapas en vogue de la ville (cf. Carnet d'adresses)

Le nom de ce quartier autrefois situé à l'extérieur des murailles vient de l'arabe arrabal, "faubourg". Il accueillit lors de la révolution industrielle du xixe siècle des usines et des ateliers, ainsi qu'une innombrable population ouvrière et miséreuse vivant dans des conditions d'hygiène pitoyables. Mais El Raval eut son heure de gloire sulfureuse, célébrée notamment par les écrivains Pierre Mac Orlan et Jean Genet. Il abrita pendant quelques décennies les maisons closes, les bars douteux et les salles de spectacles les plus courus de Barcelone, repaires des voleurs et des noctambules. La partie supérieure, du côté de la Rambla, est de plus en plus branchée et sûre et celle qui s'étend au-delà et autour de la rue Sant Pau, est en pleine réhabilitation. Ainsi, le long de la célèbre "Rambla del Raval" une nouvelle promenade s'est ouverte et de nombreux édifices apparaissent : cinémathèque, grand hôtel…

Le sud du quartier

Església de Sant Pau del Camp (plan 2, A1) Déclarée monument national en 1879, la plus ancienne église de la ville (xiie s.) et l'un de ses rares édifices romans encore debout. Prenez le temps de flâner dans le cloître pour admirer en ses arches trilobées ornées de frises géométriques et ses chapiteaux décorés de motifs animaliers et végétaux. *Carrer de Sant Pau, 101 Tél. 934 41 00 01 Ouvert lun.-sam. 10h-13h30 et 16h-18h45, dim. 16h-18h45 Tarif 3€, réduit 2€ Brochure en français*

☆ ☺ **Palau Güell (plan 2, B1)** Classé au Patrimoine mondial, ce magnifique bâtiment est la deuxième réalisation commandée à Gaudí par son fidèle mécène Eusebi Güell, qui ne regarda pas à la dépense, séduit par le talent de son protégé. Au départ, il s'agissait d'adjoindre à la résidence des Güell, située sur la Rambla, un pavillon de réception. Mais le projet (1886-1890) prit rapidement de l'ampleur et l'"annexe" se transforma en un palais, où Güell vécut pendant seize ans. La façade témoigne d'une inspiration gothique. Remarquez le travail de ferronnerie et la forme enlevée des portails, signature de l'architecte. Admirez le blason catalan couronné d'un phénix, symbole de la Renaixença. La visite commence par celle des écuries. Une structure remarquable, mariage inattendu d'une cathédrale gothique et de bains maures. Gaudí y expose déjà sa prédilection pour les arcs paraboliques en brique. Dans les étages prédomine le marbre de Garraf. Un marbre sombre et mat, un peu triste à vrai dire, qui provenait des carrières familiales. On remarquera aussi la grande qualité de l'ébénisterie, réalisée pour l'essentiel en bois de palissandre et d'ébène. Les arches paraboliques des fenêtres du deuxième étage sont d'une grande beauté, de même que les luminaires à gaz dessinés par Gaudí, qui conçut par ailleurs une grande partie du mobilier. Au fond s'étend la salle de réception, à l'extraordinaire plafond de marqueterie. Mais le vaste salon central reste la réalisation la plus marquante. Il abrite une chapelle privée (détruite lors de la guerre civile), dont les portes se refermaient le soir pour transformer l'espace en salle de bal ! Le tout sous un immense dôme parabolique dont les ouvertures laissent voir un ciel étoilé d'inspiration mauresque. On monte ensuite au troisième étage, vers les appartements privés de cette famille qui comptait pas moins de dix enfants. La visite s'achève sur le sublime toit terrasse. Là, on devine le plaisir avec lequel Gaudí travaillait les matériaux, parfois à des fins purement décoratives. Des formes ondulées du sol, comme soulevées par un séisme, s'élève une forêt de cheminées et de

● **MODERNISTE "TRENCADÍS"**
Largement utilisée par Gaudí et pronée par l'ensemble des modernistes dont l'activité préférée consistait à briser (*trencar* en catalan) les pièces de céramique, le *trencadís*, technique de mosaïque à base de tesselles colorées, est d'origine mauresque.

BARCELONE ET SES ENVIRONS

Un Barrio Chino aux parfums d'absinthe et de bohème

Sous la plume d'un journaliste local, El Raval devint en 1925 le "Barrio Chino" ("quartier chinois"), peut-être en raison de ses nombreuses enseignes lumineuses. Un nom qui perdure, et malgré les énormes travaux de réhabilitation entrepris depuis les années 1980, le quartier garde une atmosphère un peu surannée. Sur les pas de Jean Genet, qui venait y boire son absinthe, les Barcelonais continuent de s'encanailler dans ses repaires un brin louches, tel le **Marsella** (p.190). Plus bohème, le vénérable **London Bar** (p.193) est un autre bar emblématique du défunt "quartier chinois"...

bouches d'aération couvertes de *trencadís*. On peut y voir un monde de conte de fées ou, plus prosaïquement, la célébration de ces champignons dont raffolent les Catalans… Le minutieux travail de restauration et parfois de recréation des cheminées mené en 1992-1995 est remarquable. À savoir : l'ascenseur moderne du palais, installé il y a quelques années, occupe une cage spécialement conçue à cet effet par Gaudí, décidément visionnaire. *Carrer Nou de la Rambla, 3-5 Tél. 934 72 57 75 ou 934 72 57 71 www.palauguell. cat Ouvert nov.-mars : mar.-dim. et j. fér. 10h-17h30 ; avr.-oct. : mar.-dim. et j. fér. 10h-20h Dernière entrée 1h avant la fermeture Fermé 1er jan., 6-13 jan., 25-26 déc. Tarif (avec audioguide) 12€, réduit 8€ ; moins de 16 ans, 1er dim. du mois, 23 avr., 18 mai et 24 sept. gratuit "Reservación anticipada" conseillée !*

Au cœur d'El Raval

Antic Hospital de la Santa Creu (plan 3, B3) Ce fut du XVe siècle aux années 1920 le principal hôpital de la ville. La cour aérée de ce remarquable ensemble gothique est un véritable havre de paix. Ses bancs ombragés offrent une vue exceptionnelle sur les hautes arches dominant d'élégants escaliers. La bibliothèque de Catalogne, dont l'accès est réservé aux chercheurs, est logée à l'étage supérieur des trois corps de bâtiment, jadis occupé par les lits des malades. Deux bibliothèques publiques se partagent les salles à voûtement gothique du rez-de-chaussée. Si vous ressortez de l'autre côté, Carrer del Carme, jetez un coup d'œil en passant au superbe patio Renaissance à double rangée d'arcades de l'Institut d'Estudis Catalans. Ce dernier organise une visite en catalan (sur rdv) d'une annexe de l'hôpital, la Casa de Convalescència, aux murs tapissés de céramique. Sa belle chapelle romane, parfaitement restaurée, est devenue un espace d'exposition d'art contemporain. *C/ de l'Hospital, 56 Ouvert mar.-sam. 12h-14h et 16h-20h, dim. et j. fér. 11h-14h* **Institut d'Estudis Catalans** *Carrer del Carme, 47 Tél. 932 70 16 21 www.iec.cat http://lacapella.bcn.cat*

● **Où trouver des vêtements vintage ?** À la recherche d'une robe sixties, d'un pantalon à pattes d'éléphant, d'un bijou 1900 ? Fan des années folles façon Coco Chanel ou des années 1980 à la mode Jean-Paul Gaultier ? Rendez-vous directement rue de la Riera Baixa (plan 3, A3) entre l'Antic Hospital et la Rambla del Raval, pour une sélection des meilleures friperies de la ville comme Holala ! (au n°11), ou Lailo (au n°20). Déambulez aussi sur la rue Joaquim Costa (Wild Vintage au n°2 pour les lunettes de soleil) ainsi que sur la rue dels Tallers (plan 3, B2).
Lullaby (plan 3, A2 n°19) Deux étages croulant sous les vêtements et accessoires (homme-femme-enfant) des années 1950 à 1980 ! Des sapes à l'esprit naïf ou audacieux mais toujours avec un style rétro authentique, pour la vie de tous les jours comme pour les soirées branchées du moment. Les prix sont généralement abordables, sauf dans la vitrine où trônent des accessoires signés de grands noms de la couture. *C/ Riera Baixa, 22 Tél. 934 43 08 02 Ouvert lun.-ven. 11h-15h et 17h-20h30 (22h en été), sam. 11h-21h*

● **Où prendre le petit déjeuner ou le goûter ?**
Granja M. Viader (plan 3, B2 n°44) Une crémerie du bon vieux temps, protégée de l'agitation de la Rambla dans une ruelle d'El Raval. Légendaires, le

chocolat chaud recouvert de crème fouettée, la *leche mallorquina* (lait au citron et à la cannelle), le *mel i mató* (fromage frais nappé de miel) ou encore la classique crème catalane remportent les suffrages de toutes les générations de Barcelonais. *Carrer d'en Xuclà, 4-6 Tél. 933 18 34 86 www.granjaviader.cat Ouvert lun.-sam. 9h-13h15 et 17h-21h15 Fermé 10 j. en août*

● Où prendre l'apéro ?

☺ **Fàbrica Moritz (plan 3, B2 n°66)** Moritz c'est désormais bien plus qu'une marque de bière locale. La brasserie centenaire, rénovée sous la houlette de Jean Nouvel, est devenue un centre polyvalent réunissant des espaces culturels – un musée et des salles pouvant accueillir spectacles, expositions et conférences – et de shopping et un petit "temple" de la gastronomie. Sa micro-brasserie (1,70€ la bière), son bar à vins dirigé par le sommelier Xavier Ayala (400 références et des tapas à partir de 3,50€), les propositions gourmandes du chef Jordi Vilà, la boulangerie de Xevi Ramon, les objets design du magasin M et un programme conséquent de concerts, de fêtes et d'activités diverses ont fait de la Fàbrica Moritz un incontournable barcelonais. *Ronda de Sant Antoni, 41 Tél. 934 26 00 50 www.moritz.com Ouvert tlj. 6h-3h*

Autour du musée d'Art contemporain

MACBA – Museu d'Art Contemporani de Barcelona (plan 3, B2) Le musée d'Art contemporain a été inauguré en 1995, dans le cadre du projet de réaménagement du Barrio Chino. Même s'il ne fait pas l'unanimité, l'édifice dessiné par l'architecte américain Richard Meier ne manque pas d'allure. Les murs lisses formés de grands carrés blancs sont percés de grandes baies vitrées. La verticalité dénudée des couloirs ouvre sur des recoins où l'on déambule, un peu perdu, entre les œuvres d'art. Car malgré la taille imposante de l'ensemble, les espaces d'exposition sont plutôt restreints. Le musée vaut surtout par ses grandes expositions temporaires et rétrospectives qui occupent l'essentiel des lieux, même si la collection permanente ne cesse de s'étoffer, notamment par l'acquisition de photographies et d'installations vidéo. Parmi les principaux artistes représentés, citons Dubuffet, Klee, Calder et des Catalans comme Tàpies, Francesc Torres ou le collectif Grup de Treball. En face de la réception se situe un espace vidéo en accès libre : documents relatifs à la collection du musée, aux expositions temporaires ou à l'art contemporain en général. La chapelle du couvent dels Àngels, en face du musée, est devenue une de ses dépendances et accueille elle aussi des expositions. La bibliothèque du MACBA possède le plus important fonds espagnol en matière d'art contemporain. *Plaça dels Àngels, 1 Tél. 934 12 08 10 www.macba. cat Ouvert hiver : lun. et mer.-ven. 11h-19h30, sam. 10h-21h, dim. et j. fér. 10h-15h ; été : lun., mer.-jeu. 11h-20h, ven. 11h-22h, sam. 10h-22h, dim. et j. fér. 10h-15h Visite guidée lun. à 18h, mer.-sam. à 16h (anglais), mer. et sam. à 18h et dim. et j. fér. à 12 et 13h (catalan), jeu. et ven. à 18h et sam. à 12 et 13h (castillan) Fermé mar., 25 déc. et 1er jan. Tarif 9€, réduit 7€ ; exposition temporaire seule 6,50€/5€ ; moins de 14 ans et plus de 65 ans gratuit*

CCCB – Centre de Cultura Contemporània de Barcelona (plan 3, B2)

Inauguré en 1994, dans le cadre de la réhabilitation d'El Raval, ce vaste édifice est dédié à la création actuelle sous toutes ses formes. De très bonnes expositions temporaires d'art contemporain, de design et d'architecture y sont organisées dans un espace agréable qui s'est agrandi en 2012. Sans oublier des spectacles de danse, des concerts, des projections de films et des festivals de cinéma, ainsi que des conférences. La réception est au sous-sol, sous l'imposant patio de cet hôpital de charité fondé au début du XIXe siècle sur le site d'un monastère augustinien du XIIIe siècle et reconverti en séminaire jésuite à la fin du XVIe siècle. *Carrer de Montalegre, 5 Tél. 933 06 41 00 www.cccb.org Ouvert mar.-dim. 11h-20h (fermeture des guichets 30min avant), Fermé 1er jan., 24, 25 et 31 déc. Tarif 6€, réduit 4€ Billet combiné 2 expos 8€, réduit 6€ ; moins de 12 ans, plus de 65 ans, chômeurs et dim. 15h-20h gratuit*

● **Où dégoter CD et vinyles collectors ?** Allez fouiner dans les bacs de Discos Revolver au n°11 de la rue dels Tallers (plan 3, B2) ou de l'incontournable Discos Impacto, au n°61, sans négliger les ruelles parallèles qui regorgent de disquaires et de magasins de musique.

Sant Antoni

Mercat de Sant Antoni (plan 6, B1) À l'ouest d'El Raval, au bout de la rue Riera Alta. Inauguré en 1882, le premier marché construit hors des remparts (à l'une des portes principales de la ville, en fait) arbore une belle structure en acier de style moderniste, conçue par Antoni Rovira i Trias. C'est encore le plus grand marché couvert de la ville avec 5 215m² de surface commerciale et c'est aussi l'un des plus prisés. Derrière s'étend le quartier éponyme, limité par les Rondas de Sant Pau et de Sant Antoni, la Gran Via de les Corts Catalanes et l'Avinguda del Paral.lel. Le plan en damier des rues ne laisse aucun doute possible : c'est un quartier de L'Eixample ! *Carrer Comte d'Urgell, 1 Tél. 934 23 42 87 www.mercatdesantantoni.com Ouvert lun.-jeu. 7h-14h30 et 17h-20h30 ven.-sam. et veilles de j. fér. 7h-20h30 Pendant les travaux (jusqu'en 2016), le marché se tient le long de la Ronda Sant Antoni*

● **CASSE-CROÛTE DU TRAVAILLEUR** Envie d'une vraie tranche de vie à la barcelonaise ? Offrez-vous un *esmorzar de forquilla* pour un petit déjeuner à l'ancienne dans ce qui sert de QG aux habitués du marché Sant Antoni (p.198). **Can Vilaró (plan 6, B1 n°32)** *C/ Comte Borrell, 61 Ouvert lun.-sam. 8h-16h Fermé en août*

● **Où acheter des livres anciens, des souvenirs vintage ?**
Dominical del Llibre (plan 6, B1 n°3) Sous la marquise des halles de Sant Antoni se tient un marché du livre ancien où l'on vend aussi des photos, de vieilles revues et autres reliques. Les collectionneurs se rassemblent tout autour pour échanger images, BD ou manga, jeux-vidéo ou cartes à jouer... *Mercat de Sant Antoni Ouvert dim. 9h-14h30*

La Ribera

☆**Les essentiels** Le palais de la Musique catalane, le musée Picasso, le musée européen d'Art moderne **Découvrir autrement** Assistez à un concert de *cobles* au palais de la Musique catalane en semaine, rafraîchissez votre garde-robe grâce aux talents de jeunes créateurs de mode, promenez-vous dans le parc de la Ciutadella

Ce fut, du XIIIe au XVIIIe siècle, le quartier le plus riche et le plus peuplé de Barcelone. Il rassemblait marchands et artisans, ainsi que les armateurs du port, puisque la Méditerranée se jetait alors à son pied. Les rues ont d'ailleurs gardé les noms des puissantes corporations médiévales : orfèvrerie (*argentaria*), couteliers (*escudellers*)… Une tradition perpétuée au XIXe siècle par les ateliers textiles qui envahirent la partie haute, le quartier de Sant Pere, autour du Palau de la Música. Amputé d'une grande partie de ses édifices anciens par la construction de la citadelle à l'est, puis par le tracé de la Via Laietana à l'ouest, La Ribera a cependant gardé un charme désuet. On flâne avec bonheur dans ses ruelles bordées de palais médiévaux, visitant ses nombreux musées et monuments, ou faisant du lèche-vitrines, avant de se joindre à la foule des noctambules attirés par les restaurants et bars branchés du quartier d'El Born.

Sant Pere

☆ ☺ **Palau de la Música Catalana (plan 3, D2)** Inscrit au Patrimoine mondial de l'Unesco, le **palais de la Musique catalane** constitue, avec la Pedrera, l'une des deux œuvres majeures du modernisme, d'autant que sa construction illustre bien les aspirations de la Renaixença catalane. Il fut commandé par l'Orfeó Català, association chorale fondée en 1891, sur le modèle prôné par le compositeur Josep Anselm Clavé (1824-1875), qui entendait faire renaître la chanson populaire catalane en multipliant les groupes de chanteurs amateurs. La musique chorale catalane se devait donc d'avoir son temple, et le grand architecte Domènech i Montaner se vit confier le projet en 1905. Le Palau fut inauguré en grande pompe en février 1908, avec une absence remarquée, celle de son architecte, lassé de n'être pas payé par l'Orfeó… *Carrer de Sant Pere Més Alt, 11 Tél. 932 95 72 00 ou 902 44 28 82 (rés.) www.palaumusica.cat Entrée des concerts C/ Palau de la Música, 4-6 Billeterie lun.-ven. 9h-21h, sam.-dim. 9h30-21h Visites guidées (55min) tlj. 10h-15h30 (sem. sainte 10h-18h, août 9h-20h) Tarif 17€, réduit 11€, moins de 11 ans gratuit*
Façade Édifiée en brique, la façade principale est un morceau de bravoure moderniste. Les piliers massifs du rez-de-chaussée, décorés de mosaïques subtiles, soutiennent l'architecture enlevée des étages supérieurs : fines colonnes couvertes de mosaïques, arches délicates en briques et chapiteaux ciselés. Le pilier central arbore fièrement le blason de l'Orfeó Català. Chacun des quatre balcons du 2e étage porte le buste d'un grand compositeur : Bach, Beethoven et, bien sûr, Wagner, particulièrement apprécié à l'époque. Sans oublier Palestrina. À l'angle de la rue, admirez le groupe sculpté célébrant

● **NO CANTARÁN !**
Fleuron du modernisme, le palais de la Musique est aussi l'un des symboles du catalanisme : en 1960, Jordi Pujol (futur président de la Generalitat de Catalunya) fut jeté en prison pour y avoir chanté en catalan devant un parterre de dignitaires franquistes.

la musique populaire, œuvre de Miquel Blay. Un paysan, un pêcheur, des vieillards et des enfants y côtoient une nymphe, sous la protection de Sant Jordi. Au sommet, sous la coupole portant les couleurs catalanes, s'étend une mosaïque murale allégorique, réalisée par Lluís Bru. Elle met en scène les hommes et femmes de l'Orfeó, chantant sur fond de Serra de Montserrat. Sur le côté gauche du Palau, la démolition de bâtiments a révélé des verrières modernistes, dorénavant exposées à la lumière du jour.

Intérieur L'intérieur, où l'ornementation atteint le sublime, est saisissant. Le hall, déjà, et le café du fond impressionnent par la beauté des mosaïques, des plafonds et des majestueux escaliers. Mais la salle de concert est plus époustouflante encore. On est d'abord frappé par la somptueuse coupole inversée, aux vitraux richement colorés. L'utilisation d'une charpente métallique a permis à l'architecte de laisser parler toute sa poésie. L'avant-scène bénéficie d'une ornementation luxuriante très réussie, dessinée par Domènech i Montaner, et sculptée dans la pierre par Masana i Majó. Sur la gauche se tient Anselm Clavé, dans un décor évoquant une de ses plus célèbres chansons, *Les Flors de Maig*. Sur la droite, un buste de Beethoven symbolise la musique universelle. De ce front illustre s'élèvent les voiles de l'inspiration, se transforment en une chevauchée furieuse rappelant les Walkyries de Wagner. Une grande force se dégage de l'ensemble. Les murs de la scène ne sont pas en reste, avec leurs sculptures et *trencadís* : dix-huit muses, reliées par un immense collier de fleurs et instruments de musique en main, un chef-d'œuvre d'Eusebi Arnau qui, lors des spectacles, revêt sous les projecteurs des aspects féeriques (p.192).

Petit Palau À gauche du Palau de la Música Catalana, il abrite un auditorium plus petit, inauguré en 2004, et le restaurant El Mirador. Les installations, de l'architecte catalan Oscar Tusquets, ultramodernes et d'une sobriété très étudiée, soulignent mieux encore les foisonnements modernistes du bâtiment ancien.

● Où faire son marché (et une pause gourmande) ?

Mercat de Santa Caterina (plan 3, D3 n°21) Rouvert en 2007 après plusieurs années de travaux, le Mercat Santa Caterina est remarquable par son toit ondulé fait de tuiles hexagonales de 67 couleurs différentes, conçu par l'architecte Enric Miralles. Ici, on fait son marché, bien sûr, mais dans une ambiance chic et tendance, où nombre de services sont également mis à disposition des visiteurs, et notamment un restaurant complètement intégré à l'ensemble où l'on pourra faire une pause gourmande. *Av. Francesc Cambó, 16 Tél. 933 19 57 40 Ouvert lun. 7h30-14h, mar.-mer. et sam. 7h30-15h30, jeu.-ven. 7h30-20h30* **Cuines de Santa Caterina (plan 3, D3 n°98)** *Tél. 932 68 99 18 www.cuinessantacaterina. com Ouvert dim.-mer. 13h-16h et 20h-23h30, jeu.-sam. 13h-16h et 20h-0h30*

● Où acheter de vieilles affiches ?

Prohibido Fijar Carteles (plan 3, D3 n°25) "Défense d'afficher" ? À voir, en tout cas, car cette galerie très originale est spécialisée dans les affiches, les photos et autographes anciens. Certifiés authentiques, réclames Art déco, posters de propagande de la guerre civile espagnole ou photos du Barcelone des années 1960 : une autre façon de découvrir l'histoire de la "ville des prodiges" ! *C/ Assaonadors, 10 Tél. 932 68 13 20 www.original-poster-barcelona. com Ouvert lun.-ven. 16h30-20h*

Autour de la Carrer de Montcada

Les somptueux hôtels particuliers qui jalonnent cette artère historique (plan 2, C1) ont été érigés du xIVe au xVIe siècle par les riches marchands et armateurs du quartier. Ils sont souvent ponctués d'une tour de guet d'où leur fondateur pouvait observer les mouvements des navires. Au n°25 s'élève la **Casa Cervelló-Giudice** (xVIIe s.) dont la façade à loggia évoque les palais florentins. Au n°17, le **Palau Finestres**, l'une des plus anciennes demeures de la ville, fait partie du musée Picasso. Au n°20, ne manquez pas le splendide **Palau Dalmases**, amplement remanié au xVIIe siècle, cf. Écouter de l'opéra ou du jazz dans un palais baroque (p.133).

☆ **Museu Picasso (plan 2, C1)** À la suite de grands travaux de réaménagement, le musée Picasso a agrandi ses espaces d'exposition et occupe désormais cinq des plus somptueux palais médiévaux de la rue de Montcada : Berenguer d'Aguilar et Finestre (aux numéros 15 et 17, deux des plus anciens), Baró de Castellet, Mauri et Meca. Ouvert en 1963, le musée possède le plus important fonds d'œuvres de jeunesse de l'artiste, des toiles léguées à la ville par Jaume Sabartés, secrétaire et ami de Picasso, et par le peintre lui-même. La collection permanente permet de découvrir les années d'apprentissage de l'artiste, en grande partie passées à Barcelone. On comprend ainsi mieux la manière dont il intégra l'influence des grands maîtres ou celle de l'avant-garde barcelonaise pour les dépasser ensuite en créant son propre style. Les périodes dites "rose" et "bleue" sont ici bien représentées. Clou de la visite, la vaste série des Ménines (1957), qui déconstruit et interprète de manière totalement libre le chef-d'œuvre de Vélasquez. Autre point fort du musée, les quelque 1 500 gravures et lithographies et les

Écouter de l'opéra ou du jazz dans un palais baroque

Espai Barroc (plan 2, C1) Caché derrière sa lourde porte, close la plupart du temps, le **Palau Dalmases** passe inaperçu. Parmi les centaines de passants qui défilent rue de Montcada chaque jour, seuls les amateurs de musique baroque et les amoureux d'ambiances intimes y pénètrent. Quelques tables dans le patio verdoyant permettent de profiter de la douceur du soir. À l'intérieur, le temps semble s'être arrêté : peintures religieuses, sculptures, chandeliers et meubles anciens, un peu comme dans un musée. *Carrer de Montcada, 20 Tél. 933 10 06 73 www. palaudalmases.com Ouvert mar.-sam. 20h-2h, dim. 18h-22h* **Spectacles** *Opéra jeu. soir à 23h ; flamenco ven.-lun. à 21h30*

40 céramiques qui permettent d'apprécier d'autres facettes de ce talent protéiforme. Les expositions temporaires, consacrées également à Picasso, sont en général d'une grande qualité. *Carrer de Montcada, 15-23 Tél. 932 56 30 00 www.museupicasso.bcn.es Ouvert mar.-dim. 10h-20h Fermé 1ᵉʳ jan., 1ᵉʳ mai, 24 juin et 25-26 déc.* **Collection permanente et expositions temporaires** *Tarif 11€, réduit 6€ ; moins de 16 ans, plus de 65 ans, 1ᵉʳ dim. du mois, dim. à partir de 15h et journées Portes ouvertes (12 fév., 18 mai et 24 sept.) gratuit* **Expositions temporaires** *6€, réduit 3€*

☆ **MEAM – Museu Europeu d'Art Modern (plan 2, C1)** Le dernier-né des musées d'art de la ville (juin 2011) est installé à quelques mètres du musée Picasso, dans le singulier **Palau Gomis**. Cet hôtel particulier, édifié en 1791 pour un riche marchand, fut réquisitionné par les troupes françaises de Napoléon, avant de devenir une maison close durant la guerre civile. Après une excellente campagne de rénovation qui a su conserver la patine du temps, les salles majestueuses abritent une exposition évolutive inédite d'art moderne et contemporain (peintures et sculptures du XIXᵉ au XXIᵉ s.) figuratif, réaliste et hyperréaliste. Des styles souvent introuvables dans les musées d'art contemporain "classiques" où l'on privilégie principalement abstraction et conceptualisme. Trois importantes collections permettent de faire un tour d'horizon des artistes (de tous âges et de toutes provenances) et des styles : la sculpture moderne, les figures chryséléphantines Art déco et la peinture contemporaine. Un musée surprenant qui éveille aussi les sens ! *C/ Barra de Ferro, 5 Tél. 933 19 56 93 www.meam.es Ouvert mar.-dim. 10h-20h Fermé 1ᵉʳ jan., 1ᵉʳ mai, 25-26 déc. Tarif 7€, réduit 5€, moins de 12 ans gratuit*

● **Où faire la tournée des créateurs ?** Flânez dans les environs du Passeig del Born, le long des rues del Rec, Esparteria, Bonaire, Vidrieria ou encore dels Canvis Nou et Flassaders (incontournable pour les accros de la mode), Barra de Ferro ou dels Banys Vell.

Le quartier d'El Born

Ce quartier (plan 2, C1) chargé d'histoire est aujourd'hui l'un des plus branchés de la ville : ses rues fourmillent de bars, de restaurants animés et de boutiques de mode. Son esplanade centrale, le charmant Passeig d'El Born ("tournoi", en catalan), accueillait jadis de grands rassemblements populaires et surtout le principal marché de Barcelone, en raison de sa proximité avec les quais du port de commerce. Fleuron de l'architecture métallique, l'imposant marché couvert d'El Born (1876) a fermé ses portes en 1971. Partiellement restauré à la fin des années 1970, il devait accueillir une bibliothèque, mais le chantier fur arrêté quand les excavations révélèrent d'importants vestiges de la Ribera médiévale, arasés au début du XVIIIᵉ siècle pour laisser place à la citadelle voulue par Philippe V (p.140). La halle restaurée abrite un musée consacré à la guerre de Succession d'Espagne, et le site archéologique se visite.

☺ **Basílica de Santa María del Mar (plan 2, C1)** Chef-d'œuvre du gothique barcelonais, cette église dédiée à la patronne des marins fut édifiée en 1329-1384. Financée par l'influent Conseil des Cent, elle demeure l'emblème de

● **LE CAFÉ D'EL BORN** L'un des tout premiers cafés à ouvrir dans le quartier désormais branché du Born. Il est toujours aussi plaisant, avec ses hauts plafonds, ses couleurs chaudes, sa musique douce et sa grande baie vitrée donnant sur le Mercat d'El Born. Atmosphère paisible dans la journée. En semaine, plusieurs formules de petits déjeuners servies jusqu'à 12h, puis quelques plats du jour à midi (menu à env. 10€ en sem.), des sandwichs (1,80-5,75€) et des pâtisseries à l'heure du goûter. **Cafè d'El Born (plan 2, C1 n°32)** *Pl. Comercial, 10 Tél. 932 68 32 72 Ouvert dim.-jeu. 8h-1h, ven.-sam. 9h-3h*

la puissance politique et commerciale passée d'une ville ouverte sur le large. Bien des riches armateurs et commerçants y sont d'ailleurs enterrés. Commencez par faire le tour de cet édifice aux murs aussi hauts que solides et nus comme ceux d'une forteresse. Prenez le temps de détailler la façade principale. Le portail gothique, à l'ornementation sobre, est surmonté d'une splendide rosace. L'ensemble est flanqué de deux clochers hexagonaux d'une grande finesse. À l'intérieur, l'impression d'espace est extraordinaire : une sobriété et un art des volumes inspirés de l'architecture cistercienne. Les trois nefs d'une hauteur presque identique sont soutenues par des piliers d'une grande simplicité, séparés par de hautes chapelles. Leur riche ornementation baroque fut mise à sac en 1936. Le maître-autel reflète les liens étroits unissant cette paroisse à un quartier autrefois ouvert sur la mer. Un ex-voto – une maquette de bateau du XVe s. – le surplombe, et ses bas-reliefs montrent des portefaix de l'époque. Seul élément tranchant sur l'austérité de l'ensemble : les vitraux, d'une grande beauté, en particulier ceux de l'immense rosace. *Plaça de Santa Maria, 1 Tél. 933 10 23 90 Ouvert lun.-sam. 9h-13h30 et 16h30-20h, dim. et j. fér. 10h30-13h30 et 16h30-20h Entrée libre*

● Où préparer un panier gourmand ?

Casa Gispert (plan 2, C1 n°4) Depuis 1851, cette vénérable maison est réputée pour fournir des produits de la plus grande qualité : fruits secs, huiles, vinaigres, confitures, miels de pays, thés, infusions, conserves et jus de fruits... Mais surtout, un excellent café torréfié sur place. *Carrer dels Sombrerers, 23 Tél. 933 19 75 35 www.casagispert.com Ouvert mar.-ven. 9h30-14h et 16h-20h30, sam. 10h-14h et 17h-20h30 oct.-déc. : ouvert lun.*

La Botifarreria de Santa María (plan 2, C1 n°12) Les amateurs de charcuterie ne sauront où donner de la tête ! *Botifarras* (gros intestin de porc farci de viande maigre et d'épices, à manger cru ou cuit), terrines, soubressades (sorte de saucisson piquant de Majorque) aux figues et autres délices porcins inventifs, tous fabriqués artisanalement d'après des recettes anciennes ou selon l'imagination ou les saveurs de saison... *C/ Santa María, 4 Tél. 933 19 91 23 www.labotifarreria. com Ouvert lun.-ven. 8h30-14h30 et 17h-20h30, sam. 8h30-15h Fermé en août*

● Où (bien) manger à toute heure ?

Mercat Princesa (plan 2, C1 n°59) Contrairement à ce que son nom laisserait supposer, le Mercat Princesa n'a rien à voir avec les marchés alimentaires la ville. Comme dans un food court, les 16 enseignes de cet espace gastronomique se partagent une vaste aire de restauration avec patio, pour faire bénéficier les gourmands d'une offre diversifiée : cocktails, fruits de mer, charcuterie

GEO**PLUS**

Trois jours à Barcelone

En téléphérique, sous l'eau, à bicyclette, vêtu dernier cri ou dans votre plus simple appareil, découvrez les multiples facettes de la capitale catalane...

Tous les moyens sont bons... pour sentir en trois jours que Barcelone vogue entre *seny et rauxa*, "bon sens" et "démesure" ! Visitez d'abord la vaste cité médiévale, labyrinthe monumental et grouillant. Puis arpentez la ville du XIXᵉ siècle, majestueuse, aérée tout autant qu'excentrique : on reste médusé par un patrimoine Art nouveau absolument sublime et par les extravagances d'un certain Gaudí... Enfin, retrouvez simplement ce qu'est Barcelone avant tout : un port immense, dont l'ampleur se découvre de la colline de Montjuïc, de gigantesques quais de déchargement gagnés sur l'eau, et des zones de plaisance à la mode, qui a su regagner en plus de cette richesse industrieuse, l'agrément d'un interminable front de mer et de très belles plages... qui ne décevront personne – pas même les amateurs de naturisme !

Vendredi

Dans la vieille ville, voyagez dans le temps entre la Barcino romaine, les ruelles médiévales et la belle église gothique Santa María del Mar. Sans oublier la trépidante Boqueria, somptueux marché couvert aux allures de bazar oriental.

MATINÉE
9h Quelques pas sur les Ramblas
De la Plaça de Catalunya (p.100) cette promenade mythique vous conduira jusqu'au quartier gothique. Admirez l'église baroque de Betlem et le Palau de la Virreina (p.101), qui abrite l'Institut de Cultura (entrez dans la cour) et le Centre de Imatge. Côté folklore, le marché de la Boqueria (p.101 et 114) vous invite à déambuler parmi ses étals bigarrés avant de prendre un petit café au Bar Pinotxo (p.194). Dépassez le théâtre du Liceu (p.114) et bifurquez à droite dans la Carrer Nou de la Rambla pour aller admirer le Palau Güell (p.127). Revenez sur vos pas et faites un crochet par la splendide Plaça Reial (p.113) avant de remonter la Rambla, puis la Carrer del Cardenal Casañas en direction de la belle Santa María del Pi (p.115). La Carrer de la Palla vous mènera à la cathédrale.

● **POUR QUELQUES EMPLETTES...** Faites les boutiques autour de Santa María del Pi, dans les rues de Petritxol et Del Pi, au charme certain.

● **SÉJOUR TENDANCE...** à l'hôtel RoomMate Emma (p.210), au cœur de l'Eixample. Déco futuriste et service 4 étoiles.

> **VOUS ÊTES MÉLOMANE ?**
> Laissez-vous tenter par un concert improvisé sur la Plaça del Rei à l'acoustique surprenante.

10h30 Pause gourmande chez Caelum (p.117) Tous les délices des couvents d'Espagne réunis dans un seul endroit !

11h Autour de la cathédrale (p.118) On ne manquera pas de flâner sur la ravissante Plaça de Sant Felip Neri (p.116), de passer sous les arches vers la cathédrale et de jeter un coup d'œil au patio des archives de la ville (p.118). Dépaysement garanti dans le cloître de la cathédrale (p.118) : ambiance tropicale et petit troupeau d'oies ! En sortant, sur la droite, le beau patio du musée Frederic Marès (p.122) est parsemé d'orangers. Puis laissez-vous porter jusqu'à la magnifique Plaça del Rei (p.121)... Contournez les archives de la couronne d'Aragon et visitez le Museu d'Història de la Ciutat qui dévoile le vaste sous-sol de la ville romaine. En revenant vers le chevet de la cathédrale, entre belles placettes et palais néo-gothiques, tournez à gauche dans Carrer Paradis, où un extraordinaire patio abrite d'immenses colonnes, vestiges du forum romain ! On ressort enfin vers la Plaça de Sant Jaume, sans oublier de faire une incursion au début de la Carrer del Bisbe pour admirer une belle figure de Sant Jordi sur le côté de la Generalitat.

> **À NE PAS MANQUER**
> Les salles du musée Picasso, et à défaut pour les impatients, ses magnifiques patios en enfilade et le patio de la Galeria Maeght (p.133).

> **POUR LES GOURMETS...**
> Goûtez et emportez quelques pots de sauce romesco, délicieuse spécialité catalane à base d'amandes et de piments doux, parfaite pour accompagner les viandes, les poissons et les salades.

14h Déjeuner au Culleretes (p.202) D'excellentes spécialités catalanes, dans l'un des restaurants les plus anciens de la ville.

APRÈS-MIDI

15h30 La Ribera Après une petite flânerie dans les ruelles au sud de La Ribera (p.131), prendre la Carrer de la Princesa pour rejoindre la Carrer de Montcada (p.133), aux magnifiques hôtels particuliers, où la visite du musée Picasso s'impose...

17h Pause café au Palau Gomis (p.134) Pour souffler au frais dans la cour intérieure du nouveau musée d'Art moderne.

17h30 Shopping à El Born (p.134) Après la rapide visite du trésor gothique qu'est Santa María del Mar (p.134), se diriger vers l'agréable Passeig del Born (p.134), jusqu'au Mercat del Born (toujours en rénovation). Les jolies ruelles parallèles au Passeig, vers l'Avinguda Marquès de l'Argentera, fourmillent de boutiques à la mode et de jeunes créateurs.

19h Flânerie dans le Parc de la Ciutadella (p.140) Pour finir l'après-midi au milieu des vestiges de l'Exposition universelle de 1888 : Invernacle, château des Trois Dragons, cascade monumentale...

20h Apéritif au Copetín (p.188) Retour Passeig d'El Born pour un mojito préparé dans les règles de l'art et une ambiance *mui* tropicale ! ➤

GEO**PLUS**

➤ SOIRÉE

21h30 Dîner au Cafè de l'Acadèmia (p.200) Sur une des plus jolies places de la ville, une valeur sûre de la cuisine catalane d'aujourd'hui (réservez). N'oubliez pas d'admirer la fontaine gothique de la place...

23h Tournée des bars branchés Cafè Royale (p.188) À deux pas de la trépidante Plaça Reial, une esthétique sophistiquée pour retrouver les tubes des années pop en VO ou remixés.

1h Le Moog pour danser jusqu'à l'aube (p.193) Rayez le dance-floor de ce petit club sympa du Gòtic.

Samedi

Découvrez les splendeurs Art nouveau et les extravagances de Gaudí dans L'Eixample ! Puis la nuit venue, imprégnez-vous du charme du quartier populaire de Gràcia.

MATINÉE

9h30 Dans le Passeig de Gràcia (p.161) À hauteur de la station de métro Diagonal, les façades du Palau Baró de Quadràs et de la Casa de Les Punxes méritent un coup d'œil – et la mythique Pedrera (p.165) de Gaudí, une visite. Continuez votre route pour admirer la Casa Batlló (p.162), sans oublier la Casa Amatller et la Casa Lleó Morera.

12h Pause shopping au Colmado Quilez (p.168) Voici une très bonne

> ⬤ **CONSEIL** Vivez à l'heure espagnole ! Déjeunez à 14h, dînez à 21h30 ; vous risquez sinon de vous retrouver entre touristes ou devant un restaurant au rideau baissé.

épicerie pour faire le plein de jambon... et prendre des forces, avant de repartir flâner sur la superbe Rambla de Catalunya. Les vitrines des boutiques rivalisent d'intérêt avec les magnifiques façades... comme celle de la Fundació Antoni Tàpies (p.163) dans la Carrer Aragó.

13h30 Pause déjeuner au Laie Llibreria Cafè (p.168). Profitez de la véranda et du menu du midi !

APRÈS-MIDI

15h Toujours sur les pas d'Antoni Gaudí En taxi (pour admirer la ville), se rendre à la Sagrada Família (p.169) et y découvrir la façade de la Nativité, créée par Gaudí, puis celle de la Passion, plus anguleuse. Monter en ascenseur dans les tours et profiter de la vue d'ensemble sur le site. Le musée du sous-sol permet d'appréhender le travail de l'artiste. Pour aller plus loin dans l'univers de Gaudí, gagner le non moins surprenant Parc Güell (p.175) et terminer l'après-midi en beauté devant une vue somptueuse.

SOIRÉE

20h30 Apéritif à La Bodegueta (p.197) Dans un lieu très catalan, autour d'un bon pain à la tomate et d'un verre de vin.

21h30 Dîner au Bar Mut (p.205) Un des restaurants les plus courus du quartier dans un cadre chic mais décontracté !

**23h Sortie à Gràcia
Cafè del Sol** (p.191) Pour quelques bières bien fraîches dans une ambiance surchauffée.

Otto Zutz (p.193) À partir de minuit, on vient y écouter toutes sortes de musiques dans un cadre postindustriel.

● POUR LES NOCTAMBULES... Si vous devez revenir de Gràcia vers le centre au milieu de la nuit, pensez au service Nitbus des bus de nuit ! (p.92)

3h Danser au KGB (p.193) Pour finir la nuit dans une boîte mythique.

Dimanche

Partez à l'assaut des splendeurs de Montjuïc ! Pour redescendre ensuite par la voie des airs vers La Barceloneta et goûter aux charmes maritimes du port et de la plage.

MATINÉE

9h30 Sur la colline de Montjuïc (p.149) Rendez-vous Plaça d'Espanya : passez entre les deux tours inspirées du campanile de Saint-Marc de Venise, allez admirer la simplicité du pavillon Mies Van der Rohe (p.159) et l'aménagement très réussi du CaixaForum. Les amateurs d'art roman monteront voir la collection de fresques du MNAC (p.154), unique au monde ; ceux qui préfèrent l'art moderne prendront un taxi ou un bus pour découvrir la Fundació Joan Miró (p.152).
13h30 Ascension au Castell de Montjuïc (p.151) Les plus courageux auront de la terrasse du château une incroyable vue sur Barcelone et la zone franche. Redescendre ensuite et prendre le Transbordador Aerei qui s'envole vers La Barceloneta...

● PAUSE... Emportez une collation pour faire une pause dans les jardins de Joan Maragall (p.151).

14h30 Déjeuner à La Bombeta (p.196) On y sert d'excellentes tapas de fruits de mer et la fameuse petite "bombe" de viande et de pomme de terre... Si vous aimez la paella ou les plats à base de riz, acheminez-vous vers le Can Solé (p.204).

APRÈS-MIDI

16h Promenade digestive dans La Barceloneta (p.143) Le long du Passeig Marítim et à l'arrière, dans l'entrelacs des ruelles animées, en passant par la Plaça de la Barceloneta et l'église Sant Miquel.
17h Connaître le patrimoine maritime de Port Vell (p.141) Le Museu Marítim (p.142), bâti sur les anciens chantiers navals, est fait pour les amateurs de bateaux et ceux qui veulent tout savoir sur le port. À remarquer : la réplique époustouflante de la galère royale de Jean d'Autriche ayant participé à la bataille de Lépante.

● POUR UN APRÈS-MIDI FARNIENTE... Ceux qui désirent profiter de leur dernier après-midi pour se détendre goûteront les joies de la très fréquentée Platja de la Barceloneta (p.148) et, si le temps le permet, embarqueront sur une "Hirondelle" (Golondrina) pour un tour du port ! (p.143)

SOIRÉE

20h Apéritif à L'Òstia (p.196) En terrasse ou au grand comptoir, pour regarder valser tapas et cañas (demis) !
21h30 Dîner au Xiringuito de l'Escribà (p.204) Quoi de mieux que de finir tranquillement le séjour face à la grande bleue, devant un plateau de fruits de mer et des desserts des plus soignés ?

ibérique, recettes à base de riz, amuse-bouche asiatiques portant le sceau du chef Ly Leap, pâtisseries... Et un service non-stop ! Une rareté à Barcelone, que les visiteurs qui ont du mal à s'adapter aux horaires (tardifs) des restaurants locaux ne manqueront pas d'apprécier. À partir de 25€. *El Born* C/ Sabateret, 1-3 Tél. 932 68 15 18 www.mercatprincesa.com Ouvert dim.-mer. 9h-0h, jeu.-sam. 9h-1h

● **Où se régaler de pâtisseries multicolores, faire provision de sardines en chocolat ?**
Pastelería Hofmann (plan 2, C1 n°21) Tons pistache et violet, mobilier ancien et envoûtant parfum de cannelle égaient cette petite boutique où se cachent les trésors de Mey Hofmann, pâtissière et chef, à la tête d'une école de cuisine renommée. Impossible de résister aux subtils gâteaux multicolores, aux biscuits croustillants et légers ou aux fameuses sardines en chocolat alignées dans leurs jolies boîtes métalliques. *C/ Flassaders, 44 Tél. 932 68 82 21 www.hofmann-bcn. com Ouvert lun.-mer. 9h-14h et 15h30-20h, jeu.-sam. 9h-14h et 15h30-20h30, dim. 9h-14h30 Fermé en août*

Le parc de la Ciutadella

À la suite de la rébellion des Barcelonais lors de la guerre de Succession d'Espagne, Philippe V fait construire en 1717-1721 une vaste citadelle destinée à surveiller la ville, comme celle de Montjuïc (p.149), et raser au passage plus de 1 200 demeures du quartier historique de La Ribera, sans aucune compensation pour leurs habitants. Pendant plus d'un siècle, une importante garnison occupe le site, isolée du reste de la ville et détestée de ses habitants. D'autant plus que les troupes napoléoniennes y exécutent des dizaines de patriotes entre 1808 et 1814. Au XIXᵉ siècle, la citadelle, devenue inutile, constitue un symbole gênant pour la renaissance catalane. Sa destruction, décidée en 1868, libère un vaste espace de 60h sur lequel L'architecte Josep Fontserè aménage un parc (plan 2, D1-D2), doté d'une monumentale cascade aux sculptures allégoriques d'un goût douteux. Le domaine accueille l'Exposition universelle de 1888. Une grande réussite populaire (2 millions de visiteurs), mais ruineuse pour la municipalité. Ses longues allées tranquilles et son lac invitent à la promenade. Dans sa partie nord-ouest se dresse l'incroyable édifice construit par Domènech i Montaner pour servir de café à l'Exposition de 1888 mais qui ne put ouvrir à temps. On le surnomme le **"château des Trois Dragons"**, en référence à une pièce très populaire du dramaturge barcelonais Pitarra. Cette immense forteresse en brique est dominée par d'imposantes tours crénelées et par un donjon de verre et d'acier aux allures de phare. La référence au Moyen Âge est soulignée par des blasons en céramique tout autour de l'édifice (en attente de travaux pour accueillir à terme le Laboratori de Natura du musée des Sciences naturelles). Le Passeig de Lluís Companys, une agréable esplanade jalonnée de lampadaires spectaculaires, s'étire dans le prolongement du parc jusqu'au monumental Arc de Triomf qui marque l'entrée de l'Exposition. *Angle passeig de Pujades et passeig de Picasso Ouvert tlj. 10h-coucher du soleil*

Parc Zoològic (plan 2, D1-D2) Ce zoo riche de quelque 7 000 animaux occupe la partie méridionale du parc. Jusqu'en 2003, il avait pour fleuron un gorille albinos (unique au monde), baptisé Copito de Nieve (Flocon de Neige,

Floquet de Neu en catalan), qui, depuis son arrivée en 1966, était la figure emblématique de la ville. Son héritage reste bien vivant dans l'Espai Goril.les. Ne manquez pas d'aller voir les dragons de Komodo à la Tierra de Dragons, aux singes dans la Galeria de Titís avant d'emmener les enfants s'amuser avec tous les animaux de la ferme à La Granja… *Tél. 932 25 67 80 www.zoobarce lona.com Ouvert juin-sept. : tlj. 10h-19h ; mars-mai, oct. : tlj. 10h-18h ; nov.-fév. : tlj. 10h-17h Tarif 19,60€, enfants (3-12 ans) 11,80€, retraités 9,95€*

La façade maritime

☆**Les essentiels** L'Aquarium, le Musée maritime, La Barceloneta, le musée d'Histoire de la Catalogne, le port Olympique et le Forum **Découvrir autrement** Admirez la vue sur le port, la vieille ville et Montjuïc du haut du Monument a Colom, piquez une tête dans la grande bleue, dînez dans un restaurant populaire de La Barceloneta (cf. Carnet d'adresses)

Grâce aux jeux Olympiques de 1992 et au Forum universel des cultures de 2004, Barcelone jouit à présent d'un littoral privilégié qui s'étend de Port Vell, dans la vieille ville, au Fòrum, à la limite de Sant Adrià de Besòs. Une immense aire de loisirs d'environ 4,5km, principalement occupée par des plages urbaines et des promenades protégées.

Port Vell

Juste en face de la Plaça del Portal de la Pau (plan 2, B2), ce complexe aménagé à l'occasion des JO de 1992 est resté très populaire. On y accède par le superbe ponton flottant de la Rambla de Mar. Port Vell est dominé par la masse grise du centre commercial et de divertissements de Maremagnum, avec ses restaurants de poisson. Au rez-de-chaussée siège le prestigieux Real Club Náutico. Plus à l'est, l'immense Aquàrium jouxte le cinéma Imax de Port Vell. L'agréable promenade qui remonte vers le Passeig Colom et La Barceloneta débouche sur la célèbre sculpture pop art de l'Américain Roy Lichtenstein, *Barcelona's Head* (1992). **Maremàgnum (plan 2, B2)** *Tél. 932 25 81 00 www.maremagnum.es Ouvert tlj. 10h-22h (1h restaurants et cinéma)*

☆ **Aquàrium (plan 2, B2)** Ce vaste aquarium souterrain n'est pas "le plus grand du monde", mais il abrite une vingtaine de bassins reconstituant autant d'écosystèmes marins différents : delta de l'Èbre, atolls du Pacifique, récifs coralliens de la mer Rouge, etc. L'occasion de découvrir des curiosités comme le grondin perlon, le poisson-crapaud, le poisson-lune et le requin-taureau, ainsi que de splendides poissons coralliens et tropicaux. L'écran interactif installé près de l'aquarium du delta de l'Èbre vous permettra d'apprendre le nom français de chaque poisson ! Clou du spectacle, l'oceanarium, tunnel de 80m recréant le milieu sous-marin méditerranéen et où, porté par un tapis roulant, on évolue au milieu de bancs entiers de poissons, admirant le vol des aigles de mer sous l'œil torve des requins gris… Spectaculaire ! En remontant, les plus petits s'amuseront avec les animations de l'espace Explora. Cher... et bondé l'été. *Moll d'Espanya, Port Vell Tél. 932 21 74 74 www.aquariumbcn.com Ouvert juin, sept. : tlj. 9h30-21h30 ; juil.-août : tlj. 9h30-23h ; reste de l'année : w.-e. et j. fér. 9h30-21h30 Dernière entrée 1h avant la fermeture Tarif 19€, plus de 64 ans 15€, 5-10 ans 14€, 3-4 ans 5€*

Autour de la Plaça del Portal de la Pau

Monument a Colom (plan 2, A2) La Rambla rejoint le quartier du port au niveau de la Plaça del Portal de la Pau, qui doit son nom à une porte d'enceinte du XVIe siècle aujourd'hui disparue. Au milieu de la place se dresse la statue monumentale de Christophe Colomb, doigt pointé vers le large. Elle commémore l'arrivée du navigateur à Barcelone en avril 1493, à son retour des Amériques. Le monument fut inauguré en 1888, à l'occasion de l'Exposition universelle. Vue spectaculaire sur toute la ville du haut du mirador. *Pl. del Portal de la Pau Tél. 932 85 38 32 Ouvert tlj. 8h30-20h30 Fermé 1er jan. et 25 déc. Tarif 4€, réduit 3€, moins de 4 ans gratuit*

☆ ☺ **Museu Marítim (plan 2, A2)** Véritable prodige du gothique civil catalan, le vaste arsenal des Drassanes mérite amplement le détour, d'autant qu'il est parfaitement conservé. Il a été conçu à la fin du XIIIe siècle, quand les navires du royaume d'Aragon contrôlaient une grande partie de la Méditerranée. Les voûtes de ses huit nefs culminent à 13m du sol. On y construisit la plupart des galères royales, et trente navires pouvaient y être entreposés en hiver. Agrandi aux XIVe et XVIIe siècles, il fut progressivement abandonné au XVIIIe siècle. C'est une visite plaisante que vous réserve ce musée maritime, grâce à l'audioguide en français qui fourmille d'informations sur les différentes salles. Après avoir étudié les barques de pêche traditionnelles grandeur nature des côtes catalanes, les amateurs d'architecture navale se passionneront pour les maquettes illustrant l'évolution des techniques de construction. Une autre section rassemble de belles cartes et atlas médiévaux, ainsi que des raretés comme la carte nautique de Vallseca, dessinée en 1439 – l'une des plus vieilles conservées en Espagne –, qui appartenait au grand navigateur Amerigo Vespucci. Une salle est consacrée à Colomb, une autre à Magellan. Un des clous de la visite est celle de l'imposante galère installée au milieu des Drassanes. Une réplique taille réelle du navire amiral de la flotte de la Sainte Ligue (Venise et l'Espagne unies sous la bannière du pape Pie IV), commandée par Jean d'Autriche, qui battit les Turcs à la bataille de Lépante, le 7 octobre 1571, mettant ainsi fin à l'hégémonie ottomane en Méditerranée. On apprend que les conditions de vie de ses 59 rameurs étaient si atroces qu'en mer "on sentait arriver la galère bien avant de la voir" ! Ne manquez pas la section des figures de proue, ni celle des émouvants ex-voto de marins ayant survécu à de terribles tempêtes. Intéressante également, la vaste partie dédiée à la flotte marchande barcelonaise, qui prospéra à partir du XVIIIe siècle grâce au commerce avec les colonies, notamment Cuba. On assiste avec nostalgie à l'avènement de la marine à vapeur, remplaçant les fiers trois-mâts transatlantiques. Se visite également la goélette *Santa Eulàlia* (1918), propriété du musée amarrée dans le port. Ce splendide trois-mâts de 47m était destiné au transport de marchandises mais, selon la légende, sa grâce et sa rapidité le firent connaître sur les océans du globe sous le nom de El Chulo ("le frimeur") ! *Av. Drassanes, s/n Tél. 933 42 99 20 www.mmb.cat Ouvert tlj. 10h-20h Fermé 25-26 déc., 1ᵉʳ et 6 jan.* **Expositions temporaires seulement jusqu'à la fin des travaux** *(prévue pour l'été 2014) Tarif 3,50€, réduit 2,70€, plus de 65 ans 1,75€, dim. à partir de 15h et moins de 7 ans gratuit* **Pailebot Santa Eulàlia** *Moll de la Fusta Tél. 933 42 99 20 (Réservation) Ouvert avr.-oct. : mar.-ven., dim. et j. fér. 10h-20h30, sam. 14h-20h30 ; nov.-mars : tlj. 10h-17h30 Entrée avec le billet du musée Sortie en mer sam. 10h-13h (avr.-oct.), lun. 10h-13h (nov.-mars)*

● Humer l'air marin

Las Golondrinas Ces "hirondelles", ou bateaux-mouches, permettent de visiter le port depuis 1888. Deux itinéraires proposés : la visite des ports de commerce et de plaisance en 40min (7€, 4-10 ans 2,75€) et une mini-croisière jusqu'au Fòrum d'1h30 (12,80€ AS et 14,80€ AR, 4-10 ans 4,35€/5,35€). Par mauvais temps, cette dernière est remplacée par un *especial tour* de 1h, qui va jusqu'à la zone franche, au sud (12€, 4-10 ans 4€). *Plaça Portal de la Pau Départ face au Monument a Colom Ouvert printemps, été : tlj. 10h-21h ; automne, hiver : tlj. 11h-16h Ttes les heures*

☆ La Barceloneta

Cette île est devenue au XVIIᵉ siècle une péninsule au contour triangulaire, reliée à la terre ferme par le sable accumulé lors de l'aménagement du port. Au début du XVIIIᵉ siècle, les habitants de La Ribera, expulsés par le chantier de la citadelle, s'y entassent dans des conditions si précaires que la municipalité décide, en 1749, de reconstruire ce quartier qui accueille les pêcheurs, débardeurs et marins du port. Un bel exemple de planification urbaine menée par l'ingénieur militaire Cermeño, qui dirigera également l'aménagement de la Rambla : rues rectilignes, maisons à deux étages, places aérées. Au XIXᵉ siècle, La Barceloneta accueille de bruyantes usines, telle la Maquinista Terrestre y Marítima, une entreprise de construction de machines à vapeur qui a laissé son nom à une rue. De nos jours, le quartier est une destination de choix pour les promenades dominicales en bord de mer. On y découvre une atmosphère fort différente du reste de la ville. On se hèle depuis les balcons fleuris ou sur les places confidentielles, et l'on se presse au comptoir de vieilles tavernes ou aux tables des restaurants de poisson qui bordent le Passeig de Joan de Borbó et différentes rues du quartier. La Plaça de La Barceloneta, qui en marque le centre, a beaucoup de charme. À côté de l'église Sant Miquel (1755), une plaque signale la maison où vécut Ferdinand de Lesseps, consul de France à Barcelone et principal promoteur du canal de Suez. Le Passeig de Joan de Borbó débouche sur le port de pêche et la Torre de Sant Sebastià, point de départ du téléphérique de Montjuïc.

● LES PIEDS DANS L'EAU
À deux, en terrasse au bord de la plage, savourez les plats de poissons tout droit sortis de... l'Agua ! (p.203).
☺ **Agua (plan 2, D3 nº71)** *Passeig Marítim de la Barceloneta, 30*

☆ Museu d'Història de Catalunya (plan 2, C2)
En bordure de La Barceloneta, dans l'immense bâtiment en brique du Palau de Mar, les anciens magasins généraux du port, construits

au début du XXe siècle, vous offrent un voyage à travers toute l'histoire de la Catalogne ! Une présentation dynamique, avec une foule de documents, maquettes et images. Comptez 3h de visite, et demandez à la réception la brochure détaillée (en français) résumant les notices des différentes salles. *Palau de Mar Plaça de Pau Vila, 3 Tél. 932 25 47 00 www.mhcat.net Ouvert mar. et jeu.-sam. 10h-19h, mer. 10h-20h, dim. et j. fér. 10h-14h30 Fermé 1er et 6 jan., 25-26 déc. Tarif 4€ (3€ pour les expositions temporaires uniquement) ; réduit 3€/2€ Billet combiné 5€/4€ Entrée libre pour les moins de 7 ans, plus de 65 ans et les 1er dim. du mois, 23 avr., 18 mai, 11 et 24 sept.*

Rez-de-chaussée et premier étage Expositions temporaires assez variées.

Deuxième étage La section n°1 présente la préhistoire et l'Antiquité : populations ibères, colonisations grecque et romaine. Les sections allant du n°8 au n°13, célébrant "la naissance d'une nation", narrent l'épopée des premiers comtes de Barcelone, gagnant peu à peu leur indépendance vis-à-vis des Carolingiens et reprenant les terres conquises par les Sarrasins. Art roman, naissance du catalan, féodalité, le tour d'horizon est vaste. La section "Mare Nostrum" couvre l'expansion catalane en Méditerranée à partir du XIIIe siècle. La reconstitution d'ateliers médiévaux rappelle la richesse de l'artisanat catalan des XIIIe et XIVe siècles. Les salles suivantes, couvrant la période du XVIe au XVIIIe siècle, évoquent le déclin de la Catalogne, mise à l'écart de l'empire castillan et privée des richesses du Nouveau Monde, passant en revue les révoltes organisées face au centralisme des rois d'Espagne.

Troisième étage Il évoque l'industrialisation de la Catalogne au XIXe siècle. Aux progrès techniques répondent les mouvements sociaux. La naissance de l'anarchisme et du syndicalisme est traitée en détail. Une grande place est accordée à la renaissance culturelle et politique catalane, au modernisme et à la longue marche vers l'autonomie. La section consacrée à la guerre civile offre images d'archives et reconstitution d'un abri antiaérien.

Terrasse sommitale Vue splendide sur le port, la vieille ville et Montjuïc de la terrasse ensoleillée de la cafétéria du musée, la Miranda del Museu.

Le goût de Barcelone

La Barceloneta s'enorgueillit d'avoir offert à Barcelone la célèbre *sarsuela* (sorte de bouillabaisse de poisson), et l'inénarrable *bomba* (boulettes de pommes de terre panées farcies de viande et servies avec une sauce piquante), nom évoquant le passé anarchiste de la ville.

● **Où prendre un petit déjeuner les pieds dans le sable ?**
Pendant les saisons les plus douces (avr.-mi-nov.), fleurissent sur le littoral les petites cabanes des *xiringuitos*. Ouverts de 9h à minuit environ, ces éphémères bars de plage ravitaillent les baigneurs en boissons fraîches et petits plats. Difficile d'y trouver une table pour se désaltérer dans l'après-midi ou pour siroter un cocktail en soirée, mais quel délice de précéder la foule le matin et de savourer dans le calme un petit déjeuner face à la grande bleue.

● **Voir la ville du funiculaire aérien**
Teleféricos de Barcelona (plan 2, B3) Le spectaculaire téléphérique Transbordador Aeri (1931) part de la tour de San Sebastià, à l'extrémité de La Barceloneta et monte à la pointe de la colline de Montjuïc (plan 2, A4) dans les jardins Costa i Llobera. Les petites cabines rouges cheminent sur 1,3km à plus de 70m au-dessus de la mer et du port, offrant une vue à couper le souffle sur toute la ville. Sensibles au vertige et aux sensations fortes s'abstenir (les installations, quoique très bien entretenues, sont tout de même un peu désuètes) ! *Départs Torre de San Sebastià Passeig Joan de Borbó, Torre Jaume (fermée temporairement) et Torre Miramar Avinguda de Miramar Tél. 934 41 48 20 www.telefericodebarcelona.com Ouvert juin-mi-sept. : tlj. 11h-20h ; mi-sept.-mi-oct. : tlj. 11h-17h ; mi-oct.-fév. : tlj. 10h-17h30 ; mars-mai : tlj. 11h-19h Horaires sujets à modifications Fermé 25 déc. et début jan.-mi-fév. Tarif 10€ AS (15€ AR), moins de 7 ans gratuit*

● **Profiter de la mer** Le **Passeig Marítim** (plan 2, D3), qui longe la Platja de La Barceloneta et remonte jusqu'au port Olympique, est le lieu de détente et de farniente par excellence dès les premiers beaux jours, surtout le week-end.

☆ Port Olímpic

L'entrée du port Olympique de 1992 (plan 1, C3) est marquée par les tours Mapfre et Arts, hautes de 153m. Autre signe distinctif, le gigantesque *Peix* (poisson) doré de Frank Gehry (1992). Sur le rond-point, au pied des tours, la sculpture *David i Goliat* d'Antoni Llena (1992) évoque la destruction des anciens quartiers ouvriers, avalés par l'urbanisme géant des JO. Au nord du rond-point se trouvent les édifices en brique du village olympique, dont les logements furent revendus à prix d'or après les Jeux. Le port Olympique a été reconverti en un lieu de sortie très populaire : ses restaurants de poisson en terrasse et ses bars donnant sur la marina ne désemplissent pas, surtout le week-end. Au bout du port, au-delà du centre nautique, on accède par une passerelle mobile à l'Escullera del Poblenou, digue avançant dans la mer et offrant ainsi une belle vue sur la ville. Plus au nord se succèdent les plages de Nova Icària, de Bogatell et de Nova Mar Bella.

Poblenou

Les transformations du front de mer conjuguées au développement du pôle technologique 22@, cf. Districto 22@ (p.172), ont suscité le renouveau de Poblenou, ce quartier ouvrier longtemps délaissé et surnommé le Manchester catalan. Entrepôts, sièges de PME, ateliers d'artistes et logements peuplent le damier des rues tranquilles. Sur la Rambla del Poblenou s'égrènent de beaux immeubles modernistes tandis que la Rambla de Prim (plan 1, D2-3), récemment réaménagée, invite au *paseo*.

Cementiri de Poblenou (plan 1, C3) Dans ce quartier en pleine mutation face à la Platja de Mar Bella, le vieux cimetière de l'Est, ouvert en 1819 en périphérie de la ville, se retrouve à présent entouré de constructions modernes. Une promenade entre ses tombeaux plus ou moins monumentaux permet de découvrir, d'une manière originale, un siècle d'histoire de la ville (fin XVIIIe s.-fin XIXe s.). Suivre le parcours fléché ou un guide au gré des différents styles architecturaux et frissonner devant *Le Baiser de la Mort* puis faire un vœu sur la tombe d'El Santet, un enfant du quartier mort au XIXe siècle et à qui sont faites de nombreuses offrandes. *Av. Icària Tél. 934 84 19 99 ou 902 07 97 99 (Rens.) www.cbsa.cat Ouvert tlj. 8h-18h Visite guidée gratuite 1er et 3e dim. du mois 10h30 et 12h30 (en castillan et catalan) Brochure en anglais, castillan et catalan*

Parc del Centre de Poblenou (plan 1, C2-D2) Sur l'avenue Diagonal, à mi-chemin entre la Torre Agbar et le Parc del Fòrum, ce parc urbain de plus de 5ha, inauguré en 2008, porte, derrière des murs à la Gaudí couverts de bougainvillées, la griffe de Jean Nouvel. Descendre se balader dans le "cratère du monde", s'allonger pour faire la sieste dans un "nid", discuter dans un tunnel de fleurs ou poser pour une photo devant un "pilier-tronc", voici quelques-unes des surprises qui attendent les (jeunes) promeneurs. *Avinguda Diagonal, 130 www.bcn.cat/parcsijardins Ouvert mai-sept.: tlj. 10h-21h ; avr.-oct. ; mars, nov. : tlj. 10h-19h ; déc.-fév. : tlj. 10h-18h*

● **Où boire un verre, savourer une *horchata* ?**
☺ **Tío Ché (plan 1, C3 n°26)** Fondé en 1912, cet établissement est un incontournable du quartier de Poblenou, situé sur un rond-point stratégique de la *rambla* du même nom, agréable promenade. On s'y rend en famille le week-end pour savourer la meilleure *orxata* (à base de jus de souchet, proche de l'orgeat) de la ville : d'env. 2 à 4€ le verre, env. 6,50€... le litre ! Un véritable délice, épais et sucré. Sur la gauche, le comptoir des glaces, sur la droite, le bar où l'on fait la queue pour commander anchois marinés et pommes de terre à l'aïoli. Si la terrasse affiche complet, on se contente des bancs de l'esplanade. *Rambla del Poblenou, 44-46 Tél. 933 09 18 72 www.eltioche.es Ouvert hiver : jeu.-mar. 10h-14h et 17h-22h ; été : dim.-jeu. 10h-1h, ven.-sam. 10h-2h Fermé fév. et une sem. en oct.*

Fòrum

Profitant de l'émulation suscitée par les jeux Olympiques, le projet du Forum des Cultures en 2004 a, à son tour, fait surgir de terre un nouveau quartier entre le Poblenou et Sant Adrià de Besòs. L'Avinguda Diagonal a été prolongée jusqu'à la mer et le front de mer, étendu pour la rejoindre. Ce triangle délimite le Parc del Fòrum, une esplanade de près de 150 000m² qui recouvre une usine de retraitement des eaux. Cet immense espace public dédié à la culture et aux loisirs se veut un symbole de la Barcelone du XXIe siècle. Parmi ses édifices les plus remarquables se détachent le Centre de Convencions Internacional de Josep Lluís Mateo et l'Edifici Fòrum de Jacques Herzog et Pierre de Meuron. Au sud-ouest, entre l'Avinguda Diagonal et le front de mer, huit immeubles d'habitations et de bureaux, un parc, un centre commercial et trois hôtels forment l'impressionnant complexe urbain Diagonal Mar. Au cœur de cet ensemble se déploie un gigantesque centre commercial réunissant un hypermarché, un cinéma multiplex de 18 écrans, 240 boutiques, une immense terrasse en plein air où s'alignent restaurants et lieux de divertissement et un parking de 5 000 places ! L'ensemble reste tout de même encore un peu vide… **Diagonal Mar Centre Comercial** *Avenida Diagonal 3 Tél. 902 53 03 00 Ouvert lun.-sam. et j. fér. 10h-20h - dim. restaurants et loisirs (3ᵉ étage) uniquement*

Pérgola Fotovoltaica del Fòrum (plan 1, D3) Grande comme un terrain

de foot et recouverte de 3 780m² de panneaux solaires, cette plaque photovoltaïque, conçue par les architectes Elías Torres et José Antonio Lapeña en 2004, permet de générer suffisamment d'énergie pour alimenter l'équivalent de 1 000 foyers (et éviter ainsi l'émission de 440t de CO^2 par an). Cette superstructure orientée de façon à recueillir le maximum de rayons lumineux et qui s'élève jusqu'à 50m par endroits, peut résister à des vents allant jusqu'à 200km/h. *Parc del Fòrum*

Museu Blau (plan 1, D3) Un triangle bleu strié de baies vitrées, comme

lévitant dans les airs ! C'est dans cet édifice audacieux imaginé par Jacques Herzog et Pierre de Meuron, que s'est installé, en mars 2011, le musée des Sciences naturelles de la ville, jusqu'alors situé dans le "château des Trois Dragons" du Parc de la Ciutadella. Le nouveau "musée bleu" occupe un espace de 9 000m², avec des salles d'expositions temporaires, une médiathèque, des espaces ateliers et conférences ainsi qu'une boutique. L'exposition permanente "Planeta Vida" retrace dans un premier lieu, l'histoire de notre planète et l'évolution de la vie sur terre à l'aide d'une belle muséographie de pointe, ludique et interactive. Les autres parties de l'exposition, dédiées successivement aux fossiles, aux animaux, aux champignons, aux plantes, aux algues, aux microbes et aux minéraux, dressent le tableau actuel de l'état de la nature. Bref, une visite incontournable avec des enfants ! *Parc del Fòrum Plaça Leonardo da Vinci, 4-5 Tél. 932 56 60 02 www.museublau.bcn.cat Ouvert oct.-mai : mar.-ven. 10h-19h, w.-e. 10h-20h ; juin-sept. : mar.-dim. 10h-20h Fermé 1ᵉʳ jan. et 25 déc. 7€ (combiné avec l'entrée au jardin botanique) ; moins de 29 ans, chômeurs et plus de 65 ans 5€ ; moins de 16 ans, 1ᵉʳ dim. du mois et dim. à partir de 15h gratuit*

● **SORTIR (DES SENTIERS BATTUS)**
Au sud du parc de Diagonal Mar, parmi les ateliers d'artistes et bureaux de jeunes entrepreneurs, un décor indus-bohème pour rassasier toutes les petites faims, soifs et envies de convivialité (p.191). **Tras Paso (plan 1, D3 n°27)** *C/ Fluvia, 24 Ouvert lun.-jeu. 8h-2h, ven. 8h-3h, sam. 10h-3h Fermé à l'heure du déj. fin déc.-début jan. et 1ʳᵉ quinzaine d'août*

Parc de Diagonal Mar (plan 1, D3) Conçu sur

une friche industrielle à deux pas de la mer, au cœur du complexe Diagonal Mar par le couple d'architectes Enric Miralles (1955-2000) et Benedetta Tagliabue en 2002, ce parc urbain nouvelle génération répond à l'idée d'une architecture innovatrice et respectueuse de l'environnement. La trame centrale ? L'eau. Elle s'écoule en d'ondulantes structures tubulaires qui parcourent tout le parc, l'acheminant directement de la nappe phréatique aux plantes : un modèle très esthétique d'autosuffisance ! L'endroit manque un peu de vie mais la balade vaut vraiment le détour pour voir, notamment, la grande passerelle élevée sur l'eau, le lac aux sculptures-geysers ou encore des jardinières en suspension qui rappellent l'architecture organique de Gaudí. Les enfants apprécieront la Zona Mágica, une zone de jeux qui leur est entièrement consacrée. *C/ Llull, 362 www.bcn.cat/parcsijardins Ouvert tlj. 10h-coucher du soleil Entrée libre*

● **Faire des acrobaties en skate, en roller, en trottinette, en BMX...** Si le front de mer entre Port Vell et le Fòrum est une longue piste où se déplacer ou se promener en toute sécurité en roller ou long-board, Barcelone regorge aussi de grandes esplanades bétonnées, pour la plus grande joie des amateurs de glisses urbaines. Le Parc del Fòrum est particulièrement prisé des débutants qui apprennent à freiner sur ses plans inclinés ou s'essayent à faire des *grinds* sur les bancs. Entre le Port Olímpic et le Fòrum, face aux *platges* Mar Bella et Nova Mar Bella, s'étend un petit parc multiglisse avec *half pipe* et *bowl* pour effectuer quelques *tricks* (skate et BMX). Les skateurs d'un bon (voire très bon) niveau se retrouvent sur la Plaça dels Angels face au Macba... Le Parc de les Tres Xemeneies sur l'Avinguda Paral.lel s'anime en soirée et la Plaça dels Països Catalans, devant la gare de Sants, se révèle être une bonne option quand il pleut ! Enfin, notez l'existence d'un skatepark couvert, au n°88 de la Carrer Pamplona, et de l'Associació de Patinadors de Barcelona, qui organise une balade en roller de 2h tous les ven. à 22h30, au départ de la Carrer Salvador Espriu, n°61 (Moll de la Marina).

● **Piquer une tête**

En famille, avec les copines ou les *waterskaters* pour le fun, à chacun sa plage, mais sachez-le, toutes les *platges* de Barcelone sont bien sûr bondées l'été, et les vols à la tire fréquents (ne laissez pas vos effets personnels sans surveillance sur le sable pour aller faire trempette !). *www.bcn.cat/platges Installations sanitaires et services de sécurité Ouvert juin-mi-sept. : tlj. 10h-19h ; avr.-mai, mi-sept.-mi-nov. : sam.-dim. 10h-18h* **Wakeskate** *www.cableski-barcelona.com*
Platja de Sant Sebastià (plan 1, B3) Entre l'hôtel W, dernier-né des hôtels de luxe de la ville, et la Plaça del Mar, cette plage est assez tranquille, appréciée des résidents de la vieille ville et des touristes. *Accès Métro ligne 4 (Barceloneta)*
Platja de la Barceloneta (plan 1, B3) Sur 1km jusqu'au port Olympique, la plage préférée des jeunes de tous horizons. Accès facile en transports en commun, terrains de volley, tables de ping-pong, équipements de musculation et nombreux *xiringuitos* ne sont pas étrangers à ce succès. *Métro ligne 4 (Barceloneta)*
Platja de la Nova Icària (plan 1, C3) Cette petite plage de 415m (du port Olympique à la digue de Bogatell) est prisée des familles avec ses aires de jeux pour les enfants et ses terrains de volley. *Métro ligne 4 (Ciutadella et Bogatell)*
Platja del Bogatell (plan 1, C3) Récupérée grâce aux jeux Olympiques, elle s'étend sur près de 700m et attire la jeunesse dorée de Barcelone. *Métro ligne 4 (Poblenou et Llacuna)*
Platja de la Mar Bella (plan 1, D3) La plage des jeunes de Poblenou, avec jeux pour enfants, terrains de volley, paniers de basket, tables de ping-pong et même une bibliothèque les mois d'été ! Coin naturiste et forte tendance gay. *Métro ligne 4 (Poblenou et Selva de Mar)*

Platja de la Nova Mar Bella (plan 1, D3) Une plage très calme, prisée des baigneuses. *Métro ligne 4 (Selva de Mar et El Maresme-Fòrum)*
Platja de Llevant (plan 1, D3) La dernière plage (créée en 2006), et déjà très populaire. *Métro ligne 4 (Selva de Mar et El Maresme-Fòrum)*
Zona de banys del Fòrum (plan 1, D3) Cette zone de baignade se compose de grandes piscines d'eau de mer peu profondes, spécialement conçues pour les baigneurs à mobilité réduite. Idéal pour les enfants. Ouverte à longueur d'année de 7h-22h et entrée gratuite pour tous. *Wakeskate (cableski)* le mercredi (licence obligatoire). *Métro ligne 4 (Selva de Mar et El Maresme-Fòrum)*

Montjuïc

☆**Les essentiels** Le jardin botanique, la fondation Joan Miró et le MNAC **Découvrir autrement** Profitez de la vue panoramique en pique-niquant dans les jardins botaniques, allez vous régaler de grillades au barbecue sous la pinède à la Caseta del Migdia ou déjeunez en terrasse à la fondation Miró

La colline de Montjuïc, qui domine le port, est un haut lieu de l'imaginaire barcelonais. Les Ibères s'y installèrent dans l'Antiquité, avant que Barcino ne se développe en contrebas. Selon certains, le toponyme dériverait de *Mons Judaicus* et ferait référence à un antique cimetière juif aujourd'hui disparu. Pour d'autres, il dérive du latin *Mons Iovicus* et évoque le temple de Jupiter érigé sur la colline par les Romains. Au Moyen Âge, on construit au sommet une tour de guet pour surveiller la côte puis, en 1640, pour résister aux troupes castillanes de Philippe IV, un fortin qui sera transformé en château fort à la fin du XVIIe siècle. Ce dernier succombe aux assauts de Philippe V lors de la guerre de Succession d'Espagne, en 1706, et le roi décide de le remplacer par une citadelle à la Vauban, afin de mieux surveiller la ville, prompte à se rebeller. En 1842, c'est de ce Castell de Montjuïc que le gouverneur Espartero

● **TAPAS AU COMPTOIR**
Au pied de la colline de Montjuïc, une minuscule *bodega* dont le comptoir (pas de table, on mange debout) est une institution en matière de tapas depuis 1913 (p.196) !
Quimet & Quimet (plan 6, B2 n°23) *Carrer del Poeta Cabanyes, 25 Tél. 934 42 31 42 Ouvert lun.-ven. 12h-16h et 19h-22h30, sam. 12h-16h Fermé août*

fait bombarder les vieux quartiers en proie aux émeutes, détruisant ainsi plus de 400 édifices. Le château fera office de prison politique jusque sous Franco. Dans ses fossés sont exécutés bien des anarchistes au début du XXe siècle, puis des centaines de républicains en 1939, dont le président de la Generalitat, Lluís Companys. Un monument à la mémoire de ces victimes a été érigé sur l'ancienne fosse commune du Fossar de la Pedrera, sur le flanc sud de la colline. Mais Montjuïc a une autre face, plus aimable : ses parcs et jardins, aménagés au début du XXe siècle et devenus des lieux de promenade populaire. La colline a accueilli l'Exposition universelle de 1929, comme en témoignent encore quelques édifices devenus de formidables musées. Enfin,

BARCELONE ET SES ENVIRONS

les jeux Olympiques de 1992 lui ont assuré une nouvelle jeunesse, avec la construction du stade Olympique et d'installations ultramodernes. De nos jours, Montjuïc et son magnifique Teatro Grec accueillent en juillet un festival de musique, de théâtre et de danse. Au nord, Poble Sec dévale la pente jusqu'à l'avenue Paral.lel, à la limite du Raval. Ce quartier populaire possède une longue tradition de théâtres, de music-halls et autres lieux de divertissements et regorge de tavernes authentiques et inclassables. **Conseil** *Prévoir au moins une demi-journée de visite... et un pique-nique s'il fait beau !*

Poble Sec

Avinguda del Paral.lel (plan 6, B1-B2) Derrière le Musée maritime part la légendaire Avinguda del Paral.lel, ainsi nommée parce que son tracé suivrait celui d'un parallèle géographique. Elle fut à la fin du XIXe siècle le cœur vibrant des nuits de bohème de la ville, une sorte de Montmartre peuplé de cabarets et autres institutions moins reluisantes. De cette époque agitée où les marins, les ouvriers et les fils de bonne famille allaient s'y griser chaque fin de semaine, il ne reste pas grand-chose. Seul subsiste le cabaret El Molino, cf. Talons aiguilles (ci-dessous), dont le moulin grandeur nature ornant la façade rappelle le Moulin-Rouge. À voir, le parc aménagé autour des trois cheminées en brique de l'ancienne usine de la Canadenca, près du port.

Refugi 307 (plan 6, B2) L'un des 1 400 refuges de Barcelone utilisés pendant les bombardements qu'a subis la ville pendant la guerre civile (1936-1939). Il a été creusé par les riverains – principalement des femmes, des enfants et des personnes âgées, les hommes étant au front – car les couloirs du métro ne pouvaient plus protéger tout le monde. Ce refuge a conservé deux de ses trois portes. Il a été réhabilité en 2007, une partie s'étant écroulée, et se présente, depuis, tel qu'il était en réalité, froid et sombre. *Nou de la Rambla, 169 Tél. 93 56 21 00 www.museuhistoria.bcn.cat Ouvert sam.-dim. 10h-14h Visite guidée sam. 10h30 (anglais) et sam.-dim. 11h30 (castillan) Réservation conseillée Tarif 3,40€*

Talons aiguilles

El Molino (plan 6, B2 n°12) Temple du music-hall barcelonais ouvert en 1901, le "petit Moulin-Rouge" a fait les grandes heures de l'avenue Paral.lel. Longtemps fermé, il retrouve une seconde jeunesse et, depuis 2010, on peut à nouveau voir tourner les ailes de ce moulin sur sa façade cramoisie ! La programmation frétille évidemment autour du traditionnel cabaret, avec trois revues "El Molino Lunch Show" (sur rés.

uniquement, tarif 50€ repas inclus, mer.-dim. 14h-15h30), "El Molino Levanta el Ánimo" (jeu.-dim. 18h30-20h) et "El Molino Burlesque Fever" (jeu.-sam. 21h-23h), mélanges de burlesque, flamenco, disco et pop... (tarif spectacle 33€, repas et spectacle 72€). Rouge et or, paillettes et lumières multicolores, *the show must go on* ! C/ Vilà i Vilà, 99 Tél. 933 96 71 91 (Rés.) ou 932 05 51 11 *www.elmolinobcn.com*

Parc de Montjuïc

Castell de Montjuïc (plan 6, A3) De la terrasse du château, vue somptueuse sur le port, la vieille ville et la Serra de Collserola (cf. Monter jusqu'au sommet, profiter de la vue p. 152). On peut aussi se contenter des belvédères aménagés hors de l'enceinte et qui dominent l'immense port de commerce. Le musée militaire qui occupait les salles de la Citadelle a fermé en 2009. Un centre d'interprétation relatant l'histoire des lieux, un centre international de la Paix et un centre culturel devraient le remplacer. *Accès par le funiculaire (cf. encart Monter jusqu'au sommet...). Le bus 193 monte au château de la Plaça d'Espanya ou de l'arrivée du Teleférico de Montjuïc Tél. 932 56 44 45 www.bcn.cat/castelldemontjuic Ouvert avr.-sept. : tlj. 9h-21h ; oct.-mars : tlj. 9h-19h Fermé 1er jan. Entrée libre Mirador et place d'armes*

● **BARBECUE SOUS LES PINS** Loin de tout, dans la pinède, un petit jardin, des fauteuils et quelques tables éclairées à la bougie pour se régaler de grillades... La route est un peu longue mais le charme au rendez-vous (p. 201). ☺ **Caseta del Migdia (plan 6, A3 n°33)** *Mirador del Migdia, C. del Moli Ouvert mi-juin-mi-sept. : mer. 21h-2h, jeu. 21h-1h, ven. 20h-2h, sam. 12h-2h, dim. 12h-0h ; reste de l'année : w.-e. et j. fér. 12h-coucher du soleil (si le temps le permet)*

☆ **Parcs et jardins de Montjuïc (plan 6, A2-B2-B3)** Depuis la fin du XIXe siècle, les parcs et jardins de Montjuïc sont un lieu de promenade privilégié. Les magnifiques jardins en terrasse de Laribal-Font del Gat, en contrebas de la fondation Miró, méritent une visite. À deux minutes, en direction du site olympique, les larges allées des jardins Joan Maragall sont bordées de sculptures. Tout au bout de Montjuïc, au pied du promontoire du château, vous attendent deux autres magnifiques espaces verts : les jardins Mossèn Cinto Verdaguer, semés de tulipes, dahlias, jacinthes et autres plantes à bulbes, et les jardins Joan Brossa où alternent sculptures et aires de jeux. Enfin, à l'arrivée du Transbordador Aeri, cf. La Barceloneta (p. 143), les jardins Costa i Llobera, consacrés aux plantes importées, renferment une rocaille de 3ha semée de cactus en provenance du Nouveau Monde. Une visite au **jardin botanique** s'impose : il abrite des espèces représentatives des cinq zones de la planète jouissant d'un climat méditerranéen : le Bassin méditerranéen (sud de l'Europe, Afrique du Nord, Proche-Orient), l'ouest de la Californie, la partie centrale du Chili, la pointe sud de l'Afrique australe et une partie de l'Australie méridionale. Expositions temporaires (bonzaï, orchidées...), librairie spécialisée et herbier très complet à l'Institut botanique. **Jardins de Laribal** *Ouvert tlj. 10h-coucher du soleil* **Jardins de Joan Maragall** *Tél. 934 13 24 00 (rens.) Ouvert tlj. 10h-coucher du soleil* **Jardins de Mossèn Cinto Verdaguer** *Ouvert tlj. 10h-coucher du soleil* **Jardins de Joan Brossa** *Ouvert tlj. 10h-coucher du soleil* **Jardins de Costa i**

BARCELONE ET SES ENVIRONS

● **PAUSE IDÉALE**
À l'affût d'un lieu où marquer une pause ? Le bar de la fondation Miró offre un cadre enchanteur. Cuisine méditerranéenne inventive et de qualité. Plats du jour à env. 10€. Petite restauration à la caféteria de 10h à 19h ! **Fundació Joan Miró** (plan 6, A2 n°37) Tél. 933 29 07 68 Ouvert mar.-sam. 13h-15h45 (caféteria mar.-sam. 10h-19h, jeu. 10h-21h et dim. 10h-14h)

Llobera Ouvert tlj. 10h-coucher du soleil **Jardí Botànic** Ouvert oct.-mars : tlj. 10h-18h ; avr.-mai, sept. : tlj. 10h-19h ; juin-sept. : tlj. 10h-20h Fermé 1er jan., 1er mai, 24 juin et 25 déc. Tarif 3,50€ ; réduit (moins de 25 ans et chômeurs) 1,70€ ; moins de 16 ans, dernier dim. du mois et dim. à partir de 15h gratuit

☆☺ **Fundació Joan Miró (plan 6, A2)** Ses arabesques colorées et son symbolisme puissant ont fait le tour du monde : Joan Miró (1893-1983) est avec Dalí le plus célèbre des artistes catalans. Cette fondation, réalisée selon ses désirs, est un formidable musée d'art, à la fois riche et très accessible. L'architecture des lieux, réalisée selon des plans de Josep Lluís Sert (1902-1983), ami de Miró, met parfaitement en valeur les œuvres exposées : vastes espaces, grande luminosité, terrasses ensoleillées. La collection est d'une immense richesse. L'artiste a fait don de quelque 379 peintures, sculptures et œuvres sur tissu, et de près de 5 000 dessins sans compter des milliers d'esquisses, dont une partie seulement est présentée. Sachez aussi que l'audioguide (en français) se révèle très utile. Tél. 934 43 94 70 www.fundaciomiro-bcn.org Ouvert oct.-juin : mar.-mer. et ven.-sam. 10h-19h, jeu. 10h-21h30, dim. et j. fér. 10h-14h30 ; juil.-sept. : mar.-mer. et ven.-sam. 10h-20h, jeu. 10h-21h30, dim. et j. fér. 10h-14h30 Collection permanente 11€, réduit (étudiants de moins de 30 ans, plus de 65 ans) 7€, moins de 14 ans gratuit Audioguide sur demande (5€ en français) Expos temporaires 7€, réduit 5€ Espai 13 2,50€

Sous-sol Il présente de belles photos de Miró réalisées par de grands photographes, dont Man Ray et Irving Penn, ainsi qu'une intéressante collection d'art contemporain (Matisse, Ernst, Duchamp, Léger, Tàpies, Chillida…). Ici se trouve aussi l'Espai 13 dédié à l'expérimentation et l'innovation artistique.
Rez-de-chaussée La visite s'ouvre par l'immense tapisserie réalisée spécialement par Miró pour le site et qui représente une femme. Juste à côté, dans un minuscule patio, une fontaine (1937) du grand sculpteur Calder, offerte à la

Monter jusqu'au sommet, profiter de la vue

De la station de métro Paral.lel, le funiculaire gravit la colline de Montjuïc jusqu'au parc, (plan 6, B2) en contrebas de la fondation Miró. Delà, on peut prendre un téléphérique jusqu'au château (plan 1, A4)… et profiter de vues admirables sur la ville, la mer et les montagnes !

Funicular www.tmb.net (Rens.) Ouvert lun.-ven. 7h30-22h, sam.-dim. 9h-21h (20h en hiver) **Teleférico** www.barcelonabusturistic.cat (Rens.) Ouvert mars-mai, oct. : tlj. 10h-19h ; juin-sept. : tlj. 10h-21h ; nov.-fév. : tlj. 10h-18h Fermé fin jan.-mi-fév. Tarif 7,30€ AS, 10,30€ AR, réduit 5,50€ AS, 7,40€ AR

fondation pour son inauguration en 1975. On découvre ensuite des sculptures de Miró réalisées avec des objets quotidiens (outils, mobilier, etc.) et portant des titres aussi poétiques que *L'Échelle de l'œil qui s'évade* (1971). La salle Joan Prats offre une intéressante sélection d'œuvres de jeunesse. Faussement classiques, elles annoncent déjà les gammes chromatiques, les formes inimitables de l'œuvre à venir et les sujets fétiches de Miró que sont la femme, la lune et l'oiseau. La période parisienne des années 1920 marque un rapprochement avec le surréalisme, dont Miró s'éloignera bientôt. Il échappe au réalisme et à la figuration dans ses "peintures oniriques" et explore d'autres techniques : collages, assemblages d'objets, tel le *Personnage* de 1930. Dans les présentoirs centraux, des esquisses permettent de comprendre la genèse d'œuvres qui ne doivent rien à l'improvisation. Plusieurs salles du rez-de-chaussée sont réservées à des expositions temporaires d'artistes contemporains. Vous y trouverez également une intéressante librairie et un restaurant, cf. Pause idéale (p.152).

Premier étage On poursuit la découverte chronologique de l'œuvre. Au cours des décennies 1940-1970, l'esthétique de Miró s'affirme, avec une prépondérance de plus en plus nette de l'imaginaire et une simplification des compositions, sous l'influence des contemporains japonais et américains. Une tendance manifestée par exemple dans *L'Or de l'azur* (1967) ou *Paysan catalan au clair de lune* (1968). Dans la salle n°20, des toiles minimalistes, comme *L'Espoir du condamné à mort* (1974), évoquant la répression franquiste. La salle K, ouverte en 2000, rassemble une collection privée de tableaux s'étendant de 1914 à 1973, dont le superbe paysage de *L'Aile de l'hirondelle* (1967)…

Terrasse sommitale Sur les toits s'ouvre une terrasse avec une belle vue sur les jardins Laribal et leurs sculptures.

Museu de Carrosses Fúnebres (plan 1, A2) Visite insolite au pied de la colline et du jardin botanique : ce musée des Corbillards exposant attelages funèbres et corbillards d'antan (XVIIIᵉ s.-mi-XXᵉ s.). *C/ Mare de Déu de Port, 56-58 À l'entrée du cimetière de Montjuic Tél. 934 84 19 99 www.cbsa.cat Ouvert mer.-dim. 10h-14h Entrée libre Visite guidée en français sur rés.*

● Où dénicher des cadeaux design ?

Botiga de la Fundació Miró (plan 6, A2 n°2) La boutique de la fondation Miró vend bien entendu les catalogues des expositions, des livres d'art et surtout un vaste choix de souvenirs relatifs au peintre et à son œuvre ainsi que les dernières tendances du design pour la maison ou le bureau qui font d'excellents cadeaux à rapporter. *Fundació Joan Miró Ouvert jeu. 10h-21h15, dim. et j. fér. 10h-14h15 ; juil.-sept. : mar.-mer. et ven.-sam. 10h-19h45 ; oct.-juin : mar.-mer. et ven.-sam. 10h-18h45*

Anella Olímpica

Estadi Olímpic Lluís Companys (plan 6, A2) Le site majeur des JO de 1992, concentré d'architecture ancienne et moderne. Le stade Olympique de 60 000 places garde la façade de celui de 1929, avec ses pompeuses sculptures noucentistes de Pau Gargallo. *Passeig Olímpic, 17 en contre-haut du MNAC (10min à pied) et de la Fundacío Miró (5min)*

Palau de Sant Jordi (plan 6, A2) Juste à côté du stade s'élève le palais Sant Jordi, sorte de tortue géante conçue par le Japonais Isozaki pour les sports en salle des JO. Avec ses 18 000 places, il accueille désormais de grands concerts. De l'esplanade, admirez la vue sur la **tour des télécommunications** du Valencien Calatrava, fusée spatiale suspendue dans les airs, qui fait également office de cadran solaire. *Passeig Olímpic en contre-haut du MNAC (10min à pied) et de la Fundació Miró (5min)*

Museu Olímpic i de l'Esport (plan 6, A2) En 2007, un musée qui retrace l'histoire des JO (et plus particulièrement ceux de Barcelona 92) a ouvert ses portes à deux pas du stade. Pour retrouver tous les grands moments de la compétition et ses athlètes légendaires ! Les passionnés pourront s'attarder devant une multitude de médailles, de dossards dédicacés, de matériel sportif d'origine ou encore de mascottes, les

Barcelone en famille	
Aquàrium	141
Museu Marítim	142
Poble Espanyol	158
Font Màgica	159
Parc Güell	175
Parc de la Creueta del Coll	179
CosmoCaixa	182
Parc d'Atraccions Tibidabo	184
Pensió 2000	208

sportifs devant les performances et les records, et, pour les amateurs d'art, une collection d'œuvres relatives au sport dans la salle Samaranch. *Av. de l'Estadi, 60 en contre-haut du MNAC (10min à pied) et de la Fundació Miró (5min) Tél. 932 92 53 79 www.museuolimpicbcn.cat Ouvert oct.-mars : mar.-sam. 10h-18h, dim. et j. fér. 10h-14h30 ; avr.-sept. : mar.-sam. 10h-20h, dim. et j. fér. 10h-14h30 Fermé 1er jan., 1er mai, 25-26 déc. Tarif 5,10€ ; réduit (étudiants) 3,20€ ; moins de 7 ans, plus de 65 ans, 18 mai, 24 sept. gratuit*

● **Piquer une tête**

Piscines Bernat Picornell (plan 6, A2) Construites en 1929, les piscines de Montjuïc ont été rénovées en 1992 pour les épreuves olympiques de natation. Superbe bassin découvert. *Parc de Montjuïc Av. de l'Estadi, 30-38 Tél. 934 23 40 41 www.picornell.cat Ouvert lun.-ven. 6h45-0h, sam. 7h-21h, dim. et j. fér. 7h30-16h (20h en été) Réservé aux naturistes : sam. 21h-23h, dim. 16h15-18h en hiver Tarif 11,84€ (6,50€ en été), réduit (12-24 ans) 7,97€ (6,42€ en été), 6-14 ans et plus de 65 ans 6,29€ (4,54€ en été)*

Autour du musée national d'Art de Catalogne

☆ ☺ **MNAC – Museu Nacional d'Art de Catalunya (plan 6, A2)** Le musée national d'Art de Catalogne occupe le monumental Palau Nacional, principal édifice de l'Exposition de 1929, sur les hauteurs de Montjuïc. Massif et très classique, il relève de l'architecture noucentiste et était destiné aux réceptions officielles. Il abrite depuis 1932 la somptueuse collection d'art roman et gothique du MNAC, et depuis 2005 la collection d'art moderne, auparavant exposée au parc de la Ciutadella. Le musée accueille également, depuis 2004 et pour une durée indéterminée, la Collecció Thyssen-Bornemisza, autrefois présentée au Museu-Monestir de Pedralbes, qui s'est enrichie d'un tableau de Munch (œuvre de jeunesse) et de huit tableaux de Picasso. *Palau Nacional, parc de Montjuïc Tél. 936 22 03 60 www.mnac.cat Ouvert oct.-avr.: mar.-sam. 10h-18h, dim. 10h-15h; mai-sept.: mar.-sam. 10h-20h, dim. 10h-15h Fermé 1er jan., 1er mai et 25 déc. Tarif collection permanente + expositions temporaires: 12€ (avec audioguide en français), réduit (étudiants) 8,40€ env. valable 2 jours consécutifs pour l'exposition permanente Tarif expositions temporaires: 6€, réduit 4,20€ (grande), 3,50€, réduit 2,40€ (petite) Billet combiné avec le Poble Espanyol: 18€, moins de 16 ans, plus de 65 ans, 18 mai, sam. à partir de 15h et 1er dim. du mois gratuit* **Rez-de-chaussée, aile gauche** Toute l'aile gauche du bâtiment est réservée à la section romane, sommet de la visite. Cette extraordinaire collection de fresques murales (XIe-XIIe s.), la plus belle du monde, est le fruit d'une politique originale d'acquisition entreprise à la fin du XIXe siècle, en pleine Renaixença. En effet, pour sauvegarder le riche patrimoine roman des églises catalanes, fierté des catalanistes, on décida de transférer les plus beaux spécimens de fresques et de panneaux d'autel peints dans un musée, cf. *Strappo* mais pas trop (p.156). La propension des Catalans à brûler églises et monastères au cours des décennies suivantes donna tout leur prix à ces mesures. Les premières salles reconstituent ainsi l'architecture intérieure des églises, les vestiges de fresques et les panneaux figurant à leur emplacement d'origine. De petites maquettes permettent de se représenter la physionomie des sites. Les fresques, occupant souvent des absides, mettent en vedette la Vierge et le Christ, généralement représentés en majesté, c'est-à-dire sur un trône, dans une attitude solennelle, telles des figures impériales. La composition et les couleurs reflètent des influences byzantines et sont l'œuvre d'artistes anonymes, sans doute itinérants, d'un grand savoir-faire. Tout est fait pour subjuguer le spectateur, l'inviter à l'humilité et à la ferveur. **Section 5** La plus belle œuvre, emblème du musée, est le christ de l'abside de Sant Climent de Taüll (1123). Auréolé, il tient à la main un livre ouvert portant l'inscription : "Je suis la lumière du monde." D'où qu'on l'observe, son regard vous semble destiné, et on a l'impression que le Christ vous surplombe, effet de perspective d'une grande efficacité. Autre moment fort, la reconstitution de Santa María de Taüll (XIIe s.), avec la magistrale fresque de l'Épiphanie de l'abside principale. Majesté des expressions, fixité du regard, richesse des couleurs, monstres et symboles issus de la Bible : tous les ressorts de l'imagerie romane, capable de marquer l'esprit des fidèles avec une grande économie de moyens. **Sections 6 à 8** La sculpture romane est également présente, avec des chapiteaux ciselés de toute beauté et le Majestat Batlló (milieu du XIIe s.), superbe christ en bois peint. À partir de la section 13, on assiste au changement de style de la fin du XIIe siècle, avec un naturalisme de plus en plus marqué. **Section 21** Ne manquez pas la salle capitulaire de Sigena, en Aragon : extraordinaire ensemble mêlant Ancien (sur le côté des arches) et Nouveau (mur du fond) Testament, avec, sous les arches, la généalogie du Christ.

Rez-de-chaussée, aile droite La section gothique, dans l'aile droite du musée, offre des explications en français. Le gothique apparaît tardivement, à la fin du XIIIe siècle en Aragon, au XIVe siècle en Catalogne. **Sections 22 à 26** Dans les premières salles, on remarque quelques survivances du roman, notamment dans les œuvres des monastères cisterciens. Les fresques murales disparaissent, remplacées par les retables peints et sculptés des autels. À voir, de superbes statuettes en bois polychrome du Vall d'Aran et un christ en albâtre de Jaume Cascalls (début xve s.). Les sections suivantes attestent l'importance grandissante des influences italienne puis flamande, entraînant au début du xve siècle à Valence la naissance du "gothique international". **Section 32** Ne manquez pas les œuvres de Bernat Martorell (1400-1452), inspirées par la peinture flamande : compositions complexes, goût du détail, précision des visages. **Section 34** Autre grande figure du gothique, le Catalan Jaume Huguet (1412-1492). Plusieurs de ses tableaux sont rassemblés ici, dont le *Retable dels Revenedors*, réalisé pour l'église de Santa María del Pi. **Section 38** Les primitifs valenciens Jacomart (1413-1461) et son disciple Reixach (1431-1484) méritent également l'attention. **Sections 40 et 41** Diverses variations européennes du xive et du xve siècle sur les thèmes de l'art funéraire et de la Vierge. La fin de l'aile et le début du 1er étage, des **sections 42 à 57**, sont réservés à une collection plus modeste consacrée à la Renaissance et au baroque avec des œuvres de Vélasquez, le Tintoret, Zurbarán, Goya, Fragonard, Lucas Cranach… La **collection Thyssen-Bornemisza** de peinture gothique, Renaissance et baroque est d'une exceptionnelle qualité. *La Vierge de l'humilité* de Fra Angelico (1433-1435) en est la pièce maîtresse. Ne manquez pas non plus le **Legs Cambó**, du nom du collectionneur et mécène catalan, qui réunit des œuvres exceptionnelles de la peinture européenne du

Strappo mais pas trop

Spectaculaire, l'ensemble des fresques romanes conservées au MNAC est composé d'absides complètes ou de peintures sur fond plat prélevées sur les murs mêmes des églises catalanes. C'est pour sauver ces trésors de l'exode – dû aux marchands d'art qui pouvaient les faire expédier jusqu'au musée de Boston ! – qu'il fut décidé de les détacher de leur lieu de création pour les mettre à l'abri dans un musée, à Barcelone. Utilisant la même technique (dite du "strappo") que celle des pilleurs, une grande campagne de déplacement de peintures fut ainsi entreprise entre 1919 et 1923. L'opération consistait en deux étapes : la "dépose" et le "transfert" des surfaces peintes. Lors de la dépose, les fresques étaient enduites de colle soluble dans l'eau puis recouvertes de plusieurs couches de toile. Puis venait l'arrachage (*strappo*) : une fois les toiles sèches, on les découpait sur toute leur épaisseur avant de les soulever, détachant ainsi la couche picturale de son mur. Enroulées, leur précieuse couche de peinture tournée vers l'intérieur, les toiles étaient ensuite expédiées à Barcelone où avait lieu l'opération inverse, le transfert : on déroulait les toiles en en diluant la colle pour les séparer de la couche picturale. Il ne restait plus alors qu'à clouer cette dernière sur une structure en bois reproduisant la forme de l'abside d'origine. De nombreuses campagnes de dépose ont été organisées jusqu'à très récemment en Espagne, mais la centralisation des œuvres d'art a désormais laissé place à des modes de conservation *in situ*.

● **DÎNER AU PALAIS**
Idéal pour un tête-à-tête et pourtant, vous devrez la/le quitter des yeux tant le décor et les vues sur la ville sont splendides ! Un repas de rêve tout à fait raisonnable (p.203).
Oleum (plan 6, A2 n°36) MNAC *1er étage Tél.* 932 89 06 79 *Ouvert mar.-sam.* 12h30-16h et 19h30-23h, dim. 12h30-15h

XIVe jusqu'au début du XXe siècle. L'absence d'artistes régionaux reflète bien la pauvreté artistique (elle-même due à des raisons économiques et politiques) de la Catalogne des XVIe et XVIIe siècles.

Premier étage À part quelques salles réservées à la suite de la collection Renaissance et baroque et à une petite collection de photographies et de monnaies, tout cet étage présente une remarquable collection d'art catalan couvrant la période du XIXe siècle aux années 1950. Un incontournable pour ceux qui veulent tout savoir sur l'époque moderniste. **Section 62** Elle rassemble des scènes historiques du peintre Marià Fortuny. **Sections 65 à 70** On remarque ici les scènes pastorales de Vayreda, chef de file de l'école d'Olot, des toiles représentant la Barcelone du XIXe siècle, quelques scènes de genre "anecdotiques", et d'émouvantes sculptures de femmes de Josep Llimona, qui ouvre, avant une petite section symboliste, la partie la plus remarquable de cet étage, consacrée à l'Art nouveau. **Sections 71 et 72** Elles accueillent plusieurs œuvres de Ramon Casas. Ce Barcelonais vécut la vie de bohème à Montmartre, et la butte figure dans bon nombre de ses tableaux. On peut voir ici de belles figures féminines et des scènes de rue barcelonaises. Sans oublier l'étonnant autoportrait sur un tandem, en compagnie de Pere Romeu, destiné à l'origine au café Els Quatre Gats, que celui-ci dirigeait. À l'honneur également, Pere Rusiñol, autre chef de file du modernisme. **Sections 73, 75 et 77** Ces salles présentent une remarquable collection Arts décoratifs, domaine fortement lié à l'architecture moderniste, qui mettait au premier plan mobilier, éléments décoratifs et ornementation. Outre des objets dessinés par Gaudí, Domènech i Muntaner et Puig i Cadafalch eux-mêmes, on remarquera de magnifiques pièces du sculpteur Eusebi Arnau et des chefs-d'œuvre de l'ébéniste Gaspar Homar. Autre pièce maîtresse, le splendide oratoire réalisé par Joan Busquets en 1905. **Sections 76, 78, 79, 82** Elles réunissent les tableaux de peintres influencés par l'impressionnisme, dont le plus célèbre est Joaquim Mir, l'un des premiers maîtres de Picasso, ou le surprenant Hermen Anglada Camarasa. À admirer également les sombres tableaux d'Isidre Nonell. **Sections 83 à 85** Changement de ton dans ces salles, consacrées au noucentisme, mouvement né à l'orée du XXe siècle, revendiquant un retour à une influence classique (Rome, Athènes) en réaction contre l'esthétique moderniste. Un style bien illustré par les figurines en bronze de Manolo Hugué, les sculptures de Josep Clarà ou les tableaux imprégnés de classicisme de Joaquim Torres García. **Section 87** Un ensemble de sculptures de Pau Gargallo. **Section 90** Deux œuvres de jeunesse de Salvador Dalí, étonnamment classiques. **Section 93** Quelques œuvres Art déco et d'avant-garde, dont une magnifique maquette d'une salle de bal peinte par Josep Maria Sert pour un palais parisien. **Section 94** Un ensemble de

● **ROMÀNIC CATALÀ**
Considérées comme les plus belles du monde, les fresques romanes (XIe-XIIe s.) exposées au MNAC proviennent presque toutes des Pyrénées catalanes. cf. Le parc national d'Aigüestortes et du lac Saint-Maurice (p.375).

● **FAIRE LA FESTA SOUS LES ÉTOILES**

En fin de semaine, à partir de 3h, les *discoteques* du Poble Espanyol font le plein, surtout l'été : outre de la *bona música* on y trouve des dance-floors en plein air pour faire la fête sous la voûte étoilée !

sculptures de Juli González, dont la célèbre *Cap de la Montserrat cridant*. **Section 95** Partie de la collection Thyssen-Bornemisza consacrée à l'art catalan (Fortuny, Hermen Anglada Camarasa, Rusiñol, Mir, Sunyer, Torres-García…).

Poble Espanyol (plan 6, A1) Construit pour l'Exposition universelle de 1929, ce village miniature entouré de murailles qui reproduisent celles d'Ávila recrée les différents styles régionaux classiques d'Espagne, représentés par autant d'édifices. Si vous ne craignez ni la foule, ni les attrape-touristes bon enfant, pourquoi pas ? Au centre, la grand-place à arcades, archétype de la Plaza Mayor espagnole, qui accueille parfois des spectacles folkloriques. Pour que le "package" touristique soit complet, le Poble abrite des ateliers-boutiques artisanaux, qui font la joie des groupes organisés. Prix prohibitifs. Les enfants ne sont pas oubliés puisque chaque dimanche (sauf en août) à 12h30 un spectacle (marionnettes, théâtre, contes) leur est proposé à 12h30, sans supplément. Les boîtes de nuit du Poble Espanyol font le plein en fin de semaine, surtout en été, à partir de 3h, cf. Lieux de sortie (p.188). Cartes gratuites au kiosque d'information. *Av. del Marquès de Comillas, 13 Tél. 935 08 63 00 www.poble-espanyol.com Ouvert mar.-jeu. et dim. 9h-0h, lun. 9h-20h, ven. 9h-3h, sam. 9h-4h (boutiques ouvertes 10h-18h en hiver, 19h printemps-automne, 20h été), 24 déc. 9h-20h, 25 déc. 9h-14h et 1er jan. 13h-20h Tarif 11€, réduit (étudiants et plus de 65 ans) 7,40€, enfants 4-12 ans 6,25€, nuit 6,50€ Réductions pour les familles (2 adultes et 2 enfants) 28,25€ Billet combiné avec le MNAC 18€*

Fundació Fran Daurel (plan 6, A1) Une plaisante surprise se niche dans l'enceinte du Poble Espanyol. Dans un vaste espace blanc et lumineux de 1 500m^2 au cœur du quartier andalou, superbement mises en valeur, 250 œuvres d'art d'origine catalane rendent compte du travail des trois générations d'artistes contemporains qui se sont succédé jusqu'à nos jours. Le propriétaire de la galerie ouverte en 2001, Francisco Daurella, a recueilli

Tablez sur le flamenco

El Tablao de Carmen (plan 6, A1 n°13) Laissez-vous transporter de Barcelone à Séville le temps d'un spectacle où s'allient le rythme, la passion et le geste ! Ce *tablao*, ouvert en hommage à la grande danseuse Carmen Amaya qui débuta ici-même en 1929 devant le roi Alfonso XIII à l'occasion de l'inauguration du Poble Espanyol, offre sa scène

à des artistes reconnus comme à de jeunes talents prometteurs. Tout simplement envoûtant ! *Tarifs spectacle + boisson 39€, spectacle + tapas 49€, spectacle + repas 68-77€ Entrée libre au Poble Espanyol Poble Espanyol Tél. 933 25 68 95 www.tablaodecarmen.com Ouvert mar.-dim. 19h-20h et 21h30-22h30*

son fonds sur une trentaine d'années et sa fondation joue un rôle important en tant que plate-forme artistique où se rencontrent les courants abstrait, figuratif, expressionniste, surréaliste ou conceptuel.... Au gré des étages, on passe ainsi des œuvres d'un Picasso (dont 20 céramiques originales), d'un Miró ou d'un Dalí, à celles d'un Antoni Tàpies, d'un Eduardo Chillida ou d'un Josep Guinovart... La troisième génération est représentée, entre autres, par Miquel Barceló, Josep Riera i Aragó ou Jaume Plensa. Même si l'art contemporain n'est pas votre tasse de thé, le jardin de sculptures à l'arrière du bâtiment est un havre de paix où il fait bon se promener ! *Poble Espanyol Porta del Carme Tél. 934 23 41 72 www.fundaciofrandaurel.org Ouvert tlj. 10h-19h Entrée libre*

Autour de la Plaça d'Espanya

Cette élégante place (plan 6, A1) était la porte d'entrée de l'Exposition de 1929. Au centre, une sculpture monumentale de Jujol, collaborateur de Gaudí. Au nord-ouest, des arènes modernistes construites en 1900, dans un style néomudéjar qui rend hommage à la civilisation arabo-andalouse abritent à présent un centre commercial. De l'autre côté de la place se dressent deux hautes tours en brique inspirées du campanile de la place Saint-Marc de Venise. De part et d'autre, quelques édifices construits pour 1929 ont été réaménagés et intégrés à l'immense complexe de la **Fira de Barcelona**, où se tiennent salons et congrès. La majestueuse **Avinguda de la Reina Maria Cristina**, artère centrale de l'Exposition universelle, mène aux escaliers mécaniques qui montent à l'assaut de la colline de Montjuïc, au pied du monumental Palau Nacional (MNAC). Juste au nord-ouest de la place, au bord de la rue de Tarragona qui monte vers la gare de Sants, se trouve le **parc Joan Miró**. Installé sur le site des anciens abattoirs de Barcelone, il a pour seul intérêt la monumentale sculpture de l'artiste, *Dona i Ocell* (Femme et oiseau). **Parc Joan Miró** *Carrer de Tarragona Ouvert tlj. 10h-coucher du soleil*

Font Màgica (plan 6, A1) Dans la montée vers le Palau Nacional. D'ordinaire d'aspect quelconque, cette fontaine installée pour l'Exposition universelle de 1929 attire les foules lorsqu'elle devient "magique", c'est-à-dire, à l'origine, éclairée à l'électricité. Spectacle son et lumière un peu kitsch (les musiques allant de Tchaïkovski à... la bande originale du film *Titanic* !). Mais il arrive que les volutes aquatiques illuminées dans la douceur du soir inclinent à la rêverie... *Plaça de Carles Buïgas, 1 Son et lumière mai-sept. jeu.-dim. 21h-23h30 ; oct.-avr. ven.-sam. 19h-21h*

Pavelló Mies van der Rohe (plan 6, A1) Accès juste à droite de la Font Màgica. Ludwig Mies Van der Rohe (1886-1969) est, avec Gropius et Le Corbusier, l'un des pères de l'architecture contemporaine. Ce pavillon, révolutionnaire pour l'époque, représentait l'Allemagne à l'Exposition de 1929. Détruit dès 1930, il fut reconstruit en 1985, pour symboliser la place tenue par la ville dans les avant-gardes du siècle. Le pavillon est petit, et le prix de la visite excessif. Mais les amateurs apprécieront la pureté des lignes : des parois lisses, réalisées dans différentes variétés de marbre et soutenues par une structure métallique. Partie intégrante de l'ensemble, les deux bassins reflètent le ciel et les murs, offrant de la profondeur à la perspective. Dans la salle de l'entrée se trouve la *Barcelona Chair* de Mies, qui connut un grand succès dans le monde du design. *Av. Francesc Ferrer i Guàrdia, 7 Tél. 934 23 40 16 www. miesbcn.com Ouvert tlj. 10h-20h Tarif 5€, réduit 2,60€, moins de 16 ans gratuit Fermé certains jours, se renseigner sur Internet ou par téléphone*

☺ **CaixaForum (plan 6, A1)** Juste en face du pavillon de Mies Van der Rohe. Ouverte en 2002, cette fondation de la banque éponyme a pour but de promouvoir l'art contemporain, et ses expositions (également sur des thèmes historiques) comptent parmi les plus intéressantes de la ville. L'architecture des lieux, parfaitement restaurés, vaut à elle seule la visite. Il s'agit de l'ancienne Fàbrica Casaramona, usine textile construite en 1911 par l'illustre Puig i Cadafalch, qui a signé ici son ultime œuvre moderniste, peut-être la plus aboutie. Une forêt de pinacles en brique s'étend au pied de deux hautes tours semblables à des minarets futuristes en référence aux deux styles emblématiques du pays : le gothique et le mudéjar. Entrée principale spectaculaire du Japonais Isozaki. L'immense collection d'art de la banque, exposée en alternance dans les salles du haut, trouve ici un écrin à sa mesure. De grands noms y sont représentés, tels que Joseph Beuys, Richard Long, Miquel Barceló, Basquiat, Sol LeWitt ou encore Tàpies. *Av. del Marquès de Comillas, 6-8 Tél. 934 76 86 00 www.fundacio.lacaixa.es Ouvert été : lun.-mar. et jeu.-ven. 10h-20h, mer. 10h-23h, w.-e. 10h-21h ; hiver : lun.-ven. 10h-20h, w.-e. 10h-21h Tarif 4€, moins de 16 ans gratuit Bar-restaurant à l'étage*

● **ARÈNES COMMERCIALES** Plus de 100 magasins ont investi les gradins des anciennes arènes de Barcelone, un temple pour les matadors du shopping ! **Arenas de Barcelona (plan 6, A1 n°1)** *Gran Via de les Corts Catalanes, 373-385 www. arenasdebarcelona.com*

Arenas de Barcelona (plan 6, A1) Les arènes de Barcelone, construites en 1900 par Augusto Font i Carreras, ont accueilli leur dernier combat de taureaux en 1977. Longtemps laissé à l'abandon, ce joyau d'architecture néomudéjare a été transformé en mars 2011 en un spectaculaire espace commercial et culturel. D'une superficie de 30 000 m², recouvert d'un impressionnant dôme de 27 m, il abrite plus de 100 magasins, un parking souterrain, un cinéma multiplex, un centre de fitness et de remise en forme. Même un musée (du rock, ci-après) a investi les gradins de ce témoin majeur du patrimoine architectural barcelonais. De la terrasse panoramique, vue à 360° sur la ville et, cerise sur le gâteau, un parcours circulaire de jogging d'un kilomètre chaque trois tours. Manifestement, Las Arenas est redevenu un lieu foisonnant tout en conservant son charme d'antan. *Gran Via de les Corts Catalanes, 373-385 Tél. 932 89 02 44 www.arenasdebarcelona.com Ouvert lun.-sam. 10h-22h (Restaurants et cinéma tlj. jusqu'à 1h)*

Museu del Rock (plan 6, A1) Monter jusqu'au dernier étage du centre commercial Las Arenas et remonter aux origines du rock… pour copiner avec les artistes qui ont fait l'histoire de ce genre musical. Un large catalogue de documents (dont 5 000 archives sonores inédites, 1 000 archives audiovisuelles) et près de 5 000 objets, acquis au fil des années par le journaliste spécialiste et critique musical Jordi Tardà, sont répartis en six salles et font la lumière sur toutes les facettes du rock : histoire des origines, les années 1960 et 1970, les Beatles et les Rolling Stones, les années 1980 et 1990 ainsi que le rock national (espagnol et catalan). Les fans se réjouiront de pouvoir admirer la première guitare de John Lennon, des pochettes censurées des Beatles et de Queen, le certificat de décès de Freddy Mercury, une guitare dédicacée d'Eric Clapton et même une veste de Mickael Jackson… Tous les soirs, concerts live (prix inclus dans le billet d'entrée). *Arenas de Barcelona Gran Via de les Corts Catalanes, 373-385 Tél. 934 26 50 54 www.museudelrock.com Ouvert mar.-dim. 10h-22h Tarifs mar.-ven. de 10h à 16h 5€ (plus de 65 ans 3,50€ et 4-13 ans 3€), jeu.-ven. 16h-22h et sam.-dim. 9€ (6,50€ et 5€)*

L'Eixample

☆**Les essentiels** La Casa Batlló, la Casa Milà et la Sagrada Família **Découvrir autrement** Partez à la découverte des nombreuses collections d'art privées, faites la tournée des couturiers renommés, dégustez de délicieuses tapas à La Bodegueta, près du Passeig de Gràcia, au moment de l'apéritif (cf. Carnet d'adresses)

Ce quartier est né de l'extension (*eixample* en catalan) de la ville dans les années 1860, après la destruction des murailles. C'est l'urbaniste Idelfons Cerdà qui fut chargé de son tracé. Il dessina un projet ambitieux, formé de rues perpendiculaires qui délimitaient des pâtés de maisons, tous identiques, qui devaient intégrer des jardins et des parcs, mais ceux-ci ne résisteront pas à la fièvre immobilière des décennies suivantes. Le tracé de ce nouveau quartier fut aussi l'occasion d'affirmer les idéaux du catalanisme. En 1863, l'écrivain et politicien Víctor Balaguer fut chargé de baptiser les rues. Les noms choisis rendent tous hommage aux grandes institutions catalanes (Consell de Cent, Corts, Diputació), à l'immense royaume catalan du Moyen Âge (Aragó, Rosselló, Sicília, València, etc.) et aux grands personnages catalans. À la fin des années 1880, ce nouvel espace accueillera les créations architecturales du modernisme catalan. Outre les grands chefs-d'œuvre des célèbres architectes Gaudí, Domènech i Montaner et Puig i Cadafalch, l'Eixample recèle donc une multitude de bijoux modernistes plus anonymes. En se promenant dans le quartier, on est sans cesse surpris par la somptuosité des façades, les devantures des boutiques centenaires et le raffinement des portails. Vers l'est, répondant aux clochers gracieusement organiques de la Sagrada Família, les lignes contemporaines de la Torre Agbar marquent le début d'une nouvelle ère pour la ville. Au-delà s'étale 22@, un "Eixample" de verre et d'acier tourné vers l'avenir.

Autour du Passeig de Gràcia

Cette vaste avenue (plan 4, B3) fut dessinée en 1827 pour relier Barcelone au village de Gràcia. Après la destruction des murailles, elle deviendra l'artère centrale de l'Eixample naissant, et la vitrine de la haute bourgeoisie industrielle, en contrepoint des populaires Ramblas. Ce boulevard rassemble les plus belles demeures privées dessinées par Gaudí, et d'autres chefs-d'œuvre du modernisme. À voir également, les magnifiques bancs et réverbères de Pere Falqués (1900), qui attestent l'importance des arts décoratifs dans le mouvement moderniste. Plus récemment ont été posés sur les trottoirs des carrelages reproduisant ceux dessinés par Gaudí pour la Casa Milà. Le **Passeig de Gràcia** marque le centre du Quadrat d'Or ("carré d'or"), où sont rassemblées les plus belles réalisations du modernisme.

Manzana de la Discòrdia (plan 4, B3) La Pomme de discorde fait référence au mythe grec mettant en scène un concours de beauté entre les déesses Héra, Athéna et Aphrodite. Mais il s'agit ici d'une dispute architecturale, en plein cœur du Passeig de Gràcia. Car ce pâté de maisons ("manzana", en espagnol) voit se juxtaposer des créations des trois plus grands architectes modernistes. Observez l'ensemble depuis l'esplanade centrale du Passeig ; ensuite, à vous de juger. Sur la gauche (au n°35), à l'angle de la rue Del Consell de Cent, s'élève la Casa Lleó Morera, réalisée par Domènech i Montaner (1906). L'ensemble a de l'allure : balcons et chapiteaux aux motifs végétaux, immense fenêtre en saillie du 1er étage, créneaux ouvragés au sommet, tourelle dont on devine la fine ornementation. Plus loin, sur la droite (n°41), vous vous retrouvez face à la **Casa Amatller**, œuvre de Puig i Cadalfach (1900). C'est une résidence privée, mais on peut habituellement accéder au rez-de-chaussée. Ne manquez pas les lampadaires du porche ni la cage d'escalier sur la droite avec sa spectaculaire verrière colorée. L'évidente influence médiévale se manifeste dans les fenêtres à colonnes, les blasons, les vitraux et autres lampes-dragons ainsi que la marqueterie du plafond. La façade de la Casa Amatller mérite tous les éloges pour la délicatesse des sgraffites, le raffinement des grandes fenêtres d'inspiration gothique, les colonnes délicates et le pignon crénelé rappelant les demeures flamandes. Mais pour son malheur, elle jouxte l'un des chefs-d'œuvre absolus du grand Gaudí lui-même : la Casa Batlló (prononcez "badlio", au n°43).

☆ **Casa Batlló (plan 4, B3)** Une maison remaniée par Gaudí en 1904 pour l'industriel Batlló et classée Patrimoine mondial en 2005. La façade a fait le tour du monde, avec sa myriade d'éclats de céramique, les reliefs de ses balcons aux formes organiques, le faîte du toit évoquant le dos arqué d'un dragon (et les tuiles ses écailles) et l'audacieuse tourelle représentant la lance de saint Georges. Dalí disait que la façade de la casa Batlló représentait la mer un jour de tempête, et l'on ne peut s'empêcher d'y voir un lien avec les célèbres *Nymphéas* de Monet. La casa Batlló fut réalisée d'après une maquette façonnée par Gaudí lui-même. Ses détracteurs de l'époque la surnommèrent la "maison des os", ou encore "maison des bâillements", en raison des formes inquiétantes servant de support aux fenêtres et aux arcades. Certains y voient les squelettes des victimes du dragon que terrasse saint Georges. Une merveille à laquelle l'illumination nocturne donne un aspect réellement fantasmagorique. *Passeig de Gràcia, 43 Tél. 93 216 03 06 www.casabatllo.es Ouvert tlj. 9h-21h Certains salons ferment ponctuellement à partir de 14h Tarif 20,35€, réduit 16,30€ (avec audioguide en 10 langues), moins de 7 ans gratuit*
Rez-de-chaussée La visite débute par la cage d'escalier, semblable aux entrailles d'un monstre marin. Le souci du détail est partout visible, depuis la rampe d'escalier jusqu'aux poignées des fenêtres aux formes arrondies.

Premier étage On accède ensuite à un petit salon, pour lequel Gaudí a réalisé une étonnante cheminée en forme de champignon. De là, on accède à la salle de séjour, avec son immense baie vitrée, ses boiseries et ses plafonds ondulés recelant de mystérieux motifs allégoriques. Les couloirs donnent quant à eux sur deux patios intérieurs également dessinés par le maître, avec des lucarnes larges en bas, étroites en haut, et des carreaux de céramique en dégradé de bleus. La lumière peut ainsi rester d'une intensité constante à tous les étages de l'édifice.

Terrasse À l'arrière, vous pouvez sortir vers la terrasse privée offrant un point de vue privilégié sur l'édifice. D'une manière générale, on retrouve ici encore l'importance accordée aux arts décoratifs dans l'aménagement intérieur et extérieur, signature du modernisme : ferronneries aux formes audacieuses, céramiques et vitraux colorés, ébénisterie. L'été (mi-juin-sept), du mercredi au dimanche, on peut profiter de la terrasse en soirée (21h-0h30) : concerts de jazz ou bossa nova et *cava* à volonté, à la lueur des bougies.

● **JAZZ EN TERRASSE** Les soirs d'été, la féerie de la Casa Batlló se poursuit avec des concerts de jazz ou de bossa nova en terrasse, à la lueur des bougies. Insolite et magique !

MMCAT – Museu del Modernisme Català (plan 4, A3) Le premier musée exclusivement consacré au modernisme, plus précisément aux arts décoratifs catalans, a ouvert ses portes en mars 2010, dans un ancien entrepôt de textiles conçu par Enric Sagnier. Le fonds, rassemblé par les collectionneurs Fernando Pinós et María Guirao, au cours de leurs carrières d'antiquaires et de galeristes, compte 380 œuvres émanant de 47 artistes catalans renommés et s'enrichit chaque année. Le rez-de-chaussée est meublé d'œuvres de Gaudí, chaises aux formes improbables et objets provenant de la Casa Calvet (sise au n°48 de la rue Casp, aujourd'hui un restaurant), de cabinets-secrétaires et de miroirs aux dorures enchevêtrées de Joan Busquets i Jané (1874-1949) ainsi que d'un précieux paravent fait de perles colorées par Francesc Vidali Jevelli (1848-1914). Au sous-sol, autour d'une splendide jarre en marbre signée Eusebi Arnau i Mascort (1864-1933), on déambule charmé par les visages féminins aux coiffures fleuries en terracotta de Lambert Escaleri Mila (1874-1957) ou par les sculptures en marbre de Josep Llimona i Bruguera (1864-1934). La peinture moderniste est bien représentée avec des toiles symbolistes de Joan Brull i Vinyoles (1863-1912) ou un ensorcelant éloge de la nature peint par Gaspar Camps i Junyent (1874-1942) : quatre tableaux de femmes aux épaules dénudées et vêtues de robes aux couleurs de chaque saison (*Primavera, Verano, Otoño, Invierno*, 1907)… Et au fond de la salle, le triptyque de vitraux colorés de Joaquim Mir i Trinxet (1873-1940)… *C/ Balmes, 48 Tél. 932 72 28 96 www.mmcat.cat Ouvert lun.-sam. 10h-20h, dim. et j. fér. 10h-14h Tarif 10€, moins de 25 ans et plus de 65 ans 7€, 5-16 ans 5€*

Fundació Antoni Tàpies (plan 4, B3) Créée en 1984 par le grand peintre et sculpteur catalan dans le but de promouvoir l'étude et la connaissance de l'art moderne et contemporain, la fondation est installée dans un élégant édifice en brique dessiné par l'architecte Domènech i Montaner, en 1879-1886, pour accueillir la maison d'édition de son père. On ne peut que remarquer, au sommet de la façade, l'étonnante sculpture d'Antoni Tàpies (1923-2012), *Núvo* *i Cadira* (*Nube y Silla* en castillan, ou "Nuage et chaise") : cet enchevêtrement de fils de fer dessinant un nuage d'où émerge une chaise sert l'architecture du site, en rehaussant celui-ci au niveau des bâtiments modernes qui l'encadrent. Restaurée en 2006-2008, la fondation abrite la collection la plus complète de celui qui à sa mort, en février 2012, a été salué comme le dernier grand artiste du XXᵉ siècle.. *Carrer d'Aragó, 255 Tél. 934 87 03 15 www.fundaciotapies. org Ouvert mar.-dim. 10h-19h (bibliothèque : mar.-ven. 10h-14h et 16h-19h sur rdv) Fermé 1ᵉʳ jan., 6 jan. et 25 déc. Tarif 7€, réduit 5,60€ (avec audioguide en français), 18 mai et 24 sept. gratuit*

Sous-sol Il accueille des expositions temporaires d'art contemporain, souvent très intéressantes : peinture, sculpture, installations, projections, etc.

Rez-de-chaussée La librairie offre un vaste choix d'ouvrages sur la création contemporaine, parmi lesquels des œuvres sur Tàpies introuvables ailleurs.

Premier étage Il rassemble une petite sélection d'œuvres de Tàpies (dont beaucoup sont exposées dans les principaux musées d'art contemporain du monde) puisées en alternance dans le fonds du musée, formé de donations de l'artiste lui-même. Les tableaux monumentaux côtoient les installations. Quelques constantes se dégagent de l'œuvre du plasticien catalan resté fidèle aux matériaux de récupération. Un travail sur la texture, avec le recours à des matières fort diverses, telles que le vernis utilisé comme peinture, d'épaisses couches de peinture craquelée comme de la terre, l'encre dessinant des coulées fantaisistes, le bois et le fil de fer, ou même l'empreinte des pas de Tàpies imprimée sur la toile. Des signes, comme la croix rudimentaire, et des lettres, notamment le "T" de Tàpies, se retrouvent souvent. Surtout, en vrai "cri de colère", l'informalisme dont se réclamait Tàpies revendique la "spontanéité gestuelle" de l'artiste au moment de la création, d'où la force expressive de ses œuvres, dont les formes indécises et *a priori* un peu floues marquent l'esprit du spectateur par effet de persistance émotionnelle.

Terrasse Au fond, un escalier monte vers l'agréable terrasse de la fondation, dessinée par Tàpies lui-même. De grands miroirs reflètent le ciel, et une œuvre de l'artiste peinte sur des carreaux de lave, le *Trépied* (1965), y est exposée.

Museu Egipci (plan 4, B3) Le Musée égyptien de Barcelone riche de près d'un millier de pièces, rassemble l'une des collections privées d'art et de culture d'Égypte ancienne les plus importantes d'Europe. Sarcophages, momies (dont celle de la Dame de Kemet), papyrus, bijoux et amulettes racontent la vie quotidienne et les coutumes de l'ancienne civilisation pharaonique en suivant cinq grands axes thématiques : le pharaon, les fonctionnaires, la vie quotidienne (artisanat, cosmétique, érotisme), les pratiques funéraires (mythe d'Osiris, momification, tombes et ornements funéraires) et la religion (divinités du panthéon égyptien et cultes). Si la visite de la collection permanente et des expositions temporaires se révèle très intéressante, le musée organise également des visites fort originales en soirée, pour découvrir tout en s'amusant grâce aux reconstitutions théâtralisées de tranches de vie des grands personnages de l'Antiquité ou à une initiation à l'art culinaire de l'époque qui se termine par un "banquet éternel" (El Banquet etern), à la mode des pharaons. *C/ València, 284 Tél. 934 88 01 88 www.museuegipci.com Ouvert lun.- sam. et j. fér. 10h-20h, dim. 10h-14h Fermé 1ᵉʳ jan., 25-26 déc. et 14h-16h jan.-juin et mi-sept.-nov. Tarif 11€, réduit (étudiants et retraités) 8€, moins de 5 ans gratuit*

Visites guidées sam. 11h (catalan) et 17h (castillan) Visites guidées nocturnes ven.-sam. 20h30-21h30 Tarif 20€ (avec un verre de vin des pharaons) Banquet Éternel mai-oct. : ven. à partir de 20h30 35€ Réservation indispensable

☆ **Casa Milà / Pedrera (plan 3, B2)** Plus connu sous le nom de "Pedrera" ("la carrière"), ce chef-d'œuvre de Gaudí classé Patrimoine mondial de l'Unesco doit son surnom à l'aspect rocailleux de la façade en pierre de Montjuïc, qui semble taillée à même la roche. Cet immeuble mitoyen fut commandé en 1906 par le promoteur Pere Milà. C'est la dernière œuvre publique de Gaudí, achevée en 1912. La grande originalité de l'édifice tient à la complexe structure de briques et de poutres métalliques, qui libère la façade de toute contrainte et offre ainsi à l'artiste une totale liberté dans les formes, et la possibilité de percer d'immenses fenêtres. On est charmé par la richesse des ferronneries aux luxuriants motifs d'algues et de coraux, et les formes ondulées de l'ensemble, évoquant pour l'architecte les habitats troglodytiques des premiers Catalans, chassés vers les montagnes par l'invasion arabe. Ce qui inspira à Clemenceau ce bon mot : "Les Barcelonais sont tellement fascinés par la légende de saint Georges qu'ils construisent des demeures pour les dragons." Décriée par ses contemporains, qui y voyaient plutôt le résultat de quelque séisme ou accident de train, l'architecture de l'ensemble est désormais reconnue pour son caractère visionnaire. Gaudí pensa d'ailleurs à intégrer un parking souterrain, véritable nouveauté pour l'époque. *Carrer de Provença, 261-265 Tél. 902 20 21 38 www.lapedrera. com Ouvert nov.-fév. : tlj. 9h-18h30 ; reste de l'année : tlj. 9h-20h (fermeture des guichets 30min avant) Fermé 2ᵉ sem. jan. et 25 déc. Ouvert 1ᵉʳ jan. 11h-18h30 Tarif 16,50€, réduit (étudiants et chômeurs) 14,85€, 7-12 ans 8,25€, audioguide (en français) 4€, moins de 7 ans gratuit Visite "Pedrera de Nit", mars-oct (jeu.-sam., 21h15 et 22h45), nov.-fév. (mer.-sam., 19h), "Nuit d'été", Juin-sept. (jeu.-sam., 20h15, 20h30 et 20h45) env. 30€, 7-12 ans 15€, moins de 7 ans gratuit (visite nocturne en petit groupe, verre de cava sur fond musical, avec vue sur la ville illuminée de la terrasse et accès à l'espace Gaudí)*

Combles La visite commence en général par l'Espai Gaudí, sous les combles. En sortant de l'ascenseur, on débouche sous l'épine dorsale des arches en brique, sorte de labyrinthe aux formes harmonieuses. C'est le meilleur endroit pour découvrir l'architecture si particulière de Gaudí : toutes ses créations y sont présentées en détail. Ne manquez pas les photos des différentes étapes de construction de la Sagrada Família ni les magnifiques maquettes qui permettent de comprendre les méthodes empiriques de l'architecte, dont les outils informatiques actuels confirment la précision. Émouvants clichés et caricatures railleuses de l'époque.

Terrasse sommitale Arrivé sur le toit, on est frappé par l'aspect des fameuses cheminées et bouches d'aération en forme de chevaliers en armure. Vue vertigineuse sur les patios intérieurs autour desquels l'édifice est organisé. La recherche de la lumière est ici encore au centre du projet, lequel prévoyait pour couronner le tout une immense sculpture de la Vierge. Mais après la Semaine tragique de 1909 (saccages d'églises), le promoteur jugea plus sage d'y renoncer.

Étage inférieur En redescendant, ne manquez pas le Pis, appartement rassemblant le mobilier d'époque (dont certaines pièces exécutées par Gaudí).

● **"PEDRERA DE NIT"** Profitez d'une douce *nit* d'été pour visiter la Pedrera de nuit, un verre de *cava* à la main, et bénéficier de la vue sur la ville illuminée... *Tél. 902 20 21 38 (Rés.) Ouvert été : jeu.-sam. 20h15 et 20h30*

Premier étage Les expositions temporaires (gratuites) organisées par la Caixa de Catalunya au 1er étage (accès à l'avant du bâtiment, au Passeig de Gràcia) sont l'occasion de découvrir plus en détail le site.

Palau Baró de Quadras (plan 4, B2) Le palais du baron de Quadras, édifié entre 1904 et 1906, est une illustration parfaite de la créativité de l'architecte Josep Puig i Cadafalch. Dans cet espace relativement étroit entre deux rues importantes de L'Eixample, il imagine deux façades distinctes : richement ornée (notamment de statues d'Eusebi Arnau), celle donnant sur Diagonal mélange les styles néogothique et néoplateresque tandis que celle de la Carrer Roselló affiche un style moderniste teinté d'éléments rappelant la Sécession viennoise (*Sezessionstil*). La superbe porte en fer forgé s'ouvre sur un intérieur éclectique et raffiné d'où se dégage une influence arabe : patio central, mosaïques romaines, boiseries polychromes, sgraffites… Le bâtiment accueille depuis 2003, le siège de la Casa Àsia, une organisation qui œuvre au développement des relations culturelles avec les pays d'Asie et du Pacifique et organise de nombreuses activités (expositions, projections, conférences,

Gaudí et la capitale du modernisme

Le modernisme barcelonais a légué à la ville ses plus somptueux édifices. Les principaux architectes modernistes sont Lluís Domènech i Montaner, Josep Puig i Cadafalch et, bien sûr, Antoni Gaudí i Cornet, même si le génie créateur de celui-ci décourage toute tentative de classification. Ce mouvement éphémère, soutenu par la haute bourgeoisie locale, va bien au-delà de la seule architecture. Il marque la renaissance de l'artisanat catalan (ferronneries, céramiques, vitraux, ébénisterie) mis au service des arts décoratifs, indissociables de l'architecture elle-même. En cela, le modernisme se rapproche d'autres courants européens de l'époque tels que l'Art nouveau (France), le Modern Style (Angleterre) ou le Jugendstil (Autriche et Allemagne). Le Palau Güell (1886-1890), le Parc Güell (1910-1914), la Casa Batlló (1904), la Pedrera (1906-1912) et la Sagrada Família (p.169) sont les exemples les plus célèbres de l'art de Gaudí. On retrouve dans cette architecture la référence au Moyen Âge, l'exaltation de la Catalogne éternelle et de son patron Sant Jordi, ainsi que la place prépondérante des arts décoratifs. Fils de forgeron, l'artiste a su se distinguer par ses exubérantes ferronneries, en maîtrisant par ailleurs à la perfection ébénisterie et céramique. Il portera à son plus haut degré l'art du *trencadís* (mosaïques multicolores formées d'éclats de céramique), échappant par bien des aspects au cadre moderniste (inspiration religieuse, formes organiques), cf. Moderniste "trencadís" (p.127).

ateliers…) *Avinguda Diagonal, 373 Tél. 932 38 73 37 Ouvert lun.-sam. 10h-20h Expositions mar.-sam. Fermé j. fér. Entrée libre*

Casa Terrades Les Punxes (plan 4, C2) À deux pas du Passeig de Gràcia, en allant vers l'est sur l'avenue Diagonal, impossible d'ignorer la silhouette caractéristique d'une des œuvres les plus célèbres du modernisme, la Maison des Pointes (1903-1905) de Josep Puig i Cadafalch, déclarée Monument historique national en 1975 ! Cette résidence, constituée en réalité de trois immeubles de logements, a des airs de château médiéval avec ses tours rondes rehaussées d'aiguilles coniques - *les punxes* (pointes)- et sa légion de tribunes et de miradors inspirés du style gothique flamand. L'impressionnante façade en pierres et briques est parée de balcons et de panneaux de céramique aux motifs patriotiques dont le plus grand et le plus célèbre représente un saint Georges avec pour légende *Sant Patró de Catalunya, torneu-nos la llibertat* ("Saint patron de Catalogne, rendez-nous la liberté"). *Av. Diagonal, 416-420 Ne se visite pas*

Fundació Francisco Godia (plan 4, B3) Au cœur de l'Eixample, la Casa Garriga Nogués, construite entre 1902 et 1904 par Enric Sagnier, témoigne de la manière de vivre de l'opulente bourgeoisie catalane du début du XXe siècle. La façade, ornée de quatre figures féminines représentant les quatre âges de la vie, sculptées par Eusebi Arnau, mêle avec succès, les styles classiques, baroques et modernistes. Derrière, la collection d'art de l'entrepreneur et mécène catalan Francisco Godia Sales (1921-1990) a trouvé un écrin de choix depuis 2008. Au centre du rez-de-chaussée, qui accueille deux expositions temporaires par an, provenant de collections privées, un majestueux escalier de marbre couronné par une impressionnante verrière, mène à l'étage noble. Un parcours enchanteur au fil des pièces, dont les plus remarquables sont la salle du billard, avec deux immenses vitraux de paysage, la salle de musique, de style rococo et l'ancienne chapelle permet de découvrir une des collections d'art les plus importantes d'Espagne (plus de 4 000 pièces). Les quelque 250 œuvres (peintures et sculptures) exposées ici couvrent une période qui s'étire du XIIe siècle à nos jours et sont organisées par thèmes : art roman et gothique (Llorenç Saragossa, Jaume Huguet…), céramique de toutes les régions de la péninsule ibérique, art gothique flamand, peintures modernistes (Ramon Casas, Santiago Rusiñol, Joaquim Mir…) et art contemporain (figuratif, avant-garde, abstrait, etc., avec des artistes comme Picasso, Barceló, Miró, Tàpies, Magritte, Appel, Chillida…). Faites un tour sur la terrasse pour admirer le reflet des balcons de L'Eixample sur les parois en acier inoxydable de la statue-labyrinthe de Cristina Iglesias. *C/ Diputació, 250 Ouvert mer.-lun. 10h-20h Tarif 7€, réduit 4€, moins de 5 ans gratuit Visite guidée gratuite sam.-dim. 12h*

● **Où s'inspirer des dernières tendances chic ?** Le Passeig de Gràcia rassemble la plupart des grands couturiers nationaux, en particulier **Purificación García (plan 4, B3 n°22)**, au n°21, dont les pulls col en V déclinés dans toutes les couleurs ont séduit nombre de Barcelonais, ou encore le mondialement célèbre **Adolfo Domínguez (plan 4, B n°1)**, au n°32, qui révolutionna la mode espagnole dans les années 1970-1980 avec ses créations chics et urbaines. Faites aussi une incursion dans la galerie marchande **Bulevard Rosa (plan 4, B3 n°2)**, au n°53, qui regorge de boutique de mode, bijoux et accessoires.

● Où s'offrir des accessoires design ?

Vinçon (plan 4, B2 n°31) Le rendez-vous obligé du design accessible à tous. On trouve tout dans ce vaste espace : couverts, lampes, meubles, cahiers, T-shirts, accessoires pour bébé... Sans parler de quelques surprises telles que le baby-foot aux couleurs des protagonistes de l'éternel duel "Barça"-Real Madrid ! *Passeig de Gràcia, 96 Tél. 932 15 60 50 www.vincon.com Ouvert lun.-sam. 10h-20h30*

● Où dénicher antiquaires et brocanteurs ?

Dans le Passeig de Gràcia (plan 4, B2-B3), ne manquez pas El Bulevard dels Antiquaris (au n° 55), où se rassemblent antiquaires et marchands d'art haut de gamme. Dans le même immeuble, le Centre Català d'Artesania propose des objets artisanaux variés et de qualité : bijoux, mobilier, céramiques, gadgets... dont certains inspirés d'Antoni Gaudí ou d'artistes catalans contemporains.

El Bulevard dels Antiquaris (plan 4, B3 n°9) *Passeig Gràcia, 55-57 Tél. 932 15 44 99 www.bulevarddelsantiquaris.com Ouvert lun.-sam. 10h-20h30*

● Où remplir son panier gourmand ?

Colmado Quilez Cette épicerie fine offre un vaste choix de produits espagnols : charcuteries, huile d'olive, conserves traditionnelles et nougats. *Rambla de Catalunya, 63 Tél. 932 15 87 85 www.lafuente.es Ouvert lun.-ven. 9h-14h et 16h30-20h30, sam. 9h-14h (et 16h30-20h30 oct.-déc.)*

● Où prendre un petit déjeuner ou un goûter ?

Laie Llibreria Cafè (plan 3, C1 n°45) En sous-sol, l'une des plus agréables librairies de la ville, dotée d'une minuscule section francophone. Le café occupe le 1er étage. Enfilade de salles, dont la plus accueillante se trouve au fond, sous la véranda. Tranquille en matinée et en journée, le café se remplit rapidement vers 18h30. Vous pourrez commander un sandwich avant de jeter un coup d'œil aux pâtisseries ou à la longue liste des thés (env. 1,70-3,65€) et des cafés (env. 1,50-4,80€). Petit déjeuner et menu du jour à midi (env. 14,80€). À la carte, comptez env. 20€. *C/ Pau Claris, 85 Tél. 933 02 73 10 www.laie.es Ouvert lun.-ven. 9h-21h, sam. 10h-21h*

Cacao Sampaka (plan 4, B3 n°40) Prendre un chocolat chaud dans le salon à l'arrière de cette chocolaterie artisanale de renommée internationale, c'est aussi prendre le risque de devenir accro et de vouloir revenir aussi souvent que possible ! On succombe littéralement devant les excellents petits déjeuners, les chocolats, les gâteaux ou les petits en-cas à grignoter à toute heure. Belle sélection de thés et de liqueurs pour les accompagner. *C/ Consell de Cent, 292 Tél. 932 72 08 33 www.cacaosampaka.com Ouvert lun.-sam. 9h-20h30*

Mauri (plan 4, B2 n°42) La traditionnelle halte pour le goûter sur la Rambla de Catalunya depuis 1929 ! Laissez-vous séduire par les douceurs exposées dans les vitrines : pâtisseries, viennoiseries, mousses, truffes et bonbons à emporter ou à déguster en terrasse ou dans l'un des salons de cette belle boutique moderniste. *Rambla de Catalunya, 102 Tél. 932 15 10 20 www.pasteleriasmauri.com Ouvert lun.-ven. 8h-21h, sam. 9h-21h, dim. et j. fér. 9h-15h*

● Où déguster du vin ?

Monvínic (plan 4, B3 n°58) Entre centre culturel, restaurant gastronomique, salle de conférences et bar à vins branché, ce lieu atypique accueille sur près de 500 m², les 3 000 meilleurs vins du monde, conservés dans une cave époustouflante ! Dans cet antre du chic et du high-tech, on consulte la carte sur des tablettes interactives qui guident le choix en fonction des goûts et des envies de chacun. Une équipe de sommeliers formidables propose chaque jour 30 nectars de tous horizons à des prix raisonnables, à déguster au verre ou au demi-verre et à marier avec de délicieuses tapas catalanes : une expérience œnologique hors du commun ! *C/ Diputació, 249 Tél. 93 72 61 87 www.monvinic. com Ouvert lun.-ven. 13h-23h30 Fermé Sem. sainte et trois dernières sem. août*

☺ La Sagrada Família et ses environs

☆ **Sagrada Família (plan 4, D2)** C'est le monument le plus célèbre de la ville. Les silhouettes élancées de ses vertigineux clochers sont sur toutes les brochures. Quand on revient à Barcelone, on voit cet éternel chantier progresser lentement mais sûrement. Le projet remonte aux années 1870 : des associations chrétiennes décident de construire une église pour l'expiation des péchés de leurs contemporains. À l'époque, le Saint-Siège invite à renforcer le culte de Marie, Joseph et Jésus ; le nom est tout trouvé : ce sera celui de temple expiatoire de la Sainte Famille (Sagrada Família). Ledit temple est financé dès le départ par les dons de particuliers, d'entreprises – et, aujourd'hui, par ceux des centaines de milliers de curieux qui la visitent chaque année. Gaudí lui-même fera plus d'une fois du porte-à-porte pour récolter des fonds. Après avoir assisté l'architecte Francisco del Villar, qui inaugure le chantier en 1882, il prend la direction des travaux dès l'année suivante et retravaille l'ensemble selon ses propres aspirations. Un plan inspiré des cathédrales gothiques picardes, avec leurs façades démesurées au décor surchargé. Revues et corrigées, bien sûr, selon le génie créateur de Gaudí. L'architecte, animé d'une grande ferveur religieuse, trouve là le projet de toute une vie. Il y travaillera plus de quarante ans, jusqu'à sa mort, en 1926, renversé par un tramway alors qu'il quittait le chantier. Il repose dans la crypte, inscrite au Patrimoine mondial de l'Unesco depuis 2005. Au début de la guerre civile, la foule fait irruption dans la Sagrada Família, détruisant l'atelier de Gaudí et brûlant plans et maquettes. Difficile dès lors de se représenter l'allure qu'il aurait souhaité donner aux éléments à construire, sans compter que l'architecte aimait à improviser au gré des travaux, remaniant sans cesse son projet. C'est dire si le chantier, qui reprend en 1952, soulève des polémiques. Ne trahit-il pas l'esprit du maître ? N'aurait-il pas fallu laisser le site en l'état ? Dalí proclama un jour qu'il aurait fallu mettre la Sagrada Família sous un globe de cristal, et la laisser telle quelle pour l'éternité. Les défenseurs du projet renvoient au temps des cathédrales gothiques, édifiées sur des générations, et intégrant les styles imposés par leurs maîtres d'œuvre successifs. Pour l'instant, la fin des travaux est fixée à… 2026 ! *Carrer de Mallorca, 401 Entrée par la Carrer Sardenya Tél. 932 07 30 31 www.sagradafamilia.*

● **OPUS INACHEVÉ** Commencée en 1882, la cathédrale de Gaudí n'est toujours pas achevée. C'est avec l'édification de la façade de la Gloire que sera posée la dernière pierre en… 2026 selon les dernières prévisions ! Quoi qu'il en soit, le pape Benoît XVI a consacré la Basilique en novembre 2010 et, malgré l'inachèvement de son *magnum opus*, Gaudí est en phase de canonisation : un procès de béatification a été déposé au Vatican en 2003 (qui pourrait aboutir en 2016).

cat Ouvert oct.-mars : tlj. 9h-18h ; reste de l'année : tlj. 9h-20h 25-26 déc., 1er et 6 jan. : 9h-14h Tarif (il est vivement conseillé d'acheter son billet en ligne pour éviter la longue file d'attente) 13,50€ (18€ avec guide ou audioguide), réduit 11,50€ (15€ avec guide ou 14€ audioguide), moins de 10 ans gratuit Billet combiné avec la Casa-Museu Gaudí 17€ Ascenseur obligatoire pour monter aux tours 4,50€ (accès interdit aux moins de 6 ans)

Sous-sol Passé le guichet, au pied de la façade de la Nativité, le mieux est de commencer par visiter le musée, en sous-sol sur la gauche. Plusieurs dessins donnent une idée de l'apparence finale que devrait avoir la cathédrale : on en est loin ! Huit des douze clochers des façades, dépassant les 100m et dédiés aux apôtres, sont achevés. Restent à édifier les quatre clochers de la façade de la Gloire, la tour de Notre-Dame, haute de 140m, dédiée à la Vierge, avec une étoile au sommet, la gigantesque tour centrale de Jésus-Christ, haute de 170m et surmontée d'une croix monumentale. Ces deux figures centrales seront encadrées par quatre tours représentant les évangélistes, culminant à 130m. À l'intérieur, les voûtes de la nef principale sont achevées, mais transept, croisée et abside sont en travaux. Outre les clochers manquants, il reste à réaliser la façade principale, dite de la Gloire, à l'ornementation exubérante (sur la rue de Mallorca), et la façade de la rue de Provença. À voir également, les croquis préparatoires de Gaudí et une reproduction des maquettes qu'il utilisait pour étudier la structure de ses édifices : des fils lestés de plombs, reflétés par un miroir, formaient une sorte d'image en trois dimensions avant l'heure. Ne manquez pas la grande maquette de la nef centrale, enchevêtrement de colonnes semblables à des arbres, se ramifiant en branches multiples dans les hauteurs, avec des chapiteaux en forme de bourgeons. Preuve s'il en est que la nature fut la grande inspiratrice de l'architecte. Au passage, on aperçoit la crypte où repose Gaudí.

● **AU CŒUR DE LA NATIVITÉ**
À noter : un escalier situé à l'intérieur permet de monter au cœur de la façade de la Nativité.

Façade de la Passion En ressortant de l'autre côté de l'édifice, on débouche au pied de la façade de la Passion, ajout contemporain de loin le plus controversé. Confiée en 1989 au sculpteur Subirachs, elle n'a cessé d'alimenter les critiques. Les lignes tranchées et les personnages anguleux et schématiques de sa composition contrastent il est vrai avec les rondeurs privilégiées par Gaudí. Certains ont même comparé ses centurions romains aux soldats de l'Empire dans la *Guerre des étoiles* ! Les étapes de la Passion sont représentées selon un itinéraire en zigzag de bas en haut, en partant de la gauche. On reconnaît ainsi la Cène en bas à gauche, la Flagellation devant le portail, la Présentation au peuple par Pilate sur la droite. Plus haut, la chute du Christ et le voile tendu par Véronique, à côté d'un évangéliste affichant les traits de Gaudí lui-même. Enfin, la mise au tombeau, en haut à droite.

Intérieur Sur la droite, on accède à l'ascenseur qui s'élève à 65m (tickets au guichet d'entrée). Un escalier vous mène ensuite un peu plus haut : superbe vue sur le site et la ville. Aux détracteurs qui lui reprochaient de tant soigner l'ornementation des tours, invisible depuis la rue, Gaudí répondait : "Les anges les verront." Vous partagerez donc ce privilège avec eux. Revenu au rez-de-chaussée, on pénètre à l'intérieur du temple. Les colonnes aux formes végétales, les voûtes étoilées d'une hauteur vertigineuse (de 30 à 75m), les ouvertures latérales aux formes étranges, les vitraux aux couleurs vives, tout y est impressionnant. L'utilisation des arcs paraboliques et des colonnes inclinées offre ici l'avantage de répartir les charges sans avoir recours aux contreforts des cathédrales gothiques, allégeant ainsi la structure. Un mélange de formes saisissant, que Gaudí lui-même jugeait assez riche pour pouvoir se passer d'ornementation.

Façade de la Nativité À l'autre extrémité, on ressort par la façade de la Nativité, parfaite pour terminer la visite. Elle fut réalisée sous la supervision de Gaudí. Elle est inscrite au Patrimoine mondial de l'Unesco depuis 2005. Son édification demanda quarante ans. L'*Arbre de Vie*, représenté par un cyprès en céramique peuplé de colombes, ne fut fixé qu'en 1932. Sa riche ornementation est assez difficile à déchiffrer. On reconnaît la fuite en Égypte en bas à gauche, la naissance du Christ au-dessus du portail. Autres traits marquants, les pasteurs de Terre-Sainte adorant la Vierge ou, plus surprenant, un anarchiste, la bombe à la main ! Les personnages proviennent de moulages réalisés sur des Barcelonais de l'époque, la pierre des quatre clochers dominant la façade des carrières de Montjuïc, et les décorations des sommets sont réalisées en verre de Venise. Gaudí souhaitait donner aux parois un aspect rocailleux et brut, en hommage à la Serra de Montserrat, haut lieu spirituel catalan. Il faut bien admettre que le recours actuel à la pierre artificielle et à des techniques industrielles plutôt qu'artisanales nuit à la qualité du rendu.

Escoles de la Sagrada Família En 1909, Gaudí construit au pied de la façade de la Passion un édifice à l'étonnant toit ondulé, destiné à accueillir une école pour les enfants des ouvriers qui travaillaient à la construction du temple. Incendié en 1936, il fut reconstitué et abrite aujourd'hui un espace consacré au travail de Gaudí sur les structures et les formes géométriques.

☺ **Hospital de Santa Creu i de Sant Pau (plan 1, C1)** Cet hôpital, inscrit au Patrimoine mondial, est également un chef-d'œuvre du modernisme. À la fin du XIXᵉ siècle, les progrès en matière d'hygiène et de soins rendent obsolète l'hôpital principal de la Barcelone médiévale, créé en 1401 dans El Raval, ravagé du reste par un incendie en 1887. La création de locaux spacieux et modernes s'impose. En 1902, Domènech i Montaner est chargé du projet. Il élabore un complexe hospitalier qui, tout en respectant les normes hygiénistes (orientation en fonction du vent, espaces verts), illustre merveilleusement l'esthétique moderniste. Les pavillons séparés, tous différents et reliés entre eux par des tunnels souterrains, facilitent l'isolement des malades contagieux tout en conférant aux lieux l'aspect d'une cité-jardin ; notez en particulier les couleurs des murs, le raffinement des mosaïques évoquant l'histoire du site (façade principale) et de la Catalogne, les élégantes tours ornées de coupoles bigarrées, les magnifiques sculptures d'Eusebi Arnau et Pablo Gargallo. L'ensemble est en cours de restauration (jusqu'en 2016) mais les visites

● **OÙ ALLER *TAPEAR* LORS D'UN MATCH DE FOOT ?**
Une petite bodega populaire, à l'écart des foules où siroter un vermouth parmi les habitués et dans une ambiance *muy caliente* pendant les matchs du FC Barça ! **Bodega del Poblet (plan 4, D2 n°76)** C/ *Sardenya*, 302 Tél. 934 15 56 63 *Ouvert mar.-ven. 9h-15h et 18h-22h, sam.-dim. 10h-23h Fermé 2 sem. en août*

guidées se poursuivent durant les travaux. *C/ Sant Antoni María Claret, 167 Tél. 933 17 76 52 www.santpaubarcelona.org www.rutadelmodernisme.com Ouvert tlj. 9h30-13h30 Fermé 1er et 6 jan., 25 et 26 déc. Visite guidée tlj. en français 10h30, en anglais 10h, 11h, 12h, 13h, en catalan 12h30 et en castillan 11h30 Tarif 10€, réduit (moins de 18 ans et plus de 65 ans) 5€*

Plaça de Toros Monumental À l'angle de la rue de la Marina et de la Gran Via, au nord de l'Eixample, les arènes de la Monumental (19 500 places) se distinguent par leur architecture moderniste, en brique et céramique colorée : arches mauresques et piliers surmontés d'œufs géants. Depuis l'interdiction émise par le gouvernement de Catalogne et sa mise en application, le 1er janvier 2012, plus aucun *toro* ne vient mourir sur leur sable blond. Les nostalgiques pourront toujours visiter ses arènes et le musée de la Tauromachie. *Gran Via de les Corts Catelanes, 749 Tél. 932 45 58 02* **Museu Taurí (plan 1, C2)** *Tél. 932 45 58 03 Ouvert avr.-sept. : 11h-14h et 16h-20h Tarif env. 5€, réduit 4€*

L'est de l'Eixample

Districto 22@ (plan 1, C2) À l'est de la Gran Via de les Corts Catalanes et de l'Avinguda Meridiana, de part et d'autre de l'avinguda Diagonal, la partie nord de Poblenou fut l'épicentre de la Barcelone industrielle entre le XVIIe et le XIXe siècle. Durement touché par la crise, le quartier connut un sévère processus de désindustrialisation à partir des années 1960 ; les usines abandonnées tombèrent en ruine, laissant peu à peu la place aux friches et aux squats. Les jeux Olympiques de 1992 donnèrent à Barcelone une nouvelle façade littorale et, en 2001, profitant de cette impulsion, la municipalité lança un ambitieux programme de revitalisation urbaine baptisé 22@. L'objectif ? Transformer 220ha de friches industrielles en un vivier d'entreprises de pointe dans les secteurs de l'information et des services : le nouveau pôle de technologies et d'innovation de la ville. Les plus grands architectes collaborent au projet : Jean Nouvel, avec la Torre Agbar et le Parc del Centre del Poblenou, Enric Ruiz-Geli, avec son Media-Tic à l'étonnante façade gonflable ou le bureau MBM architectural pour le Disseny Hub.

Torre Agbar (plan 1, C2) Inaugurée en 2005 et haute de 142m, la tour Agbar, icône du quartier technologique 22@ et siège de la Société barcelonaise des eaux, évoque par son allure ovoïde "un geyser en éruption". Les différentes couleurs de sa peinture extérieure procurent un effet irisé que complètent les milliers de petites plaques de verre qui la recouvrent entièrement. La lumière est ici considérée comme un élément de plus dans la construction, un matériau comme les autres. Et quand le soleil disparaît, 4 500 leds colorées illuminent ce symbole de la Barcelone du XXIe siècle. L'intérieur, destiné à des bureaux, forme un espace ouvert sans mur ni colonne. Sa construction a suscité une grande polémique au cœur de la conversation de tous les Barcelonais : oui ou non un gratte-ciel à Barcelone, et quel gratte-ciel ! En effet, il a été affublé de maints surnoms : missile, concombre, suppositoire… C'est Jean Nouvel, à qui l'on doit l'Institut du monde arabe à Paris, qui a travaillé ici avec l'atelier barcelonais d'architecture b720 de Fermín Vázquez, collaborateur habituel de grands noms de l'architecture internationale. *Angle av. Diagonal,*

*211 et carrer de Badajoz www.torreagbar.com Seul le hall se visite **Illumination** avr.-oct. : lun.-ven. 21h-23h, sam.-dim. et j. fér. 21h-0h ; nov.-mars : lun.-ven. 19h-21h, sam.-dim. et j. fér. 20h-23h*

Can Framis – Fundació Vila Casas (plan 1, C2) Au cœur du district 22@, la Can Framis, ancienne usine textile de la fin du XVIIIe siècle, a été admirablement convertie en espace muséal. Complètement intégré dans son environnement, le bâtiment abrite, depuis 2009, les expositions d'art contemporain de la fondation Vila Casas, riche de 600 œuvres (Antoni Tàpiès, Robert Llimós, Zush, Jaume Plensa…). À ne manquer sous aucun prétexte ! *C/ Roc Boronat, 116-126 Tél. 933 20 87 36 www.fundaciovilacasas.com Ouvert mar.-sam. 11h-18h, dim. 11h-14h Fermé j. fér., août-mi sept. et du 24 au 31 déc. Tarif 5€ (collection permanente et expositions temporaires) ou 2€ (expos temporaires seulement), réduit (étudiants, chômeurs et plus de 65 ans) 2€, moins de 12 ans gratuit*

Museu de la Música (plan 1, C2) Au 2e étage de l'auditorium de Moneo, le musée de la Musique et des Instruments de musique permet de faire un véritable tour d'horizon du monde musical à travers les âges, des chants polyphoniques aux musiques numériques. On déambule au milieu des 500 instruments exposés sur un fonds total de plus de 1 600 pièces ! Images, textes explicatifs et supports multimédias permettent d'approfondir ses connaissances. Magnifique collection de guitares et de castagnettes, d'orgues et de claviers de toutes les époques. Admirez également la galerie des musiciens catalans ainsi que les instruments du monde et découvrez vos talents d'improvisation dans la galerie interactive où les instruments sont à votre disposition, une fois n'est pas coutume, pour être essayés ! *L'Auditori C/ Lepant, 150 Tél. 932 56 36 50 www.museumusica.bcn.cat Ouvert lun. et mer.-sam. 10h-18h, dim. 10h-20h Fermé 1er jan., vendredi saint, 1er mai, 24 juin, 25-26 déc. Tarif 4€ ; réduit (étudiants et moins de 25 ans) 3€ ; moins de 16 ans, plus de 65 ans, dim. à partir de 15h et 1er dim. du mois gratuit*

DHUB – Disseny Hub Barcelona (plan 2, C1) L'immense complexe dessiné par l'agence MBM (Martorell, Bohigas et Mackay), avec le concours d'Oriol Capdevila et de Francesc Gual, est destiné à accueillir le principal centre barcelonais de recherche et de promotion du design sous toutes ses facettes, des technologies et processus de production à la consommation dans le monde. Il réunit également les collections de quatre musées précédemment installés au Palau Reial de Pedralbes (p.180) : Arts décoratifs, Arts graphiques, Céramique, Mode et Textile. L'inauguration du Museu del Disseny est prévue pour le printemps 2014. *Plaça de les Glòries Catalanes, 37-38 Tél. 932 56 23 00 www.dhub-bcn.cat*

● Où chiner ?

Els Encants (plan 1, C2 n°2) Un autre grand classique pour dénicher tout et n'importe quoi, ce vaste marché aux puces s'étend non loin de la Torre Agbar dans un incroyable bric-à-brac. *Carrer del Dos de Maig, 186 près de la Plaça de les Glòries Catalanes Tél. 932 46 30 30 www.encantsbcn.com Ouvert lun., mer. et ven.-sam. 9h-17h*

● **Aller au spectacle**

TNC – Teatre Nacional de Catalunya (plan 1, C2) Imaginé par Ricardo Bofill et inauguré en 1997, le Théâtre national de Catalogne accueille des créations scéniques d'une grande qualité dans deux édifices imposants (p.192). *Plaça de les Arts, 1*

Gràcia et le parc Güell

☆**Les essentiels** Les ruelles et places du quartier, le parc Güell **Découvrir autrement** Préparez votre pique-nique au marché de la Plaça de la Llibertat, participez aux fêtes de Gràcia mi-août, passez une soirée enfiévrée au Café del Sol en fin de semaine, montez au Turó de les Tres Creus, dans le parc Güell, pour une vue d'ensemble sur la ville

☆ ☺ Le quartier de Gràcia

(plan 5, C3) Cet ancien village ne fut incorporé à l'agglomération de Barcelone qu'en 1897. Il fut au XIXᵉ siècle l'un des bastions du républicanisme et des revendications ouvrières, ainsi que du catalanisme. Une tradition d'indépendance et de protestation qui a survécu jusqu'à aujourd'hui. Le quartier ne possède ni monuments prestigieux ni musée touristique, mais ses places et ses ruelles paisibles invitent à la flânerie, dans une atmosphère provinciale. C'est aussi un quartier très fréquenté en fin de semaine par la bohème artistique et les étudiants de Barcelone. Sa rue principale est la rue **Gran de Gràcia** (plan 5, C1), prolongement du Passeig de Gràcia bordé d'échoppes et de bars. À mi-chemin de Gran de Gràcia, vers l'ouest, on accède à la **Plaça de la Llibertat** (plan 4, C1), qui abrite un marché couvert très animé le matin. À l'est du quartier s'égrènent des places pittoresques et conviviales, aux terrasses

Tendance et tradition

Là une terrasse ensoleillée pour l'apéro, ici une "annexe" de marché où avaler un casse-croûte avec les gourmets avertis, là encore un spécialiste des tapas : Gràcia ne manque pas de lieux où faire une pause 100% barcelonaise. Resté attaché à ses traditions avec ses personnes âgées sortant pour le paseo du soir, le village-quartier alternatif est aussi très prisé par les jeunes fêtards et les étrangers la nuit en fin de semaine. Le club

Otto Zutz draîne les célébrités les plus glamour (p.193).
Café del Sol (plan 5, C3 n°32) *Plaça del Sol, 16 Ouvert dim.-jeu. 11h-2h30, ven.-sam. et j. fér. 11h-3h*
La Pubilla (plan 5, C3 n°40) *Pl. de la Llibertat, 23 Ouvert mar.-ven. 8h30-1h, sam. 9h-1h*
Bar Roure (plan 4, B1 n°71) *C/ Lluís Antúnez, 7 Tél. 932 18 73 87 Ouvert lun.-sam. 7h-1h*

ensoleillées en journée et animées le soir : **Plaça del Sol** (plan 5, C1), bien connue des fêtards ; **de Rius i Taulet** (plan 4, B1), où se trouvent la mairie de Gràcia et une impressionnante tour de l'Horloge de 1864 ; **del Diamant** (plan 5, C1), **de la Virreina** (plan 5, C3), avec son église de Sant Joan, détruite lors des émeutes anticléricales de 1909 puis en 1936. Les fêtes de Gràcia, organisées à la mi-août, sont l'une des Festes Majors les plus populaires de Barcelone. **Mercat de la Llibertat (plan 5, C3)** *Pl. Llibertat, 27 Tél. 932 17 09 95 www.bcn.es/mercatsmunicipals Ouvert lun.-ven. 8h-20h30 ; sam. 8h-15h*

Casa Vicens (plan 5, C3) Une œuvre de jeunesse de Gaudí, réalisée en 1878, que l'on peut admirer de la rue. Très différente des réalisations plus connues de l'architecte, elle est aussi inscrite au Patrimoine mondial de l'Unesco. Angles, lignes droites, carreaux de céramique colorés : cet hommage à l'art islamique semble sorti tout droit d'une bande dessinée. Réalisée pour l'entrepreneur en céramique Vicenç, elle devait servir autant de réclame que de résidence : pari réussi ! Pour les ferronneries du portail et des balcons, Gaudí s'est inspiré de la végétation des jardins, dont il a repris les formes. *C/ de les Carolines, 22 Ne se visite pas*

● **Où trouver des boutiques bohème ?** Loin du stress, du bruit et de la pollution des grandes artères commerciales, Gràcia est un paradis pour les amateurs de shopping "hors des sentiers battus". Dans ses ruelles, peu de grandes enseignes renommées mais de nombreuses boutiques bohèmes où dégoter de véritables trésors : mode, art, curiosités... Modeuses, prenez le temps d'arpenter les ruelles voisines de Gran de Gràcia (plan 5, B3-C3) et de la rue de Verdi (plan 5, C3).

Le parc Güell

En 1910, l'industriel Eusebi Güell, éternel mécène de Gaudí, charge ce dernier d'un projet inspiré de ce qui se fait alors en Angleterre (son nom véritable est d'ailleurs le Park Güell) : édifier une cité-jardin au cœur d'un parc verdoyant, au flanc de la montagne dominant Gràcia. Une sorte de résidence idéale dont les parcelles, vendues à prix d'or, seraient dévolues à la grande bourgeoisie de la ville. Mais située trop loin du centre-ville pour que les intéressés s'y installent, et trop près pour leurs résidences secondaires, la cité, inachevée à la mort du mécène, en 1918, sera transformée par la municipalité en un parc public. L'occasion pour Gaudí de créer une sorte de site magique, inscrit aujourd'hui au Patrimoine mondial de l'Unesco, parfaitement adapté à la topographie et la végétation des lieux, et illustrant le génie architectonique du maître.

☆ **Parc Güell (plan 5, D2)** L'entrée principale se fait par la rue d'Olot. Elle est encadrée par deux maisonnettes dessinées par Gaudí, tout droit sorties d'un conte de fées. Certains spécialistes prétendent que le maître aurait été inspiré, dans ses plans, par l'opéra de Humperdinck *Hansel et Gretel*, donné au Liceu. En face se dressent les majestueux escaliers, avec leur célèbre Font del Drac ("fontaine du Dragon") bariolée. En haut des marches, on découvre la salle hypostyle, qui devait abriter un marché couvert. Certains voient dans

GEO**PLUS**

Branchée, musicale ou sous les étoiles, la nuit est à la fiesta !

Des bars hype où commencer la nuit aux clubs déjantés où la terminer, épuisé et échevelé, la nuit barcelonaise tient toujours ses promesses. Ses rues égrènent un nombre incalculable de bars, de clubs et autres de divertissements, et si certains se démarquent par une déco délirante, tous sont à l'affût des dernières tendances artistiques et musicales. Quels que soient vos goûts, la _nit_ sera certainement trop courte !

NUIT BRANCHÉE

Faites et défaites les tendances avec la Barcelone des _beautiful people_ de la nuit.

19h Préparez-vous au Boo Beach Club (p.190) Sur votre chaise longue, admirez les dernières touches apportées à votre bronzage et organisez votre croisière du soir sur le pont d'un "paquebot" immobile !

20h Apéritif au Monvínic (p.168) Première escale dans ce bar à vins d'avant-garde, à la découverte d'insoupçonnables nectars. Pensez aussi à y prendre quelques forces en partageant de savoureuses tapas !

21h Débutez la soirée à La Pedrera (p.166) en été ou à la Terraza del Claris (p.190) en hiver. Lumières tamisées, petit son jazzy, bulles de _cava_ et vues sur les toits

de la ville moderniste... Laissez le charme agir !

22h Dînez chez Koy Shunka (p.199) Pour vous plonger dans un monde de saveurs venues d'ailleurs et côtoyer les célébrités.

23h30 Prenez le digestif au Dry Martini (p.188) Le barman pourra vous servir n'importe quel digestif de son stock et si vous êtes déjà venu, il y a fort à parier qu'il se souviendra de vos goûts éclectiques. Ne partez pas sans avoir goûté à l'un des cocktails de cette maison mondialement réputée.

● **ÇA ROULE** Le métro s'arrête à 2h les vendredis et veilles de jours fériés et circule toute la nuit le samedi. Pensez aussi aux Nitbus (bus nocturnes), cf. Métro, train et bus (p.92)

● **SORTIR... EN PLEIN AIR !** D'avril à octobre, Barcelone vit dehors. Et en été, les places et ruelles du Barri Gòtic résonnent au son d'animations ou de concerts en plein air. Touristique mais toujours magique !

1h Et dansez au Luz de Gas (p.193) Remisez vestes et sacs à main au vestiaire... Si le concert est terminé, la salle reste toujours aussi survoltée et vous pourrez danser dans un somptueux décor jusqu'aux premières lueurs de l'aube...

NUIT MUSICALE

Barcelone, la mélomane, offre de nombreuses scènes aux artistes de tous horizons. Partez à la rencontre de ces talents cachés ou reconnus.

19h30 Palau de la Música Catalana (p.131) Réservez assez longtemps à l'avance votre place au cœur de cet exubérant "jardin de la musique", dont la salle est à elle seule un spectacle ! Quelle que soit l'affiche (toujours de grande qualité), votre soirée débute de façon magistrale...

> ● **AU SPECTACLE** Sachez qu'il se joue toujours quelque chose sur les planches du Théâtre national de Catalogne (p.174), (p.192). En été, faites un tour par l'amphithéâtre grec et sa scène en plein air, décor prisé pour les festivals. Et pour se divertir à longueur d'année, rendez-vous sur la "Broadway" de Barcelone, l'avenue del Paral.lel qui regorge de scènes populaires.

21h Interlude lyrique à l'Espai Barroc (p.133) Remontez le temps dans les opulents salons d'un palais baroque à deux pas du musée Picasso, et revivez le faste des soirées bourgeoises d'antan.

22h Voyage andalou au Tablao de Carmen (p.158) Laissez-vous porter jusqu'en Andalousie gitane... Et vibrez sur les chants venus des profondeurs de l'âme et les danses expressives du flamenco comme dans un vrai *tablao* de Séville. Olé !

23h30 Concert au Harlem Jazz Club (p.192) Joignez-vous à la faune des musiciens et des amateurs de jazz dans ce petit club intimiste du Barri Gòtic.

1h Mettez-vous au sec au Bikini (p.194) dans l'Espai Dry, pour faire une pause, ou bougez sur des rythmes latinos ou discos dans cet autre incontournable de la nuit barcelonaise.

3h Sets DJ à la Macarena (p.193) Prenez une ultime dose de décibels, laissez-vous entraîner dans cette boîte de poche pour grandes pointures de l'électro.

NUIT EN PLEIN AIR

Quand l'été bat son plein, profitez du meilleur de la ville sans climatisation : sous les étoiles, tout simplement.

19h30 Faites-vous une place dans un *xiringuito* (p.144) Nombreux le long des plages, ils répondent à toutes les attentes : ambiances hawaiienne, latino, *chill-out* ou électro... Rien de mieux que de siroter tranquillement les vacances, les pieds dans le sable, face à la mer !

21h30 Barbecue à la Caseta del Migdia (p.201) Au sommet de la colline de Montjuïc, une bonne odeur de grillade et une *casa* perdue au milieu de la pinède : on s'y régale, entre amis, face au littoral. Dans un coin, le DJ fait monter la sauce, petit à petit !

23h Un dernier verre à l'Alaire Terrasse (p.210) Si la balade sur la Rambla ne vous tente pas, montez prendre un verre sur la luxueuse terrasse de l'hôtel España. Champagne au bord de la piscine, musique *chill-out* et vues inoubliables sur la Barcelone illuminée !

1h30 Poble Espanyol (p.158) La nuit est encore jeune au Poble Espanyol où les *discotecas* sonnent comme une invitation à faire la fête sous la voûte étoilée.

> ● **CONSEIL** Rien ne sert de courir, vous prenez le risque de faire la fête tout seul ! Les bars prennent vie vers 23h-0h et les clubs ne s'animent pas avant 1h-2h.

l'architecture de ce marché une allusion ironique à la scène biblique de Jésus chassant les marchands du Temple. Il est vrai que les 84 colonnes doriques légèrement inclinées qui soutiennent l'ensemble évoquent un édifice religieux. Étonnant : ces colonnes creuses canalisent l'eau de pluie vers une citerne souterraine qui alimente la fontaine en contrebas. Le plafond est tapissé de mosaïques semblables à des vaguelettes bleutées, et de blasons colorés aux symboles mystérieux. Le chemin qui, de l'entrée du parc monte sur la gauche, débouche sur l'une des créations les plus "organiques" de Gaudí : des arcades serpentant à flanc de colline, soutenues par des colonnes en forme de troncs ou de racines. On a alors l'illusion de progresser à l'intérieur d'une vague parfaite. L'endroit évoque par ailleurs les grottes où les Catalans se réfugièrent au début de l'invasion arabe, imagerie chère à Gaudí. Le chemin mène à la grand-place, magnifique esplanade dominant la ville. Elle est cernée par un chef-d'œuvre moderniste : un interminable banc sinueux recouvert de *trencadís*, milliers d'éclats bigarrés de céramiques. Une œuvre de Josep Maria Jujol, fidèle collaborateur de Gaudí. Au cœur du parc, non loin de la grand-place, s'élève la **Casa-Museu Gaudí**, construite par Francesc Berenguer en 1904. La partie haute du domaine, bien plus tranquille et luxuriante, recèle une autre curiosité : les impressionnants viaducs dont les arches paraboliques s'adaptent à la topographie du site. Le chemin le plus charmant, sur la droite du parc, est celui dit "des amoureux". Il s'élève au milieu d'un alignement de colonnes minérales surmontées d'aloès et de cactus, qui encadrent des bancs en pierre intimistes. Le point culminant du parc est le Turó de les Tres Creus, promontoire hérissé de trois croix. À vos pieds s'étend Barcelone, de Poblenou jusqu'à Montjuïc. Derrière vous, le Sacré-Cœur du Tibidabo semble à portée de voix. *Carrer d'Olot 4km au nord de la Pl. de Catalunya (métro L3 Lesseps à 1,5km, indications ; bus n°24 depuis la Pl. de Catalunya) Tél. 934 13 24 00 www.parkguell.es Ouvert nov.-fév. : tlj. 10h-18h ; mars et oct. : tlj. 10h-19h ; avr. et sept. : tlj. 10h-20h ; mai-août : 10h-21h Entrée libre*

● **AU PAYS DE GAUDÍ** Des maisonnettes tout droit sorties de *Hansel et Gretel*, une fontaine du dragon, des arcades formant comme une vague géante... le parc Güell est l'endroit tout indiqué pour se dégourdir les jambes en famille ! Suggestion : emportez un pique-nique et passez-y une partie de la journée.

Casa del Guarda (plan 5, D2) Construite en 1903, la maisonnette à droite en entrant dans le parc était à l'origine la loge du gardien de la cité. Derrière une décoration extérieure foisonnante, elle cache un intérieur simple et fonctionnel. À présent y a été aménagé un espace muséal, "Güell, Gaudí, Barcelone et l'expression d'un idéal urbain", qui évoque le modernisme au travers de maquettes, photos, vidéos… *Parc Güell Tél. 932 56 21 22 www.museuhistoria.bcn.cat Ouvert avr.-sept. : tlj. 10h-20h ; oct.-mars : tlj. 10h-18h 6 jan., 28 mai, 15 août, 12 oct., 1er nov., 6 et 26 déc. 10h-18h Fermé 1er jan., 1er mai, 24 juin et 25 déc. Tarif 2€, réduit 1,50€, moins de 16 ans et 1er dim. du mois gratuit*

Casa-Museu Gaudí (plan 5, D2) Gaudí mena dans cette maison une vie quasi monacale de 1906 à sa mort, en 1926. Elle est reconvertie en musée, avec de fascinants meubles créés par l'architecte, des objets personnels, tel son lit de célibataire, des maquettes et des croquis de ses œuvres. Le jardin recèle des reproductions de superbes ornementations en fer forgé, passion du maître qui était issu d'une famille de forgerons. *Tél. 932 19 38 11 www.casamuseugaudi.org Ouvert oct.-mars : tlj. 10h-18h ; avr.-sept. : tlj. 10h-20h 25-26 déc. et 6 jan. 10h-14h Fermé 1ᵉʳ jan. Tarif 5,50€, réduit (11-17 ans, étudiants et plus de 65 ans) 4,50€, moins de 11 ans gratuit Billet combiné avec la Sagrada Família 17€, réduit 16€*

Au nord du Parc Güell : Horta-Guinardó

Parc de la Creueta del Coll (plan 5, D1) Sur une des collines de Barcelone, une ancienne carrière (la Pedrera del Coll) s'est mise au vert et accueille à présent un agréable parc où abondent palmiers, bananiers, cyprès, chênes ou arbres de Judée… Idéal pour les après-midi en famille, avec ses aires de jeux et de pique-nique, ses tables de ping-pong, ses terrains de pétanque et en son centre, un lac propice à la baignade en été ! Clou de la visite : suspendue par quatre câbles au-dessus de l'eau, l'*Elogi de l'aigua*, une sculpture de béton colossale d'Eduardo Chillida qui, malgré ses 50t, dégage une impression de légèreté étonnante. *Passeig de la Mare de Déu del Coll et C/ de Castellterçol Ouvert tlj. 10h-coucher du soleil*

Parc del Laberint d'Horta Ce magnifique parc néoclassique, étalé sur trois terrasses, est l'un des plus vieux jardins de la ville (ouvert au public en 1971) et tire son nom du labyrinthe de cyprès qui s'étale dans sa partie basse. On s'y perd avec délectation sous le regard encourageant d'Eros. Tout autour, fontaines, canaux, topiaires, faux cimetière ou petite "Illa de l'Amor"… Autant d'invitations à une promenade romantique main dans la main ! *C/ dels Germans Desvalls et Passeig dels Castanyers Ouvert tlj. 10h-coucher du soleil Tarif 2,23€ ; réduit (moins de 14 ans) 1,42€ ; moins de 5 ans, retraités, mer. et dim. gratuit*

L'ouest de Barcelone

☆ **Les essentiels** Le Monestir de Pedralbes **Découvrir autrement** Assistez à un match de football du Barça au stade Camp Nou, prenez l'ascenseur jusqu'à la salle panoramique de la Torre de Collserola, faites un tour de grande roue au parc Tibidabo

La périphérie ouest de Barcelone est formée de villages intégrés à l'agglomération voici à peine plus d'un siècle et a connu un fort développement urbain. Alors que le quartier de Corts s'enorgueillit d'accueillir les exploits du Barça au Camp Nou, l'ancien village de Pedralbes mérite un détour pour ses musées et son monastère gothique et enfin Sarrià, avec sa multitude de petits commerces, est un quartier très prisé par la classe aisée catalane.

Corts

Museu del Fútbol Club Barcelona (plan 1, A1) Pour incroyable que cela paraisse, le musée du célèbre club de football du Barça est le plus visité de la ville, devant le musée Picasso. Il reçoit, en effet, plus d'un million de visiteurs chaque année. Fondée en 1899 par un groupe d'étrangers menés par le Suisse Joan Gamper, l'équipe adopte d'emblée son célèbre maillot *blaugrana*, à rayures bleues et grenat. Le club devient vite un vecteur de la fierté catalane, remportant cinq fois le championnat d'Espagne dans les années 1910-1920. D'abord opposé à l'autre club de Barcelone, répondant au nom honni d'Espanyol de Barcelona, le Barça a depuis les années 1950 pour meilleur ennemi le Real Madrid, perçu comme symbole du centralisme hautain de la capitale... Le Camp Nou (nouveau terrain) est depuis 1957 l'antre du FC Barcelona. L'équipe a gagné vingt-cinq coupes d'Espagne et, autre record, a remporté à quatre reprises la Coupe des vainqueurs de coupe (en 1979, en 1982, en 1989 et en 1997). En 2008-2009, elle s'est encore illustrée avec un prestigieux triplé gagnant (championnat-Coupe-Ligue des champions). Aujourd'hui, le club compte plus de 140 000 abonnés. et l'enceinte dispose de près de 100 000 places ! Le musée se révélera un peu rébarbatif si vous n'êtes pas un vrai fan, d'autant que la plupart des documents sont en catalan. On découvre des photos de toutes les équipes qui se sont relayées ici et des effets ayant appartenu aux joueurs mythiques du Barça : Zamora (années 1920), le Hongrois Kubala (années 1950), les Brésiliens Ronaldo (1997) et Ronaldinho (2004-2008), Thierry Henry (2007-2010) et bien sûr Johan Cruyff, joueur vedette des années 1970 puis champion d'Europe en 1992 comme entraîneur... sans oublier l'immense Lionel Messi et son quadruple ballon d'or. Collection d'affiches (notamment par Miró et Tàpies), d'objets et d'œuvres diverses à l'étage supérieur. *C/ d'Arístides Maillol, s/n Camp Nou* **Guichets, boutique, musée, visite guidée** *Porte 9, à l'arrière du stade (métro Collblanc ou tramway T1, T2 et T3, arrêt Pius XII puis 10min à pied) Tél. 934 96 36 00 www.fcbarcelona.com* **Camp Nou Experience** *(terrain, vestiaire des joueurs, chapelle, salle et cabine de presse, loge présidentielle) ouvert lun.-sam. 10h-18h (20h avr.-sept.), dim. et j. fér. 10h-14h30, jours de match 10h-15h Audioguide en espagnol, catalan et anglais Visite (musée et stade) 23€, 6-13 ans 17€, moins de 6 ans gratuit* **Boutique** *lun.-sam. 10h-20h30, dim. et j. fér. 10h-14h30, jour de match 10h-coup d'envoi*

● **Applaudir le Barça !**
Estadi Camp Nou Fervent(e) supporter(trice) du Barça (FC Barcelona), vous pouvez tenter d'assister à un de ses matchs au célèbre Camp Nou. De 50 à 60€ la place en moyenne lors du championnat, à plus de 170€ pour une bonne place pour un match important (Real Madrid, Ligue des champions), cette dernière option étant pratiquement impossible... *Porte 14 : guichets pour l'achat des billets sur place (les jours de match) et Porte 9 : guichets pour l'achat des billets sur place (15 jours avant les matchs) Carrer d'Arístides Maillol, s/n (métro Collblanc ou tramway T1, T2 et T3, arrêt Pius XII puis 10min à pied) Tél. 902 18 99 00 ou 934 96 36 00 (de l'étranger) www.fcbarcelona.com Ouvert lun.-sam. 10h-18h30, dim. 10h-14h15 À partir de 9h30 (Porte 14) et jusqu'à 3h avant le match (Porte 16) les jours de match*

Pedralbes

Palau Reial de Pedralbes (plan 1, A1) Cerné de jardins fleuris, le Palau Reial de Pedralbes est très apprécié des étudiants de l'université voisine. Ce luxueux palais achevé en 1919 a tour à tour servi de résidence à Eusebi Güell, au roi

Alphonse XIII (d'où son nom) et au général Franco, avant d'accueillir les collections de trois musées : le musée des Arts décoratifs, le musée du Textile et du Vêtement et le musée de la Céramique. Cet ensemble est désormais réuni au sein du DHUB. Sachez enfin que seules les visites guidées vous donneront accès à la chambre royale, conservée dans son état d'origine. *Av. Diagonal, 686 (métro L3 Palau Reial, juste en face, bus n°7 depuis le Passeig de Gràcia ou tramway T1, T2 et T3, arrêt Palau Reial) Tél. 932 56 34 65 (accueil des trois musées) www.dhub-bcn.cat Ouvert mar.-dim. et j. fér. 10h-18h (fermeture des guichets 30min avant) Fermé 1er jan., 1er mai, 24 juin, 25-26 déc. Billet combiné (3 musées) 5€ ; réduit 3€ ; moins de 16 ans, 1er dim. du mois et dim. 15h-18h gratuit*

Finca Güell (plan 1, A1) Entre le palais et le monastère de Pedralbes. Gaudí réalisa en 1884 les écuries et la conciergerie de cette propriété d'Eusebi Güell. Et surtout son célèbre portail d'entrée en fer forgé, visible de la rue, chef-d'œuvre organisé autour d'un effrayant dragon. La visite guidée, organisée par la Ruta del Modernisme, fait la lumière sur toute la symbolique contenue dans cette œuvre et ouvre les portes des écuries. En sortant, suivez le Passeig Manuel Girona jusqu'au n°55 pour jeter un coup d'œil à la clôture et à la porte de la Finca Miralles (1902). Tout ondulée et garnie de céramique blanche, cette œuvre est un autre exemple de la fantaisie moderniste de Gaudí auquel une statue en bronze rend ici hommage. *Ruta del Modernisme Av. de Pedralbes, 7 Tél. 933 17 76 52 www.rutadelmodernisme.com Tarif 6€, réduit 3€ Visite guidée sam.-dim. 10h15 et 12h15 (anglais), 11h15 (catalan) et 13h15 (castillan) Pas de visite les 1er jan., 6 jan., 25 et 26 déc.*

☆ ☺ **Monestir de Pedralbes (plan 1, A1)** Un site enchanteur ! Ce monastère fut fondé en 1327 par la reine Elisenda de Montcada, veuve du roi d'Aragon Jacques II. Le vaste cloître, bel exemple de gothique catalan, est d'une grande harmonie, avec ses arcs brisés soutenus par de fines colonnes sur deux étages, que surplombe une charmante loggia. Au centre, une paisible fontaine, dissimulée aux regards par des cyprès et des orangers centenaires. À droite en entrant, la chapelle de Sant Miquel, ornée de somptueuses fresques gothiques (1343) du grand Ferrer Bassa. Plus loin, incrusté dans le mur, le sépulcre d'Elisenda, qui mourut ici en 1364. Du côté du cloître, la défunte est représentée en pénitente, et de l'autre côté, dans la belle église du monastère, en reine. Sous les arcades, de nombreuses cellules de jour, où les sœurs venaient se recueillir. Ne manquez pas celle de María de Aragón, sœur du fameux Roi Catholique Ferdinand : elle dirigea le monastère de 1514 à 1520. À voir également : le réfectoire, les caves, l'ancienne infirmerie et l'église. À l'étage, dans les anciens dortoirs, impressionnants, une exposition présente une sélection des œuvres (art, mobilier, objets liturgiques…) rassemblées par la communauté entre le XIVe et le XXe siècle. *Baixada del Monestir, 9 (bus n°22 du Passeig de Gràcia ou de la Pl. de Catalunya, bus n°64 de la Pl. de Catalunya, arrêt juste en contrebas du monastère) Tél. 932 56 34 34 www.museuhistoria.bcn.cat Ouvert avr.-sept. : mar.-ven. 10h-17h, sam. 10h-19h, dim. 10h-20h ; oct.-mars : mar.-ven. 10h-14h, sam.-dim. 10h-17h Fermé 1er jan., ven. saint, 1er mai, 24 juin et 25 déc. Tarif 7€ ; réduit (étudiants de moins de 29 ans, retraités et chômeurs) 5€ ; moins de 16 ans, 18 mai, 24 sept., 1er dim. du mois et dim. à partir de 15h gratuit Dernière visite 30min avant fermeture*

Sarrià et Sant Gervasi

CosmoCaixa (plan 5, B1) Créé en 2004 à partir d'un édifice moderniste (1909) de Josep Domènech i Estapà, l'immense musée des Sciences de la fondation Caixa privilégie l'interactivité pour familiariser le public avec les différents aspects de la science. Une monumentale rampe hélicoïdale descend autour d'un arbre suspendu jusqu'à la salle des expositions temporaires où se déroulent toutes sortes d'expériences autour d'un thème. Au fond, les sept grands blocs de roches du Mur Geològic présentent de magnifiques coupes géologiques et permettent d'observer les principales étapes de la formation de notre planète. Au fond, on se retrouve face à un incroyable Bosc Inundat : une fascinante reproduction, sur plus de 1 000m², de la forêt inondée d'Amazonie. Derrière les vitres de l'aquarium, grenouilles, piranhas, tortues et même un pirarucu de plus de 2m nagent dans leur élément. Un sentier traverse la serre peuplée de colonies de fourmis, d'araignées, de serpents et d'oiseaux multicolores : hygrométrie maximale, légère odeur de moisi, chants d'oiseaux, murmure de l'eau et, tous les quarts d'heure, une petite averse tropicale… : les gigantesques arbres sont faux, mais on est bien dans la jungle ! Les visiteurs partent ensuite pour un voyage passionnant dans la Sala de la Matèria, à travers quatre espaces dédiés à la matière (inerte, vivante, intelligente et civilisée), où de nombreuses expériences ludiques aident à décoder les processus de l'évolution de la matière et de la vie sur notre planète. Deux planétariums permettent de se projeter dans l'espace, l'un équipé des dernières technologies de projection 3D, et l'autre, conçu tout spécialement pour les tout-petits à partir de 3 ans. Les enfants pourront aussi éveiller leur sensibilité scientifique dans la salle Flash i Click ou en participant à des ateliers familiaux… Un musée d'où l'on sort rempli de nouvelles connaissances, les sens aiguisés ! C/ Isaac Newton, 26 (FGC L7 arrêt Av. Tibidabo ou Tramvia Blau ou 10min à pied) Tél. 932 12 60 50 www.lacaixa.es/obrasocial Ouvert mar.-dim. 10h-20h (ouvert lun. si j. fér.) Fermé 1er jan., 6 jan. et 25 déc. Tarif 4€ ; moins de 16 ans gratuit Activités Planetario, Flash i Click 4€ Autres activités 2€

● **PATATES BRAVES**
Des pommes frites et de la sauce piquante, le tout arrosé de convivialité, le bonheur c'est si simple ! (p.198). **Bar Tomás (plan 1, A1 n°28)** Carrer Major de Sarrià, 49 Ouvert jeu.-mar. 12h-16h et 18h-22h

● **Où prendre un délicieux petit déjeuner ?**
Crustó (plan 5, B3 n°20) On trouve facilement le chemin de ce café coquet en suivant les effluves qui s'en dégagent. La bonne odeur du pain et des viennoiseries sortant du four, le bruit du percolateur et l'ambiance provinciale-chic séduit les habitants du quartier. Difficile de faire son choix parmi les dizaines de tartes aux fruits, les gâteaux au chocolat, les strudels, les cupcakes, les madeleines, les financiers, les biscuits et les douceurs traditionnelles catalanes et espagnoles… C/ Muntaner, 363 Tél. 932 41 87 43 www.crusto.es Ouvert lun.-ven. 7h30-21h, sam. 8h-21h, dim. 8h30-15h

● **Où déguster des glaces et *petxines* de Sarrià ?**
Foix de Sarrià (plan 1, A1 n°10) Josep Foix i Riera, père du célèbre poète dont le buste en bronze trône dans la boutique, installa ici sa pâtisserie en 1923. Les

glaces artisanales déclinées selon les saveurs de saison sont délicieuses et s'accordent parfaitement avec quelques *petxines* (sablés aux amandes en forme de coquilles baignés de chocolat). Les gâteaux de cérémonie, véritables œuvres d'art, ainsi que les nombreuses spécialités – langues de chat, panettones, truffes, pâtes de fruits, caramels, marrons glacés, tuiles au chocolat ou bonbons, etc. attirent le Tout-Barcelone. La maison mère, ouverte depuis 1886, se trouve au n°57 de la Carrer Major de Sarrià. *Plaça de Sarrià, 12-13 Tél. 932 03 04 73 www. foixdesarria.com Ouvert tlj. 8h-21h Fermé le soir de Noël*

Vers la Serra de Collserola

Mont Tibidabo Du haut de ses 542m, point culminant de la Serra de Collserola, ce mont majestueux domine Barcelone. Il tire son nom d'un épisode de l'Évangile selon saint Matthieu, où Satan emmène Jésus au sommet d'une montagne dominant le monde et le tente par ces mots : *Haec omnia tibi dabo, si cadens adoraberis me* ("Je te donnerai tout cela, si devant moi tu te prosternes"). Au sommet se dresse la silhouette du **Sagrat Cor** (Sacré-Cœur), commencé en 1902 par l'architecte Enric Sagnier et terminé en 1961 par son fils Josep Maria Sagnier i Vidal. Sur une crypte ronde en pierre grise de Montjuïc, s'élance une gracieuse église néogothique blanche, visible de tous les points de la ville. La touche moderniste de l'entrée de la crypte, richement décorée d'une mosaïque de la Sainte Trinité et de statues, ne peut échapper au regard. À l'intérieur, admirez les mosaïques qui ornent les absides semi-circulaires : celle de la nef centrale retrace l'histoire du temple. L'accès à la terrasse, où se dressent les statues des douze apôtres, se fait par ascenseur. Vue imprenable du balcon situé au pied de la statue en bronze du Christ. À 10km au nord-ouest du centre-ville.

Où siroter son vermouth ?	
Cala del Vermut	189
Casa Mariol	190
La Bodegueta	197
Bodega del Poblet	198
Bar Roure	198

Temple Expiatori del Sagrat Cor *Prendre le Tibibús T2A au départ de la Pl. de Catalunya (circule à partir de 10h15 mars, mai-juin et sept.-nov. : week-end et j. fér. ; avr. et déc. : week-end, j. fér. et quelques jours en semaine ; juil.-août : mer.-dim. ; ticket 2,95€ AS). Solution plus folklorique, mais plus longue et plus chère : prenez le train de banlieue Ligne bleue direction Tibidabo ou le bus n°196, de la Pl. de Catalunya jusqu'à la station Av. Tibidabo, puis le tramway Tramvia Blau (4€ AS, 4,70€ AR) jusqu'au funiculaire du Tibidabo qui rejoint le sommet (4,10€ AR) Tél. 934 17 56 86 www.templotibidabo.info Ouvert tlj. 8h-20h Entrée libre Ascenseur tlj. 10h15-20h (dernier accès 19h15), tarif 2€*

Torre de Collserola Réalisée par l'Américain Norman Foster pour les JO de 1992, cette spectaculaire tour de télécommunications de 288m domine la crête de la Serra de Collserolla. Un ascenseur vous emmène jusqu'à la salle panoramique aux parois cristallines, à 115m du sol. *Carretera de Vallvidrera al Tibidabo Train de banlieue direction Sabadell Terrassa depuis la Pl. de Catalunya jusqu'à la station Peu del Funicular, puis le funiculaire de Vallvidrera et* *enfin le bus n°111 Tél. 932 11 79 42 www.torredecollserola.com Ouvert juil.-août : mer.-dim. 12h-14h et 15h15-20h ; mars-juin, sept.-déc. : w.-e. et j. fér. 12h-14h et 15h15-19h Tarif 5,60€, réduit (4-14 ans et plus de 60 ans) 3,30€*

● S'élancer sur les montagnes russes

Parc d'Atraccions Tibidabo Ouvert en 1908, ce parc est le plus ancien d'Espagne. Modernisé en 1990, il possède encore quelques attractions du début du XXᵉ siècle, comme la grande roue (1921) ou l'avion rouge (1928). Ne manquez surtout pas le musée des Automates où il suffit de presser un bouton pour faire fonctionner ces fabuleuses machines de la fin du XIXᵉ siècle. *Plaça del Tibidabo, 3-4 Tél. 932 11 79 42 www.tibidabo.net Ouvert oct.-mai : w.-e. et j. fér. ; juin, sept. : w.-e. et j. fér. (ouvert quelques jours en semaine) ; juil.-août : mer.-dim. Fermé 1ᵉʳ jan., 6 jan., 25-26 déc. **Camí del Cel (8 attractions)** Ouvert tlj. à partir de 11h **Reste du parc** À partir de 12h Tarif parc complet 28,50€, réduit (moins de 120cm) 10,50€, plus de 60 ans 10€ ; Camí del Cel 12,70€, réduit 7,80€, plus de 60 ans 6,70€ attraction seule ou musée des Automates 2€*

● Où boire un verre au coucher de soleil ?

Bar Miramar Même si vous ne descendez pas à l'hôtel Florida au sommet de Tibidabo, allez tout de même y prendre un verre sur la terrasse panoramique. Goûtez à sa magie un cocktail à la main, une petite salade ou quelques tapas devant vous et laissez-vous flotter 500m au-dessus de la ville. Face à vous, des vues imprenables sur Barcelone, la Méditerranée et les Pyrénées... Idéal pour les tête-à-tête romantiques et glamours. *Ctra Vallvidrera al Tibidabo, 83-93 Tél. 932 59 30 00 Ouvert tlj. 9h-1h Terrasse ouverte mai-oct.*

Les environs de Barcelone

☆**Les essentiels** La crypte de la Colònia Güell **Découvrir autrement**
Faites le tour de la Catalogne comme dans des bottes de sept lieues au parc de la Catalunya en Miniatura

☆☺ **Colònia Güell** La Colònia Güell, cette cité ouvrière conçue dès 1890 autour de la fabrique textile d'Eusebi Güell, par les architectes modernistes Francesc Berenguer i Mestres (1866-1914) et Joan Rubió i Bellver (1870-1952), abrite une œuvre maîtresse de Gaudí, hélas restée inachevée. En effet, de l'ambitieux projet d'église paroissiale, seuls le portique et la crypte ont effectivement vu le jour. En arrivant dans le village, rendez-vous au centre d'interprétation pour connaître tous les dessous de l'histoire de la cité ouvrière et acheter le billet d'entrée pour la crypte. Puis muni d'une carte des lieux, baladez-vous dans le village à la découverte des bâtiments les plus importants : Ca l'Espinal, Ca l'Ordal, le logis paroissial... Et bien sûr la crypte, au sommet d'une colline couverte de pins, inscrite au Patrimoine mondial depuis 2005. Ici, Gaudí utilise pleinement son génie architectural et semblant faire fi des lois de la pesanteur, il imagine une structure libre d'arcs-boutants et de contreforts où se combinent différents matériaux. À l'extérieur, le portique se caractérise par un étonnant palmier de basalte soutenant les voûtes, une abondance de croix et de symboles religieux réalisés en *trencadís* au plafond et un superbe linteau en mosaïque multicolore. En pénétrant dans le temple consacré, on est immédiatement frappé par le fort contraste entre l'ambiance austère rendue par l'aspect caverneux du temple en pierre et en brique, et la polychromie de la lumière diffusée par les vitraux. Dans la nef de plan ovale, une forêt de colonnes inclinées, rappelant la pinède à l'extérieur, soutient des "paraboloïdes hyperboliques" et absorbe les différentes forces qui s'exercent sur l'édifice. Le bénitier, un énorme coquillage tropical blanc posé sur un superbe support en fer forgé, rappelle celui de la Sagrada Família. Prenez le temps de vous asseoir quelques instants sur les bancs, dont l'inclinaison du dossier a été pensée par Gaudí pour favoriser le recueillement des fidèles, et admirez les œuvres de Josep Maria Jujol i Gibert (1879-1949) : l'autel central avec ses anges et son tabernacle, ainsi que l'autel de la Sainte Famille à gauche (1945). Terminez la visite sur le toit terrasse, là où devait s'élever la nef haute, et de laquelle on profite de belles vues sur la campagne environnante. *Santa Coloma de Cervelló* À 23km au sud-ouest de Barcelone En voiture, suivre la C31 ou la C32 (dir. Sant Boi de Llobregat), puis la B2002 En train, prendre les lignes FGC régionales S4, S8 et S33 de la Plaça de Espanya **Centre d'interprétation** C/ Claudi Güell, 6 Tél. 936 30 58 07 www.gaudicoloniaguell.org Ouvert mai-oct. : lun.-ven. 10h-19h, w.-e. et j. fér. 10h-15h ; nov.-avr. : lun.-ven. 10h-17h, w.-e. et j. fér. 10h-15h Fermé 1er et 6 jan., dim. des Rameaux, ven. saint, 25-26 déc. Tarif (entrée sur l'ensemble du site) 11,50€, réduit 9,30€ ; (exposition et entrée dans la crypte) 7€, réduit (étudiants et retraités) 5,50€ ; (exposition, entrée crypte et audioguide) 9€, réduit 7,50€ ; (exposition et visite guidée crypte ou visite guidée Colónia Güell) 9,50€, réduit 8€, moins de 11 ans gratuit Visite guidée (catalan et castillan) dim. 12h, visite guidée en français sur rés. (10 pers. minimum)

Catalunya en Miniatura Faire un tour de Catalogne, sans passer trop de temps sur les routes est possible grâce à ce parc qui met en lumière les mille et une richesses architecturales de la région. Promenez-vous au milieu de 150 maquettes, réalisées avec un grand souci du détail, représentant les édifices emblématiques de la région (églises, monastères, palais baroques, édifices modernistes…). Un beau tour d'horizon ! Envie de voir la vie d'encore plus haut ? Besoin de vous défouler ? Direction El Bosc Animat, le parcours d'aventures en forêt avec 66 activités pour tous les niveaux et à partir de 3 ans. *Torrelles de Llobregat* À 11km à l'ouest de Barcelone En voiture, prendre la B23 jusqu'à la sortie n°5 puis suivre A2 jusqu'à la sortie Sant Vicenç dels Horts. Au premier rond-point, suivre la direction Torelles de Llobregat En train, prendre les lignes FGC régionales S4, S8, S33, R5 et R6 de la Plaça de Espanya, descendre à Sant Vicenç dels Horts puis bus Soler i Sauret n° 62 Tél. 936 89 09 60 www.catalunyaenminiatura.com Ouvert juil.-août : tlj. 10h-20h ; mars-juin, sept. : tlj. 10h-19h ; oct.-fév. : mar.-dim. 10h-18h Ouvert 5 jan., 23 juin, 24 déc., 26 déc., 31 déc. 10h-15h Tarif 13,50€, réduit (enfants 3-12 ans et retraités) 9,50€ **El Bosc Animat** Tél. 936 89 09 60 www.elboscanimat.com Ouvert avr.-sept. : mar.-ven. 10h-15h, w.-e. et j. fér. 10h-18h ; oct.-mars : tlj. 10h-19h Horaires sujets à modifications Se renseigner par tél. Fermé mi-déc.-début jan. Tarif 1 circuit : 21,50€, réduit (enfants 4-12 ans) 19€ ; 2 circuits : 29€, réduit 25,50€ ; tyrolienne 5€ ; circuit tout-petits 14€ Entrée Catalunya en Miniatura incluse Réservation obligatoire

GEO**PLUS**

Sur les traces de Gaudí

Entre génie et folie, l'œuvre de Gaudí (1852-1926) est l'empreinte de l'un des architectes, urbanistes, sculpteurs et peintres les plus extraordinaires de tous les temps.

Au-delà du mouvement Art nouveau dans lequel on tend à l'enfermer, Antoni Gaudí i Cornet constitue un phénomène absolument à part, tant en matière d'expressivité créative que d'inventivité technique. On adore ou on déteste, c'est vrai, mais on ne reste pas indifférent à l'œuvre de ce visionnaire né à Reus en 1852, mort écrasé par un tramway à Barcelone en 1926, et qui fit de cette grande ville l'écrin privilégié de son talent.

LES ŒUVRES DE GAUDÍ À BARCELONE

Sagrada Família (1883-2026 ?) Symbole par excellence du travail de l'architecte catalan et l'œuvre de toute une vie (p.169).

Petite école de la Sagrada Família (1908-1909) Construite au pied de la cathédrale pour les enfants des ouvriers travaillant à la construction du temple. En dépit de son caractère initialement provisoire, elle est considérée comme l'une des œuvres les plus significatives de Gaudí (p.169) !

Casa Milà (La Pedrera) (1906-1912) Œuvre d'art totale, depuis la façade ondulante jusqu'aux poignées de porte (p.165).

Casa Batlló (1904-1906) Spectaculaire réaménagement d'une maison à la façade couverte de morceaux de verre et de céramique (p.162).

Casa Calvet (1900) L'œuvre la plus "classique" de Gaudí. Les colonnes de l'entrée en forme de bobines rappellent que les étages inférieurs abritaient un atelier textile (fermée au public). C/ *Casp, 48*

Tour de Bellesguard (1900-1909) Inspirée par le château médiéval du dernier roi catalan, qui se trouvait au même emplacement (fermée au public). C/ *Bellesguard, 16-20*

Palau Güell (1886-1890) Première commande de la famille Güell à Gaudí, première œuvre où l'artiste décida d'employer des matériaux précieux, et première utilisation de l'arc parabolique pour la réalisation d'une porte d'entrée (p.127).

Casa Vicens (1878) Cette maison arabisante (fermée au public) est le premier travail de Gaudí après l'obtention de son diplôme d'architecte (p.175).

Parc Güell (1900-1914) Un projet avorté de zone résidentielle, devenu le plus beau parc de Barcelone

---

● **MIEUX CONNAÎTRE GAUDÍ Casa-Museu Gaudí** Dans le parc Güell, la maison de l'artiste, de 1906 à sa mort, lieu d'expression de son intimité (p.178). **Gaudí Centre** À Tarragone. Le dernier-né des lieux consacrés à l'architecture de Gaudí (p.240).

et dont le petit dragon revêtu de *trencadís* est célèbre dans le monde entier (p.127).

Finca Güell (1884-1887) Un style néo-mudéjar pour les écuries de la famille Güell, fermées par un spectaculaire portail en fer forgé en forme de dragon (p.181).

Collège Sainte-Thérèse (1888-1889, C/ de Ganduxer, 85-105) Des couloirs à effets hypnotiques, grâce à une succession de hauts et fins arcs blancs... *Visites sur demande sam.-dim.*

Porte et murs de la propriété Miralles (1902) Un surprenant travail de clôture pour la propriété d'un ami de Gaudí. *Passeig de Manuel Girona, 55*

Lampadaires (1878-1879) Commandés par la mairie de Barcelone et situés sur le Pla de Palau et la Plaça Reial. (p.113).

Pavement du Passeig de Gràcia Les petites dalles hexagonales qui recouvrent les trottoirs de cette avenue mythique ont aussi été dessinées par Gaudí (p.161).

● **POUR EN SAVOIR PLUS...** Téléchargez l'audioguide *La Barcelone de Gaudí* sur le site de l'office de tourisme. Le site Internet et les publications de la "Ruta del Modernisme" sont une riche source d'information sur l'Art nouveau en Catalogne, et sur Gaudí en particulier. D'autres sites consacrés à ce dernier : *www.bcn.es/gaudi2002/www.gaudiclub.com* **Centre du Modernisme** *Visites organisées (plusieurs "Routes du Modernisme"). Pl. de Catalunya, 17, sous-sol. Tél. 933 17 76 52 www.rutadelmodernisme.com Ouvert lun.-sam. 10h-19h, dim. et j. fér. 10h-14h Fermé 1er et 6 jan., 25 et 26 déc.*

DANS LES ENVIRONS DE BARCELONE

Celliers Güell (1895-1901) De Garraf, près de Sitges, signés par Gaudí et son disciple Francesc Berenguer. S'y mélangent le style médiéval, les courbes paraboliques et les arcs romans. *Tél. 936 32 00 19*

Crypte de la Colònia Güell (1908-1917) Une œuvre très intéressante qui permit à Gaudí de tester de nombreuses solutions architecturales utilisées par la suite pour la création de son chef-d'œuvre, la Sagrada Família. *Santa Coloma de Cerveló, à 15km de Barcelone Tél. 936 30 58 07*

AUTOUR DE GAUDÍ

Lluís Domènech i Muntaner et Josep Puig i Cadafalch sont les deux autres figures majeures de l'architecture moderniste en Catalogne. Néanmoins, Gaudí eut plusieurs disciples moins connus. Pour n'en citer que quelques-uns et leurs réalisations à Barcelone.

Josep Maria Jujol Voir la Casa Planells (1923) au 332 de l'Avinguda Diagonal, la Torre de la Creu (1916), dans le quartier de Sant Joan Despi.

Salvador Valeri i Pupurull Ne pas manquer la très surprenante Casa Comalat (1906-1911) et ses deux façades bien différentes, à l'angle de la Carrer Córsega, du Passeig de Gràcia et de l'Avinguda Diagonal. La façade postérieure rappelle certains motifs de la Casa Batlló.

Antoni M. Gallissà Voir la Casa Llòpis (1902). *C/ Bailen, 113*

BARCELONE ET SES ENVIRONS

CARNET D'ADRESSES

Lieux de sortie

Fidèle à sa réputation industrieuse, Barcelone reste très sage en semaine. Mais dès qu'arrive le week-end, la fête bat son plein. Les quartiers centraux d'El Born et d'El Raval sont en général fort animés le soir. Gràcia est également une destination de choix – sans doute plus décontractée et moins touristique – pour les noctambules. Les innombrables établissements de Port Olímpic et du complexe de Maremagnum (Port Vell) ne désemplissent pas en fin de semaine. Animation garantie ! Les boites sont disséminées dans toute la ville, des bars avec *dance floor* du bord de mer aux boîtes select de la Zona Alta (ville haute, plutôt bourgeoise). Certaines sont mondialement réputées pour leur ambiance, la qualité de leur décor et de leur musique. Du jeudi au samedi, il y a foule à partir de 3h-4h du matin. Au pied de Montjuïc, les boîtes de nuit du Poble Espanyol sont très fréquentées l'été.

Bars à còcteles (et à mojitos)

☺ **Boadas Cocktail Bar (plan 3, B2 n°62)** Fondé en 1933 par le Cubain Miguel Boadas, ce classique est l'une des adresses les plus minuscules de Barcelone. Les boiseries sombres et les murs tapissés de dessins et de caricatures font un écrin rêvé pour la confection de délicieux cocktails. On reste béat devant les prouesses des serveurs à l'élégance imperturbable devant l'animation d'une clientèle de plus en plus hétéroclite et joyeuse au fil de la soirée. Mojitos et Dry Martini font partie des incontournables, même si on peut opter sans hésiter pour le cocktail du jour. Joan Miró s'est vu dédier un cocktail détonnant :

Dubonnet, Grand Marnier et scotch. 8€ le verre. *La Rambla* C/ dels Tallers, 1 Tél. 93 318 95 92 Ouvert lun.-jeu. 12h-2h, ven.-sam. 12h-3h Fermé 2 sem. en août Pas de CB

Cafè Royale (plan 2, B1 n°33) Le rendez-vous des *beautiful people* du Barri Gòtic, à deux pas des palmiers de la Plaça Reial. Chaque soir, les sessions de DJ se succèdent sur des rythmes résolument électro, avec des réminiscences sixties et seventies soul, jazz et latino. Un incontournable de la nuit barcelonaise. *Barri Gòtic/ Sud* C/ Nou de Zurbano, 3 Tél. 933 18 89 56 www.carlitosgroup.com Ouvert dim.-jeu. 22h30-2h30, ven.-sam. 22h30-3h Entrée libre

El Copetín (plan 2, C1 n°34) Un de nos bars préférés du Passeig d'El Born. Ambiance tropicale simple et décontractée, ce qui n'est pas si fréquent à Barcelone. La salle du fond, si vous arrivez à vous frayer un chemin jusque-là, compte quelques tables. Sinon, compressé entre comptoir et mur, vous siroterez les délicieux mojitos de la maison en regardant les serveuses assurer le spectacle. Chaud devant ! Si l'amour vous prend au dépourvu, écrivez un mot doux à l'élu(e) de votre cœur : la maison fournit de petites enveloppes. *La Ribera/El Born* Passeig d'El Born, 19 Tél. 933 19 10 82 Ouvert tlj. 18h-3h

Dry Martini (plan 4, B2 n°54) 1/5e de vermouth Noilly Prat, 4/5e de gin Gordon's, un trait d'Orange Bitters, remuer pendant une minute et garnir d'une olive : le cocktail préféré d'Ernest Hemingway a donné son nom à ce bar chic, à l'élégance masculine et nostalgique des années 1920. Sur les étagères et derrière l'imposant bar en bois, on se trouve face à un véritable musée de flacons et bouteilles d'un autre âge. Dans la salle ornée d'œuvres d'art dédiées aux célèbres spiritueux, on sirote les "meilleurs cocktails du monde" confortablement installé dans des fauteuils en cuir vert sombre. Au fond, un restaurant façon clandé, le bien nommé Speakeasy, où pour entrer, il faut montrer patte blanche. *L'Eixample* C/ Aribau, 162-66 Tél. 932 17 50 72 www.drymartinibcn.com Ouvert lun.-jeu. 13h-2h30, ven. 13h-3h, sam. 18h30-3h, dim. 18h30-2h30

Xixbar (plan 6, B1 n°14) Feuilles de menthe, branches de genévrier, quartiers de citron vert ou de pamplemousse, rondelles de concombre et fruits rouges ou exotiques agrémentent désormais le gin tonic servi à Barcelone, témoignant de l'engouement fiévreux de ses habitants pour un cocktail destiné, à l'origine, à combattre le paludisme. Heureusement, il reste des bars où vous pourrez déguster un vrai "gin'to" qui n'a rien d'une salade de fruit. L'un d'eux est le Xixbar, qui se veut le premier bar de la ville spécialisé dans ce breuvage alliant eau tonique et eau-de-vie aromatisée avec des baies de genévrier (à partir de 8€). Une invitation au voyage, de surcroît, avec plus de 130 références de toutes provenances. Il ne vous restera plus qu'à faire un détour par la boutique attenante pour épater vos amis au retour des vacances. *Poble Sec* C/ Rocafort, 19 Tél. 934 23 43 14 www.xixbar.com Ouvert lun. 18h30-2h30, mar.-sam. 17h-2h30

Vermuterias

Cala del Vermut (plan 3, C3 n°64) Nostalgiques des petits bars des villages de la Costa Brava, amateurs de

Et aussi...

D'autres lieux où marquer une pause gourmande au fil de vos flâneries.

Cafés, salons de thé, bars

vermouth, habitués, voisins et amis jouent des coudes dans ce minuscule local bleu. Quelques tonneaux font office de tables, le lieu se remplit rapidement et la ruelle se transforme alors en succursale ! On a toutes les raisons de s'y presser : son appétissante sélection de fruits de mer et de tapas froides est idéale pour accompagner un vermouth Yzaguirre ou Martínez Lacuesta – auquel on donne un "coup de siphon" (jet d'eau gazeuse), comme le veut la tradition !

Barri Gòtic/Catedral C/ *Magdalenes, 6 Tél.* 933 17 96 23 www.caladelvermut. cat *Ouvert lun.-sam. 11h-16h et 19h-22h30, dim. 9h-16h*

Casa Mariol (plan 1, C2 n°22) Si les bodegas ont retrouvé leur lustre d'antan et que le vermouth, d'apéritif préféré des grands-mères est devenu celui de la jeunesse urbaine branchée, c'est un peu (beaucoup) grâce à la Maison Mariol. Ce producteur de Batea, dans le sud de la Catalogne rurale, a ouvert un magasin de quartier à quatre stations de la Sagrada Familia et fournit désormais tous les bars en vogue de la ville. Outre du vin en vrac, elle propose des tapas de jambon, fromage, charcuterie et autres (à partir de 3,50€) pour accompagner son fameux vermouth (2€ le verre), son grenache et son surprenant *verdejo*. En bref, un lieu où savourer la tradition viticole de la Terra Alta sans quitter le cœur battant de Barcelone. *L'Eixample/Autour de la Sagrada Familia* C/ *Rosselló, 442 Tél.* 934 36 76 28 www.casamariol.com *Ouvert lun.-ven. 9h-22h, sam.-dim. 10h-15h*

Bar à vin (et terrasse)

La Vinya del Senyor (plan 2, C1 n°39) L'une des plus agréables terrasses de la ville. La carte rassemble le meilleur des cavas et des vins régionaux, avec en vedette penedès et priorat, mais aussi le fin du fin des crus espagnols. Le mieux est de faire confiance à la sélection de la quinzaine, offrant un bon choix de vins au verre (de 1,95 à 9€). Aux petits creux, La Vinya del Senyor propose aussi des "petites bouffes" (2,90-12€ env.). *La Ribera/El Born* Pl. de Santa María, 5 *Tél.* 933 10 33 79 www.lavinyadelsenyor.com *Ouvert lun.-jeu. 12h-1h, ven.-sam. 12h-2h, dim. 12h-0h*

Bar à absinthe

Bar Marsella (plan 2, A1 n°30) L'un des rares survivants de la grande époque du Barrio Chino, ouvert en 1820. Les lustres en cristal bruni par la nicotine sont couverts de toiles d'araignées, les vieux miroirs ne reflètent plus rien, les bouteilles vides se sont amoncelées au sommet des étagères en bois, les carreaux de céramique ont perdu leurs couleurs. Mais il flotte dans l'air un parfum de bohème un peu canaille, comme du temps où Jean Genet venait boire son absinthe. L'*absenta* (env. 5€) est toujours servie pure, avec un sucre à imbiber et à enflammer sur une fourchette pour que, caramélisé, il tombe dans le fameux breuvage vert pâle. Attention, les rues voisines sont assez mal famées le soir. *El Raval/Sud* C/ *Sant Pau, 65 Tél.* 934 42 72 63 *Pas de CB*

Transat

Boo (plan 1, C3 n°21) Le seul bar de plage design et chic en dur de la façade maritime se dresse sur la digue, comme un bateau flottant entre les plages Mar Bella et Nova Mar Bella ! Facile d'y passer la journée tellement l'ensemble séduit : deux restaurants, un bar à cocktails et un club de plage exclusif où faire la sieste, prendre un bain de soleil, siroter un cocktail au coucher du soleil et savourer la douceur de la nuit sur des sons chill-out. *Façade maritime/Poblenou* Platja de Nova Mar Bella *Tél.* 932 25 01 00 www. elboo.es *Ouvert Cocktail Club tlj. 10h-3h, dim. 13h-17h30 Beach Club lun.-jeu. 12h-2h30, ven. et sam. 12h-3h*

Toit-terrasse

La Terraza del Claris (plan 4, B3 n°56) Sur le toit-terrasse 5 étoiles du Claris, voilà un repaire chic où se détendre en toute saison ! Du jeudi au samedi à partir de 23h, un DJ donne le rythme et on se sent privilégié, une flûte de champagne ou un cocktail à la main face à l'Eixample illuminé... *L'Eixample* C/ Pau Claris, 150 Tél. 934 87 62 62 www.derbyhotels.com Ouvert été : tlj. 10h-2h ; reste de l'année : tlj. 10h-1h

Pour l'apéro

☺ **Café del Sol (plan 5, C3 n°32)** Un incontournable, sur la place la plus animée de Gràcia. Celle-ci foisonne de bars branchés, mais on finit toujours au Café du soleil. La terrasse ensoleillée invite à paresser à l'heure de l'apéritif, tandis que la musique festive, la convivialité et l'animation deviennent contagieuses en salle à partir de 23h-minuit en fin de semaine. La bière (2,30€, 2,60€ à partir de 19h) coule à flots sous les ventilateurs du plafond, qui ont bien du mal à rafraîchir l'atmosphère. Et on peut même passer voir les matchs de foot à la télé ! *Gràcia* Plaça del Sol, 16 Tél. 932 37 14 48 Ouvert dim.-jeu. 11h-2h30, ven.-sam. et j. fér. 11h-3h

Coupe-faim

Cèntric (plan 3, B2 n°61) Ses grandes baies vitrées ont longtemps fait de ce vénérable café de la rue Taller l'observatoire privilégié d'un secteur particulièrement animé du Raval. Rénové par le groupe San Telmo, le Centric a perdu son attachante rusticité. En revanche, il a gagné en confort et dispose désormais d'une chaleureuse salle à manger où vous pourrez déguster des tapas (à partir de 3,50€), de bons petits plats et des vins au verre. Les fenêtres panoramiques demeurent une source de distraction pour ceux qui sirotent un café au petit déjeuner ou un bon cocktail le soir. Menu du jour (plat, dessert et boisson) 9,50€. Comptez 20-35€ le repas. *El Raval* C/ Ramelleres, 27 Tél. 931 60 05 26 www.gruposantelmo. com/restaurantes/centric Ouvert tlj. 8h-1h

Tras Paso (plan 1, D3 n°27) Au sud du Parc de Diagonal Mar, dans cette partie de Poblenou encore épargnée par les transformations urbanistiques, d'anciennes fabriques accueillent des ateliers d'artistes ou les bureaux de jeunes entrepreneurs. Leur adresse de prédilection pour un déjeuner rapide et économique ? Le Tras Paso, au coin de la rue Ramón Turro, avec son décor multicolore fait de collages, de fresques et de panneaux de signalisation ! Tenu par deux Français et un Basque espagnol, ce lieu propose une cuisine de marché et des recettes d'inspiration française. À midi, le menu du jour (9€) ne laisse personne sur sa faim et le soir, il semble n'y avoir qu'une bande de joyeux copains dans toute la salle. Une maison où règne la bonne humeur ! *Façade maritime/ Poblenou* C/ Fluvia, 24 Tél. 933 08 22 72 www.tras-paso.com Ouvert lun.-jeu. 8h-2h, ven. 8h-3h, sam. 10h-3h Fermé à l'heure du déj. fin déc.-début jan. et 1re quinzaine d'août

Salles de spectacle

Espai Barroc (plan 2, C1) (p.133)
El Molino (plan 6, B2 n°12) (p.150)

Maestros de la Guitarra Española
De grands maîtres de la guitare tels que Manuel González, Xavier Coll ou Manuel Barrueco, à découvrir dans des lieux privilégiés de la ville : la basilique Santa María del Pi, l'église Sant Jaume ou encore le palais de la Musique catalane. Entrée 19-32€. Tél. 647 51 45 18 www.poemasl.es Concert à 21h Calendrier et rés. sur Internet ou à l'OT

Palau de la Música Catalana (plan 3, C2) De nombreux concerts classiques, de jazz et de flamenco, et des spectacles alliant opéra et flamenco y sont donnés toute l'année. Mais l'auditorium remplit encore sa fonction première : promouvoir la musique populaire catalane. Des chanteurs accompagnés de *coblas* (orchestres traditionnels) s'y produisent en semaine, à des prix plus modestes. *La Ribera* C/ Palau de la Música, 4-6 Tél. 932 95 72 00 *www. palaumusica.org* **Billetterie** *lun.-sam. 10h-21h, dim. et j. fér. 1h avant le spectacle* **Concerts** *de 9€ à plus de 170€* **Opera y flamenco** *35-45€* **Coblas** *(musique catalane) de 12 à 20€*

Teatre Nacional de Catalunya (plan 1, C2) Des classiques aux théâtres d'avant-garde (la plupart du temps en catalan), en passant par la danse ou l'opéra, ses trois scènes sont en constante ébullition ! *Façade maritime/Poblenou Plaça de les Arts, 1 Tél. 933 06 57 20 (rés.) www.telentrada. com (achat de billet) Ouvert mer.-ven. 15h-19h, sam. 15h-20h30, dim. 15h-17h* **Billetterie** *mer.-ven. 15h-19h, sam. 15h-20h30, dim. 1h avant le spectacle* **Billetterie** *Palau de la Virreina tlj. 10h-20h30*

Auditori (plan 1, C2) Rafael Moneo a signé l'édifice de l'auditorium, ouvert au public en 1999. Quatre salles à l'acoustique optimale et une programmation riche : musique classique, antique, de chambre, moderne ou contemporaine, chant choral, *zarzuela* (opéra-comique espagnol) ou *cobla* (ensemble instrumental typiquement catalan) rythment les saisons... *Façade maritime/Poblenou Carrer de Lepant, 150 Tél. 932 47 93 00 ou 902 10 12 12 (rés.) www.auditori.cat www.telentrada.com (rés.)* **Billetterie** *Ouvert lun.-sam. 15h-21h, dim. 1h avant le début du concert*

Tablao flamenco

El Tablao de Carmen (plan 6, A1 n°13) (p.158)

Los Tarantos (plan 2, B1 n°41) Le plus sérieux et célèbre *tablao flamenco* de Barcelone, dans l'édifice du Jamboree. Spectacle tous les soirs, cher et touristique mais de qualité. On dit que le grand danseur Antonio Gades y a effectué ses premiers *taconeos* (percussions de pied) en public. Los Tarantos devient ensuite une boîte où l'on peut danser. Entrée 10€ sans consommation *Barri Gòtic/Sud Plaça Reial, 17 Tél. 933 19 17 89 www. masimas.com Ouvert tlj. 20h30-5h* **Tablao** *(Flamenco) Ouvert tlj. 20h30-23h (3 séances de spectacle) Entrée 8€* **Discothèque** *tlj. 0h30-5h (avec le Jamboree)*

Salles de jazz

Jamboree (plan 2, B1 n°37) Cette boîte de jazz a accueilli les plus grands, de Chet Baker à Joshua Redman. Un incontournable pour les amateurs ! À partir de 0h30, place à la danse sur des rythmes hip-hop, rythm 'n' blues, *dancehall* et rap. Entrée 10€ sans consommation *Barri Gòtic/Sud Plaça Reial, 17 Tél. 933 19 17 89 www. masimas.com Ouvert lun.-ven. 20h-5h, sam.-dim. 20h-6h* **Concerts** *tlj. 20h et 22h Entrée 8-15€* **Discothèque** *tlj. 0h30-5h*

Harlem Jazz Club (plan 2, B1 n°36) Une bonne salle de jazz, au cœur du Barri Gòtic. Concerts tous les soirs, du jazz au flamenco en passant par les musiques latino-américaines. Ambiance jeune et décontractée. Pour trouver une chaise dans la petite salle de concert du fond, mieux vaut arriver tôt. Entrée 6€ sans consommation (sauf mar.-mer.

6,50€ avec conso.) *Barri Gòtic/Sud* C/ de la Comtessa de Sobradiel, 8 Tél. 933 10 07 55 Ouvert mar.-jeu. 20h-3h30, ven.-sam. 20h-5h **Concerts** vers 22h mar.-jeu. et 23h ven.-sam. Fermé 2 sem. en août Pas de CB

Musique live

London Bar (plan 2, A1 n°40) Fondé en 1910, le London Bar, emblématique de la bohème du défunt Barrio Chino, a su faire de vieux os sans perdre son âme. La programmation éclectique de la salle du fond (blues, jazz, etc.) mérite l'éloge et continue d'attirer la foule, touristes et habitués confondus. On peut aussi venir boire un verre en début de soirée (bière à 1,50€ 10h-21h et 2,50€ à partir de 21h), rien que pour admirer l'intérieur moderniste, recréant le décor d'une roulotte de cirque. Il faut dire qu'à ses origines le London Bar servait de repaire aux artistes du Circ Barcelonès, cirque permanent installé près du port. *El Raval/Sud Carrer Nou de la Rambla, 34 Tél. 933 18 52 61 Ouvert sam.-dim. 18h-3h30 ; lun.-ven. 10h-3h30*

Luz de Gas (plan 5, B3 n°35) Cet ancien cabaret-théâtre de la Zona Alta accueille presque chaque soir un concert (soul, country, salsa, rock, jazz, pop...) avant de se transformer en une boîte de nuit branchée. La salle a gardé son style original, drapés rouge et or, moulures, lustres multicolores et parquet brillant. Une atmosphère intime et chaleureuse en début de soirée, puis endiablée jusqu'au bout de la nuit. L'entrée est sélecte, mettez-vous sur votre 31. *Ouest de Barcelone Carrer de Muntaner, 246 Tél. 932 09 77 11 www.luzdegas.com Ouvert jeu.-sam. 0h-6h (ouvert tlj. et plus tôt les jours de concerts)*

Clubs et boîtes de nuit

Moog (plan 2, B1 n°43) Ce petit club se distingue par sa déco post-industrielle au minimalisme soigné jusqu'au moindre détail, et la qualité de la musique house et électronique dispensée par les excellents DJ qui y officient, Omar León, Robert X., Juan B et Olmos. Chaque mercredi, le Moog accueille de grandes pointures internationales (Jeff Mills, Laurent Garnier entre autres se sont déjà produits ici), et mieux vaut arriver tôt. À l'étage supérieur, un petit chill-out pour reprendre son souffle sur de la musique pop et disco : le Villarossa. Venir looké et sûr de soi. *Entrée 10€ La Rambla C/ de l'Arc del Teatre, 3 Tél. 933 19 17 89 www.moog-barcelona. es Ouvert dim.-jeu. 0h-5h , ven.-sam. et veilles de fête 0h-6h (à partir de 1h30 dans la salle Villarossa)*

KGB (plan 5, D3 n°34) Depuis 1984, un grand classique de la nuit barcelonaise, avec des sessions électroniques de qualité en fin de semaine, dans un vaste espace modulable à l'aspect d'entrepôt industriel. *Entrée 12-15€ Pas de CB Gràcia C/ de Ca l'Alegre de Dalt, 55 Tél. 932 10 59 06 Ouvert jeu. 0h-5h, ven.-sam. et veilles de fête 1h-6h*

Macarena (plan 2, B1 n°42) Un club petit par la taille mais énorme par sa programmation et son ambiance ! Dans ce tablao recyclé, palpite chaque soir le temple (sombre) des musiques électroniques (house, techno, minimale). Dj locaux et internationaux pointus attirent *clubbers* lookés et avertis ! Excellents *afters Barri Gòtic/ Sud C/Nou de Sant Francesc 5 www. macarenaclub.com Ouvert dim.-jeu. 0h-4h30, ven.-sam. et j. fér. 0h-5h*

Otto Zutz (plan 5, B3 n°36) Ouverte en 1985, cette discothèque a aussitôt

BARCELONE ET SES ENVIRONS

connu un énorme succès pour sa décoration postindustrielle et la qualité de ses DJ. Ce vaste local comporte trois salles, pour des ambiances allant de la techno pure et dure au funk en passant par la house et le hip-hop. Tenue correcte exigée. Entrée 10-15€. *Gràcia Carrer de Lincoln, 15 Tél. 932 38 07 22 www.ottozutz.com Ouvert mer.-sam. 0h-6h*

Bikini (plan 1, A1 n°20) Un autre incontournable des nuits barcelonaises dans le centre commercial L'Illa Diagonal avec une recette simple et efficace : trois salles, trois ambiances Latino (sala Arutanga), musique Disco (sala Bkn) et un agréable bar (sala Dry) pour faire une pause ou siroter un cocktail. Soirée hip-hop le mercredi, étudiante le jeudi. Également un programme de concerts. Entrée 15€ avec une conso. *Ouest de Barcelone L'Illa Diagonal Av. Diagonal, 547 Tél. 933 22 08 00 www.bikinibcn.com Ouvert jeu.-sam. 0h-5h30*

Restauration

Barcelone est une destination choisie pour les amateurs de bonne chère : de vieilles maisons familiales proposent les plats éternels de la gastronomie catalane, des adresses branchées où l'on mange une cuisine créative dans un cadre design... Partout, les produits de la mer et des plaines agricoles de l'arrière-pays sont en vedette. Les tendances actuelles ? Une cuisine qui s'appuie sur des produits de saison, toujours excellents, en faisant appel à des saveurs et à un savoir-faire étrangers, notamment asiatiques. De nombreux restaurants emploient des DJ pour créer une ambiance *lounge*.

🍴 tapas

Bodega La Palma (plan 2, C1 n°52) Dans une ruelle non loin de la Plaça de Sant Just, cette bodega dans la plus pure tradition des bars espagnols (gourdes à vin, saucissons suspendus au-dessus d'un comptoir débordant de victuailles), semble avoir traversé les âges sans ne jamais changer. Les gens du quartier viennent y commenter la une d'*El Pais* en partageant un assortiment de charcuteries ibériques (16,50€), de trois fromages du pays (10€), des tapas catalanes (1,25-5€) : boudin à l'oignon, *bomba*, *patates braves*... Attention, la coca (sorte de pizza catalane) à la roquette, poires caramélisées et fromage Stilton (7,75€) est complètement addictive ! *C/ Palma de Sant Just, 7 Barcelone Tél. 933 15 06 56 Ouvert lun.-ven. 9h-0h, sam. 12h-0h Ouvert uniquement le soir en été Fermé 2 sem. en août*

Bar Pinotxo (plan 3, B3 n°80) Le Pinotxo est un grand classique depuis 1940. À l'heure du déjeuner, son comptoir en formica est littéralement pris d'assaut. On dévore des yeux les tapas du jour, à base de produits du marché, sous l'œil bienveillant du patron, Juanito, célébrité locale, qui traite avec la même bonhomie touristes et habitués. Fruits de mer et poissons grillés, ragoût du jour,

GAMME DE PRIX	RESTAURATION	HÉBERGEMENT
Très petits prix	moins de 12€	moins de 50€
Petits prix	de 12 à 20€	de 50 à 65€
Prix moyens	de 20 à 30€	de 65 à 85€
Prix élevés	de 30 à 50€	de 85 à 130€
Prix très élevés	plus de 50€	plus de 130€

croquettes : tout est bon. Repas à partir de 12€. Pour la petite histoire, le nom est celui du chien de la famille, qui rôdait jadis autour du bar. *La Rambla* Mercat de la Boqueria, 466-470 (Rambla Sant Josep, 91) Tél. 93 317 17 31 Ouvert lun.-sam. 6h-16h Fermé en août Pas de CB

Cañete (plan 2, B1 n°54) Dans la lignée de son célèbre prédécesseur Bar Orgia, Cañete est en passe de devenir l'institution du quartier sur la route du *tapeo* ! La salle lumineuse toute en longueur affiche un décor contemporain aux accents andalous. Derrière le bar, les cuisiniers s'affairent à la vue de tous apportant leur touche de talent aux meilleurs ingrédients du moment. Les gourmets en quête de saveurs espagnoles ne seront jamais déçus, la carte propose des tapas de tous les horizons de Castille (env. 5€), à consommer au bar comme le veut la coutume ! Également un menu du jour (env. 16€), servi en semaine au déjeuner. Belle carte des vins au verre et desserts alléchants dans la vitrine réfrigérée de l'entrée. *El Raval/Sud* C/ Unió, 17 Tél. 932 70 34 58 www.antiguo barorgia.com Ouvert lun.-sam. 13h-0h

Lolita Tapería (plan 6, B1 n°22) Il faudra sans aucun doute s'armer de patience avant de pouvoir prendre place dans la grande salle de ce bar à tapas quasiment mythique. Personne n'a oublié que le nom de la famille Adrià a longtemps contribué à cette renommée. Aujourd'hui, dans le même élan, Joan Martínez poursuit la quête de l'excellence dans les produits et les préparations et remporte un franc succès. Sur les murs des baisers de Lolita, le regard globuleux d'une tête de taureau et la carte inscrite avec humour sur de grands tableaux noirs... Dans les assiettes, un véritable festival gastronomique à avaler en petites bou-

chées : *plantxada* (chorizo grillé aux herbes), *bomba de l'Eixample* (sorte de boulette de hachis parmentier), calamars à la romaine et la fameuse *burrata Lolita* (fromage crémeux, tomates séchées, roquette et tapenade) sont à se damner ! Et pour finir sur une note sucrée, rien de mieux que le sorbet au citron ou les figues au yaourt. Compter 20-30€ sans les vins. *El Raval/Sant Antoni* C/ Tamarit, 104 Tél. 934 24 52 31 www.lolitatapería.com Ouvert mar.-mer. 19h-0h, jeu. 19h-2h, ven.-sam. 13h-16h et 19h-2h30 Fermé sem. sainte, la veille de la Saint-Jean (Sant Joan) et en août

Bar del Pla (plan 2, C1 n°56) Les fast-food de tapas ont envahi la vieille ville, au point que trouver une adresse offrant toutes les garanties de sérieux relève parfois du défi. A contrario, une ardoise rédigée en anglais ou un menu multilingue n'excluent pas l'authenticité. Plus informel et plus intime que le Pla, sa petite succursale sert, dans la tradition des bars d'autrefois, des tapas et petits plats du jour (8-15€) sans prétention mais savoureux et presque toujours à partager – et à arroser de vins au verre, bien sûr. Une oasis de fraîcheur dans la médiocrité ambiante. De 20 à 35€ le repas complet. *La Ribera* C/ Montcada, 2 Tél. 932 68 30 03 http://www. elpla.cat/bardelpla Ouvert mar.-jeu. 12h-23h, ven.-sam. 12h-0h Fermé 1er jan., 26 déc. au soir

Cal Pep (plan 2, C1 n°53) Une valeur sûre du quartier d'El Born. Il faut arriver dès l'ouverture, sous peine de rester debout, compressé entre le mur et le comptoir où quelques chanceux ont trouvé un tabouret. La jolie salle de restaurant attenante affiche également complet la plupart du temps. Pourquoi tant de succès ? Des tapas et rations de poisson et de fruits de mer tout bonnement délicieuses, des fritures et des gambas devenues légendaires. Prix en conséquence : 30-40€, 50-60€ au restaurant. *La Ribera/El Born* Plaça de les Olles, 8 Tél. 933 10 79 61 Ouvert lun. 19h30-23h30, mar.-ven. 13h-15h45 et 19h30-23h30, sam. 13h-15h45 Fermé sem. sainte, août et Noël

L'Òstia (plan 2, C2 n°58) Seul un natif de La Barceloneta pouvait donner à son restaurant le nom du quartier portuaire de la ville. Puisant dans la tradition familiale – son grand-père tenait un bar et sa mère a longtemps concocté de délicieuses tapas – Jaume Muedra a su allier l'esprit des tavernes d'antan au meilleur des tables contemporaines. Le résultat : des tapas classiques, mais de bonne tenue : *bomba*, salade russe, beignets de morue, *patatas bravas* ; des entrées aux saveurs marines – maquereau à l'escabèche, *esqueixada*, petite friture … – et d'appétissantes assiettes comme les pois chiches aux épinards et boudin noir ou la morue à la Llauna (poivrons, tomates et piment) et ses haricots de Santa Pau. La bière vous coûtera 1,50€ et le repas une vingtaine d'euros. *Façade maritime/La Barceloneta* Plaça de la Barceloneta, 1-3 Tél. 932 21 47 58 www.lostiabarceloneta.com Ouvert tlj. 10h-23h45

La Bombeta (plan 2, C2 n°57) Voilà une adresse bon marché et hors des sentiers battus. Bar avec quelques tables en formica posées sur un carrelage patiné. On y passe en famille, attiré par les tapas de fruits de mer grillés et l'incontournable *bomba*, fierté de tout un quartier (boulettes de pommes de terre au noyau de viande, avec de la sauce piquante). Formule déjeuner à env. 9,50€ en semaine ; à la carte, compter 15-20€. Délicieuse sangria. *Pas de CB* **Façade maritime/La Barceloneta** C/ de la Maquinista, 3 Tél. 933 19 94 45 Ouvert lun.-mar. et jeu.-sam. 10h-0h, dim. 10h-17h et 19h-0h Fermé sept. et 2 sem. en fév.

☺ **Cova Fumada (plan 2, C3 n°55)** Une telle institution, concentré d'histoire et de vie de quartier, peut bien se passer d'enseigne... Les Solé œuvrent ici en famille, depuis des générations, en cuisine et au comptoir. De vieux tonneaux, des murs tapissés de photos d'un autre temps et d'affiches du Barça. Quelques tables en marbre des années 1940 accueillent les voisins, venus discuter à midi ou en début de soirée autour d'un verre et de succulentes tapas de fruits de mer. La *bomba* (1,80€) aurait même été inventée ici. À essayer : les sardines grillées (5€) ou la délicieuse morue à la *llauna* (au four sur du fer blanc, 5,50€). *Façade maritime/La Barceloneta* C/ Baluard, 56 Tél. 932 21 40 61 Ouvert lun.-mer. 9h-15h15, jeu.-ven. 9h-15h15 et 18h-20h15, sam. 9h-13h20 Fermé dim., j. fér. et en août Pas de CB

☺ **Quimet i Quimet (plan 6, B2 n°23)** En lisière du quartier du Paral.lel, au pied de la colline de Montjuïc. Cette

---

Manger à l'heure espagnole ou *tapear* ?

Ir de tapeo ou *tapear*, c'est-à-dire faire le tour des tapas, est une pratique dont les Espagnols ont su faire un art. Le but ? Aller de bar en bar, en commandant ce qu'il y a de meilleur, car chaque lieu possède sa spécialité, bien connue des initiés !

minuscule bodega haute de plafond, tenue par la même famille depuis 1913, mérite le détour. Murs couverts de bouteilles, allant des vins régionaux aux meilleurs scotchs. Tapas de grande qualité provenant essentiellement de conserves : poivrons farcis à la morue, anchois marinés, tomates séchées, gousses d'ail confites (vraiment exquises !), canapés garnis de mousse de seiche ou de caviar. *Montaditos* (env. 2,50€), assortiments (env. 10€). Un vrai régal pour un prix tout doux. *Montjuïc/Poble Sec Carrer del Poeta Cabanyes, 25 Tél. 934 42 31 42 Ouvert lun.-ven. 12h-16h et 19h-22h30, sam. 12h-16h Fermé sem. sainte et août*

Rosal 34 (plan 6, B2 n°30) Cette vénérable et discrète bodegua réserve d'agréables surprises à tous les blasés des tapas. Óscar Adelantado fut, en effet, l'un des premiers à promouvoir la cuisine créative "petit format" bien avant que les tapas submergent l'offre gastronomique de la Barcelone touristique. Le cœur d'artichaut avec son œuf de caille et caviar, les *patatas bravas* liquides, le tartare de thon aux fleurs de courgette et sa brandade de morue et chou romesco figurent parmi les spécialités du Rosal 34. Bref, des tapas réalisées avec des produits de première fraîcheur, dans les règles de l'art, mais avec un souci d'innover pour un résultat plus que probant. Comptez 35€. *Poble Sec C/ Roser, 34 Tél. 933 24 90 46 www.rosal34.com Ouvert mar.-sam. 13h30-16h et 20h-0h*

☺ **La Bodegueta (plan 4, B2 n°72)** Ce bar en sous-sol est une heureuse surprise. Pas pour les Barcelonais, qui connaissent depuis longtemps le délicieux *pa amb tomàquet* (env. 3,10€) et les petits vins du patron. La Bodegueta fait partie des meilleures *llesqueries* (lieux où l'on sert le pain à la tomate) de la ville. Avec ses délicieuses tapas (5-20€ env.) et ses sandwichs savoureux (4-10€), c'est un rendez-vous idéal à l'heure de l'apéritif, en sortant de la Pedrera voisine ou des magasins du quartier. Bon menu du jour pour un prix intéressant à midi en semaine (env. 12€). *L'Eixample/Autour du Passeig de Gràcia Rambla de Catalunya, 100 Tél. 932 15 48 94 www.labodegueta.cat Ouvert lun.-sam. 7h-1h, dim. 19h30-1h30*

☺ **Els Tres Porquets (plan 1, C2 n°31)** Entre la Torre Agbar et le Parc del centre del Poblenou, ce minuscule restaurant, reconnaissable aux trois petits cochons qui ornent sa devanture, surfe sur la vague de la bistronomie : un comptoir chargé de victuailles appétissantes, quelques tables, une décoration rustico-chic sur le thème de l'œnologie et des tableaux noirs d'où l'on choisit les plats et vins du jour. Les réjouissantes assiettes, entre la tapa et la portion, mettent à l'honneur les saveurs de la péninsule grâce à des ingrédients soigneusement sélectionnés : le jambon vient de Guijuelo, le chorizo de Jaén, les anchois de Cantabrie, les viandes de Galice, les fromages de La Mancha et les poissons sont de première fraîcheur. De belles surprises également du côté de la carte des vins ! Compter tout de même entre 40 et 50€ avec un verre de vin. *L'Eixample/ Est C/ Rambla del Poblenou, 165 Tél. 933 00 87 50 www.elstresporquets. es Ouvert lun.-ven. 10h-16h et 20h30-23h, sam. 13h-16h Fermé sem. sainte et 1 sem. à Noël Rés. conseillée*

Bar Velódromo (plan 4, A1 n°75) À quoi tient le charme ? Un long comptoir en formica recouvert de métal rutilant, un escalier acajou ou un vieux billard ? Cette institution mythique, autrefois bastion des artistes et des révolutionnaires, longtemps restée fermée, a conservé sa décoration moderniste originale. Dans l'assiette à toute heure du jour, des tapas créatives parmi lesquelles les *huevos estrellados con chorizo de la Rioja* (œuf brouillé dans une pomme de terre garnie de chorizo, 8€). *L'Eixample C/ Muntaner, 213 Tél. 934 30 60 22 Ouvert dim.-jeu. 6h-2h30 (1h cuisine), ven.-sam. 6h-3h (1h cuisine)*

☺ **Bodega del Poblet (plan 4, D2 n°76)** Ce bar populaire, juste à côté de la Sagrada Família, est miraculeusement préservé de l'affluence touristique ! Aux manettes derrière le comptoir, Pepe a toujours une blague ou une histoire pour chacun de ses clients. Restez au bar pour discuter et boire le vermouth en picorant des anchois (spécialité de la maison) et des tapas variées (1,50-6€) dont un montadito de foie de Jerez au vinaigre de Modène à se damner ! Pour manger assis, installez-vous dans la salle du fond et commandez des plats plus consistants : coques, beignets de morue, calamars à la romaine, couteaux à la plancha. Avis aux amateurs : l'ambiance de la Bodega del Poblet devient survoltée juste avant, pendant et après les rencontres du FC Barcelone, de l'Athletic de Bilbao ou d'Osasuna ! *L'Eixample/Autour de la Sagrada Família C/ Sardenya, 302 Ouvert mar.-ven. 9h-15h et 18h-22h, sam.-dim. 10h-23h Fermé 2 sem. en août*

La Pubilla (plan 5, C3 n°40) Une valeur sûre face au Mercat de la Llibertat où les vendeurs du marché, leurs chalants et quelques gourmets avertis viennent dévorer des *esmorzars de forquilla* (comptez 3,50-9,20€ pour un casse-croûte consistant) en matinée et la délicieuse cuisine catalane du marché (plats 13-17€) à la mi-journée. Le menu (14€) change quotidienne-ment en fonction du panier du marché du chef. *Gràcia Pl. de la Llibertat, 23 Tél. 932 18 29 94 Ouvert lun. 8h30-17h, mar.-ven. 8h30-1h, sam. 9h-1h*

Bar Roure (plan 4, B1 n°71) Bondée et bruyante à l'heure des repas, l'institution du quartier en matière de tapas est le point de chute idéal pour picorer à toute heure. Toutes les tapas de Barcelone semblent se retrouver sur ce comptoir pour un festival des saveurs : *patatas bravas, callos* (tripes en sauce), *caracoles* (petits escargots), *boquerones* (anchois mariné au vinaigre), *rovellones* (champignons sautés), *bull negre* (sorte de *botifarra*)... Et tant d'autres encore, à accompagner bien sûr de quelques tranches de *pa amb tomàquet* et d'un verre de *vermut con sifón*. Tous les jeu., savoureuse paella (13€). *Gràcia et le parc Güell C/ Lluís Antúnez, 7 Tél. 932 18 73 87 Ouvert lun.-sam. 7h-1h Fermé 2 sem. en août*

Bar Tomás (plan 1, A1 n°28) Le roi des *patatas bravas* régale jour après jour des centaines d'étudiants, d'habitués et de touristes un peu égarés, de ses pommes de terre frites (3€), recouvertes d'une sauce piquante dont seuls les cuisiniers ont le secret. Les autres tapas traditionnelles également très économiques (1,80-5,65€) ont aussi contribué à faire de ce lieu où la simplicité est de mise, le rendez-vous de la convivialité. *L'ouest de Barcelone/Sarrià-Sant Gervasi Carrer Major de Sarrià, 49 Tél. 932 03 10 77 Ouvert jeu.-mar. 12h-16h et 18h-22h Fermé sem. sainte, août et Noël*

⦀ très petits prix

Can Vilaró (plan 6, B1 n°32) Une adresse bien connue des habitués du marché Sant Antoni, populaire pour un bon *esmorzar de forquilla* (casse-croûte de travailleurs) servi tout au long de la matinée. Pour le déjeuner, on y sert une excellente cuisine familiale saisonnière dans une ambiance conviviale. Délicieuses *cap i pota* (tête et pied-de-veau à la tomate) et sardines à l'escabèche. Pour le dessert, optez pour un rafraîchissant *mel i mató*. La qualité des mets est irréprochable, les prix restent très doux (plat 6-8€) et le service décontracté tout en restant parfaitement efficace. *El Raval/SantAntoni* C/ *Comte Borell, 61 Tél. 933 25 05 78 Ouvert lun.-sam. 8h-16h Fermé en août*

🍴 petits prix

Bidasoa (plan 2, B1 n°74) Dans une rue au sud du quartier gothique, ce restaurant discret, parsemé d'objets du Pays basque propose une succulente cuisine traditionnelle catalane dans une ambiance familiale complètement informelle depuis 1954. Un rapport qualité-prix imbattable avec un menu du jour à 9€. Compter 15-20€ à la carte. *Barri Gòtic/Sud* C/ *d'en Serra, 21 Tél. 933 18 10 63 Ouvert mar.-jeu. 13h-16h et 20h-23h, ven.-sam. 13h-16h et 20h-0h, dim. 13h-16h*

Rencontres asiatiques

☺ **Koy Shunka (plan 3, C3 n°112)** Derrière les pare-soleil, l'intérieur, un peu sombre, se révèle accueillant et animé. Prenez place au comptoir et observez les cuisiniers réaliser des prouesses. Le chef, Hideki Matsuhisa, s'est vu décerner une étoile au Michelin en 2013. Vous croiserez peut-être le grand prêtre de la cuisine catalane, Ferran Adrià qui ne jure, dit-on, que par ce restaurant. Outre une variété conséquente de sushis et de sashimis, la carte comprend bien d'autres spécialités, toutes préparées avec le plus grand soin : *kakiage* (friture de gambas et de légumes), *toro no tataki* (partie grasse du saumon, sauce piquante). Optez pour un *menú (G)astronómico* (110€) ou pour le *menú Koy* (74€) et laissez-vous transporter au pays du Soleil levant. À quelques pas de là, au n°5 de la rue des Sagristans, vous attend le petit frère, Shunka, un peu moins onéreux. *Barri Gòtic/Catedral* C/ *Copons, 7 Tél. 934 12 79 39 www.koyshunka.*

com *Ouvert mar.-sam. 13h30-15h30 et 20h30-23h30, 13h30-15h30 Fermé 3 sem. en août*

Shunka (plan 3, C3 n°114) *Barri Gòtic/Catedral* C/ *dels Sagristans, 5 Tél. 934 12 49 91 Ouvert mar.-dim. 13h30-15h30 et 20h30-23h30 Fermé 3 sem. en août*

Nomo (plan 4, B1 n°90) Un must pour les amateurs de poisson cru et de gastronomie nippone ! Dans un cadre, au minimalisme japonais revu et corrigé par le design catalan, on déguste une grande variété de plats et de sushis innovants à l'esthétique parfaite. Laissez-vous tenter par un *foie no teriyaki maki* (rouleau de foie à la plancha sauce *teriyaki*, 10,20€) puis partagez la Bandeja Especial Nomo (superbe assortiment de sushis et sashimis, 49€), vous ne le regretterez pas ! *Gràcia Gran de Gràcia, 13 Tél. 934 15 96 22 www. restaurantenomo.com Ouvert dim.-jeu. 13h30-16h et 20h30-0h, ven.-sam. 13h30-16h et 0h30*

BARCELONE ET SES ENVIRONS

☺**Kiosko Universal (plan 3, B3 n°111)**
Une bonne adresse située dans le marché de la Boqueria. Le vaste comptoir faisant le tour du bar constitue l'endroit idéal pour déguster à l'heure du déjeuner d'excellents plats du jour (10-22€). Ragoûts, poissons, fruits de mer et légumes grillés changent quotidiennement en fonction du marché. *La Rambla* Mercat de la Boqueria, 691-692 Tél. 933 17 82 86 Ouvert lun.-sam. 7h-16h

Cafè de l'Acadèmia (plan 2, C1 n°75)
Sur la Plaça de Sant Just où se dresse en été une agréable terrasse, à côté de l'Académie des belles-lettres. La grande salle un peu sombre de ce lieu indémodable ne manque pas de charme. Vieilles tables en bois, piliers en pierre massifs soutenant les poutres du plafond. Une cuisine catalane de qualité sans être trop chère. Le mieux est de s'en remettre aux suggestions du jour ou, à midi, de commander le menu à env. 14,30€ (10,45€ env. au bar). À la carte, délicieuses salades de saison (9-14€), diverses spécialités de morue, des risottos renommés dont le risotto à la cigale de mer (15,50€) et l'incontournable pintade rôtie (13,40€), servie avec sa tarte tatin. *Barri Gòtic/Sud* C/ de Lledó, 1 Tél. 933 19 82 53 Ouvert lun.-ven. 13h30-16h et 20h30-23h30 Fermé sam.-dim., j. fér. et 2 ou 3 sem. en août

☺ **Ca L'Estevet (plan 3, A2 n°96)**
Décoration rustique, azulejos, murs couverts de photos dédicacées d'Ava Gardner à Penelope Cruz en passant par Gary Lineker (ancien joueur du Barça). Carte en catalan, copieuse, savoureuse et réinventée au gré des saisons. Le menu du jour complet à env. 19,80€ (à midi) est parfait, avec des plats tels que les boulettes de viande, le poisson frit de bonne qualité et *el arròs negre.* En dessert, *crema catalana* (4,10€) à se pâmer. *El Raval/Macba* C/ de Valldonzella, 46 Tél. 933 02 41 86 www.restaurantestevet.com Ouvert lun. 13h-16h, mar.-sam. 13h-16h et 20h-23h Fermé j. fér., quelques jours pour la semaine sainte, en août et pour Noël

Senyor Parellada (plan 2, C1 n°89)
Une *fonda* à l'ancienne, installée dans une somptueuse demeure du XVIIIe siècle. Son fondateur, Ramon Parellada, figure locale, appartient à une dynastie gastronomique qui possédait également Les Set Portes. Cuisine régionale de qualité à des prix raisonnables : *cargols de vinya a la llauna* (escargots à la casserole, env. 12,65€), paëlla (14,85€), poisson et viande cuite au four ou en ragoût, avec une mention spéciale pour l'agneau de lait. *La Ribera/El Born* Carrer de l'Argenteria, 37 Tél. 933 10 50 94 www.senyorparellada.com Ouvert tlj. 13h-15h30 et 20h30-23h30

Las Fernández (plan 3, A3 n°113)
Dans une rue sombre et quelque peu inhospitalière du Raval, les trois sœurs Fernández animent ce joyeux restaurant, fait de bric et de broc, stylé et plein d'humour ! La faune branchée de la ville n'a pas tardé à en faire son repaire et il faut souvent réserver à l'avance pour pouvoir se régaler de croquetas aux gambas (6,50€) ou de *Cecina de León* (bœuf séché et fumé, 10,50€) ... Et, pour coller avec l'image de ce quartier métissé, quelques plats d'influences indo-asiatiques comme les calamars au curry rouge (13€) ou les nouilles sautées au wok avec des légumes et la sauce yakitori (12,90-13,90€). *El Raval/Centre* C/ Carretas, 11 Tél. 934 43 20 43 www.lasfernandez.com Ouvert mar.-mer. et dim. 21h-2h, ven.-sam. 21h-3h Fermé 2 sem. en août Réservation indispensable le w.-e.

Mundial Bar (plan 3, D3 n°116) Tout près d'El Born et de la rue de Montcada. Un bar comme il n'en existe plus, sans chichi mais respirant la convivialité. À midi, des employés en costume et des gens du quartier se pressent autour des tables sous les photos de boxeurs plus ou moins célèbres. Les rations de fruits de mer copieuses et pas trop chères (9,50-14,50€ env.) connaissent un franc succès. Sans oublier la gargantuesque *parrillada*, l'incontournable de la maison, assortiment de fruits de mer et de poissons : 58€ pour 2 pers., en fonction du marché. *La Ribera/Sant Pere* Pl. de Sant Agustí Vell, 1 Tél. 933 19 90 56 Ouvert tlj. 13h-16h et 20h30-0h Réservation conseillée en fin de semaine Fermé 2e sem. août

☺ **Aguaribay (plan 1, C3 n°40)** Sur le chemin de la plage, cette adresse décontractée ne décevra personne, même pas les carnivores ! Bien installé dans la vaste arrière-salle aux murs de brique, on choisit sur de grands tableaux noirs la composition de son menu du jour (13,20€) servi du lundi au vendredi. Le soir, on déguste à la carte une cuisine végétarienne aux accents italiens préparée avec talent : la tarte salée accompagnée d'une salade composée (8,50€) ou les lasagnes, chaque jour différentes (10-12€)... Dans la salle du bar ou sur les tables hautes devant la porte, ce sont les *nachos a la Aguaribay* avec leur guacamole (9€) qui rencontrent un franc succès. Sélection de vins biologiques, bières artisanales, jus de fruits frais et sodas... alternatifs ! *Façade maritime/Poblenou* C/ Ramón Turró, 181 Tél. 933 00 37 90 www.aguaribay-bcn. com Ouvert lun.-mer. 13h-16h, jeu.-ven. 13h-16h et 20h30-23h30, sam. 13h30-16h30 et 20h30-23h30, dim. 13h30-16h30 Bar ouvert jeu.-sam. 20h30-1h Fermé 2 sem. en août

☺ **Caseta del Migdia (plan 6, A3 n°33)** Où manger en plein air ? La route est longue mais le jeu en vaut la chandelle ! Perdue dans la pinède qui entoure la citadelle, cette guinguette a un petit côté magique. Entre les arbres, une statue de Bouddha, des fauteuils, des hamacs et quelques tables éclairées de bougies ! On déguste à la bonne franquette saucisses et poulet, grillés au barbecue avec des salades (12€) et des crêpes (4€ env.). Dans un coin, un DJ alterne lounge, funk ou *rare groove*... Sous les étoiles, loin, très loin de la ville... *Montjuïc/Parc de Montjuïc* Mirador del Migdia, C. del Moli Tél. 617 95 65 72 www.lacaseta.org Ouvert mi-juin-mi-sept. : mer. 21h-2h, jeu. 21h-1h, ven. 20h-2h, sam. 12h-2h, dim. 12h-0h ; reste de l'année : ven.-sam. et j. fér. 12h-coucher du soleil (si le temps le permet)

Bodega Manolo (plan 5, D3 n°50) Une bodega de quartier à l'ancienne, hors des sentiers battus. Un comptoir usé par des générations d'habitués, des tonneaux odorants sous la peinture écaillée du plafond. Au fond, quelques tables aux toiles cirées. Le cadre idéal pour savourer des plats familiaux copieux et savoureux, comme la morue gratinée à l'aïoli (13€ env.), les asperges vertes grillées aux harengs ou au chèvre fondu (12€ env.). Faites confiance aux suggestions du jour. Menu à env. 9€ à midi en semaine, 26€ le soir (vin compris). Le samedi midi, menu spécial très complet autour de 12,50€. *Gràcia* C/ del Torrent de les Flors, 101 Tél. 932 84 43 77 Ouvert mar.-mer. 13h-16h, jeu.-sam. 13h-16h et 21h-23h, dim. 12h-15h30 (tapas) Fermé dim. en juil. et août

🍴 **prix moyens**

☺ **El Quim de la Boqueria (plan 3, B3 n°105)** Une vingtaine de tabourets le long d'un comptoir en angle qui ne désemplit jamais, de l'heure du petit déjeuner jusqu'en fin d'après-midi ! El Quim, figure du marché, concocte une cuisine évolutive au gré des saisons et régale avec la même bonne humeur habitués et touristes de poisson frais (14-29,75€) et de spécialités de toujours comme le *rabo de toro* (queue de taureau en sauce, 18€), ou les *albondigas* (boulettes en sauce tomate, env. 11€). Ne passez pas non plus à côté de ses créations originales (succulente assiette de champignons sautés au foie caramélisé, 23€). Service décontracté mais attentif. *La Rambla* Mercat de la Boqueria, 587-585/606-607 Tél. 933 01 98 10 www.elquimdelabo queria.com Ouvert mar.-jeu. 7h-16h, ven.-sam. 7h-17h Fermé 3 sem. en août et 1 sem. en jan.

Els Quatre Gats (plan 3, C2 n°106)

Fondé en 1897 par Pere Romeu, ancien serveur au Chat Noir de Montmartre, avec les peintres Rusiñol et Casas, Les Quatre Chats sera jusqu'à sa fermeture en 1903 un haut lieu de la bohème artistique barcelonaise. Le jeune Picasso réalisera le menu de l'établissement et y donnera sa première exposition. On y organisa des spectacles d'ombres chinoises demeurés célèbres. L'édifice, dessiné par l'architecte moderniste Puig i Cadafalch, a beaucoup d'allure. L'intérieur, désormais reconstitué, n'en manque pas non plus, avec ses azulejos colorés. On peut s'installer à midi sous la mezzanine de la belle salle du fond et commander le menu du jour (17€ environ). *Barri Gòtic/Catedral* C/ de Montsió, 3 Tél. 933 02 41 40 www.4gats.com Ouvert tlj. 10h-1h

Can Culleretes (plan 3, B3 n°97)

Fondé en 1786 – le plus ancien restaurant de Catalogne –, le Culleretes est un classique de la solide cuisine catalane traditionnelle. Accueil énergiquement familial, serveurs en habit, et plats impeccables : tout y semble réglé comme une horloge depuis plus de deux cents ans. On y déguste un des meilleurs cochons de lait à la catalane de tout Barcelone (15€). Menus à midi (lun.-ven.) de 12,80 à 16€ env. et à 25€ et 31€ env. le soir. *Barri Gòtic/Pl. de S. J. Oriol* C/ Quintana, 5 Tél. 933 17 30 22 www.culleretes.com Ouvert mar.-sam. 13h30-16h et 21h-23h, dim. 13h30-16h Fermé 1ere sem. juil.-1ere sem. août

Les Quinze Nits (plan 2, B1 n°87)

Une adresse économique mais de qualité, sur la Plaça Reial. Belle salle intérieure et terrasse plaisante sous les arcades. Cuisine catalane savoureuse, avec des spécialités comme la *fideuà* servie pour 2 pers. (8,25€ par pers.) ou la paella (8€). Le menu du déjeuner à env. 9,45€ est vraiment une affaire. À la carte, comptez 20-25€ sans les boissons. À savoir : une longue queue se forme sur la Plaça Reial aux heures des repas face au restaurant, pour éviter l'attente, venir tôt ou réserver. *Barri Gòtic/Sud* Plaça Reial, 6 Tél. 933 17 30 75 www.lesquinzenits.com Ouvert lun.-ven. 13h-15h45 et 19h30-23h, w.-e. 13h-23h Fermé 24 déc. au soir-25 déc.

Casa Leopoldo (plan 3, A3 n°99)

Pas de doute, vous deviendrez vite un habitué, comme le détective Pepe Carvalho, personnage fétiche du romancier barcelonais Manuel Vázquez Montalbán. Voici une véritable institution au succès jamais démenti depuis les années 1930. La discrète devanture ouvre sur trois grandes salles aux murs couverts d'azulejos, d'affiches taurines et d'articles de journaux consacrés au restaurant. En ce qui concerne la cuisine, des spécialités 100% catalanes : délicieux poissons et fruits de mer, et plats à l'étouffée. On peut s'en remettre les yeux fermés aux suggestions du chef ou au menu dégustation à 54€. Plus économique, le *menú* de la Fonda à 27€. Prudence le soir, sans être réellement dangereux, les environs sont plutôt mal famés. *El Raval/ Centre Carrer de Sant Rafael, 24* www.casaleopoldo.com *Ouvert mar.-ven. 13h30-15h30 et 20h30-23h, sam. 13h30-16h et 20h30-23h, dim. 13h30-16h Fermé j. fér., août, 2 sem. en jan. et 1 sem. à Pâques*

Euskal Etxea (plan 2, C1 n°80) Ce centre culturel basque a inauguré à Barcelone la mode des *pintxos* : de petits canapés (à la morue, aux poivrons, aux œufs, etc.), maintenus par des sortes de grands cure-dents et disposés sur le comptoir (1,95€). On se sert, on grignote en buvant un petit *txakolí*, vin blanc basque que l'on sert en tenant la bouteille à 1m du verre (pour aérer le vin et libérer ses arômes). On paie à la fin, le nombre de cure-dents faisant foi. Le restaurant attenant propose d'excellents plats (16-29€). *La Ribera/El Born Placeta Montcada, 1-3 Tél. 933 10 21 85* www.euskaletxea.cat *Cuisine Ouvert tlj. 13h-16h et 20h-0h Bar ouvert tlj. 10h-2h30*

☺ **Agua (plan 2, D3 n°71)** La bonne adresse de la ville pour bien manger les pieds dans le sable, sans se ruiner. Mobilier en bois, nappes blanches, œuvres d'artistes locaux exposées aux murs ou entre les tables. Terrasse au bord de la plage, à l'ombre des parasols et des oliviers nains. Romantisme assuré si vous venez à deux... Les plats de poisson et les spécialités de riz sont très courus : gare à l'attente, surtout le week-end ! On commande les yeux fermés l'*arròs al carbó* (env. 20€), agrémenté, entre autres, de cœurs d'artichauts, de seiches et de crevettes. Comptez 35-40€ pour un repas complet. *Façade maritime/ La Barceloneta Passeig Marítim de la Barceloneta, 30 Tél. 932 25 12 72* www.grupotragaluz.com *Ouvert lun.-jeu. 13h-15h45 et 20h-23h30, ven. 13h-15h45 et 20h-0h30, sam. 13h-16h30 et 20h-0h30, dim. 13h-16h30 et 20h-23h30*

☺ **Òleum (plan 6, A2 n°36)** L'un des restaurants les plus magiques de Barcelone a ouvert ses portes dans la salle du trône du Palau Nacional (au premier étage du musée d'Art de Catalogne). Ici, difficile de savoir où donner de la tête, entre les plafonds peints et la coupole, les jeux de miroirs et l'agencement moderne, les œuvres de Tapiès et les splendides vues sur la ville... Les assiettes, elles aussi, sont dignes de figurer dans un musée : risotto aux cèpes et à la truffe (13,20€), morue gratinée, mousseline de miel et pesto (17,45€), timbale de bœuf aux fruits rouges (11,85€) et, en dessert, fondant de chocolat chaud crème glacée au thé (6€). Parfait pour un tête-à-tête romantique ! Réservez à l'avance pour une table près d'une fenêtre et optez pour le menu du déjeuner (lun.-sam.) à 28,40€ d'un excellent rapport qualité-prix. *Montjuïc/MNAC MNAC 1er étage Tél. 932 89 06 79* www.laierestaurants.es *Ouvert mar.-sam. 12h30-16h et 19h30-23h, dim. 12h30-15h Rés. impérative le soir*

Gresca (plan 4, C2 n°85) Ce petit restaurant n'attire guère l'attention avec sa décoration très sobre et sa salle toute en longueur. Mais la cuisine du chef en fait un espace privilégié où vivre une superbe expérience gastronomique. Commencez par un magnifique œuf soufflé sur un lit de crème de pomme de terre (10,50€), poursuivez avec une combinaison de coquille saint-jacques, chou-fleur et œufs de poisson (21,50€ env.), puis un savoureux pigeon au gingembre (env. 24€), pour terminer avec un étonnant roquefort à la pomme et à la gelée de lychee (7,50€) et une *piña colada* vraiment originale. Un régal pour les yeux autant que pour les papilles ! Menu du jour à 19€. *L'Eixample* C/ Provença, 230 Tél. 934 51 61 93 www.gresca.net Ouvert lun.-ven. 13h30-15h30 et 20h30-22h30, sam. 20h30-22h30 Fermé sem. sainte, 1 sem. fin août-début sept. et 1 sem. à Noël Rés. conseillée

ᵟᵎ prix élevés

Les Set Portes (plan 2, C1 n°70) Un grand classique, installé dans le bel édifice des Porxos d'en Xifré (1835). Ce respectable établissement a su préserver son charme suranné, en grande partie dû au mobilier d'origine. Même si les prix sont assez élevés (comptez 45-50€/pers.), la cuisine n'a rien d'un attrape-touriste : les plats à base de riz, spécialité des lieux, sont vraiment succulents, en particulier l'*arròs Parellada* (env. 21,90€) et la paella Manolete (env. 20,90€). *La Ribera/El Born* Passeig d'Isabel II, 14 Tél. 933 19 30 33 www.7portes.com Ouvert tlj. 13h-1h

Loidi (plan 4, C2 n°88) Ce gastropub au cadre contemporain minimaliste, dirigé par le maestro Martín Berasategui, est installé au rdc de l'hôtel Condes de Barcelona. On y découvre, à des prix démocratiques (menus à 48€/64€ avec les vins), quelques-unes des créations de ce chef étoilé : crème de jeunes poireaux aux palourdes, fricandeau de veau et mandarines confites au gingembre, granité au gin et glace au chocolat blanc. Belle expérience gustative ! *L'Eixample/ Passeig de Gracia* C/ Mallorca, 248-250 Tél. 934 92 92 92 www.loidi.com

Ouvert lun.-sam. 13h-15h30 et 20h-23h, dim. 13h-15h30 Fermé j. fér.

Cheriff (plan 2, C2 n°78) Les meilleurs fruits de mer, paellas et *fideuàs* de la ville aux dires des gens du quartier ! En effet, dans la salle rustique aux solides chaises et aux nappes blanches où glougloute un aquarium plein de homards vivants, chaque plat se révèle parfait. Comptez env. 35-40€ et rappelez-vous que l'addition peut vite atteindre des sommets pour les fruits de mer proposés au poids ! *Façade maritime/La Barceloneta* C/ Ginebra, 15 Tél. 933 19 69 84 Ouvert lun.-sam. 13h-16h et 20h-22h30 Fermé oct.

Can Solé (plan 2, C2 n°77) De nombreuses célébrités, comme Joan Miró, se sont succédé autour de ces petites tables garnies de nappes blanches. On peut commander les suggestions du jour variant en fonction du marché, telles que les cigales de mer (env. 42€) ou les *chipirones* (petits calamars) à env. 25€. À goûter également le riz au homard (env. 34€/pers. servi pour 2 pers.) et d'excellentes spécialités de riz. La paella *Parellada* et la *fideuà negra* (cuite dans de l'encre de seiche) sont un vrai délice. *Façade maritime/La Barceloneta* Carrer de Sant Carles, 4 Tél. 932 21 50 12 www. restaurantcansole.com Ouvert mar.-sam. 13h-16h et 20h-23h, dim. 13h-16h Fermé 2 sem. mi-août

El Xiringuito de l'Escribà (plan 1, C3 n°49) Un *chiringuito* (baraque de plage vendant du poisson grillé) version chic, avec sa grande salle et les planches de sa terrasse, face à la mer. Spécialités de riz (*arròs negre* ou *paella mixta* env. 22€), poissons frits ou grillés (20-25€) et plateaux de fruits de mer alléchants pour 2 pers. (50,70€). Consultez les suggestions du jour. Prix HT, prévoyez un supplément si vous mangez en terrasse. L'établissement appartient aux patrons de la pâtisserie Escribà, sur la Rambla : pas étonnant que les desserts aient si bonne réputation ! Service parfois erratique. *Façade maritime/Poblenou Ronda del Litoral, 42 Tél. 932 21 07 29 www.escriba.es Ouvert dim.-jeu. 13h-16h30 et 20h-23h, ven.-sam. 13h-17h et 20h-23h30*

Bar Mut (plan 4, C2 n°70) Un petit air parisien flotte sur ce bar à tapas des beaux quartiers. Tout dans le décor de la salle comme sur les tables, évoque la cuisine soignée et les vins de qualité. À découvrir absolument le *montadillo* au foie gras qui met tout de suite en appétit. Les papilles hésitent ensuite entre un *cochinillo* (cochon de lait rôti 23€) croustillant, une cocotte de moules fumantes ou un sublime *carpaccio huevos fritos* (15€), dont nous ne révélerons pas le secret... Attention, l'addition monte très vite (compter 40-50€ sans le vin), pourtant les tables sont tellement prisées que mieux vaut réserver. *L'Eixample/Passeig de Gràcia C/ Pau Claris, 192 Tél. 932 17 43 38 www.barmut.com Ouvert tlj. 12h30-0h Fermé 1er jan. et 25 déc.*

Florentina (plan 5, B2 n°53) Les avis sont unanimes : si vous souhaitez découvrir la cuisine familiale espagnole, allez chez Florentina. À deux pas de la Plaça Lessepss, casseroles en cuivre, livres de cuisine et bouteilles font office de décor. Une simplicité qui n'est pas démentie par la cuisine toujours savoureuse. En cuisine Margarita Muñoz, célébrité locale, se dédie entièrement à la sélection des meilleurs produits du marché et à la réalisation de chaque plat. Belles surprises avec le thon au vinaigre de Modène (env. 20€) ou le magret de canard sauce framboise (15€) ! Les gourmands apprécieront la tarte Tatin ou encore la tartelette au chocolat blanc (5€). La carte des vins n'est pas extraordinaire mais les conseils du personnel sont avisés. Compter 40€. *L'ouest de Barcelone/Sant Gervasi C/ Saragossa, 122 Tél. 932 11 26 95 Ouvert mar.-sam. 13h30-16h et 21h-0h, dim. 13h30-16h Fermé sem. sainte, août et quelques j. à Noël*

🍴 prix très élevés

Botafumeiro (plan 5, C3 n°51) Le meilleur restaurant de fruits de mer de la ville. Des produits, on ne peut plus frais, préparés avec le grand art de la simplicité pour en conserver toutes les saveurs. Parmi les spécialités de riz, l'*arròs caldoso* (46,80€) est un incontournable. Une qualité qui se paie au prix fort : comptez de 60 à 70€/pers. et entre 86 et 125€ pour un plateau de fruits de mer pour 2. Seul ou à deux, il peut s'avérer plus agréable de s'installer au superbe bar (porte de droite), et de se laisser guider par les serveurs. *Gràcia C/ Gran de Gràcia, 81 Tél. 932 18 42 30 www.botafumeiro.es Ouvert tlj. 12h-1h*

GAMME DE PRIX	RESTAURATION	HÉBERGEMENT
Très petits prix	moins de 12€	moins de 50€
Petits prix	de 12 à 20€	de 50 à 65€
Prix moyens	de 20 à 30€	de 65 à 85€
Prix élevés	de 30 à 50€	de 85 à 130€
Prix très élevés	plus de 50€	plus de 130€

Hébergement

Même si l'offre hôtelière de Barcelone s'est fortement étoffée depuis les JO de 1992, elle reste insuffisante pour répondre à la fréquentation de la ville. En haute saison (avril-octobre et vacances de Noël) et le week-end, il est donc impératif de réserver. D'avril à juin, avec les nombreux salons et le Grand Prix de F1, les hébergements affichent complet. En basse saison, ou en tentant sa chance à l'improviste, on peut bénéficier de prix intéressants dans les établissements de catégorie moyenne à supérieure.

appartements

Inside-bcn (plan 2, C1 n°109) Le rêve : des appartements charmants et bien équipés (Internet, TV, climatisation), une déco moderne et chaleureuse, dans une rue tranquille d'El Born et à deux pas des plages de La Barceloneta ! À louer au jour ou à la semaine : les prix oscillent entre 79 et 190€ (150€ pour 4 pers.) en fonction de la taille de l'appartement et du nombre de personnes (de 1 à 6). Négociez le prix si vous restez plus d'une semaine. Une formule très économique pour les petits groupes ! *La Ribera/El Born Carrer de l'Esparteria, 1 Tél. 932 68 28 68 www.inside-bcn.com*

Apartaments Unió (plan 2, B1 n°101) Douze appartements agréablement rénovés bien équipés et admirablement situés dans deux bâtiments contigus, à quelques foulées de la Rambla ! Disponibles à la journée, à la semaine ou au mois. Comptez entre 80 et 155€ par nuit pour deux selon la taille et la saison. Les appartements 501 et 502 bénéficient d'une terrasse et coûtent de 90 à 150€ par nuit pour

2 pers. *El Raval/Sud C/ Unió, 18-20 Tél. 933 17 34 63 www.apartmentsunio. com*

très petits prix

Kabul Youth Hostel (plan 2, B1 n°110) Une auberge de jeunesse quasi mythique dans le monde des *backpackers* et un lieu de rencontre idéal pour les jeunes fêtards : la porte reste ouverte toute la nuit. Dortoirs de 4 à 20 pers. (d'env. 15 à 35€/pers. en demi-pension). Draps à 2€. Douches, lavomatique, accès Internet gratuit. *La Rambla Plaça Reial, 17 Tél. 933 18 51 90 www.kabul.es Carte Fuaj facultative*

Equity Point Gothic (plan 2, C1 n°102) Une auberge de jeunesse moderne où règne une ambiance *backpackers* sympa, jeune et festive. Dortoirs de 6 à 16 places très bien tenus (env. 25€/ pers., petit déjeuner compris). Sont à disposition : postes Internet gratuits, consignes et petit espace pour la cuisine. Ouvert 24h/24. Et une troisième adresse tout aussi conviviale au n°33 du Passeig de Gràcia. *La Ribera/ El Born C/ del Vigatans, 5 (près du métro Jaume I) Tél. 932 31 20 45 www. equity-point.com Carte Fuaj facultative*

Equity Point Sea (plan 2, C3 n°103) Cette AJ impeccable est la petite sœur du précédent. On se laissera facilement séduire par sa situation exceptionnelle, juste au bord du Passeig Marítim et de la longue plage de La Barceloneta. Chambres de 4 à 8 lits, étroites mais bien tenues, toutes dotées d'une sdb (15-31€/pers., petit déj. compris). Consignes à disposition. *Façade maritime/La Barceloneta Plaça del Mar, 1-4 Tél. 932 31 20 45 www.equity-point.com Carte Fuaj facultative*

Youth Hostel Mare de Déu de Montserrat (plan 5, D1 n°60) Au milieu d'un joli parc verdoyant, voici la plus belle et la plus champêtre des auberges de jeunesse barcelonaises, installée dans une superbe demeure moderniste, construite en 1907 pour la riche famille de financiers des Marsans. Dortoirs de 6 à 12 pers. : 17,25-22,35€/ pers. (avec la carte Fuaj, 2€ de plus sans la carte), avec petit déj. et les draps. Quelques chambres doubles et triples un peu plus chères. Douches communes. Repas à 8,25€ avec réservation toute l'année. La porte de la propriété est fermée de minuit à 7h, mais le gardien vient ouvrir toutes les 30min. *Au nord-est de la ville Passeig de la Mare de Déu del Coll, 41-51 (soit bus n°28 depuis la Pl. de Catalunya, arrêt juste à côté de l'auberge ; soit ligne n°3 du métro, arrêt Vallcarca, puis 15min à pied, ou bus n°s28, 92. La nuit : bus nocturne N5 depuis la Pl. de Catalunya, arrêt devant l'auberge) Tél. 932 10 51 51 ou 934 83 83 63 (Réservations) www.xanascat.net Réception ouverte 8h-23h*

☺ **Hostal-Alberg Fernando (plan 3, B3 n°133)** Une bonne adresse que cette grande pension, qui comporte également une section auberge de jeunesse. Les chambres et les dortoirs spacieux sont en très bon état et très propres, tout comme les sdb communes (non mixtes). La partie pension a été entièrement rénovée en 2007 et les chambres dotées de la climatisation. La n°206, grande chambre double avec sdb donnant sur une ruelle latérale, constitue un très bon choix. De 47 à 57€ la chambre simple avec sdb, de 71 à 82€ la double avec sdb, de 94 à 113€ la chambre triple. De 20,50 à 25,50€/pers. dans les dortoirs de 4 à 8 lits équipés d'une sdb. Petit déjeuner inclus. *Barri Gòtic/Pl. de S.*

J. Oriol C/ de Ferran, 31 Tél. 933 01 79 93 www.hfernando.com Carte Fuaj facultative

🛍 petits prix

☺ **Hostal Residència Lausanne (plan 3, C2 n°135)** Sur la principale rue commerçante du Barri Gòtic. Cette pension accueillante n'offre pas le grand luxe, mais ses chambres dépouillées sont très bien tenues. La n°211, lumineuse, donne sur la terrasse, bien agréable les soirs d'été. Chambre double sans sdb environ 40-54€, avec sdb environ 50-70€. *Barri Gòtic/Catedral Av. del Portal de l'Àngel, 24 Tél. 933 02 11 39 www.hostalresidencia lausanne.com*

Pensió Mari-Luz (plan 2, B1 n°111) En plein cœur du Barri Gòtic, non loin de la Plaça de Sant Jaume. Passé le superbe patio de cet immeuble sans âge, il reste trois étages assez raides à grimper. Une charmante pension qui connaît depuis près de quarante ans un succès jamais démenti. Ça sent le propre et l'accueil est prévenant. 14 chambres très confortables et climatisées. Doubles de 40 à 62€, en fonction de la saison. Également des chambres pour 6 pers. (100-150€). *Barri Gòtic/Sud C/ del Palau, 4 Tél. 933 17 34 63 www.pensionmariluz. com*

☺ **Pensión Norma (plan 5, C3 n°61)** Au 2e étage, au sommet d'un escalier assez raide (pas d'ascenseur), une heureuse surprise vous attend. Cette pension de famille accueillante propose 18 chambres spartiates mais impeccables, surtout celles donnant sur la terrasse ensoleillée, à l'arrière du bâtiment. Double avec sdb à 59€ et 51€ sans. Wifi. *Gràcia Carrer Gran de Gràcia, 87 (2° piso) Tél. 932 37 44 78 www.pensionnorma.com*

💼 prix moyens

☺ **Hotel Toledano / Hostal Res. Capitol (plan 3, C2 n°138)** Cette excellente adresse du haut de la Rambla présente en fait une double surprise. Aux 3e et 4e étages, l'Hotel Toledano propose des chambres à la décoration soignée, bien équipées, notamment avec accès wifi, dont plusieurs avec vue (double à partir de 75€, quelques-unes plus petites à 60€, triple à 100€, quadruple à 115€). Le 5e étage abrite quant à lui une pension proprette, dont les chambres disposent de petites terrasses sur la Rambla, la Plaça de Catalunya et même Montjuïc d'un côté, sur les toits du Barri Gòtic de l'autre. Moins bien équipées que celles de l'hôtel, elles restent cependant très confortables et d'une propreté irréprochable (à partir de 51€ la double sans sdb, 88€ la quadruple ; 60€ avec douche, 97€ la quadruple). Très bon accueil à la réception, située au 4e étage. *La Rambla Las Ramblas, 138 Tél. 933 01 08 72 www. hoteltoledano.com*

Hostal Benidorm (plan 2, B1 n°105) Belle surprise que cette pension à l'accueillante odeur de propre, aux chambres spacieuses et agréables. La plupart d'entre elles disposent de sanitaires en marbre mais pas du double vitrage. Préférez donc celles qui donnent sur le Palau Güell, à l'arrière, aussi lumineuses que celles qui donnent sur la Rambla, mais avec le calme et une décoration récente en prime ! Chambre double avec sdb autour de 85€ en haute saison, triple à 105€ et une chambre pour 5 à 120€. *La Rambla/Sud Rambla dels Caputxins, 37 Tél. 933 02 20 54 www. hostalbenidorm.com*

☺ **Hotel Peninsular (plan 3, B3 n°145)** Ouvert au début du XXe siècle, ce bel édifice moderniste, occupant un ancien monastère, a été restauré avec brio. Son hall d'entrée imposant, qui semble sorti tout droit d'un film, et l'élégant patio intérieur, exhibant fièrement carrelage ancien et pots de fleurs, lui confèrent un certain charme. Ses chambres, assez simples, disposent de sdb, téléphone et climatisation. Le tout à des prix somme toute assez raisonnables : à partir de 55€ la simple, 78€ la double avec petit déjeuner, 95€ la triple et 120€ la quadruple. Les chambres avec balcon donnant sur le patio sont les plus séduisantes. Mais elles ne sont pas forcément plus calmes que celles qui donnent sur la rue. *El Raval/Centre Carrer de Sant Pau, 34 Tél. 933 02 31 38 www.hotelpeninsular.net*

☺ **Pensió 2000 (plan 3, D2 n°150)** Tenue par les très accueillants Manuela et Orlando, cette pension offre sept chambres spacieuses et élégantes à l'étage (pas d'ascenseur). Certaines d'entre elles donnent sur l'extraordinaire façade du Palau de la Música. Très calme la nuit, du moins pour Barcelone. Petit patio bien agréable pour prendre le petit déjeuner dès les premiers beaux jours (5€, servi de 9h à 11h, à demander la veille). Chambre double avec sdb à partir de 75€ du dim. au mer. et 80€ du jeu. au sam. 20€/pers. supplémentaire et 15€/enfant (5-12 ans). Gratuit pour les enfants de moins de 5 ans. À noter que les événements se tenant au Palau peuvent donner lieu à un peu d'agitation dans la rue. *La Ribera/ Sant Pere C/ de Sant Pere Més Alt, 6 Tél. 933 10 74 66 www.pensio2000.com*

Hostal San Remo (plan 3, D2 n°140) Une bonne adresse. Située près de la Plaça d'Urquinaona, cette pension impeccable et coquette domine un carrefour relativement bruyant mais les chambres sont équipées de double vitrage. Mais si vous avez le sommeil très léger, demandez l'unique chambre intérieure, très calme. Toutes les chambres disposent d'une sdb (environ 68€ la double). *L'Eixample C/ d'Ausiàs Marc, 19 Tél. 933 02 19 89 www.hostalsanremo.com*

🛍 prix élevés

☺ **Hotel Continental (plan 3, C2 n°143)** Idéalement situé, en haut de la Rambla, cet hôtel 3 étoiles de 35 chambres a fêté son centenaire en 1998. Depuis le début, la famille Malagarriga veille au grain et assure un accueil attentionné. George Orwell y séjourna pendant la guerre d'Espagne, comme il le raconte dans son célèbre *Hommage à la Catalogne*. Les chambres, coquettes, ont su garder leur caractère romantique (kitsch diront certains) au gré des rénovations successives. Équipement complet : sdb avec sèche-cheveux, TV par satellite, coffre-fort, téléphone, four micro-ondes et accès wifi. À partir de 106€ la double standard, 116€ la twin, 126€ avec balcon sur la Rambla, petit déjeuner-buffet compris toute la journée. *La Rambla Rambla de Canaletes, 138 Tél. 933 01 25 70 www.hotelcontinental.com*

☺ **Hotel Adagio (plan 3, B3 n°141)** Un 2-étoiles à 150m de la Rambla, au confort étonnant pour un établissement de sa catégorie. Accueil irréprochable, 38 chambres claires, spacieuses, récemment rénovées et insonorisées (clim., TV par satellite, wifi, coffre-fort et sèche-cheveux). Double env. 90€, petit déj.-buffet compris, chambre simple 60€ et chambre triple 122€. Un bar-restaurant complète les prestations. *Barri Gòtic/Pl. de S. J. Oriol C/ de Ferràn, 21 Tél. 933 18 90 61 www.adagiohotel.com*

☺ **Hostal El Jardi (plan 3, B3 n°131)** C'est un des plus anciens hôtels du quartier. La décoration manque un peu d'imagination, mais cet hôtel confortable jouit de l'un des sites les plus enchanteurs de la vieille ville. Les chambres de la façade, comme les n°s 63 et 65, ouvrent sur les arbres de la Plaça de Sant Josep Oriol et l'église de Santa María del Pi. Double tout équipée de 75 à 90€, et avec vue de 95 à 110€ selon la saison. Petit déj. 6€. *Barri Gòtic/Pl. de S. J. Oriol Pl. de Sant Josep Oriol, 1 Tél. 933 01 59 00 www.eljardi-barcelona.com*

La Terrassa (plan 3, B3 n°148) Des chambres au cadre assez quelconque, mais propres, confortables et fonctionnelles, à deux pas de la Boqueria et des Ramblas. Doubles à 45-95€ selon la saison. Pratiques, une laverie automatique sur le trottoir d'en face et le restaurant bio "Organic" au rdc. Réserver les chambres n°s8 ou 9, plus charmantes et spacieuses, au fond de la cour intérieure. *El Raval/Centre C/ Junta de Comerç, 11 Tél. 933 02 51 74 www.laterrassa-barcelona.com*

Hotel Principal (plan 3, B3 n°146) Ne manquez pas la belle façade aux motifs étoilés, ainsi que les voûtes aux influences mudéjares du hall d'entrée. Ce 3-étoiles inauguré en 1866 compte 110 chambres confortables, à la déco individualisée. Certaines possèdent un petit balcon sur la rue. La double est louée de 112,50€ (sans petit déj.) à 150€ (avec). Deux suites de 150 à 300€. Et pourquoi ne pas aller se prélasser dans les chaises longues installées sur la terrasse ensoleillée avec vue sur la ville ? *El Raval/Centre C/ de la Junta de Comerç, 8-12 Tél. 933 18 89 70 www.hotelprincipal.es*

Hotel Chic & Basic (plan 2, D1 n°107) Ici tout est blanc et ultramoderne ! Un

BARCELONE ET SES ENVIRONS

BARCELONE ET SES ENVIRONS

pur produit du design "cool" barcelonais, à deux pas du parc de la Ciutadella. Double de 96 à 150€ en fonction de la taille en haute saison. *La Ribera/ El Born* C/ Princesa, 50 Tél. 932 95 46 52 www.chicandbasic.com

RoomMate Emma (plan 4, A2 n°101) Un emplacement de choix au cœur de l'Eixample, des chambres et suites immaculées à l'élégance futuriste, des prestations 4 étoiles (petit déj. buffet jusqu'à midi) et des prix flexibles et donc souvent compétitifs. À partir de 89€ la double standard en réservant plusieurs mois avant, sinon à partir de 116€ la double et de 179€ le penthouse avec terrasse et transats ! *Eixample/Centre* C/ Rosselló, 205 Tél. 932 38 56 06 www.room-matehotels.com

Hostal Oliva (plan 4, B3 n°100) Entrez par la boutique Adolfo Domínguez. À gauche du superbe hall circulaire, un ascenseur en bois d'un autre temps vous emporte lentement vers le 4e étage. Là vous attend une adresse connue du quartier, ouverte en 1931. L'adorable patronne tient d'une main de fer (dans un gant de velours) cet hôtel accueillant et très propre. Dans les chambres intérieures, vous bénéficierez d'un peu plus de calme (enfin, si vos voisins le sont, car les murs ne sont pas épais). Chambre simple à 41-51€, double sans sdb à env. 71€, environ 91€ avec. Pas de CB *L'Eixample/Passeig de Gràcia* Passeig de Gràcia, 32 Tél. 934 88 01 62 ou 934 88 17 89 www.hostaloliva.com

prix très élevés

Nouvel Hotel (plan 3, C2 n°149) Un petit bijou moderniste à deux pas de la Rambla, dont l'élégante architecture saute aux yeux au détour du chemin : pierre de taille et colonnes sculptées soutenant une enseigne lumineuse aux formes arrondies. L'intérieur n'est pas dénué de charme non plus, d'escalier majestueux en luminaires ciselés, avec une mention particulière pour les plafonds ouvragés et le carrelage ancien. Les chambres, elles, offrent un confort moderne digne de ce 3-étoiles. Double à 125-185€ selon la saison, petit déjeuner inclus. Avec un peu de chance, si l'hôtel n'affiche pas complet, on peut négocier des prix plus doux en arrivant à l'improviste (120€ environ la double). Réservations en ligne uniquement. *Barri Gòtic/ Catedral* C/ de Santa Anna, 18-20 Tél. 933 01 82 74 www.hotelnouvel.com

Hotel España (plan 3, B3 n°144) Le faste catalan, du raffinement moderniste au design contemporain ! Cet hôtel historique, décoré par Lluís Domènech i Montaner au début du XXe siècle, compte 82 chambres minimalistes (récemment rénovées pour la plupart), un restaurant, Fonda España sous la houlette de Martin Berasategui, un bar à la décoration flambant neuve, une salle de sports et une terrasse avec piscine sur le toit qui devient l'Alaire Terrasse en été et accueille des soirées en plein air. On est immédiatement ébloui par les volumes de la réception, la beauté

GAMME DE PRIX	RESTAURATION	HÉBERGEMENT
Très petits prix	moins de 12€	moins de 50€
Petits prix	de 12 à 20€	de 50 à 65€
Prix moyens	de 20 à 30€	de 65 à 85€
Prix élevés	de 30 à 50€	de 85 à 130€
Prix très élevés	plus de 50€	plus de 130€

du patio, la décoration soignée de la salle à manger dite des Sirènes, la splendide cheminée du Bar Arnau et le mur végétal. Doubles à partir de 146€. *El Raval/Centre C/ Sant Pau, 9-11 Tél. 935 50 00 00 www.hotelespanya.com*

Hotel Claris (plan 4, B3 n°102) L'un des hôtels de luxe les plus branchés de la ville. On ne peut manquer de remarquer son étonnante façade des années 1930, harmonieux mélange d'une partie supérieure moderne et d'une base néoclassique. La somptueuse décoration inclut une riche collection d'antiquités égyptiennes et précolombiennes. Terrasse au sommet ultradesign, avec piscine. Double de 150 à 452€, suite de 240 à 550€ (HT). Également quelques chambres très luxueuses (1 024€). À noter que les tarifs sont très variables en fonction de l'affluence et de la période. *L'Eixample/Passeig de Gràcia Carrer de Pau Claris, 150 Tél. 934 87 62 62 www.derbyhotels.com*

Majestic Hotel (plan 4, B3 n°104) Un établissement de très haut standing sur le Passeig de Gràcia. Ici, tout n'est qu'harmonie, depuis la façade élégante jusqu'au mobilier ancien, en passant par la piscine du toit qui donne sur la ville. Chambres spacieuses et très coquettes. De 220 à 500€ HT la double, de 450 à 850€ HT la suite. Le petit déj. est compris si la réservation est effectuée par Internet. Le Condal, restaurant de l'hôtel, est l'un des meilleurs de la ville, le spa a été reconnu comme l'un des plus prestigieux d'Europe et en été, la terrasse du Dolce Vitae au bord de la piscine attire tout le gratin du coin. *L'Eixample/Passeig de Gràcia Passeig de Gràcia, 68 Tél. 934 87 39 39 www.hotelmajestic.es*

★ ☺ MONTSERRAT

08199

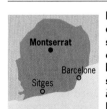

Le nom de ce massif qui domine la plaine du Llobregat du haut de ses 1 236m signifie "mont scié". L'aspect féerique de ce conglomérat de calcaire, d'argile et de silex modelé par l'érosion laisse libre cours à l'imagination. Des reliefs plus spectaculaires les uns que les autres, semblables à de gigantesques orgues, s'y succèdent. Leurs formes évocatrices leur ont valu des surnoms imagés, tels que le "Ventre de l'évêque" ou le "Perroquet". Vues splendides sur les Pyrénées, la vallée et le Tibidabo de Barcelone. Une basilique majestueuse, un musée d'art d'une grande richesse, d'excellents circuits de randonnée et d'innombrables voies d'escalade... autant de raisons de s'y aventurer.

UN HAUT LIEU SPIRITUEL Les premiers ermitages remontent au VIIIe siècle et le monastère bénédictin de Montserrat, perché à 725m d'altitude, a été fondé au XIe siècle. Sa basilique abrite une Vierge noire du XIIe siècle, la Mare de Déu de Montserrat, surnommée la Moreneta, patronne de la Catalogne depuis 1881 et objet d'une grande dévotion : l'abbaye voit ainsi affluer plus de deux millions de pèlerins chaque année. En 1811, les armées napoléoniennes dévastèrent le site. Reconstruit aux XIXᵉ et XXᵉ siècles, célébré par les poètes et artistes de la Renaixença, Montserrat devint dans les années 1960 un foyer de résistance au franquisme. Il demeure un haut lieu du nationalisme catalan et du catholicisme.

MODE D'EMPLOI

accès

EN VOITURE
À environ 55km au nord-ouest de Barcelone, via Monistrol de Montserrat. **Parking** En contrebas du monastère (difficile de se garer ailleurs). Première 1/2h gratuite, puis 5,50€ la journée entre 6h et 22h (1€ la nuit pour les clients de l'hôtel). Tarifs dégressifs pour les séjours plus longs. Parkings gratuits face aux gares du téléphérique et de la crémaillère.

EN TRAIN
FGC / Ferrocarrils de la Generalitat de Catalunya De la Plaça d'Espanya, train de banlieue R5 direction Manresa. Descendre à Montserrat Aeri pour le téléphérique et à Monistrol de Montserrat pour le petit train La Cremallera. Départ toutes les heures de 5h15 à 22h30 (1h de trajet env.). Tarif 5,25€. *Tél. 900 90 15 15 www.fgc.cat*
Petit train à crémaillère De la gare de Monistrol de Montserrat Départ ttes les 20min env. (15min de trajet). Billet adulte 5,25-6€ AS et 8,35-9,50€ AR (selon la saison). M-Museu billet combiné train à crémaillère et entrée au musée 12,90€. Plusieurs formules possibles pour les différents lieux de visite de Montserrat. TransMontserrat (26,60€): transports (métro, train, téléphérique), accès illimité aux deux funiculaires et à l'espace audiovisuel (exposition). *Tél. 902 31 20 20 www.cremalle rademontserrat.com*
Téléphérique De la gare Aeri de Montserrat part le spectaculaire téléphérique : 544m de dénivelé !

Départ env. ttes les 15min. AS 6,60€, AR 10€. *Tél. 938 35 00 05 www.aeride-montserrat.com* Ouvert mars-oct. : tlj. 9h40-14h et 14h35-19h ; nov.-fév. : lun.-sam. 10h10-14h et 14h35-17h45, dim. et j. fér. 10h10-14h et 14h35-18h45 Fermé mi-jan. à mi-fév.

EN CAR
Autocars Julià Départ de la gare de Sants (Plaça dels Països Catalans), à Barcelone, tlj. à 9h15 ; retour à 18h (fin juin-août), 17h (hors saison) env. 4,75€ AS. *Tél. 934 02 69 00 www.autocares julia.es*

informations touristiques

Office de tourisme Plan gratuit et guide détaillé payant de Montserrat disponibles sur place. Nombreux forfaits touristiques dont le "Tot Montserrat" à 42,65€ qui comprend notamment les transports (métro, train, téléphérique) depuis Barcelone, l'entrée au musée et à l'espace audiovisuel (vie dans le monastère et dimension culturelle de celui-ci), l'accès illimité aux deux funiculaires et un repas à la cafétéria. Également très utile, un forfait de 14€ qui comprend un accès au musée et à l'espace audiovisuel ainsi qu'un audioguide et un livret pour découvrir le site en détail. *Pl. de la Creu Monistrol de Montserrat Tél. 938 77 77 01 www.montserratvisita. com Ouvert été : tlj. 9h-18h ; reste de l'année : tlj. 9h-16h*

DÉCOUVRIR

☆**Les essentiels** Le sanctuaire marial de la basilique **Découvrir autrement** Écoutez un chœur d'enfants dans la basilique, ralliez la Santa Cova en funiculaire

Montserrat

De l'office de tourisme, prenez tout droit jusqu'à la Plaça de l'Abat Oliba (du nom du fondateur du monastère). De là, une petite rue monte vers la Plaça de Santa María, une belle esplanade à trois niveaux dessinée par l'architecte Puig i Cadafalch en 1929. Face à vous s'élève la façade monumentale de la basilique, réalisée par Francesc Folguera de 1942 à 1968.

☆ **Basílica** La façade du monastère est agrémentée de trois hautes arcades. Sous celle de gauche est représenté saint Benoît, patron de l'ordre servi à Montserrat par une vingtaine de moines ; au milieu le pape Pie XII proclame le dogme de l'Assomption de Marie ; à droite figurent saint Georges, patron de la Catalogne, et les moines victimes qui ont péri lors de la guerre civile. Les deux ailes du cloître gothique (1476) qui donnent sur la place Santa María sont les seuls vestiges de l'abbaye primitive qui aient échappé au sac de 1811. Passé l'entrée du monastère, on débouche sur le parvis de la basilique, d'inspiration Renaissance, dont les sgraffites évoquent les lieux saints de la Chrétienté et l'histoire de Montserrat. L'esplanade est dotée d'un riche ensemble statuaire, dont le saint Joseph et le saint Jean-Baptiste de Josep Clara (1878-1958), au centre. La façade de la basilique a été refaite en 1901. L'édifice, consacré à la fin du XVIe siècle et largement remanié à la fin du XIXe, se distingue par son ornementation d'influence byzantine vivement colorée. Tout autour de la nef luisent des veilleuses, belles pièces d'orfèvrerie offertes par des associations catalanes. La première chapelle sur la gauche, dédiée à l'Immaculée Conception, est l'œuvre d'un disciple de Gaudí, Josep Pericas (1881-1965). La suivante abrite un émouvant christ de Josep Llimona (1864-1934). Plus loin, la chapelle du Saint-Sacrement a été dessinée par Subirachs en 1977. Cet ensemble dépouillé porte les symboles de la vie (à gauche) et de la mort (à droite), et un poème dédié à saint Georges (Sant Jordi). Au-dessus du maître-autel, de belles mosaïques modernistes encadrent la somptueuse **chambre de la Vierge de Montserrat**. On y accède en prenant le couloir de droite qui s'ouvre à l'entrée de la basilique. La deuxième des chapelles qu'il dessert recèle une copie de l'épée qu'Ignace de Loyola (fondateur des Jésuites) laissa à l'abbaye lors de son pèlerinage de 1522. La troisième, dédiée à Sant Martí, abrite une sculpture de Llimona, qui a prêté ses traits au pauvre représenté au pied du cheval. Derrière un splendide portail en albâtre ciselé (1954), en haut d'escaliers aux mosaïques dorées protégés par des portes en argent, trône la Vierge en majesté portant l'enfant Jésus sur ses genoux. Cette statue romane en bois polychrome (XIIe s.) haute de 95 cm est mise en valeur par un décor de mosaïques vénitiennes et d'argent massif. La sphère représentant le monde qu'elle tient dans sa main droite est le seul élément que les pèlerins peuvent toucher. À voir et surtout à entendre, le splendide orgue Blancafort (12 m de haut, 4 242 tubes et 63 registres, de fabrication

● **ÉCOUTER UN CHŒUR D'ENFANTS**
Du lundi au vendredi à 13h, le dimanche à 12h et du dimanche au jeudi à 18h45, la basilique résonne des chants religieux traditionnels entonnés par L'Escolania, l'un des chœurs d'enfants les plus célèbres d'Europe (XIIIe s.). Pas de chœurs durant les vacances scolaires. *Rens. office de tourisme* **Basílica** *www.escolania.cat*

artisanale locale) a été installé en mars 2010. *Pl. de Santa María Tél.* 938 77 77 66 *www.abadia-monserrat.net Ouvert lun.-ven. 7h-20h, w.-e. et j. fér. 7h-20h15 Entrée libre* **Cambril de la Mare de Dèu** *Ouvert juin-sept. : tlj. 7h30-20h ; reste de l'année : tlj. 7h-10h30 et 12h15-18h30 Entrée libre*

Museu de Montserrat Ce musée, sous la place Santa Maria, abrite une très riche collection de peinture. La visite débute à l'étage avec la section de peinture ancienne (XIII-XVIe s.) qui comprend une magnifique *Sainte Madeleine* du Greco (1541-1614) et un douloureux *Saint Jérôme* du Caravage (1571-1610). La peinture catalane du XIXe siècle est bien représentée : œuvres de Ramón Martí i Alsina (1826-1894), tableaux historiques de Marià Fortuny (1838-1874), paysages de Joaquim Vayreda (1843-1894), chef de file de l'école d'Olot. Les artistes modernistes sont aussi à l'honneur : peintures de Rusiñol (1861-1931), de Casas (1866-1932) et deux superbes tableaux du jeune Picasso : *Le Vieux Pêcheur* et *L'Enfant de chœur*… Une section est également consacrée à l'impressionnisme : Renoir, Monet, Degas, Sisley, Pissaro, Degas… Plus loin, un espace réservé à l'iconographie de la Vierge de Montserrat (sculpture, orfèvrerie, peinture) du XIIe au XXIe siècle : Nigra Sum où s'exhibe une *Mare de Dèu de Montserrat* (2001) de Josep M. Subirachs. Avant de redescendre, ne pas manquer la collection archéologique consacrée à l'Orient biblique (Mésopotamie, Terre-Sainte, Égypte, Chypre, Grèce…) réunie par le moine aventurier Bonaventura Ubach (le bien nommé) : tablettes d'écriture cunéiforme, statuettes assyro-babyloniennes, un sarcophage du XXIIe siècle avant J.-C. ainsi qu'une momie d'adulte, des tissus coptes et des céramiques chypriotes… Au rez-de-chaussée, une petite section est réservée à l'orfèvrerie religieuse. À voir dans les sections suivantes, les icônes byzantines, les toiles hautes en couleur de Joaquim Mir (1873-1940) et la peinture moderne : œuvres de jeunesse de Salvador Dalí (1904-1989), dont une collection de 26 dessins, tableaux constructivistes de Joaquim Torres García (1874-1949)… Quelques sculptures modernes sont disséminées dans les salles du musée : marbres de Llimona (1864-1934), sculptures de Manolo Hugué (1872-1945) et de Josep Clarà (1878-1958)… À voir également, les dessins de Juan Gris (1887-1927), de Picasso et de Tàpies (1923-2012). La plupart des œuvres du musée proviennent de dons de particuliers et ces collections, exposées dans un espace muséal atypique, créent une belle surprise ! *Pl. de Santa María Tél. 938 77 77 45 www.museudemontserrat.com Ouvert été : lun.-ven. 10h-17h30, w.-e. et j. fér. 10h-18h45 ; hiver : lun.-ven. 10h-17h30, w.-e. et j. fér. 10h-17h45 Tarif musée 7€, réduit 6€, enfants (8-16 ans) 4€ Tarif espace audiovisuel et musée 9,50€, réduit 8,50€, enfants 6€*

Le parc naturel de Montserrat

De nombreux chemins sillonnent le parc naturel de Montserrat, au décor grandiose et à la végétation méditerranéenne très variée. Demandez la brochure des différents sentiers (gratuit) à l'office de tourisme ou achetez le *Guide officiel de Montserrat*. Sorties guidées possibles.

Chemin de la Santa Cova La sainte grotte est une chapelle construite autour de la grotte où aurait été découverte la statue de la Vierge de Montserrat. Reconstruite après un incendie en 1994, elle abrite une étonnante salle réservée aux ex-voto. La promenade qui mène à la Santa Cova vaut surtout par l'extraordinaire Rosaire monumental (1896-1916), série de quinze monuments représentant la vie du Christ, réalisé par de grands architectes et artistes modernistes, dont Gaudí. Dans un virage, un splendide calvaire en fer forgé de Puig i Cadalfach, avec une statue du Christ de Josep Llimona. On pourra redescendre en funiculaire de la Santa Cova ou emprunter les escaliers de la Plaça de la Creu, à côté de la crémaillère (1h15 AR, facile). *Ouvert tlj. 11h-13h et 14h-16h40 Horaires sujets à modifications Se renseigner à l'OT Messe dim. à 9h30, 11h et 13h* **Funiculaire de la Santa Cova** *En face de l'OT, 120m de dénivelé Ouvert avr.-oct. : tlj. 10h10-17h45 ; nov.-mars : lun.-ven. 10h10-16h45, w.-e. et j. fér. 10h10-17h05 Fermé 10 jours début fév. AS 2,15€, réduit 1,95€ AR 3,40€, réduit 3,05€ Billet combiné Santa Cova et Sant Joan 9,50€, réduit 5,25€*

Chemin de Sant Miquel Cette balade part entre les deux funiculaires. Elle longe d'abord un ensemble de sculptures, représentant entre autres le grand violoncelliste catalan Pablo Casals et saint François d'Assise. Au sommet, le belvédère de Sant Miquel, d'où l'on jouit d'une vue grandiose : c'est de là que les courageux pèlerins apercevaient pour la première fois le monastère. Un peu en contre-haut, l'ermitage de Sant Miquel (45min AR, facile).

● Monter en funiculaire

Funiculaire de Sant Joan Partant de la Plaça Abat Oliba, il monte jusqu'à 976m et permet de découvrir d'anciens ermitages, notamment ceux de Sant Joan et Sant Jeroni. Le chemin le plus spectaculaire est celui qui monte jusqu'au point culminant du parc (1236 m), le sommet de Sant Jeroni (1h d'ascension de la station de Sant Joan, 2h30 du monastère ; facile). *AS 5,35€, réduit 2,95€ AR 8,45€, réduit 4,65€ Billet combiné Santa Cova et Sant Joan 9,50€, réduit 5,25€ Ouvert début juil.-début sept. : tlj. 10h-18h50 ; avr.-début juin, début sept.-oct. : tlj. 10h-17h50 ; nov.-fév. : tlj. 10h-16h40 Départ toutes les 20min Fermé jan., fév. ou mars Se renseigner par tél.*

● Faire de l'escalade

Les reliefs enchanteurs de la Muntanya de Montserrat en font l'un des sites les plus intéressants de Catalogne, avec plus de 3000 voies d'ascension... L'accès à certaines voies étant réglementé, se renseigner ou prendre un guide avant de grimper !
Marcel Millet Informations et guide à Montserrat. *Rens. à l'OT*

Món Sant Benet

Combiner sur un site naturel exceptionnel – le parc de Sant Llorenç i l'Obac – les visites d'un monastère médiéval et d'un centre international de recherche dans le domaine de l'alimentation et de la cuisine, tel est le pari du projet Alícia animé par le célèbre chef cuisinier Ferran Adrià.

Món Sant Bene Niché depuis le xe siècle dans une campagne enchanteresse, le monastère bénédictin de Sant Benet de Bages a conservé son église et son cloître, joyaux de l'architecture romane catalane. Racheté par la famille du peintre Ramon Casas (1866-1932), qui demande en 1910 à son ami Josep Puig i Cadafalch de rénover l'édifice, le monastère devient une résidence d'été conjuguant influences baroques et modernistes. En 2000, la propriété est acquise par la Caixa de Manresa, qui prend en charge la restauration de l'ensemble et la création d'un projet culturel et touristique unique en son genre. Ainsi, à quelques mètres à peine des vieilles pierres, entourés de jardins aux mille arômes, se dressent les bâtiments en verre de la fondation Alícia (contraction de Alimentació i Ciència, "Alimentation et science"). Ce centre de recherche, présidé par le chef Ferran Adrià (conseillé par le cardiologue Valenti Fuster), se consacre à l'innovation technologique en cuisine, à la promotion d'une bonne hygiène alimentaire et à la diffusion du patrimoine agroalimentaire et gastronomique. L'offre est complétée par trois restaurants de référence dont un étoilé, un hôtel 4 étoiles et un important centre de congrès (4 000m²) édifiés entre le monastère et la Fàbrica, une ancienne usine. Réservations nécessaires, pour les visites comme pour les ateliers. *Sant Fruitós de Bages À 65km au nord-ouest de Barcelone par l'E9-C16, sortie n°54 dir. Navarcles ou l'A2-C55, sortie n°141c En transports en commun Train FCG R5 ou bus Julià jusqu'à Manresa Alta, puis bus Costa Calsina jusqu'à Navarcles et 10min de marche Tél. 902 87 53 53 www.monstbenet.com* **Accueil** *La Fàbrica Tél. 938 75 94 01 Ouvert lun.-ven. 10h-18h, w.-e. et j. fér. 10h-19h Fermé 1er et 6 jan., 25-26 déc.* **Fundació Alícia** *Tél. 938 75 94 02 www.alicia.cat* **Restaurant L'Angle** *Tél. 938 75 94 29 ou 672 20 86 91 www.restaurantangle.com* **Hotel Món** *Tél. 938 75 94 04 www.monstbenet.com*

Visites guidées et ateliers Divers parcours et ateliers invitent à la découverte du site. Agrémenté d'effets et de montages audiovisuels, le parcours "Mille ans d'histoire d'un monastère" (Espai Medieval) retrace l'histoire du monastère à travers la visite de l'église, du cloître, des caves et des galeries. Au-dessus du cloître, l'Espai Modernista, aménagé dans les appartements modernistes du peintre et affichable Ramon Casas parmi des (vrais) meubles du monde entier et une impressionnante collection d'art décoratif font revivre, grâce à des technologies de pointe, un beau matin d'été 1924. Le centre de recherche, ses projets et les progrès technologiques appliqués à la cuisine se révèlent au travers d'une visite guidée agrémentée d'un atelier gustatif. La fondation Alícia organise également un atelier hebdomadaire réunissant petits et grands autour des fourneaux à la découverte de recettes oubliées. Enfin, à l'emplacement des jardins de simples, au bord de la rivière Llobregat, elle cultive des fruits et légumes d'autrefois à découvrir in situ ou dans la boutique ou sont vendus notamment les produits des récoltes. **Espai medieval** *Ouvert sam.-dim. 10h30-18h ; Pâques : tlj. 10h30-17h Visite mar.-ven. toute l'année et sam.-dim. en été, sur rdv Durée 1h15 Tarif 9,80€, moins de 25 ans et plus de 65 ans 8,35€, 5-12 ans 5,90€ Billet combiné avec Alícia 13,30€, 11,35€ et 8€* **Espai Modernista** *Ouvert mar. et ven. Visite aux mêmes horaires que celle du monastère ; Pâques-sept. : sam.-dim. 10h30-18h ; sept.-Pâques : sam.-dim. 10h30-17h Durée 45min Tarif 7,80€/6,65€/4,70€ Billets combinés avec Alícia 11,70€/9,95€/6,65€ Billets combinés avec Espai Medieval 15,30€/13,05€/9,20€*

Centre de recherches *Visites lun.-ven. sur rés. (à partir de 20 pers.) ; w.-e. et j. fér. 10h30, 12h et 13h30 Durée 1h Tarifs 5,50€/4,70€/3,30€ Billets combinés avec Espai Medieval et Espai Modernista 19,90€/ 17€/12€* **Ateliers** *Ouvert sam.-dim. 12h-13h30 Rés. obligatoire Tarif 8,50€, enfants 4€* **Hort de la Cuina** *(potager) Ouvert mai-sept. : jeu. et dim. 10h ; avr.-oct. : jeu. 12h, sam. 16h (en fonction de la météo) Tarif 5,50€/4,70€/3,30€* **La Botiga** *(boutique) Tél. 938 75 94 01 Ouvert lun.-ven. 10h-18h, w.-e. et j. fér. 10h-19h*

CARNET D'ADRESSES

Restauration, hébergement

camping

Camping de Montserrat Un camping spartiate mais correct, avec douches et eau chaude, et offrant de fort belles vues : environ 10,50€ pour 2 pers. et une tente ; laisser son véhicule au parking de Montserrat. *Monistrol de Montserrat Sur le chemin de Sant Miquel, partant sur la gauche entre les funiculaires de la Santa Cova et de Sant Joan, puis 20min à pied Tél. 938 77 77 77 (OT) Ouvert Pâques-1er nov. Réception : tlj. 9-16h*

petits prix

Hostal Guilleumes Au fond du village de Monistrol de Montserrat, au pied du massif en dents de scie, ce petit *hostal* est un véritable havre de tranquilité. Les chambres sont spacieuses et lumineuses et certaines offrent une vue imprenable sur les montagnes. Simples à 45€ et doubles à 55€, petit déjeuner compris. *C/ Guilleumes,*

3 Monistrol de Montserrat Tél. 938 28 40 65 www.guilleumes.com

prix moyens

Hotel Abat Cisneros Un 3-étoiles dominant l'esplanade de la basilique. Double de 76€ à 116€, petit déjeuner compris. Possibilité de demi-pension et de pension complète. L'hôtel loue également, dans les édifices voisins, des "cellules", appartements répartis en deux catégories. Modernes et tout équipées, les Celles Abat Marcet coûtent de 19 à 33€ pour 1 pers., de 40 à 61€ pour 2 et de 76 à 107€ pour 4 (séjour de 2 nuits minimum). Billet pour le téléphérique de Montserrat inclus. Le restaurant de l'hôtel, de bonne qualité, propose un menu déjeuner à 27,50€ environ. *Pl. de Santa María Monistrol de Montserrat Tél. 938 77 77 01 /00 www.montserratvisita.com*

GAMME DE PRIX	RESTAURATION	HÉBERGEMENT
Très petits prix	moins de 12€	moins de 50€
Petits prix	de 12 à 20€	de 50 à 65€
Prix moyens	de 20 à 30€	de 65 à 85€
Prix élevés	de 30 à 50€	de 85 à 130€
Prix très élevés	plus de 50€	plus de 130€

SITGES

08870

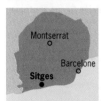

Montserrat

Barcelone

Sitges

À une quarantaine de kilomètres au sud de Barcelone, sur les Costas de Garraf, Sitges est l'une des stations balnéaires les plus prisées de Catalogne. La proximité des vignobles du Penedès, ses jolies plages et son agréable centre-ville, aux belles demeures des XIXe et XXe siècles, y sont bien sûr pour beaucoup. Mais c'est surtout à son ambiance festive que la ville doit sa réputation. Un goût de la fête qui remonte à la fin du XIXe siècle, quand Sitges devint un important foyer artistique. Sous l'impulsion de Santiago Rusiñol et d'une pléiade d'artistes, les premières fêtes modernistes propulsèrent Sitges sur le devant de la scène culturelle catalane. Un tableau complété ces dernières décennies par une importante communauté gay venue animer la ville de ses couleurs arc-en-ciel.

MODE D'EMPLOI

accès

EN VOITURE
À 42km au sud de Barcelone par l'autoroute à péage C32 (sortie n°30).

EN TRAIN
Gare FGC (plan 7, B1) De Barcelone, trains de banlieue R2-Sud très fréquents de 6h à 0h (env. 30min, 3,80€ AS). Dernier départ de Sitges à 22h26. *Pl. d'Eduard Maristany Tél. 902 24 02 02 www.renfe.com*

EN CAR
Pas de gare routière, mais des terminus dispersés dans la ville pour les cars de ligne qui desservent les environs. *Rens. office de tourisme*
Monbus Cette compagnie relie Sitges à Barcelone (Ronda Universitat, 33) pour env. 3,75€ AS (45min de l'aéroport) avec notamment des départs nocturnes. Pratique. Terminus Passeig de Vilafranca (devant le parc Can Robert). *Tél. 938 93 70 60 www.monbus.cat*

orientation

Sitges s'étire sur près de 3km, le long de dix-sept petites plages. Le **centre** est délimité au nord par l'Avinguda d'Artur Carbonell et au sud par le Passeig Marítim puis de La Ribera. Un entrelacs de ruelles piétonnes et commerçantes se déploie autour de la **Plaça del Cap de la Vila**. À l'est de la plage de la Fragata, l'**église de Sant Bartomeu i Santa Tecla** se dresse sur un promontoire et forme avec le **Museu Maricel** et le **Museu Cau Ferrat** l'ensemble monumental de la ville. Le **port de plaisance** se trouve à l'est.

banques et poste

Vous trouverez des **banques** Pl. del Cap de la Vila et C/ de Parellades (plan 7, A1-B1), mais aussi dans les rues Sant Frances, Jesús et Major.
Poste (plan 7, A2) *C/ de Mossèn Joan Llopis Pi, 5 Tél. 938 94 12 47 Ouvert lun.-ven. 8h30-14h30, sam. 9h30-13h*

fêtes et manifestations

Carnaval Un des plus importants de la région réputé pour ses défilés gays. *Fév.-mars*

Foire d'art de Sitges Expositions d'œuvres d'artistes locaux. *Mars*

Rallye de voitures anciennes Barcelone-Sitges. *Fin mars*

Sant Jordi Fête du livre et de la rose. *23 avr.*

Sitges Green Sounds Festival de musique au Port d'Aiguadolç. *Mai-juin*

Fête de Corpus Christi Géants tapis de fleurs dans toute la ville. *Mai-juin*

Festival international de musique "Concerts de Mitjanit" (concerts de minuit). *Juil.-août*

Sitges Gay Pride Défilés et concerts. *Mi-juil.*

Festival international de tango *Mi-juil.*

Festa Major Spectacles, feux d'artifice, défilés en l'honneur de Sant Bartomeu. *23-24 août*

Fête des vendanges Élection de la reine des vendanges de Catalogne. *Un week-end de sept.*

Fêtes de Santa Tecla Grande fête patronale de la ville. *22 et 23 sept.*

Menjart de tast Les restaurateurs offrent des *tast* (petits plats) de chez eux à prix modiques. *Au parc L'Hort de Can Falç, fin sept.-début oct.*

Festival Sitges Swing Nombreux concerts. *Fin sept.-début oct.*

Festival de cinéma fantastique *Première quinzaine d'octobre*

informations touristiques

Turisme de Sitges (plan 7, B1) *Plaça Eduard Maristany, 2 Tél. 938 94 42 51 www.sitgestur.com Ouvert mi-juin-mi-sept.: lun.-ven. 9h-14h et 16h-20h, sam. 10h-14h et 16h-20h, dim. et j. fér. 10h-14h ; reste de l'année : lun.-ven. 10h-14h et 16h-18h30, sam. 10h-14h et 16h-19h, dim. et j. fér. 10h-14h*

DÉCOUVRIR
Sitges

☆**Les essentiels** Le musée Maricel del Mar **Découvrir autrement** Visitez le curieux musée Cau Ferrat, faites une pause-café sur le Passeig de La Ribera, suivez la route des vins du Penedès au départ de Sitges, grignotez un *xató* au Celler Vell (cf. Carnet d'adresses)

☺ **Museu Cau Ferrat (plan 7, B2)** Édifiée en 1894 sur les fondations de deux maisons de pêcheurs, la demeure-atelier moderniste du peintre Santiago Rusiñol (1861-1931) devient rapidement un lieu de rencontres d'artistes et d'intellectuels. Des murs bleu vif de la cuisine aux plafonds en bois polychrome de l'étage se bouscule une série d'incroyables collections accumulées par l'artiste. Céramiques, azulejos et une grande quantité de tableaux, parmi lesquels la *Madeleine repentie* du Greco et la *Course de taureaux* de Picasso, sans oublier quelques œuvres de Miró et de Rusiñol. Mais ce dernier affectionnait tout particulièrement les objets en fer forgé, exposés à l'étage et qui ont donné leur nom au musée ("retraite du fer"). *C/ Fonollar Tél. 938 94 03 64 www.mnac. es/museus/mus_ferrat.jsp Ouvert juin-sept. : mar.-sam. 9h30-14h et 16h-17h, dim. et j. fér. 10h-15h ; le reste de l'année : mar.-sam. 9h30-14h et 15h30-18h30, dim. 10h-15h En travaux jusqu'en 2014*

BARCELONE ET SES ENVIRONS

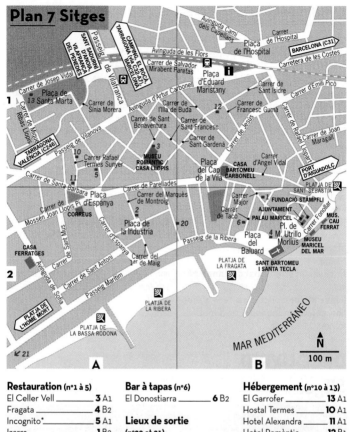

Plan 7 Sitges

MAR MEDITERRÁNEO

N

100 m

Restauration (nᵒ1 à 5)

El Celler Vell	**3** A1
Fragata	**4** B2
Incognito*	**5** A1
Izarra	**1** B2
Pescadito	**2** A2

Bar à tapas (nᵒ6)

El Donostiarra	**6** B2

Lieux de sortie
(nᵒ20 et 21)

L'Atlàntida	**21** A2
La Locacola	**20** B2

Hébergement (nᵒ10 à 13)

El Garrofer	**13** A1
Hostal Termes	**10** A1
Hotel Alexandra	**11** A1
Hotel Romàntic	**12** B1

* À RETROUVER DANS LA PARTIE DÉCOUVRIR

☆ ☺ **Museu Maricel del Mar (plan 7, B2)** Attiré par la renommée intellectuelle et artistique de Sitges, le milliardaire et collectionneur américain Charles Deering (1852-1927) décide de se faire construire un palais pour abriter ses œuvres d'art. Les travaux sont entrepris en 1910 par Miquel Utrillo, sur les ruines de l'ancien hôpital gothique (xivᵉ s.). L'ensemble, superbe et d'une grande originalité, est constitué du musée Maricel del Mar d'un côté (mer) et de la résidence Maricel de Terra de l'autre (terre). Si cette dernière est rarement ouverte au public, n'hésitez pas en revanche à pousser les portes du musée. En plus d'y découvrir de remarquables collections d'art religieux et une pinacothèque, vous pourrez y admirer le bel intérieur de la maison. Clou de la visite, les deux grandes fenêtres du mirador qui ouvrent sur la Méditerranée, avec, en premier plan, les sculptures féminines d'un blanc lai-

⬤ **CHAUDE AMBIANCE** Réputée pour son carnaval (p.219), Sitges est toujours très animée. Les terrasses du Passeig de La Ribera, en bord de mer, invitent à prendre un verre. Le soir, chaude ambiance dans les ruelles du centre, notamment dans les bars de la rue Del 1er de Maig, de la Plaça de la Industria et de la rue de Sant Bonaventura (nombreux bars gays). Vous trouverez plusieurs discothèques dans les environs.

teux de Joan Rebull (1899-1981). *C/ Fonollar Ouvert juin-sept. : mar.-sam. 9h30-14h et 16h-17h, dim. et j. fér. 10h-15h ; reste de l'année : mar.-sam. 9h30-14h et 15h30-18h30, dim. 10h-15h Fermé pour travaux jusqu'en 2014* **Maison Maricel de Terra** *Juil.-sept. : 2 visites guidées par sem. 1h15*

Fundació Stämpfli (plan 7, B2) Inauguré début 2011 dans l'ancien marché au poisson et au premier étage du Can Mec (deux édifices entièrement rénovés) le dernier-né des musées de Sitges expose les travaux de 35 artistes, parmi lesquels Erró, Gérard Fromanger, Daniel Dezeuze, Jacques Monory, Antonio Seguí ou encore Vladimir Velickovic. Mais ceci n'est qu'un début : la Fondation poursuit ses travaux dans les maisons voisines afin de pouvoir accueillir, à terme, la collection complète des œuvres cédées par les artistes, leurs héritiers ou par des galeries, au couple Peter et Anna-Maria Stämpfli. On pourra alors admirer les travaux de 55 artistes prestigieux de la seconde moitié du XXe siècle, originaires de 22 pays différents pour une vision complète des différentes tendances de l'art contemporain. *Plaça de l'Ajuntament, 13 Tél. 938 94 03 64 www.fundacio-stampfli.org Ouvert juil.-sept. : jeu.-ven. 16h-20h, w.-e. et j. fér. 11h-20h ; oct.-juin : ven. 15h30-19h, sam. 10h-14h et 15h30-19h, dim. et j. fér. 11h-15h Tarif 3,50€, réduit (étudiants, retraités et chômeurs) 2€, moins de 12 ans gratuit Billet combiné avec le Museu Romàntic 6,50€, réduit 4€*

Museu Romàntic – Casa Llopis (plan 7, A1) Grande maison bourgeoise de la fin du XVIIIe siècle, dont le mobilier illustre parfaitement les heures de prospérité de Sitges au XIXe siècle. Accueille également la collection de poupées Lola Anglada et une série de dioramas, qui mettent en parallèle des scènes de la vie aristocratique et de la vie rurale. *C/ de Sant Gaudenci, 1 Tél. 938 94 29 69 www.sitges.cat Ouvert juil.-sept. : mar.-dim. 11h-20h ; oct.-juin : mar.-sam. 10h-14h et 15h30-19h, dim. 11h-15h Visites guidées de 45min toutes les heures, rés. conseillée Tarif 3,50€, réduit 2€, moins de 12 ans gratuit*

Ruta dels Americanos À partir de la fin du XVIIIe et tout au long du XIXe siècle, de nombreuses familles espagnoles émigrèrent à Cuba et à Porto Rico. Une fois leur fortune faite, ces "Américains" revinrent s'établir au pays et s'y firent bâtir de somptueuses demeures. Parmi les plus belles, recensées dans l'excellent itinéraire présenté par l'office de tourisme (selon les styles : néoclassicisme romantique, éclectisme, modernisme et noucentisme), on compte celles de la rue de Francesc Gumà (plan 7, B1) et de la rue de l'Illa de Buda (plan 7, B1) reconverties en hôtels. Ne manquez pas non plus l'hôtel Capri, ou Casa Ferratges – (plan 7, A2) ; 1928 –, sur l'Avinguda de Sofia, ni la tour-horloge de la Casa Bartomeu Carbonell – (plan 7, B1) ; 1915 – sur la Plaça del Cap de la Vila. Mais la liste est longue et l'idéal est de flâner le nez en l'air : belles surprises garanties !

Sur la route des vins et du cava, le Penedès

À une vingtaine de kilomètres de Sitges, le Penedès est l'une des régions viticoles les plus réputées d'Espagne et il bénéficie d'une Dénomination d'origine contrôlée (DOC). Les meilleurs vins – essentiellement des blancs légers et des rouges charnus – sont produits autour de Vilafranca del Penedès, également célèbre pour son marché du samedi et ses concours de châteaux humains (*castellers*, oct.-nov.). Plus au nord, Sant Sadurní d'Anoia s'est spécialisé dans la production du *cava*, un excellent mousseux. Les offices de tourisme de Vilafranca del Penedès et de Sant Sadurní d'Anoia distribuent la liste des caves ouvertes au public. La visite de celles-ci se termine généralement par une dégustation. Voir aussi le site www.dopenedes.es.

Producteurs de cava
Office de tourisme de Vilafranca del Penedès
C/ de la Cort, 14 Tél. 938 18 12 54 www.turismevilafranca.com Ouvert lun. 16h-19h, mar.-ven. 9h-13h et 16h-19h, sam. 9h30-13h30 et 16h-19h, dim. 10h-13h
Office de tourisme de Sant Sadurní d'Anoia C/ de l'Hospital, 26 Tél. 938 91 31 88 www.cavatast.es www.santsadurni.org Ouvert mar.-ven. 10h-14h et 16h30-18h30, w.-e. et j. fér. 10h-14h
Miguel Torres La tradition vinicole de Torres remonte au XVIIe siècle, mais la maison n'est réellement fondée qu'en 1870. Depuis, c'est l'histoire d'un succès, dont les vignobles s'étendent un peu partout dans le monde. Vins rouges et blancs de différentes qualités, mais

la palme revient à la *reserva real* (réserve royale). Tarif 6,60€, réduit 3,75€ Durée 1h15mn avec dégustation Cours de dégustation sur rés. 22,27€ *Finca El Maset Pacs del Penedès (de Sitges par la C15 jusqu'à Vilafranca del Penedès, ensuite la BP2121 vers Sant Martí Sarroca, indiqué à gauche après la station-service) Tél. 938 17 74 87 www.torres.es Ouvert lun.-sam. 9h-16h45, dim. et j. fér. 9h-12h45 Visites guidées toutes les heures*
☺ **Codorniu** Producteur de *cava*. Ce splendide édifice moderniste de 1872, œuvre de l'architecte Puig i Cadafalch, est l'une des plus grandes caves d'Europe. Pas moins de 30km de galeries au réseau labyrinthique et une capacité de stockage de 100 millions de bouteilles ! Lors de la visite guidée, dont une partie se fait en petit train, on vous expliquera le lent processus d'inclinaison des bouteilles qui permet une élimination parfaite du dépôt. *Tarif 6,30€, réduit 3,15€, moins de 8 ans gratuit Av. de Jaume Codorniu Sant Sadurní d'Anoia Prendre AP7 (autoroute) sortie 27 Tél. 938 91 33 42 reserves@codorniu. es www.codorniu.es Ouvert lun.-ven. 9h-17h, w.-e. et j. fér. 9h-13h Rés. impérative*
Bodega Freixenet Le premier producteur mondial de cava (1861). *Tarif 6,50€, réduit 4,90€, 8-17 ans 3,90€, moins de 8 ans gratuit Sant Sadurní d'Anoia C/ de Joan Sala, 2 Tél. 938 91 70 00 ou 938 91 70 96 (Visite sur rdv) enoturismo@ freixenet.es www.freixenet.es (Visite sur rdv) Ouvert lun.-jeu. 9h30-16h30, ven.-sam. 9h30-16h, dim. 10h-13h Fermé 15 déc.-1er jan.*

● **Où prendre le petit déjeuner, manger sur le pouce ?**

Incognito (plan 7, A1 n°5) Pour un petit déjeuner en terrasse dans une ambiance gay et cosmopolite, un bar discret et un accueil francophone chaleureux. Pains et viennoiseries ou petit déjeuner à l'anglaise le matin. À midi, un plat unique (6,50€) servi avec de la salade et en soirée des apéros tapas très urbains ! C/ *Europa, 16 Ouvert mer.-lun.-ven. 10h-0h Fermé 2 sem. en oct.*

● **Aller à la plage** Le front de mer principal est divisé en plusieurs petites plages séparées par des digues. La **Platja de la Fragata** (plan 7, B2), la plus centrale, est essentiellement fréquentée par les jeunes. Plus à l'ouest, après la Platja de La Ribera, la Platja de la Bassa Rodana (plan 7, A2) est privilégiée par la communauté gay. De l'autre côté du promontoire historique, la Platja de Sant Sebastià (plan 7, B1) est plus familiale. Enfin, les amateurs de bronzage intégral iront à la Platja de l'Home Mort, à 10min à pied de l'extrémité ouest de la ville.

CARNET D'ADRESSES

Lieux de sortie

La vie nocture à Sitges est connue pour ses soirées hautes en couleur et ses fêtes enflammées. La ville compte une quantité surprenante de bars répondant à tous les goûts : des tavernes traditionnelles aux bars musicaux en passant par les *cruisy bars* (bars de drague homo avec *backroom* et projections de vidéos à caractère pornographique). Les bars gays sont essentiellement concentrés autour de la rue Dos de Mayo (aussi connue sous le nom de Carrer del Pecat, rue du Péché), dans la partie vieille de la ville sur la Carrer Major et dans le triangle formé par les rues Espalter, San Francisco et Parellades. De façon générale, les bars ne commencent à s'animer vraiment qu'en soirée vers 23h, à part quelques-uns qui ouvrent leurs portes aux alentours de 17h, attirant la foule de retour de la plage.

Bar

La Locacola (plan 7, B2 n°20) Un bar minuscule dans une ruelle à deux pas de la mer pour siroter un premier verre dans une ambiance décon-tractée ou méditer sur la "pensée du jour" inscrite au tableau. Clientèle mixte. *C/ Bonaire, 35 Sitges Ouvert mar.-dim. 19h30-3h (jeu.-sam. en hiver)*

Club

L'Atlàntida (plan 7, A2 n°21) Une fois que les bars de la ville ont fermé, les oiseaux de nuit insatiables convergent vers la plage de Les Coves et ce club légendaire. Danser sous les étoiles, entouré de centaines de garçons torse nu, au son des meilleurs DJ d'Ibiza, avec vue imprenable sur la Méditerranée (et même la possibilité de prendre un bain de minuit) peut être une expérience inoubliable ! Cours de yoga et massages. Soirées thématiques. Hétéro friendly. *C/ Platja de les Coves Sitges www. albertobeach.com Ouvert tlj. 10h-6h Horaires sujets à modifications*

Restauration

La spécialité de la ville est le *xató* (prononcez "tchato") : une énorme salade de scarole, d'anchois et de morceaux de morue crue, servie avec une sauce légèrement pimentée à base d'amandes, de noisettes pilées, d'ail et d'huile d'olive...

🍴 bars à tapas

El Donostiarra (plan 7, B2 n°6) Les *pinchos* (env. 1,40€ l'unité) se suivent mais ne se ressemblent pas sur ce long comptoir gourmand. Ici comme à San Sebastián, on guette l'arrivée des bouchées chaudes pour les attraper sur-le-champ en les arrosant d'un *txakoli* (vin blanc sec légèrement pétillant qu'on prend soin d'aérer d'un geste ample au moment du service) ! *C/ Nou, 14 Sitges Tél. 938 10 22 62 Ouvert mer.-lun. et j. fér. 12h30-16h30 et 19h-0h*

🍴 petits prix

Izarra (plan 7, B2 n°1) Grand choix de *pinchos* et de *montaditos* (mini-brochettes et canapés) du Pays basque, idéal pour picorer à l'heure de l'apéritif. Mais on y sert également plusieurs plats cuisinés. *Pincho* à env. 1€ l'unité, plats de poissons et viandes et suggestions de la maison entre 6,50 et 16,50€. On y sert aussi d'excellents menus, boisson et dessert compris, un plat pour 8,60€ ou deux plats pour 12,60€. *C/ Major, 22 Sitges Tél. 938 94 73 70 Ouvert tlj. 9h-0h Fermé pour les fêtes de fin d'année*

Pescadito (plan 7, A2 n°2) De tous les restaurants qui bordent cette rue piétonne, le Pescadito est sans doute le plus discret et le moins onéreux, avec des plats du jour à moins de 10€ et une petite sélection de tapas. Quelques tables en terrasse. *C/ Marquès de Montroig, 4 Sitges Tél. 938 94 74 79 Ouvert tlj. 12h-0h Fermé mi-déc.-mi-jan.*

🍴 prix moyens

☺ **El Celler Vell (plan 7, A1 n°3)** Excellente cuisine du terroir à savourer au milieu d'une belle décoration. En entrée, faites donc honneur à la spécialité de Sitges – le *xató* – (12€ ou 7€ la demi-portion) et poursuivez avec une viande ou un poisson grillé et des légumes à la braise (10,50-22€). Le tout préparé avec beaucoup de simplicité dans un cadre campagnard. Menu du jour du lundi au samedi 12,50€. *C/ de Sant Bonaventura, 21 Sitges Tél. 938 11 19 61 www.elcellervell.com Ouvert ven.-mar. 13h-15h30 et 20h-23h, jeu. 20h-23h Fermé 1re quinzaine de jan.*

🍴 prix élevés

Fragata (plan 7, B2 n°4) Au bout de la plage de la Fragata, au pied de l'église, un restaurant très couru pour la qualité de ses plats de poissons et fruits de mer. Se laisser tenter par une entrée d'anchois au parmesan et à la tomate (11,90€) ou une succulente soupe de poisson (9,50€), puis commander un loup de mer sauvage, sauce romesco accompagné de palourdes et d'oignons doux (22,90€) et pour finir, fondre pour le cheesecake aux fraises maison (6,50€) ! Prix TTC. *Paseo Ribera, 1 Sitges Tél. 938 94 10 86 www.restaurantefragata.com Ouvert tlj. 13h-16h et 20h-23h30 Fermé le 24 déc. au soir*

Dans les environs

🍴 petits prix

☺ **El Cigró dOr** Couronné meilleur jeune chef de Catalogne en 2009, Oriol Llavina a transporté son restaurant barcelonais dans la capitale du Penedès, pour mieux célébrer les traditions et richesses culinaires de cette prospère contrée viticole : le canard et le poulet labellisés, les pois chiches de vigne, le poisson frais de Vilanova, les légumes des potagers de Vilafranca et de ses environs. Le tout marié avec des élixirs vinifiés par de petits producteurs locaux, méconnus mais ô combien talentueux ! Menu du jour à 11,50€ et 25€ le week-end. Comptez 30€ à la carte. *Plaça del Oli, 1 Vilafranca del Penedès Tél. 938 90 56 09 www.elcigrodor.com Ouvert tlj. 13h-16h, ven.-sam. 21h-23h*

Hébergement

De manière générale, les tarifs sont plus élevés que sur le reste de la côte sud de Barcelone. Sachez également que la rue de l'Illa de Buda abrite de splendides hôtels de charme installés dans d'anciennes demeures modernistes.

🛏 camping

El Garrofer (plan 7, A1 n°13) À 2km à l'ouest de Sitges. Ce grand camping familial offre piscine et plages à proximité (10min de marche). Service de bus pour le centre mais peu régulier. De 19,35 à 29€ pour 2 personnes, tente et voiture. Un bungalow pour 4 pers. de 81,20 à 116,40€ (attention, 100€ d'arrhes exigés). *Sitges Sur la C246A, km39 Tél. 938 94 17 80 www.garroferpark.com Ouvert mars-déc.*

🛏 prix moyens

Hostal Termes (plan 7, A1 n°10) Un hôtel qui fleure bon le propre, caché derrière une façade orangée. Les chambres, impeccables, ouvrent sur un petit balcon. Toutes ont été récemment redécorées et chacune a désormais sa couleur. Demandez la n°301, vous aurez même droit à une terrasse ! Sinon, vous pourrez toujours profiter du petit solarium. Comptez 60€ la simple, 80€ la chambre double et 15€/j. pour le parking. *C/ Rafael Termes Sunyer, 9 Sitges Tél. 938 94 23 43 www.hostaltermes.com*

Hotel Alexandra (plan 7, A1 n°11) Situé dans une partie calme de la ville, cet établissement propose des chambres de tailles variables dont certaines disposent d'un balcon. Demandez la chambre avec terrasse, soit un espace fleuri de 40 m² ! Lumineuses et élégamment meublées, toutes sont très bien tenues, équipées de la climatisation et ont de belles proportions. L'accueil n'entache en rien le tableau : la direction, française, est affable, patiente et disponible. Simple de 45 à 95€ (selon la vue), double de 50 à 105€. *C/ Rafael Termes Sunyer, 20 Sitges Tél. 938 94 15 58 www.hotelalexandrasitges.com*

🛏 prix élevés

☺ **Hotel Romàntic (plan 7, B1 n°12)** Trois superbes demeures de la fin du XIXe siècle, des carrelages multicolores et un jardin enchanteur pour prendre le petit déjeuner. Chambres assez inégales, mais propres et joliment arrangées. Si vous ne pouvez vous offrir ce petit luxe, allez au moins prendre un verre dans le jardin. En haute saison, de 100 à 108€ la double sans sdb, de 116 à 126€ avec sdb, petit déjeuner compris. *C/ de Sant Isidre, 33 Sitges Tél. 938 94 83 75 www.hotelromantic. com Ouvert Pâques-oct.*

Dans les environs

Pour ceux qui préfèrent la tranquillité des campagnes et la proximité des caves à vins de la région, l'association des Cases de Pagès a l'Alt Penedès regroupe une vingtaine de gîtes et chambres d'hôtes (*www.masiesdelpenedes.com*). Ils se trouvent pour la plupart dans un rayon de 50km autour de Vilafranca del Penedès et Sant Sadurní d'Anoia.

Basílica de la Santísima y Vera Cruz (p.557), Caravaca de la Cruz.

Séchage de jambons, Teruel (p.454).

GEOREGION

LA COSTA DAURADA ET L'ARRIÈRE-PAYS

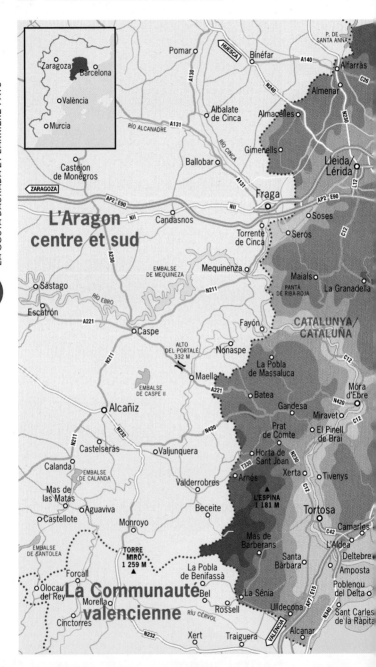

LA COSTA DAURADA ET L'ARRIÈRE-PAYS

TARRAGONE

de 43001 à 43008

Tarragone

L'ancienne capitale de la Tarraconaise romaine est aujourd'hui un grand port industriel et un agréable chef-lieu de province de 130 300 habitants. Chaque année, de nombreux visiteurs viennent découvrir son patrimoine culturel entre deux baignades sur la Costa Daurada. Si les vestiges antiques de la vieille ville font la fierté de la municipalité, ses ruelles en pente douce entretiennent, quant à elles, le souvenir d'un Moyen Âge prospère. Après sa reconquête sur les Maures, en 1148, Tarragone devint en effet le siège d'un important évêché, dont témoigne la majestueuse cathédrale Sainte-Marie qui domine le centre-ville. Prenez le temps de flâner et laissez-vous porter par cette cité au charme décidément méditerranéen.

TÁRRACO, LA ROMAINE Idéalement perchée sur une butte littorale, la localité ibère est conquise par les armées de Cornélius Scipion en 218 av. J.-C. et demeure une base stratégique tout au long des guerres puniques. Baptisée Tárraco, la cité s'entoure de murailles, et la victoire de Rome sur Carthage lui confère le rang de capitale de l'Hispanie Citérieure. Cette province qui couvre la moitié nord-est de la péninsule Ibérique devient la colonie impériale de Tarraconaise au Ier siècle av. J.-C. Tárraco se pare dès lors de prestigieux monuments publics (temple, forum, cirque, etc.), un ensemble archéologique aujourd'hui inscrit au Patrimoine mondial par l'Unesco.

MODE D'EMPLOI

accès

EN AVION
Aéroport de Reus Accueille essentiellement des vols charter en provenance de Francfort et du Royaume-Uni. *À 3km de Reus et 12km de Tarragone sur la T11, près de l'embranchement de* l'AP7 *Tél. 902 40 47 04 www.aena.es*

Reus Transport La ligne 50 de la compagnie publique relie tlj. de 8h à 20h l'aéroport à la gare routière de Reus, en passant par la gare Renfe (env. 2,50€ le trajet).

Plana Relie l'aéroport à Cambrils (6,95€) via La Pineda, Salou et Vilaseca

Tableau kilométrique

	Tarragone	Prades	Tortosa	Barcelone	Lérida
Prades	58				
Tortosa	87	101			
Barcelona	100	145	181		
Lérida	100	65	123	173	
Morella	166	175	103	259	184

7 ou 8 fois par jour. *Tél. 977 37 19 70 ou 977 38 55 01 www.busplana.com*

Hispano Igualadina Relie l'aéroport de Reus à Barcelone (Plaça Maria Cristina et gare de Sants) à l'arrivée des vols Ryanair. Également plusieurs liaisons quotidiennes avec Reus et Tarrogone et une autre en soirée, du lundi au vendredi, avec Valls en passant par la gare de Reus, La Selva del Camp, Alcover et El Milà. *Tél. 902 29 29 00 ou 977 77 06 98 www.igualadina.com*

Unión Taxis Reus Taxis de l'aéroport à Reus (env. 18€), Salou (28€), Tarragone (33€), Cambrils (33€), Barcelone (150€), etc. *Tél. 977 75 38 61 ou 977 34 50 50 www.taxisreus.com*

EN VOITURE

À 100km au sud-ouest de Barcelone par l'autoroute C32-AP7, payante (sorties n°s 32, 33 et 34) ou par la N340. À 105km au sud-est de Lleida par l'AP2.

EN TRAIN

Liaisons avec Barcelone (trains fréquents, env. 1h de trajet, à partir de 7,50€ AS), Lleida (3 trains/j., 1h45, à partir de 7,50€ AS) et Valence (2h, à partir de 19€ AS).

Gare Renfe (plan 8, C3) *Passeig d'Espanya Tél. 902 24 02 02 www.renfe.es*

Gare AVE (Estació del Camp de Tarragona) Accueille les TGV reliant Madrid à Barcelone et à la frontière française. Connexion en bus avec Tarragone (20min, 1,55€), Valls, Reus, Salou, Port-Aventura et Cambrils (5,90€). *La Secuita Perafort www.renfe.com*

EN CAR

Nombreuses liaisons avec les villes voisines.

Gare routière (plan 8, A2) *C/ Pere Martell Tél. 902 36 51 14*

Plana Relie Tarragone à l'aéroport de Barcelone 7 à 10 fois/j. *C/ Colón,*

29 43001 Tarragone Tél. 977 37 19 70 ou 977 38 55 01 www.busplana.com

Hife Quelques cars quotidiens de Tortosa (de 1h20 à 1h50, env. 10€) ou Saragosse (3h, env. 20€). *Tél. 902 11 98 14 ou 977 44 03 00 www.hife.es*

Hispano Igualadina Relie Tarragone à Reus, Valls, Igualda, etc. *Ctra. de Salou, 2-24 Reus Tél. 902 29 29 00 ou 977 77 06 98 www.igualadina.com*

orientation

Le centre-ville de Tarragone, à taille humaine, se découvre aisément à pied. L'artère principale est la Rambla Nova, qui relie la Plaça Imperial Tárraco, gros nœud de communications, au "balcon de la Méditerranée", agréable esplanade qui domine l'amphithéâtre romain et la Platja del Miracle. Parallèle à la précédente, la Rambla Vella suit le tracé de la Via Augusta (voie romaine qui reliait Rome à Cadix) et sépare le centre moderne du quartier historique. Encore corseté de ses murailles médiévales, ce dernier occupe une butte au nord de la Rambla. La cathédrale qui le couronne occupe approximativement l'emplacement du temple de Jupiter. Le forum antique séparait ce temple dédié au culte impérial du cirque, plus au sud.

se déplacer

Difficile de circuler et de se garer dans le quartier historique : laissez votre voiture dans la ville moderne ou utilisez le parking souterrain de la Plaça de la Font.

BUS

EMT (Empresa Municipal de Transports) (plan 8, B2) Peut se révéler utile pour rejoindre certains sites des environs (ticket à env. 1,40€). *C/ Pere Martell, 1 Tél. 902 36 51 14 www.emtanemambtu.cat Ouvert lun.-ven. 8h-15h*

LA COSTA DAURADA ET L'ARRIÈRE-PAYS

TAXIS
Radio Taxis *Tél. 977 22 14 14 www.taxi-tarragona.com*

informations touristiques, visites guidées

Office de tourisme municipal (plan 8, C2) Personnel francophone. Renseigne sur les quatre itinéraires proposés par une société privée pour découvrir en été la Tarragone romaine, la Tarragone médiévale, la Tarragone moderniste et Tarragone à travers ses fêtes et ses traditions. La visite peut se faire en français. *C/ Major, 39 Tél. 977 25 07 95 www.tarragonaturisme. cat Ouvert mi-juin-fin sept. : lun.-sam. 10h-20h, dim. 10h-14h ; oct.-mi-juin : lun.-sam. 10h-14h et 15h-17h, dim. 10h-14h*
Office de tourisme régional (plan 8, B2) On y trouve de nombreuses infos sur toute la Catalogne. *C/ de Fortuny, 4 Tél. 977 23 34 15 www.catalunyaturisme.com Ouvert lun.-ven. 9h-14h et 16h-18h30, sam. 9h-14h*

VISITES GUIDÉES
Aux circuits de découverte classiques s'ajoutent des façons plus originales de découvrir les monuments de Tarragone. Ainsi, il est possible d'arpenter les rues en Segway, cet engin électrique muni de deux roues parallèles et d'un volant, que l'on conduit debout. Il permet se faire une idée générale de la ville moderne, du front de mer et du vieux centre en deux heures seulement (59€ les 2h). On peut aussi profiter de la ville en vélo électrique ou, du large, le temps d'une promenade en bateau. Rens. à l'OT et sur www.segwaytarragona.es

banques et poste

Vous trouverez des banques sur la Rambla Nova (plan 8, B2).
Poste (plan 8, B2) *Pl. Corsini Tél. 977 25 19 46 Ouvert lun.-ven. 8h30-20h30, sam. 9h-13h*

marchés, fêtes et manifestations

Marché municipal (plan 8, B2) *Pl. Corsini Ouvert lun.-jeu. et sam. 8h-15h, ven. 8h-15h et 17h-19h*
Pâques Grande procession. *Le vendredi saint, mars-avr.*
Tárraco Viva Spectacles, défilés et journées gastronomiques pour faire revivre la Tárraco romaine. *2e quinzaine de mai*
Festival de musique classique de Tarragone *Mi-juin-début août*
Spectacle international de feux d'artifice *1re sem. de juil.*
Fête de Santa Tecla Grande fête patronale de la ville. Concours de *castellers*, concerts et théâtre. *Pendant 10 j., aux env. du 23 sept.*

DÉCOUVRIR

☆**Les essentiels** La cathédrale, l'amphithéâtre romain **Découvrir autrement** Prenez un verre Plaça de la Font ; avec des enfants, faites le plein de sensations fortes à Port Aventura

Tarragone

De la Rambla Vella, plusieurs petites rues commerçantes partent à l'assaut du quartier historique et débouchent sur la **Plaça de la Font** (plan 8, C2). Cette grande place rectangulaire au fond de laquelle se dresse la façade néoclassique de l'**Ajuntament** (mairie) s'impose comme l'une des plus belles de la ville, avec ses vieilles maisons aux façades pastel et sa kyrielle de terrasses. En remontant vers la cathédrale, on notera à gauche la façade carnavalesque en trompe l'œil de la **Plaça dels Sedassos**. Un peu plus loin sur la gauche, l'artère principale de la cité médiévale, la rue dels Cavallers, est bordée de nobles demeures, comme celles de l'actuel **Conservatoire de musique** ou du **Museu Castellarnau**. Elle débouche sur la Plaça del Pallol, où subsistent quelques vestiges du forum romain. Au-delà du Portal del Roser (plan 8, C2) vous attend le **Passeig Arqueològic** (plan 8, C1), plaisante promenade qui longe les remparts médiévaux sur près de 2km. De la place de la Cathédrale, on empruntera à droite les arcades gothiques de la rue de la Merceria (plan 8, C2) pour rejoindre l'agréable **Plaça del Fòrum**, où se dressent d'autres vestiges du forum romain et où l'on peut admirer une grande maquette de la ville romaine, dans une annexe du Museu d'Història de Tarragona (entrée libre). En redescendant la rue Santa Anna, n'hésitez pas à jeter un coup d'œil au petit Museu d'Art Modern. En contrebas, sur la Plaça del Rei, l'entrée du **Museu Nacional Arqueològic** fait face à celle de la tour du Prétoire et du cirque romain. L'Amfiteatre Romà (plan 8, C3) se situe, lui, derrière les murailles, au-dessus de la plage. **Passeig Arqueològic** *Ouvert Pâques, mi-mai-fin sept. : mar.-sam. 10h-21h, dim. et j. fér. 10h-15h ; oct.-mi-mai : mar.-sam. 10h-19h, dim. et j. fér. 10h-15h Tarif 3,25€, réduit 1,65€, moins de 16 ans gratuit* **Museu d'Art Modern** *C/ Santa Anna, 8 Tél. 977 23 50 32 www.altanet.org/ MAMT Ouvert mar.-ven. 10h-20h, sam. 10h-15h et 17h-20h, dim. 11h-14h Entrée libre*

Le quartier historique

☆ **Catedral de Santa Maria (plan 8, C1)** Édifiée à partir de 1174 sur les ruines du temple romain de Jupiter, la cathédrale de la ville de Tarragone ne sera consacrée qu'en 1331. Elle illustre parfaitement la transition du roman au gothique. La façade principale, inachevée, arbore un portail gothique superbement ouvragé : admirez la représentation du Jugement dernier sur le tympan. Ses deux portes latérales sont de style roman. L'entrée des visiteurs, située sur la gauche du monument, dans la rue Del Claustre, donne sur un remarquable cloître (XIIᵉ-XIIIᵉ s.) planté d'orangers. Les ornementations sculptées de l'époque romane se mêlent harmonieusement aux croisées d'ogives du premier style gothique, au-dessus desquelles pointent quelques arcs polylobés d'influence mauresque. En faisant le tour des chapiteaux historiés, on distingue en face de la porte de la cathédrale une singulière procession de souris.

● **UN BILLET POUR TÁRRACO**
Un billet combiné permet de visiter l'amphithéâtre, la tour du Prétoire et le cirque romain, la muraille, le forum, la Casa Canals et la maison Castellarnau. En vente à l'entrée de ces monuments. *Tarif env. 10,85€, réduit 5,40€*

Dans l'édifice même, les regards convergent vers l'abside dominée par le splendide retable en albâtre polychrome du sculpteur Pere Joan (1430). Cette œuvre tout en finesse retrace en six tableaux les épisodes de la vie de sainte Thècle (Santa Tecla), entourée de scènes du Nouveau Testament. Parmi les nombreuses chapelles, on notera plus particulièrement celle Dels Sastres (des tailleurs, à gauche de l'abside), belle œuvre gothique du XIVᵉ siècle, et celle de la Vierge de Montserrat (à gauche

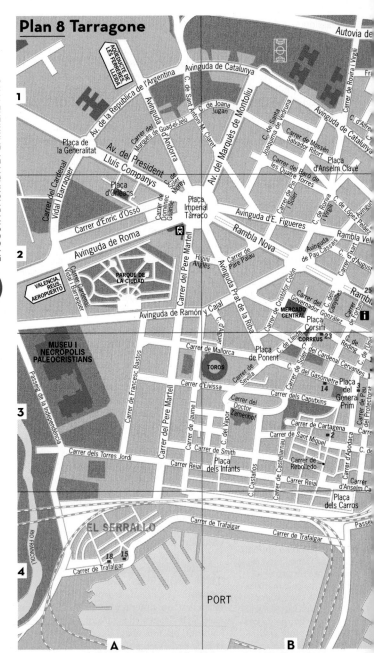

Plan 8 Tarragone

Cafés, bars et lieux de sortie (n° 1 à 3)

Bar Mitja Lluna	**3** B3
El Cau	**1** C2
La Vaqueria*	**2** B3

Restauration (n° 10 à 18)

Ares	**13** C2
Barhaus	**17** C2
El Barquet	**14** B3
El Tiberi	**12** B3
L'Onada	**18** A4
La Penya*	**10** C2
La Puda	**15** A4
Mesón Andaluz	**11** B3
Restaurant Taller de Cuina	**16** C2

Hébergement (n° 20 à 26)

Hostal Fòrum	**21** C2
Hotel Alexandra	**25** B2
Hotel Husa Imperial Tárraco	**24** C2
Hotel Lauria	**22** C3
Hotel Plaça de la Font	**26** C2
Pensió Noria	**20** C2
Sercotel Urbis Centre	**23** B3

Pauses gourmandes (n°30 à 32)

Leman*	**32** C3
Rabaso*	**30** C2
Sirvent*	**31** C2

Shopping (n°40)

Xarcuteria Cuadras*	**40** C2

C

N
200 m

*A RETROUVER DANS LA PARTIE DÉCOUVRIR

de l'entrée principale en regardant vers l'abside), qui abrite un beau retable gothique peint par Lluís Borrassà au début du XVᵉ siècle. Plusieurs tapisseries des XVIᵉ et XVIIᵉ siècles sont suspendues entre les piliers de la nef. On peut ressortir par la sacristie, à gauche de l'abside, dont le magnifique plafond *artesonado* mudéjar (XIVᵉ s.) arbore l'écu de Tarragone. La visite se termine par le Musée diocésain, où sont conservées de somptueuses collections d'art religieux ainsi qu'un fragment de mur du temple de Jupiter. *Pl. de la Seu Tél. 977 23 86 85 ou 977 21 10 80 (Billetterie) Ouvert mi-mars-oct. : lun.-sam. 10h-19h ; nov.-mi-mars : lun.-ven. 10h-14h, sam. 10h-19h Tarif 5€, réduit 3€, moins de 7 ans gratuit (supplément de 2€ pour l'audioguide en plusieurs langues) Visite guidée clocher + mur du temple de Jupiter + chapelles + Musée diocésain 15€, réduit 10€, moins de 7 ans gratuit*

Casa-Museu Castellarnau (plan 8, C2) Cette belle demeure bourgeoise, construite au XVᵉ siècle par la famille Castellarnau, possède un magnifique patio gothique. Plusieurs familles éminentes s'y sont succédé au fil des siècles et Charles Quint y séjourna en 1542. Toutes les pièces ont été reconstituées avec un fastueux mobilier – principalement des XVIIIᵉ et XIXᵉ siècles : dorures, tableaux à foison, chapelle privée en marbre… *C/ Cavallers,14 Tél. 977 24 27 52 www.museutgn.org Ouvert mar.-dim. et j. fér. 10h-15h Tarif 3,25€, réduit 1,65€, moins de 16 ans gratuit*

● **Où faire son marché ?**
Xarcuteria Cuadras (plan 8, C2 n°40) D'une toute petite échoppe ouverte par l'arrière-grand-père en 1920, la famille Cuadras a fait l'un des plus grands commerces de bouche tarragonais. On trouve ici toutes les spécialités de la région, à commencer par les incontournables cocas (pain, oignon et *pimientos*) qui font la réputation de la maison. Francisco Cuadras, le maître des lieux, est intransigeant sur la qualité de ses produits, charcuteries locales, biscuits, ou encore huile d'olive de Siurana (p.263). Le tout servi dans un cadre délicieusement suranné et vibrant d'authenticité. *Tél. 977 24 28 22 Ouvert mar.-sam. 9h-13h45 et 17h-20h45, lun. 17h-20h45*

Trésors de la Costa Daurada

Après l'antique Tarragone, découvrez la Costa Daurada, marquée vers Tortosa par le delta de l'Èbre : ses rizières, ses dunes et ses lagunes en font un paradis ornithologique. L'arrière-pays recèle trois monastères cisterciens – Poblet, Santes Creus, Vallbona – qui, édifiés dans de splendides sites reculés, témoignent de l'esprit de la Reconquête face à la menace maure. Enfin, dans leur écrin de montagnes et de vignobles en terrasses, les villages du Priorat constitueront un moment fort de votre séjour dans la région.

À ne pas manquer

Et si vous avez le temps

● **Où faire une pause déjeuner ?**

La Penya (plan 8, C2 n°10) Un petit bar situé au cœur de la Plaça de la Font, idéal pour déjeuner simplement dans une ambiance jeune. Très agréable aussi pour prendre un verre en terrasse à l'heure de l'apéritif. Menu du jour à env. 9,90€, servi en semaine comme le week-end. *Pl. de la Font, 35 Tél. 977 23 99 20 Ouvert dim.-mer. 11h-2h, jeu.-sam. 11h-3h Fermé lun. de nov. à fév.*

● **Où savourer une pâtisserie ?** À Tarragone le débat fait rage (dans la bonne humeur) : où déguster les meilleures pâtisseries ? Certains louent les produits de la pâtisserie Leman (qui fait aussi restaurant), installée au bout de la Rambla Nova et dont la terrasse est une halte des plus agréables. Nous préférons sans hésiter la *pastisseria* Rabaso, dans la partie haute de la vieille ville. Cette petite pâtisserie née dans les années 1940 propose les meilleurs *tortells*, à déguster sur les marches de la cathédrale toute proche. Enfin, pour les meilleures glaces de Tarragone (au *turrón*, évidemment) ou pour vous délecter d'une *horchata* maison, faites une pause chez Sirvent, autre institution locale. N'hésitez pas à emporter votre glace : la terrasse, sur la Rambla Vella, est plutôt bruyante...

Leman (plan 8, C3 n°32) *Rambla Nova, 27 Tél. 977 23 42 33*
Rabaso (plan 8, C2 n°30) *C/ Merceria, 25 Tél. 977 23 66 76*
Sirvent (plan 8, C2 n°31) *Rambla Vella, 27 Tél. 977 54 94 72*

● **Où boire un verre ?** Les bars-terrasses de la Plaça de la Font offrent à toute heure une halte bien agréable. Le soir, l'apéritif s'y prolonge et ouvre la voie aux noctambules. Vers 1h, l'activité se déplace vers les bars et clubs installés au sud de la Plaça Corsini, entre les rues de Reding, Del Cardenal Cervantes, de Rebolledo et de Pau del Protectorat. Clientèle et ambiance variées. Les clubbers continueront leur équipée sur le port de plaisance, Port Esportiu, où se concentrent une dizaine de discothèques.

☺ **El Cau (plan 8, C2 n°1)** Installé dans les souterrains du cirque romain, ce petit bar draine une clientèle festive de touristes et de locaux. Excellente musique métissée, pop rock ou encore techno. Également des fêtes gothiques et des soirées ciné plus tranquilles. Renseignez-vous sur la programmation. *C/ de Trinquet Vell, 2 Tél. 977 23 12 12 www.elcau.net Ouvert mar.-dim. 12h-4h*

Ensemble archéologique de Tarragone

☺ **Museu Nacional Arqueològic de Tarragona (plan 8, C2)** Consacrées à la Tárraco romaine, les riches collections du Musée archéologique proviennent des fouilles réalisées sur les différents sites de la ville (forum, cirque, amphithéâtre...) et de la région. Il ne reste malheureusement plus grand-chose des villas antiques, leurs matériaux ayant servi au XIXe siècle au réaménagement du port de Tarragone. L'organisation thématique des salles, une vidéo en plusieurs langues et des commentaires très instructifs permettent de mieux appréhender le mode de vie et l'évolution artistique de la période romaine. Les **mosaïques** comptent parmi les pièces les plus intéressantes. Celle de la Méduse, dans la salle n°3 du rez-de-chaussée, a été réalisée avec beaucoup de finesse au IIe-IIIe siècle ap. J.-C., avec de minuscules tesselles. Sur celle des Poissons (IIIe s.), située dans les escaliers du 2e étage, pas moins de 47 spécimens de la faune marine méditerranéenne sont représentées. Au sous-sol, on peut admirer un tronçon de la muraille romaine, conservé *in situ*. *Pl. del Rei, 5 Tél. 977 23 62 09 www.mnat.es Ouvert Pâques, juin-sept. : mar.-sam. 9h30-20h30, dim. et j. fér. 10h-14h ; oct.-mai : mar.-sam. 9h30-18h, dim. et j. fér. 10h-14h Billet combiné avec le Museu i Necròpolis env. 2,40€, réduit 1,20€, moins de 18 ans et plus de 65 ans gratuit*

Pretori i Circ Romans (plan 8, C2) Cet ensemble monumental comprend la tour du Prétoire et le cirque romain. La première faisait à l'origine partie d'une série de plusieurs tours qui bordaient le forum provincial (Ier s.) et permettaient d'accéder à la partie basse de la ville. Elle servit successivement de palais royal (XIIe-XVe s.), de caserne (XVe-XIXe s.) et de prison (XIXe s.). Aujourd'hui, ses deux étages abritent une maquette de la ville médiévale ainsi que le remarquable sarcophage d'Hippolyte (IIIe s.), dont les bas-reliefs illustrent le mythe de Phèdre et d'Hippolyte. La vue du sommet est impressionnante et permet de visualiser l'agencement du site. Une longue galerie souterraine relie la tour aux ruines du cirque romain. Construit sur les ordres de l'empereur Domitien (Ier s.), ce dernier accueillait des courses de chars et 30 000 spectateurs. Il n'en reste que de rares vestiges et une seule série de gradins ; une fresque récente permet de se faire une idée du complexe. *Pl. del Rei ou Rambla Vella Tél. 977 22 17 36 (Pretori) ou 977 23 01 71 (Circ) Ouvert Pâques, mi-mai-sept. : mar.-sam. 10h-21h, dim. et j. fér. 10h-15h ; oct.-mi-mai : mar.-sam. 10h-19h, dim. et j. fér. 10h-15h Tarif env. 2,40€, moins de 16 ans gratuit*

☆ **Amfiteatre Romà (plan 8, C3)** Au début du IIe siècle, un amphithéâtre de 12 000 places est aménagé hors les murs de Tárraco pour accueillir des combats de gladiateurs et de fauves et autres spectacles à sensation. On aperçoit encore la fosse, d'où les gladiateurs étaient hissés dans l'arène à l'aide d'un système mécanique. Mais en janvier 259, saint Fructueux, premier évêque de Tarragone, et ses diacres y sont brûlés vifs. Pour commémorer leur supplice, une basilique wisigothique est édifiée sur le lieu même du martyre au VIe siècle, remplacée par une église romane au XIIe siècle. Le plan en croix latine de cette dernière est visible du haut des gradins. *Parc del Miracle Ouvert Pâques, mi-mai-fin sept. : mar.-sam. 10h-21h, dim. et j. fér. 10h-15h ; oct.-mi-mai : mar.-sam. 10h-19h, dim. et j. fér. 10h-15h Tarif 2,40€, moins de 16 ans gratuit*

Au-delà des remparts

Museu i Necròpolis Paleocristians (plan 8, A3) Des fouilles entreprises en 1923 à la lisière sud-ouest de la cité romaine ont peu à peu mis au jour la plus importante nécropole paléochrétienne connue de Méditerranée occidentale. Fondée vers le IIe siècle ap. J.-C., celle-ci accueillit les restes de saint Fructueux au IIIe siècle et deux basiliques au Ve. Le musée possède une belle collection de stèles, sépultures, mosaïques et amphores funéraires. *Av. Ramon i Cajal, 80 À 20min à pied du centre ; entrée face au centre commercial Parc Central Tél. 977 21 11 75 www.mnat.cat Ouvert juil.-sept. : mar.-sam. 10h-13h30 et 16h-20h, dim. et j. fér. 10h-14h ; mars-mai, oct. : mar.-sam. 9h30-13h30 et 15h-18h, dim. et j. fér. 10h-14h ; nov.-fév. : mar.-sam. 9h30-13h30 et 15h-17h30, dim. et j. fér. 10h-14h Billet combiné avec le Museu Nacional Arqueològic de Tarragona env. 2,40€, réduit 1,20€, moins de 18 ans et plus de 65 ans gratuit*

● **Où boire un verre ?**

La Vaqueria (plan 8, B3 n°2) Si les vaches ont depuis longtemps déserté cette ancienne étable, le patron en a fait l'élément principal de la décoration. Grande salle sympathique pour prendre un verre (bière à 3€) jusque tard le soir ou assister aux concerts, jam-sessions (gratuits pour la plupart) et soirées cinéma qui se succèdent au cours du mois. *C/ de Rebolledo, 11 Tél. 977 22 24 28 www. salalavaqueria.com Ouvert jeu.-sam. 22h-5h*

Les environs de Tarragone

Plusieurs sites antiques vous attendent le long de l'AP7 (direction Barcelone), qui suit le tracé de l'ancienne Via Augusta. À 6km de Tarragone, vous apercevez à gauche les vestiges d'un monument funéraire appelé tour des Scipion (Iᵉʳ s.), situé non loin de la carrière romaine du Médol. Puis, 14km plus loin, au niveau de la commune de Roda de Barà, l'Arc Romà de Barà (Iᵉʳ s.) semble marquer les limites du territoire de l'antique Tárraco.

Aqüeducte de les Ferreres En pleine nature, à 4km au nord-ouest de Tarragone, ce magnifique aqueduc fut édifié au Iᵉʳ siècle ap. J.-C. pour acheminer les eaux du Francolí jusqu'à la cité romaine, alors en plein essor. Long de plus de 200m et haut de 26m, soutenu par deux rangées d'arcades de pierre ocre, il fut restauré au Xᵉ siècle sur ordre du calife Abd al-Rahman III de Cordoue et reçut le surnom de "Pont du diable" à une époque où les constructions de ce genre passaient pour des œuvres du démon ou de forces surnaturelles… *Accès De la Pl. Imperial Tárraco à Tarragone, suivre l'AP7, puis la N240 direction Lleida ; ralentir à hauteur du pont de l'AP7 et prendre tout de suite à droite après le pont*

Centcelles La villa romaine de Centcelles (Iᵉʳ-IIᵉ s.) apporte un témoignage unique sur la présence romaine dans la région et qui pose, dans son organisation et sa construction, un certain nombre de questions aux archéologues. Elle recèle, notamment, une étonnante salle à coupole du IVᵉ siècle, dont les fresques et mosaïques constituent un trésor de l'art paléochrétien. La salle aurait servi de mausolée à un haut personnage, peut-être l'empereur Constantin, assassiné en l'an 350. Comptez une heure de visite. *Afores, s/n **Constanti** (à 6km au nord-ouest de Tarragone par la N340 puis la N240) Tél. 977 23 62 09 ou 977 52 33 74 www.mnat.cat Ouvert juin-sept. : mar.-sam. 10h-13h30 et 16h-20h, dim. 10h-14h ; mars-mai, oct. : mar.-sam. 10h-13h et 15h-18h, dim. 10h-14h ; nov.-fév. : mar.-sam. 10h-13h et 15h-17h30, dim. 10h-14h 1,80€, réduit 1,35€, moins de 16 ans et plus de 65 ans gratuit*

Reus Les amateurs de modernisme ne manqueront pas une petite excursion dans la ville natale de Gaudí, désormais membre du réseau Art nouveau Network qui regroupe quatorze villes européennes. Au XVIIIᵉ siècle, Reus s'enrichit grâce au commerce de l'eau-de-vie et devient la deuxième ville de Catalogne. Cette période prospère, qui se poursuit jusqu'au tournant du XIXᵉ-XXᵉ siècle, se traduit par la construction de riches demeures modernistes. Parmi les plus intéressantes, citons les œuvres de Lluís Domènech i Montaner, telles que l'Institut Pere Mata (1898), la Casa Navàs (1901-1907), la Casa Rull (1900) et la Casa Gull (1911). Mais d'autres architectes de renom comme Pere Caselles ont également apporté leur contribution. *À 10km au nord-ouest de Tarragone par la N420* **Oficina de turisme** *Plaça Mercadal, 3 Tél. 902 36 02 00 www.reus.cat Ouvert 15 juin-15 sept. : lun.-sam. 10h-20h, dim. et j. fér. 11h-14h ; 16 sept.-14 juin : lun.-sam. 9h30-19h, dim. et j. fér. 11h-14h*

Gaudí Centre En plein cœur de Reus, cet espace de 1 200m² permet de comprendre le projet architectural d'Antoni Gaudí, de saisir l'ampleur de son génie créatif tout en découvrant la ville où il passa son enfance et son adolescence et avec laquelle il conserva des liens étroits. Un équipement muséographique élaboré (montages audiovisuels, maquettes interactives et sensorielles, documents, objets sensoriels, scénographies) projette le visiteur dans l'univers du maître. La visite commence au troisième étage avec un spectacle audiovisuel de 12min qui livre les clés du langage universel de l'architecte. Au deuxième étage, des maquettes permettant de découvrir la façon dont il travaillait – et donc quelques secrets de fabrication. Enfin, le premier étage présente la ville dans laquelle Gaudí grandit, le Reus de la Belle Époque et du Modernisme. *Plaça del Mercadal, 3 Tél. 977 01 06 70 www.gaudicentre.cat Ouvert juin-sept. : lun.-sam. 10h-20h, dim. et j. fér. 11h-14h ; sept.-mai : lun.-sam. 10h-14h et 16h-19h, dim. et j. fér. 11h-14h Tarif 7€, réduit 4€, moins de 7 ans, gratuit Billet combiné Gaudí Centre, Institut Pere Mata et Casa Navàs 19€, réduit 13€*

● Où acheter de l'huile d'olive ?

La Botiga de l'oli Dans cette capitale de l'huile d'olive qu'est Reus, il n'est pas surprenant de trouver une boutique spécialisée et dans cette charmante *botiga*, on trouve tous types d'huiles, en bouteilles ou en fûts (l'huile arbequina, la plus douce, est la plus prisée) ainsi que différentes variétés d'olives. Comptez env. 5,10€ les 50cl tirés du fût. *C/ Raval de Robuster, 31 Reus Tél. 977 30 27 21 Ouvert lun.-ven. 9h-13h et 16h-20h*

● S'élancer sur les montagnes russes

Port Aventura C'est l'un des plus grands parcs d'attractions d'Espagne. Inauguré en 1995 et subventionné par les studios Universal, il dépend actuellement de la banque catalane La Caixa. Différents mondes et ambiances s'y côtoient : on passe de la Chine au Mexique en traversant la Polynésie et le Far West, assis sur des bouées gonflables dans les canyons ou la tête à l'envers dans un grand huit géant ! Les animations et les décors sont soignés et les enfants aux anges ! *À env. 10km au sud-ouest de Tarragone par la N340 dir. Vila-seca ou par l'AP7-E15, sortie n°35 Cars et trains à partir de Tarragone Tél. 825 05 00 05 ou 977 77 90 90 www.portaventura.es Ouvert tlj. 10h-19h (jusqu'à 0h en été) Fermeture variable selon l'affluence Tarif 45€, juniors/seniors 39€, en été à partir de 19h : adultes 26€, juniors/seniors 21€*

CARNET D'ADRESSES

Restauration, hébergement

Vous n'aurez que l'embarras du choix pour vous restaurer dans le Vieux Tarragone. L'endroit le plus plaisant est sans aucun doute la Plaça de la Font, avec ses bars à tapas aux agréables terrasses. À midi, la plupart d'entre eux proposent des menus du jour à 10-12€ environ. Mais si le vent du large vous a donné envie de saveurs iodées, c'est au port de pêche d'El Serrallo que vous trouverez votre bonheur. Attention, les prix sont plutôt élevés. Pour accompagner poissons et crustacés, ne manquez pas de goûter à la traditionnelle sauce *romesco* (à base de poivrons, d'amandes pilées, de noisettes, d'ail...), dont la recette varie d'un établissement à l'autre. Autres spécialités de la région, la *sarsuela*, sorte de bouillabaisse, et le *rossejat*, plat de riz ou de vermicelles revenus dans de l'huile d'olive et cuits dans un bouillon de poisson.

🍴 🧳 très petits prix

Bar Mitja Lluna (plan 8, B3 n°3) La grande terrasse du Mitja Lluna, sur la place du Général-Prim, est très prisée des Tarragonais qui viennent y boire un verre et grignoter avant de prolonger leur sortie. Un lieu sans prétention, dans un quartier populaire. Sandwichs à partir de 3,50€, boissons à partir de 2€. *Pl. Prim, 1 Tarragone Tél. 977 23 79 92 ou 620 91 93 35 Ouvert tlj. 7h-23h*

Hostal Fòrum (plan 8, C2 n°21) Si la plupart des chambres ouvrent sur les façades colorées de la Plaça de la Font, elles n'offrent en revanche guère plus d'avantages. Comptez env. 35€ la double et 20€ la simple. *Pl. de la Font, 37 Tarragone Tél. 977 23 17 18 ou 977 21 13 33*

Pensió Noria (plan 8, C2 n°20) Idéal pour ceux qui souhaitent avant tout jouir du quartier touristique dès le réveil et pour qui le confort importe peu. La plupart des chambres donnent sur la belle Plaça de la Font. Nouvelles salles de bains et double vitrage. Double à 40€ (49€ en été). Petit café au rdc avec accès wifi. *Pl. de la Font, 53 Tarragone Tél. 977 23 87 17 www.hostalnoria.com*

🍴 petits prix

Mesón Andaluz (plan 8, B3 n°11) Faites une escapade en Andalousie, le temps de savourer une grande variété de tapas au milieu de jolis azulejos, dans un décor qui évoque une maison de campagne. Un bon prétexte pour refaire le monde entre amis en picorant une *ración de boquerones* ou d'escargots (comptez 8€ la *ración*). *C/ de Pons d'Icart, 3 Tarragone Tél. 977 23 84 19 Ouvert lun.-sam. 8h-16h30 et 19h30-0h*

GAMME DE PRIX	RESTAURATION	HÉBERGEMENT
Très petits prix	moins de 12€	moins de 50€
Petits prix	de 12 à 20€	de 50 à 65€
Prix moyens	de 20 à 30€	de 65 à 85€
Prix élevés	de 30 à 50€	de 85 à 130€
Prix très élevés	plus de 50€	plus de 130€

El Tiberi (plan 8, B3 n°12) Vous souhaitez découvrir la cuisine régionale mais ne savez que choisir parmi ses nombreuses spécialités ? Vous trouverez au buffet catalan du Tiberi un grand choix de salades, de viandes, de poissons, de pâtisseries... et le tout à volonté ! Pour env. 13€. *C/ d'en Martí d'Ardenyà, 5 Tarragone Tél. 977 23 54 03 www.eltiberi.com Ouvert mar.-sam. 13h-16h et 20h-23h, dim. 13h-16h*

🍴 🧳 prix moyens

Restaurant Taller de Cuina (plan 8, C2 n°16) Au cœur de la vieille ville, deux petites salles douillettes et chaleureuses pour une cuisine catalane, copieuse et familiale. Cocktail de bienvenue offert. Menus à 25 et 35€. Réservation conseillée en été. *C/ Merceria, 34 Tarragone Tél. 977 23 94 21 www.tallerdecuina.es Ouvert lun. et mer. 13h15-16h, dim. 13h30-16h, jeu.-sam. 13h15-16h et 20h30-23h30*

☺ **Ares (plan 8, C2 n°13)** Bienvenue au royaume des tartines catalanes ! Les anciens propriétaires de la Taberna catalana de Julia, à 50m, ont ouvert ce lieu, pour voir plus grand, beaucoup plus grand. Chaque table est garnie de tomates juteuses, d'huile d'olive, de sel et d'ail, dont chaque convive s'empressera de frotter son pain grillé. Charcuteries et fromages en accompagnement et autres plats de qualité. Comptez env. 18€ pour un plat. Grande cave de vins d'Espagne et d'ailleurs. *Arc de Sant Bernat, 3 Plaça del Fòrum Tarragone Tél. 977 22 29 06 www.aresrestaurant.es Ouvert mar.-dim. 13h-16h et 21h-23h*

Hotel Lauria (plan 8, C3 n°22) L'un des meilleurs rapports qualité-prix de Tarragone, à deux pas du quartier historique. Les chambres, un brin rétro, sont spacieuses, confortables et elles disposent presque toutes d'une petite terrasse. Au milieu du grand patio, une piscine bien agréable vous invite à faire quelques brasses. Double à partir de 70€, petit déj. en sus (8,70€). Location d'appartements à partir de 560€/mois. Parking 12,50€/nuit. *Rambla Nova, 20 Tarragone Tél. 977 23 67 12 www.dormicumhotels.com*

Hotel Alexandra (plan 8, B2 n°25) Situé sur la Rambla Nova, donc en plein cœur de Tarragone, à un jet de pierre de la mer et de la vieille ville, l'hôtel Alexandra propose 30 chambres, dont quelques studios avec coin cuisine. Confortable et très bien tenu. Petite piscine. Les chambres donnant sur le patio sont évidemment plus calmes que celles sur la rambla, très passante. Comptez 70€ la double ; petit déj. 4,95€. *Rambla Nova, 71 Tarragone Tél. 977 24 87 01 www.ah-alexandra.com*

Hotel Plaça de la Font (plan 8, C2 n°26) Ce petit une-étoile très confortable a été entièrement rénové en 2012. On y trouve 20 chambres à la décoration moderne et chaleureuse et disposant de tout le confort souhaitable. Celles qui donnent sur la grande place de la Font, l'une des plus belles de la ville, sont les plus prisées, malgré l'agitation qui règne parfois sous les fenêtres. Chambre double classique à 70€-75€ pour celles de devant (55-65€ en basse saison). Petit déjeuner 5€. *Pl. de la Font, 26 Tarragone Tél. 977 24 61 34 www.hotelpdelafont.com*

🍴 🧳 prix élevés

Barhaus (plan 8, C2 n°17) Une adresse originale, cachée dans une ruelle de la vieille ville, à proximité des remparts. Le Barhaus n'est autre que le restaurant du Colegio d'Arquitectos de Tarragona, on le ressent dans l'agencement subtil et chic des lieux. On peut y déguster une cuisine simple mais inventive dans le cadre frais d'un patio verdoyant. Menu du jour à 28€. Le soir, s'il y a affluence, la terrasse s'agrandit vers un vaste jardin supérieur éclairé de petites bougies. L'accueil souriant rend l'expérience encore plus agréable. *C/ Sant Llorenç, 22* **Tarragone** *Tél. 977 24 47 70 www.barhausrestaurant.com Ouvert été : mar.-sam. 13h-15h30 et 20h-23h ; reste de l'année : ven.-sam. 13h-15h30 et 20h-23h Horaires sujets à modifications*

El Barquet (plan 8, B3 n°14) Un superbe restaurant qui met la mer à l'honneur. Savoureux plats de poisson et crustacés en sauce à déguster entre d'énormes malles de voyage et des marines... Spécialités de riz, comme le riz à la lotte avec des artichauts ou au homard. À partir de 30-35€ à la carte. *C/ del Gasòmetre, 16* **Tarragone** *Tél. 977 24 00 23 www.restaurantbarquet.com Ouvert lun.-sam. 13h-16h et 21h-23h Fermé j. fér., 1re sem. de jan., Pâques et mi-août-mi-sept.*

La Puda (plan 8, A4 n°15) Un grand classique du port de pêche d'El Serrallo. Dans un bel espace lumineux, on y sert toutes les spécialités de la mer (*sarsuela, rossejat*...) et un grand choix de poissons et crustacés ultra-frais, accomodés de différentes façons. Menu du jour à 25€, env. 35-40€ env. à la carte. La clientèle est assez chic, mais l'ambiance reste familiale. Menu du jour à 25€. Compter 35-40€ env. à la carte. Clientèle assez chic mais l'ambiance reste familiale. *El Serrallo, Muelle Pescadores, 25* **Tarragone** *Tél. 977 21 15 11 Ouvert lun.-sam. 13h-16h et 20h-23h, dim. 13h-16h*

L'Onada (plan 8, A4 n°18) L'un de nos coups de cœur du quartier de Serallo, pourtant riche en restaurants de poissons de belle qualité. L'Onada est situé sur le front de mer mais à l'écart des autres établissements (donc d'une certaine agitation), face à l'église Sant Pere. Terrasse extrêmement agréable, vaste et aérée, service impeccable, accueil très chaleureux... L'Onada est une succession de belles surprises. Typique de la maison, le plat de turbot et merlu au *romesco* et crevettes tarragonaises est un délicieux et véritable plat de marins (26€). Les prix sont conformes aux standards (élevés) des restaurants de poisson du quartier. Menu à 20€ le midi. Comptez de 40 à 50€ le soir. *Pl. del Bisbe Bonet s/n* **Tarragone** *Tél. 977 21 50 53 http://lonada.cat Ouvert mar.-dim. 13h-16h et 20h-23h*

Sercotel Urbis Centre (plan 8, B3 n°23) Un 3-étoiles établi sur la place du marché municipal, à 5min du centre historique. Chambres tout confort avec de jolies sdb en marbre. Restaurant, cafétéria à l'entresol et accueil très professionnel. La double revient à 92,50€ en haute saison – et la quadruple à 108€. Petit déj.-buffet à 5€. Parking env. 10€/nuit. *Pl. Corsini, 10* **Tarragone** *Tél. 977 24 01 16 www. hotelurbiscentre.com*

🧳 prix très élevés

Hotel Husa Imperial Tárraco (plan 8, C2 n°24) Triste vision que cette immense façade bétonnée en hémicycle, qui tente vaguement de reproduire la forme de l'amphithéâtre romain situé en contrebas ! Dommage, car c'est l'un des hôtels les plus confortables de la ville... et l'un des plus chers aussi. Chambres de haut standing, avec terrasses sur la Méditerranée. Double de 100 à 160€ environ selon la saison. Profitez des tarifs de fin de semaine (sauf en été) : env. 87€. *Passeig de les Palmeres* **Tarragone** *Tél. 977 23 30 40 www.husa.es*

Dans les environs

Outre le Torre de la Mora, vous trouverez de nombreux campings en bord de mer en remontant la N340 vers le nord. Mais attention : la plupart sont coincés entre la voie ferrée et la nationale...

🧳 camping

Camping Torre de la Mora Calme, ombragé, à deux pas de la plage du même nom. Bar-restaurant, piscines, supermarché, laverie. Comptez de 21,90 à 48€ selon la saison pour 2 pers. avec tente et voiture. Également des bungalows (51-179€/j.), lodges (44,50-142€/j.) et Mobil homes (72,45-230€/j.). À 8km de Tarragone par la N340, au km1171 et à 4km de la sortie n°32 de l'AP7 *Tél. 977 65 02 77 www.torredela mora.com Ouvert Pâques-oct.*

🧳 très petits prix

Hostal Santa Teresa En plein cœur de Reus, l'Hostal Santa Teresa est un lieu simple mais bien tenu. Quinze chambres. D'un excellent rapport qualité-prix, il offre dans certaines conditions la possibilité de loger jusqu'à six pers. dans des chambres communicantes, idéales pour les familles qui cherchent un niveau de confort raisonnable sans se ruiner pour autant. Les chambres donnant sur la rue sont les plus lumineuses, donc les plus agréables. Chambre individuelle à 26€, double ou twin à 43€, triple à 60€. *C/ Santa Teresa,*

1 Reus Tél. 977 31 62 97 www.hostal santateresa.com

🍴 petits prix

Vinatxo Petit restaurant chaleureux, où l'on déguste des produits catalans dans un décor de briques apparentes, de bois clair et de bouteilles de vin. Une ambiance de cave conviviale, un lieu sympathique où l'on se régale de cassolettes et de *cocas* à des prix très accessibles (coca de pâté de bolets et brie à 7,95€). Cet endroit atypique dispose également d'un coin épicerie, idéal pour faire provision de produits du terroir triés sur le volet, charcuteries, fromages, vins ou olives ! *Angle des C/ Santa Anna et Rosich de Reus Reus Tél. 977 34 02 93*

Glop Ce lieu branché et décontracté est ouvert toute la journée. Selon l'heure, on vient y déguster paellas et tapas, siroter un mojito, ou profiter de soirées à l'ambiance plutôt électro. L'accueil est extrêmement sympathique et la clientèle plutôt jeune assure des moments animés et festifs. Le tout sous les arcades de Peixeteries Velles, agréable petite place de la vieille ville. À partir de 10€. *Pl. de les Peixeteries Velles, 1 Reus Tél. 977 34 14 71 Ouvert tlj. 12h-0h (fermeture un peu plus tard le w.-e.)*

🍴 prix moyens

☺ **Vermuts Rofes** Cette ancienne usine de vermouths ouverte en 1890 est l'un de nos restaurants pré-

GAMME DE PRIX	RESTAURATION	HÉBERGEMENT
Très petits prix	moins de 12€	moins de 50€
Petits prix	de 12 à 20€	de 50 à 65€
Prix moyens	de 20 à 30€	de 65 à 85€
Prix élevés	de 30 à 50€	de 85 à 130€
Prix très élevés	plus de 50€	plus de 130€

férés à Reus, avec sa grande salle chic et décontractée et, surtout, sa grande cour intérieure admirablement décorée, entre vestiges de l'époque industrielle (tonneaux, casiers à bouteilles, palettes converties en canapés) et touches de mobilier moderne. L'ensemble a un charme fou et la cuisine est à la hauteur du cadre. Menu à 14,50€ le midi et à 18,50€ le soir. Comptez 35€ le soir à la carte. *C/ Sant Miquel, 4 et C/ Sant Vicenç, 21 Reus Tél. 977 34 45 84 Ouvert lun.-sam. 9h-17h et 19h-1h, dim. 9h-17h*

🧳 **prix élevés**

Hotel Gaudí Il n'est pas certain que le maître aurait été enchanté par l'architecture de cet hôtel qui porte son nom, bâtiment moderne grisâtre et sans âme situé aux abords la vieille ville, ni par les mosaïques censées "orner" la réception... La première impression passée, force est d'admettre que l'hôtel Gaudí présente quelques qualités, à commencer par sa situation centrale et le confort de ses chambres, sans charme particulier mais relativement grandes. Comptez 90€ pour une chambre double (60€ en basse saison). Petit déjeuner 8€. *C/ Raval Robuster, 49 Reus Tél. 977 34 55 45 www.hotelgaudireus.com*

★☺ LA ROUTE DES MONASTÈRES CISTERCIENS

Route des monastères cisterciens

Tarragone

Poblet, Santes Creus et Vallbona de les Monges sont établis sur l'une des grandes routes touristiques de la Catalogne. La Ruta del Cister, promue par trois comarques différentes (Conca de Barberà, Alt Camp et Urgell), offre un bel itinéraire en triangle d'une cinquantaine de kilomètres à tous ceux qui souhaitent découvrir des joyaux de l'architecture cistercienne. Les trois monastères méritent deux jours de visite, davantage si vous comptez profiter de la nature et visiter les villages environnants.

L'ORDRE CISTERCIEN Dénonçant l'enrichissement et autres dérives de l'ordre de Cluny et prônant un retour à la règle d'austérité monastique édictée par saint Benoît au VIᵉ siècle, Robert de Molesme fonde l'ordre cistercien en 1098. La Charte de charité qui régit bientôt la communauté se caractérise par un retour à la pauvreté, au silence, à la solitude et au travail manuel. Ascétisme auquel répond l'architecture des bâtiments, dont toute image et tout ornement sont proscrits afin de ne pas troubler la discipline et la piété des moines. L'établissement des monastères est soumis à plusieurs conditions : isolement bien sûr, mais aussi proximité d'un cours d'eau, d'une forêt, d'une carrière et de pâturages pour leur permettre de survivre en autarcie. Très vite, ces idéaux se propagent, notamment sous l'impulsion de saint Bernard, fondateur de Clairvaux (1115), et l'ordre cistercien essaime à travers l'Europe. Son expansion en Catalogne coïncide avec le début de la Reconquête et la nécessaire reprise en main de l'Église face à la menace maure.

MODE D'EMPLOI

accès, orientation

EN VOITURE
Poblet À 3,5km au sud-ouest de l'Espluga de Francolí, 48km au nord de Tarragone par la N240 et 127km de Barcelone par l'AP7-E15 (payante) de Barcelone (sortie n°9) puis l'AP2.

Vallbona de les Monges À 61km au nord de Tarragone par la N240 jusqu'à La Guardia, puis la C14. À 141km de Barcelone par l'AP2 (payante), sortie n°9, puis la C14 dir. Tàrrega.

Santes Creus À 33km au nord-est de Tarragone par la TP2031. À 104km à l'ouest de Barcelone par l'AP2 (payante, sortie n°11, dir. El Vendrell) puis en et bifurquant sur la TP2002.

EN TRAIN
Renfe La ligne Barcelone-Lleida dessert env. 4 fois/j. Montblanc (2h10, env. 9,70€) et L'Espluga de Francolí (2h20, 10,40€), que des cars relient à Poblet. *Tél. 902 24 02 02 www.renfe.es*

EN CAR
Plana Cinq ou six cars/j. relient Valls à Santes Creus du lun. au ven. *Tél. 977 21 44 75 www.busplana.com*

Vibasa La ligne Tarragone-Lleida dessert Montblanc et L'Espluga de Francolí 4 à 5 fois/j. en semaine (et Poblet 2 fois/j.). Le week-end, 2 cars seulement (dont un seul s'arrête à Poblet). *Tél. 902 10 13 63 www.vibasa.com*

Alsa De la gare routière de Lleida, un car/j. pour Vallbona de les Monges, du lun. au sam. *Tél. 902 42 22 42 www. alsa.es*

informations touristiques

www.larutadelcister.info Pratique, complet, accessible en plusieurs langues dont le français, le site comprend notamment de nombreux liens.

Bureau de la Ruta del Cister *C/ Sant Josep, 18* **Montblanc** *Tél. 977 86 12 32 www.larutadelcister.info* Ouvert mar. et jeu.-ven. 9h-14h, lun. et mer. 9h-14h et 16h-19h

Office de tourisme de Poblet *Passeig Abat Conilli, 4* **Vimbodi i Poblet** *Tél. 977 87 12 47 www.larutadelcister. info www.concadebarbera.info* Ouvert tlj. 10h-19h

Office de tourisme de Vallbona de les Monges *Passeig Montesquiu, s/n* **Vallbona de les Monges** *Tél. 973 50 07 07 ou 973 33 02 60 (Mairie)* Ouvert lun.-ven. 9h-15h, sam. 10h-14h Sinon, adressez-vous à la mairie

Office régional de tourisme de l'Alt Camp *Pl. de Sant Bernat* **Santes Creus** *Tél. 977 63 81 41 ou 977 60 85 60 www.larutadelcister.info* Ouvert juil.-août : mar.-ven. 10h-13h, sam. 10h30-14h et 16h-18h30, dim. et j. fér. 10h-14h ; sept.-juin : sam. 10h30-14h et 16h-18h30, dim. et j. fér. 10h-14h

DÉCOUVRIR

☆ **Les essentiels** Les monastères de Poblet et de Santes Creus **Découvrir autrement** Admirez la salle capitulaire du monastère de Vallbona de les Monges, flânez dans les ruelles du village fortifié de Montblanc, profitez des sentiers de randonnée en montagne

La route des monastères

☆ ☺ **Reial Monestir de Santa Maria de Poblet** Installé dans la luxuriante vallée du Francolí, au pied des montagnes de Prades, il s'impose comme le plus grand des trois monastères cisterciens établis dans la région au XIIᵉ siècle. Il a été fondé en 1151 sur des terres offertes par le comte Raymond Bérenger IV de Barcelone aux moines de Fontfroide (près de Narbonne), pour commémorer la Reconquête. Édifié selon les stricts critères d'austérité de l'ordre cistercien, il devint rapidement l'un des monastères les plus influents de la Nouvelle Catalogne et connut son apogée au XIVᵉ siècle, quand Pierre IV d'Aragon décida d'en faire un panthéon royal. Régulièrement remanié et agrandi jusqu'au XVIIIᵉ siècle, le complexe fut abandonné après sa sécularisation (*desamortización*), en 1835, et pillé. Sa restauration, entreprise dans les années 1930, permit l'installation de quatre moines italiens en 1940. La communauté compte aujourd'hui une trentaine de frères, dont l'activité se partage entre prière, viticulture et accueil des visiteurs. Inscrit au Patrimoine mondial de l'Unesco depuis 1991, ce monument promet d'emblée une belle leçon d'histoire de l'architecture. Le monastère possède pas moins de trois enceintes. La première, accessible par la Porta de Prades (XVIᵉ s.), abritait les bâtiments agricoles et les habitations des journaliers. La Porta Daurada (XVᵉ s.) donne sur la deuxième enceinte et sa belle Plaça Major, elle aussi bordée de nombreuses dépendances. La dernière enceinte, ou clôture monacale, est enserrée dans une véritable muraille crénelée (XIVᵉ s.) digne d'un château. C'est derrière l'impressionnante Porta Reial, flanquée de deux tours polygonales, que commence la visite guidée. Bel exemple de transition du roman au gothique, le grand cloître (XIIᵉ-XIIIᵉ s.) offre un havre de paix où murmure le doux bruissement de l'eau de la vasque aux ablutions. Tout autour s'organisent les différents bâtiments monastiques. Côté nord, la cuisine, le réfectoire et le chauffoir – longtemps l'unique pièce chauffée, exclusivement réservée aux moines âgés ou malades. À l'angle nord-est, la bibliothèque et le parloir – rappelons que le silence était de règle dans le couvent. La galerie ouest ouvre sur la salle capitulaire, petite merveille aux chapiteaux ornés de formes végétales et aux voûtes en palmiers, typiques de l'architecture cistercienne. Mais c'est dans l'église que résonnent les grandes heures de gloire du monastère. Le panthéon royal forme un magnifique ensemble monumental avec ses tombeaux restaurés et surélevés sur des arcs de pierre, à la croisée du transept. Ici reposent notamment Jacques Iᵉʳ d'Aragon (1208-1276), conquérant de Valence, Ferdinand Iᵉʳ (1380-1416) et son épouse Éléonore, de Castille. Autre joyau de l'église, le retable majeur en albâtre sculpté en 1527 par Damián Forment, grand artiste valencien de la Renaissance. Vue splendide du haut de la galerie supérieure du cloître (escalier). Promenade agréable dans le jardin. La visite se termine par la *bodega*, couverte, comme la salle capitulaire, de belles voûtes en palmiers. *Tél. 977 87 00 89 www.poblet.cat Ouvert lun.-sam. 10h-12h30 et 15h-18h, dim. et j. fér. 10h-12h30 et 15h-17h30 Fermé 1ᵉʳ jan. et 6 jan., jeu. et ven. saint (après-midi), lun. de Pâques et 25-26 déc. 7€, réduit 4€ Visite guidée (1h15) 10€, réduit 7€, moins de 7 ans gratuit Forfait trois monastères 9€*

☺ Monestir de Santa Maria de Vallbona de les Monges

L'ermitage bénédictin fondé en 1157 sur un contrefort de la Serra del Talla se mua bientôt en une communauté de cisterciennes. Les moniales prospérèrent à l'écart du monde jusqu'à ce que le concile de Trente les force, en 1573, à rompre leur splendide isolement en vendant une partie de leurs terres à des laïcs entreprenants. C'est ainsi que naquit le village de Vallbona de las Monges. Le monastère traversa vaille que vaille les conflits des XVIIᵉ et XVIIIᵉ siècles et ne fut jamais abandonné, hormis dans les années 1930, lors de la guerre civile. Le cloître témoigne parfaitement de la transition du roman au gothique. Sa construction, entamée au XIIᵉ siècle, se poursuivit sur quatre siècles, faute d'argent et ne fut jamais achevée. Les voûtes basses de la galerie sud, du plus pur style roman, contrastent avec celles de la galerie nord, beaucoup plus hautes et bâties selon les techniques novatrices du gothique. Plus tardive (XVᵉ s.), la galerie ouest reprend le modèle roman. Dans l'élégante salle capitulaire, de style gothique (XIVᵉ s.), on notera au sol les dalles funéraires des sœurs, identifiables à leurs blasons. L'église, elle aussi romano-gothique, bénéficie d'un bel éclairage grâce à la rosace de son abside et aux nombreuses baies percées dans les chapelles et la tour-lanterne du transept. Une seconde tour octogonale (XIVᵉ s.) coiffe la nef. *Tél. 973 33 02 66 www.vallbona.com Ouvert sam. 10h30-13h30 et 16h30-17h30, 12h-13h30 et 16h30-17h30 ; août : tlj. 10h30-13h30 et 16h30-17h30 Horaires sujets à modifications Fermé 1ᵉʳ et 6 jan., ven. saint après-midi, 25-26 déc. Visite guidée 4€, réduit 3€ Forfait trois monastères 9€*

☆ ☺ Monestir de Santes Creus

En 1150, la noble famille des Montcada cède aux cisterciens de la Grand Selva (Languedoc) les terres de Valldaurada, près de Barcelone. Mais très vite, la communauté préfère se retirer dans les montagnes, sur la rive de la Gaïa. Au XIIIᵉ siècle, Santes Creus reçoit le soutien actif de la couronne d'Aragon… et les dépouilles de deux de ses détenteurs. Remanié à plusieurs reprises au fil des siècles, le monastère est abandonné en 1835. Restauré au XXᵉ siècle, il abrite désormais un centre culturel. Des trois abbayes de la Route cistercienne, Santes Creus est celle dont l'architecture respecte le mieux les critères de dénuement prônés par l'ordre de Cîteaux. L'agréable petit village de Vallbona a investi sa deuxième enceinte : les dépendances de la jolie Plaça Sant Bernat arborent de belles façades et abritent l'Ajuntament. L'entrée du

● **ENTRÉE DANS L'ORDRE**
Au monastère de Santes Creus, ne manquez sous aucun prétexte la **projection audiovisuelle**. Très bien faite et pleine de surprise, elle offre une excellente approche du monde cistercien. *En plusieurs langues, durée 27min, dernière séance 1h avant la fermeture*

monastère est située à droite de la place. Prenez le temps d'apprécier les beaux volumes du grand cloître gothique (XIVe s.), sa sérénité et ses chapiteaux historiés – notamment le bestiaire fantastique de la galerie ouest. La salle capitulaire, qui s'ouvre du côté est, illustre l'idéal d'austérité cistercien avec, pour seul décor, les motifs floraux de ses chapiteaux. Juste à côté, un escalier permet de rejoindre le dortoir, bel espace coiffé de grands arcs diaphragmes. Derrière, le cloître postérieur (XVIIe s.), cerné de dépendances, constitue un agréable havre de paix avec ses huit cyprès. Dans l'angle sud-est, le patio du palais royal (XIVe s.) présente une admirable rampe d'escalier sculptée. Côté nord, quelques marches mènent au cimetière des moines, écrin de verdure d'où l'on peut admirer la rosace du chevet de l'église (XIIe s.). Cette dernière abrite les sépultures de Pierre III d'Aragon (1239-1285), de Jacques II (1267-1327) et de son épouse. *Aiguamurcia* Tél. 977 63 83 29 santescreus.cultura@gencat.cat Ouvert juin-sept. : mar.-dim. 10h-18h30 ; oct.-mai : mar.-dim. 10h-17h Fermé 1er et 6 jan., 25 et 26 dé. Tarif 4,50€, réduit 3€ Gratuit mar. Forfait trois monastères 9€

Aux abords de la route des monastères

Montblanc D'abord édifié sur le cours du Francolí, Montblanc fut transporté sur la colline de Santa Bàrbara, au XIIe siècle, quand Alphonse Ier décida d'en faire une place forte. Parfaitement conservés, ses remparts du XIVe siècle ont valu au village son inscription au Patrimoine mondial de l'Unesco. Son dédale de ruelles, de placettes et de jolies églises invite à la promenade. La plus curieuse de toutes, l'église gothique Santa María (XIVe s.), arbore une imposante silhouette carrée ornée d'une façade baroque (XVIIe s.). Pour une vue d'ensemble, montez jusqu'au Pla de Santa Bàrbara, où dorment sur les ruines du château. *À 5km à l'est de L'Espluga de Francolí par la N240*

Lleida (Lérida) Perdue dans l'arrière-pays, aux portes de l'Aragon, et profondément meurtrie par les guerres, cette ville de 131 000 habitants semble oubliée des visiteurs. Si elle manque assurément de charme, elle réserve toutefois une visite digne d'intérêt : celle de la Seu Vella. L'"ancienne cathédrale" construite au XIIIe-XVe siècle sur des fondations musulmanes, présentant, en effet, un habile mariage de styles architecturaux, et le majestueux cloître gothique qui prolonge sa nef offre un beau panorama sur la région. Elle s'est enrichie d'un nouvel accès en 2008, et d'un centre d'interprétation en 2010 (visite guidée de la région et découverte de son patrimoine à travers une documentation audiovisuelle). *À 50km à l'ouest de Montblanc par la N240* **Seu Vella** Entrée par la porte Dels Fillols Tél. 973 23 06 53 www.turoseuvella.cat Ouvert mai-sept. : mar.-sam. 10h-19h30, dim. et j. fér. 10h-15h ; oct.-avr. : mar.-sam. 10h-13h30 et 15h-17h30, dim. et j. fér. 10h-15h Tarif 5€, réduit 4€, moins de 7 ans, plus de 65 ans et 1er mardi du mois gratuit

● **Randonner dans les montagnes de Prades** De nombreux sentiers GR® et PR® sillonnent les montagnes de Prades, dont la partie basse constitue l'espace naturel protégé de Poblet. Des Masies, très beaux itinéraires pour marcheurs tous niveaux. Parmi les petites balades, la montée au Mirador de la Pena est un grand classique. De là, les bons marcheurs pourront rejoindre la ville de Prades.

Centre d'informació del Paratge Natural Organise des sorties découvertes gratuites en fin de semaine (tous les 15 jours, de Pâques à début déc., sur rdv). *Alberg Juvenil Jaume I Carretera les Masies Tél. 977 87 17 32 www.gencat.cat/ parcs/poblet Ouvert lun.-ven. 8h-15h De Pâques à début déc., 2 points info sont ouverts le w.-e. : à la Font de la Magnesia (9h-14h) et à l'Area Lleure de la Roca de l'Abella, sur la route de Prades (10h-17h)*

Drac Actiul Agence spécialisée dans les activités sportives et sorties nature. *Partida del Gorg, s/n L'Espluga de Francolí Tél. 629 21 32 63 www.dracactiu.com Ouvert lun.-ven. 9h-14h et 16h-18h sam.-dim. et été. : se rens. par tél.*

CARNET D'ADRESSES

Restauration, hébergement

De janvier à mi-mars, c'est la saison du *calçot*, un oignon long et fin cuit à pleines flammes que l'on trempe dans une sauce *romesco*. Les restaurants préparent souvent un menu complet pour l'accompagner : la *calçotada*. Le monastère de Poblet dispose d'une *hostatgeria* moderne, et vous trouverez à vous loger dans le joli hameau boisé des Masies (1,5km), le bourg de L'Espluga de Francolí (2,5km) et le village médiéval de Montblanc (8km) ; les environs de Santes Creus ne manquent pas de chambres d'hôtes, tandis qu'à Vallbona de les Monges, il est possible de séjourner quelques jours au monastère.

🧳 très petits prix

Monestir de Vallbona de les Monges Fidèles à la tradition d'hospitalité bénédictine, les moniales de Vallbona ouvrent leur hôtellerie à tous ceux qui souhaitent effectuer une retraite de quelques jours. Vingt chambres simples ou doubles d'une grande sobriété, propices au recueillement (env. 20€/pers.). Et pour les groupes,

le refuge Sant Bernat (env. 12€/pers., 15€ en hiver). *Vallbona de les Monges Tél. 973 33 02 66 ou 618 87 60 04 www. vallbona.com*

Alberg Juvenil Jaume I Aux Masies, l'une des meilleures auberges de jeunesse que l'on connaisse. Question confort, rien de plus qu'ailleurs, mais le cadre et l'accueil sortent de l'ordinaire : une vieille bâtisse, une grande cour arborée, une piscine et de bons conseils sur les balades à entreprendre dans les environs. De 14,10 à 24,50€/ pers. selon le confort, 13-21€ pour les moins de 29 ans, petit déjeuner compris. *Carretera les Masies L'Espluga de Francolí Tél. 977 87 03 56 www.tujuca. com Fermé sept. et la nuit du dim. au lun. d'oct. à juin*

🍴 🧳 petits prix

Fonoll Cette vénérable auberge de Poblet est souvent prise d'assaut et il est donc recommandé de réserver sa table. Au menu (15,45€ en semaine et 20,60€ le week-end, servi de 13h à 16h), d'alléchantes recettes catalanes à base de produits du terroir. Pour les petites faims, sandwichs ou salades en terrasse servis toute la journée. *Pl. Ramon Berenguer IV, 2 Vimbodi i*

Poblet (face à l'entrée du monastère) Tél. 977 87 03 33 www.hostalfonoll.com Ouvert reste de l'année : lun.-mar. et ven. 9h-18h, w.-e. et j. fér. 9h-19h ; été : lun.-mer. et ven. 9h-20h, w.-e. et j. fér. 9h-21h Fermé 15 jan.-15 fév.

Hostatgeria de Poblet La moderne hôtellerie de Poblet dispose d'un restaurant de cuisine catalane (13-19€ le repas) et de 42 chambres d'une sobriété toute monacale, mais confortables - sdb en marbre, chauffage l'hiver, clim. l'été pour les plus luxueuses - et bénéficiant de belles vues sur le monastère ou les vignes. La chambre double est louée de 49 à 69€ selon le standing (99€ le "loft"), de 91 à 111€ en demi-pension. Le petit déj. seul revient à 8€. Accès wifi gratuit et nombreuses activités proposées : randonnée à pied, à VTT ou à cheval, balades en 4x4, escalade, tic à l'arc... et dégustation de vin dans les chais des environs. *Pl. Corona d'Aragó, s/n* **Vimbodi i Poblet** *Tél. 977 87 00 89 http://hostatgeriadepoblet.cat/fr/*

Fonda dels Àngels Une bonne adresse du Montblanc médiéval. Au menu (16€ le midi, 21€ les jours de fête et 23€ ven. soir et sam.), des plats copieux : soupe, lapin à la braise et dessert. Pour l'hébergement, prévoyez 45€ HT la double et 57€ la triple. *Pl. dels Àngels, 1* **Montblanc** *Tél. 977 86 01 73 Ouvert lun.-sam. 13h-15h30 et 21h-22h Fermé les trois premières semaines de sept. et à Noël*

🍴 💼 prix moyens

☺ **Hostal del Senglar** Une quarantaine de chambres spacieuses (66€ la double ; 86€ la quadruple) et un restaurant, installé dans un vieux mas catalan, qui mérite le détour ! Un décor à l'ancienne réussi - on vous conseille le coin cuisine sous les piments séchés - et une délicieuse cuisine régionale. Coup de cœur pour le civet de sanglier (*senglar*). Comptez 30-35€ à la carte, en semaine menu à 21€ HT à midi. Menu dégustation à 37€ HT. Possibilité de demi-pension et de pension complète. *Pl. Montserrat Canals, 1* 43440 **L'Espluga de Francolí** *Tél. 977 87 04 11 ou 977 87 01 21 www.hostaldelsenglar.com Ouvert tlj.*

☺ **Fonda L'Ocell Francolí** Ses chambres douillettes et colorées à souhait et le copieux petit déjeuner à base de douceurs régionales font de cette auberge un excellent gîte d'étape à L'Espluga de Francolí. Ceux qui voyagent en solo apprécieront l'intimité des chambres simples. Double de 62 à 70 HT env. selon la saison et simple de 37 à 47€ HT. Côté restaurant, le menu à 18€ HT offre une belle sélection de spécialités. Également un menu *festivos* à 22€. À la carte, comptez 25€. *Passeig Cañellas, 2-3* **L'Espluga de Francolí** *Tél. 977 87 12 16 ou 977 87 13 45 www.ocellfrancoli.com Restaurant ouvert lun.-sam. 13h-15h30 et 21h-22h30 Fermé dim. soir et ven. soir en hiver et 1er-15 jan.*

Villa Engràcia Trois formules d'hébergement : en appartement pour 2 à 8 pers., dans une résidence boisée et familiale, en maison pour 6 à 8 pers. ou bien dans le très bel hôtel de 1888 doté de hauts plafonds, de carrelages multicolores et d'un escalier monumental. Restaurant, aire de jeux pour les enfants, piscine et courts de tennis. Appartements pour 4 pers. de 80 à 120€ selon la saison. Double à partir de 75€, petit déjeuner inclus. *Carretera les Masies* **L'Espluga de Francolí** *Tél. 977 87 03 08 www.villaengracia.com*

★ ☺ LE PARC NATUREL DU DELTA DE L'ÈBRE

Tarragone

Parc naturel du delta de l'Èbre

Deuxième zone humide d'Espagne, le delta de l'Èbre s'étend sur près de 320km² et constitue, grâce à ses nombreux écosystèmes, un habitat privilégié pour plus de 300 espèces d'oiseaux et une halte de choix pour les migrateurs. Sa formation résulte du lent processus de dépôt des sédiments de l'Èbre, et ses contours ne cessent de bouger. L'occupation humaine ne remonte qu'au XIXᵉ siècle, car il fallut assainir des terres impaludées. Aujourd'hui, 75% d'entre elles sont consacrées à l'agriculture – essentiellement à la riziculture. Le reste du delta est constitué de splendides zones sauvages de dunes et de lagunes, pour la plupart intégrées au parc naturel du Delta de l'Èbre (7 736ha). Le delta de l'Èbre adhère depuis 2008 à la Charte européenne du tourisme durable.

SAISONS ET RIZIÈRES Le delta change singulièrement d'aspect avec les saisons. Fin avril, les rizières inondées forment un immense miroir scintillant, constellé, dès le mois de juin, d'une multitude de pousses vert tendre. En juillet, l'eau disparaît et le vert des tiges s'assombrit à mesure qu'elles croissent. En août, les chaumes prennent une teinte dorée, pour brunir à la fin octobre. C'est alors qu'a lieu la moisson, laissant le paysage recouvert de sédiments noirs. Le reste de l'année, la terre au repos offre une physionomie plus austère.

MODE D'EMPLOI

accès

EN VOITURE
Par l'AP7-E15, payante (sorties n°39, L'Ampolla ; n°40, L'Aldea-Tortosa et n°41, Amposta-Sant Carles de la Rapita), ou la N340 (sorties L'Ampolla, Camarles, L'Aldea, Amposta ou Sant Carles de la Ràpita). Seuls le pont d'Amposta et celui qui relie Deltebre à Sant Jaume d'Enveja permettent de passer d'une rive de l'Èbre à l'autre.

EN TRAIN
Gare Renfe L'Aldea-Amposta La plus proche du delta. Desservie plusieurs fois/j. par la ligne Barcelone-Valence (2h20 de trajet de Barcelone, env. 12,70€ ; env. 50min de Tarragone, env. 6,50€ ; 2h-2h30 de Valence, env. 16,40€). C/ de l'Estació *L'Aldea* Tél. 902 24 02 02 *www.renfe.es*

EN CAR
Hife Relie Tortosa à Deltebre-La Cava au moins 5 fois/j. en semaine (2 le week-end). Comptez 1h de trajet et env. 3,30€. Également une liaison entre Deltebre-La Cava et la gare de L'Aldea. *Tél. 902 11 98 14 ou 977 44 03 00 www.hife.es*

orientation

Le delta de l'Èbre s'étend jusqu'à l'AP7 à l'ouest, L'Ampolla au nord et Sant Carles de la Ràpita au sud, deux ports de pêche surnommés les "balcons du delta". Amposta est un autre nœud de communication important situé sur la nationale et en bordure du fleuve. Aucune des trois localités ne présentent grand intérêt, faites plutôt étape à Deltebre (au cœur du delta) ou à Poblenou del Delta, plus au sud, pour pouvoir rayonner plus facilement.

se déplacer

Si vous avez du temps, délaissez votre voiture au profit d'options plus agréables et plus écologiques : balades à vélo, à cheval ou croisières sur l'Èbre !

LOCATION DE VÉLOS
Nombreux points de location dans tout le delta. Comptez 10-12€/j.

CROISIÈRES
Possibilité d'effectuer des croisières plus ou moins longues à partir de différents embarcadères.
Creuers Delta de l'Ebre Le grand classique : de l'embarcadère de Deltebre à l'embouchure du fleuve et retour en passant par les lagunes du Garxal et des Calaixos et en longeant les îles de Buda et de Sant Antoni. Départs toutes les heures en été de 11h30 à 18h30 ; hors saison à 12h30 et 15h30. Env. 8€/pers., durée 45min. En haute saison, également des croisières à partir de Sant Jaume d'Enjeva (1h45), d'Amposta et de Tortosa et des sorties dans la baie des Alfaques. *Deltebre Tél. 977 48 01 28 www.creuers-delta-ebre.com*
Vedettes Olmos Elles proposent des trajets plus longs (32km) à partir de

Deltebre pour env. 11€/pers. AR, 1h30. *C/ Unió, 165 Deltebre Tél. 625 10 07 07 cruserosolmos@hotmail.com*
Phileas Viatges Promenade en bateau et dégustation de moules et d'huîtres (env. 25€). Départs le sam. de Sant Carles de la Ràpita à 11h30. *C/ Sant Isidre, 96 Sant Carles de la Ràpita Tél. 977 74 34 54 ou 600 44 75 87 (rés.) http://phileaslarapita.grupo europa.com*

LOCATION DE BATEAUX
Badia Alfacs Pour louer un bateau avec ou sans permis et naviguer à son rythme dans le delta. *Port Nàutic de Sant Carles de la Ràpita Tél. 649 22 18 92 ou 646 92 05 31 www.embarca cionsbadiaalfacs.com*

informations touristiques

http://ebre.info Site Internet d'informations sur le delta.
Ecomuseu del Parc Natural del Delta de l'Ebre Cet écomusée passionnant (p.254) est aussi le point de départ de nombreux circuits guidés (certains en français) à thème. Inscription préalable obligatoire. *C/ del Dr Martí Buera, 22 Deltebre Tél. 977 48 96 79 www.deltebre.org www.parcs-decatalunya.net Ouvert lun. 13h-17h, mar.-jeu. et sam. 10h-13h et 15h-17h, ven. 10h-13h Horaires sujets à modifications*
Casa de Fusta Cet ancien pavillon de chasse abrite désormais le centre d'information du parc et un petit musée ornithologique. *Partida de la Cuixota, s/n Poblenou del Delta Tél. 977 26 10 22 Mêmes horaires que l'Ecomuseu*
Office de tourisme de Sant Carles de la Ràpita *C/ Sant Isidre, 128 Sant Carles de la Ràpita Tél. 977 74 46 24 www.turismelarapita.com Ouvert juil.-août : tlj. 10h-13h30 et 16h-18h ; reste de l'année : lun.-sam. 10h-13h30 et 16h-18h*

LA COSTA DAURADA ET L'ARRIÈRE-PAYS

LA COSTA DAURADA ET L'ARRIÈRE-PAYS

Office de tourisme d'Amposta *Av. de Sant Jaume, 1 Amposta Tél. 977 70 34 53 Ouvert mi-juin-mi-sept. : lun.-sam. 10h-13h et 15h-18h, dim. 10h-13h ; mi-sept.-mi-juin : lun.-sam. 10h-13h*
Office de tourisme de L'Ampolla *C/ Ronda del Mar, 12 L'Ampolla Tél. 977 59 30 11 Ouvert fév.-nov. : lun.-ven. 9h-13h et 16h-19h, sam. 10h-13h et 16h-19h, dim. et j. fér. 10h-13h ; déc.-jan. : lun.-ven. 8h-15h dans les locaux de la mairie*
ATUREBRE (Associació turisme rural comarques de l'Ebre) Des interlocuteurs privilégiés pour partir à la découverte des activités rurales et de l'artisanat (vannerie et céramique) du delta. *Avinguda Sant Jaume, s/n. Amposta Tél. 638 05 72 43*

conseils et sécurité

Munissez-vous de crème solaire, d'un antimoustique et d'une paire de jumelles pour observer les oiseaux. Automobilistes, ne vous aventurez pas sur les pistes sablonneuses – les rizières peuvent se révéler de véritables pièges.

DÉCOUVRIR

☆**Les essentiels** L'observation de la faune du delta de l'Èbre **Découvrir autrement** Reposez-vous sur les plages désertes du delta de l'Èbre, prenez le bac jusqu'à Miravet, baladez-vous à VTT

Le delta de l'Èbre

☆ L'une des activités les plus passionnantes à pratiquer dans le delta est sans aucun doute l'observation des oiseaux – plus de trois cents espèces recensées au cours d'une année ! Plusieurs miradors ont été installés à cet effet dans des zones stratégiques (carte détaillée au centre d'information de Deltebre). Au nord, la longue langue de sable de la **Punta del Fangar** forme un bel espace sauvage, propice à une agréable balade entre dunes et mer et à l'observation des mirages. À la pointe du delta, autre zone protégée, l'**Illa de Buda**, constitue une réserve ornithologique très importante mais ne se visite pas. En revanche, vous pourrez prendre un bateau pour rejoindre l'embouchure de l'Èbre, où les eaux vertes du fleuve se mêlent au bleu de la mer. De la Bassa de la Tancada, une mince bande de sable de 5 km s'enfonce dans la mer jusqu'aux salines de la Punta de la Banya (ne se visite pas), qui prend des allures de nageoire vue du ciel. Autre paradis pour les amateurs d'ornithologie, la Bassa de L'Encanyissada, la plus grande de toutes les lagunes, s'étend à proximité du village de **Poblenou del Delta**. Ce dernier rassemble une série de jolies maisons de plain-pied aux murs blancs, toutes organisées autour d'un patio.

Ecomuseu del Parc Natural del Delta de l'Ebre L'écomusée du Parc naturel du delta de l'Èbre est une introduction indispensable à la découverte de cet univers bien particulier, tant dans ses aspects humains que par ses écosystèmes. L'exposition permanente sert de résumé et d'introduction à l'itinéraire pédagogique qui attend le visiteur à l'extérieur : la première partie détaille le système agricole local avec des exemples de systèmes d'irrigation, un barrage, des canaux et tuyaux d'écoulement, des cultures d'arbres fruitiers,

Plan 9 Le delta de l'Èbre

le potager et la rizière. La seconde partie présente les grands milieux naturels du delta (lagune, fleuve, forêt fluviale). Trois baraquements typiques évoquent diverses activités telles que la pêche, la riziculture ou encore l'observation des oiseaux et de la lagune. Enfin, un aquarium présente les principales espèces de poissons et d'amphibiens du delta. Le centre d'information installé à l'entrée de l'écomusée propose toute la documentation nécessaire à une visite complète du delta : plans, activités, conseils. C'est aussi le point de départ de nombreuses excursions thématiques guidées (sur inscription). *C/ del Dr Martí Buera, 22* **Deltebre** *Tél. 977 48 96 79 www. deltebre.org (Infos) www.parcsdecatalunya.net Ouvert lun. 13h-17h, mar.-jeu. 10h-13h et 15h-17h, ven. 10h-13h, sam. 10h-13h et 15h-17h Horaires sujets à modifications Tarif env. 2€, moins de 8 ans gratuit*

● **PIQUEZ UNE TÊTE**
Au sud du delta, vous trouverez plusieurs plages de sable brun, désertes la plupart du temps. N'hésitez pas à y faire une pause (baignade en été) avant de repartir observer les flamants roses de la Bassa de la Tancada. Au nord, les plages de Riumar sont vastes, protégées par des dunes ; faciles d'accès et donc parfois fréquentées, elles n'en restent pas moins très agréables.

● ☆ Observer les oiseaux

Audouin Birding Tours L'écomusée du Parc propose 8 itinéraires à parcourir à vélo à l'aide de brochures présentant le détail du parcours et les oiseaux à observer à chaque étape. Des visites de découverte de la faune sont aussi organisées par les offices de tourisme, cf. Mode d'emploi (p.252). Ces itinéraires sont parfois guidés, et souvent d'une durée de 3 ou 4 heures. Enfin, des prestataires spécialisés organisent également des sorties ornithologiques dans le delta. *Part. de Bochets, s/n* **Freginals** *Tél. 649 28 60 86 ou 977 26 15 32 www.audouinbirding.net*

Les environs du delta de l'Èbre

Tortosa Cette cité de 35 000 habitants n'est pas d'un abord très avenant, mais son centre historique, sur la rive nord de l'Èbre, n'est pas sans intérêt. La Dertosa de l'époque romaine devint un port stratégique d'Al-Andalus, comme le rappelle la Suda, forteresse construite au Xe siècle, sous le règne d'Abd al-Rahmân III, et qui domine encore la ville. Après la reconquête de 1148 par Raymond Bérenger IV, une partie des terres fut redistribuée à la communauté juive. Construite à partir de 1347 sur l'emplacement de la Grande Mosquée et d'une église romane, la cathédrale gothique Santa Maria fut remaniée dans le style baroque au XVIe-XVIIe siècle. Son cloître trapézoïdal (XIVe s.) présente toutes les caractéristiques de l'austère gothique cistercien. En remontant vers la forteresse, ne manquez pas de visiter les splendides collèges royaux de Sant Jaume et Sant Maties, fondés au XVIe siècle par Charles Quint à l'intention des morisques, arabes convertis au christianisme. L'édifice s'organise autour d'un somptueux patio Renaissance à trois étages, orné notamment des visages sculptés des rois et reines d'Aragon. En plein centre-ville, les Jardins del Princep conjuguent collections botaniques et art contemporain – l'occasion de découvrir des sculptures de Santiago de Santiago. Le Vieux Tortosa abrite également quelques édifices modernistes, mais privilégiez le marché public (1884-1887), bâtiment restauré dans les années 1990 où vous pourrez acheter fruits et légumes et prendre votre petit déjeuner. *À 90km au sud de Tarragone par l'AP7-E15 (sortie n°40) ou par la N340, puis la C42* **Office de tourisme** *Rambla Felip Pedrell, 3 Tél. 977 44 96 48 www.tortosa.cat Ouvert mai-sept. : mar.-sam. 10h-13h30 et 16h30-19h30, dim. et j. fér. 10h-13h30 ; oct.-avr. : mar.-sam. 10h-13h30 et 15h30-18h30, dim. et j. fér. 11h-13h30* **Catedral** *C/ Portal del Palau, 5 Tél. 977 44 61 10 www.tortosaturisme.cat Ouvert avr.-oct. : mar.-sam. 10h-13h30 et 16h30-19h, dim. et j. fér. 11h-14h ; nov.-mars : mar.-sam. 10h-13h30 et 16h-18h30, dim. et j. fér. 11h-14h Ouvert lun. fér. et veille de j. fér. Tarif 5€, réduit 3€* **Collegi de Sant Jaume i Sant Maties** *Carrer de Sant Domènec, 23 Mêmes horaires d'ouverture que l'OT Entrée libre* **Jardins del Princep** *Pujada al Castell de la Suda, s/n Derrière le Parador Tél. 977 44 20 05 Mêmes horaires d'ouverture que l'OT* **Mercat** *Ouvert lun. 8h-14h30, mar.-ven. 8h-14h30 et 17h30-20h30, sam. 8h-15h*

⬤ **LE DELTA EN DANGER**
Les pêcheurs de Tortosa rencontrent des surprises de taille : calamars et daurades foisonnent dans l'Èbre à près de 30km de son embouchure ! Le niveau du fleuve baisse en effet de 5mm par an tandis que la mer remonte, empêchant les sédiments de fertiliser les terres. Celles-ci se salinisent et risquent à long terme de devenir impropres à la culture.

Peintures rupestres d'Ulldecona Ne manquez sous aucun prétexte le Centre d'Interpretació d'Art rupestre Abrics de l'Ermita, qui présente en détail les vestiges des peintures préhistoriques du massif de Godall. Au nombre de 400 environ, répartis dans une dizaine d'abris sous roche, ces dessins représentant des scènes de chasse sont dans un état de conservation parfois exceptionnel, ce qui a valu à l'ensemble d'être classé au Patrimoine mondial de l'Unesco en 1998 (mais les premières découvertes remontent à 1975). Il s'agit sans doute de la plus grande concentration d'art rupestre de la côte méditerranéenne espagnole. Aménagé dans la chapelle de la Pietat, non loin des grottes, le centre, bien conçu, apporte de précieuses informations sur ces peintures et sur l'art rupestre du Levant en général. Il est possible de visiter une grotte en petit groupe (6 pers. maximum, rés. recommandée). *Carretera de Tortosa - T331 (4km au nord-est d'Ulldecona) www.mac.cat/Rutes/ Ruta-de-l-Art-Rupestre Visite guidée grotte tlj. 10h, 12h, 16h (et 17h30 en été)* **OT d'Ulldecona** *Rés. visite grotte Tél. 977 57 33 94 www.ulldecona.cat* **Centre d'In-terpretació d'Art Rupestre Abrics de l'Ermita** *Carretera de Tortosa Tél. 619 77 08 69 Ouvert mi-juin-mi-sept. : mar.-sam. 10h-14h et 16h-19h, dim. et j. fér. 10h-14h ; mi-sept.-mi-juin : mar.-sam. 10h-14h et 16h-18h Tarif 3€, réduit 2€, 10€/7€ avec visite guidée de la grotte, moins de 7 ans gratuit*

☺ **Miravet** L'arrivée à ce splendide petit village médiéval est à elle seule fabuleuse. En venant par la C12, il faut traverser l'Èbre en bac à traille - une embarcation qui utilise des câbles tenus entre les deux rives et la force du courant (selon les principes de Léonard de Vinci !) : 5min d'enchantement à dériver en douceur. Perché sur un promontoire, le château des Templiers – une forteresse maure du XIᵉ s. – domine les jolies maisons en pierre de Miravet. Au bord de l'Èbre s'étend El Raval dels Terrissers, le "quartier des potiers", où l'art de la céramique se transmet de père en fils depuis trente générations. *À 38km de Tortosa par la C12 (axe de l'Èbre), puis un bac (tlj. 9h-13h et 15h-coucher du soleil, 8h-20h en juil.-août, sauf mauvais temps) Tél. 977 40 71 34 (renseignement tarif) Tarif : rens. à la mairie de Miravet* **Castell** *Tél. 977 40 73 68 Ouvert juin-sept. : mar.-dim. 10h-13h et 16h-18h30 ; oct.-mai : mar.-dim. 10h-13h et 15h-17h Tarif 3€, réduit 2€ Gratuit mar.*

Horta de Sant Joan Dans ce beau village en pierre, perché sur un contrefort des Ports de Beceite, Picasso séjourna en 1898-1899, puis en 1909. Le maître aurait dit un jour : "Tout ce que je sais, je l'ai appris à Horta". La cité, recon-naissante, lui a édifié un petit musée, qui n'expose hélas que des fac-similés. Horta de Sant Joan n'en est pas moins une bonne base pour les randonneurs (rens. écomusée Els Ports) et une étape de charme : il fait bon flâner dans ses ruelles et prendre le frais sous les arcades de la place de l'église, ou du couvent Sant Salvador, à la sortie du bourg. *À 45km au nord-ouest de Tortosa en suivant la C12 (axe de l'Èbre) pour bifurquer à gauche sur la N230 après Xerta, la T333 dir. Vallderoures et enfin à droite sur la T330 ; la route traverse de splen-dides montagnes* **Centre Picasso** *C/ Antic hospital, s/n Tél. 977 43 53 30 www. centrepicasso.cat Ouvert fév.-juin, mi-sept.-déc. : sam. 11h-14h et 16h-19h, dim. et j. fér. 11h-14h ; juil., 1ᵉʳ-15 sept. : mar.-ven., dim. et j. fér. 11h14, sam. 11h-14h et 17h-20h ; août : mar.-sam. 11h-14h et 17h-20h, dim. et j. fér. 11h-14h Tarif env. 2,50€, réduit 2€* **Écomusée Els Ports** *Horta de San Joan Tél. 977 43 56 86 www.elsports.org*

● **Pédaler à fond de train**

Via Verde de la Terra À deux roues sur l'ancien tracé de la voie ferrée... Un tronçon de près de 60km permet de relier Arnés à Tortosa, en traversant tunnels et canyons fantastiques. À moins d'être bon cycliste, nous vous conseillons de suivre cet itinéraire dans le sens Arnés-Tortosa : en descente. Munissez-vous d'une lampe frontale pour les tunnels. *Horta de San Joan Rens. dans les différents OT*

CARNET D'ADRESSES

Restauration, hébergement

Parmi les spécialités culinaires du delta figurent le *xapadillo* (anguille fumée), l'*arròs negre* (riz à l'encre de seiche), la *fideuà* (vermicelles et fruits de mer) et le canard sauvage. Vous trouverez des restaurants le long de l'Èbre, vers l'embarcadère Illa de Buda, quelques bonnes gargotes à Poblenou del Delta et les meilleurs restaurants de poisson à Sant Carles de la Ràpita. Plusieurs campings sont installés en bord de mer et une kyrielle de gîtes disséminés dans tout le delta (rens. écomusée de Deltebre). Deltebre est le point de chute le plus pratique, mais si vous privilégiez calme et charme, optez pour les chambres d'hôtes de Poblenou del Delta.

🍴 🧳 très petits prix

Alberg Mossèn Antoni Batlle Cette grande auberge aux tons bleus propose 120 lits répartis en dortoirs de 4 et 10 lits, très propres et agréables. Comptez 20-25€/pers., 18-22€ pour les moins de 29 ans, repas env. 7€. Possibilité de demi-pension et pension complète. *Av. Goles de l'Èbre* **Deltebre** *Tél. 977 48 01 36 ou 934 83 83 63 (Réservations) www.xanascat. cat Réservé aux camps de vacances en été et fermé 10 déc.-fin jan. Carte Fuaj obligatoire (en vente sur place)*

Alberg Encanyissada Cet édifice est organisé autour d'un patio. Hébergement en dortoirs climatisés de 4 et 6 lits avec sdb à l'extérieur. Location de vélos, piscine et autres services à proximité. Comptez 16,25-27,10€/pers., 14,40-22,25€/pers. pour les moins de 29 ans, petit déjeuner compris. *Pl. del Jardí* **Poblenou del Delta** *Tél. 977 74 22 03 ou 934 83 83 63 Fermé nov.-déc. Carte Fuaj obligatoire (en vente sur place)*

🍴 🧳 petits prix

Can Paquita Petit patio au frais, idéal pour goûter aux différentes spécialités de riz ou à l'anguille fumée de la maison. Pour des saveurs nouvelles, vous pourrez tester les anémones de mer revenues dans l'huile d'olive ou différentes paellas (9,50-11€). *Ronda dels Pins, 5* **Poblenou del Delta** *Tél. 977 74 14 52 Ouvert été : tlj. 8h30-17h et 20h30-23h ; reste de l'année : dim.-ven. 8h30-17h, sam. 8h30-17h et 20h30-23h*

Casa de Pagès Can Leon Dans le même esprit que la précédente, quoique moins personnalisée. Agréable patio ombragé, barbecue et cuisine en accès libre. Chambres impeccables pour 2, 3 ou 4 pers. de 45 à 60€ en été. *C/ Major, 2* **Amposta** *Tél. 618 71 94 16 canleonn@gmail.com*

☺ **Casa de Pagès Lo Segador** Une petite merveille de chambre d'hôtes ! L'adorable patio fleuri aux murs blancs vous invite pour une sieste ou un barbecue. Café et thé à disposition des hôtes dans une petite salle nouvellement aménagée. Chambres propres et confortables. Double à env. 42€ (env. 48€ en été pour une nuit et 45€ à partir de deux nuits), cuisine à disposition. Accueil tout simplement adorable. *C/ Major, 14 Poblenou del Delta* Tél. 636 51 77 55 www.losegador.com

🍴 💼 prix moyens

Restaurant Casa Ramon Voici un véritable restaurant de produits de la mer, garantis de première fraîcheur. L'établissement, né en 1948, est resté familial tout en construisant pas à pas sa réputation de restaurant de qualité. La spécialité de la maison, la "*cassola Ramon*" (env. 25€), est une savante et délicieuse combinaison de poissons et fruits de mer. Comptez 35€ pour un repas fin et copieux. *C/ Arsenal, 16 Sant Carles de la Ràpita* Tél. 977 74 23 58 www.casaramon.com *Ouvert tlj. 10h-0h*

Hotel Plaça Vella Ce petit 2-étoiles sans prétention offre un niveau de confort suffisant pour un séjour agréable dans le centre de Sant Carles de la Ràpita (à env. 300m du front de mer). De plus, l'accueil est souriant. Pour une chambre double, comptez de 53 à 71,30€ selon la saison. Petit déjeuner 4€. *C/ Mare de Deu de la Ràpita, 1 Sant Carles de la Ràpita* Tél. 977 74 24 53

🍴 💼 prix élevés

Hotel del Port Un petit hôtel de 16 chambres à l'accueil soigné et aux chambres sobres mais plaisantes et confortables. L'ambiance, familiale, invite à la détente. Le port de pêche, la plage et le centre-ville sont à deux pas et certaines chambres bénéficient

d'une belle vue sur la mer. Chambre double de 59 à 89€, familiale (4 pers.) de 99 à 155€ selon la saison, petit déj. inclus. Wifi. Une excellente adresse ! *Av. Constitució, 6bis Sant Carles de la Ràpita* Tél. 977 74 69 60 www.hotel delport.es

Ca'l Faiges Ce restaurant propose le meilleur du delta. En entrée, laissez-vous tenter par les différents toasts à l'anguille fumée, mousse de canard…, puis faites votre choix entre les poissons grillés et les délicieuses combinaisons de riz comme l'*arròs a la ribera* à base d'anguille, de canard et d'escargots. Comptez environ 36€ à la carte. *Ronda dels Pins, 13 Poblenou del Delta* Tél. 977 74 27 03 www.cal-faiges.cat *Ouvert été : mar.-dim. 13h-16h et 20h30-23h ; reste de l'année : mar.-jeu. et dim. 13h-16h, ven.-sam. 13h-16h et 20h30-23h*

Delta Hotel Un beau 3-étoiles "écologique", construit autour d'une petite lagune. Chambres pour 4 pers. joliment meublées, presque toutes avec mezzanine. Chambre double à env. 94€ HT en été (68€ en hiver). Restaurant, plaisante terrasse, piscine, promenades en barque, location de vélos, etc. *Av. del Canal, Camí de la Illeta Deltebre* Tél. 977 48 00 46 www. deltahotel.net

🍴 💼 prix très élevés

Parador de Tortosa Le *castillo* de la Zuda, qui domine Tortosa, est un remarquable édifice du Xe siècle et l'hôtel qu'il abrite l'un des plus luxueux des environs (ce qui lui vaut d'accueillir régulièrement des hôtes de marque). La décoration chaleureuse mêle motifs et architectures arabes et gothiques ainsi que d'élégantes boiseries, et la grande terrasse qui domine la ville et le fleuve est un lieu privilégié pour dîner et prendre un verre en fin de journée. Un très bel endroit ! Double tout confort 147€ HT avec les petits déj. *Castillo de La Zuda, s/n.* **Tortosa** *Tél. 977 44 44 50 tortosa@parador.es www.parador.es*

☺ LE PRIORAT

Sans doute l'une des plus belles régions de Catalogne avec son relief tantôt vallonné, tantôt fortement accidenté, cette petite enclave viticole mérite qu'on s'y arrête. Le Priorat doit son nom aux chartreux venus de Provence qui y établirent un prieuré à la fin du XIIe siècle. Cette terre chargée d'histoire offre ses reliefs grandioses aux amateurs d'escalade du monde entier, et à tous une nature généreuse : longtemps oublié, laissé à l'abandon, l'arrière-pays tarragonais a renoué avec les traditions du terroir. Dans ses petits villages paisibles et fiers de leurs particularismes s'élaborent aujourd'hui, de moulins à huile en petits chais confidentiels, de prestigieux nectars...

MODE D'EMPLOI

accès

EN VOITURE
Falset, chef-lieu du Priorat, se trouve à 44km à l'ouest de Tarragone par la N420.

EN CAR
Hispano Igualadina De 2 à 4 cars/j. relient Tarragone à Falset (ligne Tarragone-Batea) et 2 autres (1 les dim. et j. fér.) Barcelone à Falset (ligne Barcelone-Alcañiz) *Tél. 902 29 29 00 ou 977 77 06 98 www.igualadina.com*

EN TRAIN
Renfe Pas moins de 6 trains relient tlj. Barcelone à la petite gare de Marçà-Falset (comptez 2h15 de trajet et env. 11€). *Tél. 902 32 03 20 www.renfe.com*

orientation

Le Priorat s'étire sur 500km² entre les cantons du Baix Camp, des Garrigues et des terres de l'Èbre. Son chef-lieu, Falset, est située à 150km à l'ouest de Barcelone.

informations touristiques

Office de tourisme du Priorat Installé dans le château de Falset ; passage obligé avant de partir explorer le Priorat ! *Consell Comarcal del Priorat Pl. de la Quartera, 1* **Falset** *Tél. 977 83 10 23 www.turismepriorat.org Ouvert mar.-sam. 10h-14h, dim. 11h-14h*
Office de tourisme de Cornudella de Montsant *C/ Comte de Rius, s/n* **Cornudella de Montsant** *Tél. 977 82 10 00 www.cornudella.altanet.org Ouvert été : mar.-dim. 10h-13h30 et 16h-19h ; reste de l'année : ven.-dim. 10h-13h30*
Bureau d'information du parc naturel du Montsant *Pl. de la Bassa, 1* **La Morera de Montsant** *Tél. 977 82 73 10 www.parcsdecatalunya.net Ouvert lun.-ven. 9h-13h*

se déplacer

Routes sinueuses, à-pics et descentes parfois vertigineuses... Se déplacer dans le Priorat nécessite quelques précautions. À vélo, l'exercice est réservé aux cyclistes aguerris capables d'endurer de longues montées sous un soleil de plomb et des descentes périlleuses. Aux automobilistes, nous recommandons la plus grande prudence. Mais pourquoi ne pas découvrir le Priorat à pied et profiter pleinement de ses paysages somptueux ? Des itinéraires de randonnée thématiques sont disponibles à l'office de tourisme du Priorat, à Falset.

DÉCOUVRIR
Le Priorat

Découvrir autrement Suivez la Route des vins, randonnez dans le parc naturel du Montsant, mesurez-vous aux vertigineuses falaises de Siruana, baignez-vous dans les eaux turquoise de son lac

Falset Cette petite ville de 2 900 habitants vit tranquillement à l'ombre du château des Comtes de Prades. Érigé au XIIᵉ siècle, au lendemain de la reconquête de la Nouvelle Catalogne, celui-ci abrite désormais un musée du Vin et l'office de tourisme du Priorat. Les charmantes ruelles du centre remontent à l'époque médiévale, comme les remparts et leurs grandes portes, ou encore la place de la Quartera (du nom d'une mesure à grains comme on peut en voir à l'entrée de l'hôtel de ville) et ses porches sous lesquels il fait bon prendre le frais. La ville basse renferme quelques hôtels, le grand cellier de la cave coopérative, chef-d'œuvre moderniste, ainsi que deux boutiques, dont celle de la coopérative, idéales pour se procurer vins et huiles d'olive du Priorat.

Castell del Vi Du corps de logis du château des Comtes de Prades et de sa chapelle romane ne subsistent que les murs. La forteresse abrite désormais l'office de tourisme du canton et un musée, le "château du Vin". Au rez-de-chaussée est proposée une introduction à la viticulture, de la vigne au cellier. Le premier étage présente cette activité dans la région, avec une grande maquette du Priorat vinicole, et propose une plongée dans l'histoire de la comarca. La salle du deuxième étage offre des vues magnifiques sur les environs, et une initiation olfactive permet d'y découvrir les arômes particuliers des élixirs du Priorat. *C/ Bonaventura Pascó s/n Tél. 977 83 04 34 Ouvert juil.-oct. : lun.-jeu. 11h-13h et 17h-19h30, ven. 11h-15h et 17h-22h, sam.-dim. 11h-15h et 17h-19h30 ; nov.-juin : lun. 11h-13h, ven.-sam. 11h-14h et 16h-18h, dim. 11h-15h Visite guidée sur rdv mar.-jeu. Tarif 4€, réduit 3€, moins de 12 ans et plus de 65 ans gratuit*

Museu de les Mines de Bellmunt La visite de la mine Eugènia permet de découvrir un aspect méconnu de l'histoire du Priorat. Exploitée depuis le néolithique et dédiée à l'extraction du minerai de plomb, ou galène, elle totalise 14km de galeries descendant jusqu'à 620m sous terre. Longtemps la principale mine du Priorat, elle a fermé en 1972, après avoir connu un pic d'activité des années 1920 aux années 1960. Au lieu-dit La Colònia, on peut voir les logements construits dans les années 1920 pour les mineurs originaires d'autres régions d'Espagne, principalement d'Andalousie. Se visite la Casa de les Mines, beau bâtiment moderniste (1905) transformé en musée et qui abritait jadis la direction, les bureaux et laboratoires de la société Minas del Priorato. La visite guidée vous emmènera au premier sous-sol de la mine (qui en compte 20), à 35m de profondeur, et vous fera parcourir plusieurs centaines de mètres de galeries. *Carretera de la Mina, s/n* **Bellmunt del Priorat** *(à 5km au nord-ouest de Falset) Tél. 977 83 05 78 ou 626 38 47 06 www.mnactec. cat Ouvert juil.-août : lun.-sam. 11h-13h et 17h-19h, dim. et j. fér. 11h-13h ; sept.-juin : sam. 11h-13h et 16h-18h, dim. et j. fér. 11h-13h Fermé 24 déc.-15 jan. Tarif 7€ (musée et visite guidée), 3€ (musée seul), moins de 8 ans gratuit*

Mare de Déu de la Consolació Les paysages grandioses du Priorat inspirent le recueillement, rien d'étonnant donc si seize ermitages ponctuent les hauteurs de la région ; tous ou presque sont accessibles en voiture, par de petites routes parfois vertigineuses, telle celle qui dessert l'ermitage de la Mare de Déu de la Consolació, entre Gratallops et Escaladei. Le sentier cahoteux qui part sur la droite débouche sur ce qui est sans doute l'un des plus beaux

Le Priorat, haut lieu de la viticulture

Ce sont les chartreux qui initient la région à la viticulture au XIIIe siècle et cette activité se développe sous leur contrôle jusqu'à leur expropriation, en 1835. À la fin du XIXe siècle, le phylloxera détruit la majeure partie du vignoble, poussant nombre de petits producteurs ruinés à l'émigration. La vigne est replantée dans les années 1950, mais la production reste médiocre. Le tournant s'opère dans les années 1980 avec la "révolution des clos" : en s'appuyant sur les variétés autochtones – grenache (*garnatxa*) et carignan (*carinyena*) – renforcées par du cabernet, de la syrah, puis du merlot, quelques producteurs aussi idéalistes qu'ambitieux vont rendre au vignoble ses lettres de noblesse. Les premiers vins sont commercialisés en 1992 et rencontrent rapidement le succès, ce qui leur permet de bénéficier d'une *Denominació d'Origen*

Qualificada (DOQ, équivalent de nos AOC) en 2000. La DOQ Priorat et Montsant est désormais réputées dans le monde entier. Il faut dire que ses vignes en terrasse bénéficient d'un sol très favorable qui, composé essentiellement de *llicorella*, sorte d'ardoise effritée, permet d'emmagasiner humidité et chaleur. S'y ajoutent des pentes abruptes, qui assurent un bon drainage, ainsi qu'une parfaite exposition au soleil. Près de 1 900ha sont aujourd'hui exploités, majoritairement en rouge (4 869t sur un total de 5 145t en 2011), mais le rendement – de 5 à 15hl à l'ha – est limité par le relief, qui rend presque impossible toute mécanisation. Plantés essentiellement en grenache (*garnatxa*) et en carignan (*carinyena*), variétés traditionnelles auxquelles se mêlent parfois d'autres cépages (cabernet, syrah, merlot), les coteaux du Priorat donnent des vins puissants.

● **VENDANGES**
Les vendanges commencent sur les parcelles les plus exposées la deuxième quinzaine de septembre et se poursuivent jusqu'à la fin du mois d'octobre dans les zones les plus élevées. Ne manquez pas la fête des vendanges à l'ancienne de Poboleda, le 2ᵉ ou le 3ᵉ w.-e. de septembre.

points de vue panoramiques du Priorat, à ne rater sous aucun prétexte. *À 11km de Falset et 1km au nord de Gratallops*

Cartoixa d'Escaladei Le joli village d'Escaladei doit sa renommée à ses chais et aux belles ruines roses de sa chartreuse (*cartoixa*) du XIIᵉ siècle, accrochée au versant méridional de la Sierra du Montsant. Selon une légende, les moines se seraient installés là où un berger avait vu en rêve des anges descendre d'une échelle appuyée à la cime d'un arbre – Escaladei signifie "échelle de Dieu". Premier monastère de l'ordre de saint Bruno de toute la péninsule Ibérique, la chartreuse de Santa Maria d'Escaladei présida pendant des siècles à l'essor économique du canton, notamment en bâtissant des moulins et en développant la viticulture. L'église Santa Maria, de style romano-gothique, fut achevée en 1228 ; le complexe fut agrandi au début du XIVᵉ siècle et doté d'un nouveau cloître gothique (1333). Les campagnes de rénovation des XVIᵉ et XVIIIᵉ siècles lui ajoutèrent des caractéristiques classiques puis baroques. En 1835, le décret de confiscation des biens du clergé contraignit les chartreux à quitter le monastère. Bientôt pillée et incendiée, l'abbaye en ruine resta à l'abandon jusqu'en 1989. Malgré son état de délabrement, elle témoigne de l'influence de ces moines vignerons dont la vie quotidienne est détaillée dans une cellule parfaitement reconstituée. Se visitent également les restes des trois cloîtres et de l'église. *Camí de la Cartoixa, s/n Escaladei (12km au nord-est de Gratallops par la T710 jusqu'à La Vilella Baixa, puis la T702) Tél. 977 82 70 06 www.mhcat.cat Ouvert juin-sept. : mar.-dim. 10h-19h30 ; oct.-mai : mar.-dim. 10h-17h Fermé lundis non fériés, 1ᵉʳ et 6 jan., 25 et 26 déc. Tarif 3€ Visite guidée 5,70€*

☺ **Siurana** Une petite route très escarpée, laissant découvrir un paysage grandiose, permet d'accéder à ce merveilleux village perché à 737m d'altitude, sur un piton rocheux. Une charmante église romane, quelques maisons de pierre entre lesquelles pointe, au printemps, le bleu des iris sauvages, et partout des

---

Oleum Priorat, l'huile d'olive AOP Siurana

Aussi réputée que le vin du Priorat, l'huile d'olive Siurana bénéficie d'une *Denominació d'Origen Protegida*. Sa qualité tient aux caractéristiques géologiques - granit, ardoise - et climatiques - des étés chauds et des hivers rigoureux - de la région. La principale variété d'olive cultivée ici, l'arbequina, donne une huile vierge de qualité extra douce, exploitée selon trois procédés différents : agriculture conventionnelle, agriculture biologique (à Cabacés et Ulldemolins) et production intégrée. L'essentiel de la production est exporté, mais on peut en acheter dans les coopératives locales et certaines boutiques de Falset. http://siurana.info

vues incroyables sur les gorges de pierre rouge et le lac de Siurana au fond de la vallée… Le plus vertigineux des points de vue est sans aucun doute le Saut de la Reine Maure, d'où Abdelazia, reine maure de Siurana, préféra se jeter dans le vide avec son cheval plutôt que de se retrouver captive des chrétiens. Cet épisode signa la disparition du dernier bastion sarrasin de Catalogne. Les falaises jadis imprenables de Siurana sont devenues le paradis des grimpeurs, et leurs voies mondialement réputées. *À 21km à l'est d'Escaladei par la TV7021*

Prades Cette étape privilégiée des randonneurs (p.249) doit son surnom de "ville rouge" à la pierre couleur vermeille qui a servi à bâtir la plupart de ses maisons. Elle possède une magnifique Plaça Major, à la curieuse fontaine en forme de globe. *Accessible à pied de Siurana par un sentier de montagne (12km en montée, 4h) En voiture, à 12km au nord par la C242 puis la T701*

● **Suivre la Route des vins** Ou plutôt *les* routes des vins, puisque les parcours sont variés avec plus de 25 villages plus ou moins largement tournés vers la viticulture et deux appellations, Montsant et Priorat (Priorato). Dans chaque localité, plusieurs celliers proposent aux amateurs des visites-dégustations – souvent sur rendez-vous. Les coordonnées des 85 chais du Priorat

Le parc naturel de la Sierra du Montsant

En 2002, la chaîne du Montsant a été aménagée en parc naturel, une juste reconnaissance pour l'un des massifs les plus singuliers de Catalogne, par son relief – un bloc calcaire abrupt aux formes torturées – et la richesse de sa faune. Le parc (plus de 9 200ha) constitue l'une des principales réserves de flore et de faune des chaînes littorales méditerranéennes. Sur le versant sud, les imposantes falaises du Cingle Major s'étirent vers le point culminant du parc, la Roca Corbatera (1 163m). Dans le nord, les torrents qui se déversent en cascade dans la rivière Montsant ont entaillé la Serra de profonds ravins, tandis que dans l'est du massif, l'érosion a creusé le spectaculaire défilé de Fraguerau. Le décor grandiose du Montsant se révèle, bien entendu, un terrain de jeux privilégié pour les amoureux de la nature. De nombreux sports y sont pratiqués, de l'escalade à la randonnée en passant par le parapente. Le parc, qui s'étend sur 9 communes (La Morera de Montsant, Ulldemolins, Margalef, Cabacés, Cornudella de Montsant, La Vilella Alta, La Vilella Baixa, La Bisbal de Falset et La Figuera), a son siège à La Morera de Montsant. **Bureau d'information du parc naturel du Montsant** *Pl. de la Bassa, 1 La Morera de Montsant Tél. 977 82 73 10 www. parcsdecatalunya.net* **Pedrenca** Promenades accompagnées dans le parc. *C/ de la Font, 2 La Morera de Montsant Tél. 690 25 12 95 pedrenca.com* **Catsud** Promenades accompagnées dans le parc, de jour ou de nuit pour observer les étoiles. *Plaça de la Vila, 16 El Masroig Tél. 626 68 49 17 catsud.com*

sont disponibles à l'office de tourisme de Falset et sur www.doqpriorat.org ; si les plus réputés sont parfaitement signalés, d'autres, plus confidentiels, méritent pourtant une visite tant pour la qualité de leur vin que pour l'accueil qu'ils réservent.

Celler de l'Encastell C/ del Castell, 13 **Porrera** Tél. 630 94 19 59 (sur rés.) Tarif 6€

Celler Cecillo C/ Piró, 28 **Gratallops** Tél. 977 83 95 07 (sur rés.) Dégustation gratuite

Celler del Pont C/ Del Riu, 1 **La Vilella Baixa** Tél. 977 82 82 31 www.cellerdelpont.com (sur rés.) Tarif 55€

Celler Capafons-Ossó Camí Vell de Gratallops, s/n **Falset** Tél. 977 83 12 01 ou 654 51 93 85 www.capafons-osso.com Tarif 25€

● **Piquer une tête, se promener en canoë-kayak**

Embalse de Siurana Au pied des falaises, le lac de retenue de Siurana est le seul véritable lieu de baignade des environs. **Base nautique** À 5km au sud de Cornudella de Montsant par la C242 Tél. 977 81 71 93 ou 606 41 42 23 Ouvert fin juin-mi-sept. : tlj. 10h-19h ; avr.-fin juin, mi-sept.-nov. : w.-e. et j. fér. 10h-19h Location de canoës-kayaks 11€/h, 15h les 2h et 25€ la demi-journée avec un moniteur

CARNET D'ADRESSES

Restauration, hébergement

🧳 **très petits prix**

Camping de Siurana À quelques centaines de mètres du village médiéval. Emplacements et bungalows sont agréablement répartis dans une jolie forêt, au sommet des falaises. Très prisé des grimpeurs, qui viennent profiter du spot mondialement connu de Siurana et se chargent de mettre l'ambiance en (presque) toutes saisons, ce camping propose toutes les prestations nécessaires à un bon séjour, même prolongé. Comptez 10€ pour une tente (7€ si le séjour dépasse 2 jours), 45€ le bungalow pour 2 pers. (70€ pour 4), 30€ la roulotte pour 2 pers., 12€/pers. la nuitée en dortoir. Coll de Ginebre, s/n **Siurana** Tél. 977 82 13 83 www.camping-siurana.com Ouvert mars-déc.

☺ **Refugio Círiac Bonet** Un véritable bonheur ! Ouvert en 1934 par le Club Alpin Catalan, le refuge Círiac Bonet a été rénové et inauguré dans sa forme actuelle en avril 2011. Creusé dans la roche au bout d'un éperon rocheux surplombant les falaises de Siurana, il possède une charmante terrasse où il fait bon admirer le coucher du soleil sur la Serra de Montsant, une salle de restaurant troglodytique, trois dortoirs (relativement confortables) de 4 ou 6 lits, et un toit-terrasse propice à la méditation sous les étoiles. On se sent bien dans ce petit établissement sans prétention, dont l'accueil simple et chaleureux invite à prolonger son séjour. Le tout pour un prix dérisoire (16€/pers./nuit et 33€ la demi-pension). C/ Pla de la Torre Alta, s/n **Siurana** Tél. 977 56 14 09 refugisiurana@hotmail.com

Hostal Els Troncs À moins d'1km de la chartreuse d'Escaladei, petite pension simple et assez coquette, et relativement confortable. Comptez 20€/pers. la nuit, 35€ la demi-pension et 50€ la pension complète. Un bon rapport prix-situation, assez centrale. *Rambla de la Cartoixa, 10 Escaladei La Morera de Montsant Tél. 977 82 71 58*

prix moyens

Hostal Sport Ce 4-étoiles de 28 chambres situé au pied du quartier médiéval de Falset est sans doute l'un des plus vieux hôtels-restaurants de la région (ouvert en 1923). Ses grandes salles voûtées aux petites pierres apparentes ne manquent pas d'élégance et les chambres, de style rustique chic, sont vastes et confortables. Les plus agréables sont celles qui donnent sur le petit jardin privatif à l'arrière de l'hôtel. Chambre double à env. 100€, petit déj. buffet compris. *C/ Miquel Barceló, 4-6 Falset Tél. 977 83 00 78 www.hotelpriorat-hostalsport.com*

prix élevés

El Celler de l'Áspic Aux commandes de ce remarquable restaurant gastronomique, sans doute le plus réputé du Priorat, Toni Bru, chef reconnu, sommelier émérite et enfant du pays. Le service est irréprochable, les tables joliment dressées et l'on sent chez chacun l'envie de faire partager le plaisir des produits locaux, vin et gastronomie. Menus dégustation à 30, 45 ou 60€. *C/ Miquel Barceló, 31 Falset Tél. 977 83 12 46 www.cellerdelaspic.com Ouvert jeu.-mar. 13h-15h30 et 20h30-23h*

☺ **Hotel Cal Llop** Ce lieu incroyable, sur les hauteurs de Gratallops, propose un détonant mélange de vieilles pierres et de couleurs acidulées. Les chambres sont vastes et bénéficient d'un bon confort comme d'une décoration individualisée. Wifi, restaurant de cuisine régionale et cave à vin. De 112 à 160€ la nuit, taxes et petit déj. inclus. *C/ Dalt, 21 Gratallops Tél. 977 83 95 02 www.cal-llop.com Fermé 10 jan.-20 fév.*

☺ **Hotel La Siuranella** L'une des plus belles adresses du Priorat ! Perché non loin de la falaise, avec la vue qu'on imagine, La Siuranella est l'endroit idéal où profiter de la beauté de Siurana et de ses panoramas uniques. Le jeune couple qui a ouvert l'hôtel en 2005 a à cœur de faire de chaque séjour un moment privilégié. Les chambres sont très élégamment décorées et extrêmement confortables. L'hôtel se double d'un restaurant gastronomique, avec des menus du marché renouvelés toutes les semaines. Accueil en français et tarifs à la hauteur des prestations : 137,50€ pour les chambres avec vue sur la Serra de Montsant, 117,50€ pour celles qui donnent sur le village. Menu découverte à 33,75€, menu (ré) créatif à 58€. *C/ Rentadors, s/n Siurana Tél. 977 82 11 44 www.siuranella.com Fermé trois 1res sem. jan.*

GAMME DE PRIX	RESTAURATION	HÉBERGEMENT
Très petits prix	moins de 12€	moins de 50€
Petits prix	de 12 à 20€	de 50 à 65€
Prix moyens	de 20 à 30€	de 65 à 85€
Prix élevés	de 30 à 50€	de 85 à 130€
Prix très élevés	plus de 50€	plus de 130€

GEOREGION

LA COSTA BRAVA ET L'ARRIÈRE-PAYS

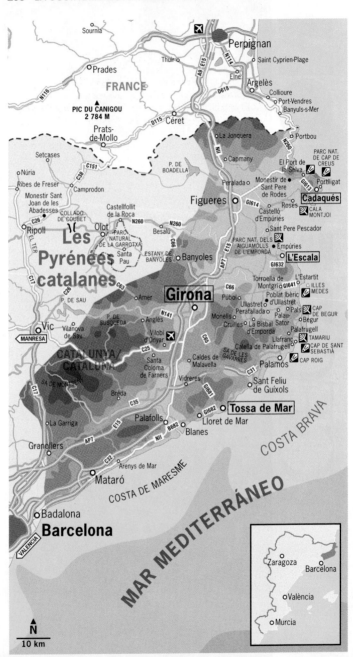

★ ☺ GÉRONE

de 17001 à 17007

Gérone

À mi-chemin entre mer et montagne, Gérone (Girona) est sans doute l'une des villes les plus visitées de Catalogne, après Barcelone.
La remarquable mise en valeur de son patrimoine historique, blotti au pied de remparts médiévaux, a certes contribué à son dynamisme, mais cette cité baignée par quatre cours d'eau paisibles bénéficie d'une réelle douceur de vivre. Il faut prendre le temps de flâner au hasard de ses charmantes ruelles, entre placettes ombragées et jardins de poche.

DE GERUNDA À LA "VILLE DES SIÈGES" De l'époque romaine, Gérone, qu'on appelait alors Gerunda, ville phare de la Via Augusta reliant Rome à Cadix, ne conserve qu'un petit fragment de muraille. Peu de vestiges également des soixante-dix années d'occupation maure. Mais, après sa reconquête par Charlemagne, en 785, la ville revient aux comtes de Barcelone et elle profite amplement du vent de prospérité qui souffle sur la Catalogne. Durant toute la période médiévale, elle se pare de nombreux monuments et s'entoure, au XIVe siècle, d'une large muraille. Les temps se font plus durs au XVIe siècle, durant la guerre des Faucheurs, puis, bien plus tard, lors de la guerre d'Indépendance du XIXe siècle, qui valut à Gérone son surnom toujours vivace de "ville des sièges".

MODE D'EMPLOI

accès

EN AVION
Aéroport de Girona-Costa Brava
Il accueille tlj. des avions de la compagnie Ryanair en provenance de Paris-Beauvais et Bruxelles-Charleroi (p.50) et dispose d'un bureau d'informations touristiques (voir infra). *Vilobí d'Onyar (12km au sud du centre-*ville par l'AP7 puis l'A2) Tél. 902 40 47 04 ou 913 21 10 00 (de l'étranger)

Autobus interurbains Des navettes Ryanair relient toutes les heures l'aéroport à la gare routière de Gérone (de 4h30 à 0h30 à partir de l'aéroport, de 4h à 0h dans l'autre sens ; compter 25min de trajet ; Billet 3€). Des autobus de ligne assurent la liaison avec Figueres, Empuriabrava

Tableau kilométrique

	Gérone	Tossa de Mar	Ullastret	Vic	Cadaqués
Tossa de Mar	39				
Ullastret	36	55			
Vic	71	90	100		
Cadaqués	75	117	61	139	
Barcelone	105	87	132	70	170

et Roses (2 fois/j.), Tossa et Lloret de Mar (jusqu'à 7 fois/j.) et l'été avec les principales stations balnéaires de la Costa Brava centrale (Palafrugell, Palamós, Calonge, Platja d'Aro, S'Agaró, Sant Feliu de Guixols, Santa Cristina d'Aro, Llagostera et Cassà de la Selva). *Tél. 902 13 00 14 www.aena-aeropuertos.es/csee/Satellite/Aeropuerto-Girona-Costa-Brava/fr*
Taxis Comptez 25-28€ et 30min de trajet jusqu'au centre-ville. *Tél. 902 13 00 14 (rens.)*

EN VOITURE
À 100km env. au nord-est de Barcelone par l'autoroute AP7, payante (sortie n°7).

EN TRAIN
Gare Renfe (plan 10, A4) Trains fréquents en provenance de Barcelone (env. 1h20 de trajet, 10,50-15€) ou Figueres (30-45min, 3-5€). Liaisons régulières avec la Costa de Maresme et la Costa Brava. *Pl. d'Espanya (en lisière du centre moderne, à l'ouest de l'Onyar) Tél. 902 32 03 20 www.renfe.com*

EN CAR
Gare routière (plan 10, A4) Plusieurs compagnies relient fréquemment la plupart des villes de la Costa Brava avec les Pyrénées et de leurs contreforts. *Pl. d'Espanya (juste derrière la gare Renfe) Tél. 972 21 23 19 ou 913 27 05 40 (pour les Pyrénées) www.teisabus.com www.alsa.es www.sarfa.com (pour la plage)*

orientation

Le centre s'étend de part et d'autre de l'Onyar : sur la rive gauche, le **centre moderne**, bordé au nord par le parc de la Devesa et le Ter ; sur la rive droite, le **quartier historique**, piéton, fermé à l'est par les murailles.

L'ensemble monumental se déploie autour de la *catedral*, sur les hauteurs de la **vieille ville** (Barri Vell) tandis que les rues marchandes s'étirent en parallèle à l'Onyar, dans la partie basse.

se déplacer en ville

La circulation dans le centre historique étant limitée et le stationnement impossible sans titre de résident, il faudra vous garer sur les parkings qui bordent le rond-point du parc de la Devesa ou derrière les murailles.

TAXIS
Taxi Girona *Tél. 972 22 23 23*

informations touristiques

Office de tourisme de Gérone (plan 10, A3-B3) Personnel francophone et d'excellent conseil. *Rambla de la Llibertat, 1 Gérone Tél. 972 01 00 01 www.girona.cat/turisme www.ajuntament.gi Ouvert lun.-ven. 9h-20h, sam. 9h-14h et 16h-20h, dim. et j. fér. 9h-14h* **Point info de l'aéroport** *Tél. 972 94 29 55*
Punt de Benviguda (plan 10, A1) Ce "point de bienvenue" municipal propose des visites guidées et renseigne sur l'hébergement en ville. *C/ Berenguer Carnicer, 3 Gérone Tél. 972 21 16 78 pbturisme@ajgirona.org Ouvert tlj. 9h-14h*
Office de tourisme principal de La Bisbal d'Empordà *Edifici de Torre María C/ Aigüeta, 17 La Bisbal d'Empordà Tél. 972 64 55 00 Ouvert mai-sept. : mar.-sam. 10h-13h30 et 17h-20h30, dim. et j. fér. 10h-14h ; oct.-avr. : mar.-ven. 9h-14h, sam. 10h-13h et 17h-20h, dim. et j. fér. 10h-14h*
Office de tourisme de Begur *Av. 11-de-Setembre, 5 Begur Tél. 972 62 45 20 www.begur.cat www.visitbegur.cat Ouvert mi-juin-mi-sept. : lun.-ven. 9h-14h et 16h-21h, w.-e. et j. fér. 10h-14h*

et 16h-21h ; mai-mi-juin, mi-sept.-oct. : lun.-ven. 9h-14h et 16h-20h, sam. 10h-14h et 16h-20h, dim. 10h-14h ; nov.-avr. : lun.-ven. 9h-14h30, sam.-dim. 10h-14h
Oficina de Turisme de l'Estany de Banyoles Passeig Darder, pesquera n°10 *Banyoles* (au bord du lac de Banyoles) Tél. 972 58 34 70 www.banyoles.cat Ouvert tlj. 9h-14h, Semaine sainte tlj. 10h-14h, 16h-18h, été tlj. 10h-14h, 16h-19h

banques et poste

Vous trouverez des banques autour de la Pl. del Marquès de Camps et de la Gran Vía de Jaume I, sur la rive ouest de l'Onyar. (plan 10, A2)
Poste (plan 10, A2) Av. de Ramon Folch, 2 *Gérone* Tél. 972 48 32 72 Ouvert lun.-ven. 8h30-20h30, sam. 9h-13h

marchés, fêtes et manifestations

À GÉRONE
Marché alimentaire Grand marché sur les rives du Ter, au nord du parc de la Devesa (hors saison) et dans le parc même (en été). *Ouvert mar. et sam. matin*
Semaine sainte La procession de la mise au tombeau du Vendredi saint est un événement très couru. *Fin mars-début avr.*
Girona, Temps de Flors Expositions florales : toute la ville se pare de tapis multicolores et odorants. *www.gironatempsdeflors.net Dix jours, courant mai (dates variables)*
Festival du cirque de rue de La Bisbal d'Empordà Des troupes venues du monde entier se produisent en journée et en soirée dans les espaces publics de la ville. *3e week-end de juil.*
Festival de cinéma *Deuxième semaine d'oct.*

Fêtes patronales de Sant Narcís *Une semaine autour du 29 oct.*
Temporada Alta Festival de théâtre. *Oct.-nov.*
Festival de Jazz Concerts dans les rues (gratuits) ou en salle (env. 10€) *www.jazzdegirona.com Deux semaines en sept.*

AUTOUR DE GÉRONE
Festival d'Havaneres Le premier samedi de juillet, sur la plage de Port Bo, la Cantada d'Havaneres de Calella rassemble les meilleurs groupes d'*havaneres* et leurs chants de marins rapportés des Antilles et de Cuba. Elle reprend un mois plus tard, le 1er sam. d'août, sur la plage de Llafranc, puis le 1er sam. de septembre sur celle de Tamariu. *Callela de Palafrugell www. havanerescalella.cat*
Festival de Cap Roig Concerts de rock, de musiques du monde, voire de musique classique dans le jardin botanique de Cap Roig (p.283). Interdit aux moins de 5 ans. *Callela de Palafrugell www.caproigfestival. com En juil.-août ;*
Fira d'Indians Rend hommage aux "Américains" de Begur : ces habitants qui, au XIXe siècle, émigrèrent à Cuba. Revenus prospères, ils construisirent de fastueuses demeures et importèrent un style de vie caribéen. Pendant trois jours : concerts donnés par des groupes cubains, *havaneres*, spectacles de rue et marché alimentaire de produits d'outre-mer. *Begur Sept.*

DÉCOUVRIR

☆**Les essentiels** Le musée d'Art et la cathédrale de Gérone, le musée Gala-Dalí de Púbol **Découvrir autrement** Laissez-vous émouvoir par le quartier juif d'El Call, assistez au coucher du soleil sur la ville du haut des remparts

Gérone

La vieille ville

Pour prendre la température ambiante, commencez par traverser l'Onyar en empruntant l'un des nombreux ponts piétons qui relient le quartier moderne au centre historique. Les façades multicolores des maisons qui se mirent dans l'eau confèrent à la ville ce fameux air de petite Venise. Flânez ensuite dans les ruelles et sur les placettes ombragées de la vieille ville et gravissez l'étroite rue de la Força pour découvrir les derniers vestiges de l'ancien quartier juif, **El Call**. Perchée au sommet de la butte, majestueuse, la **cathédrale** prend la pose derrière son escalier monumental. Elle compose avec le **musée d'Art** et la façade gothique du **Pia Almoina**, actuel siège du Collège des architectes de Catalogne et des Baléares, le grand ensemble touristique de la ville. De là, passez l'ancien tronçon de la muraille romaine pour gagner un peu plus au nord les bains arabes et le monastère roman de **Sant Pere de Galligants**, niché au bord de la rivière du même nom. Enfin, pour une vue générale de la ville, ne manquez pas la promenade de la muraille médiévale, **Passeig de la Muralla**, bordée dans sa partie haute de petits jardins frais et secrets…

El Call Du quartier juif, qui naquit en 898 avec l'installation de 25 familles et qui prospéra autour de la rue de la Força jusqu'en 1492, il ne reste plus guère que le tracé des rues, sombres et étroites, et quelques volées d'escaliers très raides (Carrer Cúndaro, Carrer de Sant Llorenç…). Mais son atmosphère chargée de mystère et de nostalgie en fait l'un des quartiers les plus visités de Gérone. Au milieu de ce dédale, une synagogue du XVe siècle abrite le centre Bonastruc ça Porta et le musée d'Histoire des juifs de Gérone. Organisé autour d'un agréable patio planté de citronniers, dont le dallage reproduit l'étoile de David, le musée présente une magnifique série de stèles et de pierres tombales du XIIe-XVe siècle provenant du cimetière juif du Bou d'Or ("veau d'or"), au nord de la ville, derrière les murailles. Une salle est consacrée à l'activité professionnelle des juifs catalans au Moyen Âge (artisanat, commerce, astronomie et médecine) et à leurs rites, une autre à leurs relations tumultueuses avec la communauté chrétienne, à l'Inquisition et à leur exil. **Centre Bonastruc ça Porta - Museu d'Història dels Jueus de Girona (plan 10, B2)** C/ de la Força, 8 Tél. 972 21 67 61 http://www.girona.cat/call/fra/museu.php Ouvert juil.-août : lun.-sam. 10h-20h, dim. et j. fér. 10h-14h ; reste de l'année : mar.-sam. 10h-18h, dim.-lun. et j. fér. 10h-14h Tarif 4€, réduit 2€, moins de 16 ans gratuit, entrée + audioguide 6€

Fundació Rafael Masó - Casa Masó (plan 10, B2) C'est dans cette belle maison bourgeoise dressée sur la rive gauche de l'Onyar que Rafael Masó

(1880-1935), grand architecte noucentiste, vécut jusqu'à son mariage en 1912. L'édifice résulte de l'union de quatre maisons, acquises progressivement par les Masó Valentí du milieu du XIXe siècle au début du XXe, et il doit sa physionomie actuelle aux remaniements apportés par le jeune Masó de 1911 à 1919. Au rez-de-chaussée était installée l'imprimerie paternelle. Dans la salle à manger, on peut admirer des réalisations (lampe, vitraux, buffet, etc.) de l'architecture-designer, tandis que le petit salon donnant sur l'Onyar offre de belles vues. Les autres pièces évoquent la vie quotidienne de cette famille férue d'art et de littérature. Outre les bureaux de la Fondation, le deuxième étage accueille des expositions temporaires. *C/ Ballesteries, 29 Tél. 972 41 39 89 www.rafaelmaso. org Ouvert mar.-sam. sur rdv Visite guidée (50min, 8 pers. max.) à 11h30, 13h, 16h et 17h30 Tarif 5€, expositions temporaires et moins de 16 ans gratuit*

Museu d'Història de la Ciutat (plan 10, B2)

De la demeure médiévale transformée en couvent par les frères Capucins, au XVIIIe siècle, on peut encore voir les catacombes à niches, la cave à charbon, la citerne et le cloître, ouverts à la visite lors des expositions temporaires. Dans le reste de l'édifice, les collections permanentes racontent sur trois étages la fondation de Gérone (mosaïques romaines, couvercles de sarcophages), les heures médiévales (copie du trône de Charlemagne), la Catalogne moderne (XVIe-XIXe s.) des manufactures aux guerres napoléoniennes... Au dernier étage, quelques œuvres noucentistes et Art nouveau côtoient coupures de presse et affiches illustrant les troubles politiques et sociaux qui accompagnèrent l'avènement de la République. *C/ de la Força, 27 Tél. 972 22 22 29 Ouvert mai-sept. : mar.-sam. 10h30-18h30, dim. et j. fér. 10h30-13h30 ; oct.-avr. : mar.-sam. 10h30-17h30, dim. et j. fér. 10h30-13h30 Ouvert les lundis fériés Tarif 4€, réduit 2€, moins de 16 ans et 1er dim. du mois gratuit Brochure en français à l'accueil*

☆ Museu d'Art (plan 10, B2)

Installé sur cinq étages dans le palais épiscopal, le musée d'Art rassemble de somptueuses collections d'art religieux, qui comptent parmi les plus importantes de la région avec celles de Barcelone et de Vic. *Pujada de la Catedral, 12 Tél. 972 20 38 34 www.museuart.com Ouvert mai-sept. : mar.-sam. 10h-19h, dim. et j. fér. 10h-14h ; oct.-avr. : mar.-sam. 10h-18h, dim. et j. fér. 10h-14h Tarif 2€ réduit 1,50€, gratuit le 1er dim. du mois et certains j. fériés (23 avr., 18 mai, 11 sept., 29 oct. et les dim. de la Semaine des Fleurs, en mai) Audioguide 1€*

El Call, le quartier juif

Le quartier juif de Gérone remonterait au IXe siècle, avec l'installation d'une vingtaine de familles dans des dépendances du clergé, aux abords de la cathédrale. Mais ce n'est qu'au XIe siècle que la rue de la Força (ancienne Via Augusta romaine) en devient l'artère principale. Jusqu'à son expulsion, en 1492, la communauté jouit d'un important rayonnement culturel. Sous l'impulsion de grands rabbins comme Moïse Ben Nahman, plus connu sous le nom de Bonastruc ça Porta, l'école cabalistique de Gérone acquiert au XIIe-XIIIe siècle une renommée universelle.

LA COSTA BRAVA ET L'ARRIÈRE-PAYS

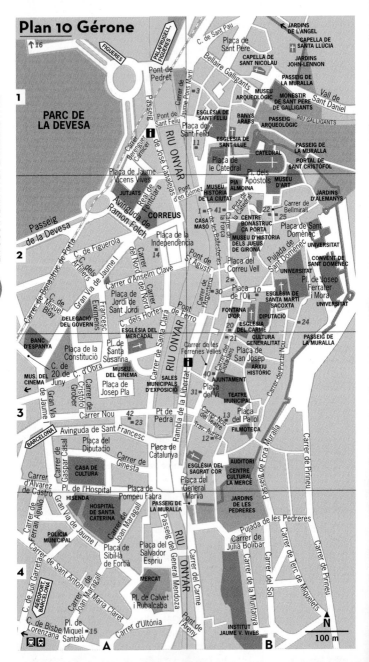

LA COSTA BRAVA ET L'ARRIÈRE-PAYS

Plan 10 Gérone

↑16

FIGUERES

PALAFRUGELL
FIGUERES

PARC DE
LA DEVESA

Pont de
Pedret

Pont de
Sant Feliu

C. de Sant Pau

JARDINS
DE L'ANGEL

Placa de
Sant Pere

CAPELLA DE
SANTA LLUCIA

Bellaire Galligants

CAPELLA DE
SANT NICOLAU

JARDINS
JOHN-LENNON

MUSEU
ARQUEOLÒGIC

PASSEIG DE
LA MURALLA

MONESTIR
DE SANT PERE
DE GALLIGANTS

Vall de
Sant Daniel

ESGLÉSIA DE
SANT FELIU

BANYS
ÀRABS

RIU GALLIGANTS

PASSEIG
ARQUEOLÒGIC

Placa de
Sant Feliu

ESGLÉSIA DE
SANT LLUC

CATEDRAL

PASSEIG DE
LA MURALLA

Placa de
le Catedral

PORTAL DE
SANT CRISTÒFOL

Pl. dels
Apòstols

MUSEU
D'ART

Placa de Jaume
Vicens Vives

PIA
ALMOINA

MUSEU
HISTÒRIA
DE LA CIUTAT

JUTJATS

Port
d'en Gómez

JARDINS
D'ALEMANYS

CORREUS

Avinguda de
RAMON FOLCH

Carrer de
Bellmirall

22

CASA
MASÓ

25

CENTRE
BONASTRUC
CA PORTA

Placa de Sant
Domènec

Plaça de la
Independència

C. de Figuerola

14

MUSEU D'HISTÒRIA
DELS JUEUS
DE GIRONA

Pujada de
Sant Domènec

UNIVERSITAT

CONVENT DE
SANT DOMENEC

Pont de
St Agustí

Placa del
Correu Vell

UNIVERSITAT

Carrer d'Anselm Clavé

Placa de
l'Oli

ESGLÉSIA DE
SANTA MARTÍ
SACOXTA

Pl. de Josep
Ferrater
i Mora

UNIVERSITAT

Placa de
Jordi de
Sant Jordi

FONTANA
D'OR

DIPUTACIÓ

24

ESGLÉSIA
DEL CARME

PASSEIG DE
LA MURALLA

DELEGACIÓ
DEL GOVERN

ESGLÉSIA DEL
MERCADAL

CULTURA
GENERALITAT

BANC
D'ESPANYA

Pl. de
Santa
Susanna

Carrer de les
Ferreries Velles

Placa de
San Josep

Plaça de la
Constitució

MUSEU
DEL CINEMA

ARXIU
HISTÒRIC

MUS. DEL
CINEMA
←

SALES
MUNICIPALS
D'EXPOSICIÓ

AJUNTAMENT

Placa de
Josep Pla

Placa
del Vi

TEATRE
MUNICIPAL

Carrer Nou

42
23

Pt de
Pedra

Placa
del Pallol

Avinguda de Sant Francesc

13

FILMOTECA

Placa del
Diputacio

Placa de
Catalunya

12

CASA DE
CULTURA

ESGLÉSIA DEL
SAGRAT COR

AUDITORI

Pl. de l'Hospital

Placa de
Pompeu Fabra

Placa del
General
Marvà

CENTRE
CULTURAL
LA MERCÈ

HISENDA

HOSPITAL
DE SANTA
CATERINA

PASSEIG DE
LA MURALLA

JARDINS
DE LES
PEDRERES

POLICIA
MUNICIPAL

Placa de
Sibil·la
de Fortià

Placa del
Salvador
Espriu

Pujada de les Pedreres

Carrer de
Julià Bolibar

AEROPORT
BARCELONA

MERCAT

INSTITUT
JAUME V. VIVES

Pl. de Calvet
i Rubalcaba

Pl. de
Bisbe Miquel
Santaló

15

Carrer d'Ultónia

N

100 m

A   B

LA COSTA BRAVA ET L'ARRIÈRE-PAYS

Section romane (salles nᵒˢ 1 à 4) De toutes les œuvres exposées dans cette section, la plus extraordinaire est sans conteste la célèbre *Poutre de Cruïlles* (XIIᵉ-XIIIᵉ s.). Son iconographie, réalisée avec un souci du détail proche de la miniature, représente une procession de moines bénédictins. Ne manquez pas non plus la série de vierges romanes en bois polychrome (XIIIᵉ-XIVᵉ s.) et les chapiteaux (XIIᵉ s.) du monastère de Sant Pere de Rodes.

Section gothique (salles nᵒˢ 5 à 8) Pour apprécier les véritables prouesses de la miniature ne manquez pas le *Martyrologe*, un manuscrit du monastère de Poblet (XVᵉ s.). On prendra également le temps d'admirer les magnifiques retables peints de Lluís Borrassa (XVᵉ s.), reconnaissables à leur belle palette de tons orangés, et le *retable de Púbol* (1437), réalisé par Bernat Martorell.

Section Renaissance (salles nᵒˢ 9 à 12) La Renaissance est, elle aussi, superbement illustrée par les panneaux de retables de Pere Mates (XVIᵉ s.).

Section baroque (salles nᵒˢ 14 et 15) Le baroque, peu influent en Catalogne, n'y a laissé que de rares sculptures, d'un intérêt mineur.

Autres sections Le 4ᵉ étage est consacré à la peinture des XIXᵉ et XXᵉ siècles et le 5ᵉ étage aux expositions temporaires.

☆ ☺ **Catedral de Santa Maria (plan 10, B1)** Perchée au-dessus de la vieille ville, massive et grandiose, l'emblématique cathédrale de Gérone s'offre à tous les regards. Sa construction, entreprise au XIVᵉ siècle sur les fondations d'une église romane, ne sera achevée qu'au XVIIIᵉ siècle. En témoigne l'impressionnante façade principale dans le plus pur style baroque, dressée au-dessus des 90 marches de l'escalier monumental. L'intérieur ne manque pas non plus d'allure, avec son immense nef unique de quelque 23m de large – l'une des plus vastes de toute l'architecture gothique – jalonnée de chapelles latérales qui abritent des retables baroques et des gisants allongés sur des sarcophages d'albâtre ouvragé. Les vitraux colorés confèrent à l'ensemble une belle lumière tamisée. Appréciez, derrière l'autel, la finesse du retable majeur, réalisé entre 1325 et 1350 en argent repoussé, doré et émaillé, incrusté de pierres précieuses ; il est précédé d'un baldaquin (XIVᵉ s.), lui aussi en argent ciselé. Le **musée du Trésor** rassemble des œuvres remarquables, dont le précieux *Codex de l'Apocalypse*, ou *Beatus*, manuscrit enluminé datant de 975, et l'inestimable tapisserie de la Création (XIᵉ-XIIᵉ s.), récemment restaurée. Prenez le temps de vous habituer au faible éclairage pour admirer tous les détails de ses broderies, probablement destinées à l'époque à la catéchèse (création de l'eau et de l'air, Ève naissant de la côte d'Adam, calendrier des saisons…). Ultimes vestiges de l'église romane, le cloître trapézoïdal (XIIᵉ s.) et la tour de Charlemagne, clocher lombard du XIᵉ siècle, forment un très bel ensemble. De superbes frises historiées courent sur les galeries du cloître, illustrant notamment des scènes de la Genèse. *Pl. de la Catedral Tél. 972 21 58 14 www. catedraldegirona.org Ouvert avr.-oct. : tlj. 10h-20h ; nov.-mars : tlj. 10h-19h Tarif (avec audioguide) Cathédrale + cloître + musée + Església de Sant Feliu 7€, réduit 5€, 7-16 ans 1,60€ Le dim., accès libre à la cathédrale par la porte principale (silence de rigueur lors des offices) et accès musée + cloître de 10h à 14h*

Església de Sant Feliu (plan 10, B1) Cette silhouette au clocher tronqué, visible de l'autre côté du fleuve, est, après la cathédrale, la seconde image symbolique de Gérone. Construite entre le XIIIᵉ et le XVIIᵉ siècle, elle témoigne de la transition du roman au gothique et renferme plusieurs sarcophages paléochrétiens (IIIᵉ-IVᵉ s.) encastrés dans les murs de l'abside. À gauche de cette dernière, un étrange tableau anonyme du XVIIᵉ siècle relate la légende de Sant Narcís et des mouches : on raconte que, lors de l'une des attaques de Gérone, les mouches sortirent du tombeau du saint patron de la ville, piquant chevaux et cavaliers ennemis. À voir également, le Christ gisant en albâtre sculpté par Maître Aloi (XIVᵉs.). *Pl. de Sant Feliu (entrée par la porte sud) Tél. 972 20 14 07 Ouvert tlj. 10h-17h30 Tarif (comprenant l'accès à la cathédrale) 7€, réduit 5€, 7-16 ans 1,60€, gratuit dim. et j. fér.*

La Lleona (plan 10, B1) "Si vous voulez revenir à Gérone, donnez un baiser au cul de la lionne" (*"Si vols ser ben rebut a Girona, fes un petó al cul de la lleona"*) : petite sculpture de pierre, ledit félin, accroché à une colonne, tend sa croupe polie par les baisers des amoureux de Gérone. *Pl. de Sant Feliu*

⬤ **DEMANDEZ LE PASS !**
Le Gironamuseus Tiquet M5, à demander lors de la première entrée de musée (payée plein tarif) donne droit à 50% de réduction dans les autres musées de la ville (Museu d'Arqueologia de Catalunya, Museu d'Art, Museu d'Història de la Ciutat, Museu d'Història dels Jueus et Museu del Cinema).

Banys àrabs (plan 10, B1) Les "bains arabes" de Gérone ont édifiés par une noble famille catalane à la fin du XIIᵉ siècle sur le modèle des hammams. La salle de repos, ou *apodyterium*, s'organise autour d'un joli bassin octogonal surmonté d'une belle coupole, elle-même soutenue par deux arcades de colonnettes. Se succèdent ensuite la salle froide (*frigidarium*), la salle tiède (*tepidarium*) et la salle chaude (*caldarium*) où l'on peut encore observer les techniques de chauffage par briques et l'ancien emplacement de la chaudière. L'endroit accueille en été des expositions de peinture et de sculpture. *C/ de Ferran el Catòlic, n/s Tél. 972 19 07 97 www.banysarabs.org Ouvert avr.-sept. : lun.-sam. 10h-19h, dim. et j. fér. 10h-14h ; oct.-mars : tlj. 10h-14h Tarif 2€, réduit 1€*

☺ **Monestir de Sant Pere de Galligants - Museu Arqueològic (plan 10, B1)** Ce monastère roman du XIIᵉ siècle, discrètement installé au bord des rives vertes du cours d'eau Galligants, est l'une des perles de Gérone. Coiffé d'un clocher lombard, l'édifice abrite dans les galeries supérieures du cloître les collections du Musée archéologique. Parmi les pièces les plus intéressantes, on remarquera le tombeau romain dit des Quatre Saisons (IVe s.) dans la sacristie (au fond de la nef à droite), et trois des imposantes bornes milliaires qui se dressaient au bord de l'ancienne Via Augusta romaine. Mais la visite du monastère vaut surtout pour son cloître rectangulaire, bordé d'une double rangée de colonnettes à chapiteaux sculptés. On en compte près de soixante, tous distincts, ornés de motifs floraux, de scènes du Nouveau Testament et de personnages fantastiques (remarquez la belle sirène dans la galerie ouest). *Pl. de Santa Llúcia Tél. 972 20 26 32 www.mac.cat Ouvert juin-sept.: mar.-sam. 10h30-13h30 et 16h-19h, dim. et j. fér. 10h-14h ; oct.-mai : mar.-sam. 10h-14h et 16h-18h, dim. et j. fér. 10h-14h Tarif 2,30€, réduit 1,60€, gratuit moins de 16 ans et plus de 65 ans, pour tous le dernier dim. du mois et certains j. fériés (23 avr., 18 mai, 11 sept.)*

Capella de Sant Nicolau (plan 10, B1) Refaite au XXe siècle dans le respect de l'architecture romane d'origine, cette délicieuse chapelle se dresse juste devant le monastère Sant Pere de Galligants. Jouant du contraste avec l'atmosphère dépouillée du lieu, le Centre d'Art Contemporani Bòlit y installe régulièrement des expositions temporaires. *Pl. de Santa Llúcia, s/n Ouvert mer.-ven. 18h-21h, dim. 12h-14h et 18h-21h en période d'expo Entrée libre*

Passeig Arqueològic (plan 10, B1) Accessible par les escaliers qui font face aux bains arabes, cette paisible promenade plantée de cyprès et de palmiers s'étire au pied de la muraille médiévale. Une oasis de fraîcheur avec l'église Sant Pere de Galligants et la petite vallée de Sant Daniel en toile de fond.

☺ **Passeig de la Muralla (plan 10, B1-B3)** L'ancien chemin de ronde des remparts médiévaux s'étire sur plus de 2km, offrant un panorama imprenable sur toute la ville, ses toits de tuile et ses jardinets. Idyllique au coucher du soleil ! Accessible du Portal de Sant Cristòfol, de la Plaça del General Marvà et par de nombreux escaliers entre les deux. Le tronçon de Sant Pere offre une vue sensationnelle sur la cathédrale et le Passeig Arqueològic entre les jardins John-Lennon et les jardins de l'Àngel.

Fontana d'Or – CaixaForum (plan 10, B2) L'édifice médiéval de la Fontana d'Or abritait sans doute, à l'origine, un moulin. Reconstruite au XVe siècle après un incendie ravageur, la demeure patricienne servit un temps d'hostellerie sur la route entre France et Barcelone. La banque catalane La Caixa en a fait un de ses centres culturels. Passez les arcades gothiques pour découvrir les expositions temporaires qui y sont organisées : abordant indifféremment tous les genres et tous les sujets, elles font appel aux fonds des plus prestigieux musées comme aux collections privées et réservent souvent d'excellentes surprises. Au premier étage, la galerie qui domine le patio vous permettra d'apprécier l'architecture du bâtiment. La Caixa y programme aussi des concerts de musique classique. *C/ Ciutadans, 19 Tél. 972 20 98 36 https://obrasocial.lacaixa.es Ouvert lun.-sam. 10h-20h, dim. 11h-14h Entrée libre*

● Où acheter de l'huile d'olive, des fruits secs... ?

Colmado Moriscot (plan 10, B3 n°40) Huiles d'olive, fruits secs, miels, vins et liqueurs... toutes les spécialités régionales, mais aussi des provinces voisines, avec un important choix de légumes en bocaux, se retrouvent derrière la façade Art nouveau de cette épicerie à l'ancienne (en témoigne sa caisse enregistreuse). *C/ Ciutadans, 4 Tél. 972 20 09 58 Ouvert lun.-sam. 9h30-13h30 et 16h30-20h30*

● Où craquer pour du *turrón* ?

Vicens (plan 10, B2 n°41) Une boutique joliment restaurée et bien alléchante : en tablettes ou en bonbons, au chocolat, fourrés d'amandes ou de noix de cajou, les nougats (*turrón*), plus tentants les uns que les autres, débordent des étagères... *C/ de la Força, 17 Tél. 972 22 59 24 ou 661 20 37 37 www.vicens.com Ouvert juil.-août : tlj. 10h-20h ; reste de l'année : tlj. 10h-18h*

● Où siroter une *horchata* bien fraîche ?

Victoriano Candela (plan 10, B2 n°30) Cette petite confiserie doit son succès à un excellent nougat (*turrón*). En été, sa terrasse invite les gourmands à savourer une glace ou une *orxata* bien fraîche. *C/ de l'Argenteria, 8 Tél. 972 22 09 38 Ouvert juil.-août : lun.-sam. 10h-0h, dim. 10h-14h ; reste de l'année : lun.-ven. 10h-14h et 16h-20h, sam.-dim. 10h-14h* **Autre boutique** *C/ Anselm Clavé, 3*

● Où savourer un chocolat bien chaud ?

Xocolateria Antíga (plan 10, B3 n°31) À l'heure du goûter, les Géronais aiment se retrouver dans ce décor à l'ancienne pour plonger des boudoirs dans le chocolat le plus onctueux de la ville (2,85€ la grande tasse). *Pl. del Vi, 8 17004* **Gérone** *Tél. 972 21 66 81 Ouvert lun.-ven. 7h-21h, sam. 8h-21h (8h-15h en juil.) Ferme 1 sem. autour du 15 août*

☺ Mythique Bistrot

Cafè Le Bistrot (plan 10, B2 n°10) Pas question de (re)venir à Gérone sans passer par Le Bistrot, ne serait-ce que pour prendre un verre en terrasse près des jolis escaliers dominés par la façade baroque du palais des Agullana. Repaire des intellectuels et du Tout-Gérone, l'intérieur se donne des airs de café parisien, avec ses grandes glaces, ses petites tables de bistrot et ses fauteuils en rotin.

Ambiance décontractée... et très touristique en saison. Au déjeuner, des menus à 15€ et 20€ ; le soir, des salades (7,50€-9,50€), des assiettes de fromages et de charcuterie (8-12€), ou encore des crêpes salées (6,75-8€) à la carte. *Pujada de San Domènec, 4* **Gérone** *Tél. 972 21 88 03 Ouvert tlj. 13h-16h et 19h30-0h Fermé 1er jan., 24 juin et 26 déc.*

● **Où boire un verre, faire la fête ?** Les terrasses s'égrènent le long de la Rambla de la Llibertat et de la Plaça de la Independència. Dans la rue Figuerola et le quartier de Cort Real se succèdent bars et restaurants.

La Terra (plan 10, B2 n°1) Venez vite prendre place derrière les baies vitrées qui donnent sur l'Onyar et ses jolies façades pastel. Vous aurez peut-être le loisir d'y entendre quelques originaux chanter à tue-tête un air d'opéra sur les ponts piétons. Sinon, laissez-vous simplement charmer au gré de l'eau par l'ambiance jeune et dynamique de ce petit bar coloré. Bons hamburgers à 4,10€, plats du jour à 6,90€. *C/ de les Ballesteries, 23 Tél. 972 21 92 54 Ouvert tlj. 10h-2h*

La Placeta (plan 10, B2 n°2) Le royaume du *xupito* (prononcer "chupito"), petit verre à liqueur rempli des mélanges d'alcools les plus diaboliques, draine tous les week-ends une clientèle hétéroclite et survoltée qui se presse le long du minuscule comptoir. Bref, on vient ici pour faire la fête ! Agréable terrasse en été. *C/ Bonaventura Carreras i Peralta, 7 Tél. 972 22 02 18 Ouvert lun.-sam. 22h-3h (dès 18h en juil.-août)*

À l'est de l'Onyar

Museu del Cinema (plan 10, A3) Sur trois étages, les collections de Tomàs Mallol proposent un excellent parcours ludique et interactif : réunis par ce cinéaste amateur reconnu par ses pairs, anciens appareils de prise de vues, projecteurs, bobines de pellicules, cinématographes vous révéleront tout sur les origines et les secrets du septième art, des premières images animées à l'essor de la télévision. Intéressante présentation des cinémas du monde et expositions thématiques temporaires sur ses coulisses : costumes, effets spéciaux, accessoires, bruitages, etc. Cartouches explicatifs en français. *C/ Sèquia, 1 Tél. 972 41 27 77 www.museudelcinema.cat Ouvert juil.-août : tlj. 10h-20h ; mai-juin, sept. : mar.-sam. 10h-20h, dim. et j. fér. 11h-15h ; oct.-avr. : mar.-ven. 10h-18h, sam. 10h-20h, dim. et j. fér. 11h-15h Tarif 5€, réduit 2,50€, moins de 16 ans, 1er dim. du mois et certains j. fériés (28 déc., 18 mai) gratuit*

● Où trouver des curiosités culinaires ?

Can Juandó (plan 10, A3 n°42) Une boucherie-charcuterie où les amateurs de curiosités culinaires pourront découvrir la *botifarra dolça*, une saucisse à la cannelle, au sucre et au citron, spécialité de Gérone ! *C/ Nou, 23 Tél. 972 20 27 42 Ouvert lun.-ven. 9h-20h30, sam. 9h-14h30 et 17h-20h30*

● Où prendre l'apéro, sortir ?

Ambiance plus moderne à l'heure de l'apéritif, sur la **Plaça de la Independència**. En été, l'animation se déplace vers le **parc de la Devesa**, avec l'installation des *carpes* (tentes à boissons). **Pedret**, la zone des bars de nuit, s'étend au nord du quartier historique : c'est là que certains noctambules termineront la soirée, notamment dans le grand complexe de la **Sala del Cel** (hors plan 10 par B2), tandis que d'autres préféreront la **Sala Platea**, (plan 10, A2), un théâtre reconverti en discothèque, près de la Plaça de la Independència. D'autres bars et boîtes de nuit vous attendent sur les routes de Barcelone et de Santa Colona. *www.gironit.com*

☺ **Sunset Jazz Club (plan 10, B1 n°3)** Un bel intérieur tamisé, tendu de rouge – ambiance jazzy oblige – qui devrait faire le bonheur des amateurs de blues, de be-bop et de soul. D'octobre à mai, concerts les mardi et mercredi (gratuit), jeudi (3-4€), samedi (7-8€) et dimanche soir (*jam session 3€ les 1er et 3e dim. du mois*). L'été, on n'hésitera pas à venir y prendre un verre au calme. C/ de *Jaume Pons Martí, 12 Tél. 872 08 01 45 www.sunsetjazz-club.com Ouvert tlj. à partir de 21h*

Les environs de Gérone

Si vous voulez rayonner dans le Baix Empordà, sachez que la région connut une ère de grande prospérité au temps des fiefs médiévaux. Il en reste de superbes petits villages aux ruelles pavées, très courus pour certains, hors des sentiers battus pour d'autres.

☆ ☺ **Casa-Museu Castell Gala-Dalí de Púbol** Un premier volet de la trilogie Dalí en Empordà, avec Figueres et Portlligat. L'ancien château des barons de Púbol connut son heure de gloire au XIVe-XVe siècle. Il était en ruine lorsque Dalí décida de le racheter à la fin des années 1960 après avoir promis à sa muse et épouse Elena Diakanoff (1894-1982), *alias* Gala, de lui offrir un château. Púbol devint alors un refuge où le couple s'isolait de temps à autre : rares sont ceux à y avoir été invités. Dalí sera nommé marquis de Púbol par le roi Juan Carlos. À la mort de Gala, il s'installe à Púbol, où elle repose. En août 1984, un incendie le surprend dans son sommeil, le brûlant grièvement. Il finira ses jours dans la tour Galatea de son musée de Figueres. La visite s'ouvre à l'étage par la salle des blasons, avec deux œuvres de Dalí : le trône de Gala et la fresque du plafond représentant celle-ci au-dessus des nuages. La salle du piano contient une table aux pieds d'autruche et un tableau du maître ; la bibliothèque, un jeu d'échecs dont les pièces sont des doigts moulés, hommage de Dalí à son ami Marcel Duchamp. La chambre bleue, celle où Dalí fut surpris par l'incendie, possède une cheminée dessinée par l'artiste. Dans la chambre des invités, vous pourrez lire une notice biographique de Gala, personnage romanesque qui fut tour à tour la compagne d'Éluard, de Max Ernst et enfin de Dalí. La salle n°7 accueille une collection de ses robes de soirée ainsi que la fameuse chemise américaine de Dalí. Gala repose sous les voûtes de la crypte. En arrière-plan, une girafe sculptée y détend un peu l'atmosphère… Une pierre tombale avait été prévue pour Dalí, qui fut finalement enterré à Figueres. Le garage abrite sa célèbre Cadillac. Le peintre a dessiné lui-même le jardin. Au détour des allées, admirez ces éléphants aux jambes d'échassiers, avec un corbeau sur le dos (emblème des barons de Púbol). Au fond, une fontaine "baroque", avec des têtes de Wagner multicolores, façon pop art. En ressortant, si elle est ouverte, jetez un coup d'œil à l'église, contenant une copie d'un magnifique retable du grand artiste gothique Bernat Martorell (vers 1390-1452). *Près de l'église Púbol (25km au nord-est de Gérone par la NII et la C66) Tél. 972 48 86 55 (Contact) www.salvador-dali.org Ouvert 15 mars-14 juin, 16 sept.-1er nov. : mar.-dim. 10h-17h15 ; 15 juin-15 sept. : tlj. 10h-19h15 ; 2 nov.-31 déc. : mar.-dim. 10h-16h15 Ouvert certains lundis Fermé 1er jan.-14 mars Tarif 8€, réduit 6€ (rés. conseillée, surtout en fin de semaine et en haute saison) Consigne obligatoires pour les sacs à dos, plan de la visite et notices en français Parking gratuit*

Ullastret Moins restauré que certains de ses voisins, et beaucoup moins fréquenté, ce village que l'église Sant Pere (XIe s.) domine de son clocher-peigne a conservé tout son charme. Ullastret est surtout connu pour son splendide ☺ **Poblat Ibèric**, géré par le Museu d'Arqueologia de Catalunya – MAC. Il fait bon se promener sur cette colline plantée de cyprès où les Indigetes – des Ibères en contact avec les Grecs venus coloniser Empúries – édifièrent un village fortifié au VIe siècle av. J.-C. Abandonné au début du IIe siècle av. J.-C., sans doute pour des raisons économiques, cet oppidum est le plus important site archéologique de cette époque dans toute la Catalogne. Les fouilles ont dégagé d'imposants remparts, les ruines de nombreuses maisons, un tronçon de voie pavée, des silos et une impressionnante citerne taillés à même le roc. Au sommet de la colline, le Musée archéologique vous aidera à interpréter ces vestiges et à comprendre la structure du site, dont il met un plan à votre disposition. *À 35km à l'est de Gérone par la C66 et la Gl642 via Rupià* **Museu d'Arqueologia** *Afores s/n Puig de Sant Andreu À 1,5km du village Tél. 972 17 90 58 www.mac.cat Ouvert 15 juin-15 sept. : mar.-dim. 10h-20h ; 16 sept.-14 juin : mar.-dim. 10h-14h et 15h-18h Tarif (avec accès au site) 2,30€, réduit 1,60€, moins de 16 ans et plus de 65 ans gratuit*

● **VILLAGE-ÉTAPE**
Étape prisée des cyclotouristes, le Can Quel déploie ses parasols rouges devant l'impressionnante arche en ogive de l'ancienne halle (médiévale) au poisson. Cuisine catalane de saison et assortiments d'*embutidos*, pour une halte dans un village hors du temps. **Can Quel** *Pl. Constitució, 6 Ullastret Tél. 972 75 77 72*

Peratallada Ce minuscule village fortifié qui domine la plaine du Baix Empordà est, depuis sa restauration dans les années 1970, l'un des plus touristiques de la région. Aussi regorge-t-il de restaurants, d'hôtels et de chambres d'hôtes ! Ses ruelles, passages voûtés et maisons aux arcades massives possèdent, il est vrai, un cachet indiscutable. L'ocre de la pierre de taille locale donne encore plus de majesté aux édifices. Ce sont les douves des murailles du XIIe siècle, creusées à même le grès, qui ont donné son nom à la localité : *pedra tallada* ("pierre taillée"). Le château remonte au XIe siècle, son donjon au XIVe, et la belle église romane Sant Esteve, hors les murs, au début du XIIIe siècle. Une époque où les seigneurs de Peratallada comptaient parmi les plus puissants de Catalogne. *À 5km au sud-est d'Ullastret*

Palau-Sator, Sant Feliu de Boada, Sant Julià de Boada Plus que le village de Palau-Sator, sans caractère particulier, il convient d'aller admirer les deux hameaux voisins : Sant Feliu de Boada, avec son église gothique fortifiée, à 1,5km au sud-est et, 1,5km plus au sud, Sant Julià de Boada, pour sa remarquable église préromane *À 3km au nord-est de Peratallada*

La Bisbal d'Empordà Cette ville industrielle est depuis le Moyen Âge un haut lieu de la céramique et de la poterie catalanes, comme en témoignent encore les hautes cheminées de briques rouges signalant les fabriques autour de la ville. Un grand nombre de magasins, d'antiquités notamment (splendides pièces de vaisselle vernissées), sont répartis de part et d'autre de la rue prin-

LA COSTA BRAVA ET L'ARRIÈRE-PAYS

cipale, en direction de Gérone, cf. Où acheter de la céramique ? (p.282). Les amateurs attendent impatiemment la réouverture du Terracotta Museu, situé au bord de la C66, à la sortie de la ville (direction Palamós). Au cœur du centre historique se dresse la silhouette carrée du château de La Bisbal, édifié au XIe siècle et plusieurs fois agrandi entre les XIVe et XVIIe siècles ; il abrite aujourd'hui un point d'information touristique. *À 32km à l'est de Gérone par la NII et la C66* **Castell Palau** *Pl. del Castell, s/n Tél. 972 64 51 66 Ouvert mai-sept. : mar.-sam. 10h-13h30 et 17h-20h30, dim. et j. fér. 10h-14h ; oct.-avr. : mar.-ven. 9h-14h, sam. 10h-13h et 17h-20h, dim. et j. fér. 10h-14h Tarif 2€* **Terracotta Museu** *À 30km à l'est de Gérone par la C66 Tél. 972 64 20 67 www.labisbal.cat Fermé pour travaux (durée indéterminée)*

> ## Sur les pas de Salvador Dalí
>
> **Toute la région du haut Empordà est marquée par la figure fantasque du peintre, dont on célèbre la mémoire à Púbol, dans son château transformé en musée, et à Figueres, dans son Teatre-Museu...**
>
> Casa-Museu Castell Gala-Dalí de Púbol (Púbol) _____ 280
> Portlligat (Cadaqués) _____ 328
> Teatre-Museu Dalí (Figueres) _____ 338

Monells Restauré avec goût, ce village médiéval compte parmi les plus charmants du Baix Empordà. Une série exceptionnelle de passages voûtés conduit à sa pittoresque place Jaume I, encadrée de portiques. La municipalité y a installé une copie de la *pedra mitgera* qui servait de mesure de référence pour le grain au Moyen Âge, rappelant ainsi l'importante vocation commerciale du bourg au XIIe siècle. Pour un café ou un en-cas (*bocadillos*, tortilla, *platos combinados* de 7,50 à 8,50€), on fera une halte au bar Ca L'Arcadi, sous les arcades de la grand-place de Monells, où, hors-saison, les anciens viennent s'attabler pour une partie de cartes. À la sortie du village, poursuivez vers le sud sur 2km jusqu'à Cruïlles, blottie au pied de sa Torre del Homenage, une tour tronconique haute de 23m érigée au XIe siècle. *Parking gratuit à l'entrée du hameau (fermé à la circulation) À 6km au nord-ouest de La Bisbal d'Empordà* **Bar Ca L'Arcadi** *Plaça Jaume I, s/n Tél. 972 63 01 20 Ouvert mer.-lun. 8h-16h30, mar. 8h-12h*

● Où acheter de la céramique ?

Vilà Clara Fondé en 1950, cet atelier-boutique réalise des céramiques d'art de belle facture, tranchant sur la production de masse. On trouve ici de la vaisselle décorative, des pots aux lignes modernes et aux couleurs choisies, ainsi que des bijoux, tous élaborés par des maîtres artisans. *C/ Sis d'Octubre, 27 La Bisbal d'Empordà (près du Terracotta Museu) Tél. 972 64 01 85 www.vila-clara.com Ouvert lun.-sam. 10h-13h30 et 16h-20h ouvert jusqu'à 21h en été, dim. 11h-14h*

● Où se délecter de cheveux d'ange ?

Sans Affichant fièrement son existence "depuis 1927", la pâtisserie Sans est une véritable institution à La Bisbal. La recette de son succès : la Bisbalenc, une création de 1932 mêlant pâte feuilletée, pignons et cheveux d'ange (confiture de pastèque). Mais vous y trouverez aussi les autres douceurs typiques de la cité : le *rus*, un gâteau aux amandes et noisettes, les *brunyols* (beignets) ou le *càntir*, sorte de génoise. *Av. Les Voltes, 4* **La Bisbal d'Empordà** *(à l'angle de la route du château) Tél. 972 64 03 75 Ouvert mar.-ven. 8h30-14h et 16h-20h30, sam. 8h30-14h et 16h-20h30, dim. et j. fér. 8h-13h et 16h-20h Fermé le lun. sauf en été*

● **À vélo, de château en monastère, dans le Baix Empordà**
Menant de clochers en vieilles fermes, de châteaux fortifiés en monastères, des itinéraires de cyclotourisme ont été balisés tout autour de La Bisbal, notamment entre Monells et Cruïlles, ainsi qu'entre Ullastret, Palau-Sator, Peratallada et Pals. *Cartes des sentiers de cyclotourisme et rens. sur les locations de vélo auprès de l'office de tourisme principal de La Bisbal d'Empordà (p.270)*

Sur la Costa Brava

Pals Quatre tours ponctuent encore les vestiges des remparts de la petite cité fortifiée : vous repérerez de loin sa silhouette juchée au sommet d'une petite colline. C'est, avec Peratallada, l'un des ensembles médiévaux les mieux conservés du Baix Empordà, et comme lui, il a été restauré avec un soin que d'aucuns trouveront excessif. Les ruelles pavées sont jalonnées de demeures fortifiées d'époque gothique, comme la Ca La Pruna (expositions temporaires). En remontant la Carrer Major, où ont été découvertes des sépultures d'époque wisigothe, vous aboutirez à l'église romano-gothique Sant Pere, reconstruite avec les pierres de l'ancien château de Pals. De ce dernier, seule subsiste la curieuse tour ronde du donjon, dite tour des Heures. Avec ses 3,5km de sable, la longue *platja* éponyme, tout proche, compte elle aussi pour beaucoup dans le succès croissant de Pals ! *À 12km à l'est de La Bisbal d'Empordà*

● **DES BALCONS SUR LA MER**
Profitez de vues splendides sur toute la côte du phare et de l'ermitage du Cabo de Sant Sebastià (au nord). De même, en suivant le GR®12 de Calella à Llafranc : 15min d'enchantement ! **Phare de Sant Sebastià** *À 35min à pied de Llafranc par les escaliers qui partent de l'extrémité nord de la promenade du front de mer*

Begur Un petit air de côte d'Azur souffle sur les villas et les résidences de vacances nichées parmi les pins, les cyprès et les lauriers roses. Du mirador Sant Ramón, près du Castell, la vue embrasse l'étonnante succession des plages et dunes, criques et calanques de Begur (p.284). *À 7km de Pals*

Palafrugell La fondation, en 988, de cette petite ville, située à 5km de la mer, répondait à la menace grandissante des pirates. Palafrugell a perdu ses hautes murailles médiévales et ouvre la voie vers Llafranc et Calella, cf. Piquer une tête (p.284). Le Museu del Suro vous apprendra tout sur l'industrie du liège, grande source de revenus de la Costa Brava au XIXe siècle. *À 46km à l'est de Gérone par la C66* **Museu del Suro** *Tél. 972 30 78 25 www.museudelsuro.cat*

☺ **Jardí Botànic de Cap Roig** Il s'étend sur un promontoire rocheux au sud de Calella. Aménagés en 1927 par l'exilé russe Nicolai Woevodsky et son épouse Dorothy Webster, une aristocrate anglaise, le jardin botanique et le petit château de Cap Roig offrent un précieux témoignage des premières heures de gloire de la Costa Brava. Beau parcours parmi les allées fleuries et les recoins secrets et des vues splendides sur la mer. Sur 17ha prospèrent un bon millier d'espèces endémiques ou acclimatées, et des jardins thématiques – palmiers, cactus, plantes méditerranéennes, géraniums, etc., jalonnés de sculptures contemporaines. Les plus belles saisons ? Mars pour les mimosas, mai à juillet pour les massifs fleuris et septembre pour la lumière, particulièrement limpide quand le vent souffle du nord. En juil.-août, profitez de la visite pour assister à l'un des spectacles du festival de Cap Roig (p.271). *Paraje de Cap Roig, s/n Calella* **Palafrugell** *(à 6km au sud de Palafrugell ; à 45min à pied de Calella en suivant le sentier côtier jusqu'à la calanque del Golfet, puis par les escaliers) Tél. 972 62 45 20 (OT de Begur) Ouvert avr.-oct. : tlj. 10h-20h ; nov.-déc. : tlj. 10h-18h ; jan.-mars : sam.-dim. 10h-18h Fermé 1er jan., 24-26 et 31 déc. Tarif 6€, réduit 3€, moins de 7 ans gratuit Comptez 1h à 1h30 de visite*

● Où prendre un verre dans la calanque ?

Sa Tuna Sur la plage de Sa Tuna, entre eaux turquoise, roches et pins, la terrasse de cet hôtel-bar-restaurant invite à la contemplation... Un peu cher côté cuisine mais parfait pour prendre un verre au crépuscule. *Platja Sa Tuna* **Begur** *Tél. 972 62 21 98 ou 972 62 41 82 www.hostalsatuna.com Ouvert début mai-fin oct. : tlj.*

● Piquer une tête

☺ **Calella de Palafrugell, Llafranc et Tamariu** Chance ! Ces villages de pêcheurs convertis en stations balnéaires ont gardé leur charme, loin du tourisme de masse et de l'urbanisation monstrueuse qui sévit sur le reste de la côte. Plus étendue et plus animée que sa voisine Llafranc, la baie de **Calella** est découpée en plusieurs petites plages frangées de maisons blanches et aux tons pastel ; très belle promenade sous les Voltes, arcades du front de mer. Si la jolie petite baie de Llafranc attire aussi beaucoup de monde en journée, les nuits y sont douces et le village relativement harmonieux, la plupart des grandes résidences secondaires étant cachées derrière les cyprès. Tamariu, juste au nord, est la plus petite et la plus "stud" des trois stations. Vues splendides depuis le sentier douanier qui les relie et qui ménage quelques accès aux criques. *Accès 4-voies Av. del Mar de Palafrugell, passage de Calella à Llafranc par le sentier côtier*

Les plages de Begur Au nord de Begur, sable et dunes composent les plages du **Racó** et d'**Illa Roja** qui se succèdent et s'étirent vers L'Estartit via l'interminable *platja* de Pals ; proche de l'agglomération, la petite anse sableuse de **Sa Riera** propose kayaks de mer et transats en location ; à l'est, les charmantes **Aiguafreda** et **Sa Tuna**, fermées par des avancées rocheuses, offrent un abri aux yachts de passage ; au sud, les calanques de **Fornells** et d'**Aiguablava** sont bordées d'eaux cristallines... Des sentiers douaniers ("chemins de ronde") relient entre elles certaines des plages mais pour gagner les criques plus éloignées, il faut emprunter les routes qui sinuent à flanc de montagne : superbes vues, spectacle inoubliable lorsque le crépuscule teinte de rouge les îles Medes, au loin.... *Accès Du centre de Begur, toutes les plages sont fléchées Véhicule indispensable (plages situées de 2 à 4km du bourg et routes très pentues) Hormis Sa Riera, les plages disposent d'un parking, souvent bondé le w.-e. et l'été Plan des sentiers reliant les plages à l'OT (cf. Mode d'emploi)*

● Explorer les fonds marins

La richesse de la faune, la variété des coraux et la diversité des reliefs sous-marins d'**Els Ullastret**, au large du cap Sant Sebastià, en ont fait la destination favorite des plongeurs sur cette portion de la côte. On pourra également explorer quelques épaves aux environs des **Illes Formigues**, 16 îlots qui affleurent en face du cap Roig. Tous les clubs de plongée de Llafranc et de Calella proposent location de matériel, sorties accompagnées et cours, cf. plongée sous-marine (p.73).

En allant vers Olot

● Se baigner, faire un tour en barque

Estany de Banyoles La rive boisée et les eaux transparentes du lac de Banyoles offrent une bonne alternative aux plages de la Costa Brava. Attention, l'accès est souvent payant (de 4 à 10€ selon la plage). Vous trouverez une plage gratuite mais bondée vers la Caseta de Fusta, au nord-est du lac. Une promenade de 8km (2h30) permet de faire le tour du plan d'eau. *À environ 20km au nord de Gérone par la C66 dir. Besalú*

● Pédaler sur les Vías Verdes

Les amateurs de vélo pourront profiter des trois belles Vías Verdes (Voies vertes – d'anciennes voies ferrées) qui partent de Gérone. La Ruta del Carrilet (54km) rejoint Olot dans les Pyrénées en traversant le parc naturel des volcans de la Garrotxa. Attention, à la fin, ça grimpe ! La Ruta del Carrilet II (39km), quant à elle, longe la Serra de les Gavarres avant de descendre sur la Costa Brava, à Sant Feliu de Guíxols. Enfin, la Ruta del Ferro i del Carbó (12km) vous promènera de la gare de Ripoll au Cargadero de Toralles. *www.viasverdes.com*

CARNET D'ADRESSES

Restauration

🍴 petits prix

El Cul de la Lleona (plan 10, B1 n°11) Le menu à 10€ (15€ le soir et le week-end) propose un délicieux mariage de gastronomie catalane et marocaine. En sortant, ne manquez pas d'aller embrasser le "cul de la lionne" sur la Plaça de Sant Feliu dont la légende a donné son nom au restaurant, cf. La Lleona (p.276). *C/ dels Calderers, 8 Gérone Tél. 972 20 31 58 Ouvert lun.-sam. 11h-16h et 20h-23h*

🍴 prix moyens

Cúrcuma (plan 10, B3 n°12) Cette table conviviale du Vieux Gérone propose une cuisine de marché simple mais goûteuse. N'en attendez ni

GAMME DE PRIX	RESTAURATION	HÉBERGEMENT
Très petits prix	moins de 12€	moins de 50€
Petits prix	de 12 à 20€	de 50 à 65€
Prix moyens	de 20 à 30€	de 65 à 85€
Prix élevés	de 30 à 50€	de 85 à 130€
Prix très élevés	plus de 50€	plus de 130€

excentricités ni chichis, mais de savoureuses recettes catalanes et des prix au cordeau : menus du soir 20-22€, boisson comprise. Parmi les spécialités de la *casa* figurent les escargots (5€), le râble de lapin confit à la vanille (3,90€), ainsi que les croquettes de poulpe et morue. Le credo de Laura Mas, la patronne : vous proposer "de la bonne cuisine à partager." Amen ! *Plaça Bell-Lloc, 4-6* **Gérone** *Tél. 972 41 63 63 www.curcuma.cat Ouvert mar.-sam. 13h-15h30 et 20h30-23h30*

La Penyora (plan 10, B3 n°13) Restaurant-galerie d'art qui met à l'honneur un métissage visuel et culinaire. Entre les tableaux bigarrés, on déguste une cuisine d'auteur à base de produits frais du marché. Les plats suivent donc les saisons et le pain artisanal est un délice – même si l'on apprécierait des portions plus copieuses. Des plats végétariens sont proposés à la carte. Alléchant choix de desserts maison. Comptez 30€ à la carte. Menu à midi en semaine à 15€. *C/ Nou del Teatre, 3* **Gérone** *Tél. 972 21 89 48 Ouvert mer.-lun. 13h-16h et 20h30-0h*

Casa Marieta (plan 10, A2 n°14) Ouvert en 1892, cet établissement compte parmi les grands classiques de Gérone et propose une quantité de plats en sauce, de viandes et de poissons grillés à la braise. À essayer : la morue *a la parrilla* avec sa mousseline d'ail doux ou le canard aux poires. Comptez environ 25€ à la carte. *Pl. de la Independència, 5-6* **Gérone** *Tél. 972 20 10 16 www.casamarieta.com Ouvert tlj. 13h-15h30 et 20h-22h30 (23h30 le week-end et 0h30 l'été)*

El Pati Verd (plan 10, A4 n°15) Passez la porte de l'hôtel Carlemany pour gagner le grand chapiteau enfoui dans la verdure. La ville semble bien loin, tout d'un coup ! Le chef du "Jardin

Et aussi...

Pauses gourmandes, bars et clubs

vert", Xavier Arrey, propose un menu gastronomique (52€ ; min. 2 pers.) avec 5 dégustations qui mettent en valeur les produits de saison du terroir ; 2 desserts clôturent le festin. Plus simplement, un menu du jour et un menu du marché, tous les deux à 26€, reprennent certains des plats vedettes, et vous retrouverez à la carte les favoris de la dégustation : les noix de Saint-Jacques dans leur sauce à la noix de coco et mangue (15,50€) ou encore le magret de canard à l'ananas (19,60€). *Pl. Miquel Santaló, 1* **Gérone** *Tél. 972 21 12 12 Ouvert lun.-ven. 13h30-16h Fermé en août*

🍴 **prix très élevés**

El Celler de Can Roca (plan 10, A1 n°16) Cadre, service, design... aucune fausse note dans ce restaurant qui s'est fait un nom avec une cuisine aussi créative qu'excellentissime (il est "2e meilleur du monde" dans le classement S. Pellegrino des 50 meilleurs restaurants du monde) ! Le menu dégustation à 135€ et le menu Festival à 165€ font défiler une farandole de plats aussi délicieux qu'artistement présentés : bonsaï aux olives caramélisées, tartare au gel de moutarde (un clin d'œil à la cuisine moléculaire), sorbet d'eucalyptus... Et pour accompagner votre dégustation, optez pour la sélection Mariage des vins (85€) proposée par le maître sommelier Josep Roca. *C/ Can Sunyer, 46* **Gérone** *Tél. 972 22 21 57 www.cellercanroca.com Ouvert mar.-sam. 13h-15h et 21h-22h30 Fermé Pâques, dernière sem. août et Noël-jour de l'An*

Hébergement

En sus d'un camping, plusieurs gîtes et chambres d'hôtes ont été ouverts dans la campagne autour de Gérone.

🧳 camping

Can Toni Manescal Un camping à la ferme avec piscine ouvert de la mi-juin à la mi-septembre (env. 21€ pour 2 pers. avec tente et voiture) et trois appartements 2-6 pers. : deux nuits minimum hors saison (120€ pour 2 pers.), à la semaine l'été (420€). *Fornells de la Selva (à 8km au sud de Gérone par la N2 direction Barcelone) Tél. 972 47 61 17 www.campinggirona.com*

🧳 très petits prix

Alberg Juvenil Cerverí (plan 10, B2 n°20) Bien située dans la vieille ville, l'auberge se mue en résidence universitaire à l'année, mais il reste toujours une cinquantaine de lits à disposition. Hébergement en dortoirs de 2 à 8 pers. avec, pour la plupart, sdb à l'extérieur. Salle vidéo, accès Internet (1€/h). Comptez 16-24€/pers. jusqu'à 29 ans et 19-28€/pers. à partir de 30 ans, petit déj. et draps compris. *C/ del Ciutadans, 9* **Gérone** *Tél. 972 21 80 03 ou 934 83 83 63 (rés.) www.xanascat.ca Ouvert jusqu'à 23h30 Fermé Noël-jour de l'An Carte Fuaj obligatoire l'été*

Pensió Viladomat (plan 10, B3 n°21) Les 16 chambres sont spacieuses, claires, bien tenues et nanties d'un petit balcon. La double revient à 38€ sans sdb et 48€ avec. Ni parking ni paiement par CB. *C/ dels Ciutadans, 5* **Gérone** *Tél. 972 20 31 76 www.pensio viladomat.com*

🧳 prix moyens

☺ **Pensió Bellmirall (plan 10, B2 n°22)** Ou comment ajouter une touche de magie à votre séjour à Gérone. Rénovée dans son ensemble, cette pension propose de vrais nids douillets dans une maison du XIVe siècle, sur les hauteurs du quartier historique. Le petit déjeuner, servi dans le patio fleuri, ou dans la belle salle commune, est à lui seul un grand moment. On se dit en partant qu'on reviendra à Gérone juste pour les beaux yeux de Bellmirall ! La double revient à 85€, taxes et petit déj. inclus. *C/ de Bellmirall, 3* **Gérone** *Tél. 972 20 40 09 www. bellmirall.eu Fermé jan.-fév.*

Hotel Peninsular (plan 10, A3 n°23) Petit hôtel moderne bien situé, à la jonction du centre commerçant et du noyau historique. Les chambres, très confortables, (clim., sdb, et wifi), arborent une note design fort plaisante. Celles qui donnent sur la rue piétonne sont plus calmes. Doubles de 70 à 89€, petit déjeuner 8€. Et un café-restaurant, le Savoy, au rdc. *Av. de Sant Francesc, 6* **Gérone** *Tél. 972 20 38 00 www.novarahotels.com*

🧳 louer un appartement

Hap-dreams et Históric proposent des appartements de charme en plein centre historique. Intéressant en groupe et pour plusieurs jours. Consultez aussi les offres proposées sur www.girorooms.com ainsi que celles de **Casa Cundaro** *Pujada de la Catedral, 7* **Gérone** *Tél. 972 22 35 83 www.casacundaro.com* **Apartament Sleepinggirona** *C/ Ciutadans, 13 Tél. 972 22 35 83 www.sleepingirona. com* et **Girona Apartments** *Pl. Rafael Albertí, 1 Tél. 972 22 35 83 www.girona apartments.com*

☺ **Hap-dreams** (plan 10, B2 n°24) Des appartements climatisés avec jardin pour 2-4 pers., de 65 à 95€/j. selon la durée du séjour, et un duplex sous les toits à 90-110€. Connexion Internet. Prix HT. *C/ del Portal Nou, 26-28* **Gérone** *Tél. 972 20 79 13 www. hap-dreams.com*

☺ **Históric** (plan 10, B2 n°25) Là encore, de petites merveilles très bien équipées, installées dans une ancienne maison juive du IXe siècle. Sept appartements pour 4 pers. à 120€, ou 90€ pour deux. Également des chambres doubles à 114€. Prix HT. Et trois autres sites : chambres et appartements à partir de 70€/j. *C/ de Bellmirall, 4A* **Gérone** *Tél. 972 22 35 83 www.hotelhistoric.com*

Dans les environs

🍴 petits prix

La Cort Le menu Tapas (15€), composé de 8 "créations maison", est servi à toute heure de la journée et le menu du jour (11,50€) à midi seulement. Fort touristique en saison, la placette où il déploie ses parasols est néanmoins bien agréable. Les agora-

phobes lui préféreront la salle voûtée ou encore l'autre terrasse, côté rue, pour y siroter un mojito ou un cocktail. *Plaça de les Voltes, 9 Peratallada* **Forallac** *Tél. 972 63 48 68 Ouvert jeu.-mar. et j. fér. 11h-16h et 20h-23h*

🍴 prix moyens

L'Arc Vell Selon l'humeur et la saison, on prend place dans le patio ombragé, dans la salle traditionnelle ou sur la terrasse au pied du château pour découvrir les spécialités culinaires du Baix Empordà avec le menu du jour servi au déjeuner en semaine (15,50€) ou les 9 *platillos* du menu Dégustation (12,75€) : *butifarras*, morue, seiche... Les nostalgiques de la côte privilégieront le menu Paella (27€), qui décline poissons et fruits de mer. À la carte, comptez entre 20 et 25€. *Pl. Castell, s/n Peratallada* **Forallac** *Tél. 972 63 40 80 www. restaurant-arcvell.com Ouvert été : tlj. 13h-16h et 19h-23h ; hiver : mer.-lun. et j. fér. 19h-16h et 19h-23h*

El Patio de Yolanda Le sympathique bric-à-brac de la salle à manger et les tables de fer forgé disposées entre les plantes vertes, sur l'esplanade aménagée sous les noyers, constituent des atouts de charme pour ce restaurant. À défaut de faire montre d'une grande créativité, la carte (env. 25-30€) propose des mets simples de la région servis avec le sourire. À midi, menu à 18€ en semaine et à 22€ le week-end. *C/ Hospital, 13 Peratallada* **Forallac** *Tél. 972 63 40 69 Ouvert Pâques-oct. : jeu.-mar. 13h15-16h et 19h30-23h*

GAMME DE PRIX	RESTAURATION	HÉBERGEMENT
Très petits prix	moins de 12€	moins de 50€
Petits prix	de 12 à 20€	de 50 à 65€
Prix moyens	de 20 à 30€	de 65 à 85€
Prix élevés	de 30 à 50€	de 85 à 130€
Prix très élevés	plus de 50€	plus de 130€

TOSSA DE MAR

17320

Gérone

Tossa de Mar

Enserrée entre les côtes rocheuses et découpées du sud de la Costa Brava, la baie de Tossa de Mar devient dès les années 1930 la station balnéaire privilégiée des artistes et des intellectuels. Si l'on est désormais loin du "paradis bleu" de Marc Chagall, avec près de 50 000 touristes en août et une urbanisation importante, Tossa reste malgré tout l'une des destinations les plus séduisantes du bord de mer. Pour l'apprécier pleinement, venez à l'arrière-saison, tournez le dos à la ville moderne et n'ayez d'yeux que pour la Méditerranée et la Vila Vella, dominée par sa muraille médiévale.

LA COSTA BRAVA ET L'ARRIÈRE-PAYS

MODE D'EMPLOI

accès

EN VOITURE
De Barcelone (103km), par l'AP7 sortie n°9, sans passer par Lloret, plutôt que la B10 souvent très encombrée. De Gérone, 39km dir. Llagostera NII.

EN TRAIN
La gare la plus proche est celle de Blanes, à 21km de Tossa de Mar. Liaisons fréquentes en car avec la compagnie Pujol y Pujol via Lloret de Mar.
Pujol y Pujol *Av. Pelegrí, n/s Tél. 972 34 03 36 www.transpujol.com*

EN CAR
Gare routière *Av. de la Villa de Lloret Tél. 972 34 09 03*
Sarfa Une douzaine de cars/j. au départ de Barcelone (1h20 de trajet, 12,05€ AS), 2 cars/j. pour Cadaqués via Gérone (en juil.-août). *Tél. 902 30 20 25 www.sarfa.com*

EN BATEAU
En été, une agréable manière de rejoindre Lloret (10€), ou Blanes (20€), les autres stations balnéaires de la côte.

Dofi Jet Boats Relie Tossa de Mar à Lloret de Mar et à Fenals d'avr. à oct. *Platja Gran (en face de la mairie)* **Tossa de Mar** *Tél. 972 35 20 21 www.dofijet-boats.com Vente des billets : 9h-17h*
Magic Boats Ses Magic Boats relient Tossa de Mar à Giverola, Sant Feliu de Guixols et Platja d'Aro de fin juin à mi-sept. tlj. *Tél. 972 34 16 24 ou 665 27 14 35 www.magicboats.net*

orientation

Tossa s'étire le long de la Platja Gran avec, au nord, la ville moderne et, au sud, le centre historique qui grimpe jusqu'à la Vila Vella perchée sur le cap Tossa. De l'autre côté des remparts se niche l'adorable crique d'Es Codolar.

fêtes et festivals

Festival Porta Ferrada Inauguré en 1958, c'est l'un des événements culturels les plus anciens de la province. Les concerts et les spectacles (théâtre et danse) se tiennent dans l'église gothique du monastère, au théâtre attenant et sur le port. *Sant Feliu de Guíxols http://portaferrada. guixols.cat Juil.-août*

informations touristiques

Office de tourisme de Tossa de Mar *Edifici La Nau Av. del Pelegrí, 25 Tél. 972 34 01 08 www.infotossa.com Ouvert juin-sept. : lun.-sam. 9h30-20h30, dim. et j.fér. 10h-14h30 ; avr.-mai, oct. : lun.-sam. 10h-14h et 16h-19h30 ; nov.-mars : lun.-sam. 9h30-14h et 16h-19h*
Office de tourisme de Sant Feliu de Guíxols *Pl. Monestir Tél. 972 82*

00 51 www.guixols.cat Ouvert été : tlj. 10h-14h et 16h-20h ; hiver : lun.-sam. 10h-13h et 16h-19h, dim. 10h-13h

banques et poste

Vous trouverez des **banques** Av. de la Costa Brava.
Poste *C/ Maria Auxiliadora, 4 Tél. 972 34 04 57 Ouvert lun.-ven. 8h30-14h30, sam. 9h30-13h*

DÉCOUVRIR

☆**Les essentiels** La vieille ville de Tossa **Découvrir autrement** Allez admirer la collection d'art contemporain du musée municipal de Tossa de Mar, baignez-vous dans les criques le long de la route panoramique Tossa-Sant Feliu

Tossa de Mar

☆ ☺ **Vila Vella** La magnifique muraille crénelée, flanquée de trois hautes tours rondes et de quatre miradors en parfait état de conservation, fut érigée entre le XIIᵉ et le XIVᵉ siècle pour prévenir les attaques des pirates. Elle entoure aujourd'hui les venelles pavées de la cité primitive, les ruines d'une église gothique et, fiché au sommet du promontoire rocheux, un phare (1917) où une exposition conte l'histoire des phares de la côte et de leurs gardiens. Au pied des remparts s'étire l'entrelacs de ruelles aux maisons blanches de l'ancien village de pêcheurs. **Centre d'Interpretació dels Fars de la Mediterrània** *Tél. 972 34 33 59 Ouvert été : mar.-sam. 10h-20h, dim. et j. fér. 10h-14h ; reste de l'année : mar.-sam. 10h-17, dim. et j. fér. 10h-14h Tarif 3€, réduit 1,50€*

Museu Municipal À l'intérieur des remparts, il occupe la Casa Falguera, ancienne demeure du gouverneur Batlle de Sac datée du XIVᵉ siècle. Au sous-sol, la section archéologique conserve une admirable mosaïque romaine du IVᵉ siècle provenant de la Villa dels Ametllers, important site archéologique romain mis au jour aux environs de Tossa et qui se spécialisait dans la production et le commerce du vin. Aux étages, la collection d'art contemporain rassemble des œuvres d'artistes catalans et étrangers qui séjournèrent dans la cité : André Masson, Jean Metzinger, Rafael Benet… et bien sûr Marc Chagall dont le superbe *Violoniste céleste* illustre à la perfection le regard poétique et onirique du peintre. *Pl. de Roig i Soler, 1 Tél. 972 34 07 09 www.tossademar.com/museu Ouvert juin-sept. : tlj. 10h-14h et 16h-20h ; oct.-mai : mar.-ven. 9h-13h et 15h-17h, sam. 10h-14h et 16h-18h, dim. 10h-14h Tarif 3€, réduit 2€*

● Où siroter un verre au-dessus de la grande bleue ?
El Far de Tossa De la terrasse au pied du phare de Tossa, la grande bleue à perte de vue avec les voiliers au loin… À la fraîche, l'endroit idéal où siroter un

mojito (9€) ou, grand classique de la ville, une sangria au cava (10-14€). *Carrer del Far **Tossa de Mar** Tél. 669 35 94 08 Ouvert juil.-août : tlj. 10h-3h ; avr.-oct. : lun.-ven. 10h-19h, sam.-dim. 10h-3h ; oct.-avr. : w.-e. et j. fér. 10h-19h*

● **Profiter de criques paradisiaques** Plages de gros sable descendant rapidement dans des eaux turquoise limpides ou criques rocheuses encadrées de pins et d'agaves... Sur la côte sud, à environ 3km de Tossa par la GI682, de belles baignades vous attendent à la **Cala Llevadó** (3km) qu'un sentier de 500m relie à la **Platja de Llorell** ; entre les deux, la **Cala d'En Carlos** fait le bonheur des naturistes. Au nord, en direction de Sant Feliu de Guíxols, vous trouverez de nombreuses criques, pour la plupart désertes hors saison. Les plus proches de Tossa sont la petite **Cala Bona** (3km), facile d'accès en kayak de mer, **Cala Pola** (4km), qu'un sentier douanier relie à **Cala Giverola** (5km), la plus grande et la mieux équipée. Plus loin, **Cala Futadera** (6km) se révèle un peu difficile d'accès à pied : on s'y rend de préférence en kayak de mer... Toutes ces plages sont desservies par des sentiers qui partent de la route côtière. **Location de kayaks** Plusieurs loueurs aux tarifs similaires (env. 11€/h). *Platja de la Mar Menuda, à l'extrémité nord de la grande plage de Tossa* **Fondo de Cristal** Si vous n'êtes pas motorisé, vous pourriez toujours rejoindre, d'avril à octobre, la **Cala Giverola** à bord d'un bateau à fond transparent. Vente de billets sur la plage principale, près de l'embarcadère. *Tél. 972 34 22 29 www.fondocristal.com Ouvert avr.-juin, sept.-oct. : tlj. 9h-16h ; juil.-août : tlj. 9h-18h (sorties toutes les 30min en été)*

Les environs de Tossa de Mar

Au nord

Sant Feliu de Guíxols Dans le centre de Sant Feliu, parmi les élégantes demeures de la fin XIXe-début XXe siècle, on notera plus particulièrement la façade moderniste inspirée de l'architecture mauresque du Casino de la Constància (1889 ; cf. Où picorer moules, seiche, anchois péchés au large ? p.292). Au sud-est du centre-ville se visite l'ancien monastère bénédictin de Sant Feliu, qui abrite le **musée d'Histoire de la ville**. Fondé au Xe siècle, il a été remanié à maintes reprises jusqu'au XVIIIe siècle et présente aujourd'hui un curieux mélange de styles. De la structure romane primitive, subsistent les tours Del Fum et Del Corn, ainsi que l'admirable Porta Ferrada (Xe s.) percée d'arcs outrepassés. L'église attenante est gothique. Occupant l'aile baroque du monastère, le musée présente l'histoire de la cité dans ses rapports avec l'institution religieuse (1er étage), l'expansion et l'apogée de l'industrie du liège au XIXe siècle (2e étage) et dresse un état des lieux de la médecine à la même époque (3e étage). La ville attend l'ouverture, maintes fois retardée, de la pinacothèque Thyssen (Centro de Arte Colección

● **COSTA BRAVA, LA "CÔTE SAUVAGE"**
Plus que la destination elle-même, c'est la **route panoramique Tossa-Sant Feliu** (GI682) qui mérite le déplacement. Sur 23km, elle longe une splendide côte rocheuse entaillée de brèches étroites où se blottissent quelques délicieuses criques.

LA COSTA BRAVA ET L'ARRIÈRE-PAYS

Catalana) : devraient y être exposées la collection de peinture catalane (XIXe-XXe s.) de la baronne Carmen Thyssen-Bornemisza avec, notamment, des toiles de Miró, Cuixart, Tàpies, Rusiñol... En attendant, sont présentées l'été quelques œuvres issues de la collection. Avant de quitter la ville, montez jusqu'à l'ermitage Sant Elm en suivant la route côtière vers le sud : de l'esplanade, la vue s'étend jusqu'à Palamos. *À 22km au nord de Tossa de Mar (service régulier de cars)* **Museu d'Història** *C/ Abadia, s/n Tél. 972 82 15 75 Ouvert été : tlj. 10h-14h et 16h-20h ; hiver : lun.-sam. 10h-13h et 16h-19h, dim. 10h-13h Tarif 2€, réduit 1€ et 6€/4€ lors des expositions temporaires*

● Où picorer moules, seiche, anchois péchés au large ?

Nuevo Casino La Constància Les arches néomauresques de ce grand bâtiment jaune abritent un café à l'atmosphère rétro. Outre son superbe cadre, le Nouveau Casino présente l'avantage de rester ouvert toute l'année. Quelques tables à l'extérieur offrent un lieu tout indiqué pour profiter de l'animation régnant sur l'esplanade en picorant moules, seiche, anchois péchés au large. Comptez env. 11€, avec un petit supplément pour le service en terrasse. *Passeig des Guíxols Rambla del Portalet, 1 Sant Feliu de Guíxols Tél. 972 32 73 72 www. noucasinolaconstancia.com Ouvert été : tlj. 9h-2h ; reste de l'année : lun.-ven. 9h-22h, sam.-dim. 9h-2h*

● Piquer une tête près de Sant Feliu de Guíxols

La plage du centre-ville vous semble trop fréquentée ? Optez pour une balade à pied sur les chemins de ronde partant de ses deux extrémités qui, ponctués de belvédères, livrent d'inoubliables paysages. S'y juxtaposent le turquoise des eaux cristallines, le beige-orangé des étendues sableuses, le vert des pins d'Alep, dans une vision de carte postale ! Le chemin du nord démarre au niveau du môle et serpente jusqu'à la grande plage de sable de **Sant Pol** (2,5km, env. 1h). Celui du sud contourne la colline de Sant Elm et vous conduira à la **Cala Vigatà**, plus sauvage, où le sable se mêle aux galets. En cours de route, d'innombrables sentiers dégringolent vers des criques secrètes ; à vous de les découvrir !

Au sud de Tossa

Au sud-ouest de Tossa de Mar vous attendent trois splendides jardins, tous desservis par les cars "open tour" de la compagnie Transpujol à partir de Blanes ou de Lloret de Mar. Des cars panoramiques relient également le centre de Blanes au jardin botanique Mar i Murtra. **Transpujol** *Tél. 972 36 42 36 www.transpujol.com* **Panoramic Blanes** *Tél. 972 33 10 84 www.busbotanic.com*

Jardins de Santa Clotilde Dessinés en 1919 et fortement inspirés de la Renaissance italienne, ces splendides jardins paysagers s'étagent à flanc de colline, dans un amphithéâtre naturel formant promontoire sur la mer. Ses volées d'escaliers ponctuées de statues de marbre ou de bronze, ses sveltes alignements de cyprès délimitant les terrasses, ses jeux d'eaux et ses subtils camaïeux de vert, le choix des essences et des couleurs..., chaque détail contribue à l'harmonie de l'ensemble. Des jardins d'une esthétique souveraine sous le signe du contraste – entre intimité des sous-bois et perspectives sur le bleu du large, entre forme libre des cèdres et des pins d'Alep et rigueurs géométriques de l'art topiaire. *Paratge de Santa Clotilde* **Lloret de Mar** *(à la sortie de la ville en dir. de Blanes ; fléché) Tél. 972 37 04 71 www.lloretdemar.org (rens. également sur) Ouvert avr.-sept. : tlj. 10h-20h ; oct.-mars : tlj. 10h-17h (dernière entrée 1h avant la fermeture) Tarif 5€, réduit 2,50€ Visite guidée certains dimanches à 10h30 (compter 45min)*

Jardí Botànic Mar i Murtra Fondé en 1921 par l'industriel allemand Karl Faust, ce jardin "mer et myrte" propose un tour du monde botanique : palmiers du Chili, flore du Karoo, maquis méditerranéen, *chaparral* californien… L'accent est mis sur le recensement des essences exotiques et sur la conservation des espèces endémiques, avec une volonté de sensibilisation écologique. Une promenade très agréable, mais très pentue, jusqu'à un petit mirador au-dessus des eaux turquoise. *Passeig Karl Faust, 9* **Blanes** *À 17km au sud-ouest de Tossa via Lloret de Mar Tél. 972 33 08 26 www.marimurtra.cat Ouvert juin-sept. : tlj. 9h-20h ; avr.-mai, oct. : tlj. 9h-18h ; nov.-mars : tlj. 10h-17h Tarif 6€, moins de 4 ans gratuit*

Jardí Botànic de Pinya de Rosa Non loin du jardin Mar i Murtra, sur la route de Lloret de Mar, ce jardin, créé à la fin des années 1940, s'adresse plus particulièrement aux amateurs de cactus : quelque 7 000 espèces d'aloès, d'agaves, d'opuntias et autres cactées y ont été rassemblées et acclimatées avec amour au fil des ans. *Camí de Sta Cristina s/n* **Blanes** *Tél. 972 35 06 89 Ouvert jan.-avr., oct.-déc. : tlj. 9h-18h ; mai-sept. : tlj. 9h-20h Tarif 4€, réduit 3€*

La Costa Brava à la carte

La Costa Brava dresse au nord de Barcelone ses falaises découpées réservant d'étroites calanques. Ses fleurons balnéaires sont Tossa de Mar, la "fleur de la mer", et L'Escala, près de laquelle se trouve le site archéologique d'Empúries. Le charmant village de pêcheurs de Cadaqués, heureusement préservé du béton qui sévit ailleurs sur la côte, serait-il aussi fréquenté si Dalí n'avait acquis une maison tout près de là, à Portlligat ?

À ne pas manquer

En amoureux

Côté saveurs

Si vous avez le temps

CARNET D'ADRESSES

Lieux de sortie

Les soirs d'été, à Tossa, on peut commencer par un apéritif sur les terrasses du bord de mer, avant de suivre la foule dans les rues piétonnes du centre-ville. L'animation se concentre principalement autour des rues Estolt, de Sant Josep et Socors, où plusieurs bars à musique offrent une ambiance rumba-flamenco assez kitsch. Mais il existe également une kyrielle de bars branchés et quelques discothèques.

Restauration, hébergement

Comme toutes les grosses stations balnéaires, Tossa abrite une litanie de restaurants pour touristes, avec rabatteurs à l'entrée, où le respect du consommateur (i.e. le souci de la fraîcheur des aliments) est... absent.

🧳 très petits prix

Hostal Carmen Pepi Les chambres du rdc donnent sur le patio fleuri ou se distribuent dans les étages avec balcon sur cour. L'une d'elles possède une grande terrasse. Ensemble bien tenu. De 36 à 45€ la double. Petit déj. 5€. *C/ de Sant Miquel, 10 Tossa de Mar Tél. 972 34 05 26*

🍴 🧳 petits prix

La Lluna Au détour d'un passage sans nom, ce bar à tapas n'a pas vraiment d'adresse... mais vous le trouverez sans difficulté dans la rue montant au phare. Ses quelques tables de bois brut disposées au pied d'une maison à l'ancienne invitent à une pause conviviale, loin de l'ambiance survoltée du bord de mer. Ici, pas de menu, mais un bel éventail de tapas chaudes (4,50-9€) ou froides (5-10€). *C/ Vila Vella Tossa de Mar Tél. 972 34 25 23 Ouvert Pâques, juin-sept.: tlj. 11h-23h ; avr.-mai, oct. : tlj. 11h-17h horaires modifiables selon affluence*

Fonda Lluna Perchée dans la vieille ville, cette petite pension dévoile, du haut de sa terrasse, des vues superbes sur la mer et les remparts. Chambres propres et très correctes, parfois avec balcon, mais attention, certaines sont vraiment minuscules. Double avec petit-déjeuner à 23€/pers., avec demi-pension (obligatoire juil.-août) de 33€ à 47€/pers. Pension complète possible. *C/ Roqueta, 20 Tossa de Mar Tél. 972 34 03 65 www.fondalluna.com*

Hotel Tonet La jolie façade blanche de l'hôtel donne sur l'une de nos places préférées, face à l'église de Sant Vicenç. Chambres de 1 à 4 pers. sans prétention, mais tout à fait honnêtes, et une terrasse sur le toit pour lézarder au soleil ou prendre le frais en fin de journée. Chambre double à 60,50€, triple à 85,80€, quadruples à 110€. Prix TTC, petit déjeuner 8€/pers. Vous pourrez bénéficier d'une zone wifi. Ascenseur. *Pl. de l'Església, 1 Tossa de Mar Tél. 972 34 02 37 www.hoteltonet.com Ouvert toute l'année*

🍴 prix moyens

Víctor Tossa de Mar n'est pas exactement une destination gastronomique, en dépit d'une féconde tradition de recettes à base de fruits de mer. Sachez donc vous montrer reconnaissant si, parmi tant de cantines médiocres, il existe encore de vrais restaurants comme Víctor. À la carte, fruits de mer et poisson frais – *sonsos* (cicerelles) frits, moules, calamars, poulpes, crevettes, plie... – voisinent avec des spécialités à base de riz dont se délectent les habitués. Une simplicité encore plus appréciable après une exténuante matinée passée à la plage ! Comptez 20-35€ le repas. *Avingunda de la Palma, 17* **Tossa de Mar** *Tél. 972 342 431 Ouvert mar.-dim. 13h-16h et 20h-23h*

🧳 prix élevés

Diana Hotel Sur le front de mer. Magnifique patio aux lignes courbes et aux vitraux fleuris, salon avec azulejos et cheminée sculptée... Vous séjournerez ici dans un petit bijou de l'architecture moderniste. Les chambres sont moins spectaculaires, mais toutes confortables et bien équipées. Quelques-unes possèdent une terrasse et ont vue sur la mer. Double de 80€ (avec vue sur la placette) à 175€ (vue sur mer) selon la saison, petit déjeuner-buffet inclus. Suite de 130 à 206€. *Pl. d'Espanya, 6* **Tossa de Mar** *Tél. 972 34 18 86 www.hotelesdante.com Ouvert fin mars-mi-nov.*

Dans les environs

🍴 prix moyens

☺ **Casa Viart** Il est peu probable que vous ayez envie de déjeuner ou de dîner dans une galerie commerciale, mais surmontez vos réticences et vous ne le regretterez pas ! D'ailleurs l'endroit, à l'écart des circuits touristiques, est plutôt attrayant, et vous ne manquerez pas d'être séduit par la cuisine de marché de la Casa Viart. Victor Gomez mitonne des plats simples avec des produits de qualité et de première fraîcheur : carpaccio

de pieds de porc aux raisins secs et pignons, riz et gambas de Palamós, *tataki* de saumon et petits légumes sauce soja. Menu midi 25€. *Galerias Albatros, 130 Platja d'Aro* **Sant Feliu de Guíxols** *Tél. 972 82 67 46 www.casaviart.com Ouvert mar.-dim. 13h30-15h30, jeu.-sam. 20h30-22h30*

Refugi de Pescadors La famille Vilardell occupe depuis 1885 cette bonne adresse, devenue au fil des ans une véritable institution. De sa terrasse, située face à la mer, on s'abîme dans la contemplation des voiliers et de leur va-et-vient dans la baie... Cuisine de la mer... ou du vivier attenant, avec farandole de coquillages et crustacés, bar au fenouil (la spécialité de la maison), riz noir, cassolette de seiche et cigale de mer, et une bouillabaisse que ne renieraient pas les Marseillais. Les menus (autour de 30€ HT) varient au gré des saisons. À la carte, comptez 40€. *Passeig Marítim Josep Mundet, 55 Sant Antoni de Calonge* **Calonge** *(à 20km au nord-est de Sant Feliu de Guíxols, à l'entrée dans la conurbation de Palamós) Tél. 972 65 06 64 www.refugidepescadors.com Ouvert juil.-août : tlj. 13h-16h et 20h-23h ; reste de l'année : mar.-sam. 13h-16h et 20h-23h, dim. 13h-16h Fermé 24 déc.-29 jan.*

🍴 prix élevés

El Cau del Pescador Dans une ruelle donnant sur le front de mer, cette ancienne maison de pêcheur est avant tout une affaire de famille : la patronne reçoit la clientèle dans une salle chaleureuse, son mari officie aux fourneaux, mitonnant terrine de lotte aux gambas, suquets et autres délices du grand large... Pour la Semaine sainte, la morue séchée est à l'honneur, remplacée en mai-juin par le *peix blau* (poisson gras : thon, anchois, lubine ou daurade) : la mer aussi a ses saisons ! Menu du jour à 18,90€ et menu de saison à 38,80€. Certains vendredis soir d'automne et d'hiver, l'établissement résonne de chants marins et de *habaneras*.

C/ Sant Domènech, 11 Sant Feliu de Guíxols Tél. 972 32 40 52 Ouvert été : tlj. 13h-16h et 20h-23h ; reste de l'année : lun. 13h-16h, mer.-dim. 13h-16h et 20h-23h Fermé 2e et 3e sem. de jan.

L'ESCALA

17130

L'Escala

Gérone

Née au XVIIe siècle, L'Escala fut d'abord un faubourg de la cité fortifiée de Sant Martí d'Empúries occupé par des pêcheurs. Aujourd'hui, cette ville de près de 12 000 habitants est l'une des dernières stations balnéaires à échelle humaine de la Costa Brava. On vient s'y promener pour jouir de la vue sur l'harmonieuse baie de Roses, déguster des anchois AOC, célèbres dans toute la région, et visiter le site archéologique d'Empúries. À proximité, un grand parc naturel englobe le massif du Montgrí, les îles Medes et les zones marécageuses du Baix Ter. Son inauguration (2010) représente une avancée importante pour la protection des écosystèmes terrestres et marins de la région et le maintien de la biodiversité. Dans la foulée, l'accent a été mis sur l'écotourisme : la région se visite désormais à pied, à vélo ou avec masque et tuba !

MODE D'EMPLOI

accès

EN VOITURE
À 40km au nord-est de Gérone par l'AP7-E15 ou la NII puis la GI623.

EN CAR
Halte routière *Pl. de les Escoles (face à l'office de tourisme)*
Sarfa 4 cars/j. de Figueres (50min de trajet, env. 4,90€), 5 de Gérone (1h, 6,35€). De Barcelone, 3 cars/j. (2h, 21,55€). *Carrer del Port, 2 Tél. 972 30 12 93 ou 902 30 20 25 www.sarfa.com*

orientation

La route côtière – Passeig de Lluís Albert – contourne le vieux centre de L'Escala. Vous trouverez plusieurs parkings le long du Passeig Marítim, mais attention, la circulation est dense en été.

informations touristiques

Office de tourisme Un bureau dans le centre et une antenne (ouverte l'été seulement), plus pratique pour les automobilistes, sur la route de Figueres. Le premier loue des vélos (2,50€/h ou 10€/j.). **Bureau principal** *Pl. de les Escoles, 1 (en face de l'arrêt des cars) Tél. 972 77 06 03 www.visit-lescala.com Ouvert juin-sept. : tlj. 9h-20h ; oct.-mai : lun.-ven. 9h-13h et 16h-20h, sam. 10h-13h et 16h-19h, dim. 10h-13h* **Antenne saisonnière** *Au carrefour de la C/ de Sant Pere Pescador et de la route de l'Escala à Orriols*

Ouvert Semaine sainte : tlj. 10h-16h ; juin-mi-sept. : tlj. 9h-20h

fêtes et festivals

Fête gréco-romaine Mises en scène historique dans le centre : représentations théâtrales, défilés de légionnaires, Olympiades, marché antique, combats de gladiateurs... *En mai, sur un week-end*
Fête du Sel Cette manifestation annuelle, organisée par le musée de l'Anchois et du Sel, rend hommage au métier de la pêche et à l'art de la salaison du poisson, deux activités traditionnelles de L'Escala. Rassemblement de voiliers, spectacles de danse et concerts sur la plage, avec dégustation d'anchois au bar monté pour l'occasion. *3e sam. de sept.*
Fête de l'anchois Concerts d'*Havaneres* et concours de tapas d'anchois entre les restaurateurs de la ville... puis dégustation géante ! *1er dim. d'oct.*

DÉCOUVRIR

☆**Les essentiels** Les ruines d'Empúries **Découvrir autrement** Plongez autour des îles Medes, allez visiter les conserveries d'anchois (sur réservation)

L'Escala

L'Escala Le Passeig Marítim, agréable promenade de bord de mer, fait tout le tour du quartier historique. Belles vues au nord sur la baie de Roses, le promontoire déchiré du cap de Creus et, par temps clair, les Pyrénées. Le minuscule Casc Antic ("quartier historique") mérite une courte visite, pour ses rues en pente bordées de vieilles bâtisses, avec au centre la place de la Mairie, dominée par l'élégante façade en pierre blanche de l'église de Sant Pere (XVIIIe s.). Le musée de l'Anchois et du Sel retrace l'histoire et les techniques de cette activité qui a assuré la prospérité de l'Escala depuis le XVIe siècle.
Museu de l'Anxova i de la Sal *Av. Francesc Macià, 1 (à côté de la Playa del Rec ; du centre, suivre le front de mer vers le nord) Tél. 972 77 68 15 www.anxova-sal.cat Ouvert juil.-août : lun.-sam. 10h-13h et 17h-19h, dim. 11h-13h ; sept.-juin : mar.-sam. 10h-13h, dim. et j. fér. 11h-13h Tarif 3€ réduit 1€ Visites guidées et parcours culturels dans le centre historique*

● **BEAU TEMPS POUR LA SALAISON**
Port de pêche depuis le Moyen Âge, L'Escala offre au voyageur des poissons et fruits de mer de qualité, notamment des filets d'anchois (*anxoves*) très réputés... à déguster dans les restaurants et les conserveries de la ville.

● Où faire provision d'anchois ?
Fill de J. Callol i Serrats La ville ne compte pas moins de cinq conserveries d'anchois, qui se visitent sur réservation : vous y apprendrez tout sur leur pêche, leur salaison et leur conditionnement, et terminerez la présentation par une dégustation. En marinade, en crème, à l'huile d'olive, en salaison, vous retrouverez les anchois dans la plupart des boutiques de la ville. *L'Escala Ctra Orriols, km 20,9 Tél. 972 77 25 77 www.callolserrats.com*

● **Où savourer anchois et calamars ?**

Sol i Lluna Ce sympathique bar de quartier se cache dans une ruelle du centre historique, à deux pas de l'église Sant Pere. Des tripes aux escargots en passant par les tortillas et les *chocos* (lanières de calamar), sans oublier les fameux anchois, la palette des *tapas caseras* (tapas maison) n'en finit pas. Comptez de 3,90 à 6,90€ la portion. *C/ Avi Xaxu, 8 L'Escala Tél. 972 77 12 10 Ouvert jeu.-mar. 9h-21h*

Les environs de L'Escala

☆☺ **Empúries** Au début du VIᵉ siècle av. J.-C., les commerçants grecs de Phocée établirent une petite colonie sur une île de la baie aujourd'hui ratta-chée au continent. Cette Palaia Polis (ville ancienne) dort sous les maisons de Sant Martí d'Empúries, tandis que la Nea Polis (ville nouvelle, fondée dans la seconde moitié du VIᵉ s. av. J.-C.) se visite aujourd'hui. Ce comptoir maritime, la première colonie grecque et longtemps la plus importante de toute la péninsule Ibérique, prit assez logiquement le nom d'Emporion ("marché", "entrepôt") et développa de fructueux échanges avec la population installée là depuis le IXᵉ siècle av. J.-C. En 219 av. J.-C., les Romains y envoyèrent des troupes attaquer l'arrière-garde d'Hannibal, dont l'armée carthaginoise marchait sur Rome. C'est ainsi que la romanisation du pays débuta à Empúries. La cité

Croisières et plongée autour des îles Medes...

Les **îles Medes**, un archipel composé de sept îlots et de dizaines de récifs, émergent au milieu de la **baie de L'Estartit**, à un mille du rivage. Leur écosystème marin particulièrement riche est protégé depuis 1990 par le statut de réserve naturelle marine. Leurs fonds sont tapissés de formations et d'organismes multicolores (algues, champs de posidonies, coraux, éponges, etc.), tandis que leurs grottes et tunnels sous-marins abritent une faune foisonnante. Après avoir servi de refuge aux pirates au Moyen Âge, les îles Medes accueillirent au XVIIIᵉ siècle une forteresse française, qu'utilisèrent par la suite Britanniques puis Espagnols. Abandonnée depuis 1932, l'île principale, Meda Gran, est désormais un paradis ornithologique où prédominent goélands pontiques et cormorans (en hiver). On peut faire le tour des îles à bord d'un des bateaux de croisière - à fond de verre pour certains - qui partent du port de L'Estartit. Il est également possible de plonger avec palmes et tuba autour des îles (réservation obligatoire, renseignements à l'OT). Les centres de plongée de L'Estartit organisent l'été des sorties quotidiennes avec bouteilles et louent du matériel aux plongeurs confirmés munis de leur certificat. Ils proposent également des baptêmes et formations. Renseignements sur les meilleurs sites et clubs de plongée auprès de l'OT, dans le centre de L'Estartit. *Accès via L'Estartit*

romaine, établie sur les hauteurs du site, prospéra avant d'être détruite à la fin du IIIe siècle de notre ère par une invasion. Les archéologues redécouvrirent le site en 1908. Un lieu envoûtant, dominant la baie de Roses, avec le cap de Creus en arrière-plan. *C/ Puig i Cadafalch, s/n L'Escala À 2,3km au nord-ouest de l'Escala par la Gl623, dir. Sant Martí d'Empúries (en été, accès piéton par le sentier côtier L'Escala-Sant Martí d'Empúries) Tél. 972 77 02 08 www.mac.cat Ouvert juin-sept. : tlj. 10h-20h ; oct.-14 nov., 16 fév.-fin mai : tlj. 10h-18h ; 15 nov.-15 fév. : mar.-dim. 10h-17h Semaine sainte : tlj, 10h-20h Tarif 3€, réduit 2,10€, moins de 16 ans, étudiants, plus de 65 ans, dernier dim. du mois et certains j. fér. (23 avr., 18 mai, 2 et 11 sept.) gratuit Compter 1h30 à 2h de visite, musée compris Visite guidée en français (été) tlj, à 11h et 18h 3€, moins de 7 ans gratuit*

La cité grecque La visite débute par celle de la Nea Polis grecque, dans la partie basse du site, en face du parking. On découvre les vestiges d'imposants remparts, de quelques maisons et de plusieurs sanctuaires, dont l'un était consacré à Asclépios, dieu grec de la Médecine et accueillait les malades. Aux points clés de la visite, des dessins restituent l'aspect originel des lieux. Au fond du site s'étend l'agora, place publique dont ne subsiste pratiquement rien, hormis les vestiges d'un réseau d'égouts. À voir également, les vestiges d'une maison à péristyle et d'un atelier de salaison du poisson. Plus haut, le Musée archéologique présente l'histoire d'Empúries (notice en français à l'entrée).

La cité romaine Ses allées desservent trois vastes villas dont subsistent quelques colonnes et de belles mosaïques. La partie la plus impressionnante est le forum (début du Ier s.), dont certains éléments ont été reconstitués en 2010. À côté ont été dégagés des thermes. De là, on remonte le *cardo maximus* (principal axe nord-sud de la cité) vers le sud. Autrefois bordé d'échoppes, il débouche sur la porte principale de l'enceinte romaine, dont le tronçon méridional est le mieux conservé. Juste à l'extérieur se dressent les ruines de l'amphithéâtre (Ier s.), dont les dimensions modestes témoignent du relatif déclin d'Emporion à l'époque. Enfin, au pied des murailles dorment les vestiges d'un gymnase.

Torroella de Montgrí Ce gros bourg, situé 6km à l'intérieur des terres, possède un intéressant quartier médiéval. À ne pas manquer, les ruelles pit-

---

Visions de carte postale

Rochers et pins sur fond d'eaux turquoise et cristallines, la "côte sauvage" du Levant ménage de sublimes points de vue sur ses criques : choisissez le(s) vôtre(s).

LA COSTA BRAVA ET L'ARRIÈRE-PAYS

toresques, l'église gothique de Sant Genís, avec sa façade et son campanile baroques, et le Mirador, palais royal remanié au XIXᵉ siècle et récemment transformé en hôtel (visites guidées en été, rens. au Can Quintana). Faisant office de bureau d'information touristique, le Can Quintana (Museu de la Mediterrània) constitue une mine d'informations sur l'histoire humaine et naturelle de la région. Le centre de Torroella est également le point de départ de la plus belle balade dans les environs, celle qui mène au sommet du **Montgrí** et à son impressionnant **Castell**, la forteresse royale du début du XIVᵉ siècle qui domine la ville (entrée libre, accès pédestre uniquement ; 1h d'ascension, chemin balisé en rouge et blanc). Du haut des remparts crénelés, vue sublime sur la côte. *À 13km au sud de L'Escala* **Can Quintana (Museu de la Mediterrània)** *C/ Ulla, 27-31 Tél. 972 75 51 80 www.museudelamediterrania. cat Ouvert juil.-août : lun.-sam. 10h-14h et 18h-21h, dim. et j. fér. 10h-14h ; sept.-juin : lun. et mer.-sam. 10h-14h et 17h-20h, dim. et j. fér. 10h-14h Tarif 3€, réduit 1,50€*

L'Estartit Voilà l'une de ces stations balnéaires sans âme, typiques de la Costa Brava, bondées en été et désertes le reste de l'année. Son principal attrait est d'offrir un accès privilégié à la réserve naturelle marine des îles Medes, l'un des meilleurs sites de plongée d'Espagne (p.298). *À 20km au sud de L'Escala sur la route d'Estartit-Torroella de Montgi* **Office de tourisme** *Passeig Maritim, s/n Tél. 972 75 19 10 www.visitestartit.com/ Ouvert lun.-ven. 9h-13h et 15h-18h, w.-e. et j. fér. 10h-14h Ouvert jusqu'à 21h en été*

CARNET D'ADRESSES

Restauration, hébergement

campings

L'Escala Le seul camping du centre-ville. Bien équipé mais sans charme. Comptez de 24 à 41€ pour 2 pers. avec tente et voiture selon la saison. Loue également des bungalows pour 4 pers. (68-130€). *Cami Ample, 21 L'Escala Tél. 972 77 00 84 www.campinglescala. com Ouvert Pâques-fin sept.*

Cala Montgó Proche des nombreux clubs de plongée de la Cala Montgó, l'un des sites préférés des amateurs. De 26 à 48€ env. pour 2 pers. avec tente et voiture selon la saison. Également des bungalows et mobil-homes pour 2-6 pers. : 98,35-126,40€ en haute saison. *Av. Montgó L'Escala (3km au sud du centre) Tél. 972 77 08 66 ou 972 77 29 26 (Rés. souhaitable) www. betsa.es Ouvert toute l'année*

petits prix

L'Escalenc Dans une rue perpendiculaire au Passeig Marítim, à 20m de la mer. Petite salle agréable aux nappes blanches où l'on mange des spécialités régionales (autour de 10-20€) préparées avec amour : lapin à la seiche et aux escargots, *suquet de poisson* ou *arròs negre*. Menu à 12,50€ TTC à midi en semaine. *C/ del Mar, 45 L'Escala Tél. 972 77 34 88 Ouvert jeu.-lun. 13h-15h30 et 20h-22h30, mar. 13h-15h30 Fermé début jan.-début fév.*

Pensió Torrent Dans le centre ancien. Une pension familiale, tenue par une dame charmante. Chambres mignonnes et très propres, disposant pour la plupart d'un balcon ensoleillé. La double avec sdb revient à 52€ l'été, à 37-42€ hors saison. Wifi mais pas de petit déj. *C/ Riera, 28 L'Escala Tél. 972 77 02 78 www.pensiotorrent.com*

Alberg Juvenil Empúries Une auberge de jeunesse moderne et accueillante, située en bord de mer. Trente chambres de 5-6 pers. et 3 grands dortoirs. Possibilité de demi-pension et de pension complète. De 14,40 à 22,25€/nuit pour les moins de 29 ans, et de 16,25 à 27,10€ pour les plus de 30 ans. Organise des sorties de plongée en été. *Carte Fuaj obligatoire C/ Puig i Cadafalch, 36 L'Escala (sur la route d'Empúries, à droite avant d'arriver au site archéologique ; à 15 min à pied de L'Escala par la promenade maritime ; si vous arrivez en car de Figueres, demandez au chauffeur de marquer l'arrêt près de l'auberge) Tél. 972 77 12 00 www.xanascat.cat Fermé 9 déc.-31 janv.*

☺ **Hostal Roser** Derrière l'église de Sant Pere. Pension très bien tenue, aux chambres simples et accueillantes. Double avec sdb à 58€ HT. La formule pension complète (47-54€ HT/pers.) est idéale si l'on veut profiter d'une délicieuse cuisine catalane à base de produits de saison. Le menu à 28,50€, servi tlj., est une valeur sûre, et l'*escalivada* (poivrons, aubergines, huile d'olive), accompagnée de sublimes anchois de L'Escala, incontournable. L'*arròs mariner* (riz aux fruits de mer et aux légumes) est succulent. Menu déjeuner à 13€ en semaine. *C/ de l'Es-glésia, 7 L'Escala Tél. 972 77 11 02 (restaurant) ou 972 77 02 19 (hôtel) www. elroserhostal.com Fermé nov.*

Hostal Empúries À proximité des ruines antiques d'Empúries, la plage de Portitxol étend un croissant de sable dominé par l'Hostal Empories, une auberge centenaire transformée en un hôtel de charme conjuguant design et développement durable. Le bâtiment principal (conçu en 1907 pour accueillir les archéologues) et une dépendance récemment restaurée se partagent 46 chambres élégantes et confortables. Chacune d'elles dispose d'un balcon donnant sur la mer ou sur le jardin écologique. À la carte du restaurant, encensé par le chef barcelonais du Gresca, Rafa Peña, des recettes méditerranéennes réalisées avec les produits du potager et d'exploitations agricoles labellisées "bio" des environs. Bar, snack-bar, centre de remise en forme, location de vélos et nombreuses activités sportives. Double de 100 à 150€. *Platja de Portitxol, s/n Tél. 972 77 02 07 www.hostalempuries.com*

LA COSTA BRAVA ET L'ARRIÈRE-PAYS

GAMME DE PRIX	RESTAURATION	HÉBERGEMENT
Très petits prix	moins de 12€	moins de 50€
Petits prix	de 12 à 20€	de 50 à 65€
Prix moyens	de 20 à 30€	de 65 à 85€
Prix élevés	de 30 à 50€	de 85 à 130€
Prix très élevés	plus de 50€	plus de 130€

Église Santa Helena (p.333), monastère Sant Pere de Rodes.

Sinuant à travers le parc Güell (p.175), le banc recouvert de *trencadís*, bijou du modernisme.

La vallée d'Ordesa (p.422), dans le parc du même nom.

Décoration de fête folklorique.

Castellers (p.40) **formant un " château " humain,** Tarragone (p.230).

Le Palau de les Arts – Cité des arts et sciences (p.490), à Valence.

Palacio de la Aljafería (p.445), Saragosse.

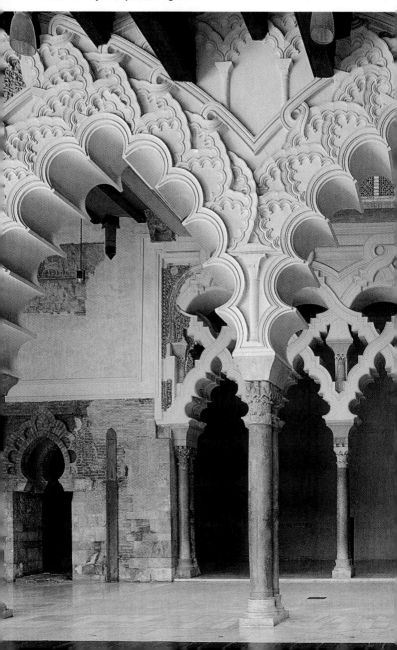

Calella de Palafrugell (p.284), ancien village de pêcheurs.

Fallas de San José (p.486), Valence.

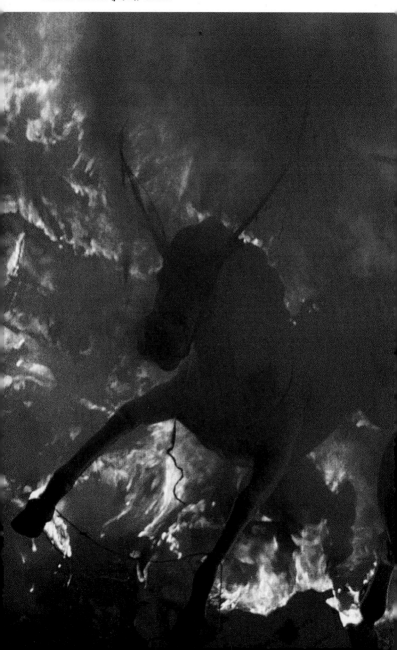

Sur le cours de la Noguera Pallaresa (p.378), Pyrénées catalanes.

Tossa de Mar (p.289), ancien "paradis bleu" de Chagall, accueille 50 000 touristes en août.

Elche (p.530).

Nuestra Señora del Pilar (p.436), emblème baroque de Saragosse.

Le village de Cadaqués, blotti au pied de l'église Santa María (p.328).

★ ☺ **CADAQUÉS**

17488

La descente vers ce ravissant village de pêcheurs, miraculeusement préservé de l'urbanisme, est saisissante. L'ardoise grise des monts escarpés, les champs en terrasses millénaires plantés d'oliviers, de chênes verts et de buissons ras forment un écrin parfait pour cette baie sublime et son récif solitaire, Es Cucurrucuc. Barques de pêcheurs bariolées au pied de vieilles maisons aux murs chaulés et, perchée sur son promontoire, l'église du vieux quartier qui défie les flots : Cadaqués semble sortie de l'imagination d'un peintre ! Au Moyen Âge, la ville fut souvent pillée par les pirates. Barberousse brûla son église en 1543, pour le simple plaisir, dit-on, de voir l'incendie se refléter sur la mer. À la fin du XIXe siècle, une communauté d'artistes et d'intellectuels catalans commence à fréquenter les lieux. Picasso séjourne ici en 1910. Mais c'est Dalí qui consacra la renommée du site, en achetant une maison de pêcheur à Portlligat en 1930, avant de s'y installer avec sa femme Gala en 1948. Sinon, isolée du monde, Cadaqués est ouverte à la mer et à ses vents mauvais. Et la *tramontana* qui souffle du nord a la réputation d'ébranler les esprits les plus stables...

MODE D'EMPLOI

accès

EN VOITURE
Sur l'AP7-E15 (payante), sortir à Figueres. Cadaqués est à 25km à l'est par la C260, puis la Gl614 (escarpée). Gare aux bouchons l'été.

EN CAR
Sarfa Relie Cadaqués à Figueres via Roses (7 cars/j., 1h20 de trajet, 5,45€ AS), Gérone (2 AR/j., 1h50, 9,85€ AS) et Barcelone (4 cars/j., 2h45, 24,30€ AS). Liaisons réduites hors saison. De Figueres, liaisons régulières avec Castelló d'Empúries. *Arrêt et guichet à l'entrée de Cadaqués, près du parking Tél. 902 30 20 25 www.sarfa.com*

EN TRAIN
Grandes lignes Les trains couchettes de et vers Paris font une halte 1 fois par jour dans chaque sens à la gare du centre-ville de Figueres tandis que les TGV s'arrêtent à celle de Figueres-Vilafant. Comptez entre 9h30 et 11h (169€) depuis Paris, 2h45 de Toulouse via Narbonne (54€) et 2h15 de Montpellier (33,80€). Correspondances avec Gérone (15 min de trajet, 6,70€) et Barcelone (1h, 20,20€). *www.renfe. com www.voyages-sncf.com*
Estació Figueres *Pl. de l'Estació, s/n (au centre-ville)*
Estació Figueres-Vilafant Navettes pour le centre de Figueres (1,25€) à chaque départ et arrivée de TGV. *À 5km à l'ouest de Figueres sur la route d'Olot*

orientation

La route de Figueres donne sur l'Avinguda de Caritat Serinyana. Passé le parking municipal (*aparcament*, à droite) et l'embranchement de Port-lligat et du cap de Creus (à gauche), celle-ci débouche sur l'esplanade du bord de mer et la route côtière. Le centre historique domine la baie, juste au sud.

circuler en voiture

Si possible, se garer à l'entrée du village dans le grand parking public (2,68€/h, ou forfait 24h à 19,60€), car la circulation se révèle difficile en bord de mer et le stationnement impossible. *Tél. 972 25 84 76*

informations touristiques

Office de tourisme de Cadaqués (plan 11, B1) Horaires de bus affichés sur la porte, liste d'hébergements, brochures sur les randonnées et la plongée. *C/ del Cotxe, 2A Tél. 972 25 83 15 www.visitcadaques.org Ouvert juil.-15 sept. : lun.-sam. 9h-21h, dim. 10h-13h et 17h-20h ; 16 sept.-Pâques : lun.-jeu. 9h-13h et 15h-18h, ven.-sam. 9h-13h et 15h-19h ; Pâques-juin : lun.-jeu. 9h-13h et 15h-18h, ven.-sam. 9h-13h et 15h-19h, dim. 10h-13h*

Office de tourisme de Figueres Liste des restaurants et des hôtels de la ville. Horaires de bus affichés sur la porte. *Pl. del Sol, s/n Tél. 972 50 31 55 http://fr.visitfigueres.cat/ Ouvert été : lun.-sam. 9h-20h, dim. 10h-15h ; reste de l'année : lun.-sam. 10h-14h et 16h-19h, dim. 10h-15h*

fêtes et manifestations

Festival de Cadaqués De début juillet au 11 septembre (jour de la fête nationale de Catalogne), concerts de jazz, de rock ou de musique classique se succèdent dans les rues et aux terrasses des cafés. Également des expositions et des festivités populaires, en particulier sur la plage.

Cadaqués www.festivalcadaques. com
Festa de la Verema La fête des Vendanges s'accompagne de 4 journées gastronomiques début septembre (rens. à l'office de tourisme pour les dates exactes). Au programme, dégustation de vins de l'Empordà sur la Rambla (8€) et visites guidées des principales *bodegas* (caves) de la région (5 à 10€ avec dégustations). *Figueres*

Festival Terra de Trobadors Ce festival médiéval anime les rues de Castelló d'Empúries le 2e week-end de septembre. *Castelló d'Empúries Tél. 972 15 62 33 www.terradetrobadors.com*

Schubertiada de Vilabertrán De mi-août à début sept. l'église Santa Maria de Vilabertrán résonne chaque w.-e. des œuvres de Franz Schubert, lieders, récitals de piano, messes ou musique de chambre. Comptez 45 à 55€ par concert. Abonnements possibles pour 3 et 5 concerts ou la totalité du festival (108, 180 et 324€). *Vilabertrán (à env. 4km au nord-est de Figueres) Tél. 972 50 01 17 www.schubertiadavilabertran.cat*

Festival Castell de Peralada De mi-juillet à mi-août. Concerts symphoniques, musique de chambre, jazz, pop, ballets, sans compter les créations et les spectacles mêlant les disciplines, le programme est vaste ! *Peralada Tél. 972 53 82 92 www.festivalperalada.com*

banques et poste

Vous trouverez des banques le long de l'Av. de Caritat Serinyana (plan 11, A1-B1).

Poste (plan 11, A1) *Sa Rierassa, 1 Ouvert lun.-ven. 8h30-12h30, sam. 9h-11h*

DÉCOUVRIR

☆**Les essentiels** La Casa-Museu Dalí, le monastère de Rodes, le retable de la basilique de Castelló d'Empúries **Découvrir autrement** Profitez des derniers rayons du soleil à Cadaqués, rejoignez Portlligat par le sentier côtier ou empruntez la route sinueuse qui mène au phare du cap de Creus

Cadaqués et Portlligat

Cadaqués C'est juste derrière l'office de tourisme que commence le vieux quartier de Cadaqués. Accroché aux flancs du promontoire dominant la baie, il déploie un enchevêtrement de ruelles étroites aux murs blancs et aux balcons fleuris. Certaines maisons épousent les formes de la roche. Tout en haut de la butte, l'**église Santa María** (plan 11, A2) possède un retable baroque exceptionnel (1725-1788), de Pau Costa et Jacint Moreto. Cette église gothique incendiée par le corsaire Barberousse en 1543 fut reconstruite au XVIIe siècle. En glissant 1€ dans le tronc réservé à cet effet, on peut admirer le retable illuminé. En août, la nef résonne de concerts classiques donnés à l'occasion du festival de Cadaqués (p.327). En contrebas, côté opposé à la mer, le **Museu de Cadaqués** consacre chaque année une exposition à l'un des peintres ayant vécu et travaillé dans la région, tels Picasso, Dalí ou d'autres moins renommés. Côté mer, au centre du village se trouve une grande esplanade bordée de cafés et de restaurants. On peut y voir la statue de Salvador Dalí, représenté en dandy. En remontant vers le nord, on accède à la Plaça del Portitxó, reconnaissable à son olivier (plan 11, B1), et l'impressionnante façade blanche et bleue de la **Casa Serinyana**, ou Casa Blaua, demeure moderniste de 1910. Un peu plus loin, une plaque indique la maison où séjourna Picasso. Les amateurs de baignade suivront l'avenue Victor Rahola pour gagner la *platja* Ses Oliveres et ses *chiringuitos*, les paillotes qui s'installent sur le sable le temps d'une saison. **Museu de Cadaqués** C/Narcís Monturiol, 15 Tél. 972 25 88 77 Ouvert 24 juin-mi-sept. : jeu.-mar. 10h-20h, mer. 10h-13h30 et 15h-20h ; avr.-mai, 1er-23 juin : lun.-sam. 10h30-13h30 et 16h-19h ; sept.-déc. : lun.-sam. 10h30-13h30 et 15h-18h Tarif 6€, réduit 4€

● **VILLAGE DU LEVANT** Latitude 42° 17' 20" Nord, longitude 3° 16' 42" Est : village le plus oriental de la péninsule Ibérique, Cadaqués se blottit, sur la côte, par-delà le massif montagneux de la péninsule du cap de Creus, isolement qui lui valut de rester longtemps protégé des touristes...

Portlligat Juste derrière l'anse de Cadaqués s'ouvre la charmante baie abritée au milieu de laquelle se dresse l'Illa de Portlligat, un rocher peuplé d'oiseaux. Portlligat est à peine un hameau : seuls deux bars animent sa plage en été. La ☆**Casa-Museu Dalí**, redessinée par le peintre, ne décevra pas les admirateurs de ses fantaisies surréalistes, même si l'ensemble est finalement assez sobre. Devant la maison trône une barque dont le mât est un arbre. Dans le vestibule se dresse un ours polaire naturalisé portant flambeau et colliers. L'atelier du peintre abrite deux œuvres sur bois originales, et les lunettes bicolores que Dalí

LA COSTA BRAVA ET L'ARRIÈRE-PAYS

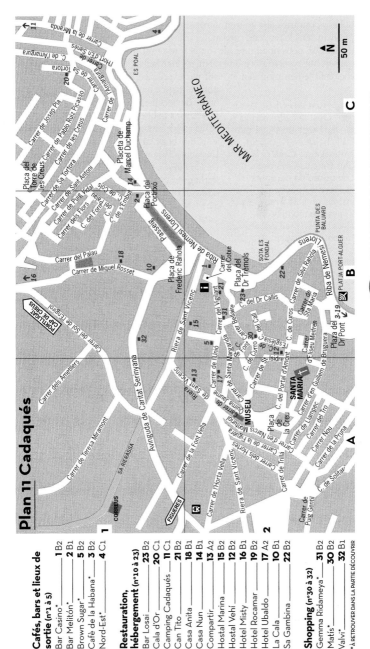

Plan 11 Cadaqués

Cafés, bars et lieux de sortie (n°1 à 5)

Bar Casino*	1 B2
Bar Melitón*	2 B1
Brown Sugar*	5 B2
Café de la Habana*	3 B2
Nord-Est*	4 C1

Restauration, hébergement (n°10 à 23)

Bar Losai	23 B2
Cala d'Or	20 C1
Camping Cadaqués	11 C1
Can Tito	21 B2
Casa Anita	18 B1
Casa Nun	14 B1
Compartir	13 A2
Hostal Marina	15 B2
Hostal Vehí	12 B2
Hotel Misty	16 B1
Hotel Rocamar	19 B2
Hotel Ubaldo	17 A2
La Cala	10 B1
Sa Gambina	22 B2

Shopping (n°30 à 32)

Gemma Ridameya*	31 B2
Matís*	30 B2
Valvi*	32 B1

*À RETROUVER DANS LA PARTIE DÉCOUVRIR

utilisait pour travailler en trois dimensions. Dans la salle attenante, les modèles posaient sous le drapeau catalan. La salle jaune se distingue par le miroir dans lequel Dalí pouvait admirer de son lit le lever du soleil sur la baie. L'accès à la maison était réservé aux intimes. Nul n'y était jamais invité à dormir. La terrasse, elle, était le lieu mondain et festif par excellence.

● **"COCOONING" DALÍ**
C'est le cadre exquis de la baie de Portlligat que Dalí choisit en 1930 pour aménager sa Casa dels Ous ("maison des œufs"), composée de plusieurs maisons de pêcheurs. Il s'y installa en 1948 avec Gala. Il l'avait rencontrée ici alors qu'elle était encore l'épouse de Paul Éluard, à l'époque où le peintre faisait venir sur la côte catalane ses amis "surréalistes". Si le couple y organisa des fêtes somptueuses, les convives n'étaient guère invités à pénétrer ailleurs que dans les pièces de réception. Dalí créa dans cette maison certaines de ses œuvres les plus célèbres. À la mort de Gala, en 1982, il la ferma pour ne plus jamais y revenir.

Tasses géantes en guise de pots de fleurs, œufs daliniens, piscine pop art ornée de bonshommes Michelin et d'enseignes Pirelli, sans oublier les trônes du fond, où Gala et Dalí siégeaient autour d'une lampe de phare, sous des boas en tissu. *À env. 2km au nord de Cadaqués Parking près du musée* **Accès à pied** *De Cadaqués, on peut suivre le Camí Antic de Portlligat, un chemin qui suit sur sa dernière partie la route de Portlligat Le sentier côtier est plus intéressant, mais plus long (1h-1h30 env.) et gare au vertige !* **Casa-Museu Dalí** *Tél. 972 25 10 15 www.salvador-dali.org/museus/portlligat/fr Ouvert mi-juin-mi-sept. : tlj. 9h30-20h10 ; mi-sept.-mi-juin : mar.-dim. 10h30-17h10 Fermé 7 jan.-11 fév. Visite sur réservation, en petit groupe (8 pers. max) toutes les 10min Retirer son billet 30min avant Tarif 11€, réduit 8€, moins de 8 ans gratuit*

● **Où remplir son panier gourmand ?**
Valvi (plan 11, B1 n°32) L'endroit hésite entre supermarché et épicerie fine. Vous y trouverez tout en matière de produits régionaux : des étagères de vin à n'en plus finir, des semi-conserves de tous les légumes qui peuvent se mettre en bocaux, des pâtés et des saucissons, des rayonnages de fromages, et encore des anchois ou des poulpes en marinade... Vous pourrez également y tirer du vin au fût. *Av. de Caritat Serinyana, 13-15 Tél. 972 25 86 33 Ouvert lun.-sam. 8h30-20h, dim. 9h-14h*

● **Où trouver des idées de déco catalane, des espadrilles... ?**
Matís (plan 11, B2 n°30) La façade blanche ne laisse pas deviner le joyeux capharnaüm coloré régnant dans la boutique : linge de table et de maison à rayures et aux teintes ensoleillées, sacs et espadrilles mais aussi de la vaisselle aux lignes modernes et une foule d'idées de cadeaux. *C/ Esglesia, 3 Tél. 972 15 94 18 Ouvert tlj. 10h-13h30 et 16h30-20h30*

● **Où se parer de bijoux de galets, de corde, d'argent... ?**
Gemma Ridameya (plan 11, B2 n°31) De pierre ou d'argent, opaques ou translucides, massives ou plus légères, les créations de Gemma se déclinent en tours de cou, bracelets, bagues et pendants d'oreilles. Elle peut aussi vous réaliser sur commande des bijoux originaux aux incrustations de galets. *C/ Vigilant, s/n Tél. 972 15 94 41 Ouvert tlj. 11h-14h et 16h30-20h30 en été*

● **Flâner de galerie d'art en galerie d'art** Elles se succèdent dans la carrer Unió, les ruelles descendant de l'église vers la mer et, de l'autre côté de la baie, dans la carrer Hort d'en Sanés. Véritable parcours au travers des styles et des techniques, elles vont de l'atelier à l'ancienne, où les peintres réalisent toujours marines et vues du village, aux espaces d'exposition épurés intégrant à l'architecture de pierre traditionnelle leurs toiles et installations diverses.

● Où se rafraîchir après une journée dans les criques ?

Brown Sugar (plan 11, B2 n°5) Comptoir couvert de papayes, d'oranges, de bananes, de pommes, de pastèques ou d'avocats selon la saison : dans ce temple du jus de fruits frais pressé, on vient en milieu de matinée prendre un lassi à l'indienne ou, plus tard à la fraîche, un cocktail avec ou sans alcool. Env. 4 à 6€ le verre. Pas de tél. C/ Vigilant, s/n Ouvert lun. 10h-3h

● Où boire un verre au bord de la mer ?

Bar Casino (plan 11, B2 n°1) C'est l'ancien club social de Cadaqués, reconverti en un bar populaire spacieux. Les jours de pluie, les pêcheurs passent le temps en jouant aux dominos dans la grande salle du fond. L'avant-salle, avec ses grandes baies vitrées donnant sur la mer, est idéale pour faire une pause. Comptez 2,20€ pour un chocolat chaud et 2€ pour une bière. Sur la gauche, quelques ordinateurs pour consulter vos e-mails. Pl. Doctor Tremols (à côté de l'OT) Tél. 972 25 81 37 Ouvert tlj. 7h-0h Ouvert jusqu'à 1h le week-end et en été
Bar Melitón (plan 11, B1 n°2) La terrasse couverte d'un auvent et donnant sur le bord de mer figure sur la plupart des tableaux d'artistes locaux affichés à l'intérieur. Marcel Duchamp venait, dit-on, y jouer aux échecs. Beau comptoir en pierre du cap de Creus. Ambiance agréable pour prendre un verre en grignotant tapas et sandwichs (env. 7,50€). Passeig 17 Tél. 972 25 82 01 Ouvert été : tlj. 9h-1h ; hiver : lun.-mar. et jeu.-ven. 9h-20h, sam.-dim. 9h-22h Fermé fin nov.-mars

● Où profiter des derniers rayons du soleil ?

Nord-Est (plan 11, C1 n°4) Chaises de fer forgé et tables de verre sur sol d'ardoise : un design années 1990 avec lumières tamisées et plantes en pot... C'est d'ici que l'on a le meilleur point de vue au soleil couchant. Ne tardez pas à commander votre cocktail (6,50-8,50€) : les places en terrasse sont convoitées ! C/ Riba Pianç, 2 Tél. 972 25 84 61 Ouvert été : tlj. 9h-3h ; hiver : lun.-ven. 10h-0h, sam.-dim. 10h-2h Fermé 15 jan.-15 fév.

● Où passer une soirée bohème ?

Café de la Habana (plan 11, B2 n°3) Au bord de la route littorale. Un grand classique, animé le soir en saison. Le patron, qui sort parfois sa guitare et chante à merveille, joua pour le grand Dalí lui-même, comme l'atteste une photo épinglée au mur. Dr Bartomeus, 2 Punta d'en Pampa Tél. 972 25 86 89 ou 972 15 94 38 www.cafedelahabana.com Ouvert Pâques-oct., Noël : tlj. 21h-2h30 ; reste de l'année : ven.-sam. 21h-2h30 veilles de j. fér.

● **Profiter des sentiers côtiers** Un itinéraire pédestre d'env. 1h30 a été balisé tout au long du littoral, comme un pèlerinage vers les endroits où Dalí a peint certaines de ses toiles dans les années 1920 et 1930. Plan disponible à l'office de tourisme (p.327).

LA COSTA BRAVA ET L'ARRIÈRE-PAYS

● **Faire une sortie en mer**

Creuers Cadaqués Une croisière d'une heure et demie vous fera contourner le cap jusqu'aux îles gardant Portlligat avant de vous emmener jusqu'à la pointe du Cap de Creus. *Carretera Portlligat, 30 (également un kiosque de vente sur la plage principale) Tél. 972 15 94 62 www.creuerscadaques.cat Départs à 12h, 16h et 18h Ouvert avr.-oct. et Semaine sainte*

● **Découvrir les criques en kayak** Sur la petite plage de Portlligat, les kayaks sont désormais plus nombreux que les barques de pêche ! Il est vrai que les îles surgissant à quelques encablures du rivage, paradis des oiseaux de mer, incitent à la balade. Les courageux pousseront jusqu'au pied du phare du Cap de Creus.

Kayaking Comptez 10€/h pour un kayak de mer monoplace et 15€/h pour un biplace (respectivement 25 et 40€ la demi-journée). Excursions guidées à la découverte des criques secrètes du littoral. *Sur la plage de Portlligat Tél. 972 77 38 06 www.kayakingcostabrava.com*

Les environs de Cadaqués

Au nord

Parc naturel du Cap de Creus Ce promontoire rocheux qui se jette dans la Méditerranée est battu par des vents violents, d'où le dicton : "Cap de Creus, cap du diable." La péninsule, point le plus oriental de l'Espagne, est une zone protégée sous le statut de parc naturel. Culminant à plus de 600m et bordée de calanques abruptes, elle est sillonnée par de nombreux sentiers qui feront la joie des randonneurs, cf. Êtes-vous cap ? (p.332). À vélo ou en voiture, poussez jusqu'au phare par la petite route sinueuse qui traverse des paysages de plus en plus lunaires. Les vues se dégageant alors sont époustouflantes ; vous pourrez vous attabler à la terrasse du bar-restaurant Cap de Creus (p.343) pour mieux en profiter. Par ailleurs, les fonds sous-marins protégés font aussi le bonheur des plongeurs (reliefs accidentés, grottes, épaves, faune riche et variée). Les plongées, dans des fonds de 15m à 35m, s'adressent avant tout aux sportifs confirmés, mais les clubs organisent des sorties guidées (p.73). **Phare du Cap de Creus** *À 7km de Portlligat* **Centre d'information du parc de Creus** *Palau de l'Abat Monastir de Sant Pere de Rodes* **El Port de la Selva** *Tél. 972 19 31 91 www.gencat.cat Service de guides (5 pers. minimum) Adulte 13€ la journée et 6€ la demi-journée, moins de 12 ans 9€ la journée et 5€ la demi-journée*

● **ÊTES-VOUS CAP ?** De Cadaqués, on peut rejoindre le cap de Creus à pied via le chemin de Portlligat (6km aller). Avant de prendre le GR®11 qui rejoint El Port de la Selva, puis de monter vers le monastère de Sant Pere de Rodes, faites une pause à la terrasse du bar-restaurant Cap de Creus (p.343) et profitez d'une vue époustouflante (aux beaux jours) sur la mer ! *Rens. au centre d'information du parc de Creus*

El Port de la Selva Ce petit port de pêche fondé au XVIIe siècle s'étire en arc de cercle au fond d'une baie, étageant ses maisons blanches à flanc de montagne. Un môle qu'occupe la coopérative de pêche sépare la longue plage du port proprement dit, toujours actif : relativement préservé du tourisme de masse, le village a en effet conservé son activité traditionnelle. En suivant la route qui longe la marina, un peu à l'écart, vous déboucherez sur une crique, la Cala Tamariua, assez tranquille en semaine. Les amateurs de randonnée emprunteront l'un des nombreux sentiers balisés qui partent du bourg pour s'engager dans le parc naturel du Cap de Creus ou grimper vers le monastère de Sant Pere de Rodes.

● **PAUSE MÉDITERRANÉENNE**
Déjeunez avec les ruines du château de Sant Salvador au-dessus de vous et le petit village blanc d'El Port de la Selva à vos pieds : installée dans les bâtiments du XVIᵉ siècle, à droite du monastère, la caféteria offre une vue magnifique sur la Méditerranée ! Menus à 16€ et 33€. **Cafeteria del Monestir de Sant Pere** *Tél. 972 19 42 33 Mêmes horaires que le monastère*

☆ ☺ **Monestir de Sant Pere de Rodes** D'El Port de la Selva, la route monte en lacets étroits sur les flancs de la Serra de Rodes. Alors, perdu au sommet des montagnes, il apparaît enfin. Les tours de ce monastère bénédictin, merveille de l'art roman, s'élèvent dans un cadre grandiose, dominant la Méditerranée. Érigé au Xᵉ-XIᵉ siècle sur le site d'un temple romain dédié à Vénus, puis remanié au XIIᵉ-XIIIᵉ siècle, il connut un fort rayonnement culturel au Moyen Âge, lorsque ses possessions s'étendaient sur une grande partie de la région. C'était une étape importante pour les pèlerins en route vers Jérusalem, qui léguèrent au monastère de véritables trésors. Ceux-ci furent pillés au XVIIᵉ siècle ; on retrouve ainsi une bible du XIᵉ siècle à la Bibliothèque nationale de... Paris ! Au XVᵉ siècle, le monastère entame un lent déclin dû, pense-t-on, à la vie licencieuse des moines. Il sera abandonné à la fin du XVIIIᵉ siècle. Retrouvés en grande partie en ruine et abondamment restaurés, les lieux gardent cependant d'importants vestiges de leur splendeur passée. Demandez la brochure détaillée en français (gratuite). Un clocher de style lombard et une puissante tour (Xᵉ-XIᵉ s.) dominent la façade. Admirez ensuite la somptueuse église abbatiale, représentative du premier art roman, avec ses trois nefs aux harmonieuses voûtes en berceau. À droite de l'église, remarquez le cloître du XIᵉ siècle. Il est surplombé par un autre cloître du XIIᵉ siècle, dont la double rangée de colonnes, entièrement refaite, arborait des chapiteaux sculptés par le Mestre de Cabestany ; quatre d'entre eux ont

L'appel du large

Pour profiter d'une autre vue sur la Costa Brava, laissez-vous embarquer !

Sorties en mer

Kitesurf

été reproduits à l'identique. On peut admirer certains originaux dans différents musées catalans. À droite du cloître, un document audiovisuel retrace l'histoire du monastère. Ne manquez pas de monter jusqu'aux ruines du château de Sant Salvador de Verdera, qui veillait jadis sur la communauté. Départ du sentier à droite devant le monastère (45min AR, vue splendide). Près du parking, l'adorable église Santa Helena (IXe s.) et les vestiges du village médiéval méritent aussi un coup d'œil. Enfin, les amateurs de randonnée profiteront de l'occasion pour se rendre au centre d'information du parc naturel du cap de Creus, en contrebas, sur la gauche. **Accès en voiture** *À 20km au nord-ouest de Cadaqués par la GI613 jusqu'à El Port de la Selva, puis une route escarpée* **À pied** *Par le GR®11 (3h d'une rude ascension à partir d'El Port) 2 parkings 1,50€, puis 10min de marche jusqu'au monastère Tél. 972 38 75 59 Ouvert Pâques : mar.-dim. 10h-19h ; juin-sept. : mar.-dim. et j. fér. 10h-20h ; oct.-mai : mar.-dim. et j. fér. 10h-17h30 Fermé 25 et 26 déc., 1er et 6 jan. Tarif 4,50€, réduit 3€, moins de 6 ans et plus de 65 ans gratuit, mar. gratuit Dernière visite 30mn avant fermeture Visites guidées 4€, moins de 7 ans gratuit (env. 2h)*

● Où se préparer un inoubliable pique-nique ?

Can Rubiés Difficile de résister à tant de couleurs et de saveurs : la vitrine décline tous les produits régionaux, des miels aux charcuteries, des vins et des fromages aux champignons séchés sans oublier les conserves et bocaux d'anchois, de poivrons, d'olives, ni les pâtes de toutes couleurs. Avec la boulangerie voisine, voilà de quoi assurer un pique-nique inoubliable. *C/Illa, 23 **El Port de la Selva** Tél. 972 38 71 14 Ouvert été : tlj. 8h30-13h et 16h30-20 ; hiver : lun.-ven. 8h30-13h et 16h30-20h, sam.-dim. 8h30-14h*

Au sud et à l'ouest de Cadaqués

Roses Autant sa voisine Cadaqués est bobo, autant cette grosse station balnéaire établie au sud du Parc de Creus s'est tournée vers un tourisme populaire, alignant restaurants bon marché et boutiques de souvenirs au long de son immense plage. À l'est du centre-ville, impossible de manquer les vestiges de la Ciutadella. Cet ensemble monumental retrace plus de 1 500 ans d'histoire, depuis son premier quartier grec jusqu'à la forteresse du XVIe siècle ; on y voit notamment les restes d'un monastère roman et d'une muraille médiévale. Un petit espace muséographique expose le résultat des fouilles (toujours en cours). Fermant le golfe de Roses à l'ouest lui répond le Castell de la Trinitat, vestige abondamment restauré d'une forteresse du XVIe siècle détruite au cours des guerres napoléoniennes. **Office de tourisme** Personnel francophone de bon conseil. *Avinguda de Rhode, 77-79 Tél. 972 25 73 31 http:// visit.roses.cat Ouvert mi-juin-mi-sept. : tlj. 9h-21h ; mi-sept.-mi-juin : lun.-ven. 9h-18h, sam. 10h-14h et 15h-18h, dim. et j. fér. 10h-13h* **Ciutadella** *Av. Rhode, s/n Tél. 972 15 14 66 Ouvert oct.-mai : mar.-dim. 10h-18h ; juin, sept. : tlj. 10h-20h ; juil.-août :*

● **DU SABLE, UN VERRE, UN TRANSAT...** Au pied de la citadelle, à l'entrée de la promenade longeant la *platja* de Roses, vous trouverez un *café-bistrò* où louer un transat pour siroter un verre sur le sable (p.342). **Si Us Plau** *Passeig Maritim, 1 Roses Ouvert fin juin-août : tlj. 9h-3h ; sept.-fin juin : mer.-lun. 10h-3h*

tlj. 10h-21h Tarif 4€, réduit 2,50€ Visite guidée en français sur rés. **Castell de la Trinitat** *Carretera del Far, s/n Tél. 972 15 14 66 Ouvert mi-juin-mi-sept.: tlj. 17h-22h ; mi-sept.-mi-juin : sam. 15h-18h (Semaine sainte : 10h-18h), dim. et j. fér. 10h-14h Horaires sujets à modifications Tarif 2,50€, réduit 1,50€*

Castelló d'Empúries Ce bourg devint au XIe siècle la capitale des comtes d'Empúries. Avant d'en entreprendre la visite, faire un détour par l'office de tourisme, installé dans la prison médiévale. Le centre historique, étagé au flanc d'un promontoire, rassemble de beaux édifices médiévaux, tels que la Casa Gran (XVe s.), que domine la Basílica de Santa María, une merveille gothique du XIIIe siècle surnommée la "cathédrale de l'Empordà". Richement sculpté, son portail en ogive est encadré par les 12 apôtres ; au tympan figure l'adoration des mages. La basilique renferme les tombeaux des comtes et un splendide ★ **retable d'albâtre** du XVe siècle, chef-d'œuvre de la sculpture gothique catalane. La sacristie abrite un petit musée d'art sacré (orfèvrerie et textiles). À voir également à Castelló, un petit écomusée de la Farine, installé dans une ancienne minoterie. *À 17km à l'ouest de Cadaqués* **Office de tourisme** *Plaça Jaume I, s/n situé dans le musée de la prison Tél. 972 15 62 33 Ouvert lun.-sam. 9h-14h et 16h-19h, dim. et j. fér. 10h30-13h30* **Basílica de Santa María** *Pl. Mossèn Cinto Verdaguer Ouvert tlj. 9h-13h et 16h-19h Tarif 2€, réduit 1,50€* **Ecomuseu Farinera** *C/Sant Francesc, 5-7 Tél. 972 25 05 12 Ouvert juil.-août : lun.-sam. 10h-13h et 17h-19h, dim. 10h-13h ; reste de l'année fermé lun., Tarif 3,70€*

Peralada L'un des plus charmants bourgs médiévaux de l'Empordà, qui en compte pourtant beaucoup. Occupé par les Ibères dès le VIe siècle av. J.-C., le site devient au IXe siècle un important fief carolingien. De sa splendeur médiévale subsistent de nombreux édifices et des ruelles au tracé inchangé depuis le XIVe siècle. Le centre culturel Sant Domènec, qui accueille le **Museu de la Vila** (musée municipal), sert également d'office de tourisme (on peut s'y procurer un plan du village). Ce musée consacre une salle à Ramon Muntaner, auteur de célèbres *Chroniques du royaume d'Aragon*, né à Peralada en 1265. Vous pourrez consulter les bornes interactives consacrées à des thèmes liés à l'Empordà : les vins, les châteaux, etc. Au fond du jardin s'ouvre le cloître roman de Sant Domènec (XIe s.), le seul de la région à avoir conservé son ornementation sculptée. À deux pas du Museu de la Vila vous attend le **Museu-Castell de Peralada**. Le château des comtes de Peralada abrite désormais un luxueux casino, mais on peut visiter l'une de ses dépendances : un ancien couvent de carmélites (1293), au somptueux cloître gothique du XIVe siècle. L'église conventuelle, avec son plafond aux marqueteries mudéjares, est parfaitement conservée. Le musée possède une collection numismatique, des céramiques du XIVe au XIXe siècle et quelque 2 500 pièces de verrerie, remontant pour les plus anciennes à l'Antiquité égyptienne et comprenant des verres de Murano du XVe siècle et un calice taillé dans du cristal de roche du XVIIe siècle.

● **EN PASSANT PAR LÀ** Si vous passez par Peralada en juillet-août, ne manquez pas le festival de musique Castell de Peralada (p.327)qui, s'il rassemble d'aussi grands noms – de la musique classique – que Plácido Domingo et Jordi Savall, met aussi en scène du théâtre, de la danse, du rock, etc. *Rens. www. festivalperalada.com*

LA COSTA BRAVA ET L'ARRIÈRE-PAYS

Logée au 1er étage du palais et riche de 80 000 volumes, la bibliothèque de l'industriel barcelonais Miquel Mateu Pla (1898-1972) est ouverte aux chercheurs le matin. Les caves carmélites abritent, pour leur part, un espace consacré à l'artisanat du vin. *À 34km à l'ouest de Cadaqués via Castelló d'Empúries (parking gratuit au pied des murailles)* **Museu de la Vila** *Tél. 972 53 88 40 www.peralada.org Ouvert juil.-août : tlj. 10h-20h ; sept.-juin : mar.-sam. 10h-18h, dim. 10h-14h Tarif 3€, réduit 2,20€, moins de 12 ans gratuit (audioguide en français compris) L'été, visites guidées du village (une le matin et une l'après-midi, env. 45min, 2€) et concerts de musique classique dans le cloître* **Museu-Castell de Peralada** *Plaça del Carme, s/n Tél. 972 53 81 25 www.museucastellperalada. com Visites guidées juil.-mi-sept.: mar.-sam. 10h, 11h, 12h, 16h, 17h, 18h, 19h et 20h ; mi-sept.-juin : mar.-sam. 10h, 11h, 12h, 16h30, 17h30 et 18h30, dim. 10h, 11h et 12h Visite guidée avec dégustation 5,50€, réduit 4,50€ Parc 5,50€ Musée + Parc 8€ (parc fermé de nov. à mars) Attendre devant la grille Billet combiné Museu de la Vila + Museu-Castell 7€*

☺ Observer les oiseaux dans le parc dels Aigüamolls

Le vaste marécage situé au nord de L'Escala est le paradis des ornithologues. Les meilleures périodes sont celles des migrations (mars-mai et août-octobre). On peut alors observer poules d'eau, foulques, cigognes, fous de Bassan, hérons et aigrettes, ibis et flamants. Le centre d'information d'El Cortalet est le point de départ de différents itinéraires, jalonnés d'observatoires. Le plus intéressant est celui de **La Massona**, menant à la longue plage déserte de Can Comes (2h AR). Le tour complet, longeant la plage puis contournant le parc par le nord, fait 14km (5h). Il est parfois fermé au printemps, pour cause de nidification. À deux pas du centre d'information, la lagune Quim Franch constitue aussi un bon point d'observation. Venez de préférence tôt le matin, avant les groupes scolaires et touristiques, et pensez aux jumelles (on peut en louer sur place), à l'antimoustique et, s'il a beaucoup plu, aux bottes en caoutchouc. Interdit aux voitures, le parc est sillonné de sentiers pédestres et cyclistes bien balisés (pour découvrir le parc à vélo, le plus pratique est d'en louer à Sant Pere Pescador, d'où des pistes aménagées permettent de rejoindre les sentiers du parc : plusieurs boutiques près des plages) ; pour découvrir le parc à cheval, adressez-vous au centre hippique Claudio Pot. **Parc Natural dels Aigüamolls de l'Empordà** *Accès par le centre d'information d'El Cortalet où l'on vous remettra un plan des sentiers. À 4km après Sant Pere Pescador sur la route de Castelló d'Empúries, prendre à droite après le centre équestre Tél. 972 45 42 22 Ouvert avr.-sept.: lun.-ven. 9h30-15h30, sam.-dim. 9h30-14h et 16h30-19h ; oct.-mars : lun.-ven. 9h30-15h30, sam.-dim. 9h30-14h et 15h30-18h horaires sujets à modifications* **Centre hippique Claudio Pot** *Castelló d'Empúries Carretera de Castelló d'Empúries a San Pere Pescador km3 (entrée du parc) Tél. 972 45 08 80 www.yeguadaclaudiopot.com*

● Où acheter du vin de Castillo Peralada ?

La Botiga del Celler Au cœur de l'appellation d'origine Ampurdan, la production vinicole de Castillo Peralada, particulièrement diversifiée en termes de terroirs et de cépages (chardonnay, cabernet-sauvignon, grenache, tempranillo...), se retrouve sur les étagères de cette boutique installée face au château. Le caviste saura vous conseiller avec discernement dans le choix d'un *gran reserva* millé-simé, blanc, rouge ou rosé, ou d'une cuvée spéciale. *C/ Sant Joan, 23* **Peralada** *Tél. 972 53 85 03 Ouvert lun.-sam. 11h-14h et 15h-20h (21h en juil.-août), dim. 11h-14h*

● Piquer une tête, profiter des dunes sauvages, s'adonner aux joies du kitesurf...

Sant Pere Pescador Les immenses plages de sable doré de Sant Pere Pes-cador se couvrent de voiles colorées au premier souffle de vent : le kitesurf est la grande activité de l'endroit (cours et location de matériel sur la plage). Les moins sportifs profiteront des eaux turquoise et des dunes sauvages, d'autant plus appréciées qu'elles sont à l'écart de l'agglomération. *À 11km au nord de L'Escala (les plages se trouvent à env. 2km du bourg)*

Platja de Montjoi Éloignez-vous de la plage surpeuplée de Roses et prenez la Carretera a Montjoi qui part plein est depuis le centre. Au bout de quelques kilomètres, passé la Punta Falconera, se succèdent anses et calanques que vous gagnerez par de petits sentiers (des espaces sont ménagés le long de la route pour garer sa voiture). Vous passerez d'abord les minuscules **Cala Murtra** et **Cala Rustella** avant d'arriver, dans un cadre de toute beauté, à la plage de Montjoi devant laquelle mouillent yachts et voiliers.

● Marcher de crique en plage

Les randonneurs gagneront la belle plage de Montjoi (cf. ci-dessus) par le GR® 92 et poursuivront, de crique en plage, jusqu'à Cadaqués ou El Port de la Selva.

Figueres

Cette ville de plus de 45 000 hab., un peu terne, est la capitale du haut Empordà. Du mouvement moderniste (p.33), elle a conservé de belles façades ani-mées de motifs végétaux et de balcons ouvragés, comme, au long de la Rambla ombragée, celles de la Casa Cui (au n°20) et de la Casa Puig Soler (au n°27). Mais malgré son église gothique dédiée à saint Pierre (Sant Pere), son musée régional et son château, il faut avouer que rares sont ceux qui s'arrêteraient à Figueres si Dalí n'y était né en 1904 et s'il n'y avait construit, dans les années 1960-1970, son spectaculaire Teatre-Museu, devenu l'un des sites les plus visités d'Espagne. Il est question de transformer la maison natale du peintre (au n°6 de la rue Narcís Monturiol) en un espace d'exposition, mais le projet est en panne, faute de capitaux. *À 40km à l'ouest de Cadaqués par la GI610, étroite route de mon-tagne, puis la C260*

● **CECI N'EST PAS UN MUSÉE** Selon son créateur, le musée Dalí de Figueres n'est pas un musée mais le "plus grand objet surréaliste du monde" ! Un conseil : optez pour l'onirique **visite nocturne estivale**, plus tranquille.

Museu de Joguets Ce distrayant musée ras-semble près de 5 000 jouets du monde entier

– dont certains ayant appartenu à Dalí, García Lorca ou Miró. Automates articulés ou musicaux, petits soldats, théâtres miniatures, poupées, toupies, trains électriques vous plongeront dans l'univers de l'enfance du XIXe et du XXe siècle. Une salle est consacrée aux jeunes années de Dalí. *C/ Sant Pere, 1 Tél. 972 50 45 85 www.mjc.cat (visite virtuelle) Ouvert oct.-mai : mar.-sam. 10h-18h30, dim. 11h-14h ; juin-sept. : lun.-sam. 10h-19h30, dim. 11h-18h30 Fermé 25 déc. et 1er jan. Tarif 6€, réduit 4,80€, moins de 6 ans gratuit, audioguide en français 2,50€*

Museu de l'Empordà Y sont exposées toiles et sculptures des XIXe et XXe siècles, réalisées par des artistes de la région. Ceux de l'école d'Olot montrent paysages et portraits, figuratifs ou abstraits. *Rambla, 2 Tél. 972 50 23 05 www.museuemporda.org Ouvert mai-oct. : mar.-sam. 11h-20h, dim. et j. fér. 11h-14h ; nov.-avr. : mar.-sam. 11h-19h, dim. et j. fér. 11h-14h Tarif 4€, réduit 2€, moins de 18 ans et plus de 65 ans gratuit*

Teatre-Museu Dalí Saturé (un million de visiteurs par an !), le lieu évoque un supermarché au moment des soldes, ce qui aurait bien fait rire celui qui se vit attribuer, par André Breton, l'anagramme Avida Dollars. Configuration labyrinthique des lieux, mise en scène des œuvres (les siennes et celles de ses artistes favoris), salles conçues comme des installations... Le plan délivré à l'entrée donne quelques repères, et des guides détaillés sont en vente sur place. *Pl. de Gala i Salvador Dalí, 5 Tél. 972 67 75 00 www.salvador-dali.org Ouvert juil.-sept. : tlj. 9h-19h15 ; mars-mai, oct. : mar.-dim. 9h30-17h15 et certains lun. (cf. le site Internet) ; juin : tlj. 9h30-17h15 ; nov.-fév. : mar.-dim. 10h30-17h15 Fermé 25 déc. et 1er jan. Tarif 12€, réduit 9€, moins de 8 ans gratuit, comprenant l'exposition Dalí-Joies (Dalí-Bijoux) Visite nocturne (été 22h-0h30) 13€*

Façade L'extérieur annonce la couleur : façade rouge parsemée, à intervalles réguliers, de petits pains catalans, surmontée d'œufs géants, chevaliers en armure, déesse Athéna coiffée d'antennes et posée sur une pile de téléviseurs, peintre las juché sur des pneus de tracteur...

Cour et rez-de-chaussée Passé le vestibule, on accède à la cour centrale, avec sa célèbre *Cadillac pluvieuse*, installation délirante. Mettez une pièce dans le minuteur : il pleut sur et dans la voiture, où la végétation prospère. Tout autour de la cour, les salles se succèdent sur plusieurs étages, sans suivre aucun

Baignade sur la Costa Brava

Vous en avez assez vu et c'est l'heure du bain ? La grande bleue vous tend ses flots.

ordre logique bien sûr. Au fond se trouve l'ancienne scène du théâtre, surplombée d'une impressionnante coupole représentant le cosmos, mais aussi l'œil à facettes des mouches, cher à Dalí. À gauche, la salle du Trésor regroupe des toiles célèbres, dont *La Corbeille à pain* (1945) et *Le Spectre du sex-appeal* (1932). Sous la scène, la salle des Peixateries (ancien marché au poisson) rassemble un bel échantillon d'œuvres, toutes périodes confondues, tel l'*Autoportrait mou avec du lard grillé* (1947). À découvrir aussi, la salle des Dessins et la crypte, où repose l'artiste. Sur la pierre tombale figure son titre de marquis de Púbol, octroyé par le roi Juan Carlos Ier.

Premier étage La salle Mae-West : une installation représentant en trois dimensions le tableau de Dalí *Visage de Mae West utilisable comme appartement* (1934). On fait la queue pour observer le tout du haut de l'estrade, à travers une loupe posée entre les pattes d'un chameau. Ne pas manquer le Palais du vent, avec le costume d'académicien de Dalí sous la fresque du plafond où il est représenté montant aux cieux avec Gala, et une évocation de la sexualité par l'intermédiaire d'un squelette de gorille doré, d'une sainte en décomposition et d'un lit de bordel parisien. Au fond à gauche de l'étage, on accède à la tour Galatea, où Dalí passa la fin de ses jours après la mort de Gala. Illusions d'optique, peintures "en relief" et même un hologramme.

Deuxième étage La salle des Chefs-d'œuvre, avec des toiles de Dalí (dont *Dalí de dos peignant Gala...*, 1973), et le fleuron de sa collection privée : le Greco, Marcel Duchamp (célèbre série de *La Valise*), entre autres. À droite en ressortant du musée, ne manquez pas la salle **Dalí-Joies**, exposant une trentaine de bijoux créés par le maître entre 1941 et 1970.

Castell Sant Ferran Surplombant Figueres, le monumental complexe militaire remonte au XVIIIe siècle ; c'est alors le plus important d'Europe. Il fut édifié pour contrer les visées hégémoniques du roi de France qui, depuis la fin de la guerre de Trente ans, menaçaient la Catalogne espagnole. Quatre mille personnes travaillèrent 13 ans durant pour bâtir cette forteresse à 6 bastions dont le plan en étoile s'inspire de l'architecture Vauban. Ceint de 2,5 km de douves, il pouvait accueillir une garnison de 4 000 à 6 000 hommes. D'une capacité de 10 millions de litres (l'équivalent de 500 camions-citernes !), les citernes colossales aménagées sous la place d'Armes lui ont valu le surnom de cathédrale de l'eau... *C/ Pujada del Castell, s/n Tél. 972 50 60 94 http://www.castillosanfernando.org Ouvert juin-août : tlj. 10h-20h ; sept.-oct., avr.-mai : tlj. 10h30-18h Semaine sainte : 10h-20h ; nov.-mars : tlj. 10h30-15h Dernière entrée 1h avant fermeture Tarif 3€, réduit 2,50€ Visites guidées (1h30) sur rés. téléphonique Visite (2h) des douves et de la citerne en 4x4 et en bateau 15€, visite des écuries et de la place d'armes 10€*

CARNET D'ADRESSES

Restauration

Le succès touristique de Cadaqués ne se dément pas et, si les restaurants y sont particulièrement nombreux, le cadre se paie et la vue passe parfois avant la qualité de la cuisine.

🍴 petits prix

Bar Losai (plan 11, B2 n°23) Tapas ou *raciones* (6-15€), toutes sortes de salades et d'assiettes de viande froide (6-18€) et, pour les grosses faims, des plats de pâtes fraîches (7,50-13€) – la direction est italienne ! – vous attendent sur la terrasse de cette placette arborée ouvrant sur la baie. Wi-Fi gratuit. *Plaça Dr. Tremols, s/n* **Cadaqués** *Tél. 972 15 92 98 ou 608 92 12 68 Ouvert Pâques-oct. : tlj. 12h30-15h30 et 19h30-23h ; nov.-Pâques : mar.-dim. 12h30-15h30 et 19h30-23h Fermé 6 jan.-10 fév. Rés. conseillée l'été*

🍴 prix moyens

Cala d'Or (plan 11, C1 n°20) À l'écart de l'animation du front de mer, un établissement à l'atmosphère familiale. Les locaux se retrouvent dans la petite salle sans prétention, sous les marines et les assiettes vernissées, tandis que les touristes préfèrent la pergola de la minuscule terrasse. Outre les traditionnels poissons et viandes grillées (menus à 12, 14 et 18€), la paella et le suquet pour 2 à 4 personnes (20€/pers.) remportent les suffrages des habitués. *C/ Sa Fitora, 1* **Cadaqués** *Tél. 972 25 81 49 Ouvert tlj. 12h30-15h et 19h30-23h Fermé le dim. en hiver*

La Cala (plan 11, B1 n°10) Tout en bas de l'avenue principale (route de Figueres), sous les arcades, près de la pharmacie, un bar-cafétéria-restaurant sans grande allure – ce qui lui vaut d'attirer un peu moins de monde. Il propose une cuisine traditionnelle espagnole et une carte qui change avec les saisons. Rations de poisson et de viande, charcuterie, tapas du jour à des prix raisonnables. Comptez 25€. *Av. de Caritat Serinyana, 4* **Cadaqués** *Tél. 972 25 85 04 Ouvert tlj. 13h-16h et 20h-23h Fermé 20 déc.-20 jan.*

Casa Nun (plan 11, B1 n°14) Au nord de l'esplanade du front de mer. Quatre minuscules salles pleines de charme et terrasse donnant sur une placette plantée d'un olivier, face à la mer. Plusieurs formules de 16 à 22€ HT ; deux menus gastronomiques à 37 et 53€ HT ; plats du jour en fonction du marché. À la carte, comptez 25-30€ HT. De bonnes recettes de poisson, comme l'assortiment de poissons grillés ou le poisson de roche grillé, mais également de viande, tel le lapin grillé. *Pl. Portixol, 6* **Cadaqués** *Tél. 972 25 88 56 Ouvert Pâques-oct. : tlj. 12h30-16h et 19h30-23h ; nov.-Pâques : ven.-dim. 12h30-16h et 19h30-23h Ouvert à Noël*

Et aussi...

Bars et pauses gourmandes

Can Tito (plan 11, B2 n°21) Une carte catalane classique dans un décor intimiste : les tables, peu nombreuses, sont distribuées sous de belles arches de pierre et de brique. Loin des foules du bord de mer, vous apprécierez ici une cuisine soignée et un service attentif. À partir de 30€. Menu du jour à 15€, servi au déjeuner et au dîner. C/ Vigilant, 8 *Cadaqués* Tél. 972 25 90 70 Ouvert mar.-dim. 13h30-15h30 et 20h-22h30 Fermé nov.-fév.

🍴 prix élevés

Casa Anita (plan 11, B1 n°18) Petite maison blanche sur la droite d'une ruelle donnant sur le bas de l'avenue principale. Le décor pittoresque de la salle voûtée a vu passer toute la bohème artistique de Cadaqués, Dalí et ses hôtes en tête ! Un grand classique où l'accueil n'est pas toujours irréprochable, tourisme oblige. Cuisine régionale de bonne qualité : traditionnelles sardines grillées accompagnées d'une salade, ou des recettes de poisson plus élaborées. Vin issu de la propriété viticole du frère du patron, située à Perafita. Pas de carte : le serveur vous énumère le choix du jour. Comptez 40-45€. C/ de Miguel Rosset, 16 *Cadaqués* Tél. 972 25 84 71 Ouvert été : mar.-dim. 13h30-15h et 20h30-22h30, lun. 20h30-22h30 ; hiver : mar.-dim. 13h30-15h et 20h30-22h30 Fermé 15 oct.-nov Réservation conseillée

Compartir (plan 11, A2 n°13) Depuis la fermeture d'El Bulli, plusieurs restaurants se sont ouverts dans les parages du célébrissime "laboratoire gastronomique" de Ferran Adrià. Le Compatir ("Partage") est l'un d'eux. Ne vous attendez pas à retrouver là aucun des effets spectaculaires du pape de la cuisine moléculaire, mais bien le meilleur de la gastronomie catalane contemporaine. Soit des tapas et recettes traditionnelles de riz, viandes et poissons revisitées par Mateu Casañas, Eduard Xatruch et Oriol Castro, trois "ex" d'El Bulli. L'héritage créatif d'Adrià se retrouve dans les garnitures et la présentation, mais rien qui fasse oublier la qualité (nec plus ultra) de la matière première. Comptez 45€ à la carte. *Riera Sant Vicenç, s/n* **Cadaqués** Tél. 972 25 84 82 www.compartircadaques.com Ouvert mar.-sam. 13h-15h45 et 20h-22h45, dim. 13h-15h45 Fermé mar.-jeu. en nov. et déc. Fermé 3 dernières sem. de jan.

Sa Gambina (plan 11, B2 n°22) Fermant la baie au sud, il affiche la couleur avec sa grande salle façon bateau dont les hublots donnent sur les cuisines. Ses deux grandes terrasses surplombent la corniche de bord de mer. La carte présente un large éventail de produits de la mer : paellas, cassolette de poisson et langouste ou encore moules marinières façon catalane. De 40 à 60€. C/ Riba Nemesi Llorens, s/n 17488 **Cadaqués** Tél. 972 25 81 27 www. restaurantsagambina.com Ouvert tlj. 12h30-16h et 19h-23h

Dans les environs

🍴 très petits prix

El Trull d'en Baserba Bar de quartier d'un côté, restaurant populaire de l'autre : dans une coquette petite salle, à deux pas des *ramblas*, les habitués font la pause-déjeuner autour d'un plat de sardines grillées, d'une *ración* de tortilla ou d'une assiette d'*embutidos*. Pas de carte : uniquement un menu à 10€. C/Vilafant, 26 *Figueres* Tél. 972 51 34 39 Ouvert tlj. 13h-15h

🍴 petits prix

Club Naùtic Niché tout au fond de la marina, le petit bâtiment vitré qui dispose d'une nouvelle direction depuis 2012, semble comme posé parmi les voiliers. Au menu du jour, en semaine (12,50€), figurent poissons provenant de la pêcherie voisine et paëlla. Le menu du week-end (18€) propose également un assortiment de tapas. Une adresse au calme dans un cadre reposant. Réservation conseillée en été. *C/ La Lloia, s/n El Port de la Selva Tél. 972 12 61 51 Ouvert mars-sept. : tlj. 13h-17h et 19h-23h ; oct.-fév. : lun.-jeu. 7h-19h, ven.-dim. 13h-17h et 19h-23h Fermé en février*

Si Us Plau Au pied de la citadelle, à l'entrée de la promenade piétonne longeant la *platja* de Roses, ce *café-bistrò* se prête à tous les grignotages :

tapas (4-7€), parts de pizza (env. 7€) ou assiettes de paella (11€)... En été, vous pourrez même y louer un transat (env. 5€) pour siroter un verre sur le sable ou profiter de la nouvelle terrasse extérieure avec sofas, lumière tamisée et musique d'ambiance (à partir de 18h). *Passeig Maritim, 1 Roses Tél. 972 25 42 64 Ouvert 24 juin-août : tlj. 9h-3h ; sept.-24 juin : mer.-lun. 10h-3h*

Taverna de les Colls Vous vous installerez sur la placette médiévale pour grignoter un assortiment d'*embutidos* (charcuterie, 13,50€), une assiette de fromage de chèvre aux noisettes (9€) ou de roboratives crêpes salées (9,50€), accompagnées d'une sangria (env. 4€). Également un menu du jour

Gastronomie d'avant-garde

elBulli Face à la belle crique isolée de Cala Montjoi, accessible à partir de Roses par une route spectaculaire, dominant la côte... : il fallait être fou pour ouvrir un restaurant gastronomique dans un endroit pareil ! Ou bien s'appeler Ferran Adrià. Le grand prêtre de la gastronomie contemporaine – qu'il préfère qualifier d''"avant-gardiste" plutôt que de "moléculaire" – en Espagne a créé ici un établissement dont la légende a dépassé les frontières, une cuisine créative, en constante évolution, intégrant sans cesse de nouveaux ingrédients, révolutionnant les palais du monde entier. Souhaitant prendre plus de temps pour se consacrer à son art, Ferran Adrià a fermé son restaurant mi-2011 et prépare l'ouverture, en 2014, de la fondation elBulli, qui conviera créateurs gastronomiques, chercheurs et penseurs, venus du monde de l'art comme de la science, à réunir leurs talents au service de l'art culinaire d'avant-garde. Il a confié à Enric Ruiz Geli la conception d'un bâtiment ultramoderne et 100% écolo pour accueillir le temple de la gastronomie du futur. Fin 2014-début 2015, Ferran Adrià lancera également *BulliPedia*, une base de données culinaires réunissant les recherches et expérimentations de la fondation elBulli, un répertoire regroupant les connaissances et découvertes gastronomiques des cinquante dernières années ainsi que des recettes et des informations sur chaque aliment. *Cala Montjoi Roses À 25km au sud de Cadaqués ; à 7km à l'est de Roses par une route escarpée www.bullifoundation.org www.bullipedia.com*

composé de trois plats (12,80€). *Plaça de les Colls, 2* **Castelló d'Empúries** *Tél. 972 25 02 99 Ouvert tlj. 10h-0h*

☺ **L'Ou d'Or (Ca La Flora)** Plus connu sous le nom de Ca La Flora, L'Ou d'Or est une excellente surprise. Deux salles aux plafonds ondulés et à la décoration un peu kitsch, voire "surréaliste", et un agréable patio à l'arrière, couvert et chauffé l'hiver. Pas de carte ; les menus permettent de découvrir la gastronomie du haut Empordà, célèbre pour ses mélanges "mer et montagne". Comptez 12,20€ à midi en semaine, et 15,20€ le vendredi soir et le samedi. Prix HT. *C/ de Sant Llàtzer, 16* **Figueres** *(à 33km à l'ouest de Cadaqués par la GI614, étroite route de montagne, puis la C260) Tél. 972 50 37 65 www.loudor. com Ouvert lun.-sam. 13h-15h30 et 20h-23h Fermé j. fér. et 23 déc.-14 jan.*

🍴 💼 prix moyens

☺ **Bar-Restaurant Cap de Creus** Une ancienne caserne aux murs repeints d'ocre jaune à la pointe de la péninsule du cap de Creus. Assis autour de tables en bois, on s'imprègne de l'atmosphère marine devinée à travers les carreaux des fenêtres. Aux beaux jours, on profite de la terrasse en surplomb de la mer et des rochers : un cadre de toute beauté ! Pour 20 à 25€, vous y ferez un en-cas léger : salades et soupes, plats indiens (curry, samossas) et plats de pâtes. Le propriétaire, Chris Little, un sympathique Anglais, loue à l'étage 3 appartements tout équipés, chauffés au poêle à bois et pleins de charme (env. 90-100€). *Au bout de la route du* **cap de Creus**, *derrière le phare Tél. 972 19 90 05 Ouvert été : tlj. 12h30-0h30 ; hiver : dim.-jeu. 12h30-20h30, ven.-sam. 12h20-0h Rés. obligatoire été et w.-e.*

Portal de la Gallarda Profitez du cadre exceptionnel offert par les ruines de cette bâtisse du XIᵉ siècle : salades et viandes grillées y sont servies dans un adorable petit jardin. Comptez env. 20€. *C/ Pere Estany, 14* **Castelló d'Empúries** *Tél. 972 25 01 52 Ouvert mer.-lun. 13h-15h30 et 19h-23h*

Mas Moli-Can Poncela Cet ancien moulin isolé doté d'un beau jardin a été reconverti en un restaurant de charme. En salle ou à l'extérieur, les petits appétits opteront pour le menu du jour à 18€ tandis que les gourmets (et gourmands !) choisiront l'un des trois menus à 40€ : l'un, traditionnel, met en valeur le porcelet et les charcuteries ; le deuxième, les produits de mer, tandis que le dernier privilégie salades et viandes grillées au four à bois. Une étape gastronomique dans un cadre d'exception. *Crta Antiga a* **Vilabertran** *(à 1km de Peralada) Tél. 972 53 82 81 www.moliperalada. com Ouvert mar.-sam. 13h-15h30 et 20h-23h, dim. 13h-15h30*

Can Vi Ranci Vous le trouverez au bas des *ramblas*, en face de la maison natale de Dalí. Dans un décor de taverne, la salle s'organise autour d'un grand comptoir central. Nicolas, le gérant français, y sert de copieuses assiettes de viandes grillées et des assortiments de tapas dans une atmosphère décontractée. Un menu du jour, servi au déjeuner, à 9,75€ en semaine et à 12,75€ le samedi. Comptez env. 25 à 30€ pour un repas complet. *C/ Caamaño, 20* **Figueres** *Tél. 972 50 21 61 Ouvert lun.-sam. 12h-16h et 20h-23h fermé j. fér.*

Duran Ouvert depuis 1855, cet hôtel-restaurant réputé s'enorgueillit d'avoir compté Salvador Dalí parmi ses habitués. Une superbe salle aux arches modernistes compose un cadre à la hauteur de la cuisine servie, mettant à l'honneur les produits de la mer. La carte comme les menus accompagne les produits de saison. Un menu de la semaine à 24€. Au menu dégustation à 47€, carpaccio de crevettes, consommé de fruits de mer, poissons de l'Emporda : un petit festin... Vous pouvez également y prendre votre petit-déjeuner buffet (11€) dans le salon Dalí à l'étage. Côté hôtel, la double s'affiche entre 70€ et 130€, selon la saison. *C/ Lausaca, 5* **Figueres** *Tél. 972 50 12 50 www.hotelduran.com Ouvert tlj. 12h45-16h et 20h30-23h*

prix élevés

Mar y Sol Les amateurs de poisson et crustacés s'y retrouvent autour d'un somptueux plateau de fruits de mer (59€/pers.), dans un cadre qui tranche sur celui des adresses populaires du front de mer. Sinon, comptez 30-35€ le repas complet. Des prix que justifient le service soigné et la table bien mise. Le menu à 15€ proposé à midi en semaine satisfera les budgets plus modestes. *Pl. Catalunya, 20* **Roses** *Tél. 972 25 21 15 Ouvert tlj. 12h30-16h et 19h15-22h45 Fermé mer. en hiver*

Hébergement

🧳 camping

Camping Cadaqués (plan 11, C1 n°11) À 1km du centre, un camping à taille humaine avec piscine (juil.-août), plutôt accueillant, malgré l'absence d'ombre et le sol caillouteux.

Comptez env. 40€ env. pour 2 pers. avec tente et voiture. Pas de réservation. *Camí de Portlligat, 17* **Cadaqués** *Tél. 972 25 81 26 Ouvert Semaine sainte-sept.*

🧳 petits prix

Hostal Vehí (plan 11, B2 n°12) Tout en haut du vieux quartier, au pied de l'église, cet hostal compte 10 chambres toutes simples et proprettes dotées de tout le confort : clim., wifi, TV, ascenseur. Chambre double sans sdb à 55€, avec sdb de 55 à 60€ ou plus grande et avec vue autour de 75€. Petit déj. 6€ *C/ de l'Església, 6* **Cadaqués** *Tél. 972 25 84 70 www.hostalvehi. com Fermé nov.-fév.*

Hostal Marina (plan 11, B2 n°15) À 30m de la baie. De petites chambres, dépouillées mais bien tenues. Optez pour une chambre au 1er étage avec une terrasse sur la mer. Env. 52 à 67€ la double avec sdb, 37-47€ sans. Situation centrale. Prix HT. *Riera de Sant Vicenç, 3* **Cadaqués** *Tél. 972 15 90 91 Fermé nov.-Pâques*

🧳 prix élevés

Hotel Misty (plan 11, B1 n°16) À l'écart de l'agitation du bord de mer, sur la route de Portlligat. Une bonne adresse, où il faut réserver, car il n'y a que onze chambres disposées autour d'un jardin verdoyant avec piscine, coquettes et tranquilles. Double de 78 à 95€ selon la saison, petit déj. et taxes inclus. *Carretera Portlligat*

GAMME DE PRIX	RESTAURATION	HÉBERGEMENT
Très petits prix	moins de 12€	moins de 50€
Petits prix	de 12 à 20€	de 50 à 65€
Prix moyens	de 20 à 30€	de 65 à 85€
Prix élevés	de 30 à 50€	de 85 à 130€
Prix très élevés	plus de 50€	plus de 130€

Cadaqués Tél. 972 25 89 62 www.hotel-misty.com Fermé nov.-Pâques

Hotel Ubaldo (plan 11, A2 n°17) Cet hôtel familial, un peu en retrait du vieux quartier, est une bonne adresse. Accueil chaleureux, chambres lumineuses entièrement refaites en 2013, d'une grande propreté et bien équipées. Le plus : un parking gratuit à 50m. Double avec sdb de 60 à 95€, selon la saison. Petit déjeuner buffet 8€/pers. *C/ Unió, 13 Cadaqués Tél. 972 25 81 25 www.hotelubaldo.com*

Hotel Calina Adresse accueillante sur la plage de Portlligat, à 50m de la Casa-Museu Dalí. Ce petit complexe hôtelier bien entretenu, qui se fond plutôt bien dans le paysage, propose des chambres et des appartements, tous avec terrasse ou balcon, donnant sur la mer, les montagnes ou encore la grande piscine centrale (également une piscine pour enfants). Double à partir de 78,50€ (120€ en août), 105,75-175€ env., avec vue sur la baie (petit déjeuner compris). Studios de 86,75 à 159,50€ (en août) pour 2 pers. *Av. Salvador Dalí, 33 Platja de Portlligat (à 2km au nord de Cadaqués, route de droite au rond-point à la sortie du bourg) À pied, à 800m de Cadaqués Tél. 972 25 88 51 www.hotel calina.com Ouvert mars-Toussaint*

🧳 prix très élevés

Hotel Rocamar (plan 11, B2 n°19) Perché sur un promontoire dominant la calanque de Sa Conca, au sud de la baie, ce 3-étoiles jouit d'une belle vue sur Cadaqués. Les chambres *con vista*, avec leur balcon ouvert sur le large, sont très agréables. Double à 121-213€ avec vue sur la mer, 87-173€ avec vue sur les montagnes – des tarifs franchement surévalués pour ceux de la haute saison. Tennis, pis-cine intérieure (en été, un bassin extérieur), wifi. Bon accueil. Non-fumeur. *C/ Dr. Bartomeus, s/n Cadaqués sur la route du littoral dir. sud sur 1km (parking derrière l'hôtel) Tél. 972 25 81 50 ou 972 25 81 54 www.rocamar.com*

Dans les environs

🧳 prix moyens

Hotel Travé À 10min à pied des *ramblas*, cet hôtel de 76 chambres doté d'une piscine, d'un parking (gratuit) et d'un restaurant offre un excellent rapport qualité-prix avec ses chambres doubles de 66€ à 96€ (en août). Petit déjeuner à 8€/pers., inclus dans le prix de la chambre en août. Également des chambres familiales pour 4 à 5 pers. dont l'une bénéficie d'une superbe terrasse et, depuis 2012, un grand appartement pour 8 à 10 pers. Wifi. *Angle C/ Balmes et Crtra Olot Figueres Tél. 972 50 06 16 ou 972 50 05 91 www.hoteltrave.com*

ÉCRIVAINS VOYAGEURS

folio
vous lirez loin

Colin Thubron
Destination Kailash

Paolo Rumiz
L'ombre d'Hannibal

J. Maarten Troost
La vie sexuelle
des cannibales

Marguerite Yourcenar
Le tour de la prison

Blaise Cendrars
Brésil
Des hommes sont venus
Photographies de Jean Manzon

Tarquin Hall
Salaam London

Olivier Germain-Thomas
Le Bénarès-Kyôto

Joseph Kessel
Hong-Kong et Macao

GEOREGION

LES PYRÉNÉES CATALANES

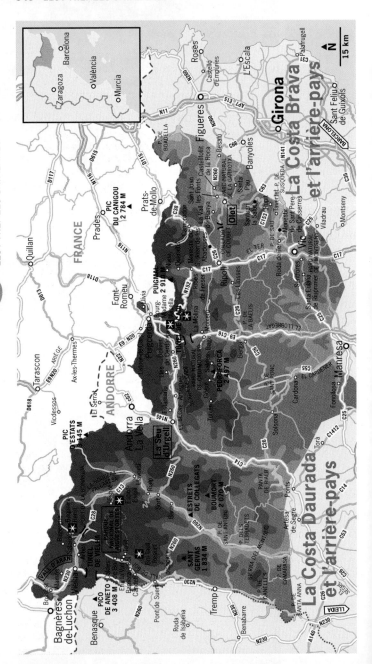

OLOT

17800

Située à 440m d'altitude, au cœur de la zone volcanique de la Garrotxa, cette ville de 34 000 habitants sommeille à l'ombre de ses cratères. Étape pratique pour l'exploration des volcans et des villages environnants, Olot est également connue pour avoir accueilli au XIXᵉ siècle les grands peintres paysagistes de la Catalogne. Rendez-vous au Museu Comarcal de la Garrotxa pour admirer leurs chefs-d'œuvre.

LE PARC NATUREL DE LA GARROTXA Il y a 350 000 ans, les premiers volcans de la Garrotxa s'éveillaient. De type strombolien, ils crachaient une lave fluide et d'énormes projectiles. La dernière éruption remonte à 11 500 ans. C'est ainsi que sur un territoire de 121km² on recense plus de vingt coulées basaltiques et une quarantaine de cratères recouverts d'un tapis de végétation. Un ensemble unique en Espagne, qui a valu à cette zone volcanique d'être classée parc naturel en 1982.

MODE D'EMPLOI

accès

EN VOITURE
À 45km à l'ouest de Gérone par la C66 puis la N260.

EN TRAIN
Gare Renfe Vic (à env. 34km d'Olot) est relié à Ripoll (12 à 16 trains/ j.), Puigcerdà (6 trains/j.) et Barcelone (toutes les 30min env. de 7h30 à 23h30) *Gare à 500m à l'ouest de la Plaça Major*

EN CAR
Gare routière *C/ del Bisbe Lorenzana, 18 (dans le centre-ville)*
Teisa Nombreux cars pour Barcelone, Vic, Gérone et Ripoll. *Tél. 972 26 01 96 www.teisa-bus.com*

orientation

Près du centre, entre le volcan Montsacopa, au nord, et le Riu Fluvià, au sud, l'animation se concentre dans le quartier historique, autour de la Pl. Major et sur la Pl. de Catalunya, à 5min de là.

informations touristiques

Office de tourisme d'Olot Accueil aimable et efficace. *C/ Hospici, 8 Olot Tél. 972 26 01 41 www.turismeolot.com Ouvert été : lun.-sam. 10h-14h et 16h-18h, dim. et j. fér. 10h-14h ; reste de l'année : mar.-sam. 10h-14h et 16h-18h, dim. et j. fér. 10h-14h*
Kiosques d'information Dans le parc Nou, sur le parking Can Serra (Fageda) ainsi qu'à Can Passavent, sur le parking de Santa Margarida. Mêmes horaires pour ces trois points d'information. *Ouvert lun.-sam. 10h-14h et 16h-18h, dim. 10h-14h*
Casa dels Volcans Centre d'information principal du parc naturel de la Garrotxa, situé au-dessus du musée

des Volcans, dans le parc Nou. *Av. de Santa Coloma **Olot** Tél. 972 26 60 12 www.parcsdecatalunya.net Ouvert lun.-ven. 9h-14h et 16h-18h, sam. 10h-14h et 16h-18h, dim. et j. fér. 10h-14h*

TIQUET MUSEU

Ce billet combiné donne accès, pour 8€, aux principaux musées de la Garrotxa : Museu Comarcal, Museu dels Volcans, Museu dels Sants, Casa-Museu Can Trincheria à Olot, monastère de Sant Joan les Fonts, Espacio cultural Curia Reial et Centre d'Interpretació del Patrimoni Jeu à Besalú. www.turismegarrotxa.com

banques et poste

Vous trouverez des **banques** dans les rues Mulleras et Bisbe Lorenzana.
Poste *C/ de Joaquim Vayreda, 6 Tél. 972 26 15 81 Ouvert lun.-ven. 8h30-20h, sam. 9h-13h*
Internet Biblioteca 1€/h de connexion. *C/ del Pati, 2 Tél. 972 26 11 48 Ouvert lun.-sam. 9h30-13h30 et 16h-20h30 Fermé sam. pendant les vac. d'été*

fêtes et festivals

Festes del Tura Fête d'origine médiévale donnée en l'honneur de la Vierge du Tura, patronne d'Olot : danse des géants et des nains suivie d'un défilé costumé dans le centre historique. *Autour du 8 sept., durant 5 jours*

marchés

Mercat Agroecològic d'Olot Une fois par mois, sur la Plaça del Mercat et dans la Carrer del Rengle, il réunit les producteurs bio de la Garrotxa, regroupés au sein de l'association Tramèc. *Sam. 10h-20h*
Marchés d'artisanat Ces grands marchés réunissent artisanat régional et produits de la gastronomie locale ont lieu six fois par an, notamment le 1er mai, pour les fêtes du Tura (vers le 8 sept.), la Saint-Luc (vers le 18 oct.) et avant Noël. Rens. à l'OT.

location de vélos

Ciclos Tarrés Comptez 15-20€ par jour selon le modèle choisi. *Av. de Girona, 29 **Olot** Tél. 972 26 99 78*

Tableau kilométrique

	Olot	L'Escala	Barcelone	Cadaqués	Espot
Escala	68				
Barcelone	152	141			
Cadaqués	83	43	170		
Espot	224	273	263	288	
Céret (France)	90	69	178	79	260

DÉCOUVRIR

☆ **Les essentiels** Besalú, le monastère de Sant Joan de les Abadesses et le musée épiscopal de Vic **Découvrir autrement** Promenez-vous dans la Fageda d'en Jordá en fin de journée, prenez un train à crémaillère pour le sanctuaire de Núria

Olot

Réduite à néant par deux violents séismes au XVe siècle, Olot s'est reconstruite entre le volcan de Montsacopa et le cours du Fluvià, autour de sa Plaça del Mercat. Typiques de la Renaissance, ses rues au tracé orthogonal témoignent d'un plan urbanistique bien plus "moderne" que le labyrinthique entrelacs de ruelles médiévales des villages environnants. La ville a connu, au début du XXe siècle, une nouvelle phase de développement marquée par l'architecture noucentiste. On pourra admirer des réalisations caractéristiques de cette époque dans les rues qui filent en étoile à partir de la Plaça d'Espanya, au cœur d'une zone résidentielle conçue dans les années 1920 comme une cité-jardin. Le chef-lieu de la Garrotxa compte aujourd'hui quelque 35 000 habitants.

☺ **Museu Comarcal de la Garrotxa** Installées autour du patio néoclassique à arcades de l'Hospici, ses collections se répartissent en deux sections. D'un côté, un parcours très bien fait retrace l'histoire des activités économiques et artisanales de la région ; de l'autre, la splendide section des Beaux-Arts (XIXe-XXe s.), qui fait la part belle à l'école des paysagistes d'Olot et aux émouvantes sculptures de Miquel Blay (1866-1936) et Josep Clarà (1878-1958). *C/ Hospici, 8 Tél. 972 27 11 66 www.turismegarrotxa.com/museucomarcal Ouvert*

L'école des paysagistes d'Olot

Entre les formes généreuses des volcans se succèdent de vastes plaines fertiles, ponctuées de hameaux, de hêtraies aux couleurs changeantes et d'une myriade de marécages brumeux à la végétation luxuriante. Ces paysages devinrent, au XIXe siècle, le sujet de prédilection des peintres de l'école d'Olot (fondée en 1783). Ce courant paysagiste, profondément influencé par le lyrisme et le naturalisme de l'école de Barbizon, en France, prit son essor sous l'impulsion de Joaquim Vayreda (1843-1894) et de Josep Berga (1837-1914). Participant activement au mouvement de la Renaixença catalane, les deux artistes s'efforcèrent par la suite de promouvoir la création artistique sous toutes ses formes. Ils fondèrent, en 1880, la société Art Cristià, spécialisée dans la production d'images pieuses. De nos jours, Olot abrite encore plusieurs ateliers de fabrication de sants, ces grandes sculptures destinées à l'ornementation des églises, et un Museu dels Sants dédié aux figurines de crèche.

juil.-sept. : mar.-dim. 11h-14h et 16h-19h ; oct.-juin : mar.-ven. 10h-13h et 15h-18h, sam. 11h-14h et 16h-19h, dim. et j. fér. 11h-14h Billet combiné avec le Museu Comarcal de la Garrotxa et le Museu dels Volcans Tarif unitaire 3€, réduit 1,50€ ; pour deux musées 4€, réduit 2€ ; pour trois musées 5€, réduit 2,50€ Gratuit pour les étudiants, les enfants et les chômeurs et pour tous le 1er dim. du mois

Casa-Museu Can Trincheria L'annexe du musée comarcal, établie dans une imposante demeure seigneuriale du XVIIIe siècle, donne à voir des peintures et du mobilier régional de cette époque. Ne manquez pas la crèche monumentale réalisée par Ramon Amadeu. À côté, l'**église Sant Esteve** possède plusieurs retables baroques. *C/ Sant Esteve, 29 Tél. 972 27 27 77 Ouvert lun.-ven. 10h-14h et 17h-19h, sam. 11h-14h et 17h-19h, dim. et j. fér. 11h-14h Entrée libre*

Museu dels Sants Consacré aux figurines des crèches de Noël, aux images religieuses à taille humaine et à l'artisanat local du santon – l'une des grandes traditions d'Olot –, il se double d'un atelier dont on peut observer, à travers une vitre, les artisans à l'œuvre. *Joaquim Vayreda, 9 (dans le centre-ville, face à la poste) Tél. 972 26 67 91 www.museusants.cat Ouvert mar.-ven. 10h-13h et 15h-18h, sam. 10h-13h et 16h-19h, dim. et j. fér. 11h-14h Billet combiné avec le Museu Comarcal de la Garrotxa et le Museu dels Volcans Tarif unitaire 3€, réduit 1,50€ ; pour deux musées 4€, réduit 2€ ; pour trois musées 5€, réduit 2,50€ Gratuit pour les étudiants, les enfants et les chômeurs et pour tous le 1er dim. du mois*

Casa Solà-Morales Si vous ne deviez voir qu'un seul des huit édifices modernistes répertoriés par l'office de tourisme, ce serait celui-ci. Cachée derrière les arbres du Passeig d'en Blay, sa façade, décorée de motifs floraux et d'azulejos, fut réalisée en 1913-1916 par le célèbre architecte Lluís Domènech i Montaner. L'ensemble paraît soutenu en toute légèreté par de séduisantes cariatides, sculptées par Eusebi Arnau i Mascort. Ces figures féminines rappellent celles qui ornaient autrefois la proue des navires. *Passeig d'en Blay*

Volcà Montsacopa cf. Hostal R. Sant Bernat (p.362) C'est l'un des quatre volcans situés à Olot même. Au bord du cratère : un ermitage et d'anciennes tours défensives du XIXe siècle. *Prendre le sentier qui part derrière l'Hostal Sant Bernat*

Museu dels Volcans cf. Casa dels Volcans (p.349) Spécialement conçu pour les enfants, il présente les grands principes du volcanisme et de la sismologie, tout en insistant sur les particularités de la Garrotxa, le remploi de la pierre et les différents écosystèmes de la région. *Brochure en français. Av. de Santa Coloma (dans le parc Nou, de l'autre côté du Fluvià, sous le centre d'information Casa dels Volcans, cf. Mode d'emploi) Tél. 972 26 67 62 www.olotcultura.cat Ouvert juil.-sept. : mar.-sam. 10h-14h et 16h-19h, dim. et j. fér. 10h-14h ; oct.-juin : mar.-sam. 10h-14h et 15h-18h, dim. et j. fér. 10h-14h Billet combiné avec le Museu Comarcal de la Garrotxa et le*

● **EN FAMÍLIA**
Après le simulateur de tremblement de terre du Museu dels Volcans, direction le Museu dels Sants, pour assister à la création de santons de crèches de Noël !

Museu dels Volcans Tarif unitaire 3€, réduit 1,50€ ; pour deux musées 4€, réduit 2€ ; pour trois musées 5€, réduit 2,50€ Gratuit pour les étudiants, les enfants et les chômeurs et pour tous le 1er dim. du mois

● Où acheter des santons ?

El Arte Cristiano Deux frères natifs d'Olot, partis faire leurs études de beaux-arts à Paris, y découvrirent la statuaire saint-sulpicienne... Ils en ramenèrent la technique dans leur village d'origine et, depuis 1880, El Arte Cristiano perpétue la tradition de l'imagerie pieuse, à l'ancienne ou avec des lignes modernisées. *C/Joaquim Vayreda, 11* **Olot** *Tél. 972 26 02 96 www.elartecristiano.com Mêmes horaires que le Museu dels Sants*

● Où trouver des produits du terroir ?

Can Japot I Le porc dans tous ses états en vitrine de cet établissement familial : *fuet* filiforme ou massive *baiona*, *bull* blanc ou noir ou classique *llonganissa*, mais toujours avec de la tripe naturelle, depuis 1852 ! *C/ Sant Esteve, 8* **Olot** *Tél. 972 26 35 36 Ouvert lun.-sam. 9h-13h15 et 17h-20h30 Autre adresse Can Japot II C/ Roser, 5* **Olot** *Tél. 972 26 10 61 Ouvert mar. et jeu.-sam. 9h-13h*

Cal Russet Depuis plus de cent ans, cette entreprise familiale se spécialise dans la confection de *licores*. Son produit phare ? Le *ratafía*, un alcool à base de plantes et de fleurs macérées... élaboré dans la meilleure tradition artisanale, bien entendu ! *Ctra Santa Pau, 2-4* **Olot** *Tél. 972 26 10 88 Ouvert lun.-ven. 9h-13h et 16h-19h*

● Où goûter au *tortell* à l'anis ?

Can Carbasseres La tourte d'Olot, d'origine juive selon la tradition, se présente comme une couronne tressée en brioche. Si les autres *tortells* sont souvent garnis de fruits ou de pâte d'amande, celui-ci doit sa particularité à ce qu'il ne contient que de l'anis. À savoir : les *aficionados* l'accompagnent volontiers d'un petit verre de *ratafía*. *C/ Sant Rafael 5* **Olot** *Tél. 972 26 08 59 Ouvert jeu.-lun. 8h-14h et 16h30-21h*

● Suivre le *carrilet* à vélo

Carrilet d'Olot En suivant le *carrilet* d'Olot, ancienne voie de chemin de fer désaffectée dans les années 1960, vous rejoindrez le parc de la Devesa, à Gérone, en 54km, après avoir franchi 12 ponts. Itinéraire de faible dénivelé et ne présentant aucune difficulté, le *carrilet* traverse une partie du Parc volcanique de la Garrotxa et passe par quelques ermitages romans (pour louer un vélo, voir plus haut, Mode d'emploi). *www.viasverdes.com*

Les environs d'Olot

Le parc naturel de la Garrotxa

Pour effectuer cet itinéraire de 10km reliant Olot à Santa Pau, on empruntera la GI524, en s'arrêtant sur les différents parcs de stationnement qui jalonnent la route. Si vous n'êtes pas motorisé, le vélo peut être une bonne solution, sinon sachez que les cars de la compagnie Teisa marquent un arrêt sur tous les parkings (du lun. au ven.). Les randonneurs peuvent venir à pied, mais nous leur conseillons de rejoindre directement le parking de la Fageda pour effectuer une boucle de 10km (3-4h, facile) autour de la Fageda d'en Jordà, du Volcà Croscat et du Volcà de Santa Margarida (parcours balisé en rouge/n°1).

Fageda d'en Jordà Cette magnifique forêt de hêtres s'est développée sur une coulée de lave. Au milieu d'un tapis de feuilles surgissent des myriades de blocs de basalte, qui forment par endroits de véritables buttes appelées *tossols*. Parcours en boucle de 30min dans un silence empreint de magie en fin de journée. *Parking de la Fageda*

Volcà Croscat Le Croscat est le plus haut (160m) et le plus jeune des volcans de la Garrotxa (17 000 ans). Utilisé comme carrière jusqu'en 1991 pour l'extraction du lapilli, il présente l'aspect d'un gros gâteau auquel il manquerait une tranche. Vous pourrez ainsi observer l'intérieur du cratère, marbré de gris, d'ocre et de roux. *Parking de Santa Margarida puis 50min à pied AR (chemin balisé en vert/n°15)*

Volcà de Santa Margarida Entièrement recouvert de végétation, ce volcan haut de 685m possède le plus vaste cratère de la Garrotxa, avec un périmètre de près de 2 000m. Au fond se niche un petit ermitage roman. *Parking de Santa Margarida puis 1h15 AR à pied (section du parcours balisée n°1)*

Santa Pau Voilà un ravissant village médiéval perché sur une butte. Autour de son château (XIIIᵉ-XIVᵉ s.) se déploient des ruelles pavées que l'on arpentera avant de s'installer en terrasse sous les arcades de la Plaça Major. *À 10km au sud-est d'Olot*

● Où faire une pause avec vue ?

Hostatgeria Santuari de la Salut Une route en lacet grimpe jusqu'à cette auberge-restaurant sise en belvédère sur la Garrotxa. Sa terrasse offre un panorama époustouflant sur les premiers volcans de la vallée ! Pour un café. Cuisine traditionnelle (comptez 15-20€). *Crta Vic-Olot, km40 Sant Feliu de Pallerols Tél. 972 44 40 06 http://santuaridelasalut.scoom.com Ouvert tlj. 8h-22h*

Une échappée vers l'est

Sant Joan les Fonts Son église en pierre volcanique rose, construite au début du XXᵉ siècle et restée inachevée, signale de loin le village. Mais ses vrais trésors sont plus discrets. Le pont jeté au XIIᵉ siècle sur le cours du Fluvià rappelle que la localité fut longtemps un important point de passage entre le comté de Besalú, le Vallespir et la Cerdagne. À proximité s'élève une petite église romane de la même époque, vestige d'un monastère bénédictin. À voir également, une maison forte des XIIᵉ-XIVᵉ siècles, la Estada Juvinyá, dans la rue du même nom. *À 6km au nord d'Olot* **Office de tourisme** *C/ Juvinyá Tél. 972 29 05 07 Ouvert tlj. 10h-14h Horaires sujets à modifications* **Église** *Visite guidée uniquement Rens. à l'OT* **Estada Juvinyá** *Mêmes horaires que l'OT Tarif 1,50€, moins de 16 ans gratuit*

Castellfollit de la Roca La coulée de lave sur laquelle est perché ce joli village a formé des colonnes basaltiques hautes, pour certaines, de près de 50m ! Une image surprenante à découvrir en contournant le village, de préférence le matin pour bénéficier de la meilleure lumière ! *À 6km d'Olot par la N260*

☆ ☺ **Besalú** Cette splendide petite cité fortifiée, ancienne capitale d'un comté annexé par Barcelone au XIIe siècle, constitue l'un des ensembles romans les plus remarquables de la région - une époque que le festival Besalú médiéval ressuscite chaque année en septembre. Sa renommée, Besalú la doit d'abord à son impressionnant pont du XIe siècle, dont les deux hautes tours défensives se reflètent dans les eaux du Riu Fluvià. *À 20km à l'est d'Olot par la N260* **Office de tourisme** *Pl. de la Llibertat, 1 Tél. 972 59 12 40 www.besalu.cat Ouvert lun.-sam. 10h-14h et 16h-18h* **Festival Besalú médiéval** *1er w.-e. de sept.*

Museu Micromundi Y sont exposées quelque 2 000 miniatures (façon maisons de poupées) et microminiatures à observer à la loupe, voire au microscope, comme la cathédrale de Gérone sur la pointe d'une aiguille ! *Pl. Prat de Sant Pere, 15 Tél. 972 59 18 42 www.museuminiaturesbesalu. com Ouvert mai-sept. : tlj. 10h-19h ; oct.-avr. : mar.-ven. 10h-15h, w.-e. et j. fér. 10h-19h Semaine sainte : tlj. 10h-19h Fermé 25-26 déc., 1er et 6 jan. Tarif 3,90€, réduit 2,90€, moins de 7 ans gratuit*

> **PARIS DANS UNE BOUTEILLE ?**
> Non, mais un train dans le chas d'une aiguille ou la Tour Eiffel émergeant d'une graine de pavot... À examiner – à la loupe – au Museu Micromundi !

Església de Sant Pere Au cœur du vieux Besalú, cette église romane (XIe s.), vestige d'un monastère bénédictin, conserve un singulier déambulatoire. Il est ouvert sur le chœur par une belle série d'arcades à colonnes géminées. Parmi les scènes et personnages bibliques représentés sur les chapiteaux, on distingue Hérode à cheval et une évocation de la fuite en Égypte.

Església de Sant Viçent Les amateurs d'architecture sacrée pourront également visiter cette église du XIIe-XIIIe siècle, illustrant parfaitement la transition entre roman et gothique.

Sinagoga i micvé À l'époque médiévale, Besalú abritait une importante communauté juive. Des fouilles ont mis au jour les vestiges d'une synagogue et d'un *mikveh* (bain rituel) du XIIIe siècle. *Horaires des visites guidées à l'OT 2,05€ par monument, 4€ pour l'ensemble*

● Où acheter de la charcuterie de pays ?

El Rebost del Comtat de Besalú - Museu de l'Embotit Petit espace musée-dégustation-vente où sont à l'honneur toutes les charcutailles de la Garrotxa, du *fuet* poivré aux *butifarras* noires et blanches en passant par un excellent pâté de campagne, des tapenades vertes et noires et des jambons fumés de toutes sortes. Vous y trouverez également du vin et des alcools forts (dont la fameuse *ratafía*), miels et fromages. *Pl. de la Llibertat Besalú Tél. 972 59 03 07 Ouvert tlj. 10h-14h et 16h-20h Fermé 15 nov.-15 mars*

● Arpenter le sentier des sources ou des coulées de lave

Rutes pedestres de Sant Joan les Fonts De Sant Joan les Fonts, trois sentiers accessibles à tous – la Ruta Medieval, la Ruta de les Tres Colades (sentier des

3 Coulées de lave) et la Ruta de les Fonts i Verlets (sentiers des Sources) – invitent à découvrir la vallée à son rythme, selon un angle thématique. Cartes des balades (env. 2h chacune) et rens. à l'OT. *Tél. 972 29 05 07 www.turisme santjoanlesfonts.com*

À l'ouest d'Olot

☆ ☺ **Monestir de Sant Joan de les Abadesses** Joyau de l'architecture romane, ce monastère a une histoire commune avec celui de Ripoll. Ils furent fondés au IXe siècle par Guifré le Velu, premier comte de Barcelone, pour encourager le repeuplement des Pyrénées, alors désertées par crainte des invasions arabes. Le comte plaça sa propre fille, Emma, à la tête de cette communauté féminine. Mais dès le XIe siècle, le monastère passa aux augustins. Les raisons de l'expulsion des abbesses demeurent méconnues, mais la rumeur veut que le comte Arnau, qui vivait dans un château voisin, leur ait rendu des visites trop secrètes pour être honnêtes. Un document audiovisuel de 12min, en plusieurs langues, retrace l'histoire du monastère. L'édifice actuel date de l'agrandissement du XIIe siècle. L'entrée du monastère donne sur le cloître gothique du XVe siècle, merveille d'élégance aux fines colonnettes. En entrant dans l'église par le bras nord du transept, admirez à gauche la Capella dels Dolors, chapelle baroque dotée d'une coupole bleu et or (XVIIIe s.) et d'une douce Pietà (XXe s.). Puis, laissez vos pas vous guider jusqu'au fond de l'abside, où une belle lumière baigne une majestueuse Descente de Croix en bois polychrome du XIIIe siècle, connue sous le nom de *Santíssim Misteri*. Parmi les sept personnages grandeur nature qu'elle représente, remarquez le visage du Christ, dont l'humanité trahit les premières influences gothiques. Jusqu'en 1936, son front arbora une hostie consacrée que les fidèles vénéraient. Dans le bras sud du transept, le retable gothique de Santa Maria la Blanca (XIVe s.), magistralement ciselé dans l'albâtre, présente des scènes de la vie de la Vierge. La visite du monastère s'achève par celle de son musée, qui recèle de belles sculptures romanes et gothiques. *Pl. de l'Abadia **Sant Joan de les Abadesses** (à 23km à l'ouest d'Olot par la N260 et la GI521) Tél. 972 72 23 53 www. monestirsantjoanabadesses.cat Ouvert juil.-août : tlj. 10h-19h ; mai-juin, sept. : tlj. 10h-14h et 16h-19h ; mars-avr., oct. : tlj. 10h-14h et 16h-18h ; nov.-fév. : lun.-sam. 10h-14h, dim. et j. fér. 10h-14h et 16h-18h Tarif 3€, réduit 2€, moins de 12 ans gratuit*

● **CYCLES CÉLESTES** La Ruta del Ferro, une piste cyclable qui suit l'ancienne voie ferrée, relie les monastères de Santa Maria de Ripoll et de Sant Joan de les Abadesses. Agréable, facile (12km AS, faible dénivelé) et... très sain ! Une façon privilégiée d'allier visites culturelles et découverte de la région, d'autant que vous pourrez louer des vélos tout près du monastère de Ripoll. *Casa Vila Ctra Barcelona, 26 **Ripoll** Tél. 972 70 03 40*

☺ **Monestir de Santa Maria de Ripoll** Une visite indissociable de celle du monastère de Sant Joan. Fondé en 879, le monastère de Santa Maria, de communauté masculine, devint en moins de deux siècles l'un des foyers religieux et culturels les plus importants de Catalogne, notamment sous l'impulsion de l'abbé Oliba (1008-1046) qui fit agrandir l'édifice. Les moines y copiaient des bibles précieuses et la bibliothèque de Ripoll était réputée dans toute l'Europe. Le monastère ayant été partiellement détruit en 1835, l'essentiel des bâtiments que l'on voit aujourd'hui datent du XIXe siècle, hormis l'exceptionnel **portail** sculpté à la richesse duquel il doit sa renommée. Sur cette immense "bible de pierre" du XIIe siècle, dominée par le Christ Pantocrator, se déploient les grands épisodes de l'Ancien et du Nouveau Testament, ainsi qu'un remarquable calendrier agricole (première archivolte). Pour en apprécier tous les détails, consultez le plan explicatif ou optez pour la visite guidée. L'église, entièrement restaurée au XIXe siècle, a conservé son impressionnante structure à cinq nefs, où sont exposées des copies des bibles de Ripoll. Le transept, flanqué de sept absides, abrite quant à lui les tombeaux royaux de Guifré le Velu et de Raymond Bérenger III. Côté sud, le cloître à deux étages, bien que construit entre le XIIe et le XVIe siècle, offre une belle harmonie de style. Sur les chapiteaux apparaissent des motifs floraux et des animaux, symboles des vertus et des péchés. *C/ Doctor Raguer* **Ripoll** *(à 32km à l'ouest d'Olot par la N260 et 12km à vélo de San Joan de les Abadesses par la Ruta del Ferro – cf. ci-contre) Tél. 972 70 42 03 www. terradecomtes.cat Ouvert avr.-sept. : tlj. 10h-13h et 15h-19h ; oct.-mars : tlj. 10h-13h et 15h-18h Tarif 3€, réduit 2€*

Office de tourisme de Ripoll Son petit centre d'interprétation relate l'histoire du monastère *Pl. de l'Abat Oliba, s/n Tél. 972 70 23 51 Ouvert été : mar.-dim. 9h30-13h30 et 16h-19h ; hiver : mar.-dim. 9h30-13h30 et 16h-18h*

Museu Etnogràfic À côté du monastère, ce musée présente la vie quotidienne des bergers et des paysans d'antan et l'activité des forges de Catalogne au travers d'une collection d'armes à feu anciennes. Il organise également des expositions temporaires. *Pl. de l'Abat Oliba, s/n* **Ripoll** *Tél. 972 70 31 44 Ouvert Pâques et juil.-août : mar.-sam. 10h-13h30 et 16h-19h, reste de l'année : mar.-sam. 10h-13h30 et 16h-18h ; dim. et fêtes 10h-14h Tarif 4€, réduit 3€, moins de 9 ans gratuit*

Farga Palau Cette forge hydraulique du XVIIe siècle est restée pratiquement en l'état depuis sa fermeture, en 1978. Elle se visite sur rdv à l'OT. *Passeig de la Farga Catalana, s/n*

● Où goûter à des pâtisseries conventuelles ?

Salvat Pour goûter la célèbre *coca del Ripollès*, spécialité à base de pomme et de pignons inventée au Moyen Âge, rendez-vous dans cette boutique-salon de thé située tout près de l'ancienne église Sant Pol : dès la vitrine, *bulgaros* (au chocolat), flancs de cheveux d'ange ou de massepain poussent au péché de gourmandise ! De monacales douceurs à déguster sur place ou à emporter. *C/ de Comela, 9* **Sant Joan de les Abadesses** *Tél. 972 72 00 38 Ouvert mar.-sam. 7h30-13h30 et 16h30-20h, dim. 7h30-14h30*

● Où savourer une glace artisanale, un coca de xocolata ?

Can Costa Juste en face du monastère de Santa Maria, la maison Costa confectionne de savoureuses glaces et pâtisseries artisanales à déguster sur place ou à emporter : à ne pas manquer, les *cocas* (gâteaux de pain) au *xocolata* ou aux *llardons*, les *enrollats d'albercocs* (roulés aux abricots) et autres *carquinyolis* (gâteaux secs aux amandes). Une bonne idée de cadeau : les boîtes de biscuits joliment décorées à l'ancienne. Succursale Plaça Sant Eudald. *Pl. Ajuntament, 9* **Ripoll** *Tél. 972 70 25 20 Ouvert tlj. 8h-21h*

Au nord-ouest d'Olot

Vall de Núria Desservie par un train à crémaillère à partir de **Ribes de Freser** (900m) – bourgade animée où l'on pourra faire le plein de fromage et de charcuterie de pays –, cette belle vallée encaissée est dominée par l'imposant complexe du sanctuaire de Núria (1 967m). À mi-chemin, le train fait halte dans le charmant village de Queralbs (1 236m), aux ruelles pavées bordées de vieilles maisons en pierre aux jardins minuscules. À voir absolument : le portique de l'église romane de **Sant Jaume** (xiie s.) et ses belles colonnettes en marbre à chapiteaux sculptés. Pour atteindre le sanctuaire, le train surplombe les gorges du Riu Núria : superbe ! Sachez que l'édifice est également accessible à pied de Queralbs par le Camí Vell, voie de pèlerinage qui suit une partie du GR®11 (3h AS, 750m de dénivelé, difficile). C'est là-haut, depuis près de mille ans, que l'on vénère la Vierge de Núria, patronne des bergers. Selon la légende, le culte aurait été initié après la découverte, au xie siècle, d'une statuette sculptée par l'ermite saint Gil, premier occupant de la vallée en l'an 700. Le sanctuaire, construction massive de 1883, détonne un peu avec la majesté des montagnes qui l'entourent. Cependant, les grandes prairies et le lac artificiel qui s'étirent à son pied adoucissent un peu l'austérité de l'édifice. La délicate sculpture romane de la Vierge de Núria (xiie-xiiie s.) est jalousement conservée dans l'église. Autres reliques laissées par le saint, la marmite et la cloche font l'objet d'un rituel immuable : pour assurer leur fertilité, les femmes doivent mettre la tête dans la marmite et sonner la cloche en même temps ! Si **Núria** est resté un important lieu de pèlerinage, la beauté des sommets qui l'entourent, l'installation d'une petite station de ski et d'un complexe hôtelier (dont une auberge de jeunesse) en ont fait un but d'excursion familiale très couru, été comme hiver. Parmi les nombreuses possibilités de balades et de randonnées dans les environs, l'ascension du Puigmal (2 913m), point culminant, est la plus prisée (2 parcours de 3h AS). Le **Parc Lúdic de Vall de Núria** pourra aussi attirer les grands et les

---

Ô train ! Suspends ton vol

Train à crémaillère de Vall de Núria Un train à crémaillère permet de rejoindre la station de montagne de Vall de Núria à partir de Ribes-Enllaç, un voyage spectaculaire – 12,5km sur un dénivelé de plus de 1 000m – au-dessus des gorges de la Núria. Certains dimanches, une voiture d'époque est rattachée au train et l'ascension s'accompagne d'un commentaire historique et d'un repas arrosé de calva. *www. valldenuria.com En été, départ*

des gares de Ribes-Enllaç et de Ribes-Vila de 8h30 à 17h30 – env. 1 train/h (hors saison, fréquence réduite ; cf. le site Internet ou appeler l'Estació de Muntanya) Tarif AR 22,30€ (enfant 13,35€) Ascension en voiture ancienne avec déj. 54,10€ (enfant 30,50€) **Estació de Muntanya Vall de Núria** Permanence téléphonique 8h30-17h45 (jusqu'à 18h30 le sam. en juil.-août) *Tél. 972 73 20 20 www.valldenuria.com*

petits avec entre autres une zone artificielle d'escalade et des parcours en hauteur (12,65€/h, rens. à l'Estació de Muntanya Vall de Núria). Attention, toutes les infrastructures du val de Núria ferment en novembre (et pour certaines dès octobre). *Ribes de Freser est situé à 14km au nord de Ripoll par la N152 Liaisons avec Queralbs puis Núria par le train à crémaillère (cf. encadré Ô train ! Suspends ton vol)*

● Où acheter de la tomme de brebis ?

Mas Farró Cette ferme commercialise sa production artisanale de tommes de brebis au lait cru et ses fromages de chèvre. *La Vall de Bianya (env. 10km au nord-ouest d'Olot) Tél. 972 29 12 38 Vente de 10h à 18h (appeler avant de passer)*

Au sud d'Olot

Vic La renommée de Vic, chef-lieu du comté de l'Osona, tient à son joli centre historique, formant une agréable enclave de ruelles et de placettes enserrées, à l'origine, dans une muraille médiévale du XIVe siècle. Si vous y faites halte, ne manquez pas de goûter à son excellente charcuterie qui bénéficie d'une Appellation d'origine contrôlée (*fuets, bulls, llonganisses, butifarra…*). Commencez votre visite par la Plaça Major, qui compte parmi les plus belles et les plus grandes de Catalogne avec ses arcades et ses façades baroques, néoclassiques et modernistes (marché le mardi et le samedi). La Ruta Turística, fléchée dans le centre médiéval depuis la Plaça Major, vous assurera une visite exhaustive de la vieille ville et de ses monuments. *À 75km au sud-ouest d'Olot par la C153 ou à 43km par la C152* **Office de tourisme** *Pl. del Pes Tél. 938 86 20 91 www.victurisme.cat Ouvert lun.-ven. 10h-14h et 16h-20h, sam. 10h-14h et 16h-19h, dim. et j. fér. 10h30-13h30*

● IDENTITÉ CATALANE
C'est peut-être à Vic, petite cité de 42 000 habitants cernée de hauts reliefs, que se manifeste le plus clairement le sentiment identitaire catalan. Un nationalisme qui prend racine dans le mouvement de la Renaixença de la seconde moitié du XIXe siècle, auquel le cercle d'intellectuels de l'Esbart contribua amplement.

Catedral de Sant Pere Elle fut édifiée au XVIIIe siècle, dans un style néoclassique plutôt massif, sur les fondations d'une église romane (XIe s.). Un détour s'impose pour admirer le retable de Pere Oller (1428) et les quelque 2 000m² de peintures qui tapissent ses murs. Réalisées dans la première moitié du XXe siècle par le Catalan Josep Maria Sert (1874-1945), les toiles originales disparurent dans un incendie lors de la guerre civile. Le peintre en réalisa une seconde version dans les années 1940. De la nef à l'abside, elles relatent les épisodes de la vie du Christ, du mystère de la Rédemption à celui de l'Ascension, en passant par le Calvaire et la Crucifixion. *Ouvert tlj. 10h-13h et 16h-19h Billet retable + crypte + cloître 2€, réduit 1€*

☆ **Museu Episcopal** L'un des plus riches de Catalogne, il recèle d'importantes œuvres de l'art religieux. Dans la section romane, outre les fresques venues des églises de la région, on notera la superbe *Descente de Croix* d'Erill la Vall (XIIe s.) ainsi qu'un ensemble de parements d'autel peints sur bois. La section gothique est illustrée par une profusion de retables peints, qui permettent de bien observer la transition des styles. Observez ainsi les visages merveilleusement expressifs exécutés de la main de Bernat Martorell ou de celle de Lluís Borrassà. *Pl. del Bisbe Oliba, 3 Tél. 938 86 93 60 www.museue-piscopalvic.com Ouvert avr.-sept. : mar.-sam. 10h-19h, dim. et j. fér. 10h-14h ; oct.-mars : mar.-ven. 10h-13h et 15h-18h, sam. 10h-19h, dim. et j. fér. 10h-14h Tarif 7€, réduit 3,50€, moins de 10 ans et 1er jeu. du mois gratuit*

● Où faire son marché ?

Si chacun a son caractère propre et ses adeptes, tous les marchés de Vic rassemblent un prodigieux éventail de produits culinaires typiques du comté de l'Osona : fromage bleu, *pa de Pessic* (biscuit parfumé à la cannelle ou à la liqueur d'orange), *patata del Bufet* (une variété ancienne de pomme de terre), *tòfona negra* (truffe noire) et, bien entendu, charcuteries de pays (*somalla* et *llonganissa* notamment). **Mercat municipal** *Carrer dels Moratò (à côté de la gare) Ouvert mar.-jeu. 8h-14h, ven. 8h-20h30, sam. 7h-14h* **Mercats setmanals** *(marchés hebdomadaires) Pl. Major Mar. et sam. 9h-14h* **Mercat dels Sentits** *Passeig de la Generalitat Dim. 9h-14h* **Mercat de Brocanters** *(brocante) Pl. dels Màrtirs 1er sam. du mois* **Mercado de Pintura y Dibujo** *Artistes régionaux Pl. Major 2e sam. du mois*

● Où acheter et déguster du saucisson de Vic ?

Cal Vilada À l'angle de la Plaça Major, la vitrine du Can Vilada met l'eau à la bouche avec ses jambons fumés et ses saucissons traditionnels de toutes formes. Ne manquez pas les produits exclusifs de Vic, bénéficiant d'une appellation IGP (Indication géographique protégée) et d'une notoriété mondiale en raison de leurs conditions de séchage particulièrement favorables. *Plaça Major, 34 Vic Tél. 938 86 32 59 Ouvert mar.-ven. 8h30-13h30 et 16h30-20h, sam. 8h30-20h*

Ca La Teresona Une charcuterie ouverte depuis 1837. Si les papilles vous démangent, montez à l'étage faire honneur au menu dégustation de son restaurant (20-24,95€). *C/ Argenters, 4 Vic Tél. 938 86 00 28 www.calateresona.com Ouvert mar.-sam. 8h-20h* **Restaurant** *Ouvert mar.-mer. et sam. 10h-16h, jeu.-ven. 10h-16h et 20h-0h*

En descendant vers le sud

Parc Natural del Montseny Considéré à juste titre comme le poumon vert de la région et classé réserve de la biosphère par l'Unesco, le massif du Montseny (prononcer "Montseign") s'étend sur 30 000ha, que dominent le Turó de l'Home (1 706m) et le Matagalls (1 697m). Ses reliefs, couverts de forêts de chênes, de hêtres et de châtaigniers, se parent au printemps d'un vert éclatant, auquel succède en automne une palette de couleurs chatoyantes. Deux splendides routes panoramiques jalonnées de hameaux et de centres d'information (la BV5301 et la BV5114) serpentent à travers le parc. Mais le Montseny, traversé par le GR®5 et une kyrielle de sentiers, est avant tout le paradis des randonneurs. Nombreuses possibilités d'hébergement.

☺ **Rupit** Un charmant village de pierre et de tuiles rouges, perdu à 845m d'altitude dans un superbe site boisé… Laissez votre voiture au parking et traversez le pont en bois suspendu avant de flâner au hasard de ses ruelles. À gauche de l'église s'engage un sentier enchanteur, parsemé d'iris sauvages au printemps, qui serpente le long de la rivière jusqu'à la cascade Salt de Sallent. Autres idées de randonnées au point d'information, sur le grand parking. *À 35km au sud d'Olot par la C153, ou par la superbe route qui part à l'extrémité sud-est du lac de Sau (un peu chaotique sur la fin)* **Punt d'Informació** *Plaça Era Nova* **Rupit** *Tél. 938 52*

L'art roman dans les Pyrénées catalanes	
Monestir de Sant Joan de les Abadesses	356
Monestir de Santa Maria de Ripoll	356
Monestir de Sant Pere de Casserres	361
Església Sant Joan de Boí	381

20 83 www.rupitpruit.cat Ouvert sam.-dim. 9h-14h **Point info de Tavèrnoles** *Rens. sur la vallée C/ de l'Esgésia, 1* **Tavèrnoles** *(9km au nord-est de Vic et 43km au sud d'Olot sur la BV5213) Tél. 938 88 73 08 Ouvert en été ven.-dim. et j. fér. 10h-15h*

Tavertet Encore un village séduisant et un site d'une grande beauté, très fréquenté par les randonneurs. L'extrémité du promontoire rocheux offre des vues époustouflantes sur la vallée du lac de Sau (2h30 AR jusqu'au Mirador). *À 40km au sud d'Olot par la C153, puis la BV5227 (via Santa Maria de Corcó)*

☺ **Monestir de Sant Pere de Casserres** Un site magnifique et une remarquable architecture romane. Perché sur un promontoire rocheux au-dessus du lac de retenue du barrage de Sau, ce monastère bénédictin du XIIe siècle fut occupé jusqu'au XVe siècle. Si l'église en impose avec la belle hauteur sous plafond de sa triple nef et par ses vastes absides, le complexe vaut avant tout pour le paysage dans lequel il s'inscrit. Laissé en ruine, il fut, dit-on, le théâtre de rituels sataniques. Lors de sa rénovation (vers l'an 2000), un évêque vint d'ailleurs l'exorciser. *Carretera BV5213* **Les Masies de Roda** *(à 65km d'Olot par la C153, puis la BV5213, en bifurquant à gauche, avant Vic ; à 3km du Parador de Vic-Sau, soit 12,5km de l'embranchement de la C153 Du parking, traverser le restaurant du site pour rejoindre le chemin de crête entre les deux bras du lac Compter 10min à pied jusqu'au monastère) Tél. 937 44 71 18 ou 608 89 22 00 www.santperedecasserres.cat Ouvert 15 juin-15 sept. : mar.-dim. 10h-19h ; 16 sept.- fév. : mar.-dim. 11h-17h30 ; mars-14 juin : mar.-dim. 10h-17h30 Fermeture du guichet 30min avant Fermé 25 déc. et 15-31 jan. Visite guidée en français sur rdv au moins 8 jours à l'avance Tarif 3€, réduit 1,50€ (+3€ pour la visite guidée)*

● **Où faire trempette ?**

Salt de Sallent En suivant le sentier aménagé sur les berges du *riu* qui traverse Rupit, vous arriverez au Salt de Sallent, une cascade de 25m de haut. Çà et là, des trous d'eau forment autant de piscines naturelles... De faible profondeur, elles sont idéales pour se rafraîchir. Des aires de pique-nique sont aménagées tout au long du parcours (3km, 1h30 AR).

CARNET D'ADRESSES

Restauration, hébergement

🍴 🏨 très petits prix

Can Guix Cuisine simple et copieuse, service rapide et tarifs minimum : voilà tout le succès de ce petit restaurant populaire préparant avant tout des plats régionaux. Idéal pour un déjeuner en famille. Comptez 8-12€. C/ Mulleras, 3-5 *Olot* Tél. 972 26 10 40 Ouvert tlj. 8h30-22h30 sauf mer. soir et dim.

Alberg Juvenil Torre Malagrida Vous logerez ici dans une étonnante demeure noucentiste de 1920, entourée d'un grand jardin romantique. Passé le hall d'entrée aux moulures dorées et aux carrelages d'époque, on retrouve l'aspect fonctionnel des dortoirs. Dommage... Chambres de 4 à 8 pers. avec sdb extérieure. Nuit avec petit déjeuner à env. 20€/pers., 17€ pour les moins de 29 ans. Les draps sont fournis mais les serviettes sont en supplément (2,90€). Repas à 5,10€. *Passeig de Barcelona, 15* **Olot** Tél. 972 26 42 00 www.xanascat.cat Carte Fuaj obligatoire

🍴 🏨 petits prix

Font Moixina Situé à environ 500m après le restaurant La Deu, il offre un cadre arboré tout aussi bucolique, mais une ambiance beaucoup plus décontractée. Le dimanche, on vient s'y attabler en famille après une promenade dans la forêt voisine. La carte propose exclusivement des spécialités de la région (médaillon de veau sauce *ratafía*, soupe de patates douces aux châtaignes confites, yaourt de la ferme au coulis de prunelle), à des tarifs tout à fait honnêtes. Menu du jour à 13,90€ en semaine et 25,50€ le week-end. À la carte, comptez 12-15€. *Mas La Moixina, s/n* **Olot** Tél. 972 26 10 00 www.curiareial.com Ouvert jeu.-lun. 12h45-16h30 et 20h15-23h, mer. 12h45-16h30

Cal Fideuer Pour un en-cas à l'italienne, cette petite enseigne installée dans une belle demeure, sur la principale place du quartier médiéval, vous propose antipasti, *focaccia*, pâtes en tout genre, ou encore le classique *jamón serrano* accommodé façon péninsule. Menu du jour à 12,50€ ou, à la carte, autour de 20€. *Plaça Gran, 20* **Ripoll** Tél. 972 71 41 52 Ouvert tlj. 13h-16h et 20h30-23h

La Deu Légèrement excentrée derrière le parc Nou, c'est l'une des adresses en vue de la ville. En service depuis 1885, il fait partie de la chaîne des Rôtisseurs et pratique l'une des grandes spécialités de la Garrotxa : la cuisine volcanique. Vous dînerez sur la grande terrasse installée sous les platanes ou opterez pour l'ambiance plus formelle des tables soigneusement dressées de l'une des multiples salles rénovées en 2013. En sus de la carte, 2 formules sont proposées en fin de semaine : un menu du jour à 18,50€ et un menu dégustation à 25,50€. *Ctra de la Deu* **Olot** (sur la route de l'hôtel Can Blanc) Tél. 972 26 10 04 www.ladeu.es Ouvert lun.-sam. 13h-16h30 et 20h-22h30, dim. et j. fér. 13h-16h30

Hostal R. Sant Bernat Situé en haut du centre-ville, sur les flancs du volcan de Montsacopa. Trente-sept chambres agréables, refaites en

2008 pour celles du premier étage, un peu plus anciennes pour celles du 2e. Certaines, les plus agréables, possèdent un petit balcon. En façade, de belles vues sur la ville. Les chambres à l'arrière donnent sur de simples potagers. De 60 à 77€ la double avec petit déjeuner. Possibilité de demi-pension. *Ctra de les Feixes* **Olot** *Tél. 972 26 19 19 www.hostalsantbernat.com*

🍴 prix moyens

☺ **Les Pedretes** Aux abords du centre-ville, au nord de la Plaça Clarà. Ne vous laissez pas désemparer par l'absence d'animation du quartier et poussez la porte. Ici, la cuisine est excellente et le service charmant. C'est la carte qui prime ici. On vous suggère les asperges vertes au jambon (6,70€) ou les pommes de terre farcies (6,50€), suivies d'une viande à la braise (13,50-16€) ou d'une grillade de poisson (9,90€). Un régal ! Comptez 25€ minimum. *C/ Pare Roca, 12* **Olot** *Tél. 972 26 52 65 Ouvert mar.-sam. 12h-17h et 20h-0h, dim.-lun. 12h-17h*

🧳 prix élevés

☺ **Mas Can Blanc** Dans le havre de verdure et de tranquillité de la Moixina, cette grande bâtisse dispose de 12 belles chambres spacieuses et modernes, avec wifi et jardin privatif pour certaines, et d'une piscine mise en eau de mi-juin à mi-sept. On s'y sent fort bien. Double avec petit déj. de 88 à 100€ (HT) selon la saison. *Passatges de La Deu* **Olot** *De l'Av. de San*

Jordi, au sud-ouest de la ville, suivre les indications pour les restaurants Font Moixina ou La Deu ; Can Blanc se situe entre les deux Tél. 972 27 60 20 www.canblanc.es

Dans les environs

Vous trouverez deux campings calmes et arborés sur la route des volcans entre Olot et Santa Pau. Pour ceux qui préfèrent les gîtes ruraux, adressez-vous à l'office de tourisme d'Olot. Nous vous conseillons en outre deux superbes mas catalans situés à l'ouest d'Olot, aux alentours de Ripoll et de Sant Joan de les Abadesses.

🍴 très petits prix

☺ **Casa Rudes** Derrière sa ribambelle de saucisses sèches et de fromages artisanaux, cette taverne-épicerie ne semble pas avoir changé depuis sa fondation en 1893. Un petit air vieillot pour savourer une excellente cuisine de pays ou un plateau de fromages (6,90€). Menu en semaine à 10,50€ et à 15,50€ le week-end. À la carte, compter 15-25€. *C/ Major, 10* **Sant Joan de les Abadesses** *Tél. 972 72 01 15 www.casarudes.com Ouvert été : lun.-sam. 13h-15h et 20h30-22h Sur rés. le soir, dim. 13h-15h ; reste de l'année : mar.-ven. et dim. 13h-15h, sam. 13h-15h et 20h30-22h*

🧳 petits prix

☺ **El Reixac** Niché dans un adorable coin de campagne aux environs de

GAMME DE PRIX	RESTAURATION	HÉBERGEMENT
Très petits prix	moins de 12€	moins de 50€
Petits prix	de 12 à 20€	de 50 à 65€
Prix moyens	de 20 à 30€	de 65 à 85€
Prix élevés	de 30 à 50€	de 85 à 130€
Prix très élevés	plus de 50€	plus de 130€

Sant Joan de les Abadesses, ce beau mas catalan propose de petits studios pour 2 pers. (60€) et des appartements pour 4-6 pers. (110 et 175€) au confort simple. La décoration, superbe, allie l'ambiance d'une ferme traditionnelle à la ferveur créatrice des propriétaires, Carmen Bo et Miguel Ferran, dont les tableaux décorent les murs. Vieux meubles en bois. Une petite piscine récemment ajoutée vient compléter le charme du lieu. Location minimum : une semaine en été ou 2 jours hors saison. *Sant Joan de les Abadesses* (D'Olot, suivre la C26 dir. Camprodon sur 2km ; bifurquer à droite avant Colònia Llaude) Tél. 972 72 03 73 www.elreixac.com

🍴 🏨 prix moyens

Cal Parent Le restaurant de l'hôtel Fonda Siqués, sur la route principale, cuisine depuis plus de 150 ans les pommes farcies à la viande (9,75€) qui contribuent à la réputation de sa table. Viandes et poissons grillés autour de 15€. Goûtez aussi aux desserts maison dont une savoureuse crème catalane. À partir de 21€ à la carte. Propose des chambres toutes simples entre 44 et 80€. *Av. Lluis Companys, 6-8 Besalú Tél. 972 59 01 10 Ouvert été : tlj. 13h-16h et 20h30-22h ; reste de l'année : mar.-sam. 13h-16h et 20h30-22h, dim. 13h-16h*

Pont Vell Lapin aux pommes et aux pignons, magret de canard, morue au four accompagnée de petits légumes : la carte évolue au gré des saisons, pour une *cocina de mercado* qui reste néanmoins fidèle aux classiques de la région. Pour déjeuner au pied du célèbre pont, en terrasse sur la rivière, attablé sous le grand néflier ou dans la salle à l'étage, une adresse touristique mais idéalement située. Comptez 25-30€ à la carte. *C/ Pont Vell, 24 Besalú*

Tél. 972 59 10 27 Ouvert juil.-août : mer.-dim. 13h-15h30 et 20h30-22h30 ; reste de l'année : lun. 13h-15h30, mer.-sam. 13h-15h30 et 20h30-22h30 fermé du 20 déc. au 20 jan. et la 1re semaine de juil.

Cal Sastre Sous les arcades courant devant l'ancien château ou dans la salle rustique, on apprécie la spécialité du village : les *fesols* (haricots blancs) de Santa Pau. Comme tous les légumes servis dans votre assiette, ils viennent du jardin bio cultivé derrière l'église. Menus à 19,80€ (jour) et 29,70€ (week-end). À la carte, comptez entre 35 et 50€. Belle carte des vins. Également, à l'extérieur des murailles, un hôtel aménagé dans un mas (de 97 à 130€ HT la double avec petit déj.). Une adresse alliant charme et qualité. *Plaçeta dels Valls, 6 Santa Pau Tél. 972 68 00 49 www.calsastre.com Ouvert 13h-16h, 20h30-23h30 sf dim. soir et lun. Fermé 1er-15 fév. et 1er-15 juil.*

El Jardinet Le prix du menu varie selon les heures et les jours : 14€ à midi en semaine, 26,90€ les sam. et dim. soir, 18 et 26,90€ le sam. midi. Installé au cœur de la vieille ville, derrière le musée diocésain, le restaurant dispose d'un petit jardin bien agréable aux beaux jours. *Corretgers, 8 Vic Tél. 938 86 28 77 www.eljardinetdevic. com Ouvert mar.-sam. 13h-15h30 et 20h30-23h, dim. 13h-15h30 Fermé 1er-15 fév. et 1er-15 sept.*

Ca l'U Dans une demeure seigneuriale du XVIIIe siècle mêlant des éléments romans, gothiques et baroques, on vient savourer une cuisine créative laissant une large place aux produits du terroir. On peut y manger sur la terrasse vitrée les jeu., ven. soir et le sam. Menu à 22,50€ à midi et à 23€ le soir et en fin de semaine. Comptez 40€ à la carte. *C/ Riera, 25 Vic Tél. 938 89*

03 45 www.restaurantcalu.com Ouvert jeu.-sam. 13h-15h30 et 20h30-22h30, mar.-mer. et dim. 13h-15h30

El Caliu Une adresse intimiste avec sa décoration élégante entre bleu et bordeaux, ses lustres de cristal et ses miroirs aux encadrements baroques. On y vient surtout pour les grillades : de la *butifarra* (4,75€) à l'entrecôte (8,95€) en passant par le lapin (7,50€), l'éventail est large ! Comptez env. 20-25€ à la carte. *C/ Riera, 13 Vic* Tél. 938 89 52 71 ou 630 54 10 19 www. elcaliuvic.com Ouvert mar. et dim. 13h-15h30, mer.-sam. 13h-15h30 et 20h30-23h30 Fermé les 3 premières sem. août.

☺ **Mas El Mir** Encore un splendide mas catalan perdu dans la nature. Ici c'est la sobriété du décor qui donne aux chambres tout leur cachet : poutres en bois, pierres apparentes... Un appartement pour 4-8 pers. à 120-152€ (minimum 2 nuits). Possibilité de louer la maison pour 15-22 pers. pour 860€ les 2 nuits. Joli coin baignade en rivière à 1km. *Ctra de les Llosses Ripoll À 4km au sud-ouest de Ripoll en suivant la C17 dir. Barcelone sur 1km et en bifurquent à droite pour Berga et Les Llosses ; env. 1km plus loin, prendre à droite la piste forestière et la suivre sur 2km (fléché) Tél. 667 48 52 68 www. maselmir.com*

Estació del Nord Situé à l'étage de la gare (normalement, les trains ne circulent pas la nuit !), il dispose de 14 chambres fonctionnelles, au style pour le moins dépouillé, presque trop blanc. Mais le bâtiment a de l'allure ! Doubles à 60€, petit déjeuner inclus. Wifi. L'Estació passe pour offrir l'un des meilleurs rapports qualité-prix de la ville, à 5min à pied du centre : il est prudent de réserver ! *Plaça Estació, 4 Vic Tél. 935 16 62 92 www.estacio delnord.com*

🍴 prix élevés

Curia Reial Sur l'une des plus belles places du vieux Besalú, vous ferez ici un déjeuner léger de tapas en terrasse ou dînerez de viandes rôties sous les spectaculaires voûtes en ogive de la salle ou en balcon sur la rivière. Menu du midi à 18€ du lun. au ven., à 25€ le soir et en fin de semaine. À la carte, compter au moins 30€. *Plaça de la Llibertat, 14 Besalú Tél. 972 59 02 63 Ouvert tlj. 12h30-15h45 et 20h30-22h45*

Boccatti Situé à deux pas du marché au poisson, il adapte sa carte selon les arrivages (cigale de mer, huîtres...). Une garantie de fraîcheur, pour des produits que l'on commande au poids. Maintenant une tradition familiale, la petite salle accueille beaucoup d'habitués et s'est forgé une fameuse réputation. Service attentif et aimable. Compter 40 à 60€ à la carte. *C/ Mossèn Gudiol, 21 Vic Tél. 938 89 56 44 www.boc-catti.es Ouvert lun.-mar. et ven.-sam. 13h-15h30 et 20h45-23h, mer. et dim. 13h-15h30 Fermé j. fér. et 2ᵉ quinzaine d'avril et d'août*

Reccapolis Vous le trouverez sur l'ancienne route de Sant Joan, celle qui part juste derrière le monastère de Santa Maria de Ripoll. La salle donne sur les berges arborées de la rivière. Certaines spécialités de la maison, tel le foie de veau et sa compote de pomme à la cannelle (13,50€) ou le poulet fermier aux prunes et au lard (23,50€) réservent de véritables surprises gustatives. Comptez de 35 à 40€ à la carte, ou optez pour le menu à 20,35€. *Antigua Ctra de Sant Joan, 68 Ripoll (à 1,5km du centre-ville) Tél. 972 70 21 06 www.reccapolis.com Ouvert jeu. et dim.-mar. 13h-15h30, ven.-sam. 13h-15h30 et 20h30-22h30*

LES PYRÉNÉES CATALANES

LA SEU D'URGELL

25700

La Seu d'Urgell

Barcelone

Tapie au fond d'une très large vallée, au confluent du Segre et de la Valira, cette ville de 12 500 habitants est le chef-lieu de la comarca de l'Alt Urgell, principale région laitière de Catalogne. La proximité de la principauté d'Andorre, à 10km au nord, en a fait un important nœud de communication qui, vu de l'extérieur, n'offre guère d'attrait. Pourtant, le quartier historique de La Seu possède un réel pouvoir de séduction. Ses ruelles à arcades contribuent à son atmosphère presque médiévale, particulièrement sensible les jours de marché. De même, la visite de la cathédrale romane ravivera le souvenir de l'important évêché d'Urgell, fondé au IXe siècle. Enfin, ne manquez pas d'explorer les environs, qui ont conservé leur charme agreste. Balades dans des hameaux de caractère, rencontres avec des artisans fromagers et autres métiers presque oubliés, dégustation de charcuterie, nuits en chambre d'hôtes...

☆ **LE PARC NATUREL DU CADÍ-MOIXERÓ** La Serra de Cadí, cordillère pré-pyrénéenne, culminant à 2 648m au sud de La Seu d'Urgell, compose avec la Serra de Moixeró à l'est le plus grand parc naturel de Catalogne. À cheval sur trois *comarcas* (Alt Urgell, Cerdanya et Berguedà), il s'étend sur plus de 41 000ha, principalement constitués de hauts sommets calcaires et d'épaisses forêts de hêtres, de sapins et de pins sylvestres. C'est dans les sous-bois que vit le pic noir, emblème du parc. Au sud, l'impressionnant massif isolé du Pedraforca culmine à 2 497m d'altitude, offrant des parois de choix aux amateurs d'escalade. La zone la plus courue se situe près de Bagà, accessible par le tunnel de Cadí. Mais nous avons préféré vous orienter vers les petits villages typiques de l'ouest du parc.

MODE D'EMPLOI

accès

EN VOITURE
À env. 160km au nord-ouest d'Olot par la N260 et la N152. Accessible de France, via l'Andorre (zone détaxée) : 11km séparent Andorra La Vella de La Seu (N145, attention aux embouteillages).

EN CAR
Gare routière *Av. de Garriga Masó (au nord) Tél. 973 35 00 20*

La Seu Bus D'Andorra La Vella (Escaldes), 14 cars/j., 30-45min de trajet, 3,10€. *www.montmantell.com*
Alsa De Barcelone (env. 5/j., 3h30, 28€ env.) et de Puigcerdà (12/j., 1h, 6,85€ env.). *www.alsa.es*

location de vélos

Centre BTT Parc Olímpic del Segre Vélos à louer pour 27€/j. *Crta Circumval·lació, s/n* **La Seu d'Urgell** *Tél. 973 36 00 92*

banques et poste

Vous trouverez des banques Av. de Pau Claris et C/ de Sant Ot.
Poste *Zulueta, 39 À l'angle de l'Av. del Saloria et de la C/ Josep Tél. 973 35 07 24 Ouvert lun.-ven. 9h-14h*

marchés, fêtes et manifestations

Marché alimentaire et vestimentaire Il se tient dans le centre historique de la ville depuis... 1029 ! L'endroit idéal pour faire le plein de produits régionaux, miel, charcuteries et fromages. *C/ Major et C/ dels Canonges La Seu d'Urgell (au sud du Musée diocésain) Ouvert mar. et sam. 9h-14h sauf j. fér.*
Feria de Sant Ermengol Foire aux fromages artisanaux. *La Seu d'Urgell 3e w.-e. d'oct.*
Festival d'Arsèguel Le rendez-vous des amateurs d'accordéon. *Arsèguel (10km à l'est de La Seu d'Urgell) Dernier w.-e. de juil.*
La Poció dels Minairons – El Món màgic de les Muntanyes "La potion des Minairons – le monde magique des montagnes". Attention, cuisine magique : dans plusieurs restaurants de la région (liste à l'OT), les contes et légendes des alpages président à la composition des menus... *La Seu d'Urgell Déc. et début jan.*
Festival de Música Antiga dels Pirineus Concerts de musique baroque ou classique. Programme sur www.femap.cat *La Seu d'Urgell Juil.-sept.*

informations touristiques

Espai Ermengol Infos sur La Seu, le parc de Cadí, le tourisme rural dans la région, les activités sportives. Accueil en français. Petit musée de la Ville et du Fromage pyrénéen. *C/ Major, 8 La Seu d'Urgell Tél. 973 35 15 11 www.turismeseu.com www.laseu.cat Ouvert lun.-sam. 10h-14h et 16h-19h, dim. et j.fér. 10h-14h*
Centre d'information du parc naturel de Cadí-Moixeró à Bagà Au pied du tunnel de Cadí. *C/ La Vinya, 1 Bagà Tél. 938 24 41 51 www.gencat.cat/parcs/cadi Ouvert juil.-sept. : lun.-ven. 9h-13h30 et 15h30-19h, sam. 9h-13h et 16h-19h, dim. et j. fér. 9h-13h ; reste de l'année : lun.-jeu. 8h-13h, ven. 8h-13h et 16h-19h, sam. 9h-13h et 16h-19h, dim. et j. fér. 9h-13h*

DÉCOUVRIR

☆**Les essentiels** La cathédrale Santa Maria de La Seu et le parc naturel du Cadí-Moixeró **Découvrir autrement** Visitez la fabrique de laine d'Arsèguel, skiez à La Molina ou dînez en tête à tête dans le jardin de l'hôtel Andria à La Seu d'Urgell (cf. Carnet d'adresses)

La Seu d'Urgell

L'animation du centre-ville se concentre principalement sur la promenade du Passeig de Joan Brudieu. À l'est, le quartier historique s'organise autour de deux belles rues médiévales à arcades : la Carrer Major et la Carrer dels Canonges, où, deux fois par semaine, le marché bat son plein depuis bientôt... mille ans !

☆ **Catedral de Santa Maria** Cette cathédrale construite à partir de 1175 par Ramón Llombard est une remarquable illustration du roman lombard. À sa masse imposante répondent les grands volumes de la triple nef fermée par cinq absides. Ambiance très solennelle, que l'on retrouve dans le cloître de granit (XIIIᵉ s.), dont les colonnes arborent des chapiteaux sculptés de motifs floraux et de scènes mythologiques. Le **Museu Diocesà**, de l'autre côté du cloître, est installé dans l'ancienne église de la Pietat (XIVᵉ s.). Parmi ses riches collections d'art sacré figure le célèbre *Beatus de Liébana*, manuscrit du Xᵉ siècle qui contient une copie du *Commentaire de l'Apocalypse*, illustrée de 86 miniatures ; un montage audiovisuel de 10min lui est consacré. À voir également : les sculptures romanes en bois polychrome représentant la Vierge, le splendide crucifix émaillé de Susterris (XIIᵉ s.) et le retable gothique d'Abella de la Conca (1364), réalisé par le grand Pere Serra. Descriptif en français disponible au guichet. *Tél. 973 35 32 42 www.museudiocesaurgell.org Ouvert juil.-sept. : lun.-sam. 10h-13h et 16h-19h, dim. 10h-13h ; reste de l'année : lun.-sam. 10h-13h et 16h-18h, dim. 10h-13h Ouvert lors des offices des 1ᵉʳ et 6 jan., lun. de Pâques et 25 déc. Billet Cathédrale + musée avec audioguide en français (env. 1h) 3€*

Parc de la Valira Au milieu des bosquets luxuriants qui bordent le Riu Valira se dresse un insolite cloître rose du XXᵉ siècle. Ses chapiteaux sculptés représentent des personnages marquants de l'époque (Dalí, Einstein, Marilyn Monroe…). *Au nord-ouest du centre-ville, à 15min à pied Entrée libre*

● **Où prendre le petit déjeuner ?**
Forn de Pa Serafi En terrasse face à la cathédrale ou dans la minuscule salle, l'endroit idéal pour prendre un café-croissant ; vous serez à pied d'œuvre pour visiter le musée diocésain dès son ouverture. *C/Mayor 3 **La Seu d'Urgell** Tél. 973 35 05 02 Ouvert lun.-sam. 8h-14h et 17h-20h, dim. et j. fér. 9h-14h*

● **Où remplir un panier gourmand ?**
Sous les arcades de la Carrer Major, la charcuterie Pere Tor confectionne depuis des décennies toutes sortes de saucisses sèches ; à côté, la Formatgeria Eugene sert à la coupe depuis 1929 tous les fromages de l'Alt d'Urgell ; sur le

---

Andorre, paradis commercial

Si vous êtes motorisé, poussez jusqu'en **Andorre**. Entre la frontière et Sant Julià de Lòria, première ville de la principauté, se succèdent stations-service et centres commerciaux, véritables temples de la consommation détaxée. Au rang des produits phares figurent alcools et tabacs, mode, parfumerie et cosmétiques de marque, sans oublier la photo et l'électronique. Les achats sont limités à 900€ par adulte (300€ d'alimentation maximum, restrictions sur les tabacs et alcools) avec les justificatifs pour revenir en Espagne : respectez les règles du jeu, les douaniers sont vigilants. *À 8km au nord de La Seu d'Urgell Renseignements sur www.douane. gouv.fr*

trottoir d'en face, le caviste Vins i licors Gallart saura vous recommander un cru local pour accompagner le tout. *Carrer Major* **La Seu d'Urgell** *Boutiques ouvertes lun.-sam. 9h-14h et 17h-20h*
Pere Tor *Carrer Mayor, 62 Tél. 973 35 25 38*
Formatgería Eugene *Carrer Mayor, 58 Tél. 973 35 04 01*
Vins i licors Gallart *Carrer Major, 41 Tél. 973 35 02 75*

● Où acheter du fromage aux herbes des Pyrénées ?
Formatgería Mas d'Eroles Entre Sort et La Seu, Salvador Maura produit et vend une dizaine de variétés de fromages de brebis et de vache, nature ou parfumés aux herbes des Pyrénées voire au curcuma, et tous présentés dans de jolies boîtes. *Mas d'Eroles* **Adrall** *Tél. 973 35 40 57 Visite sur rés.*

● S'initier au rafting, au canoë-kayak...
Parc Olímpic del Segre Entre le centre historique et le Riu Segre a été aménagé un réseau de torrents et de canaux artificiels pour accueillir les épreuves de canoë-kayak des JO de 1992. Aujourd'hui, on y vient pour s'initier au rafting (40€ pour un baptême et 4 descentes), au canoë-kayak (14€/h) ou à l'hydrospeed (47€), se promener dans le parc ou boire un verre en terrasse. *Crta Circumval-lació, s/n* **La Seu d'Urgell** *Tél. 973 36 00 92 www.parcolimpic.cat Ouvert tlj. de 9h au coucher du soleil*

LES PYRÉNÉES CATALANES

Faut qu'ça bouge !

Quatre parcs naturels (Aigüestortes, Cadí-Moixeró, Garrotxa et Montseny), de nombreux sentiers de randonnée (GR[®]5, 11, 21, 107 et 150) et cinq stations de ski font des Pyrénées catalanes un paradis pour les sportifs et autres amoureux des grands espaces !

Baignade

Eaux vives

Balades à vélo

Randonnée pédestre

Balades à pied

Stations de ski

Les environs de La Seu d'Urgell

☆ Le parc naturel du Cadí-Moixeró

☺ **Tuixén** Parmi les villages de l'ouest du parc qui permettent de goûter à la vie rurale, coup de cœur absolu pour celui-ci. Outre ses jolies ruelles pavées et ses maisons de pierre ocre, ne manquez pas son musée des Trementinaires, marchandes ambulantes d'herbes de montagne et de remèdes naturels du début du XIXe siècle (essences, huiles, pommades). Leur spécialité était notamment la térébenthine (*trementina*), d'où leur nom. L'activité s'est éteinte dans les années 1960, mais les herbes de Cadí sont toujours renommées. Demandez à l'accueil la brochure explicative en français. Un petit jardin de simples est consacré aux herbes aromatiques et médicinales que vendaient les trementinaires. *À 40km au sud-est de La Seu d'Urgell par une petite route sinueuse Une camionnette fait l'AR 1 fois/j. lun.-ven. Tél. 689 96 77 59 Comptez 7€ AR* **Museu de les Trementinaires** *Tél. 973 37 00 30 www.trementinaires.org Ouvert sam. 10h-14h et 17h-20h, dim. et j. fér. 10h-14h ; mi-juil.-mi-sept., Pâques, Noël : mar.-dim. 10h-14h et 17h-20h 3€/2€ (incluant le jardin, ouvert mai-oct. seulement)*

● Où acheter de la tomme de chèvre ?

Formatgería Baridà Un petit producteur de tommes de chèvre. Pour assister à l'élaboration des fromages, de avril à nov., téléphonez à l'avance. *Bar El Pont de Bar (Suivre la N260 vers Puigcerdà sur 15km, puis à droite après El Pont de Bar) Tél. 973 38 40 60 Ouvert avr.-oct. : tlj. 10h-12h et 19h-20h*

● Visiter une filature de laine

☺ **Fàbrica de Llanes d'Arsèguel** Installée au bord du Sègre, dont elle utilise la force motrice, cette entreprise familiale n'a jamais cessé son activité depuis

---

El Camí dels Bons Homes

Le célèbre GR®107 traverse une grande partie du parc naturel de Cadí-Moixeró. Connu sous le nom de **chemin des Bonshommes** (www.camidelsbonshomes.com), ce sentier suit l'itinéraire emprunté au XIIe-XIVe siècle par les cathares fuyant les croisades et l'Inquisition : au total, 189km entre le sanctuaire de Queralt, à Berga (Catalogne), et le château de Montségur, en Ariège (France). Il traverse le parc de Cadí-Moixeró à Gósol et à Bagà avant de rejoindre Bellver de Cerdanya. Pour sa part, le GR®150 fait le tour complet du parc, tandis que sa variante, le GR®150-1, suit la ligne de crête d'est en ouest. L'autre grande vedette des randonnées est l'ascension du Pedraforca (2 497m), à partir de Saldes, via le refuge de Lluís Estasén et le col du Verdet (pour les bons marcheurs). Il existe par ailleurs une multitude de PR® et de pistes forestières qui permettent de découvrir les plus beaux aspects du parc (cartes topographiques *Serra de Cadí-Pedraforca* et *Moixeró-La Tossa*, au 1/25 000, Éd. Alpina).

1902. Les machines fonctionnent du lundi au vendredi, sauf en juillet-août. Il est toutefois possible de visiter la fabrique (explications en français ; réservation conseillée). *Arsèguel À 10km de La Seu d'Urgell par la N260 direction Puigcerdà, à l'embranchement à droite Tél. 973 38 40 09 Ouvert tlj. 10h-14h et 16h-20h 4€*

Escapade en Cerdagne

À cheval entre la France et l'Espagne, cette belle vallée ensoleillée des Pyrénées orientales ne fut longtemps qu'une seule et même région catalane. En 1659, le traité des Pyrénées vient rompre l'harmonie, confiant la haute Cerdagne à la France. La basse Cerdagne, restée espagnole, devient à la fin du XIXe siècle un lieu de villégiature privilégié de l'élite barcelonaise. Intellectuels, artistes et industriels s'y retrouvent dans de somptueuses demeures. C'est le début du tourisme pyrénéen. En 1984, la percée du tunnel de Cadí place la vallée à moins de 2h de Barcelone. Grâce au tourisme, la Cerdagne est devenue une des régions les plus riches des Pyrénées. Entre La Seu d'Urgell et Puigcerdà, faites une halte à **Bellver de Cerdanya**, un bourg soigneusement restauré dans le respect de l'architecture traditionnelle ; depuis le chemin aménagé autour de l'église, vous jouirez d'une superbe vue sur les massifs du parc naturel au sud.

Puigcerdà Capitale de la Cerdagne espagnole, sise à 1 202m d'altitude au-dessus de la vallée, Puigcerdà vibre d'une constante animation. Sa position frontalière avec la France y est pour beaucoup, mais la ville bénéficie avant tout de la proximité des stations de ski et d'une longue tradition de tourisme estival. Véritable petite vitrine de la mode au cœur des Pyrénées, Puigcerdà attire chaque week-end une foule de Français – voisins – en mal de fête. Au nord du centre-ville, la Plaça dels Herois et la Plaça de Santa Maria forment un seul grand espace ponctué de terrasses animées et de quelques belles façades modernistes. Au sud-est de la place se dresse la silhouette insolite du clocher de Santa Maria, dernier vestige d'une église gothique (XIVe s.) détruite en 1936 lors de la guerre civile. Du sommet, vue panoramique sur la ville et ses environs. On s'enfoncera ensuite dans le réseau des rues piétonnes et commerçantes pour rejoindre au sud la Plaça de Cabrinetti. Ses arcades et ses élégantes façades en sgraffites rappellent que ce fut longtemps la grand-

Sur les pentes enneigées de La Molina

Accessible en moins de 2h de Barcelone via le tunnel de Cadí et à 25km au sud-est de Puigcerdà par la N252, La Molina est devenue l'une des stations de ski alpin les plus fréquentées de la Catalogne. Elle est aujourd'hui reliée par le télécabine Alp 2500 à la station voisine de Masella (à 4km à l'ouest).

Station	Domaine skiable	Sommet	Rens./état des pistes
La Molina	53 pistes, 61km, 16 remontées	2 445m	Tél. 972 89 20 31 www.lamolina.com
Masella	64 pistes, 74km, 18 remontées	2 535m	Tél. 972 14 40 00 www.masella.com

place de la ville. En remontant au nord par la rue Alfons I, on débouche sur la promenade du Passeig del 10 d'Abril dominée par l'église de l'ancien couvent Sant Domènec. Après avoir admiré les peintures gothiques (XIVᵉ s.) dans l'une des chapelles du collatéral nord, prenez le temps de voir l'ultime galerie du cloître, insérée sous un immeuble à gauche de l'église. Enfin, au nord de la Plaça de Barcelona, une agréable promenade vous attend autour de l'Estany. Cet étang artificiel est bordé de superbes petits manoirs, construits à partir de la fin du XIXᵉ siècle pour servir de villégiature à la bourgeoisie barcelonaise. *À 50km à l'est de La Seu par la N260, à 100km à l'ouest de Perpignan par la N116 Accès rapide au départ de Barcelone par la E9-C16 via le tunnel de Cadí (163km, env. 13€) De la gare SNCF de Bourg-Madame (France), liaisons pour Latour-de-Carol, notamment avec le fameux **train jaune panoramique** Tél. 04 68 04 15 47 (en France) www.pyrenees-cerdagne.com*

Llívia La présence de cette enclave espagnole de 12km² en France est assez singulière pour être signalée. Lors de la répartition des territoires stipulée par le traité des Pyrénées de 1659, 33 villages furent cédés à la France, mais Llívia, jouissant du statut de ville, resta espagnole. Elle est connue pour abriter, dans son musée municipal, la **pharmacie Esteva** (XVIᵉ s.), l'une des plus anciennes d'Europe, qui a rouvert en 2012 après une importante restauration. *À 6km au nord-est de Puigcerdà par la N154 **Farmacia Esteva** Au pied de l'église paroissiale Tél. 972 89 63 13 Ouvert 15 juin-14 sept. : mar.-sam. 10h-20h, dim. 10h-14h ; 15 sept.-14 juin : mar.-ven. 10h-18h, sam. 10h-20h, dim. 10h-14h 3€/2,50€* **Office de tourisme de Llívia** *Tél. 972 89 60 11 www.llivia.org Mêmes horaires que le musée de la pharmacie Esteva*

● **Où faire une pause sucrée, boire un coca de la Cerdanya ?**
Vera Dolços Difficile de résister aux multiples tentations que présente en vitrine cette pâtisserie-chocolaterie artisanale. Ses deux minuscules tables installées sur le trottoir invitent à faire une pause thé ou café devant un croissant aux pignons, ou l'une de ces pâtisseries typiques de la Cerdagne que le patron saura vous recommander. *Baixos C/ Raval, 44 Llívia Tél. 972 89 65 86 Ouvert été : mer.-lun. 9h-14h et 16h-21h ; reste de l'année : mer.-lun. 9h-13h et 16h-20h30*

CARNET D'ADRESSES

Restauration, hébergement

🍴 🛏 **très petits prix**

Cal Pacho Avec un bon menu à 10,50€ en semaine (13€ le week-end) et un joli décor sobre, de bois et de pierre apparente, pas étonnant que les employés du coin s'y rendent nombreux à midi. Malgré l'affluence, la salle reste assez calme et les serveuses attentionnées. *C/ La Font, 11 La Seu d'Urgell Tél. 973 35 27 19 Ouvert lun.-jeu. 13h-16h, ven.-sam. 13h-16h et 20h30-22h30 Réservation obligatoire*

Alberg Centre Residencial i de Serveis Central. Dortoirs 1-4 pers., mais un peu tristes, à l'image austère de l'énorme édifice bétonné. 270 lits. Nuit à 16,67€/pers., 21,30€ avec petit déj. Demi-pension 25€. carte FUAJ obligatoire. *C/ de Sant Joan Baptista de la Salle, 51 **La Seu d'Urgell** Tél. 973 35 38 16 www.cereserevisa.net Fermé 3 semaines en sept. et la sem. de Noël.*

Alberg Juvenil La Valira À côté du parc de la Valira. Ce grand bâtiment moderne compte une centaine de lits répartis en dortoirs de 8 pers. Nuitée à 27,75€/pers., 23,35€ pour les moins de 29 ans. Demi-pension 27,75€. CArte FUAJ obligatoire. *C/ de Joaquim Viola, 57 **La Seu d'Urgell** Tél. 973 35 38 97 www.xanascat.cat Réception 9h-13h et 16h-22h Fermé fin oct.-fin nov.*

🍴 💼 petits prix

Cal Teo Une salle chaleureuse aux murs jaune citron, au mobilier rustique et, au plafond, des ventilateurs à l'ancienne. La maison met l'accent sur les viandes grillées, mais les amateurs de crustacés y trouveront aussi gambas et langoustines. Menus du jour à 11,50 et 15€. (prix HT). *Av. Pau Claris, 38 **La Seu d'Urgell** Tél. 973 36 05 35 Ouvert mar.-sam. 13h-16h30 et 20h-23h, dim. 13h-17h*

☺ **Casa de Pagès La Vall del Cadí** Installée dans la campagne, à moins de 1km du centre-ville, cette ferme laitière dispose de superbes et immenses chambres d'hôtes. Beaucoup de confort, un grand jardin, et surtout un copieux petit déj. à 7,50€ ou, plus léger, à 3€. Double à 55€, 45€ hors saison (35€ à partir de 4 nuits). *Orsedó/Tuixén **La Seu d'Urgell** Dir. Parc Olímpic ou Parc del Segre, traverser la rivière par l'unique pont à 400m sur la gauche, dir. Tél. 973 35 03 90 ou 639 15 29 69 www. valldelcadi.com*

🍴 💼 prix élevés

☺ **Restaurant de l'hôtel Andria** Précédée d'un délicieux jardin romantique et d'un rideau de glycines, cette

demeure cossue de la fin du XIXe siècle attire l'œil des promeneurs du Passeig de Joan Brudieu. Petit déjeuner sur la terrasse, dîner de rêve dans le jardin... Ici, la restauration est une affaire de famille. Le père élève des coqs rouges que le fils cuisine en carpaccio ou selon la recette de grand-mère. La mère, elle, fait le foie gras tandis que la fille conseille les clients. Parmi les spécialités, citons le *gall roig* (coq), les cannellonis de poisson et filet de veau des Pyrénées au beurre de Cadí. Le tout à déguster avec un vin des Costers del Segre. Env. 35€ sans les boissons (pour le déjeuner, menus à 12€ en semaine et 25€ le week-end). Chambres irréprochables : de 98 à 108€ la double, petit déjeuner compris, 10€ en sus pour l'une des 2 chambres avec jacuzzi. *Passeig de Joan Brudieu, 24 **La Seu d'Urgell** Tél. 973 35 03 00 www.hotelandria.com*

El Menjador Dans le centre historique, sous les arcades qui s'ouvrent tout près de la cathédrale, ce minuscule restaurant (4 tables seulement) met en avant les produits régionaux de La Seu : il se fournit exclusivement chez les petits producteurs locaux. À l'ardoise, plateau de fromages (vache, brebis et chèvre), foie gras à la confiture de figues, ou, en saison, les champignons – sans oublier l'incontournable assiette de charcuteries de l'Alt Urgell. Comptez env. 40€ à la carte. *C/ Major, 4 La Seu d'Urgell* Tél. 606 92 21 33 www. elmenjador.com *Ouvert lun.-sam. 13h50-15h30 et 21h-22h30, dim. 15h30 Sur rés. uniquement*

Dans les environs

Le développement du tourisme rural a engendré bien des merveilles dans la région. Liste complète des hébergements à l'office de tourisme de La Seu ou de Puigcerdà, ainsi que sur Internet (www.trau.info).

📖 camping

El Cortal del Gral À 1 700m d'altitude, ce camping dispose de larges emplacements avec vue dégagée sur la montagne. Plusieurs lacs et sentiers de randonnée aux environs. Piscine et aire de jeux. 35€/2 pers. avec tente et voiture. *Lles de Cerdanya À 3,5km au nord du village (à 31km de La Seu d'Urgell par la N260 jusqu'à Martinet, puis à gauche)* Tél. 659 59 51 68 www.lles. net/camping *Ouvert fin-juin-mi-sept. : tlj. ; hors saison : sam.-dim. et j. fér.*

📖 petits prix

☺ **Cal Serni** Cette vieille maison traditionnelle propose 6 coquettes chambres doubles récemment rénovées et un appartement pour 6 pers. dans un hameau de montagne au nord de La Seu d'Urgell. Superbe terrasse avec vue. Double à 60€ (50€/pers. en demi-pension – charcuteries et confitures maison). *Calvinyà Les Valls de Valira Du rond-point nord de La Seu d'Urgell, prenez la direction de Puigcerdà sur 800m env. Après le pont, vous apercevrez un bâtiment bleu sur votre droite : la bifurcation pour Calvinyà se trouve juste en face, de l'autre côté de la route* Tél. 973 35 28 09 www. calserni.com

🍴📖 prix moyens

☺ **Cal Peritxola** Une perle rare qui ravira les amateurs de viande. Mais avant toute chose, sachez qu'ici on n'est pas habitué à recevoir les touristes et qu'on ne parle guère que le catalan. La réservation pourra donc se montrer compliquée, car on vous demandera de choisir à l'avance votre viande et sa cuisson : *a la llosa* (sur l'ardoise) ou *a la brasa* (sur la braise) ! Mais persévérez, le repas est excellent et gargantuesque ; il comprend notamment l'énorme plateau de charcuterie maison, apporté avec fierté par la patronne. Autour de 20€/pers. avec vin. *Josa I Tuixén (à 40km au sud de La Seu d'Urgell, par une petite route sinueuse – compter 1h)* Tél. 973 37 00 36

☺ **Ca La Lluïsa** Une rustique mais goûteuse cuisine de montagne et une atmosphère chaleureuse, voilà ce qui vous attend dans cette vieille auberge populaire. Une ambiance familiale, un service efficace et direct et des plats solides : *escudella* (sorte de pot-au-feu catalan), *trinxat* (écrasé de pommes de terre et chou), pieds de porc, artichauts braisés et une foule d'autres propositions aussi alléchantes. Avec, en prime, une vue magnifique sur la Sierra del Cadi et le cadre d'une cité médiévale connue pour son festival d'accordéon. Comptez 25-30€. *C/ Vall, s/n Arsèguel (à 13km à l'est de La Seu)* Tél. 973 38 40 41 *Ouvert tlj. 13h-16h (vérifier par tél., fermé certains jours à midi en basse saison)*

☺ **La Col d'Hivern** Isolé dans une petite rue à l'entrée de la ville de Puigcerdà (en venant de La Seu), ce restaurant accueille une clientèle fidèle. La raison de ce succès ? Une excellente cuisine qui varie au gré des saisons : tatin de pommes de terre, artichauts et foie gras mi-cuit, *trinxat* (hachis de choux, de pommes de terre et de lard), filet de bœuf sauce aux figues, raviolis de langoustine, ragoût de queue de bœuf... Service charmant. Menu du jour à 18€. Comptez 30-40€ à la carte. *C/ Baronia, 7 Puigcerdà (à 50km à l'est de La Seu par la N260) Tél. 972 14 12 04 ou 670 65 71 06 Ouvert mar.-dim. 13h30-15h30 et 20h30-23h Rés. conseillée*

☺ **Casa de Pagès Cal Marrufès** Une excellente adresse qui allie le confort moderne au cadre rustique d'un ancien corps de ferme. Plusieurs chambres doubles, quelques suites et 2 appartements pour 4-6 pers., tenus avec beaucoup de soin. Accueil chaleureux, cheminée, jardin et petit déjeuner (buffet campagnard) inclus. Double à 60-90€, triple à 80-110€, appartement à 150-170€. *Age Puigcerdà (à 52km de La Seu d'Urgell par la N260 et 2,5km au sud-est de Puigcerdà) Tél. 972 14 11 74 ou 649 59 52 53 www.calmarrufes.com*

☺ **Casa de Pagès Cal Rei** Cette ferme aux poutres massives, restaurée avec goût, est sans doute la meilleure adresse des Pyrénées catalanes ! Entre les chambres douillettes, le salon avec cheminée et la vue sur les sommets du Cadí-Moxeiró, le cœur balance. Mais chut... vous en savez déjà trop ! Double à 80€ (100€ avec hydromassage), petit déjeuner à 8€, dîner à 16€. *Lles de Cerdanya (à 33km à l'est de La Seu d'Urgell par la N260 jusqu'à Martinet, puis la LV4036) Tél. 973 51 52 13 ou 659 06 39 15 www.calrei.cat*

☺ LE PARC NATIONAL D'AIGÜESTORTES ET DU LAC SAINT-MAURICE

●Parc national d'Aigüestortes

Barcelone ○

L'unique parc national de Catalogne offre l'une des plus belles rencontres qui soit avec les hauts reliefs pyrénéens. Créé en 1955, il se déploie aujourd'hui sur 14 119ha (ou 40 852ha si l'on tient compte de la zone périphérique de protection), dévoilant un paysage spectaculaire constellé de lacs et entaillé de cours d'eau, modelé il y a quelque 20 000 ans par la fonte des glaciers.

SOUS LE SIGNE DE L'EAU Émaillé de près de deux cents lacs miroitant entre vallées en "U", cirques et massifs escarpés, le parc se distingue par ses fameuses "eaux tortueuses" (*aigüestortes*). Comblés par les sédiments, les lacs (*estany*) ont donné naissance à un réseau inextricable de méandres qui serpentent entre les sols spongieux et les pâturages, avant de se transformer en torrents et cascades. Aux forêts de chênes, de hêtres et de peupliers des fonds de vallée succède la masse sombre des sapins et des pins sylvestres, tandis que les pins à crochets, plus résistants, défient les sommets. Enfin s'ouvrent les alpages parsemés en été de gentianes et de lys pyrénéens puis, plus haut encore, les parois rocheuses où s'accrochent la saxifrage et la joubarbe. La faune sauvage compte des coqs de bruyère, des perdrix des neiges, des marmottes, des isards (petits chamois) et des rapaces.

MODE D'EMPLOI

accès et orientation

EN VOITURE
Le parc se divise en deux parties : le **secteur du lac Saint-Maurice**, ou Estany de Sant Maurici, à l'est, que l'on aborde d'Espot (par la N260 en partant de La Seu d'Urgell), et le **secteur d'Aigüestortes** à l'ouest, accessible du val de Boí (à env. 130km de Lleida par la N230 puis par la L500, peu après le bourg de Pont de Suert). Le val de Boí s'étire sur un peu plus de 20km à partir du bourg de Pont de Suert au sud, jusqu'à la station thermale de Caldes de Boí (1 500m d'altitude), au nord, englobant une kyrielle de petits villages tels Barruera (1 030m), Durro (1 386m), Erill la Vall (1 252m), Boí (1 263m), Taüll (1 489m) et la station de ski de Boí Taüll Resort (2 020m).

EN CAR
Armez-vous de beaucoup de patience car ils sont rares, surtout en hiver...
Alsa La compagnie relie **Pont de Suert** à Lleida (6 ou 7 cars/j., 2h de trajet) et à Barcelone (4h), à Pla de l'Ermita (1 ou 2 cars/j., 35min) via Taüll, Boi, Erill la Vall et Barruera. Également des cars pour Vielha (Val d'Aran, 45min de trajet) et, l'été, pour Caldes de Boí (1 AR/j., 30min). Horaires affichés à la gare routière d'El Pont de Suert, sur la route principale, à 200m de l'église. Pour rejoindre **Espot** en car à partir de La Seu, il faut prendre le car Alsa en provenance de Barcelone et se faire déposer au croisement de la Tor-

rassa. Pour parcourir les 7km restants, contactez les taxis d'Espot (cf. ci-dessous). *Tél. 973 26 85 00 www.alsa.es*

se déplacer dans le parc

EN CAR
Bus del Parque De fin juin à fin sept., la compagnie Alsa assure 2 liaisons AR/j. entre Pla de l'Ermita (départs 9h et 17h30) et Espot (arrivée 11h45 et 20h15), via les principaux villages du val de Boí et du val d'Aran (dont Taüll, Boí, Erill la Vall, Barruera, El Pont de Suert, Vielha, Escunhau, Arties, Salardu).

EN TAXI 4X4
L'accès est interdit aux véhicules particuliers, mais vous pouvez affréter un taxi 4x4.
Taxis d'Espot *Tél. 973 62 41 05 www. taxisespot.com/cast*
Taxis de Boí *Tél. 973 69 63 14 (en été) ou 629 20 54 89 (en basse saison) www. taxisvalldeboi.com*

informations touristiques

Les gardes forestiers vous aideront à organiser vos randonnées dans le parc. À consulter également, l'ensemble des informations données par le site **www. parcsdecatalunya.net**.
Maison du parc national/Espot *Casa del Parque Prat del Guarda, 4* **Espot** *Tél. 973 62 40 36 Mêmes horaires que la Maison de Boí*
Maison du parc national/Boí *C/ de Les Graieres, 2* **Boí** *Tél. 973 69 61 89*

Ouvert juil.-août : tlj. 9h-14h et 15h30-17h45 ; sept.-juin : lun.-sam. 9h-14h et 15h30-17h45, dim. et j. fér. 9h-14h

Office de tourisme de Barruera Pour tout savoir sur le val de Boí. Vente de topoguides sur les sentiers du parc, notamment ceux qui relient entre elles les différentes églises romanes. *Passeig de Sant Feliu, 43 Barruera Tél. 973 69 40 00 www.vallboi.cat Ouvert août : tlj. 9h-14h et 17h-19h ; reste de l'année : lun.-sam. 9h-14h et 17h-19h, dim. 10h-14h*

fêtes et manifestations

Fiera del Ganado de Barruera Une foire artisanale avec dégustations de produits régionaux accompagne défilés et vente de bétail. *Dernier dim. de sept.*

Descente de Falles Les villages de la vallée célèbrent l'avènement du solstice d'été par des descentes aux flambeaux, de Durro à Barruera et de Boí au Pont de Suert. *De fin juin à début juil.*

Jornades gastronòmiques del Bolet La région fête les champignons : une dizaine de restaurants du val de Boí (liste à l'office de tourisme de Barruera) concoctent pour l'occasion des menus gastronomiques spécialement destinés à mettre en valeur les secrets trésors des bois. *Tous les w.-e. d'oct.*

DÉCOUVRIR
★ Le parc national d'Aigüestortes

☆**Les essentiels** Le Planell d'Aigüestortes et les églises Sant Climent, Santa Maria de Taüll et Sant Joan de Boí **Découvrir autrement** Randonnez dans le parc et dormez en refuge, grimpez jusqu'au Planell de Riumalo, descendez les rapides de la Noguera Pallaresa, skiez à Boí-Taüll

Conseil aux randonneurs Nous indiquons, page suivante, les randonnées les plus connues selon leur secteur de départ (Espot/Boí). Il est possible de dormir sur place, cf. Trouver refuge dans le parc (p.382), et même de passer aisément d'un gîte à l'autre – le tour des refuges fait d'ailleurs l'objet d'une course connue sous le nom de Carros de Foc ("chariots de feu", www.carrosdefoc.com) ! Mentionnons aussi le GR®11, qui sillonne le nord du

Spots de ski autour d'Espot

Côté est, la petite station d'Espot-Esquí est très familiale. Côté ouest, à 7km au-dessus de Taüll (navette au départ du Pla de l'Ermita l'hiver), la station de Boí-Taüll, qui culmine à 2 750m, est la plus élevée des Pyrénées espagnoles. Les pistes sont ouvertes de la mi-décembre à la Semaine sainte.

Station	Domaine skiable	Sommet	Rens./état des pistes
Espot-Esqui	22 pistes, 23,5km, 6 remontées	2 500m	Tél. 973 62 40 58/902 19 01 92 www.skipallars.cat
Boí-Taüll	48 pistes, 46,03km, 10 remontées	2 751m	Tél. 902 40 66 40 www.boitaullresort.es

parc. Enfin, n'oubliez jamais que vous êtes en haute montagne, où la météo demeure souvent imprévisible. Soyez toujours équipé en conséquence : vêtements chauds et imperméables, eau et nourriture, cartes détaillées, numéros de téléphone à joindre en cas de pépin. **Cartes topographiques** *Parc Nacional d'Aigüestortes i Estany de Sant Maurici (1/25 000, Éd. Alpina)*

● Randonner vers le lac Negre de Boí

Ruta de la Marmota Itinéraire de difficulté moyenne (facile dans la 1re partie) qui permet de rejoindre les eaux vertes de l'Estany Negre de Boí et le refuge Ventosa i Calvell (2 130m). Le sentier part du parking situé sous le barrage Cavallers (1780m), à 5km de Caldes de Boí, et remonte le long du lac de retenue avant de grimper jusqu'aux prairies du Planell de Riumalo (1h15 env.). On peut y trouver un lieu de pique-nique épatant et, avec de la chance, observer des marmottes ! Puis on effectue une superbe ascension de 1h15. Retour par le même chemin.

● ☆ Randonner vers le Planell d'Aigüestortes

La "plaine" d'Aigüestortes : c'est là, à 1 830m d'altitude, que s'écoulent les plus belles "eaux tortueuses" éponymes du parc. Il existe divers circuits alentour.

Ruta de la Llúdriga Ce circuit permet d'accéder au Planell d'Aigüestortes au départ du parking de La Molina (1 400m), situé entre Boí et Caldes de Boí. Comptez 2h AS en passant par l'Estany de Llebreta. Arrivé à Aigüestortes, il est possible de faire une miniboucle de 45min autour des méandres, sur des passerelles aménagées.

Sentier de l'Estany Llong La randonnée qui mène à l'Estany Llong (1985m) et au refuge du même nom (1h30 AS) reste le grand classique. Du refuge, les bons grimpeurs pourront rejoindre le promontoire de Portarró d'Espot (2 430m), qui domine toute la zone de l'Estany de Sant Maurici. L'autre option est de revenir à Aigüestortes par le val de Dellui (3h env., attention, marquage approximatif).

Autour d'Espot

● Randonner vers l'Estany de Sant Maurici

Arrivé au lac, vous aurez le choix entre plusieurs randonnées faciles : cascade de Ratera (30min AR), refuge et lac d'Amitges (2 390m, 1h45 AS), Mirador de Sant Maurici (2 210m, 2h15 AR) et Portarró d'Espot (2 430m, 2h30 AS).

Prat de Pierró – Estany de Sant Maurici Du parking de Prat de Pierró (1650m) à quelques kilomètres d'Espot, un sentier facile (GR®11) permet d'accéder en 1h15 au grand lac (*estany de*) Sant Maurici (1 910m). On peut y observer, au sud, les deux pics du massif d'Els Encantats (2 745m). La légende veut que ce soient deux chasseurs mués en pierre pour avoir préféré la poursuite d'un cerf à l'accomplissement de leurs devoirs religieux.

● Descendre des rapides en raft, en kayak

Noguera Pallaresa Ses rapides feront le bonheur des amateurs de sports d'eaux vives. Le parcours le plus connu s'effectue entre Llavorsí, Rialp (12km) et Sort (17km). Le plus spectaculaire relie Baro, en aval, aux impressionnantes parois des Collegats (16km). Régularisées par un lac de retenue, les rivières du parc sont en eau de juin à mi-septembre. Nombreux prestataires.

Plan 12 Le parc national d'Aigüestortes

LES PYRÉNÉES CATALANES

N
2 km

Espot
ANDORRE
LA SEU D'URGELL

Refugi
Pla de la Font

ESTANYS DE
CABANES

Refugi
J. M. Blanc

ESTANY
DE LA MAINERA

ESTANY DE
SANT MAURICI

RIU ESCRITA

ELS ENCANTATS
2 745 M

ESTANY NEGRE
DE PEGUERA

COLL DE
FONGUERA

ESTANY DE
SABURÓ

Refugi
Gerber-Mataró

ESTANYS DE
SABOREDO

Refugi d'Ernest
Mallafré

ESTANY DE
RATERA

ESTANY
D'AMITGES

ESTANY DE
SUBENUIX

ESTANY DE
MONESTERO

PEGUERA

ESTANY
DE MAR

ESTANY
TORT

Refugi
de la Colomina

VALL D'ARAN

Refugi de
Saboredo

Refugi
d'Amitges

PIC DEL
PORTARRÓ
2 745 M

PORTARRÓ
D'ESPOT

COLL DE
MONESTERO

ESTANY DE
CUBIESO

ESTANY DE
MORRANO

PIC
DE RATERA
2 862 M

ESTANY
REDÓ

ESTANY
NERE

Refugi de
Colomers

LAC MAJOR
DE COLOMERS

GRAN TUC
DE COLOMERS
2 936 M

PLANELL
D'AIGÜESTORTES

PIC DE
SUBENUIX
2 949 M

COLLADA
DE DELLUÍ

Refugi de
la Restanca

CIRC DE
COLOMERS

Refugi
d'Estany Llong

ESTANY LLONG

ESTANYS DE
LES MUSSOLES

PORT DE
COLOMERS

ESTANY DE
CONTRAIX

ESTANY DE
SARRADÉ

PORT DE
CALDES

COLLET DE
CONTRAIX

Refugi de
Ventosa i Calvell

ESTANY DES
MANGADES

CASCADA DE
SANT ESPERIT

ESTANY NEGRE
DE BOÍ

ESTANYS DE
COMALESBIENES

ESTANY DE
LLEBRETA

ESTANY DES
CALDES

PUNTA ALTA
3 015 M

COLL
D'OELHACRESTADA

ESTANYS DES
MONGES

ESTANYS DES
TUMENEIA

CASCADA
DE RIUMALO

Aparcamiento
de La Molina

Taüll

EMBASSAMENT
DE CAVALLERS

Caldes
de Boí

Bóí

VALL DE BOÍ

Erill la Vall

PONT DE SUERT

MASSÍS DE BESIBERRI

Refugi
de Besiberri

ESTANY
DE MAR

COMALOFORNO
3 033 M

ESTANY
MEMENA
DE DALT

LES PYRÉNÉES CATALANES

★ ☺ Les églises romanes de la Vall de Boí

Vallée rurale et tranquille du comté de la Ribagorça, dans l'Ouest catalan, la Vall de Boí, creusée par la Noguera de Tor, renferme un ensemble exceptionnel de petites églises romanes restaurées dans les années 1970 à 1990 et classées au patrimoine de l'Unesco en l'an 2000. Toutes furent édifiées au XIᵉ-XIIᵉ siècle, sous l'égide des comtes de Pallars et des barons d'Erill, qui participaient à la Reconquête aux côtés des rois d'Aragon. La pureté des lignes et l'unité de style révèlent l'influence du roman lombard. La plupart des édifices pointent vers le ciel de hauts clochers carrés, au sobre décor : arcatures aveugles, bandes verticales dites "lombardes", frises en dents de scie et baies géminées.

Taüll Située à l'entrée du bourg (env. 1 460m d'altitude), l'église ☆ ☺ **Sant Climent** est généralement considérée comme le fleuron de l'art roman en Catalogne. Au fond de l'abside trône en majesté le Christ Pantocrator, fresque emblématique dont l'original se trouve au MNAC de Barcelone. La restauration de 2001 a mis au jour de nouvelles fresques (meurtre d'Abel par Caïn), les seuls originaux que vous verrez dans la vallée. L'église expose un christ en croix du XIIᵉ siècle ainsi qu'un christ Sauveur et une émouvante Vierge en bois polychrome du XIIIᵉ siècle. Du haut du clocher, belle vue sur les montagnes (attention, l'escalier est très raide !). Sur la place du village, dans les effluves d'encens et de bougie, **Santa Maria de Taüll** offre l'atmosphère toute différente d'une église où l'on célèbre toujours le culte ; notez le retable à gauche de l'entrée et les fonts baptismaux, en face, et surtout, au fond de l'abside, la copie de la fresque représentant l'Épiphanie : portant l'Enfant sur ses genoux, la Vierge trône dans une mandorle, entourée des rois mages. À

Les églises du val de Boí, mode d'emploi

Si vous n'avez pas le temps de visiter les neuf édifices romans (huit églises et un ermitage) classés de la vallée, nous vous recommandons tout particulièrement ceux d'Erill la Vall, de Boí et de Taüll. Le Centre d'interprétation de l'art roman de la Vall de Boí, établi à côté de l'église d'Erill la Vall, explique la double fonction religieuse et stratégique des églises de la vallée à l'aide de documents audiovisuels et de bornes interactives (version française disponible). Ouvertes tlj. (sauf nov., 25 déc. et 1ᵉʳ jan.) 10h-14h et 16h-19h (jusqu'à 20h de juil. à mi-sept.) Tarif 2€/église (3€ pour Sant Clement de Taüll), 6€ pour 3 églises, 9€ pour 5 églises + Centre d'interprétation ou 15€ pour l'ensemble des églises ouvertes (billet valable un an), moins de 8 ans gratuit Visites guidées en castillan ou en catalan (en français sur rés. au Centre del Romànic d'Erill la Vall) **Centre del Romànic de la Vall de Boí** C/ del Batalló, 5 Erill la Vall Tél. 973 69 67 15 www.centreromanic. com Ouvert Pâques-mi-oct. : tlj. 9h-14h et 17h-19h exposition 2€ moins de 8 ans gratuit

22km env. de Pont de Suert par la N320 puis la L500 **Església de Sant Climent** *À l'entrée du village, voir conditions dans encadré Les églises du val de Boí, mode d'emploi* **Església de Santa Maria** *Sur la grand-place Ouvert tlj. 10h-19h (jusqu'à 20h en été) fermé lun. en nov. Entrée libre*

Boí Les fresques qui ornaient le portail latéral nord ainsi que les murs intérieurs de l'église ☆ **Sant Joan de Boí** (à env. 1 290m d'altitude) ont été soigneusement reproduites en 1998. Entre des personnages plus grands que nature, jongleurs ou mages, surgissent des animaux familiers (coq) ou plus exotiques (chameau, éléphant) voire franchement fantastiques, tel ce poisson à tête d'oiseau ou ce léopard crachant le feu. Parmi les scènes plus traditionnelles, on reconnaît une lapidation de Sant Esteve (saint Étienne). Une porte au fond du collatéral sud donne accès au clocher. *À 2,5km env. de Taüll* **Església Sant Joan de Boí** *À la sortie du village quand on vient de Taüll Voir conditions dans encadré "Les églises du val de Boí, mode d'emploi"*

Erill la Vall Bordée par un portique à quatre arches, l'église **Santa Eulàlia** (env. 1 250m d'altitude) montre une triple abside en trèfle et une élégante tour-clocher à six étages (accessible) d'influence lombarde, considérée comme la plus belle de la vallée. Au-dessus de l'autel, un remarquable groupe sculpté figure la descente de croix ; c'est la copie d'une œuvre romane de facture locale, conservée pour partie au MNAC de Barcelone et pour partie au musée diocésain de Vic. Non loin se trouve le Centre d'interprétation de l'art roman de la Vall de Boí. *À 2,5km env. de Boí* **Església Santa Eulàlia** *Sur la grand-place d'Erill la Vall (cf. "Les églises du val de Boí, mode d'emploi") Borne d'information touristique en français sur le parking près de l'église)*

Barruera Le principal village de la vallée (à env. 1 090m d'altitude) s'étire au long de la route principale ; c'est là que vous trouverez l'essentiel des services : office de tourisme, station essence, banques et petits supermarchés. En contrebas de la route, flanquée d'un clocher assez trapu, l'église **Sant Feliu** présente une nef unique coiffée d'une voûte en berceau, au fond de laquelle s'ouvre une puissante abside en demi-cercle. Une volée de

Chemins de croix

Ruta "Boí Románico" Une quinzaine de sentiers bien balisés sillonnent la vallée pour relier ses différentes églises. De Boí, vous gagnerez d'abord Erill la Vall (moins d'1km, 25min). Puis vous longerez la rivière sur 4km (1h15) pour rejoindre Barruera, d'où, en franchissant un vieux pont de pierre, un autre *camino* traverse la forêt pour déboucher à Durro (2,4km avec 275m de dénivelé, 1h30) ; si la journée n'est pas trop avancée, les plus courageux attaqueront le dernier tronçon du parcours (7,5km, 2h30) pour atteindre l'ermitage de Sant Quirc. Le GR®11.20 permet, quant à lui, de relier Durro à Taüll via Boí en 3-4h. *Carte des sentiers Disponible gratuitement à l'OT de Barruera*

LES PYRÉNÉES CATALANES

● **MAIS OÙ SONT LES FRESQUES D'ANTAN ?**
Les églises du val de Boí doivent aussi leur renommée à la richesse des peintures murales qui recouvraient nefs et absides. Mais vous n'en verrez que des copies, la majeure partie des originaux ayant été transférée au **Museu Nacional d'Art de Catalunya** (p.154), à Barcelone, dans les années 1920 !

marches monte à la tribune du narthex, d'où part l'escalier du clocher. *À 4km env. d'Erill la Vall en redescendant vers la N230* **Església Sant Feliu** *En contrebas de la route quand on vient de Pont de Suert Ouvert Pâques, début juil.-début sept. : tlj. 10h-14h ; avr.-juin, sept.-oct. : sam.-dim. 10h-14h*

Durro Accroché à flanc de montagne (1 380m d'alt.), le hameau enserre l'harmonieuse Església de la Nativitat qui est, avec Santa Maria de Taüll, l'une des rares églises romanes de la vallée encore ouvertes au culte. Au fond de l'abside centrale se dresse un retable baroque (XVIIIe s.), inattendu sous l'austère voûte en berceau. Perché sur une avancée rocheuse tout au bout de la route, l'☺**ermitage de Sant Quirc** apparaît comme un havre de paix. Le chevet est roman, et le clocher, fruit d'un remaniement, baroque. *Suivre la petite route à droite à la sortie nord de Barruera sur 2km env.* **Església de la Nativitat** *Ouvert début juil.-début sept. : tlj. 16h-20h ; avr.-juin, sept.-oct. : ven.-sam. 16h-19h ; Pâques : tlj. 16h-19h* **Ermita de Sant Quirc** *Ouvert juil.-mi-sept. : ven. 18h-20h Entrée libre*

Cardet Surplombant une retenue d'eau, à 1 180m d'altitude, Santa Maria se distingue des autres églises de la vallée par son clocher-mur du XVIIe-XVIIIe siècle et par son abside à double niveau ; c'est en effet la seule qui possède une crypte. On peut également noter la copie du devant d'autel représentant l'Annonciation et la Nativité. L'ensemble a été restauré en 2006. *En retournant sur Barruera, à 6km, fléché sur la droite* **Església de Santa Maria** *Au bout du hameau, au bord de la falaise Fermé*

Trouver refuge dans le parc

Voici quelques refuges gardés du parc qui proposent un service de restauration. Réservation obligatoire auprès de la Central de Refugis.
Central de Refugis *Av. Pas d'Arró, 40 Tél. 973 64 16 81 www. lacentralderefugis.com*
J. M. Blanc *À plus de 2 300m d'altitude ; 60 places. Estany Negre de Peguera Tél. 973 25 01 08 www. jmblanc.com Ouvert début juin-15 oct.*

Ernest Mallafré *1 950m, 28 places. Estany de Sant Maurici Tél. 973 25 01 18*
Amitges *2 380m, 74 places. Estany d'Amitges Tél. 973 25 01 09 www. amitges.com*
Estany Llong *1 985m, 47 places. Estany Llong Tél. 973 29 95 45*
Ventosa i Calvell *2 220m, 70 places. Estany Negre de Boí Tél. 973 29 70 90 www. refugiventosa.com*

Església de l'Assumpció Dernier édifice classé de la vallée, l'église de l'Assumpció de Cóll est temporairement fermée pour restauration. Elle forme néanmoins le but d'une belle excursion (voir ci-avant "Chemins de croix") et vous pourrez admirer son portail du XIIᵉ siècle orné d'un chrisme et de chapiteaux historiés. *En continuant sur la L500, à 6,5km env. fléché sur la droite*

El Pont de Suert Situé sur l'axe Lleida-Vielha, ce gros bourg commande l'entrée de la vallée. S'il présente incontestablement moins de charme que les villages du Val de Boí, il offre l'avantage d'une étape commode, étant pourvu de tous les services et de plusieurs hôtels cf. Carnet d'adresses (p.384). Sur la rue principale, la Església Nova fut construite en 1955 par Eduardo Torroja selon les critères de l'architecture fonctionnelle ; mêlant style néoroman et arcs en ogive, elle rend hommage aux monuments de la vallée. En contrebas de l'église s'étend l'ancien quartier médiéval, avec ses arcades voûtées.

● Où préparer son panier pique-nique ?

L'Escudeller Dans la grand-rue de Barruera, à deux pas de l'office de tourisme, cette épicerie vend des plats préparés à emporter (5-6€) et toutes sortes de produits du terroir : fromages de brebis, confitures et pâtisseries traditionnelles,

LES PYRÉNÉES CATALANES

Souvenirs gourmands

Charcutaille, fromages de brebis, ratafia, cheveux d'ange et autres douceurs conventuelles : impossible de revenir des Pyrénées catalanes sans panier gourmand !

Charcuterie, fromages et autres délices salés

Pâtisseries, confiseries

Vins et spiritueux

chocolat des Pyrénées et yaourts naturels. *Passeig de Sant Feliu, 41 Barruera Tél. 973 69 40 73 Ouvert été : tlj. 8h45-14h30 et 17h-21h30 ; sept.-20 déc. : lun.-sam. 9h15-14h et 17h-21h, dim. 9h-14h*

● Où faire une pause gourmande ?

Mallador Un endroit délicieux que ce petit bout de jardin aménagé en terrasse sous les arbres, au pied de l'église Saint-Clément de Taüll. On vient y croquer une tartine garnie (7,50-12,50€) ou une salade (6,50-8,50€) avant un dessert maison (3,50-5,50€). Vente de miel de la vallée. *Església de Sant Climent Taüll Tél. 973 69 60 28 Ouvert tlj. 13h30-16h30 et 20h30-22h30 fermé mer. en hiver*

● Prendre les eaux

Caldes de Boí Balneari – Estació Termal y de muntanya Connues depuis l'époque romaine, les 37 sources thermales de Caldes de Boí sourdent de la montagne entre 24°C et plus de 50°C. Dans cet établissement thermal fondé au XVIIIe siècle, vous pourrez vous offrir une séance santé-beauté : piscines et saunas, enveloppements de boue, massages aux pierres chaudes... Comptez 29€ pour le "circuit thermal" d'1h15. Pour une cure de plusieurs jours, le Manantial et le Caldas, les deux hôtels du complexe, proposent des formules soins en demi-pension ou en pension complète. *Boí À 1 500m d'altitude Tél. 973 69 62 10 ou 902 02 46 74 www.caldesdeboi.com Ouvert avr.-oct. Détail des forfaits hôtel+cure sur le site Internet* **Hotel Manantial** *Tél. 973 69 62 10 Ouvert avr.-oct.* **Hotel Caldas** *Tél. 973 69 62 10 Ouvert juil.-août*

CARNET D'ADRESSES

Restauration, hébergement

🧳 campings

Vora Parc Le plus proche de l'entrée du parc. Emplacements ombragés avec pour seul bruit le murmure des ruisseaux. Piscine. Env. 28€ pour 2 pers. avec tente et voiture. *Espot À 1km d'Espot sur la route de Sant Maurici Tél. 973 62 41 08 ou 973 25 23 24 www.voraparc.com Fermé mi-oct.-Semaine sainte*

Taüll Le plus sympathique, au bord de la rivière et à deux pas des plus belles églises du val de Boí. Loc. de bungalows (65€/2 pers.). Comptez env. 23,50€ pour 2 pers. avec tente et voiture. *Taüll 25528 Boí Tél. 973 69 61 74 www.campingtaull.com Fermé mi-oct.–mi-nov.*

🍴 🧳 petits prix

Restaurant El Fai Ensoleillée l'après-midi, la terrasse donne droit sur le chevet de l'église Sant Climent, entourée de tous côtés par les montagnes : un cadre superbe, rénové en 2012, pour apprécier escargots (12,50€) et cannelloni de champignons (11€), les spécialités du chef. Menus à 15 et à 18€. *C/ Els Aiguals, 10 Taüll (sur la route de Pla de l'Ermita) Tél. 973 69 62 01 www.restaurant-elfai.com Ouvert tlj. 13h30-16h et 20h30-23h*

Casa de Pagès Felip Derrière l'hôtel Roya. Tenues par une charmante dame, ces 7 chambres d'hôtes, simples, affichent souvent complet.

27,50€/pers. Petit déj. 7€. Terrasse. Dispose également d'un appartement duplex pour 7/9 pers. (130-170€). C/ *Únic, s/n* **Espot** *Tél. 973 62 40 93 www. casafelip.com Fermé nov. et jan.*

Casa de Pagès Pernalle Voilà un lieu de séjour bien agréable, avec des chambres spacieuses et soignées et surtout un grand jardin fleuri, plein de recoins pour bouquiner et se mettre au vert. L'adresse compte diverses formules de séjour : un petit *hostal* de 7 chambres et 2 appartements (70€) et, pour les familles ou les petits groupes, une grande maison avec cuisine équipée. Comptez de 44 à 60€ la double avec petit déjeuner, ou 45€/pers. en demi-pension. Prix HT. *Cami del barri, 16* **Erill La Vall** *Juste avant l'entrée du village, sur la droite Tél. 973 69 60 49 www.pernalle.com*

🍴 🧳 prix moyens

Restaurant La Llebreta La créativité du chef dans l'emploi des produits du terroir ne connaît pas de limite : Tatin de poireaux à la mousse d'avocat, carpaccio de pied de porc, salade tiède de perdrix au foie gras... Mais on retrouvera également dans cette salle aux pierres et poutres apparentes des mets plus classiques, tels le lapin au basilic ou le canard au porto. Belle carte des vins régionaux. Comptez entre 25 et 35€. *Passeig Sant Feliu, 14* **Barruera** *Tél. 973 69 40 42 www.restaurantlallebreta.com Fermé 15 j. après Pâques et 15 j. en nov.*

Hotel Cotori Ses 12 chambres ont vue sur la placette piétonne ou sur le *riu* et la montagne : calme garanti dans ce petit hôtel déclinant le crème et le marron dans une déco sobre et moderne. Chambres confortables dotées de sdb spacieuses avec baignoire. Comptez de 90 à 110€ la chambre double avec petit déjeuner en haute saison. Wifi.Parking. Café attenant. Plusieurs restaurants populaires à proximité. *Plaça Mercadal, 8* **El Pont de Suert** *Tél. 973 69 00 96 www.hotelcotori.com*

🍴 🧳 prix élevés

☺ **Restaurant-pizzeria Casos** Si cette pizzeria de Boí est si renommée, c'est moins pour ses pizzas que pour ses exquises viandes grillées *a la llosa* (sur l'ardoise). Un régal ! Env. 12€ le plat, 25€ pour une bonne viande. *C/ de l'Única, 19* **Boí** *Tél. 973 69 61 52 Ouvert midi et soir Fermé mer. et nov.*

☺ **Hotel Santa Maria Taüll** En passant devant la façade de cette vieille bâtisse traditionnelle, on est déjà sous le charme. À l'intérieur, le coup de cœur se confirme : jardin intime, salon avec cheminée, chambres mansardées..., sans oublier l'accueil généreux d'Alex et de sa femme ni le petit déjeuner avec jus d'oranges pressées et vue sur le village. Double 100-130€ avec petit déjeuner. Offres spéciales ponctuelles à découvrir sur le site Internet. Non-fumeur. *Cap del Riu, 3* **Taüll** *Tél. 973 69 61 70 ou 609 31 62 33 www.taull.com*

LES PYRÉNÉES CATALANES

GAMME DE PRIX	RESTAURATION	HÉBERGEMENT
Très petits prix	moins de 12€	moins de 50€
Petits prix	de 12 à 20€	de 50 à 65€
Prix moyens	de 20 à 30€	de 65 à 85€
Prix élevés	de 30 à 50€	de 85 à 130€
Prix très élevés	plus de 50€	plus de 130€

GEO**PLUS**

Sept jours sur les chemins de l'art roman

De la Costa Brava aux Pyrénées catalanes, une semaine pour le plaisir des yeux et des papilles : de la grande bleue aux villages haut perchés, de monastère en marché traditionnel, de restaurant du terroir en hameau médiéval, avec en point d'orgue, les joyaux du val de Boí et du val d'Aran, tous les chemins mènent au roman !

1er jour

Sur les berges de l'Onyar, au pied des remparts médiévaux : Gérone donne le ton ! Prenez le temps de flâner de ruelles en places ombragées dans la vieille ville.

MATINÉE

9h Xocolateria Antíga (p.278) Commencez la journée par une tasse remplie du chocolat le plus onctueux de la ville !
10h Museu d'Art (p.273) Une excellente introduction aux trésors romans et gothiques de Catalogne.
12h Passeig de la Muralla (p.277) Le tour des remparts par l'ancien chemin de ronde : ça ouvrira l'appétit.
13h Cafè Le Bistrot (p.278) Une adresse mythique où casser la croûte en toute simplicité.

APRÈS-MIDI

14h30 Monestir de Sant Pere de Galligants (p.276) Chef-d'œuvre du roman gironais, son cloître a conservé des chapiteaux sculptés de toute beauté.
15h30 Banys àrabs (p.276) Le Moyen Âge côté bien-être et soins du corps.
16h Església de Sant Feliu (p.276) Une intéressante illustration du style

de transition entre roman et gothique.
18h30 La Terra (p.279) Apéritif romantique avec vue sur le fleuve.

SOIRÉE

20h Celler de Can Roca (p.286) Dîner inoubliable dans le meilleur restaurant de Catalogne, sinon d'Espagne !
22h Sunset Jazz Club (p.279) Pour un dernier verre – en musique le week-end. Nuit à Gérone.

2e jour

Ultimes chefs-d'œuvre gironais avant la découverte des villages médiévaux de l'Empordà : changement de style mais pas d'époque ! Comptez env. 65km de Gérone à L'Escala via l'Empordà.

MATINÉE

10h Cathédrale (p.275) Joyau de l'art roman, la tapisserie de la Création fait la fierté de son Trésor.
11h30 El Call (p.273) De ruelles tortueuses en escaliers abrupts, balade dans la vieille ville à la découverte de l'ancien quartier juif.
12h Centre Bonastruc ça Porta (p.272) Son musée d'Histoire juive vous montrera une autre facette,

toute de mystère et d'émotion,
de la Gérone médiévale.
13h Casa Marieta (p.286)
Traversez l'Onyar pour gagner ce
classique de la restauration gironaise.

APRÈS-MIDI
15h Monells (p.282) Ses passages
voûtés convergent vers les arcades
de la charmante place Jaume I.
15h30 La Bisbal d'Empordà (p.282)
Halte shopping à la Vilà Clara
(céramique et poterie vernissée)
et chez Sans (pâtisseries).
16h15 Peratallada (p.281) Un
village fortifié des plus courus.
17h Pals (p.283) La tour des Heures
veille sur ses venelles pavées ; au pied
de Ca La Pruna, une terrasse invite
à une pause fraîcheur autour d'un jus
de pastèque et de melon.

SE METTRE AU VERT Envie
de changer de l'austérité
toute minérale des villages
médiévaux ? Allez passer 1h ou
2 au vert dans le jardin botanique
du Cap Roig (p.283) et profitez
de (très) belles vues sur
la Méditerranée.

SOIRÉE
20h L'Escalenc (p.300) Découvrez
la spécialité de cette escale-là :
les anchois ! Nuit à L'Escala.

3e jour

Un dernier regard sur la grande
bleue. Trajet de L'Escala à Besalú
(115km).

MATINÉE
10h Castelló d'Empúries (p.335)
La basilique Santa Maria, la
"cathédrale de l'Empordà", rayonne
sur les vénérables demeures
de l'ancienne capitale des comtes
d'Empúries.

DALÍRANT DÉTOUR
Impossible de longer
la Costa Brava en faisant
abstraction de son génie
le plus contemporain, Dalí
(p.337, 328, 280).

**11h30 Monestir de Sant Pere de
Rodes** (p.333) Moment d'éternité :
surplombant la Méditerranée
au sommet d'une montagne, c'est
LE chef-d'œuvre roman de la Costa
Brava, avec, outre son cadre
sublime, ses cloîtres, son église
abbatiale et son déambulatoire
à deux étages.
13h30 Port de la Selva (p.332)
Flânez dans le petit port de pêche
avant d'aller savourer, au Club
Naùtic (p.341) de la marina,
un poisson tout frais pêché.

APRÈS-MIDI
15h30 Peralada (p.335) Un bourg
particulièrement charmant ; avec ses
sculptures, le cloître du monastère
augustin est à lui seul un petit bijou.
17h Besalú (p.355) Son pont mire
depuis mille ans ses arches dans les
eaux de la Fluvià. Ses églises romano-
gothiques et sa *miqwa* brossent
un portrait de la vieille ville en habit
médiéval.
**18h El Rebost del Comtat de Besalú
– Museu de l'Embotit** (p.355) Halte
gourmande où faire le plein
de *butifarras* de la Garrotxa...

SOIRÉE
20h Curia Reial (p.365) Pour
rester dans l'ambiance, rien de tel
qu'une viande braisée sous de belles
voûtes ! Nuit à Besalú.

4e jour

Passez par Castellfollit de la Roca
et traversez le parc volcanique de
la Garrotxa pour gagner Olot. ➤

GEOPLUS

▶ Prévoir env. 125km de Besalú à Ripoll.

MATINÉE

10h Sant Joan les Fonts (p.354) Nature et culture : un monastère sur la rivière et des coulées de lave.

11h Olot (p.349) Vous vous y ravitaillerez en charcutailles, *tortells* et *ratafía* en prévision du déjeuner.

13h Rupit (p.360) Au milieu des bois, ce petit village invite à un pique-nique champêtre au bord de l'eau.

⬤ **SE DÉGOURDIR LES JAMBES** Rupit (p.360) et Tavertet (p.361) foisonnent de sentiers faciles. Au sud de Vic, le parc du Montseny (p.360) offre, lui aussi, mille possibilités de promenade sous la ramure des chênes et des châtaigniers. On peut leur préférer une balade au bord des cratères éteints de la Garrotxa dont le plus grand, Santa Margarida, abrite un ermitage roman (p.354) !

APRÈS-MIDI

14h30 Monestir de Sant Pere de Casserres (p.361) Surplombant le lac, un édifice roman dans un site magique.

16h Vic (p.359) Son musée épiscopal, l'un des plus riches de la région, est incontournable.

18h Ca la Teresona (p.360) Pause ; un must à Vic dont les saucissons sont mondialement connus !

SOIRÉE

20h Reccapolis (p.365) Adresse réputée de Ripoll – son hamburger au pied de porc surprendra vos papilles ! Nuit à Ripoll.

5ᵉ jour

Partez à l'assaut des Pyrénées via le parc naturel de Cadí-Moixeró. Levez-vous tôt pour relier à vélo les deux monastères et arriver à la Seu d'Urgell avant la fermeture des portes de la cathédrale. Comptez 110km de Ripoll à La Seu via S. Joan de les Abadesses.

MATINÉE

9h Ruta del Ferro (p.356) Enfourchez votre vélo pour rejoindre Sant Joan par cette piste cyclable aménagée.

10h Monestir de Sant Joan de les Abadesses (p.356) Un bijou d'élégance et de délicatesse où dialoguent structures romanes et ornementations gothiques.

12h Monestir de Santa Maria de Ripoll (p.356) Son portail sculpté se lit comme une Bible de pierre !

13h Cal Fideuer (p.362) Pour un *jamón serrano*, mais à l'italienne.

APRÈS-MIDI

14h Bellver de Cerdanya (p.371) Prévoyez des haltes pour profiter des paysages du parc de Cadí-Moixeró, comme à Bellver de Cerdanya. De là, comptez 2h pour rejoindre La Seu d'Urgell. De Ripoll, on peut aussi longer le parc par le sud et prévoir une halte à Tuixén (p.370) : comptez alors 115km et 2h30 de route de montagne.

⬤ **PÂTISSERIE CONVENTUELLE** Cheveux d'ange et autres douceurs dont les recettes remontent au Moyen Âge poussent au péché dans le salon de thé de Salvat (p.357).

16h30 La Seu d'Urgell (p.366)
La cathédrale, son cloître aux chapiteaux historiés et son Musée diocésain raviront les fans d'art sacré.
18h Parc del Valira (p.368) Balade à pied. Découvrez les ruelles du vieux centre ou le cloître seventies !

SOIRÉE
21h L'Andria (p.373) pour un dîner gastronomique. Nuit à La Seu.

6e jour

Accédez à la haute montagne pyrénéenne dans le val d'Aran. Comptez 125km (2h de route) de La Seu d'Urgell à Vielha.

MATINÉE
10h La Seu (p.368) Emplettes sous les arcades de la Carrer Major ou au marché (mar. et sam.) : remplissez votre cabas de saucisses sèches !
13h Val d'Aran (p.390) Profitez de la truite et du gibier au Jardi dels Pomers (p.396), à Bagergue, ou du superbe cadre d'Eth Bot (p.395), à Salardú. Mais l'été, par beau temps, c'est la fabuleuse terrasse du Borda de Lana (p.395) qu'il faut privilégier.

APRÈS-MIDI
14h30 Salardú, Arties, Escunhau, Betren (p.392), (p.391) Chaque hameau a son église, dotée de portails romans sculptés, de fresques gothiques...
16h30 Bossòst (p.391) Un Christ Pantocrator orne le tympan de l'église. Pause *churros* et chocolat chaud chez Urtau sur la place.
18h30 Vielha (p.391) L'église Sant Miquèu abrite le célèbre *Christ de Mijaran*. À côté, l'épicerie fine, Eth Galin Reiau (p.392) propose d'irrésistibles paniers gourmands.

RETOUR Du Vall de Boí, rejoignez El Pont de Suert (env. 20km) d'où vous pourrez regagner Gérone (env. 320km, 4h, par la C25 et l'AP7) ou Barcelone (240km env., 3h25 par l'A2) ou encore poursuivre votre chemin vers Lleida (env. 120km, 1h45 par la N230), Huesca (145km, 2h15, N230, N139 puis N240) ou Saragosse (env. 220km, 3h, via Huesca puis la A23/E7).

SOIRÉE
20h Era Mòla (p.395) L'une des meilleures tables de la ville, fameuse pour son canard. Nuit à Vielha.

7e jour

Last but not least : les églises du Vall de Boí ont rejoint en l'an 2000 le Patrimoine de l'humanité. Comptez 53km de Vielha à Erill la Vall.

MATINÉE
10h Erill la Vall (p.381) Le Centre del Románic vous livrera les clefs du val. Non loin se dresse l'église **Santa Eulàlia** : sa tour-clocher passe pour la plus belle de la vallée.
10h45 Boí (p.381) **et Taull** (p.380) Vous y croiserez des stars : trois des plus belles églises de la vallée, célèbres pour leurs fresques et leurs tours-clochers, y dressent vers le ciel leurs lignes épurées.
11h30 Barruera (p.381) Faites provision de fromages, de pâtisseries traditionnelles, etc. à l'Escudeller.
13h30 Ermitage de Sant Quirc ou Assumpció de Cóll (p.382) On accède à ces deux sites bucoliques en diable, endroits rêvés pour pique-niquer, après une belle balade à pied.

LES PYRÉNÉES CATALANES

★ ☺ LE VAL D'ARAN

● Le val d'Aran

Barcelone ○

Haute vallée boisée de la Garonne, le val d'Aran possède un caractère bien marqué. Les hauts sommets pyrénéens (pic d'Aneto en tête) qui marquent sa frontière sud l'ont longtemps isolé du reste de la Catalogne, tandis que son débouché naturel sur la France influait fortement sur son histoire et ses traditions. Rattaché jusqu'au Xᵉ siècle au comté de Comminges, puis disputé par les seigneurs des deux versants, il fut intégré à la Catalogne au XIIᵉ siècle, mais conserva des liens avec la Gascogne. Ainsi, le dialecte aranais est une variante du gascon. Avec l'ouverture du tunnel de Vielha, en 1948, et l'inauguration de la station de ski de Baqueira-Beret, en 1964, le val d'Aran et ses trente-neuf villages aux toits d'ardoise se sont tournés vers le tourisme, délaissant leurs activités agricoles traditionnelles.

MODE D'EMPLOI

accès

EN VOITURE
De France, il faut passer la frontière à Pont de Rei, puis compter 26km par la N230 jusqu'à Vielha. D'Espagne, le plus direct est d'emprunter la N230 à Lleida ou au Pont de Suert (val de Boí), puis le tunnel de Vielha (5,3km). L'accès par l'est est plus long mais splendide : on remonte la vallée de la Noguera Palleresa pour franchir le col de la Bonaigua (route enneigée l'hiver).

EN CAR
Alsa 4 à 5 cars/j. pour Vielha et Les, au départ de Lleida et Barcelone, dont 2 depuis l'aéroport de Barcelone. De juin à septembre, un car en plus au départ de Barcelone via la vallée de la Noguera Palleresa et le col de la Bonaigua (attention, le trajet est très long !). Des cars sillonnent aussi la vallée, desservant les bourgs situés sur la route principale. *Tél. 973 26 85 00 www.alsa.es*

Bus del Parque De fin juin à fin septembre, la compagnie Alsa assure 2 liaisons AR/j. entre Espot (départs 9h15 et 17h45) et Pla de l'Ermita (val de Boí ; arrivée 11h55 et 20h25), via les principaux villages du val d'Aran (dont Salardu, Escunhau, Arties et Vielha). *Tél. 902 42 22 42 www.alsa.com*

orientation

Le val d'Aran s'étire sur une cinquantaine de kilomètres, de part et d'autre de son centre administratif : Vielha – Viehla e Mijaran en aranais, Viella i Mitjaran en catalan. On distingue le **bas Aran** (*Baish Aran*), partie nord-ouest qui rejoint la frontière française et que dessert la N230, du **haut Aran** (*Naut Aran*), qui s'étend à l'est jusqu'à la station de ski de Baqueira-Beret et que traverse la C28.

banques et poste

À Vielha, les **banques** se situent sur l'Av. Pas d'Arró et l'Av. Castiéro.

Poste *C/ Sarriulèra, 4* **Vielha e Mijaran** *(en face de l'office de tourisme) Tél. 973 64 09 12 Ouvert lun.-ven. 9h-14h, sam. 9h-13h30*

informations touristiques

Office de tourisme du val d'Aran *C/ Sarriulèra, 10* **Vielha e Mijaran** *Tél. 973 64 01 10 www.visitvaldaran.com* Autre adresse : *Passeig de la Llibertat, 16* **Vielha e Mijaran** *Tél. 973 64 18 01*

fêtes et manifestations

Mostra Gastronomica dera Codina Aranesa de Tardor Une vingtaine de restaurants répartis dans tout le val d'Aran mitonnent des menus gourmets où le canard est roi. *W.-e. de sept. et d'oct.*

Crema der Haro Pour la Saint-Jean, on brûle un grand sapin sur la place du village puis on le porte en procession au long des rues. La plupart des localités du val d'Aran perpétuent cette tradition, et tout particulièrement Arties. *23 juin*

DÉCOUVRIR
Le val d'Aran

☆**Les essentiels** L'église Sant Miquèu à Vielha et l'église de Bossòst **Découvrir autrement** Montez à Vilamós pour profiter de la vue magnifique sur le glacier d'Aneto, faites le tour des lacs à pied dans le cirque de Colomèrs

Vielha Traversée par la Garonne, Vielha est la ville la plus importante du val d'Aran. En résulte une concentration, un peu anarchique, d'hôtels et de commerces au milieu de laquelle le petit quartier historique fait de la résistance. Derrière son beau portail sculpté du XIIIe siècle, ☆ **Sant Miquèu** (XIIe-XVIe s.) abrite le célèbre buste en bois polychrome du Christ de Mijaran (XIIe s.). ainsi que des fresques du XVIe siècle. Le petit **Musèu dera Val d'Aran**, installé dans la tour du général Martinhon (Casa de Santesmasses), belle demeure seigneuriale du XVIIe siècle, présente la géologie et l'histoire de la vallée, son artisanat ou encore le dialecte aranais (brochure en français). À la sortie est de la ville, le faubourg de **Betren** offre une tout autre ambiance avec ses vieilles ruelles pavées et son église Sant Estèue au beau portail gothique, dont les bas-reliefs figurent le Jugement dernier (personnages nus tombant en enfer). **Glèisa de Sant Miquèu** *Ouvert tlj. 9h-19h Entrée libre* **Musèu dera Val d'Aran** *Tél. 973 64 18 15 Ouvert mar.-dim. 10h-13h et 17h-20h Entrée libre* **Glèisa de Sant Estèue de Betren** *Visite guidée en été Rens. au Musée du Val d'Aran Tarif 3€*

Bas Aran Gros bourg de transit situé à 8km de la frontière française (15km au nord-ouest de Vielha), peuplé d'innombrables boutiques de souvenirs, **Bossòst** mérite un arrêt pour sa remarquable ☆ église romane du XIIe siècle, la Glèisa dera Mair de Diu dera Purificacion (ou Glèisa dera Assompcion de Maria). On admirera sa triple abside de style lombard et le tympan du portail nord, où un Christ Pantocrator naïf apparaît entre la lune, le soleil et

● **EMPLETTES GOURMANDES**

Et charmantes ! Entre l'église et l'office de tourisme de Vielha, impossible de manquer cette belle épicerie à l'ancienne. Conserves, pâtés, miels, confits, champignons séchés, pruneaux à l'Armagnac, fromages ou confitures, tous joliment conditionnés. Difficile de choisir ? Optez pour un panier d'assortiments préparés (de 25€ à 45€ env.). **Eth Galin Reiau** Plaça dera Glèisa 2 *Vielha e Mijaran* Tél. 973 64 19 41 www. tiendagalinreiau.com Ouvert tlj. 10h30-13h30 et 17h-21h fermé dim. en basse saison

les symboles des évangélistes. Juché à 1 235m d'altitude, le joli hameau de **Vilamós** offre par beau temps une vue incomparable sur le glacier d'Aneto. On s'y rend surtout pour visiter la Casa-Museu Joanchiquet, une maison traditionnelle ayant appartenu à une famille de paysans aisés du XVIe siècle à 1962. Son église paroissiale fait partie du circuit des édifices romans de la vallée. **Glèisa dera Mair de Diu dera Purificacion** Ouvert tlj. 9h-19h Entrée libre Visite guidée en été Rens. au Musée du Val d'Aran **Ecomusèu Çò de Joanchiquet** Tél. 973 64 18 15 Ouvert mar.-dim. 11h-14h et 16h-19h Rens. au Musée du Val d'Aran Tarif 3€, réduit 1,50€ **Glèisa Santa Maria de Vilamòs** Même horaires que la Casa-Museu Joanchiquet Visite guidée en été Rens. au Musée du Val d'Aran

Haut Aran À Escunhau, le portail de l'église romane (XIIe s.) abrite un superbe christ et des visages aux lignes pures et presque enfantines. Plus loin, le charmant village d'**Arties**, établi sur les deux rives de la Garonne, accueille le premier Parador de la vallée (p.396). Flânez dans les rues pavées et visitez l'église romane Santa Maria (retable du maître de Vielha et peintures gothiques du XVe siècle figurant le Jugement dernier) ; voyez aussi Ço de Paulet (demeure du XVIe s.) et l'église romano-gothique Sant Joan, reconvertie en salle d'exposition. Enfin, **Salardú**, chef-lieu du haut Aran, offre une base très agréable pour explorer le fond de la vallée. Outre la ravissante Plaça Major, blottie au cœur du vieux quartier, le village possède une très belle église caractéristique du style de transition romano-gothique du XIIIe siècle, Sant Andrèu. Adossée à un clocher hexagonal du XVe siècle, la nef conserve une série de peintures murales du XVIe siècle aux belles teintes rousses, ainsi qu'un minuscule christ en bois polychrome (XIIe s.), œuvre de l'atelier de sculpture d'Erill la Vall (val de Boí). À 15min à pied en amont de Salardú, **Unha** abrite la Casa de Brastet, magnifique maison seigneuriale de 1580, flanquée de quatre tourelles. Très belle vue sur la vallée du hameau de **Bagergue**, située en contre-haut d'Unha, à 1425m d'altitude. *Sur la C28*

Dévaler les pistes à ski

Baqueira Beret L'une des meilleures et des plus grandes stations de ski d'Espagne. Ses pistes sont en général ouvertes de début décembre à la Semaine sainte

Station	Domaine skiable	Sommet	Rens./état des pistes
Baqueira-Beret	78 pistes, 120km, 33 remontées	2 510m	Tél. 902 41 54 15 www.baqueira.es

Glèisa de Sant Pèir d'Escunhau *Visite guidée en été Rens. au Musée du Val d'Aran* **Glèisa de Santa Maria d'Arties** *Ouvert pour les visites guidées Rens. au Musée du Val d'Aran* **Glèisa de Sant Andrèu de Salardú** *Ouvert tlj. 9h-19h Entrée libre Visite guidée en été Rens. au musée du Val-d'Aran de Vielha*

● Où faire une pause tapas ?

Tauerna Urtau La façade couleur café aux balcons fleuris attire l'œil : on s'installe avec plaisir sur sa terrasse pour picorer un assortiment de charcuterie (6,50€) ou de fromage (6€), ou encore la spécialité de la maison, les tapas et *pinchos* (brochettes), en admirant les sobres lignes romanes de l'église. Par temps frais, venez vous réconforter autour de *churros* et d'un chocolat chaud (3,50€). *Plaça dera Glèisa, 9* **Bossòst** *Tél. 973 64 73 27 Ouvert mar.-dim. 8h-0h*

● Où faire une pause déjeuner ?

Uxera En sortant de la Casa Joanchiquet, arrêtez-vous un instant dans la cour de ce restaurant familial, légèrement en retrait de la rue principale, pour un en-cas roboratif. Produits de saison et de la ferme. Autour de 15€. *C/Major, 8* **Vilamós** *Tél. 973 64 27 68 Ouvert tlj. (sf lun. midi et soir)*

● Où faire une pause gourmande ?

La Tartería Installée dans l'un des plus charmants villages de la vallée, une adresse qui, par sa tranquillité comme par la qualité de ses produits, séduira les amateurs d'authenticité. Ce restaurant-salon de thé propose des en-cas chauds ou froids ainsi qu'un assortiment de tartes salées et sucrées ; "Afternoon Tea" de 14h à 16h30. En septembre, menu à 30€ sur le thème de la chasse. Pour prolonger la gourmandise, la boutique attenante décline confitures maison, fromages de pays, vins régionaux, miels... *Plaça Urtau, 8* **Arties** *Tél. 973 64 00 96 www.tarteria.com Ouvert tlj. 14h-16h30 et 21h-22h30*

● Pédaler dans le val d'Aran

Enfourcher son VTT pour sillonner le val d'Aran suscite depuis quelques années un engouement croissant, au point qu'une multitude de sentiers ont été balisés dans toute la vallée. Le plus fameux, celui des Pédales de Feu (Pedals de Foc (p.393) fait le tour du parc national d'Aigüestortes en 240km, un parcours que l'on effectue généralement en 4 ou 5 étapes. *www.pedalsdefoc.com* **Copos** Comptez 22 à 26€/j. pour un VTT. *Ap. Ellura* **Betren** *(sur la gauche après avoir dépassé la station-service Petrocat, route de Baqueira) Tél. 973 64 00 24 www.coposbike.com*

● Randonner dans le val d'Aran

Plusieurs variantes du GR®211 sillonnent la vallée, et il existe bien d'autres sentiers. ***Rens.*** *OT de Vielha Carte topographique "Val d'Aran" (1/40 000, Éd. Alpina)*
☺ **Circ de Colomèrs** Situé sur le versant sud du haut Aran, à la périphérie du parc d'Aigüestortes, le vaste cirque de Colomèrs offre l'une des plus belles randonnées de la région. Au pied de pics abrupts, comme le Gran Tuc de Colomèrs (2 933m), scintillent près d'une quarantaine de lacs glaciaires aux couleurs changeantes. Deux circuits permettent d'en faire le tour à partir du refuge de Colomèrs : la petite boucle (2h, 120m de dénivelé) et la grande boucle (4h, 500m de dénivelé). En été, des taxis 4x4 vous emmèneront du parking de l'hôtel

Banhs de Tredòs, au sud de Salardú, jusqu'à 2km du refuge (4€/pers., 2,50€ pour les moins de 12 ans). Sinon, comptez 1h30 de marche à partir du parking.

Santuario de Montgarri Établis dans un charmant vallon du nord du haut Aran, à 1650m d'altitude, le sanctuaire de Montgarri et son refuge constituent un but de randonnée très prisé. L'église, consacrée à la Vierge au début du XIIe siècle et relevée au XVIe, accueillait jadis un important pèlerinage. Itinéraire facile (3-4h AR, 200m de dénivelé) à partir du Pla de Beret, à travers de belles prairies et des forêts de pins noirs, le long de la Noguera Pallaressa. Une piste permet de gagner le site en voiture.

El Setau Sageth On suit les vieux sentiers de transhumance pour réaliser, en 5 ou 6 jours, cette boucle d'env. 100km au départ de Vielha. D'un lac à l'autre, empruntant par endroits le GR®211, le parcours passe notamment par Vilamòs, Bossòst, Bagergue, Salardú et Arties, et permet de redécouvrir le passé minier du val d'Aran. Une variante du circuit, **Els Encantats** (5 jours, env. 90km), fait le tour du parc d'Aigüestortes et passe par Espot pour descendre jusqu'aux églises romanes du val de Boí. De mi-mai à mi-octobre, à partir de 300€/pers., avec hébergement en refuge ou à l'hôtel et transport des bagages d'une étape à l'autre. *Tél. 973 64 24 44 info@setausageth.com*

Termal Trek Cet itinéraire "santé" d'env. 60km (en fonction des étapes choisies, en passant par El Pont de Suert, Caldes de Boí, Arties et Vielha) allie randonnée pédestre et bains de jouvence dans les stations thermales du val d'Aran et de la Ribagorça. Hébergement en établissement thermal et transport des bagages entre les étapes. Meilleure saison : de mi-mai à mi-oct. *Tél. 973 64 24 44 (Rens. et rés.) camins@camins.net*

CARNET D'ADRESSES

Restauration, hébergement

Si Vielha reste l'étape la plus pratique, les villages du haut Aran sont plus séduisants. En hiver, les prix tendent à baisser à mesure que l'on s'éloigne de Baqueira-Beret. Pensez aux appartements à louer et aux refuges de montagne gardés, notamment à Montgarri et à la périphérie nord du parc d'Aigüestortes. En matière de gastronomie, le val d'Aran jouit d'une bonne réputation. Parmi les grands classiques, citons la truite, le gibier et l'*olha aranesa*, soupe consistante à base de légumes et de morceaux de viande. On pourra aussi goûter à l'*aigua de nodes* (alcool de noix) ou au *ratafía* (à base de gentiane).

🛏 camping

Era Yerla Un camping de taille modeste, dont la situation au bord de la rivière et à l'orée du village d'Arties fait une escale sympathique. Piscine chauffée et location de bungalows (100€ pour 2 pers., mais les prix montent en hiver quand le chauffage s'impose !). Comptez 22€ pour 2 pers. avec tente et voiture. *Arties* (C28) *Tél. 973 64 16 02 ou 629 26 04 48 www.yerla.net Ouvert déc.-avr. et fin juin-mi-sept.*

🛏 très petits prix

Casa Jansu Cette maison, construite en 1639 et retapée avec simplicité, compte quelques chambres d'hôtes très bien tenues, meublées pour certaines de belles armoires anciennes. Les soirs d'hiver, palabres avec la famille autour de l'immense cheminée... Un halo de douceur ! Cinq chambres doubles de 30 à 35€ (sdb séparée) ; 1 chambre avec sdb de 40 à 48€ selon la saison. Vous trouverez plusieurs restaurants à Escunhau. C/ Sortaus, 18 **Escunhau (C28)** Tél. 973 64 08 08 www.aranrural.com

Alberg Juvenil Era Garona Au-dessus de la piscine municipale de Salardú. Moderne et bien équipée, cette grosse bâtisse propose 180 lits en dortoirs de 2 à 6 pers., avec sdb privative (supplément de 6€) ou commune. Machine à laver, sèche-linge, bibliothèque, accès Internet. Nuit entre 21,65 et 26,50€/pers., 17,20 à 21,75€ pour les moins de 29 ans. Possibilité de demi-pension et pension complète (repas 6,65-7,90€). *Carte Fuaj obligatoire Carretera de Vielha Baqueira* **Salardú** *(C28) Tél. 973 64 52 71 www.xanascat.cat*

🍴 petits prix

Eth Corner Tenant à la fois de la brasserie et de la cave, cette *cervecería-bodega* du centre historique compte parmi les adresses populaires de la ville. Bancs de bois sculptés et barriques à vin confèrent à la salle basse de plafond un cachet rustique, et les habitués plébiscitent les plats du jour (autour de 13€) affichés à l'ardoise. On peut leur préférer l'intéressant menu à 16€, vin compris. Spécialités de viandes braisées et large choix de

tapas. *C/ de Sant Nicolau, 2* **Vielha e Mijaran** *Tél. 973 64 16 23 Ouvert lun.-sam. 13h-15h30 et 19h30-23h30*

🍴🏠 prix moyens

☺ **Borda de Lana** Isolé dans les prairies du haut de la vallée de Bagergue, ce restaurant, ancien refuge de berger, n'est ouvert qu'en été, et uniquement les jours de beau temps. Terrasse fabuleuse face aux montagnes, où l'on paresserait des heures. Bonne cuisine du pays à base de charcuterie de gibier et de viandes grillées. Comptez 25-30€/pers. avec le vin. *Bagergue Une piste de 2km permet d'y accéder en voiture de Bagergue (C28), mais l'idéal est de venir à pied Tél. 973 64 54 37 ou 639 72 49 83 www.casaperu. es Ouvert 15 juil.-15 sept. : tlj. 12h-15h30*

Eth Bot C'est avant tout pour le superbe cadre rustique de cette maison traditionnelle que l'on fera le déplacement : larges tables en bois installées sous les poutres et le long des mangeoires de l'ancienne étable. Deux menus régionaux à 30€ complètent celui du jour, plus simple, à 16€ (boisson comprise). *Pl. Major* **Salardú** *(C28) Tél. 973 64 42 12 Ouvert lun.-mar. et jeu.-ven. 13h-16h et 20h-23h, w.-e. et j. fér. 13h-23h*

Era Mòla Dans le quartier médiéval, à l'ouest de l'église, ce restaurant connu dans toute la région occupe une maison traditionnelle. En foie gras, en magret ou en jambon, le canard y est à l'honneur, mais on peut aussi

LES PYRÉNÉES CATALANES

GAMME DE PRIX	RESTAURATION	HÉBERGEMENT
Très petits prix	moins de 12€	moins de 50€
Petits prix	de 12 à 20€	de 50 à 65€
Prix moyens	de 20 à 30€	de 65 à 85€
Prix élevés	de 30 à 50€	de 85 à 130€
Prix très élevés	plus de 50€	plus de 130€

goûter aux œufs de caille à la noix de muscade ou, en saison, y savourer un risotto aux truffes. En septembre, l'établissement participe aux journées gastronomiques de la chasse avec un menu à thème à 33€ En somme, un très bon rapport qualité-prix. *C/ Marrec, 14 Vielha e Mijaran Tél. 973 64 24 19 Ouvert déc.-fin avr., juil.-fin sept. : jeu.-mar. 13h30-15h30 et 20h30-23h30 ; oct. : sam.-dim. 13h30-15h30 et 20h30-23h30 rés. obligatoire*

El Jardí dels Pomers Face à l'église, la salle rustique donne sur un charmant jardinet où l'on ouvre les parasols dès les beaux jours venus. On y sert une cuisine aranaise réservant une large place aux produits frais du potager. Les desserts, faits maison, et les fromages de la montagne accompagnés de pâte de coings valent le détour. Menu dégustation aranais à 28€ (HT). À la carte, comptez autour de 25€. *Pl. Planhera, 4 Bagergue Tél. 973 64 40 15 www.eljardidelspomers.com Ouvert juil.-août, déc.-avr. : tlj. 12h-17h et 19h-0h ; mai-juin, sept.-nov. : w.-e. et j. fér. 12h-17h et 19h-0h*

Hotel El Ciervo Un hôtel très douillet aux allures de maison de poupée. La décoration change régulièrement et l'ensemble est chaleureux. Vingt chambres colorées, toutes différentes, certaines avec hydromassage (supplément de 9€). On a bien aimé la n°301, rustique, romantique et mansardée. De 63 à 90€ HT la double avec petit déjeuner, selon la saison. *Pl. de San Orencio, 3 Vielha e Mijaran Tél. 973 64 01 65 www.hotelelciervo.net Fermé juin et nov.*

☺ **Casas Aranesas Javier Antes** 18 superbes chalets 4-10 pers., construits sur le modèle des maisons traditionnelles aranaises. Confort très moderne et décoration chaleureuse.

Comptez au moins 120€/j. pour 4 pers. En hiver, les prix peuvent augmenter, se renseigner. Séjour minimum de 2 nuits. *C/ dera Cal, 5 Garòs (C28) Tél. 973 64 19 02 ou 609 30 08 21 www.aranweb.com/antesjavier/*

🧳 prix très élevés

Parador de Vielha Services de haut standing, spa, piscine de rêve et vue fantastique sur la vallée, mais sa situation sur la route du tunnel n'est pas des plus heureuses. Double standard de 75 à 160€. Visites guidées et activités sportives gratuites. *Ctra del Túnel, s/n Vielha e Mijaran Tél. 973 64 01 00 www.parador.es Fermé mi-oct.-mi-nov.*

Parador d'Arties Moins récent que son homologue de Vielha, ce Parador, doté d'une piscine et installé contre une tour fortifiée du XVIe siècle, permet de goûter au charme d'Arties. Double standard de 130 à 163€. Visites guidées et activités sportives gratuites l'été. *Ctra Baqueira Beret, s/n Arties Tél. 973 64 08 01 www.parador.es*

GEOREGION

LES PYRÉNÉES ARAGONAISES

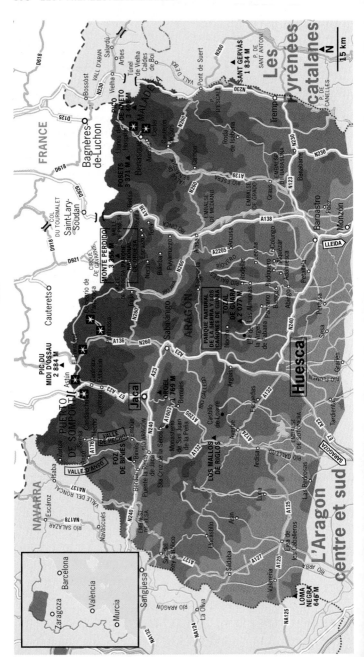

HUESCA

de 22001 à 22006

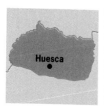

Située au pied des premiers reliefs pyrénéens, Huesca, ville de 52 000 habitants et chef-lieu de la province du même nom, a conservé de rares vestiges du temps où elle était la capitale du royaume d'Aragon (1096-1118). Le centre historique, bombardé pendant la guerre civile, manque cruellement d'animation, et les habitants lui préfèrent le centre moderne. Huesca constitue cependant une étape intéressante pour visiter la région, rejoindre la sierra de Guara et le parc d'Ordesa.

LA CLOCHE DE HUESCA Au XIIe siècle, le roi Ramire II le Moine, lassé de ne pas être pris au sérieux par ses sujets, fit savoir qu'une grande cloche sonnerait bientôt son pouvoir dans tout le royaume d'Aragon. Il convoqua tous les nobles et les fit décapiter. Il disposa leurs têtes en cercle sur le sol et en attacha une au bout d'une corde. Cette cloche macabre eut l'effet escompté et le roi fut à nouveau respecté. Un tableau assez éloquent, intitulé *La Campana de Huesca* et réalisé au XIXe siècle par José Casado del Alisal, est conservé à l'Ayuntamiento, l'esquisse originale et le deuxième exemplaire, réalisé par l'artiste pour son frère, étant exposés au Museo Arqueológico.

MODE D'EMPLOI

accès

EN VOITURE
À 74km au nord de Saragosse par l'A23 et la N330 ; à 116km à l'ouest de Lleida.

EN TRAIN
Gare Renfe Accueille, notamment, les trains en provenance de Saragosse (5 ou 6/j., 1h15 de trajet, env. 8€ AS) et de Canfranc-Estación, près de la frontière française, via Jaca (2/j., 2h45 de trajet, 10,25€ AS). C/ José Gil Cavez, 10 (au sud du centre-ville, à 5min du Coso) Tél. 902 24 02 02 www.renfe.com

EN CAR
Gare routière Gare Renfe Tél. 974 21 07 00
Alosa De Barcelone, 4 à 6 départs quotidiens pour Huesca (4h de

Tableau kilométrique

	Huesca	Alquézar	Jaca	Saragosse	Escalona
Alquézar	46				
Jaca	72	118			
Saragosse	74	120	142		
Escalona	107	70	95	177	
Lleida (Lérisa)	116	92	188	150	131

trajet, de 17,15€ à 22,40€ AS) ; départs toutes les 30min pour Saragosse (1h10 de trajet, 8,45€ AS). Liaisons également avec Jaca, Pampelune et de nombreuses villes des Pyrénées. *Tél. 902 21 07 00 www.alosa.es*

orientation

Situé sur une petite butte, le quartier historique de Huesca s'organise autour de la Plaza de la Catedral. Quelques heures suffisent pour en faire le tour. La grande **avenue du Coso** (divisée en Coso Alto et Coso Bajo) longe la partie sud de la vieille ville et concentre, avec la **Calle de los Porches de Galicia**, une bonne part de l'activité commerçante de la ville. À l'ouest de la place du Casino s'étend un grand parc municipal, frais et ombragé.

informations touristiques

Office de tourisme Il organise des visites guidées de la ville en espagnol et en français (à Pâques et l'été, départ à 11h, le w.-e. hors saison départ à 17h, tarif 2€, réduit 1€) et des excursions dans les environs, au château de Loarre et à la Colegiata de Bolea, notamment. *Plaza López Allué Tél. 974 29 21 70 www.huescaturismo. com Ouvert tlj. 9h-14h et 16h-20h*

Bus touristique L'office de tourisme propose 7 circuits autour de la ville. Départ à 9h de la gare (quai n°5), retour vers 14h. Service assuré à Pâques et en juillet (w.-e) et août (tlj.) ; le reste de l'année, se rens. *Tél. 974 29 21 70 www.huescaturismo.com/fr/bus-turistico Tarif 5€, réduit 2,50€, moins de 12 ans gratuit*

banques et poste

Vous trouverez des banques sur le Coso et dans la C/ de los Porches de Galicia.
Poste *À l'angle du Coso Alto et de la C/ de Moya Tél. 974 22 59 99 Ouvert lun.-ven. 8h30-20h30, sam. 9h30-13h*

fêtes et manifestations

Fêtes de San Lorenzo Fêtes patronales : danses traditionnelles, processions religieuses, spectacles, corridas... *Une sem. à partir du 9 août*
Periferias Sur un thème différent chaque année, ce festival suit les courants et tendances de la création culturelle dans toute sa diversité (musique, danse, théâtre, mode, littérature...). *www.periferias.org Fin oct.-début nov.*

DÉCOUVRIR

☆**Les essentiels** Le Castillo de Loarre **Découvrir autrement** Escaladez les impressionnantes parois des Mallos ; à Huesca, choisissez un bar à tapas du quartier d'El Tubo à l'heure de l'apéritif et offrez-vous un dîner gastronomique au restaurant Las Torres

Huesca

Catedral de la Seo de Santa María Édifiée entre le XIIIe et le XVIe siècle, la cathédrale présente une structure essentiellement gothique dont on retiendra surtout le portail sculpté. La Vierge à l'Enfant, représentée sur le tympan et entourée des Rois mages, domine symboliquement l'étrange figure de la

Luxure : un personnage féminin que deux serpents mordent à la poitrine. Au-dessus, l'auvent en bois, typique de l'architecture aragonaise, forme une belle harmonie avec celui de la façade Renaissance de l'Ayuntamiento, juste en face. L'élément le plus remarquable de l'intérieur est le retable majeur gothico-Renaissance, œuvre majestueuse du célèbre Damián Forment. On appréciera la sobre blancheur de l'albâtre et la musculature bien travaillée des personnages dans les scènes de la Passion du Christ. À sa gauche, le Santo Cristo de los Milagros, aux longs cheveux bruns, est l'une des figures vénérées de Huesca. La tour du clocher peut désormais se visiter. *Pl. de la Catedral Accès par le Museo Diocesano Tél. 974 23 10 99 www.museo.diocesisdehuesca.org/ Ouvert juil.-août : lun.-ven. 10h30-14h et 16h-19h30, sam. 10h30-14h ; avr.-juin, sept.-oct. : lun.-ven. 10h30-14h et 16h-18h, sam. 10h30-14h ; nov.-jan., mars : lun.-sam. 10h30-14h Fermé 1er et 6 jan., jeu. et ven. saints après-midi, 9 et 10 août, 12 sept., 12 oct., 1er nov., 12 et 24 déc. Billet cathédrale + musée + tour du clocher 3€, réduit 1,50€*

Iglesia de San Pedro el Viejo Cette abbatiale bénédictine de la fin du XIe siècle renferme les tombeaux de deux grands rois d'Aragon : Alphonse Ier le Batailleur et Ramire II le Moine. Sobre et sombre comme il se doit, elle donne sur un cloître roman aux splendides chapiteaux historiés (seuls 18 de ses 38 colonnes sont d'origine). Le décor sculpté mêle scènes de la vie du Christ, animaux fantastiques et signes du zodiaque (galerie sud). Remarquez les yeux saillants et les corps disproportionnés des personnages, typiques de l'art roman. Les sépultures royales s'abritent dans une chapelle du côté est. Divers ateliers sont proposés aux enfants (sur l'iconographie, l'art roman, les reliques…) dans le cadre de la visite guidée. *Pl. de San Pedro Tél. 974 22 23 87 Ouvert dim. et j. fér. 11h-12h ; juin-sept. : lun.-sam. 10h-13h30 et 16h-19h ; oct.-mai : lun.-sam. 10h-13h30 et 16h-18h Tarif 2,50€, réduit 1,50€ Ateliers 2€*

Museo Arqueológico Provincial Les sections du Musée provincial consacrées à l'archéologie et aux beaux-arts occupent des dépendances du palais des rois d'Aragon (XIIe s.), reconverti en université au XVIIe siècle. La structure octogonale du grand patio permettait d'y vivre en toute saison. On peut notamment y admirer l'esquisse du célèbre tableau *La Campana de Huesca* de José Casado del Alisal (1874) et le tableau lui-même – l'autre exemplaire étant à l'Ayuntamiento –, une belle collection de retables gothiques et Renaissance, quelques lithographies de Goya et les œuvres de Ramón Acín (1888-1936). *Pl. de la Universidad Tél. 974 22 05 86 Ouvert mar.-sam. 10h-14h et 17h-20h, dim. et j. fér. 10h-14h Fermé 25 déc. et 1er jan. Entrée libre*

Centro de Arte y Naturaleza (CDAN) – Fundación Beulas Soucieuse de promouvoir le dialogue entre art et nature, la fondation Beulas a confié à l'architecte Radael Moneo la réalisation de ce grand bâtiment tout en courbes, conçu comme un écho au paysage environnant. Le centre présente des dessins, sculptures et peintures contemporaines qui, sous des traits figuratifs ou abstraits, placent la nature au cœur de la création. Il relate également les expériences de Land Art menées dans la province depuis une trentaine d'années. Expositions temporaires (peinture, sculpture ou photo) trimestrielles. *C/ Doctor Artero, s/n (dans le nord-ouest de la ville) Tél. 974 23 98 93 www.cdan. es Ouvert mai-sept. : jeu.-ven. 18h-21h, sam. 11h-14h et 18h-21h ; oct.-avr. : jeu.-ven.*

17h-20h, sam. 11h-14h et 17h-20h ; dim. et j. fér. 11h-14h Fermé 25 déc. et 1er jan. Tarif 3€, réduit 2€ Visite guidée dim. à 12h sur rés. 2€

● **Préparer une excursion en montagne**
Guara Crampons, piolets, cordes, chaussures de marche… voilà de quoi vous équiper avant de vous aventurer dans la sierra de Guara ou le parc d'Ordesa. Également un service de guides pour vos excursions (de Pâques à mi-oct.). C/ de Vicente Campo, 11 Tél. 974 21 00 10 www.guara-mascun.com Ouvert lun.-sam. 10h-13h30 et 17h-20h30

Les environs de Huesca

☆ **Castillo de Loarre** Dressée sur un éperon rocheux, la forteresse de Loarre est l'une des plus imposantes et des mieux conservées de toute l'Espagne. Sa construction au-dessus de la vallée, à près de 1 000m d'altitude, débuta en 1020 sur ordre de Sanche III le Grand, bien décidé à reconquérir les terres du Sud. En 1071, à la vocation défensive du château s'ajouta une fonction religieuse, avec la construction du monastère San Agustín. Les murailles du XIIIe siècle, relativement bien conservées, ne manquent pas d'impressionner, surtout vues de la route en contrebas. En 2004, le château-abbaye servit de décor au tournage du film *Kingdom of Heaven*, de Ridley Scott. Son église San Pedro, édifiée sur une crypte, offre des proportions et un éclairage assez inhabituels pour une réalisation romane. La nef arbore une coupole aux proportions parfaites et de beaux chapiteaux historiés. Du niveau supérieur de la forteresse, on retiendra ses deux tours. Le mirador de la Reine dispense des vues splendides sur la Hoja de Huesca. *Ayerbe*

Escalade dans les Pyrénées aragonaises	
Los Mallos de Riglos	402
Escalader les gorges du Mascún	408

À env. 30km au nord-ouest de Huesca par l'A132 dir. Pampelune, puis l'A1206 à partir d'Esquedas (13km) Tél. 974 34 21 61 ou 690 63 60 80 www.castillodeloarre.es Ouvert mi-juin-mi-sept. : tlj. 10h-14h et 16h-20h ; début mars-mi-juin, mi-sept.-fin oct. : tlj. 10h-14h et 16h-19h ; début nov.-fin fév. : tlj. 11h-17h30 Fermé 25 déc. et 1er jan. Tarif 3,90€, 6-16 ans 2,70€

● **Pratiquer l'escalade** La région offre une multitude de voies d'escalade, de la plus simple à la plus complexe. L'expérience, sensationnelle, n'est pas sans risques ; prévoir impérativement un casque (chutes de pierres).
☺ **Los Mallos de Riglos** Surgis de nulle part, les Mallos, extraordinaires blocs de poudingue (galets cimentés par du sable et du gravier) vieux de 20 à 30 millions d'années, dressent leurs masses ocre, en forme de cigare, au-dessus du petit village blanc de Riglos. Leurs vertigineuses parois, presque verticales, attirent les grimpeurs de toute l'Europe, mais aussi des vautours, dont les silhouettes menaçantes planent sans relâche sur les hauteurs. Spectaculaire ! Le guide en espagnol *Guía de Escalada en Riglos, Agüero y Foz de Escalete* (Éd. Prames) recense toutes les voies - plus de 200. Se renseigner au bar du

village. **Accès en voiture** *De Huesca, prendre l'A132 vers Pampelune Env. 5km après Ayerbe, bifurquer à droite pour Riglos* **En train** *1 ou 2 trains/j. de Huesca à la gare de Riglos-Apeadero (1h, 3,55€)*

CARNET D'ADRESSES

Lieux de sortie

Bars

Le soir, et surtout le week-end, tous les habitants de Huesca aiment à se retrouver dans le quartier d'El Tubo. Au fil des générations, ses limites se sont étendues, aussi le Tubo des anciens ne correspond-il plus forcément à celui des jeunes. Tous s'accordent cependant sur la localisation des bars à tapas, concentrés dans le trapèze formé par le Coso au nord, les rues de las Fatas et de Argensola au sud, la rue de los Porches de Galicia à l'ouest, et celle de San Lorenzo à l'est.

El Café del Arte Pour combler le petit creux de l'après-midi ou prendre un verre en soirée à l'étage d'un casino moderniste (1909) sous de splendides moulures et peintures florales. *Chocolate con churros* à 3€, bière ou verre de vin à 1,50€. On y présente des spectacles et, au moins un vendredi soir par mois, des concerts (sans droit d'entrée ni supplément de prix). *Pl. de Navarra (bâtiment du Casino)* **Huesca** *Tél. 974 21 09 30 Ouvert mar.-jeu. 9h-22h, ven.-sam. 11h-1h, dim. 12h-22h plus tard en été*

Restauration, hébergement

 petits prix

Hostal El Centro Derrière une grande façade rouge plutôt sympa-

thique, vous trouverez un accueil plaisant et des chambres simples, mais correctes. Situation centrale, à deux pas du quartier historique, des commerces et des bars. Un peu bruyant en fin de semaine. Comptez 45-55€ la double avec sdb. Restaurant. *C/ de Sancho Ramírez, 3* **Huesca** *Tél. 974 22 68 23 www.hostalelcentrohuesca.es*

Hostal San Marcos Mieux vaut réserver à l'avance, car il y a souvent du monde. Pas de charme particulier mais l'*hostal* est bien équipé (parking 9€/j., ascenseur, service de laverie, clim., chauffage, wifi...) et l'ensemble très propre. Situé comme le précédent dans le quartier animé. Chambre double 59€, petit déjeuner (buffet) compris. *C/ de San Orencio, 10* **Huesca** *Tél./fax 974 22 29 31 www. hostalsanmarcos.es*

🍴 **prix élevés**

Las Torres Envie de faire une petite folie ? Situé un peu à l'écart de l'animation du centre, Las Torres est l'un des fleurons de la gastronomie aragonaise. Cuisine créative, à base de produits du terroir, qui s'adapte aux changements de saisons : saveurs légères et fruitées en été ou plats plus consistants en hiver. Le cadre raffiné mérite bien que l'on s'habille un peu. Menus de 25€ (midi en semaine) à 60€. *C/ de María Auxiliadora, 3* **Huesca** *Tél. 974 22 82 13 www.lastorres-restaurante.com Ouvert mar.-sam. et j. fér. 13h-15h30 et 21h-23h, lun. 13h-15h30 Fermé 15 j. à Pâques (Semaine sainte et suivante) et les 15 derniers j. d'août*

LES PYRÉNÉES ARAGONAISES

★ ☺ LE PARC NATUREL DE LA SIERRA DE GUARA

Parc naturel de la sierra de Guara

Huesca

Barrière méridionale des Pyrénées aragonaises, la sierra de Guara et les profonds canyons qui entaillent son versant sud forment l'ensemble du Parque Natural de la Sierra y los Cañones de Guara, dominé par le mont Tozal (2 077m). Les phénomènes karstiques (dissolution de la roche calcaire par les eaux d'infiltration) y ont façonné de véritables chefs-d'œuvre de pierre, creusant dans les massifs des grottes et des galeries. C'est à la beauté spectaculaire et à la diversité de ses canyons que la sierra de Guara doit sa renommée, offrant l'un des meilleurs sites de canyoning de toutes les Pyrénées. La création du parc naturel en 1991 a permis de préserver assez tôt la nature des dégâts du tourisme. Parmi les espèces animales désormais protégées, on compte de très nombreux rapaces qui trouvent refuge dans les parois escarpées. Les vautours fauves sont les plus fréquents, mais il faut également signaler la présence du gypaète barbu. Le versant sud de la chaîne montagneuse, encore soumis au climat méditerranéen, offre un visage plutôt sec et rocailleux, dont la végétation arbustive contraste avec les vertes forêts de la vallée de Nocito qui, au nord, bénéficie des premières influences atlantiques.

MODE D'EMPLOI

accès

EN VOITURE
Vous pourrez accéder au parc en empruntant la N240 entre Huesca et Barbastro.

EN CAR
Bus Cortes Un car/j. en hiver (2 en été) pour Alquézar de Barbastro (grosse bourgade facilement accessible au départ de Huesca). En été, un car/j. relie Alquézar aux villages de la sierra (Adahuesca, Radiqueiro, Colungo...). Pas de transports jusqu'à Rodellar. Enfin, sachez que la plupart des agences de canyoning se chargent du transport des clients. *Tél. 974 31 15 52 www.alosa.es.*

orientation

La sierra de Guara sépare, au nord, la vallée de Nocito, orientée est-ouest, et, au sud, les nombreuses vallées orientées nord-sud suivant le cours des canyons. Le village de Rodellar, situé sur le versant sud, est le point le plus central, tandis qu'Alquézar, au sud-est, rassemble la plupart des infrastructures touristiques.

informations touristiques

Outre les adresses suivantes, vous trouverez également, en été, plusieurs points d'information répartis dans les différents villages, notamment à Bierge et Rodellar (camping

Mascún). Consultez aussi le site www.guara.org

Centre d'interprétation du parc naturel de la Sierra y los Cañones de Guara Renseignements sur l'environnement et les itinéraires de randonnée. Petite exposition. Vente de cartes et de guides topographiques. *Bierge (sur la route de Rodellar) Tél. 974 31 82 38 Ouvert été : jeu.-dim. 10h-14h et 16h-20h ; printemps, automne : jeu.-dim. 10h-14h et 15h-18h ; hiver horaires variables*

Office de tourisme d'Alquézar *Paseo San Hipólito, s/n Alquézar Tél. 974 31 89 40 ou 974 31 89 60 (mairie d'Alquézar) www.alquezar.org Ouvert été : tlj. 10h-13h30 et 16h30-20h ; hiver : mer.-dim. 10h-13h30 et 16h30-19h ; août : tlj. 9h-14h et 16h30-20h Horaire de fermeture variable en août*

Office de tourisme de Barbastro Centre d'interprétation de la région de Somontano. *Av. de la Merced, 64 Barbastro Tél. 974 30 83 50 www.barbastro.org Ouvert juil.-août : tlj. 10h-14h et 17h-19h ; reste de l'année : mar.-sam. et j. fér. 10h-14h et 16h-19h30*

informations pratiques

Faites provision d'espèces avant de vous aventurer dans la sierra de Guara, les seuls distributeurs de billets se trouvant à Alquézar et Barbastro. Sinon, vous pourrez demander du change avec votre carte de crédit au camping Mascún de Rodellar, moyennant une commission de 5%. Concernant le carburant, vous trouverez des stations-service sur la N240 (notamment à Péraltilla) et une autre dans le bourg d'Alquézar.

DÉCOUVRIR
La sierra de Guara

☆**Les essentiels** Le village d'Alquézar **Découvrir autrement** Descendez le Formiga en canyoning, baignez-vous en famille dans les piscines naturelles du Río Vero, randonnez dans la sierra, passez la nuit à la Villa de Alquézar (cf. Carnet d'adresses)

Iglesia de San Fructuoso Cette petite église recèle de splendides peintures murales du XIIIe siècle, à la jonction du roman et du gothique. Celles de la partie supérieure illustrent la Passion du Christ, entourée des scènes du martyre de l'évêque saint Fructueux et de ses diacres. Selon la tradition, ces derniers furent brûlés vifs dans l'amphithéâtre de Tarragone. Sur la partie inférieure droite figurent des épisodes de la vie de saint Jean l'Évangéliste, ainsi qu'une curieuse représentation d'un roi tenté par le diable. *Bierge Tél. 660 70 19 97 Sur rdv*

☆ ☺ **Alquézar** Perché dans un cadre splendide, au-dessus des gorges du Río Vero, le village médiéval d'Alquézar est l'un des hauts lieux du tourisme de la sierra de Guara. Son nom vient de l'arabe Al-Qasr ("le château"), en référence à la forteresse du IXe siècle qui domine le village. Après la reconquête d'Alquézar par Sanche Ramírez, au XIe siècle, la citadelle accueillit une communauté de chanoines augustins. Considérablement remaniée au fil du temps, la collégiale Santa María la Mayor a conservé son beau cloître médiéval : admirez ses fresques des XVe-XVIe siècles et les chapiteaux roman de la galerie nord. L'intérieur de l'église, relevée au XVIe siècle, est un peu dégradé, mais c'est précisément ce côté suranné, allié aux chants religieux et à la douceur de l'éclairage naturel, qui rend la visite émouvante. À voir absolument : le christ roman du XIIIe siècle. Enfin, n'hésitez pas à vous perdre dans les ruelles du village, dédale d'escaliers et de passages voûtés ; vous finirez bien par tomber sur les arcades de la jolie Plaza Mayor. *À 47km à l'est de Huesca par l'A22, l'A1229 et l'A1233* **Colegiata de Santa María la Mayor** *Tél. 669 68 10 44 www.radiquero.com/alquezar/ Ouvert avr.-oct. : mer.-lun. 11h-13h30 et 16h30-19h30 ; nov.-mars : mer.-lun. 11h-13h30 et 16h-18h Tarif 2,50€*

Peintures rupestres du Río Vero L'occupation préhistorique des abords du Río Vero a laissé un héritage d'une cinquantaine de peintures (classées Patrimoine mondial) dispersées entre Lecina et Alquézar, principalement au niveau de Colungo. Il s'agit souvent de croquis isolés et difficiles à localiser seul. *Rens. au centre d'interprétation de Colungo Tél. 974 31 81 85 ou à l'OT de Barbastro Tél. 974 30 83 50*

● **Aller piquer une tête**

Río Vero Des hauteurs d'Alquézar, deux chemins permettent de rejoindre à l'est les eaux vertes du Río Vero (30-45min) : le chemin des Passerelles, qui descend au milieu de gorges luxuriantes, et le chemin du Pont roman, qui débouche en amont sur ledit pont. On rejoint ensuite l'un ou l'autre des chemins, en marchant dans la rivière (l'eau monte rarement au-dessus du mollet) et en profitant des piscines naturelles pour se baigner. Idéal avec les enfants ! La remontée est un peu rude, et nous vous conseillons d'emprunter plutôt un troisième sentier plus facile, qui relie le barrage en aval et le mirador de la collégiale.

Salto de Bierge Le lac de retenue aménagé sur le Río Alcanadre se prête également à la baignade. *Bierge*

● **Randonner dans la sierra de Guara** Les possibilités sont infinies. Toutefois, en raison des fortes chaleurs estivales, la randonnée n'est généralement pratiquée qu'au printemps et en automne. Parmi les itinéraires privilégiés par les randonneurs de haut niveau, il faut retenir l'ascension du Tozal de Guara (2 077m), les différentes traversées nord-sud de la sierra, ainsi que les deux ramifications du GR®11 qui longent les versants d'est en ouest. À Rodellar, ne manquez pas la randonnée du Mascún Inferior, fascinante entaille rose et grise aux parois escarpées. Un itinéraire facile (3h AR env.) permet de découvrir sa partie basse, jusqu'au massif de la Ciudadela et son aiguille effilée, la Cuca de Bellosta. À partir de là, les choses se compliquent. L'ascension au village abandonné d'Otín notamment est assez éprouvante, mais elle vous

Randonner dans les Pyrénées aragonaises

Plusieurs sentiers de Grande Randonnée sillonnent les parages : GR®1, GR®11, GR®65.

Canyoning

Au-delà de l'activité sportive, le canyoning offre l'occasion de découvrir un univers fabuleux d'eau et de roche, où les vasques turquoise succèdent aux cascades et aux chaos, enserrées entre des parois vertigineuses. La descente des canyons à sec, également très pratiquée, est une bonne option pour ceux qui ne souhaitent pas se mouiller. Bref, une expérience inoubliable, mais qui demande une bonne condition physique et une extrême vigilance. Chaque année on déplore des accidents mortels, le plus souvent liés aux crues soudaines provoquées par les pluies et les orages. Il est donc vivement recommandé de partir en compagnie d'un guide agréé. Vous en trouverez un peu partout dans la région, en vous renseignant auprès des auberges et des campings, ou encore dans les agences de la rue principale d'Alquézar. Par ailleurs, des topoguides en plusieurs langues sont disponibles au camping Mascún.
Quand ? Les canyons de Guara sont en général praticables de mai à octobre ; le reste du temps, le niveau d'eau est trop élevé et la température glaciale.
Où, pour qui ? Voici un éventail des canyons les plus connus : idéaux pour les débutants, le Mascún Inferior et le Barrasil ne présentent aucune difficulté et peuvent être pratiqués en famille (enfants de plus de 12 ans et ne craignant pas le froid) ; pour une initiation aux différentes techniques, le Formiga est une bonne option, incluant rappels, sauts et petite plongée (en outre, sa descente est relativement brève) ; plus longue, mais superbe, la descente du Vero offre un parcours très "aquatique" – entendez par là avec beaucoup de temps passé dans l'eau ! – ; dans la catégorie supérieure, le Balced et l'Otín font appel à plus de technique, avec notamment de longs rappels ; également sportive, la descente à sec du Barranco Fondo ; pour les plus chevronnés, le Mascún Superior est sans doute l'une des plus belles gorges de Guara, mais il demande une excellente résistance physique, la descente pouvant durer près de 10h (approche comprise). D'autres canyons, enfin, se révèlent techniquement très complexes et extrêmement dangereux.
À quel prix ? Selon la difficulté du parcours, comptez environ 45 à 60€/pers. (avec un minimum requis de 3 à 4 personnes) pour une descente, assurance et équipement compris.
Aragón Aventura Guías
*C/ Pablo Iglesias, 12 **Jaca***
Tél. 974 36 29 96
ou 629 43 76 69
www.aragonaventura.es
Camping Mascún
*Carretera Abiego s/n **Rodellar***
Tél. 974 21 00 10 ou 974 31 83 67
www.campingmascun.com
Avalancha
*C/ de Arrabal, s/n **Alquézar***
Tél. 974 31 82 99
www.avalancha.org

LES PYRÉNÉES ARAGONAISES

réserve un panorama exceptionnel sur les gorges. Toujours de Rodellar, une petite promenade de santé (1h30 AR) vous emmène jusqu'à l'Ermita de la Virgen de Fabana, qui domine toute la partie basse du canyon et offre un point de vue splendide sur la sierra. Demandez les cartes dans les offices de tourisme.

● **Escalader les gorges du Mascún** À Rodellar, les parois des gorges du Mascún sont considérées comme l'un des meilleurs sites d'escalade d'Espagne. Voies tous niveaux et *vía ferrata* (voie équipée d'échelles et de câbles fixes) à l'entrée du Mascún Superior. Les guides du camping Mascún (p.408) proposent des excursions de tous niveaux et vous fourniront les renseignements nécessaires.

CARNET D'ADRESSES

Restauration, hébergement

Rodellar et Alquézar, au sud de la sierra, sont les étapes les plus pratiques pour séjourner dans la région. Le premier ne rassemble guère qu'une poignée d'habitations, mais constitue le rendez-vous privilégié des sportifs, étant idéalement situé à l'entrée des gorges les plus connues. Plus étendu, le village médiéval d'Alquézar permet de lier une belle visite culturelle à la découverte de la nature.

🍴🧳 camping

Camping Mascún Les sportifs, qui s'y retrouvent chaque année de plus en plus nombreux, ainsi que le service des guides installé sur place ont fait de ce camping le cœur battant de la vallée de Rodellar. Canyoning, trekking, escalade, location de matériel, point d'information, restauration et bonne ambiance ! Comptez 16-18€ pour 2 pers. avec une tente et une voiture. *Carretera Abiego s/n **Rodellar** (18km au nord de Bierge par la HU341) Tél. 974 31 83 67 www.campingmascun. com Ouvert avr.-oct.*

🧳 très petits prix

Casa Espartero Pour la gentillesse de la *dueña* et les vues sur les gorges. Deux chambres (l'une vert pistache, l'autre bleue) très bien tenues... voilà une maison tout à fait recommandable. Double avec sdb à 36€. Petit déjeuner 5€. *Pl. Mayor, 6 **Alquézar** Tél. 974 31 80 71 Ouvert toute l'année*

🍴🧳 petits prix

Albergue Las Almunias Auberge située à 2km en contrebas de Rodellar au lieu-dit du même nom. Hébergement en chambres de 1 à 6 pers., très bien équipées, avec chauffage et sdb. Service de guides de canyoning.

GAMME DE PRIX	RESTAURATION	HÉBERGEMENT
Très petits prix	moins de 12€	moins de 50€
Petits prix	de 12 à 20€	de 50 à 65€
Prix moyens	de 20 à 30€	de 65 à 85€
Prix élevés	de 30 à 50€	de 85 à 130€
Prix très élevés	plus de 50€	plus de 130€

Double avec petit déjeuner 51€. Pension complète (pique-nique à midi) 40€/pers. Cuisine à disposition. Et pour combler les petits creux, il y a une fromagerie juste derrière ! *Carretera de Rodellar, s/n* **Las Almunias de Rodellar** *Tél. 974 31 86 02 ou 689 99 81 20 www.alberguelasalmunias.com Ouvert toute l'année, réservation indispensable en hiver*

☺ **Casa Atuel** Tenue par une Française amoureuse de la région, cette auberge propose des dortoirs de 8 à 13 pers ainsi qu'un service de guides de canyoning. Séjourner ici, c'est un peu comme se retrouver en famille : dîners pris en commun, sieste et palabres sur la terrasse... Le tout dans un cadre campagnard, au milieu des oliviers et des amandiers, à l'orée du village de Bierge. Demi-pension en gîte à 32€/pers. et pension complète (avec pique-nique à midi) à 37€. Serviettes de toilette et draps 2-3€. L'auberge dispose d'une grande "suite" familiale comprenant une chambre double, une triple et une salle de bains. Possibilité d'hébergement en chambre double au village, à 300m de l'auberge, pour 47€ en demi-pension et 52€/pers. en pension complète. *C/ Las Afueras, 20* **Bierge** *Tél. 974 31 80 60 ou 646 31 43 95 www.casaatuel. com Ouvert toute l'année*

🍴 🧳 prix moyens

Monclus Mercedes, la maîtresse de maison, peut passer des heures en cuisine à accomoder les produits du marché, pour un résultat savoureux et chaque jour différent. Quelques classiques : gibier, chevreau, soufflé de morue... ou de belles assiettes de fromages maison. Env. 30€ à la carte. Prix HT. *Radiquero* **Alquézar** *(route d'Adahuesca) Tél. 974 31 81 20 Ouvert le week-end seulement sur rés.*

☺ **Villa de Alquézar** Ce 2-étoiles, installé dans une bâtisse restaurée avec goût, est sans doute la meilleure adresse d'Alquézar. Accueil chaleureux et chambres confortables avec, pour la plupart, des vues superbes sur le village et le château. Nous aimons bien la n°24 avec son balcon ou la n°11, sans vue mais avec une petite terrasse. Double de 69 à 85€ avec petit déjeuner et parking, suite à 115€. *C/ de Pedro Arnal Cavero, 12* **Alquézar** *Tél. 974 31 84 16 www.villadealquezar. com Fermé 24 déc.-20 jan.*

La Choca Cuisine créative qui allie les produits du terroir aux influences internationales et aux herbes de montagne. Un repas à La Choca, c'est l'occasion de faire une halte gastronomique, mais aussi de découvrir le charmant village de Lecina, connu pour son chêne millénaire. Comptez 30€ le repas. Et si vous succombez à la douceur de ses ruelles, vous pourrez passer la nuit sur place : l'établissement dispose de 8 chambres bien agréables (52€/pers. en demi-pension), auxquelles s'ajoutent une maison rurale de 9 chambres (400-500€ la nuitée) et 2 appartements pour 4-6 personnes (à partir de 52€/pers.) dans une ferme restaurée. *Plaza Mayor, 1* **Lecina de Bárcabo** *(5,5km au sud-ouest de Bárcabo par la A2205) Tél. 974 34 30 70 ou 659 63 36 36 www.lachocadeguara. com Hôtel et maison rurale ouverts de mars à mi-déc. (restaurant ouvert tous les midis en été et le week-end hors saison), location d'appartements toute l'année*

🧳 prix élevés

Casa Alodia Un havre de paix dans l'écrin bucolique de la Sierra de Guara et du village classé d'Alquézar. La situation et la déco néorustique chic de La Casa Alodia séduiront tous ceux qui souhaitent faire une escapade romantique ou une retraite bien méritée. Les six chambres d'hôtes sont distribuées dans deux demeures anciennes restaurées avec brio. Le charme de l'endroit tient autant à son confort et à son cadre plaisant qu'à la gentillesse de ses propriétaires. De 96 à 137€ la double. *C/ San Gregorio et C/ Arrabal, s/n* **Alquézar** *Tél. 626 35 18 16 www.casa-alodia.com*

JACA

22700

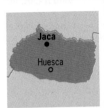

Dernière étape avant les grands massifs pyrénéens, la bourgade de Jaca (14 000 hab) vit au rythme d'un incessant va-et-vient de skieurs et de randonneurs, auxquels s'ajoutent les pèlerins du chemin de Saint-Jacques-de-Compostelle. Les amateurs d'art roman se rendront à la cathédrale recueillir les derniers souvenirs de la première capitale du royaume d'Aragon (1035-1096). Les passionnés d'architecture militaire apprécieront, quant à eux, le remarquable état de conservation de la citadelle du XVIe siècle. Enfin, on ne manquera pas de visiter, à proximité de Jaca, le monastère San Juan de la Peña.

MODE D'EMPLOI

accès

EN VOITURE
À 72km au nord de Huesca et à 35km au sud de la frontière française (col ou tunnel de Somport) par la N330. À 115km à l'est de Pampelune par la N240.

EN TRAIN
Gare Renfe Deux liaisons/j. avec Canfranc (30min, 2,70€ AS) et 3/j. avec Saragosse (3h30, 14,30€ AS). *Av. de Juan XXIII Tél. 902 32 03 20 www. renfe.com*

EN CAR
Plus pratique que le train. Nombreuses correspondances.
Gare routière Guichets ouverts 30min avant le départ des cars et horaires affichés à l'extérieur. Rens. également à l'OT. *Av. de Jacetania (derrière la cathédrale) Tél. 974 35 50 60*

orientation

Le centre-ville s'étend au sud-est de la citadelle, entouré de grandes avenues animées : *Avenidas del Regimiento de Galicia et del Primer Viernes de Mayo* à l'ouest, de Jacetania au nord.

informations touristiques

Office de tourisme Service aimable. Une mine de renseignements sur la région. *Plaza de San Pedro, 11-13 (à côté de la cathédrale) Tél. 974 36 00 98 www.jaca.es Ouvert 16 juil.-31 août : lun.-sam. 9h-21h, dim. 9h-15h ; reste de l'année : lun.-sam. 9h-13h30 et 16h30-19h30*

banques et poste

Vous trouverez des **banques** dans la Calle Mayor et Avenida de Jacetania. **Poste** *Pirineos, 8 Tél. 974 35 58 86 Ouvert lun.-ven. 8h30-14h30, sam. 9h30-13h*

fêtes et manifestations

Fête de la victoire Jaca célèbre la victoire du comte Aznar sur les Arabes en l'an 812. Les moments forts de la fête sont la *romería* (pèlerinage) à l'ermitage de la Virgen de la Victoria et le retour de la procession à la cathédrale, accueillie par de nombreuses danses et *jotas* (chants traditionnels aragonais). *1er vendredi de mai*

Fête de Santa Orosia et San Pedro Fête patronale de Jaca. Concerts et *peñas* (défilés d'associations). *Dernière sem. de juin*

Festival folklorique des Pyrénées Concerts et spectacles folkloriques du monde entier. *Fin juil.-début août, les années impaires seulement*

Pirineos Sur Festival de musiques du monde (p.411). *www.pirineos-sur.es 15 j. en juil.*

DÉCOUVRIR

☆**Les essentiels** La cathédrale San Pedro et le monastère San Juan de la Peña **Découvrir autrement** Dites oui à un *besito* dans les ruelles de Jaca, participez au festival Pirineos Sur à Sallent de Gállego, goûtez aux joies des sports d'hiver à Candanchú !

Jaca

Jaca ne conserve que peu de monuments historiques, mais les ruelles commerçantes du centre-ville, bordées de jolies devantures et de vieilles enseignes, invitent à une agréable flânerie. Ne vous contentez pas d'explorer les environs de la cathédrale : faites aussi un tour sur la Plaza Lacadena, au sud de la Calle Mayor. De jolies terrasses entourent la Torre del Reloj, tour carrée aux fenêtres gothiques (xvᵉ s.), édifiée sur les fondations du palais royal.

☆**Catedral de San Pedro** Devenue capitale du royaume d'Aragon sous le règne de Ramire Iᵉʳ, Jaca se dote au xiᵉ siècle de la première grande cathédrale romane d'Espagne, rappelant ainsi, s'il le faut, sa position sur le chemin de Saint-Jacques-de-Compostelle. La cathédrale Saint-Pierre se signale par l'utilisation du motif en damier sur les archivoltes, une innovation que l'on retrouvera par la suite dans de nombreux édifices romans en Aragon et en Catalogne. On en trouve un bon exemple sous le splendide portique sud.

Musiques du monde au bord du lac

Pirineos Sur, l'un des meilleurs festivals espagnols de musiques du monde, a lieu près de Sallent de Gállego, à une soixantaine de kilomètres au nord-est de Jaca. La scène principale flotte au bord du lac Lanuza, cerné de montagnes... *15 j. en juil. www.pirineos-sur.es*

Les chapiteaux historiés du portail et de la nef donnent également un bon aperçu de l'ornementation d'origine. Malgré le remaniement peu harmonieux des voûtes de la nef principale, au XVIᵉ siècle, l'église a conservé sa structure romane. Les amateurs d'art sacré ne manqueront pas de visiter le Musée diocésain, installé autour du cloître, sur le côté nord de l'église. Le musée a ouvert ses portes en 2010, année jacquaire – une année où la saint Jacques, célébrée le 25 juillet, tombe un dimanche. La collection comprend des documents issus des archives diocésaines (livres de chœur, manuscrits, partitions), des instruments de musique et des fresques d'une grande valeur, dont celles des absides de Bagües (XIᵉ s.) et d'Osia (XIVᵉ s.) et l'incroyable tête du Pantocrator roman de Ruesta (XIIᵉ s.). À voir également : le christ roman sculpté du XIIᵉ siècle et le parement d'autel en bois polychrome d'Iguácel (XIVᵉ s.). *Pl. de la Catedral Ouvert tlj. 8h-13h30 et 16h-20h30 Entrée libre* **Museo Diocesano** *Tél. 974 36 21 85 ou 974 35 63 78 www.diocesisdejaca.org Ouvert juil.-août : tlj. 10h-14h et 16h-20h30 ; reste de l'année : lun.-ven. 10h-13h30 et 16h-19h, sam. 10h-13h30 et 16h-20h, dim. 10h-13h30 Dernière entrée 1h avant fermeture Fermé 1ᵉʳ ven. de mai et 25 juin (fêtes locales), 25 déc. et 1ᵉʳ jan. Tarif cathédrale 6€, réduit 4,50€, moins de 16 ans 3€ (visite guidée 2,50€) Tarif cathédrale et musée 7,50€, réduit 6€, moins de 16 ans 4,50€*

PETITS SOLDATS Avec ses quelque 32 000 soldats de plomb, **le musée des Miniatures militaires** est l'un des plus grands du monde dans son genre. Un voyage de l'Antiquité aux missions humanitaires du XXIᵉ siècle...

Ciudadela-Castillo de San Pedro Cette imposante citadelle en forme d'étoile à cinq branches fut édifiée sur ordre de Philippe II, lors des guerres de religion du XVIᵉ siècle, pour contrer l'avancée des huguenots. Restée invaincue pendant plus de deux siècles, elle fut occupée brièvement par les Français durant la guerre d'Indépendance, au début du XIXᵉ siècle. C'est à cette époque qu'eut lieu la seule attaque de la citadelle, menée par les Espagnols eux-mêmes pour récupérer leurs positions. Le complexe, admirablement conservé, abrite le QG d'un régiment de chasseurs alpins, aussi seule une visite guidée permet-elle d'en découvrir l'intérieur. La forteresse abrite néanmoins un musée de miniatures militaires cf. Petits soldats (p.412). *Entrée par la C/ del Primer Viernes de Mayo Tél. 974 35 71 57 ou 974 36 11 24 www.ciudadeladejaca.es Ouvert mer.-lun. 10h-14h et 16h-19h Dernière entrée 45min avant fermeture Ouvert certains jours jusqu'à 20h* **Museo de Miniaturas Militares** *Tél. 974 36 11 24 www.museominiaturasjaca.es Ouvert mer.-lun. 11h-14h et 16h-19h ou 17h-20h Tarif 10€ (avec visite guidée de la citadelle), réduit 8€, moins de 15 ans et plus de 65 ans 5€, moins de 6 ans gratuit Audioguide 1€*

● **Où s'offrir des *besitos* et autres douceurs ?** Les habitants de Jaca seraient-ils de fins gourmets ? Si l'on considère que la confiserie est une vénérable tradition locale et que l'on doit une dizaine de spécialités aux pâtissiers de la ville, oui !

El Cheto Sous les arcades en face de la cathédrale San Pedro, cette belle confiserie rétro doit sa réputation à ses délicieux *besitos* (bisous), caramels durs à base de pignons et de miel. *Pl. de la Catedral, 5 Tél. 974 36 03 43 Ouvert tlj. 9h30-14h30 et 16h30-21h*

La Suiza Ici, les clients viennent faire honneur au *lazo de Jaca*, un feuilleté sucré et fondant, recouvert d'un glaçage au jaune d'œuf. *C/ Mayor, 40 Tél. 974 36 03 47 Ouvert lun.-sam. 9h30-14h et 17h-21h, dim. et j. fér. 9h30-13h et 17h-21h*

Les environs de Jaca

À l'ouest de Jaca

Le monastère de San Juan de la Peña et le petit village de Santa Cruz de la Serós, situés à l'ouest de Jaca, peuvent faire l'objet d'un bel itinéraire en boucle d'une journée. Une partie du parcours est réalisable à pied via le GR®65.3.2, ramification du chemin de Saint-Jacques-de-Compostelle.

☆☺ **Monasterio de San Juan de la Peña** Niché sous une énorme voûte granitique, au cœur de la Sierra de la Peña, ce monastère roman est l'une des plus belles surprises de la région. Dès les invasions musulmanes, au VIIIe siècle, des ermites se retirèrent dans ces montagnes. Le premier monastère, édifié au Xe siècle par le comte Galindo Aznárez II, tomba rapidement en ruine. C'est sur les restes de son église mozarabe que Sanche III le Grand installa, au début du XIe siècle, le monastère bénédictin San Juan de la Peña. Panthéon des nobles, puis des rois, ce couvent devint très vite l'un des centres spirituels et culturels du royaume d'Aragon. Si l'on en croit la légende, il aurait même abrité un temps le Saint Graal, attirant, de ce fait, les pèlerins de Compostelle. Après l'incendie de 1675, un nouveau monastère fut construit en amont. Devenu un hôtel de type Parador, ce dernier accueille le centre d'interprétation "Royaume d'Aragon" et celui du monastère San Juan de la Peña. Que l'on arrive à pied ou en bus, la découverte du vieux monastère, tapi sous son rocher rose, est un vrai plaisir. La partie basse de l'édifice abrite le dortoir des moines (XIe s.) – ou "salle du concile" – et l'église primitive aux arcs outrepassés (en fer à cheval) de style mozarabe. Les deux absides sont ornées de fresques du XIIe siècle, restaurées en 2012 : admirez, à gauche, le martyre de saint Damien et de saint Cosme. À l'étage, vous découvrirez tout d'abord le panthéon des nobles d'Aragon et de Navarre (également réhabilité en 2012). Les deux rangées de sépultures sont ornées de croix, de blasons, de chrismes et d'arcs en plein cintre aux motifs en damier, typiques de Jaca. De là, on pénètre dans l'église romane du XIe siècle, en partie troglodytique. À gauche de sa triple abside s'ouvre le panthéon royal, réaménagé dans la sacristie au XVIIIe siècle, dans un style néoclassique qui jure un peu avec le reste. Mais le clou de la visite et sans conteste le cloître roman, ouvert sur l'extérieur et entièrement protégé par la roche, aux splendides chapiteaux historiés. Ces derniers arborent des scènes de l'Ancien et du Nouveau Testament, sculptées

LES PYRÉNÉES ARAGONAISES

● **BIBLE DE PIERRE**
Sur la route de Jaca, les monuments romans et la beauté du paysage qui leur sert d'écrin méritent le détour. Au Moyen Âge, grande époque des pèlerinages, les églises se dotèrent d'un décor de plus en plus foisonnant, favorisant la prière et l'édification des fidèles. Les chapiteaux historiés du cloître de San Juan de la Peña, qui font revivre les scènes de l'Ancien et du Nouveau Testament, sont de purs chefs-d'œuvre.

● **BALCON DES PYRÉNÉES**
Pour une pause panoramique, rendez-vous au balcon des Pyrénées, à 400m du nouveau monastère San Juan de la Peña. Magnifique route à partir de Jaca !

avec une grande simplicité – personnages aux larges mains et aux yeux saillants – pour favoriser l'enseignement de la religion. Dans la galerie côté route sont ainsi représentés la création d'Adam et Ève, l'Annonciation et l'histoire d'Abel et Caïn. Dans la galerie suivante se distinguent l'entrée triomphale de Jésus à Jérusalem et la Cène, où Judas est montré en train de voler un poisson dans l'assiette du Christ.

À savoir : en été, afin de réguler l'afflux des touristes, on vous demandera de garer votre voiture sur le parking attenant au nouveau monastère, à 1,5km en amont. Des bus relient les deux sites toutes les 20min ; à pied, il faut compter 15min en suivant un sentier escarpé. Vous trouverez sans peine de quoi vous restaurer aux abords du parking, mais l'idéal est d'emporter un pique-nique et de profiter des vastes espaces verts alentour. *Accès Par l'A1205 et le col d'Oroel, dominé à gauche par l'imposant massif du même nom (1 769m), en bifurquant sur l'A1603 à Bernués* **Retour** *Par le village de Santa Cruz de la Serós et la N240 Tél. 974 35 51 19 www.monasteriosanjuan. com Ouvert juin-août : tlj. 10h-14h et 15h-20h ; mars-mai, sept.-oct. : tlj. 10h-14h et 15h30-19h Fermé 25 déc. et 1er jan.*

Santa Cruz de la Serós Malgré les chantiers immobiliers qui grignotent les alentours, le village de Santa Cruz de la Serós a conservé le charme de ses vieilles ruelles. Au-dessus des maisons se dressent les traditionnelles

Amateurs de glisse...

À une quarantaine de kilomètres au nord de Jaca, dans la vallée de Canfranc (N330), juste avant le col du Somport, Candanchú est une des plus grandes stations de sports d'hiver aragonaises. À quelques kilomètres de là, la station d'Astún, moins étendue, offre tout de même un bon domaine skiable. Plus à l'est, dans la vallée de la Tena (N260), les amateurs de glisse trouveront également leur bonheur à El Formigal, qui est doté d'installations très modernes, ou dans la station de Panticosa pour un séjour en famille. Les pistes sont, d'une façon générale, ouvertes de début décembre à la Semaine sainte, et toutes les stations sont accessibles en car de la gare routière de Jaca.

Station	Domaine skiable	Sommet	Rens./état des pistes
Candanchú	39,5km (+35km ski de fond), 44 pistes, 26 remontées	2 400m	Tél. 974 37 31 94 www.candanchu.com
Astún	39,2km, 54 pistes, 13 remontées	2 300m	Tél. 974 37 30 88 www.astun.com
El Formigal	137km, 90 pistes, 21 remontées	2 250m	Tél. 974 49 00 00/49 www.formigal.com
Panticosa	35km, 41 pistes, 16 remontées	2 200m	Tél. 974 48 72 48 www.aramonpanticosa.com
Panticosa Resort	Ski de fond uniquement (3 circuits de 5,5km au total)		Tél. 902 25 25 22 www.panticosa.com

cheminées tronconiques, surmontées *d'espantabrujas*, des pierres amulettes destinées à éloigner les sorcières. L'église romane Santa María (XIᵉ s.), vestige d'un monastère de bénédictines, a peut-être été bâtie par les artisans qui travaillaient à San Juan de la Peña. Bel ensemble sobre. À voir également, à la sortie du village, l'exquise chapelle lombarde San Caprasio (XIᵉ s.).

CARNET D'ADRESSES

Restauration, hébergement

🍴 très petits prix

☺ **La Tasca de Ana** Excellente adresse pour un repas de tapas. Parmi les spécialités, ne manquez pas la *sartén de chistorra con patatas y huevos de codorniz*, délicieux morceaux de saucisse, cuits à la poêle avec des pommes de terre sautées et des œufs de caille. Plus classique, mais tout aussi alléchant, le grand choix de tartines garnies (*tostadas*, env. 4€) ou encore l'assiette de fromages de brebis accompagnés de noix et d'une pâte de coings (*membrillo*). Un menu complet à env. 10€. Autant de bonnes choses dans un lieu ravissant ! C/ de Ramiro I, 3 *Jaca* Tél. 974 36 36 21 www.latascadeana.com Ouvert été : tlj. 12h30-15h30 et 19h30-0h ; hiver : lun.-ven. 19h-23h, w.-e. et j. fér. 12h30-15h30 et 19h-23h30 Fermé 2ᵉ quinzaine de mai et de sept.

💼 petits prix

Hostal París Très bien situé face à la cathédrale, ce vieil immeuble abrite de grandes chambres propres avec balcon, parquet et hauts plafonds. Rien de bien luxueux, mais un accueil sympathique. Comptez 42€ la double avec sdb sur le palier. Petit déjeuner 3€. Pl. de San Pedro, 5 *Jaca* Tél. 974 36 10 20 www.hostalparisjaca.com Ouvert toute l'année

🍴 💼 prix élevés

Hotel Conde Aznar La petite terrasse fleurie, ouverte sur le Paseo de la Constitución et ses belles maisons bourgeoises, annonce déjà le petit air rétro que l'on trouve dans les chambres, décorées de jolis couvre-lits et d'un mobilier à l'ancienne. Tout serait parfait s'il ne manquait la clim. Dommage ! Doubles à partir de 65€ ; petit déjeuner buffet 6€. Le restaurant du rdc compte parmi les bonnes tables de Jaca, mais n'attendez pas des miracles du menu – obligatoire dans ce genre d'établissement –, commandez plutôt à la carte : env. 40€. Paseo de la Constitución, 3 *Jaca* Tél. 974 36 10 50 www.condeaznar.com Ferme parfois une à deux sem. en nov.

GAMME DE PRIX	RESTAURATION	HÉBERGEMENT
Très petits prix	moins de 12€	moins de 50€
Petits prix	de 12 à 20€	de 50 à 65€
Prix moyens	de 20 à 30€	de 65 à 85€
Prix élevés	de 30 à 50€	de 85 à 130€
Prix très élevés	plus de 50€	plus de 130€

LES VALLÉES D'ANSÓ ET DE HECHO

Vallées d'Ansó et de Hecho

Huesca

Longtemps restée à l'écart des principales voies de communication, aux confins occidentaux des Pyrénées aragonaises, la vallée d'Ansó, qui compte un peu moins de 500 habitants, a conservé une grande partie de son folklore et de beaux villages à l'architecture montagnarde. On y parle encore l'*ansótano*, variante de la *fabla* aragonaise, et l'activité pastorale, quoique peu à peu supplantée par le tourisme, continue de rythmer la vie de la vallée. Côté nature, si Ansó n'a pas suscité le même engouement sportif que les grands parcs pyrénéens, elle offre cependant de superbes versants boisés et des massifs culminant à plus de 2 000m. La vallée de Hecho (Echo), belle dépression couverte d'épaisses forêts et traversée par le Río Aragón Subordán, s'étire à l'est, parallèlement à celle d'Ansó. Elle présente des reliefs plus abrupts et attire donc un peu plus de visiteurs. Elle a toujours été plus fréquentée. En témoignent les nombreux dolmens et cromlechs du fond de la vallée et les tronçons de la voie romaine qui reliait la France à Saragosse. C'est par ce même chemin que descendirent plus tard les premiers pèlerins de Saint-Jacques-de-Compostelle, faisant étape au monastère de Siresa. Aujourd'hui, la plupart des infrastructures touristiques et les trois quarts des habitants de la vallée – soit environ un millier au total – se concentrent dans le village de Hecho. Vous y entendrez parler le *cheso*, autre variante de la *fabla* aragonaise.

☆ **L'ARCHITECTURE TRADITIONNELLE** Pour surmonter les rigueurs du climat, les habitations des vallées ont toujours été regroupées en hameaux, et seules les *bordas*, refuges des bergers, restaient isolées dans la montagne. De même, il a fallu adapter l'architecture des maisons en les dotant de solides murs de pierre grise, percés de fenêtres au sud afin de profiter au maximum des rayons du soleil. La cuisine, organisée autour d'un grand foyer, surmontée d'une cheminée tronconique, constituait la pièce principale. Partout vous verrez ces cheminées émerger des toitures à double ou à quadruple pans, dont les bords légèrement relevés permettent de fixer les couches de neige.

MODE D'EMPLOI

accès

EN VOITURE
Par la N240, qui relie Jaca à Pampelune. Pour Hecho, bifurquez à Puente la Reina. Pour Ansó, tournez à 9km à l'ouest de Puente la Reina. La route s'enfonce au cœur de la vallée, le long du Río Veral, traversant sur 5km le superbe goulet de la Foz de Biniés avant d'arriver à Ansó. L'A176, route municipale sinueuse d'une dizaine de

kilomètres, part un peu avant le village d'Ansó vers Hecho.

EN CAR
Escartín Six liaisons hebdomadaires Jaca-Hecho en été : départ à 22h40 du lun. au sam. (1h15 de trajet). Le reste de l'année, départ à 22h20 lun.-jeu. et sam., à 22h40 le ven. Correspondance pour Ansó à Hencho (1h). *Tél. 974 36 05 08*

orientation

Les deux vallées parallèles, orientées nord-sud, s'étirent chacune sur une quarantaine de kilomètres. Les deux bourgs principaux, **Ansó** et **Hecho**, sont situés à env. 25km au nord de la N240.

informations touristiques

Office de tourisme d'Ansó *Pl. de Domingo Miral, 1 Ansó Tél. 974 37 02 25*

Ouvert juil.-août : lun.-mar. 10h-12h et 18h30-20h30, mer.-dim. 10h-13h15 et 17h30-20h30 ; reste de l'année : w.-e. et j. fér. horaires variables
Centre d'interprétation de la vallée d'Ansó Informations et expositions sur la vallée (faune, flore, occupation humaine). *Sur la place desservie par la Calle Mayor* **Ansó** *Tél. 974 37 02 10 Ouvert juil.-août : tlj. 10h-14h et 16h-20h ; reste de l'année : w.-e. et j. fér. 10h-14h et 16-20h*
Office de tourisme de Hecho *Carretera de Oza* **Valle de Hecho** *(dans le museo de Arte contemporáneo) Tél. 974 37 55 05 www.valledehecho.net Ouvert Pâques, début juin-fin sept. : tlj. 10h30-13h et 17h30-20h ; hors saison, contacter la mairie entre 10h et 15h Tél. 974 37 50 02*

DÉCOUVRIR
Les vallées d'Ansó et de Hecho

Découvrir autrement Admirez l'architecture traditionnelle des villages, pique-niquez dans les alpages de Zuriza, admirer le christ roman de l'église San Pedro de Siresa

Ansó Cette visite vous permettra de bien appréhender l'architecture vernaculaire de la vallée. L'atmosphère qui règne dans ces ruelles est telle que l'on croirait presque qu'ici le temps s'est arrêté. Pourtant, les soirs d'été, une douce animation gagne le village : les anciens tirent leurs chaises sur le pavé pour refaire le monde, observant les visiteurs égarés.

Zuriza Le site, où s'étendent des prairies vertes et grasses, est vraiment splendide. Il est dominé par le mont Ezcaurri (2 047m), à l'ouest, et la sierra d'Alamo à l'est (2 167m), offrant un cadre idéal pour une sieste ou un pique-nique au bord de la rivière. Un peu plus haut, le refuge de Linza est le point de départ des ascensions du Petratxema (2 374m) et de la Mesa de los Tres Reyes (2 421m). Mais il existe plusieurs autres balades et randonnées à faire dans la vallée. Après Ansó, la vallée s'étire sur une quinzaine de kilomètres jusqu'à Zuriza.

Hecho Centre administratif de la vallée, Hecho a conservé de belles maisons typiques. L'une d'elles abrite un Musée ethnologique, où vous pourrez voir la reconstitution d'une cuisine traditionnelle et une collection de photos en noir et blanc datant des années 1920 et 1930. *Accès cf. Mode d'emploi* **Museo Etnológico Casa Mazo** *C/ Aire (près de l'église) Tél. 974 37 50 02 Ouvert été : tlj. 10h-13h30 et 18h-21h Tarif 1€*

Iglesia de San Pedro Cette église romane est le dernier vestige de l'important monastère de San Pedro, fondé par le comte Galindo Aznárez Ier au IXe siècle, lors de la création du comté carolingien des vallées de Hecho et de Canfranc. Il devient très vite l'un des plus influents des Pyrénées, accueillant près de 150 moines et une riche bibliothèque. Sa renommée est telle qu'au XIe siècle le monastère, repris par des augustins, est choisi pour dispenser l'éducation du futur roi d'Aragon, Alphonse Ier le Batailleur. Aujourd'hui, l'église, presque entièrement dépourvue d'ornementation, impressionne par son aspect massif et austère. Au milieu des retables gothiques, on notera tout particulièrement le splendide christ roman ; sa polychromie, intacte, en fait un exemple unique dans la région. *Siresa (2,5km au nord de Hecho) Tél. 974 37 50 02 ou 628 21 27 64 Ouvert juil.-sept. : tlj. 11h-13h et 17h-20h ; oct., avr.-juin : tlj. 11h-13h et 15h-17h ; nov.-mars : sur rdv Tarif 1,50€*

Les Pyrénées aragonaises hors des sentiers battus

À l'ouest du mont Perdu, paradis de haute montagne composé d'amples vallées glaciaires et de canyons abrupts, les vallées d'Ansó et de Hecho, sans doute moins spectaculaires, ont gardé intacte leur identité (dialecte, légendes, habitat rural, activité pastorale)...

Hébergement

Visites

● Randonner dans la vallée de Hecho

Outre le traditionnel GR®11, qui traverse toutes les Pyrénées, et la ramification GR®65.3 du chemin de Saint-Jacques-de-Compostelle, la vallée de Hecho offre un grand nombre de superbes balades et randonnées. Le circuit Oza-Guarrinza-Aguas Tuertas est un itinéraire relativement facile et praticable en famille (env. 3h AR). Vous y découvrirez notamment les dolmens et cromlechs de Guarinza, avant d'atteindre la vallée des "eaux tortueuses". On peut rallonger la marche de quelques heures en rejoignant le lac d'Estaens (Ibón de Astanés). Autres classiques : l'ascension au lac Acherito (Ibón de Acherito – 4h AR au départ de Guarrinza), le Camino Viejo, ou Camino de los Ganchos, ancien chemin des contrebandiers qui remonte la vallée de Hecho à Oza (5km env.), et la Calzada Romana, itinéraire de durée variable qui permet de longer les tronçons de l'ancienne voie romaine. Ces deux dernières randonnées peuvent faire l'objet d'un parcours en boucle. Enfin, si vous souhaitez entreprendre l'ascension d'un sommet, la plus facile est celle du Chipeta Alto (2 189m), promontoire qui, tel une proue de bateau, donne sur une vue splendide. L'office de tourisme du village de Hecho distribue un descriptif des balades et randonnées les plus connues. Deux cartes topographiques peuvent vous être utiles : *Ansó-Echo* (1/40 000, Éd. Alpina) et *Valles de Ansó, Echo, Aragüés* (1/40 000, Éd. Pirineo). Enfin, vous pouvez contacter les Guías del Valle de Hecho, un service de guides de haute et de moyenne montagne, officiant été comme hiver. **Guías del Valle de Hecho** *C/ Lobo Valle de Hecho* Tél. 974 37 54 21 ou 606 36 84 81

CARNET D'ADRESSES

Restauration, hébergement

Dans la vallée d'Ansó

Vous trouverez quelques pensions dans le village d'Ansó. Mais si vous souhaitez profiter pleinement de la nature, rendez-vous à Zuriza, sur les hauteurs de la vallée.

🍴 🛏 petits prix

Borda Arracona Installé dans un ancien refuge de berger, ce restaurant propose une bonne cuisine régionale à prix doux. Comme ailleurs dans la vallée, les délicieuses et consistantes *migas* (mies de pain poêlées avec de l'ail) sont une entrée incontournable. À compléter avec une bonne viande grillée et un café sur la terrasse fleurie. Comptez au moins 18€, réservation conseillée. *Route de Zuriza À 7km au nord d'Ansó Tél. 974 37 02 32 www.lospirineos.info/bordaarracona Ouvert Pâques-sept. tlj. à midi ; oct.-Pâques : w.-e. et j. fér.*

☺ **Camping-Hostal-Albergue de Zuriza** Plusieurs formules, mais un seul site spectaculaire au cœur des montagnes et prairies verdoyantes de Zuriza. Comptez env. 20€ pour 2 pers. avec une tente et une voiture. Si vous optez pour plus de confort, il vous en coûtera 75€ la nuitée en bungalow de 2 à 4 pers., 50€ pour une chambre double classique, ou 40€ avec sanitaires partagés. Enfin, idéale pour les petits budgets, le coût d'une nuit en dortoir de 60 pers. ne devrait pas excéder 14€. Également un bar-restaurant. Petit déj. 4€, demi-pension de 32 à 43€/pers. selon le mode d'hébergement choisi. *Ansó (16km au nord d'Ansó) Tél. 974 37 01 96 ou 974 37 01 60 ou 620 87 95 72 http://campingzuriza. valledeanso.com Ouvert mai-oct. : tlj. ; reste de l'année : w.-e. Fermé en nov. et une semaine en sept.*

☺ **Posada Magoría** Dans le village d'Ansó. Vous recherchez le charme d'une vieille maison traditionnelle meublée d'antiquités ? Un dîner végétarien aux produits biologiques et un massage aux huiles essentielles vous feraient le plus grand bien ? Vous préférez lire dans un jardin ou à l'abri d'une véranda ? Vous aimez les ambiances familiales ? Alors, vous allez adorer la Posada Magoría ! Double de 55 à 60€ selon la taille, dîner à 16€, petit déjeuner à 7€. Wifi. *C/ Milagro, 32 Ansó Tél. 974 37 00 49 www.lospirineos.info/magoria www. posadamagoria.com*

Dans la vallée de Hecho

Parmi les nombreuses possibilités d'hébergement dans la vallée, il faut également signaler différents refuges fréquentés par les randonneurs. La plupart des établissements servent à manger, le plus souvent des plats montagnards consistants, comme les *boliches*, haricots secs cuisinés avec des légumes et du chorizo.

🍴 👜 très petits prix

Casa Blasquico-Restaurante Gaby Derrière la profusion de plantes et d'arbustes se révèle un intérieur tout aussi exubérant, rempli d'antiquités et de bibelots. Malgré la surcharge décorative, l'ensemble est plutôt cosy et les six chambres, récemment repeintes et équipées de téléviseurs, offrent un bon confort. Le prix d'une double varie, selon sa taille, de 40 à 53€ ; comptez 6€ pour le petit déjeuner. Côté table, de délicieuses spécialités de saison et une bonne carte de vins. Le conseil du chef : goûtez à tout et partagez ! Comptez 30-35€ sans les boissons pour le menu dégustation. Menu à 16€ pour les pensionnaires. *Pl. La Fuente, 1* **Hecho** *Tél. 974 37 50 07 ou 657 89 21 28 www.casablasquico.es*

🍴 👜 petits prix

☺ **Hotel Rural Usón** Lucía et Imanol se sont donné beaucoup de mal pour faire de ce coin de verdure isolé un lieu de séjour confortable. Résultat : l'hôtel fonctionne à l'énergie solaire et offre un cadre écologique des plus appréciables. Superbe vue sur la montagne, un grand jardin, une tonnelle pour les soirs d'orage et plein de livres et de guides topographiques à feuilleter au coin de la cheminée. De plus, Imanol a adjoint une micro-brasserie à l'hôtel : vous pouvez y déguster (et acheter) des bières artisanales réalisées avec de l'eau des Pyrénées ! Comptez 58€ pour une chambre double avec sdb (petit déj. 6€) et 79€/pers. en demi-pension. Également quatre appartements pour 2 à 4 pers. (65-125€ la nuit), loués à la semaine en haute saison. *À 7 km au nord de Hecho sur la route de la Selva de Oza Tél. 974 37 53 58 www.hoteluson.com Fermé fin nov.-mars*

★☺ LE PARC NATIONAL D'ORDESA ET LE MONT PERDU

Parc national d'Ordesa ●

Huesca ○

Créé en 1918, ce parc national n'englobait alors que la vallée d'Ordesa. Il fut complété en 1982 par le massif culminant du Monte Perdido (mont Perdu, 3 355 m), les vallées d'Añisclo, d'Escuaín et de Pineta, passant ainsi de 2 100 ha à 15 608 ha. Son isolement géographique a permis au mont Perdu de conserver presque inchangées au fil des siècles ses traditions agropastorales et sa physionomie, ce qui lui a valu d'être classé par l'Unesco au patrimoine de l'humanité en 1997. Associé au cirque de Gavarnie, situé de l'autre côté de la frontière, le parc d'Ordesa forme l'un des domaines naturels les plus spectaculaires des Pyrénées, modelé par des massifs à la physionomie tourmentée : larges vallées glaciaires, profondes brèches fluviales, cimes enneigées, cascades vertigineuses... un paradis pour les amoureux de la montagne ! Trois sentiers de grande randonnée et une infinité d'itinéraires permettent d'en découvrir les plus beaux atours.

LE DERNIER REFUGE DU GYPAÈTE BARBU Classé parmi les espèces menacées d'extinction en 1990, le gypaète barbu a trouvé dans les hauts reliefs des Pyrénées l'un de ses derniers refuges en Europe. Le parc national d'Ordesa recense aujourd'hui plusieurs couples reproducteurs. Bien qu'il soit difficile à observer, le gypaète est reconnaissable à sa très grande envergure – jusqu'à 2,80m –, à son plumage noir et orangé, à l'anneau rouge autour de son œil et à la petite barbiche de plumes qui dépasse de son bec. Son nom espagnol, *quebrantahuesos* ("celui qui brise les os"), fait allusion à son régime d'alimentation bien particulier. Le gypaète est en effet un rapace ostéophage, qui laisse tomber les os en plein vol pour en ingérer ensuite les débris. Sa survie tient donc à la présence des charognards et notamment d'importantes colonies de vautours fauves. Outre les nombreux oiseaux de proie, il faut citer le crave à bec rouge, le coq de bruyère et la perdrix des neiges. Parmi les mammifères, vous observerez peut-être l'isard (chamois des Pyrénées), fréquent dans les hauteurs, la marmotte ou le desman des Pyrénées, sorte de rat musqué insectivore.

UNE GRANDE VARIÉTÉ DE FLEURS La forêt, qui occupe 18% de la surface du parc, comprend des hêtres, des sapins, des pins sylvestres et des pins noirs. Parmi les arbustes, on trouve du buis dans les sous-bois, utilisé pour la fabrication de cuillères artisanales. Près de 1 500 espèces de fleurs ont été recensées ici, du rhododendron au rare edelweiss en passant par les espèces endémiques tels le chèvrefeuille des Pyrénées, la saxifrage à longues feuilles et la primevère auriculaire.

MODE D'EMPLOI

accès

EN CAR
Alosa Il faut rejoindre Sabiñánigo (18km à l'est de Jaca et 54km au nord de Huesca) ou Ainsa, puis continuer sur Torla. *Tél. 902 21 07 00 www.alosa. es http://alosa.avanzabus.com*
Hudebus À partir d'Ainsa et Sabiñánigo, cars pour Torla. *Tél. 974 21 32 77*
Bergua Relie Ainsa à Bierga. *Tél. 974 50 00 18*

orientation

Le parc est divisé en quatre vallées principales : Ordesa au nord-ouest, Añisclo et Escuaín au sud et Pineta au nord-est. Les villages de **Torla** et de **Bielsa** constituent les deux points d'entrée principaux, ouverts sur les vallées d'Ordesa et de Pineta.

se déplacer

BUS
Attention : il est interdit de circuler en voiture dans le parc. Lors de la Semaine sainte et de fin juin à octobre, la route qui mène de Torla au parking de La Pradera (*aparcamiento*) est coupée pour éviter une trop grande affluence dans le parc national. Un service de bus, aux

LES PYRÉNÉES ARAGONAISES

horaires variables, est mis en place à partir de Torla (rens. www.vallebroto.com). Départs toutes les 15-30min de 7h à 18h (6h-19h en juil.-août). Dernier retour de La Pradera à 20h30 (22h en juil.-août). Comptez 4,50€ AR.

informations touristiques

Les centres d'information du parc, dispersés dans les quatre vallées, fournissent des cartes schématiques et des fiches descriptives des principaux itinéraires. Les centres de Torla, Escalona et Bielsa sont ouverts toute l'année, les autres de Pâques à octobre. *http://reddeparquesnacionales.mma.es www.pirineosordesa.com Tél. 974 48 64 21*
Centre des visiteurs El Parador de Torla (vallée d'Ordesa) Renseignements pratiques et expositions consacrées au parc (géologie, faune et flore). *Av. de Ordesa, 19 Torla Tél. 974 48 64 72 Ouvert été : tlj. 9h-14h et 16h15-20h ; reste de l'année : tlj. 9h-14h et 15h15-18h*
Bureau d'Escalona (vallée d'Añisclo) *Av. de Pineta, 6 Escalona Tél. 974 50 51 31 Ouvert Pâques-fin oct. : tlj. 9h-14h et 16h15-19h ; reste de l'année : lun.-ven. 9h-14h, w.-e. 9h-14h et 15h15-18h*
Centre des visiteurs de Tella (vallée d'Escuaín) *C/ de la Iglesia Tella Ouvert Pâques-Toussaint : tlj. 9h-14h et 16h15-19h*

Bureau de Bielsa (vallée de Pineta) *Pl. Mayor Bielsa Tél. 974 50 10 43 Ouvert Pâques-Toussaint : tlj. 9h-14h et 16h-19h ; reste de l'année : lun.-ven. 8h-15h, w.-e. et j. fér. 9h-14h et 15h-18h*
Office de tourisme de Torla *C/ Fatás s/n 22376 Torla Tél. 974 48 63 78 www.torla.es Ouvert Pâques, mi-juin-mi-sept. : lun.-sam. 9h-13h30 et 17h-21h, dim. et j. fér. 9h-13h30 Hors saison, vous pourrez consulter la borne informatique installée à l'extérieur de l'OT ou contacter la mairie de Torla (Tél. 974 48 61 52)*
Office de tourisme de Bielsa *En cas de fermeture, s'adresser à la mairie Pl. Mayor Bielsa (dans le bâtiment de la mairie) Tél. 974 50 11 27 www.bielsa.com Ouvert Pâques, début juil.-fin sept. : tlj. 10h-14h et 16h-20h ; reste de l'année : j. fér. 10h-14h et 16h-20h*
Mairie de Bielsa *Tél. 974 50 10 00*

fêtes et manifestations

Carnaval de Bielsa Réputé, il reprend des traditions anciennes, avec notamment des personnages populaires comme l'ours, le dompteur, la *Madama*, jeune célibataire coquette, ou la *Tranga*, effrayant personnage avec de grandes dents et des cornes. À ne pas manquer ! *Fév.-mars*

DÉCOUVRIR
Le parc national d'Ordesa

☆**Les essentiels** Le cirque de Soaso **Découvrir autrement** Assistez au carnaval de Bielsa et passez la nuit au Parador (cf. Carnet d'adresses), traversez en voiture le canyon d'Añisclo

Valle de Ordesa Elle est accessible du ravissant village de **Torla**, dont le clocher d'église se découpe sur le décor montagneux. Cette majestueuse vallée glaciaire est sans aucun doute la plus célèbre du parc. Outre le car, il existe un agréable sentier permettant de rejoindre en 2h le parking de La Pradera, point de départ des randonnées (départ à droite après le tunnel de Torla).

Plan 13 Le parc national d'Ordesa

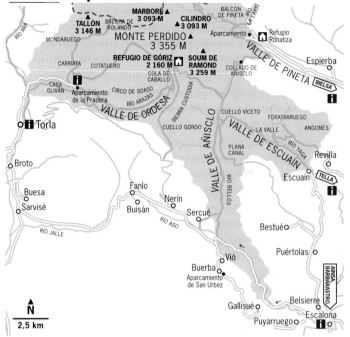

N
2,5 km

LES PYRÉNÉES ARAGONAISES

Valle de Añisclo Formation géologique la plus spectaculaire du parc, le canyon d'Añisclo est une brèche étroite et abrupte, longue d'une vingtaine de kilomètres, qui fend littéralement la montagne en deux. On peut découvrir ses gorges inférieures en empruntant la route à sens unique qui relie Puyarruego au parking de San Urbez, situé à la jonction pour Buerba. L'expérience est saisissante. En effet, sur une dizaine de kilomètres, celle-ci longe les eaux vertes et bondissantes du Río Bellós et semble presque engloutie dans un monde de pierres roses et grises. La partie supérieure du canyon n'est accessible qu'aux marcheurs.

SKIER DANS LES PYRÉNÉES ARAGONAISES
Les grandes stations de sports d'hiver comme Candanchú se situent autour de Jaca, cf. Amateurs de glisse... (p.414)

Valle de Escuaín Creusée par la plaie profonde du canyon d'Escuaín, cette belle vallée fluviale est peut-être moins grandiose que ses voisines, mais elle est de ce fait la moins fréquentée des quatre vallées principales du parc.

Valle de Pineta En venant de Bielsa, la route s'arrête brusquement au fond de cette large vallée glaciaire fermée par une corolle de dents aiguisées, culminant à plus de 3 000m, d'où s'épanchent d'impressionnantes cascades. *Accès cf. Mode d'emploi*

● **Randonner dans le Valle de Ordesa jusqu'à la cascade de la Cola del Caballo** La Cola de Caballo est la grande vedette des randonnées d'Ordesa (env. 6h-7h AR, 550m de dénivelé). Le sentier, large et très bien indiqué, s'enfonce dans les hêtraies, longeant la rive gauche du Río Arazas et les cascades d'Arripas et d'Estrecho. Peu à peu la forêt s'éclaircit, et après la splendide cascade en escalier des Grados de Soaso, on atteint le vaste ★ **cirque de Soaso** dominé par les trois plus hauts sommets du parc – d'ouest en est, le Cilindro (3 093m), le Monte Perdido (3 355m) et le Soum de Ramond (3 259m). La traversée du cirque s'achève à la cascade de la Cola del Caballo (la "queue du cheval"). Le retour s'effectuera par le même chemin, jusqu'à la cascade Estrecho, où l'on pourra traverser la rivière et longer l'autre rive. La vallée d'Ordesa est également le point de départ de randonnées plus difficiles. Du refuge de Góriz (2h AS et 400m de dénivelé à partir de la Cola del Caballo, 4h à partir de La Pradera), partent divers itinéraires de randonnée dans le parc (Monte Perdido, Collado de Añisclo, Brecha de Rolando, etc.).

● **Randonner dans le Valle de Añisclo** S'il est difficile d'atteindre le Collado de Añisclo au fond du canyon, il est vivement recommandé de rejoindre la Ripareta, à mi-chemin (5h AR, 450m de dénivelé).

● **Randonner dans le Valle de Escuaín** Parmi les différentes balades, il faut signaler celle de Los Miradores de Revilla (1h AR), qui part de la grande cour située au-dessous de Revilla, où l'on peut se garer, et rejoint un belvédère sur les gorges d'Escuaín, apprécié des ornithologues pour l'observation des gypaètes barbus. De l'autre côté de la vallée, un agréable sentier part du village d'Escuaín et descend jusqu'à la Surgencia del Yaga, une cascade haute d'une dizaine de mètres (2h AR env.). Enfin, la Ruta de las Ermitas, une boucle qui part de Tella (env. 1h30), dessert trois ermitages romans et offre de belles vues sur les massifs.

● **Randonner dans le Valle de Pineta** L'ascension jusqu'au Balcón de Pineta, à 2 580m d'altitude, est l'une des randonnées les plus courues, mais

---

Pour randonner dans le parc national d'Ordesa...

Amateur de randonnées, munissez-vous d'une des cartes topographiques couvrant le parc : *Ordesa y Monte Perdido* (1/40 000, Éd. Alpina), *Parque Nacional de Ordesa y Monte Perdido* (1/40 000, Éd. Prames), *Gavarnie-Ordesa* (1/50 000, Éd. Rando/Institut Cartògrafic Catalunya, carte n°24). Côté guides, Amador Coscolla propose divers circuits et traversées de haute et de moyenne montagne. Les Guías de Torla organisent aussi des sorties de trekking et autres activités sportives aux abords du parc.

Amador Coscolla *Albergue El Último Bucardo Linás de Broto* **Broto** *Tél.* 974 48 63 23 *www.elultimobucardo.com*
Guías de Torla *C/ de A. Ruata* **Torla** *Tél.* 974 48 64 22 ou 616 70 68 21 *www.guiasdetorla.com*

non des plus faciles (8h AR env., 1300m de dénivelé !) et vraiment dangereuse en hiver. On est toutefois largement récompensé par la vue spectaculaire qui s'ouvre sur la vallée et sur le glacier du Monte Perdido. Après un dernier effort, on atteint le lac Marboré. Les petits marcheurs pourront se contenter de la Ruta de las Cascadas, sentier facile (2h AR jusqu'au Puente de Lalarri ou 3h jusqu'au cirque de Lalarri).

Les environs du parc national d'Ordesa

Ainsa Situé au pied du parc d'Ordesa, à 580m d'altitude, le village d'Ainsa mérite une visite pour son quartier médiéval, qui surplombe le centre moderne. En remontant les deux belles rues pavées, on prendra le temps d'observer les blasons et façades des demeures aristocratiques et les formes et motifs singuliers de leurs heurtoirs. Mais le joyau du vieil Ainsa est sa grande place à arcades (XIIᵉ-XIIIᵉ s.), dont la structure n'a jamais été modifiée. L'église romane du XIIᵉ siècle, qui domine la place, conserve une remarquable crypte et un petit cloître triangulaire. Du haut du clocher, vue panoramique sur le village. Au nord, la place s'ouvre sur le château, dont ne subsistent aujourd'hui que les murailles du XVIᵉ siècle. *À 34km au sud de Bielsa par l'A138 et à 40km au sud-est de Torla par la N260 Cars à partir de Barbastro*

● **Randonner dans la vallée de Benasque** La vallée de Benasque, située à 70km au nord-est d'Ainsa par la N260 puis l'A139, est la plus accidentée des Pyrénées aragonaises. La randonnée vedette est bien sûr l'ascension du pic d'Aneto (3 408m) mais, d'après les montagnards avertis, la vraie performance est la montée du Posets, qui culmine à 3 371m à l'ouest de la vallée. Attention, ces randonnées nécessitent un bon entraînement et du matériel de montagne. Moins technique, mais tout aussi grandiose, la randonnée vers le Lago de Cregüeña (2 657m), le plus grand lac du massif de la Maladeta. Le paysage lunaire des Lagos de Vallibierna mérite également une mention particulière. Enfin, pour les moins chevronnés, citons la belle balade à la cascade Forau de Aigüallut en partant de La Besurta. Sachez aussi qu'un service de bus est mis en place en été pour permettre aux randonneurs de relier le parking de La

Skier dans la vallée de Benasque

Cerler, située à 7km au nord-est de Benasque, est la station la plus haute des Pyrénées aragonaises et l'une des plus grandes. En plus d'un paysage magnifique, vous y trouverez des installations très modernes. Sinon, rendez-vous à Llanos del Hospital, à 15km de Benasque, au fond de la vallée.

Station	Domaine skiable	Sommet	Rens./état des pistes
Cerler	76km, 65 pistes, 18 remontées	2 630m	Tél. 974 55 10 12/11 11 www.cerler.com
Llanos del Hospital	Ski de fond uniquement (3 circuits de 30km)		Tél. 974 55 20 12 www.llanosdelhospital.com

LES PYRÉNÉES ARAGONAISES

Besurta (via Llanos del Hospital) ou la vallée de la Vallibierna au départ de Benasque. Pour une vue générale de la vallée, vous pouvez utiliser la carte topographique *Valle de Benasque* (1/30 000, Éd. Alpina) mais, pour plus de détails sur les massifs, préférez la carte bilingue français-espagnol *Aneto-Posets* (1/50 000, Éd. Rando/ Institut Cartogràfic de Catalunya).

● **Faire une cure thermale**
Balneario Baños de Benasque Dans un cadre splendide au-dessus de la vallée. Les eaux thermales de Benasque (entre 30° et 37°C) étaient déjà utilisées au temps des Romains pour leurs vertus médicinales. Bains à partir de 5,50€ (jacuzzi 20min) et forfaits à la journée, massages de 30 à 40€ (25 à 45min). *À 10km au nord de Benasque par l'A139 Tél. 974 34 40 00 ou 974 55 10 11 www.hotelesvalero.com Ouvert mi-juin-fin sept. : tlj. 8h-20h*

CARNET D'ADRESSES

Restauration, hébergement

 camping

Camping Río Ara De tous les campings de Torla, c'est notre préféré, situé un peu à l'écart au bord de la rivière, à seulement 800m du village. Bien équipé et baignade possible sous le pont. Comptez 20€ env. pour 2 pers. avec tente et voiture. *Torla (sur la route d'Ordesa – 1re à droite à la sortie de Torla –, de l'autre côté du pont) Tél. 974 48 62 48 www.ordesa.net/camping-rioara Ouvert Pâques-oct.*

Camping Valle Añisclo À Puyarruego, à l'entrée de la splendide route qui traverse la partie inférieure de la gorge d'Añisclo. Bel espace vert arboré et joli coin de baignade sous le pont du Río Bellós. Env. 16,50-18€ pour 2 pers. avec tente et voiture. Dispose également de quelques bungalows (56-95€ selon la taille et la saison)

*Puy **Puyarruego** (à 2km au nord-ouest d'Escalona et 41km au sud d'Añisclo) Tél. 974 50 50 96 ou 974 50 50 36 www. pirineosguiadeservicios.com/camping valleanisclo/ Ouvert Pâques-mi-oct.*

très petits prix

Refugio de Góriz À 2 160m d'altitude, c'est le seul refuge gardé du parc (72 places). La nuitée revient à 16,30€/pers., le petit déj. à 5,60€, le panier pique-nique 12,80€ et le dîner (servi à 19h) à 16,80€ ; réduction pour les membres du Club alpin français. Camping autorisé. Notez que vous prendrez ici des douches... froides ! Réservation obligatoire par Internet au moins 3 jours à l'avance. Paiement en espèces uniquement. *Accès de Torla, Nerin, Pineta, Bujaruelo et Añisclo Tél. 974 34 12 01 www.goriz.es Ouvert toute l'année*

☺ **Hotel Lamiana** Gérés par une famille de bergers et de gardes forestiers, un hôtel et une petite aire de camping installés dans un site splendide, au-dessus de la vallée d'Escuaín. Il y a parfois des groupes, mais vous avez en général la montagne pour vous tout seul. Le soir, ne manquez pas de goûter à l'excellent agneau de la maison en discutant avec vos hôtes. Double (impeccable) à 40€ ; dîner à 14€. *Tella (5km au nord-ouest de Tella) Tél. 974 34 10 66*

🍴 💼 prix moyens

Hôtel Villa de Torla Installé sur la place principale de Torla, dans une belle maison aragonaise, ce 2-étoiles propose des chambres doubles très correctes. On appréciera les vues sur le village de la terrasse et de la piscine, bien délassante au retour d'une randonnée. Pour une double avec sanitaires comptez 70€. Petit déj. 6€, demi-pension 21€. *Pl. Aragon, 1 Torla Tél. 974 48 61 56 www.hotel villadetorla. com Fermé Noël-mars*

☺ **Casas de Zapatierno** Ici, c'est une affaire familiale, et les quatre gîtes ruraux sont un véritable paradis. Intérieur aménagé avec goût, belles façades en pierre et un grand jardin ombragé où faire la sieste ou organiser une soirée barbecue. Idéal pour un week-end ou un séjour en famille. Trois petits gîtes pour 4 pers. (100€ la nuit et 700€ la semaine en haute saison), et une grande maison pour 5 pers. (180€ la nuit et 1 100€ la semaine). *Espierba (à 5,6km au nord-ouest de Bielsa, sur la route du parador de Bielsa) Tél. 974 50 40 06 ou* 627 56 35 19 *www.casasdezapatierno. com Ouvert toute l'année*

🍴 💼 prix élevés

Parador de Bielsa La chaîne des Paradores s'est trouvé une place de choix dans le cadre majestueux de la vallée de Pineta, dont les hautes crêtes et les cascades dominent le cours du Río Cinca. Si vous ne pouvez vous y offrir une nuit, allez au moins prendre un verre sur la terrasse panoramique. Chambre double de 100 à 176€, promotions sur Internet. *Au fond de la vallée de Pineta, à 14km au nord-ouest de Bielsa par la HUV6402 Tél. 974 50 10 11 www.parador.es Ouvert mars-nov.*

LES PYRÉNÉES ARAGONAISES

GAMME DE PRIX	RESTAURATION	HÉBERGEMENT
Très petits prix	moins de 12€	moins de 50€
Petits prix	de 12 à 20€	de 50 à 65€
Prix moyens	de 20 à 30€	de 65 à 85€
Prix élevés	de 30 à 50€	de 85 à 130€
Prix très élevés	plus de 50€	plus de 130€

Collégiale Santa María la Mayor, Alquézar (p.405).

Platja del Trabucador, parc naturel du Delta de l'Èbre (p.254).

L'ARAGON
CENTRE ET SUD

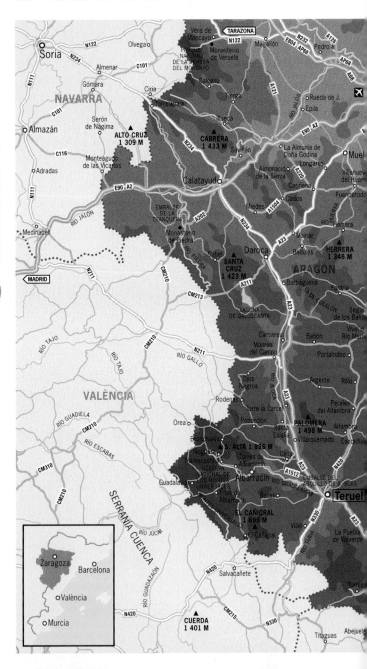

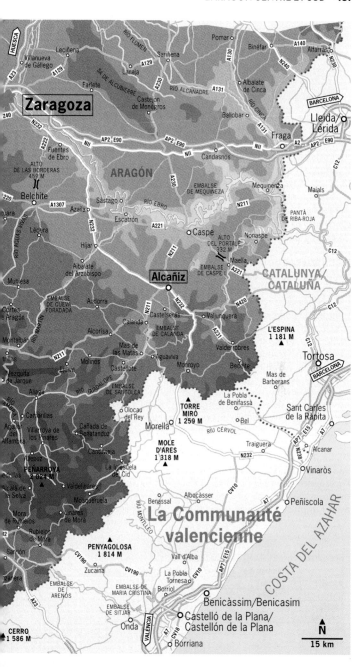

HUESCA

A140

Pomar
Binéfar
Alfarràs
N230

Leciñena
Villanueva
de Gállego
A129
A23
Sariñena
Lanaja
A129
A130
Albalate
de Cinca
N240
Ballobar
BARCELONA

Zaragoza
Z40
N232
Farlete
Castejón
de Monegros
A230
RÍO ALCANADRE
A131
RÍO CINCA
Fraga
N-II
A2
Lleida/
Lérida
AP2 E90
C12

A222
Fuentes
de Ebro
ALTO
DE LAS BORDERAS
459 M
AP2 E90
AP2 E90
N-II
Candasnos
ARAGÓN
A230
EMBALSE
DE MEQUINEZA
Mequinenza
A211
Maials
PANTÀ
DE RIBA-ROJA

220
Belchite
A1307
Azaila
N232
Sástago
RÍO EBRO
A221
Escatrón
Alto
del Portale
332 M
Caspe
Nonaspe
C12

Lécera
Híjar
A211
Maella
EMBALSE
DE CASPE
A221
CATALUNYA/
CATALUÑA

Muniesa
Albalate
del Arzobispo
EMBALSE
DE CUEVA
FORADADA
Andorra
A211
N232
Castelserás
Valjunquera
N420
N231
C12

Cortes
Aragón
Alcorisa
Calanda
EMBALSE
DE CALANDA
Valderrobres
L'ESPINA
1 181 M
Tortosa
Montalbán
N211
Mas de
las Matas
Aguaviva
Monroyo
Beceite
BARCELONA

trillas
Ejulve
Molinos
Castellote
Mas de
Barberans

Mezquita
de Jarque
Aliaga
RÍO GUADALOPE
EMBALSE
DE SANTOLEA
Olocau
del Rey
TORRE
MIRÓ
1 259 M
La Pobla
de Benifassà
Sant Carles
de la Rápita

Cañarillas
Aguilar
del
Alfambra
Villarroya de
los Pinares
Cañada de
Benatanduz
Morella
Bel
RÍU CÉRVOL
AP7 E15
A7
Alcanar

Cantavieja
MOLE
D'ARES
1 318 M
Traiguera
N232
N238
Vinaròs

Ababuz
PEÑARROYA
2 024 M
La Iglesuela
del Cid
Peñíscola

edillas
Alcalá de
la Selva
Valdelinares
Benassal
Albocàsser
CV10
COSTA DEL AZAHAR

Mora
de Rubielos
Mosqueruela
Linares
de Mora
**La Communauté
valencienne**

Rubielos
de Mora
PENYAGOLOSA
1 814 M
Vall d'Alba
AP7 E15

Sarrión
CV190
Zucaina
CV190
La Pobla
Tornesa
CV10
A7
CV18

zañera
A23
EMBALSE
DE
ARENÓS
EMBALSE DE
MARIA CRISTINA
Borriol
Benicàssim/Benicasim

EMBALSE
DE SITJAR
VALENCIA
Onda
Castelló de la Plana/
Castellón de la Plana

CERRO
1 586 M
Bórriana

N
15 km

L'ARAGON CENTRE ET SUD

SARAGOSSE

de 50001 à 50019

Saragosse

Établie sur le cours de l'Èbre, au milieu des vastes plaines désertiques du cœur de l'Aragon, Saragosse (680 000 hab. env.) s'impose comme le grand carrefour du Nord-Est espagnol. Toutes les grandes industries et universités s'y concentrent, conférant à la capitale régionale une image résolument moderne et dynamique. Mais Saragosse, c'est aussi l'emblématique basilique baroque Nuestra Señora del Pilar, dont les coupoles et clochers s'élancent triomphalement au-dessus du quartier historique. La Vierge et le pilier (*pilar*) qu'elle aurait rapporté de Palestine il y a près de deux mille ans y sont honorés chaque jour par des centaines de dévots et donnent lieu chaque année, vers le 12 octobre, à l'une des plus grandes fêtes religieuses espagnoles : les Fiestas del Pilar.

DE CAESARAUGUSTA LA ROMAINE À SARAQUSTA LA MAURE Compte tenu de sa situation stratégique au bord de l'Èbre, le site de l'antique cité ibère de Salduie, détruite en 45 av. J.-C., ne peut laisser les Romains indifférents. Fondée vers 14 av. J.-C., la colonie de Caesaraugusta, du nom de l'empereur Auguste, devient une cité florissante, tournée vers le commerce fluvial et maritime. Après sa christianisation et son intégration au royaume wisigoth, la ville perd peu à peu de sa superbe, jusqu'à l'arrivée des troupes arabes de Musa Ibn-Nusayr, en 714. La nouvelle Saraqusta, également connue sous le nom de Medina Albaida ("ville blanche" en arabe), devient un des pôles du califat de Cordoue, puis, en 1018 la capitale du premier des *taifas*, ces petits royaumes nés du morcellement d'Al-Andalus. C'est de cette période que date l'un des monuments les plus visités de Saragosse, l'Aljafería, somptueux palais de villégiature.

DE LA RECONQUÊTE À LA RENAISSANCE Après la Reconquête, en 1118, par Alphonse Ier le Batailleur, qui fait de Saragosse sa capitale, l'accroissement de la population s'accélère, favorisé par l'établissement des *fueros*, système de droits et de privilèges garantis aux citoyens. Sous l'impulsion des rois d'Aragon et plus tard des Rois Catholiques,

Tableau kilométrique

	Saragosse	Alcañiz	Daroca	Lérida	Huesca
Alcañiz	105				
Daroca	89	160			
Lleida (Lérida)	150	119	239		
Huesca	72	147	163	116	
Tarazona	87	203	137	235	156

les premiers grands édifices religieux voient le jour, consacrant l'avènement du gothique mudéjar. Au XVIᵉ siècle, la ville est rabaissée au rang de capitale provinciale au profit de Madrid, mais son activité commerciale et son autonomie politique lui permettent de consolider sa richesse. De cet âge d'or, la ville conserve quantité de splendides palais Renaissance et une prestigieuse bourse du commerce, la Lonja.

DU XIXᵉ SIÈCLE À NOS JOURS : UNE VILLE EN EXPANSION Au XIXᵉ siècle, après avoir résisté héroïquement aux troupes napoléoniennes et essuyé deux terribles sièges, la ville reprend son expansion grâce au développement de l'agriculture puis à la révolution industrielle. Mais, au XXᵉ siècle, ce sont les conséquences économiques catastrophiques de la guerre civile qui déclenchent un exode rural massif vers la capitale provinciale. La désertification des campagnes se poursuit, à peine freinée par le développement du tourisme dans les Pyrénées. Devenue un pôle économique majeur, Saragosse regroupe à elle seule la moitié de la population aragonaise. Vitrine de cette expansion, l'Exposition internationale consacrée à l'eau et au développement durable organisée par la municipalité en 2008 a attiré près de 6 millions de visiteurs.

L'ARAGON CENTRE ET SUD

MODE D'EMPLOI

accès

EN AVION
Aéroport Agrandi pour l'Exposition internationale de 2008, il accueille, notamment, des avions de la compagnie Ryanair en provenance de Paris-Beauvais et Bruxelles-Charleroi. Liaisons avec les îles espagnoles (Baléares, Canaries). *À 9km à l'ouest, accessible par une bifurcation de la N232 direction Logroño Tél. 976 71 23 00 www.zaragoza-airport.com* **Point d'informations touristiques** *Tél. 976 78 09 82 Ouvert tlj. 10h-21h Fermé 24 et 31 déc. l'aprèsmidi, 25 déc. et 1ᵉʳ jan.*
CTAZ Du lun. au sam., des autobus de la compagnie relient l'aéroport au centre-ville (Paseo María Agustín, 7) toutes les 30min de 6h15 à 23h15. Dans l'autre sens, départs de 5h30 à 22h30. Le trajet dure env. 45min et coûte 1,70€. *Tél. 902 30 60 65 www.consorciozaragoza.es*

Taxis Comptez env. 19€ en semaine et 25€ le week-end. *Tél. 976 75 75 75 ou 976 38 38 38 ou 976 42 42 42*

EN VOITURE
L'AP2-E90 permet de rejoindre Saragosse de la côte sud de Barcelone à l'est (318km), via Lleida (154km). Comptez env. 70km de Huesca, dans les contreforts des Pyrénées, par l'A23-E7.

EN TRAIN
Gare Renfe de las Delicias (hors plan 14 par A2) Liaisons avec Huesca (5 ou 6 trains/j., 1h15, 8€ AS) et Barcelone (env. 15 trains/j., 1h30, 2h ou 5h de trajet, 71,50AS). TGV pour Madrid (1h30, 65,50€) et Lleida (50min, 32,50€). Également 3 trains/j. pour Valence via Teruel (5h, 33€ AS). *(bus n°51 du Paseo de la Constitución)* Av. de Navarra, 80 (à l'ouest du centre-ville) *Tél. 902 32 03 20 www.renfe.com*

L'ARAGON CENTRE ET SUD

Point d'informations touristiques
*Tél. 902 14 20 08 ou 976 20 12 00
Ouvert tlj. 10h-20h Fermé 24 et 31 déc.
l'après-midi*

EN CAR
Gare routière *Av. de Navarra, 80
Tél. 902 49 06 90 www.estacion-zara-
goza.es*
Grupo Autobuses Jiménez La compagnie relie quotidiennement Saragosse à Murcie (9h, 35€ env.) via
Valence (4h, 20€), Benidorm et Alicante (7h30, 30€). *Tél. 941 38 00 66 ou
902 49 06 90 www.grupo-jimenez.com*
Alsa Relie quotidiennement Saragosse à Barcelone (env. 20 cars/j.,
3h45 de trajet, 16€ AS) et à Valence
(2 cars/j., env. 8h de trajet, de 37 à
47€ AS), notamment. *Gare routière
Tél. 902 42 22 42 www.alsa.es*

orientation

Le quartier historique, délimité au
nord par l'immense Plaza del Pilar
et traversé du nord au sud par deux
grandes artères piétonnes et commerçantes, Calle de Alfonso I et Calle de
Don Jaime I, est encerclé par le boulevard du Coso et l'Avenida de César
Augusto qui suivent l'ancien tracé des
murailles. Au sud, la Plaza de España
annonce le centre moderne qui s'organise autour de l'avenue du Paseo de
la Independencia.

se déplacer en ville

EN VOITURE
La circulation et le stationnement
étant un peu compliqués et tous les
monuments relativement proches les
uns des autres (mis à part l'Aljafería,
un peu excentrée, à l'ouest du cœur
historique), nous vous conseillons de
laisser votre véhicule dans l'un des
nombreux parkings souterrains et de
visiter la ville à pied !

À BORD D'UN BUS TOURISTIQUE
Les bus touristiques circulent les
week-ends, j. fér. et lors des vacances
scolaires. Le billet (tarif 7,50€, réduit
5,50€/4,50€), valable toute la journée,
offre des réductions dans les musées
et autres lieux de visite. Deux parcours s'offrent à vous : Bus de jour et
Megabús. Le Bus de jour part toutes
les 25min de la Calle Don Jaime I et
effectue son tour complet en 1h15 env.
En été, les ven. et sam., s'ajoute un bus
de nuit : départ à 21h45, une heure
de balade pour 11€/7,80€. Pour le
Megabús, départs à 16h30 ou 20h15,
selon la période, une heure de circuit.

À VÉLO
Bizi *Tél. 902 31 99 31 www.biziza-
ragoza.com www.zaragoza.es/bici
Ouvert lun.-jeu. 6h-0h, sam. 8h-1h et
veille de j. fér., dim. et j. fér. 8h-0h* **Vinci
Park** Inauguré en 2008, Bizi, le parc de
vélos en libre-service de Saragosse,
compte un bon millier de cycles et
plus de 100 stations réparties dans
toute la ville. Inscription obligatoire
en ligne. Tarif : 0,50€ les 30min ou
5€ pour 3j. Si vous garez votre voiture dans un parking Vinci Park, on
vous prêtera un vélo gratuitement.
Tél. 902 23 02 70 www.vincipark.es

informations touristiques

Les points d'information de l'office
de tourisme municipal sont très
bien documentés. Vous y trouverez,
notamment, des renseignements sur
les Paseos Guiados ("Promenades guidées") : des visites guidées en espagnol d'env. 2h30 sur différents thème
(la Saragosse romaine, médiévale,
Renaissance, mudéjar...). Tarif 5,30€,
réduit 2,80€, gratuit avec la Zaragosa
Card. Sont également proposées des
visites guidées du centre historique
en français, les "Walking Tours", qui
partent du bureau de tourisme de la

Plaza del Pilar. Tarif 5,50€. La réservation, obligatoire, peut se faire par téléphone ou par Internet jusqu'à 13h la veille. Dans les offices de tourisme, les bornes Internet offrent un accès gratuit de 10min aux informations touristiques émanant de la mairie. *Tél. 902 20 12 12 ou 976 20 12 00 www.turismozaragoza.es*

Office de tourisme municipal Plaza del Pilar (plan 14, C1) *Pl. del Pilar (dans le cube en verre en face de l'entrée de la basilique de Nuestra Señora del Pilar) Tél. 902 14 20 08 ou 976 20 12 00 infoturismopilar@zaragoza.es Ouvert 15 juin-17 oct. : tlj. 9h-21h ; reste de l'année : tlj. 10h-20h Fermé 24 et 31 déc. l'après-midi*

Office de tourisme municipal Torreón de la Zuda (plan 14, C1) Restaurée en 2001, cette tour mudéjare du XVe siècle, édifiée sur les fondations de l'ancien alcazar arabe, abrite désormais l'office de tourisme municipal. Il est possible de monter au 4e étage pour profiter d'une belle vue panoramique (gratuit). *Glorieta de Pio XII (à l'extrémité ouest de la Pl. del Pilar) Tél. 976 20 12 00 ou 902 14 20 08 Ouvert lun.-sam. 10h-14h et 16h30-20h, dim. 10h-14h Fermé 24 et 31 déc. l'après-midi*

Office de tourisme provincial (plan 14, C2) Fournit des informations sur toute la province de Saragosse. *Plaza de España, 2 Tél. 976 21 20 32 http://zaragozaturismo.dpz.es Ouvert lun.-ven. 10h-14h et 17h-20h*

Office de tourisme d'Aragon (plan 14, B2) *Av. de César Augusto, 25 Tél. 976 28 21 81 www.turismodearagon. com Ouvert lun.-ven. 9h-14h et 17h-20h, w.-e. et j. fér. 10h-14h et 17h-20h*

Zaragoza Card Valable 24h (18€), 48h (21€) ou 72h (24€), cette carte en vente dans les offices de tourisme et sur Internet confère la gratuité sur 5, 7 ou 9 trajets dans les transports publics et vous assure un libre accès aux principaux monuments et musées de la ville. Elle vous permet également de bénéficier de réductions auprès de nombreux prestataires de services tels qu'hôtels, restaurants, espaces de loisirs, loueurs de voitures et même boutiques. Les gourmands se procureront la Zaragoza Card Tapas (12€ pour 72h) et les familles, la Zaragoza Family Card (9€, 5-7 ans 7,80€, sans limitation de durée). *www.zaragozacard.com*

banques et poste

Les banques se situent sur le Paseo de la Independencia, la C/ de Don Jaime I et la C/ Coso (plan 14, C2). Des espaces wifi sont disponibles dans les édifices et espaces publics ainsi que dans certains restaurants et bars (se renseigner à l'office de tourisme).

Poste (plan 14, C3) Elle est installée dans un grand édifice néomudéjar. *Paseo de la Independencia, 33 Tél. 976 23 68 68 Ouvert lun.-ven. 8h30-20h30, sam. 9h30-13h*

marchés, fêtes et manifestations

Marché central (plan 14, C1) Plus que centenaire, ce marché alimentaire est installé sous les belles arcatures métalliques d'un édifice moderniste de 1903. *Mercado Central Ouvert lun.-ven. 8h-14h et 17h-20h, sam. 7h30-15h*

Marché aux puces (plan 14, A1) *Rastro Av. Ranillas Ouvert mer. et dim. 9h-15h*

San Valero Plusieurs concerts et animations de rue pour la fête du patron de la ville. *29 jan.*

Carnaval de Saragosse Chaque année (depuis 1981), concerts, stands de jeux et défilés colorent le centre historique de Saragosse durant 4 jours. Des figures burlesques ou légendaires retracent l'histoire de la province et animent les rues de la ville. Parmi les plus emblématiques :

El Rey de Gallos, le personnage de *Carnestolendas* et *Conde de Salchichón*, véritable star du carnaval, très attendu par les enfants. *4 jours en fév.*

Cincomarzada Cette fête commémore l'expulsion des troupes carlistes par les habitants en 1838 et donne lieu à un pique-nique au parc Tío Jorge (hors plan 14, par BC1). *5 mars*

Semaine sainte Processions de tambours. *Fin mars-début avr.*

San Jorge Concerts, bals, représentations en plein air ont lieu lors de la fête de la Communauté autonome, qui a perdu son caractère revendicatif pour devenir une fête populaire. *23 avr.*

Rencontre Internationale de Folklore Cette rencontre annuelle a pour but de faire connaître aux habitants de Saragosse le folklore et les costumes traditionnels des pays du monde entier. *Fin août-début sept.*

Fêtes de la Virgen del Pilar La plus importante manifestation de la région. La procession du Rosario de Cristal est une des plus belles, avec son défilé de carrosses illuminés. Les autres événements appréciés sont les offrandes de fleurs (12 octobre) et de fruits (13 octobre) sur la Plaza del Pilar (plan 14, C1). Corridas de taureaux et courses de vachettes dans les arènes (plan 12, A2). *Une sem. autour du 12 oct.*

DÉCOUVRIR

☆ **Les essentiels** La basilique Nuestra Señora del Pilar, la cathédrale San Salvador et le palais de la Aljafería à Saragosse **Découvrir autrement** Prenez un petit déjeuner à la Churrería La Fama, dégustez des tapas sur la place Santa María à Saragosse ; flânez dans le parc du monastère de Piedra

Saragosse

Le centre historique

Bien que la ville soit très étendue, la plupart des monuments historiques se situent sur la **Plaza del Pilar** – ou dans ses environs immédiats –, avec pour principale protagoniste l'emblématique et colossale basilique de Nuestra Señora del Pilar. Les proportions gigantesques (près de 500 m de long) et la physionomie actuelle de la place – profusion hétéroclite de monuments auxquels ont été intégrés une série d'éléments ultramodernes – ne devraient laisser personne indifférent. À l'est se dresse la cathédrale de San Salvador (Seo) et le palais épiscopal (XVIIIe s.). Sur la partie nord de la place se succèdent la Lonja (XVIe s.) et l'Ayuntamiento (XXe s.). De là, une petite échappée vous emmènera jusqu'au Puente de Piedra, superbe pont du XVe siècle qui enjambe l'Èbre. À l'ouest, derrière la Fuente de la Hispanidad, massive fontaine en béton représentant l'Amérique latine, se dressent la façade baroque de l'église de San Juan de los Panetes (XVIIe s.), le Torreón de la Zuda et les derniers tronçons de la muraille romaine. Un pas vous sépare alors de l'effervescence du Mercado Central.

☆ **Basílica de Nuestra Señora del Pilar (plan 14, C1)** Du haut de ses coupoles en tuiles polychromes et de ses quatre grands clochers, l'imposante basilique baroque Notre-Dame-du-Pilier domine la ville et constitue le sanctuaire marial le plus important et le plus visité d'Espagne. À l'origine de cette entreprise titanesque, un simple pilier de jaspe, mais pas n'importe lequel… Selon la tradition, il fut amené, le 2 janvier de l'an 40, par la Vierge elle-même, venue – et non apparue – de Palestine pour encourager saint Jacques de Compostelle et ses sept premiers convertis dans leur mission évangélique. Le pilier n'a depuis jamais été déplacé et de nombreux édifices

dédiés à la Vierge furent successivement érigés tout autour. L'actuelle basilique fut édifiée à partir de 1681, sur les plans de l'architecte Felipe Sánchez Herrera, et sa construction se poursuivit jusqu'au XXᵉ siècle. L'intérieur du sanctuaire, tout aussi démesuré que sa toiture, abrite la Sainte-Chapelle, véritable petit temple baroque richement orné, où plusieurs messes sont célébrées chaque jour (horaires sur le site Internet). C'est en effet dans ses fondations qu'est intégré le **pilier de la Vierge**, dont seul un fragment que les pèlerins peuvent embrasser est visible à l'arrière de la chapelle. Une autre coutume veut que l'on approche les nouveau-nés devant l'effigie et le manteau de la Vierge – chaque jour différent – pour demander sa bénédiction. On distinguera le retable majeur en albâtre polychrome du Valencien Damián Forment (XVᵉ s.). Les scènes de la vie de Marie y sont traitées avec beaucoup de finesse, dans un style Renaissance encore empreint d'influences gothiques en accord avec le retable de la Seo. Si la plupart des fresques des voûtes et des coupoles (XVIIIᵉ s.) furent réalisées par les frères Bayeu, deux d'entre elles furent commandées à Francisco de Goya. Celle du chœur de la Vierge (côté est) est une œuvre de jeunesse (1772), mais celle qui devance la chapelle de saint Joaquim (côté nord) lui valut sa renommée (1781). Le minuscule Museo Pilarista conserve également quelques peintures de Goya et des Bayeu, ainsi que des offrandes faites à la Vierge (manteaux…). Le sommet de la tour offre une vue sur la ville à 360°. *Pl. del Pilar Tél. 976 29 95 64 www.basilicadelpilar.es Ouvert été : tlj. 6h45-21h30 ; hiver : dim.-ven. et j. fér. 6h45-20h30, sam. 6h45-21h30 Entrée libre* **Museo Pilarista** *Ouvert lun.-ven. 10h-14h et 16h-18h, sam. 10h-14h sauf j. fér. Tarif 2€* **Ascenseur panoramique** *("elevador") Ouvert été : tlj. 10h-14h et 16h-20h ; hiver : tlj. 10h-14h et 16h-18h Tarif 3€ Accès par la basilique ou par la rue riveraine de l'Èbre*

☆ **Catedral de San Salvador/Seo (plan 14, D2)** Moins imposante que la basilique, la Seo (XIIᵉ-XVIIIᵉ s.) présente cependant plus d'intérêt d'un point de vue architectural, en raison des divers remaniements et agrandissements effectués au cours des siècles. S'il ne reste plus rien aujourd'hui du temple romain, de l'église wisigothique ou de la mosquée édifiés à cet endroit même, on peut encore observer de l'extérieur les absides romanes de l'église primitive. *Accès Pl. de la Seo Tél. 976 29 12 31 Ouvert été : tlj. 10h et 21h ; hiver : lun.-ven. 10h-13h30 et 16h-18h, sam.-dim. 10h-11h30 et 16h-18h Pas de visite durant les offices : lun.-jeu. 18h-19h30, ven. 18h-21h, sam. 12h30-15h et 18h30-19h30, dim. 11h30-13h30 et 18h30-19h30. Accès jusqu'à 30 min avant la fermeture. Tarif 4€, moins de 18 ans et plus de 65 ans 3€, incluant l'entrée du Museo de Tapices*

L'ARAGON CENTRE ET SUD

Plan 14 Saragosse

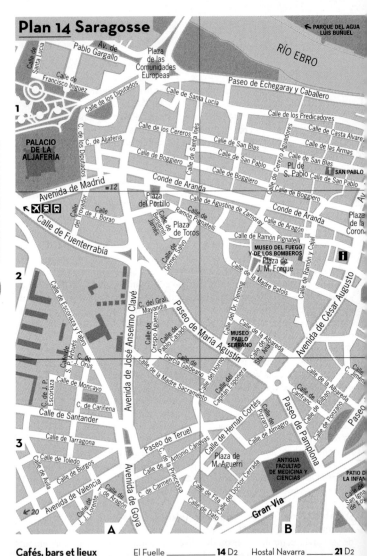

L'ARAGON CENTRE ET SUD

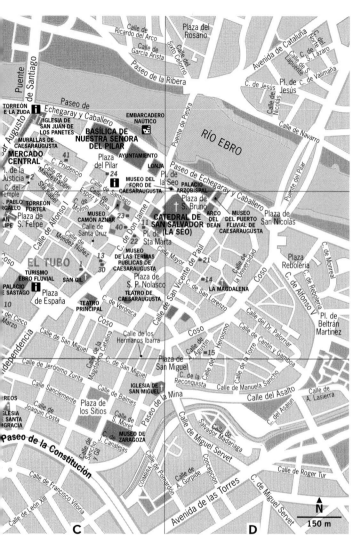

Puente de Santiago

Calle de Ricardo del Arco

Calle de García Arista

Plaza del Rosario

Avenida de Cataluña

C. del Norte

Calle de Lapuente S. Lázaro

Pl. de C. de Valimaña

Paseo de la Ribera

C. de Jesús

Calle de Jesús

Calle de Nicolás

Paseo de Echegaray y Caballero

TORREÓN E LA ZUDA **i**

IGLESIA DE SAN JUAN DE LOS PANETES

MURALLAS DE CAESARAUGUSTA

MERCADO CENTRAL

EMBARCADERO NÁUTICO

BASÍLICA DE NUESTRA SEÑORA DEL PILAR

Plaza del Pilar

AYUNTAMIENTO

LONJA

Puente de Piedra

RÍO EBRO

Calle de Navarro

Pl. de la Justicia

C. Prudencio

Calle de la Manifestación

2

C. del Temple

41

Calle de Santiago

24

MUSEO DEL FORO DE CAESARAUGUSTA **i**

Paseo de Echegaray y Caballero

Pl. de la Seo

PALACIO ARZOBISPAL

Puente del Pilar

PABLO RGALLO

TORREÓN FORTEA

Plaza de S. Felipe

Calle de Alfonso I

Calle de Espoz y Mina

C. de Molino

MUSEO CAMÓN AZNAR

23

Calle de Don Jaime

Plaza de S. Bruno

ARCO DEL DEAN

MUSEO DEL PUERTO FLUVIAL DE CAESARAUGUSTA

Plaza de San Nicolás

Calle de Méndez Núñez

Calle de Sta Isabel

40

Calle de Santa Cruz

11

CATEDRAL DE SAN SALVADOR (LA SEO)

Pl. de Sta Marta

22

MUSEO DE LAS TERMAS PUBLICAS DE CAESARAUGUSTA

Calle Mayor

Plaza de San Nicolás

Plaza Reboléria

C. de Montreal

C. de Reboléria

EL TUBO

13

1

30

21

Calle de San Vicente de Paúl

Calle de la Universidad

Coso

C. de Alfonso V

TURISMO EBRO FLUVIAL **i**

PALACIO E SASTAGO **i**

SAN GIL

Plaza de España

TEATRO PRINCIPAL

Plaza de S. P. Nolasco

TEATRO DE CAESARAUGUSTA

14

LA MAGDALENA

C. de San Lorenzo

Pl. de Beltrán Martínez

10

del Cinco Marzo

Coso

C. de Verónica

Calle de los Hermanos Ibarra

Coso

Calle del Dr. Palomar

Calle de Cantín y Gamboa

Independencia

Calle de San Miguel

Calle de la Magdalena Catalina

Calle de San Miguel

Plaza de San Miguel

Calle de Heroísmo

Calle de Agustín

15

C. de la Torre

Calle de Manuela Sancho

Calle del Asalto

Calle de A. Lasierra

Calle de Jerónimo Zurita

C. de la Reconquista

REOS

Calle de Joaquín Costa

Calle Sanclemente

Calle de Balmes

IGLESIA DE SAN MIGUEL

Paseo de la Mina

C. del Asaún

GLESIA SANTA GRACIA

Plaza de los Sitios

Calle de S. Moret

MUSEO DE ZARAGOZA

Calle de Salvador Madariaga

Paseo de la Constitución

Calle de Sancho y Gil

Calle de J. Canaleias

COIMBRA

Calle de Pomardón

Calle de Miguel Servet

Calle de A. Gurpide

Concepción

Calle de Roger Tur

C. de Miguel Servet

Calle de Francisco Vitoria

Calle de León XIII

Avenida de las Torres

N

150 m

C   **D**

Pauses gourmandes

(n°40 et 41)

*À RETROUVER DANS LA PARTIE DÉCOUVRIR

Extérieur Remarquez le motif en damier (*ajedrez*) des archivoltes, utilisé pour la première fois à Jaca et que l'on retrouve sur de nombreux édifices romans aragonais. Mais l'élément extérieur le plus spectaculaire, qui coïncide avec l'agrandissement de l'église au XIVe siècle, est certainement la façade latérale gothico-mudéjare. Une myriade de céramiques vernissées vertes, blanches et bleues s'intègre entre les briques formant un splendide entrelacs géométrique. Notez les arcs mixtilignes repris de l'Aljafería et le blason du pape Luna sur les baies gothiques. Alors que la tour-

lanterne, pourtant plus tardive (XVIe s.), fut harmonisée dans le style mudéjar, la façade principale mêle les styles, alliant un clocher baroque à l'italienne (XVIIe s.) et une insolite façade néoclassique (XVIIIe s.). Enfin, n'oubliez pas de jeter un coup d'œil aux galeries polylobées de l'Arco del Deán (XVIe s.) qui relient la cathédrale au palais du même nom.

Intérieur La structure gothique-mudéjare à cinq nefs et les nombreuses chapelles Renaissance et baroques ont retrouvé tout leur lustre depuis la rénovation de 1998. On reste réellement impressionné par cette profusion de retables, de stucs et de dorures. Le retable majeur gothique (XVe s.), en bois et en albâtre polychromes, est l'une des pièces maîtresses de la cathédrale. La partie inférieure fut réalisée par le Catalan Pere Johan et la partie supérieure dénote la marque plus élégante de l'Allemand Hans Piet d'Anso. Parmi les nombreuses chapelles, notez plus particulièrement l'exubérante chapelle baroque de Santiago (côté nord-est) – avec saint Jacques de Compostelle représenté en pèlerin –, la chapelle de San Bernardo (côté sud), chef-d'œuvre Renaissance sculpté dans l'albâtre, ou encore la superbe chapelle Renaissance du Santo Christo, située derrière le chœur. Cette dernière abrite une statue du Christ très populaire, l'image la plus vénérée à Saragosse après celle de la Vierge du Pilier. Également remarquable, le plafond *artesonado* mudéjar de la chapelle de San Miguel (côté nord), ouverte pour le culte. Le **Museo de Tapices**, situé à l'étage, présente quant à lui une remarquable série de belles tapisseries flamandes (XIVe-XVe s.).

Museo de Tapices *Ouvert mar.-ven. 10h-13h30 et 16h-17h30, sam. 10h-12h et 16h-17h30, dim. 10h-11h30 et 16h-17h30 ; 15 juin-20 oct. : mar.-ven. 10h-21h, sam. 10h-12h et 14h-21h, dim. 10h-11h30 et 14h-21h Pas de visite durant les offices*

Lonja (plan 14, C1) L'ancienne bourse de commerce (XVIe s.) s'impose comme le meilleur témoignage du faste de l'époque Renaissance à Saragosse. La façade extérieure, tout en brique, illustre la droiture de l'architecture Renaissance civile, avec sa structure à trois étages influencée des modèles italiens. Parmi les rares touches décoratives, on notera une série de médaillons en plâtre polychrome, dont les effigies n'ont pas été identifiées ; on suppose qu'il s'agit de marchands, d'artisans… Le contraste avec l'intérieur est saisissant : les trois nefs séparées par des rangées de colonnes supportant de belles voûtes en étoile, formant à chaque clef comme de grandes fleurs de pierre à huit pétales, s'apparentent plus à la structure d'une église gothique. L'écu de Saragosse y est reproduit inlassablement. *Pl. del Pilar Tél. 976 39 72 39 Ouvert mar.-sam. 10h-14h et 17h-21h, dim. 10h-14h Ouvert lors des expositions temporaires Entrée libre jusqu'à 30min avant la fermeture*

Museo Camón Aznar (plan 14, C2) Installées dans le très élégant palais Renaissance de los Pardos (XVIᵉ s.), les collections de l'académicien José Camón Aznar (1898-1979) offrent un intéressant panel de la peinture du XVᵉ au XXᵉ siècle, incluant des œuvres de grands maîtres comme le Greco, Vélasquez, Rembrandt, Manet, Sorolla… On regrettera l'absence de cartouches indiquant le titre des œuvres. Le dernier étage, sans conteste le plus intéressant, est consacré aux gravures de Goya : plongée fascinante dans la bêtise et le vice (*Caprices*), dans les cauchemars et la folie (*Disparates*), dans les corridas sanglantes (*Tauromachie*) ou dans l'horreur (*Désastres de la guerre*). *C/ de Espoz y Mina, 23 Tél. 976 39 73 28 http://museo.ibercaja.es Ouvert mar.-sam. 10h-13h45 et 17h-20h45, dim. et j. fér. 10h-13h45 Entrée libre*

Vestiges romains de Caesaraugusta (plan 14, C2) De l'antique Caesaraugusta, on découvre régulièrement de nouveaux vestiges. Saragosse a gardé le tracé des rues – Calle Mayor pour le Cardo, Calle de Don Jaime I pour le Decumanus, le Coso et l'Avenida de César Augusto pour les murailles – ainsi que vestiges dispersés dans le quartier historique. Les ruines ont été conservées in situ, ouvrant quatre petits musées didactiques, avec montages audiovisuels dédiés à chacun des lieux : forum, port fluvial, thermes publics et théâtre. *Tél. 976 72 60 75* **Museo de las Termas Públicas (plan 14, C2)** *C/ San Juan y San Pedro, 3-7 Tél. 976 29 72 79 Ouvert mar.-sam. 10h-21h, dim. 11h-14h et 17h-21h, dim. 10h-14h Horaires sujets à modifications* **Museo del Foro (plan 14, D1)** *Plaza de la Seo, 2 Tél. 976 72 12 21 Ouvert mar.-ven. 10h-21h, sam. 11h-14h et 17h-21h, dim. 10h-14h Horaires sujets à modifications* **Museo del Teatro (plan 14, C2)** *C/ San Jorge, 12 Tél. 976 72 60 75 Ouvert mar.-ven. 10h-21h, sam. 11h-14h et 17h-21h, dim. 10h-14h Horaires sujets à modifications Tarif 3€, réduit 2€ Gratuit 1ᵉʳ dim. du mois* **Museo del Puerto Fluvial (plan 14, D2)** *Plaza de San Bruno, 8 Tél. 976 72 12 07 Ouvert mar.-ven. 10h-21h, sam. 11h-14h, dim. 10h-14h et 17h-21h Horaires sujets à modifications*

☺ **Museo Pablo Gargallo (plan 14, C2)** Après des études aux Beaux-Arts de Barcelone, le sculpteur aragonais Pablo Gargallo (1881-1934) s'installe à Paris et fréquente assidûment les artistes du Bateau-Lavoir. Ses rencontres avec Picasso, Miró, Gris et Braque inspireront ses œuvres empreintes d'une forte influence cubiste, mais également impressionniste, alliée à une fantaisie toute personnelle. Les sculptures sont splendidement mises en valeur dans le palais Renaissance d'Argillo (XVIIᵉ s.). Notez la pureté des lignes, l'utilisation singulière des cils triangulaires et l'étonnant traitement fractionné du buste d'Ángel Fernández de Soto (1920). *Pl. de San Felipe, 3 Tél. 976 72 49 22 Tél. 976 72 49 23 Ouvert mar.-ven. 10h-21h, sam. 11h-14h et 17h-21h, dim. 10h-14h Tarif 4€, plus de 65 ans gratuit*

Iglesia de San Pablo – Iglesia de la Magdalena Parmi les plus beaux exemples d'art mudéjar de la ville – classé Patrimoine de l'humanité en 1986 –, signalons l'architecture et l'ornementation remarquables des tours de ces deux églises du XIVᵉ siècle. Si la première est de forme octogonale et la seconde à base carrée, toutes deux furent construites selon les structures des minarets almohades et sont ornées de brique et de céramique vert et blanc. **Iglesia de San Pablo (plan 14, B1)** C/San Pablo, 42 Tél. 976 28 36 46 http://www.sanpablozara goza.org Ouvert hiver : lun.-sam. 9h-12h30 et 18h-19h30, dim. et j. fér. 9h-13h45 et 18h-19h30 ; été : lun.-sam. 9h-12h30 et 18h30-20h30, dim. et j. fér. 9h-13h et 18h30-20h30 **Iglesia de la Magdalena (plan 14, D2)** Plaza de la Magdalena Tél. 976 39 97 45 Fermé pour travaux

Museo de Zaragoza (plan 14, C3) Édifié pour l'Exposition hispano-française de 1908 dans le style des palais Renaissance, cet imposant édifice abrite les sections d'archéologie et des beaux-arts du musée de Saragosse. Le musée a rouvert en 2006 avec un fonds étoffé de pièces antiques et d'œuvres allant du gothique au XXᵉ siècle. La première section étant de moindre intérêt, consacrez-vous plus amplement à la seconde. Superbes retables gothiques, avec une mention spéciale pour celui de Blesa (XVᵉ s.), œuvre de Miguel Jiménez et Martín Bernat, beau témoignage du gothique hispano-flamand et de l'introduction de la peinture à l'huile. La suite de la visite permet de bien appréhender le passage à la Renaissance et au baroque et vous guidera jusqu'aux portraits aristocratiques de Goya. Le musée, qui conserve

Après l'Expo, les loisirs

Riverain de l'Èbre, le site d'Expo Zaragosa 2008, au nord-ouest de la ville, a été reconverti en un grand espace d'activités de 160 000m² réunissant une zone d'affaires et un parc de loisirs (hors plan 14 par A1).
Parque del Agua Luis Buñuel Ce parc urbain rassemble sur 120ha espaces verts, zones de services et activités ludiques. Vous pourrez bronzer sur l'espace des plages, assister à un spectacle du théâtre Arbolé, vous dépenser en descendant l'Èbre en canoë. Av. Ranillas, 109 Tél. 976 97 66 44 ou 902 10 97 47 www.parquedelagua. com www.nautida.com
Acuario fluvial Avec plus de 300 espèces issues de la faune caractéristique des grands fleuves de la planète, l'Acuario fluvial est l'un des plus grands aquariums d'Europe consacrés aux écosystèmes fluviaux. Il fait face au pont du Troisième Millénaire. Av. Ranillas Tél. 976 07 66 06 www. acuariodezaragoza.com Ouvert juil.-sept. : tlj. 10h-20h ; reste de l'année : lun.-jeu. 11h-19h, ven.-dim. et j. fér. 10h-20h Tarif 14€, plus de 65 ans 10€, 5-12 ans 7€
Torre del Agua Avec ses 76m de hauteur, cette tour en forme de goutte d'eau dessinée par Enrique de Teresa est l'un des nouveaux symboles de Saragosse. Elle devrait ouvrir au public un espace d'exposition dans les années à venir. C/ Pablo Ruiz Picasso

dix-sept des toiles de l'enfant du pays, a mis en place une présentation audiovisuelle sur l'œuvre de Goya (en espagnol). Non loin du musée se dresse le clocher-minaret mudéjar de l'église San Miguel. *Pl. de los Sitios, 6 Tél. 976 22 21 81 /52 82/56 82 Ouvert mar.-sam. 10h-14h et 17h-20h, dim. et j. fér. 10h-14h Entrée libre*

Museo del Fuego y de los Bomberos (plan 14, B2) Ce musée installé dans un couvent du XVIᵉ siècle savamment restauré fera le bonheur des petits et des grands fascinés par les professionnels du feu. Sous la verrière du cloître sont présentés camions, voitures, pompes à incendie et pompes à vapeur. La salle consacrée aux pompiers du Service de Saragosse expose des uniformes, casques et drapeaux ainsi qu'une documentation pléthorique provenant des Archives municipales. Trophées, plaques de compagnies d'assurances, décorations et maquettes illustrent également l'histoire de la lutte contre les incendies. Visite guidée par un pompier. *C/ de Ramón y Cajal, 32 Tél. 976 72 42 62 www.zaragoza.es/museobomberos Ouvert mai-oct. : mar.-sam. 10h-19h ; nov.-avr. : mar.-sam. 10h-17h ; dim. et j. fér. 10h-14h Tarif 3€*

☺ **Patio de la Infanta (plan 14, B3)** C'est sans aucun doute le plus beau des patios Renaissance de Saragosse, mais aussi le plus insolite. Insoupçonnable de l'extérieur, il fait partie intégrante d'une… banque ! Sacrilège, pense-t-on en arrivant, mais il faut savoir que, dès sa construction (XVIᵉ s.), il appartenait au palais du riche banquier Gabriel Zaporta. L'ensemble, finement sculpté dans l'albâtre, a bénéficié d'une rénovation partielle durant l'hiver 2013. Il présente une iconographie foisonnante (personnages mythologiques, souverains…). Quelques œuvres de Goya y sont en outre conservées. *C/ de San Ignacio de Loyola, 16 (banque Ibercaja) Tél. 976 76 76 76 Ouvert lun.-ven. 9h-13h30 et 18h-21h, sam. 11h-14h et 18h-21h, dim. et j. fér. 11h-14h Entrée libre*

● Où trouver des *frutas de Aragón* et autres douceurs ?
Fantoba (plan 14, C2 n°30) Fondée en 1856, la confiserie artisanale Fantoba continue toujours de ravitailler les gourmands : frutas de Aragón (fruits confits enrobés de chocolat) et *guirlache* (genre de nougatine aux amandes et aux graines d'anis), spécialités de la ville. Avec son décor à l'ancienne, la boutique à elle seule mérite un coup d'œil ! *Calle de Don Jaime I, 21 Tél. 976 29 85 24 www.fantoba.com Ouvert tlj. 10h-22h*

● Où aller *tapear* ?
El Calamar Bravo (plan 14, C2 n°10) C'est peut-être la sandwicherie la plus populaire de la ville ! Excellents *bocadillos de calamar* à 3,90€, à emporter ou à manger au comptoir. *C/ Cinco de Marzo, 14 Tél. 976 79 42 64 Ouvert tlj. 11h-14h45 et 16h-23h*
Los Victorinos (plan 14, C2 n°11) Avec ses quatre massives têtes de taureaux aux murs et ses nombreuses affiches de corridas sévillanes, ce petit bar vous plonge au cœur de l'Andalousie. On vient ici pour déguster de succulents *montaditos* (mini-tartines, env. 3,10€), véritables créations maison : caille sur lit de *jamón*, émincé de champignons sur foie gras… (env. 11€ la *ración*). *C/ José de la Hera, 6 Tél. 976 39 42 13 Ouvert lun.-sam. 19h-0h, dim. et j. fér. 12h30-15h30 et 19h-0h*

● **Où faire une pause sucrée ?**

Helados Tortosa (plan 14, C2 n°40) Rien de tel qu'une bonne glace crémeuse ou une *horchata* bien fraîche, quand les rues de Saragosse sont écrasées de soleil. *C/ de Don Jaime I, 35 Tél. 976 29 26 00 Ouvert tlj. 11h-0h*

Churrería La Fama (plan 14, C1 n°41) Les amateurs de *churros* ou de *porras* (plus gros et plus moelleux, mais tout aussi caloriques) apprécieront ces petits déjeuners ou *meriendas* populaires à deux pas de la basilique del Pilar. *C/ Prudencio, 25 Tél. 976 39 37 54 Ouvert tlj. 8h-13h et 17h-21h30 Fermé en août*

● **Où sortir, boire un verre ?** On citera bien sûr les terrasses de la Plaza del Pilar, idéales pour une pause-café panoramique en journée ou un apéritif en fin d'après-midi, mais étonnamment peu animées en soirée. Cependant, nous avons préféré l'intimité des placettes ombragées du quartier historique telles que la Plaza de Santa Cruz, la Plaza de San Pedro Nolasco ou les bars à tapas d'El Tubo et de la Plaza de Santa Marta. Les fêtards apprécieront également la fièvre qui s'empare de Saragosse chaque week-end. Enfilade de bars, notamment autour de la Calle del Temple dans le quartier historique, connu comme la zone d'"El Casco". Toujours dans le centre, essayez les bars plus calmes de la Plaza de San Miguel, ou ceux plus alternatifs de la Magdalena. Mais Saragosse recèle d'autres quartiers de noctambules comme la zone universitaire sise entre la Plaza de San Francisco et l'Avenida de Goya avec son lot de cafés-concerts, la Calle del Doctor Cerrada, pour une ambiance plus *latino*, ou encore la zone León XIII, plus chic.

☺ **Bodegas Almau (plan 14, C2 n°1)** Dernière *bodega* d'El Tubo, à l'atmosphère absolument indescriptible, désuète, familiale, un peu hors du temps, où l'on vient boire un petit *tinto* (vin rouge) à partir de 1€ le verre au comptoir ou faire remplir sa bouteille au tonneau et manger quelques tapas. Agréable petit jardin. *C/ de Estébanes, 10 Tél. 976 29 98 34 Ouvert lun.-ven. 10h30-16h et 19h-23h, sam. 12h-16h et 19h-2h, dim. 12h-16h*

El Licenciado Vidriera (plan 14, C1 n°2) Aux beaux jours, il fait bon siroter un mojito ou une caipirinha (4€) sur cette terrasse de la jolie Plaza de la Justicia, sous la grande façade baroque de l'église de Santa Isabel. Ambiance survoltée le week-end. *C/ del Temple, 29 (angle de la Plaza de la Justicia) Tél. 976 29 63 58 Ouvert été : mar.-jeu. 22h-3h30, ven.-sam. 22h-4h30*

● **Naviguer sur l'Èbre**

Ebro fluvial (plan 14, C2) De juin à octobre, découvrez Saragosse et ses monuments au fil de l'eau. Trois embarcadères : Embarcadero Naútico, en face de la mairie (plan 14, C2), Embarcadero Expo (Pasarela Expo) et Embarcadero Valdorrey (Pasarela Azud). *C/ Coso, 46 Tél. 976 23 73 86 www.turismoebrofluvial. es Tarif AR 10€, moins de 12 ans 5€*

Dans la ville moderne

Museo Pablo Serrano – Instituto Aragonès de Arte y Cultura Contemporeános, IAACC (plan 12, B2) Sa silhouette turquoise et noire à la géométrie marquée, dessinée par l'architecte José Manuel Pérez Latorre, signale de loin le bâtiment. La menuiserie qui occupait les lieux au début du XXe siècle – et où travailla le grand-père de Pablo Serrano – fut reconvertie en musée en

UN ART SYNCRÉTIQUE
L'Aljafería, emblème architectural de Saragosse, est une belle expression du mudéjar, cet art de synthèse islamo-chrétien. Vous retrouverez ce style propre à l'Espagne dans le plafond *artesonado* (à caissons) de la cathédrale de Teruel.

1987 lorsque le sculpteur (1908-1985) natif de Teruel légua à la ville une partie de son œuvre. Rouvert en 2011 après un réaménagement complet, il se veut aujourd'hui la vitrine provinciale de l'art contemporain. Au rdc, des maquettes du projet architectural actuel voisinent avec des photos célébrant l'architecture industrielle des XIXᵉ et XXᵉ siècles. Les trois étages supérieurs accueillent des expositions temporaires de peinture, photographie et surtout sculpture d'artistes contemporains aragonais, espagnols ou étrangers. Les œuvres de Pablo Serrano y sont régulièrement présentées. Pour une vue imprenable sur la basilique, grimpez jusqu'à la terrasse panoramique aménagée au 5ᵉ étage. *Paseo María Agustín 20 Tél. 976 28 06 59 ou 976 28 06 60 www.museopabloserrano.es Ouvert mar.-sam. 10h-14h et 18h-21h, dim. et j. fér. 10h-14h Fermé 1ᵉʳ jan., 1ᵉʳ mai, 24-25 et 31 déc.*

☆ ☺ **Palacio de la Aljafería (plan 14, A1)** La construction de ce joyau de l'architecture arabo-musulmane fut commanditée au XIᵉ siècle, à l'époque des *taifas*, par le roi Abu Yafar, qui se cherchait une villégiature à l'extérieur de la ville. Inspiré des palais omeyyades du désert syrien, l'Aljafería (du nom du souverain) devint l'un des palais les plus somptueux de son époque, rivalisant de beauté avec ceux d'Al-Andalus. Après la Reconquête, il fut remanié dans le style mudéjar par les rois d'Aragon. En 1492, les Rois Catholiques firent construire un palais au-dessus de l'édifice d'origine, symbolisant ainsi leur pouvoir et la fin de la domination musulmane. Les murailles datent de la transformation du palais en forteresse par Philippe II au XVIᵉ siècle. Une fonction défensive qui entraîna la dégradation progressive du palais. Les travaux de restauration, entamés dans les années 1980, ont en réalité relevé un amas de ruines. Ne vous étonnez donc pas de ne trouver que peu d'éléments d'origine. Le palais est aujourd'hui le siège des Cortes de Aragón, le Parlement aragonais. *C/ Diputados (20min à pied du centre-ville ou bus n°36 de la C/ de Don Jaime I) Tél. 976 28 96 83 /84 www.cortesaragon.es Ouvert avr.-oct. : sam.-mer. 10h-14h et 16h30-20h, ven. 16h30-20h ; nov.-mars : lun.-mer. et sam. 10h-14h et 16h30-20h, ven. 16h30-20h, dim. 10h-14h ; jan. : tlj. 10h-14h et 16h30-20h ; juil.-août : tlj. 10h-14h et 16h30-20h Tarif 5€, réduit 1€, moins de 12 ans et dim. gratuit Visite guidée 10h30, 11h30, 12h30, 16h30, 17h30 (et 18h30 avr.-oct.)*

Palais arabe Le patio du palais, ou Patio Santa Isabel, encadré de galeries aux arcs polylobés qui se reflètent dans le bassin central, dégage quiétude et sérénité. Remarquez bien les arcs mixtilignes de la partie couverte : leurs motifs entrelacés, utilisés pour la première fois, seront repris dans toute la province, notamment par les artisans mudéjars. Mais la plus belle pièce du palais arabe est sans aucun doute la mosquée, petit oratoire privé orné de stucs polychromes et d'un bel arc en fer à cheval ouvrant sur le mihrab.

Palais des Rois Catholiques Après la visite de la Torre del Trovador, tour dite "du Troubadour", qui fut un temps utilisée comme prison, on pourra admirer la différence entre les plafonds *alfarje* (sans caissons) des salles mudéjares (XIVᵉ s.) et les plafonds *artesonados* du palais des Rois Catholiques. La décoration des seconds, la plus impressionnante, culmine dans la salle du trône. Partout on y retrouve les symboles de l'unité chers à Ferdinand et Isabelle, à savoir les flèches ou le joug liés par des cordes. La visite se termine par la descente de l'escalier monumental, aux larges baies gothiques.

Les environs de Saragosse

Belchite La bourgade compte deux parties distinctes : la ville nouvelle (*pueblo nuevo*) et le village d'origine (*pueblo viejo*). Ce dernier, détruit par les bombardements de 1936, a été laissé tel quel, avec ses façades de brique éventrées et ses clochers mudéjars tronqués. C'est l'une des rares reliques de la guerre civile espagnole, et sa visite est digne de celle des villages fantômes. Un projet de réhabilitation et de sécurisation du site est à l'étude. *À 56km au sud-est de Saragosse par l'A68 en direction de Castellón, la N232 puis l'A222 www.belchite.es*

● Où acheter de la céramique ?

Cet artisanat d'inspiration mauresque se développa du XVe au XVIIIe siècle à Muel, et quelques ateliers de la petite cité ont relancé la production depuis les années 1970. Toutes les pièces arborent des motifs blanc et bleu, contrastant avec le vert et le blanc des céramiques de Teruel. *Muel (à 30km au sud de Saragosse par la N330)*

Au sud-ouest de Saragosse

Daroca Cette place forte musulmane passée aux mains des chrétiens au XIIe siècle conserve de beaux vestiges médiévaux. Daroca se niche en effet en contrebas d'une forteresse en ruine et d'impressionnants remparts et de tours du XIIIe-XIVe siècle. Comptez 45min pour le tour du château (Ruta del Castillo), 2h pour les murailles (Ruta de las Murallas), avec de bonnes chaussures. La partie basse du village étend son entrelacs de ruelles aux maisons de pierre rousse entre la Puerta Baja et la Puerta Alta – deux imposantes portes d'enceinte – et recèle plusieurs monuments intéressants. De toutes ses églises, seule se visite librement la Colegiata de Santa María de los Sagrados Corporales (XVIe s.), dont le petit musée recèle quelques peintures gothiques de Bartolomé Bermejo. Les façades de l'église romane San Miguel et de l'église mudéjare San Juan valent le coup d'œil. Daroca possède aussi un petit musée de la pâtisserie. Les visites organisées par l'office de tourisme permettent de découvrir, notamment, l'intérieur de l'église San Miguel et le petit musée Comarcal, installé dans l'ancien hôpital Santo Domingo. *Daroca À 85km au sud-ouest de Saragosse par la N330 dir. Teruel 3 cars/j. de Saragosse avec la compagnie Ágreda, 2 à 5 cars/j. de Teruel avec la compagnie Jiménez Tél. 902 49 06 90 ou 976 50 50 32* **Office de tourisme** *Pl. de España, 4 Tél. 976 50 50 32 ou 976 80 01 29 www.daroca.es Ouvert tlj. 10h-14h et 16h-20h* **Colegiata de Santa María de los Sagrados Corporales** *Pl. de España, 4 Ouvert mar.-sam. 11h-13h et 17h30-19h30, dim. 11h-13h et 18h-19h30 Entrée libre Musée ouvert mar.-dim. 11h-13h et 17h30-18h30 Entrée 2€* **Museo de la Pastelería Manuel Segura** *Santa Lucia, 28 Tél. 976 80 03 17 Ouvert juil.-mi-sept.: mar.-dim. 16h30 ; mi-sept.-juin : mar.-dim. 18h30 Ouvert sur rdv pris à l'OT Visite guidée (avec dégustation) 2€*

☺ **Monasterio de Piedra** Ce monastère cistercien fut fondé en 1194 par trois moines venus de Poblet à la demande du roi Alphonse II. Après la sécularisation des biens du clergé, en 1835, le monastère fut racheté par un particulier, Juan Federico Muntadas. Celui-ci domestiqua le Río Piedra pour créer un grand parc luxuriant, ponctué de nombreux lacs et cascades. Une grande partie du monastère est aujourd'hui occupée par un hôtel, mais une visite guidée permet de découvrir le reste des dépendances. Ouverte sur le cloître, la belle salle capitulaire arbore les voûtes en palmier typiques du gothique cistercien. L'église, détruite par un incendie, offre quant à elle une curieuse physionomie à ciel ouvert. Autres éléments notables : le musée du Vin, aménagé dans la *bodega* et la cuisine. C'est ici qu'aurait été concocté le premier chocolat d'Europe, avec du cacao rapporté du Mexique. Toute son histoire est retracée dans le musée du Chocolat. On peut aussi voir la reproduction du triptyque reliquaire, œuvre polychrome sur bois commandée en 1390 par l'abbé Martin Ponce pour le monastère. L'original, représentatif du gothique-mudéjar aragonais, se trouve à Madrid. En suivant les indications (flèches rouges pour la visite, bleues pour la sortie), comptez 1h30 à 2h de promenade dans le parc ; un peu plus, si vous décidez d'y faire une sieste (flèches vertes). Il offre un cadre enchanteur, et l'eau y règne en maître, chutant à grand fracas en cascade, miroitant paisiblement au pied des parois rocheuses, caressant les truites d'élevage… Une très belle balade, et un grand moment assuré dans la grotte de la Cola del Caballo. Si vous avez le temps, assistez au spectacle de fauconnerie. À savoir : évitez de venir le week-end. Restauration possible sur place, mais emmenez plutôt votre pique-nique. Si vous ne désirez pas loger à l'hôtel, un camping et des pensions ont été aménagés dans le village voisin de Nuévalos. *À 115km de Saragosse par l'A2 Bifurquer à gauche après Calatayud (le monastère est signalé ensuite) Tél. 976 84 90 11 www.monasteriopiedra.com* **Parc** *Ouvert avr.-oct. : tlj. 9h-20h ; nov.-mars : tlj. 9h-18h Tarif 15€, 4-12 ans 11€ (comprend la visite du parc, une démonstration de fauconnerie, la visite guidée des dépendances du monastère avec accès aux musées du Vin et du Chocolat)* **Monastère** *Ouvert mars-oct. : tlj. 10h-13h15 et 15-19h ; nov.-fév. : 11h15-13h15 et 15h15-17h15 Entrée toutes les 45min en hiver, 10min en saison Tarif 8€ (comprend la visite guidée des dépendances avec accès aux musée du Vin et du Chocolat)* **Hôtel** *Double de 139 à 171€, suite 254€. Tél. 902 19 60 52 ou 976 84 90 11*

● ART DE HAUT VOL…
Plongez dans l'univers des rois, des seigneurs et autres hidalgos de l'Espagne médiévale : trois fois par jour, de fin mars au 14 octobre, des démonstrations de fauconnerie sont organisées dans le parc du monastère de Piedra.

Tarazona et ses environs

Tarazona Située au nord-ouest de Saragosse, sur les rives du Río Queiles, Tarazona offre une belle promenade au cœur de l'art mudéjar aragonais. En arpentant sans hâte les ruelles étroites de la ville haute, quelques belles surprises vous attendent, comme le clocher de la Magdalena (XIVe s.), le palais épiscopal (XIVe-XVIe s.) ou l'Ayuntamiento (XVIe s.). Non loin de la cathédrale (XIVe-XVIe s.), édifice phare de la ville basse qui a rouvert ses portes en

2012 après une restauration de près de 30 ans, se dresse l'une des curiosités locales : la Plaza de Toros Vieja, arènes octogonales de la fin du XVIIIe siècle reconverties en appartements. Enfin, sachez que le 27 août, vous pourrez assister à la sortie du *Cipotegato*, sorte de bouffon que l'on poursuit dans la ville à grands jets de tomates. Cet événement marque l'ouverture des fêtes patronales de San Atilano. *À 90km au nord-ouest de Saragosse par la N122 ou l'A68* **Office de tourisme** *Plaza San Francisco, 1 Tél. 976 64 00 74 ou 976 19 90 76 www.tarazona.es Ouvert lun.-ven. 9h-13h30 et 16h-19h, sam. 10h-14h et 16h-19h, dim. 10h-14h et 16h-18h* **Catedral de Santa María de la Huerta** *Tél. 976 64 02 71 www.catedraldetarazona.es Ouvert mer.-ven. 11h-14h et 16h-18h, sam. 11h-14h et 16h-19h, dim. 11h-14h Tarif 4€, 12-18 ans 3€*

Monasterio de Veruela Fondé en 1145, Veruela fut le premier monastère cistercien établi en Aragon. On y retrouve les critères d'austérité propres à l'ordre de Cîteaux : isolement, sobriété de l'architecture… Parmi les nombreuses dépendances se distingue un cloître gothique du XIVe siècle, rehaussé d'une galerie platéresque du XVIe siècle. *À 14km de Tarazona Prendre la direction de Vera de Moncayo sur la N122 Tél. 976 64 90 25 Ouvert avr.-sept. : mer.-lun. 10h30-20h30 ; oct.-mars : mer.-lun. 10h30-18h30 Tarif 2€*

● **Randonner dans le parc naturel de la Dehesa del Moncayo**
Faites une petite escapade dans ce parc situé au sud de Tarazona. La Sierra Moncayo y culmine à plus de 2 000m, offrant de superbes itinéraires aux randonneurs. Le GR®90 fait partie des favoris.

CARNET D'ADRESSES

Restauration

Entièrement rénové ces dernières années, le quartier d'El Tubo est redevenu le rendez-vous mythique du *tapeo* populaire. Mais vous pouvez aussi tester les sympathiques bars à tapas de la petite Plaza de Santa Marta ou la Calle de Antonio Agustín et la Calle del Heroísmo. La plupart des terrasses de la Plaza del Pilar proposent différents menus et *platos combinados*, sans grande originalité, mais à des tarifs corrects.

⫼ très petits prix

Casa Emilio (plan 14, A1 n°12) Cet établissement modeste à la clientèle ouvrière propose des menus à partir de 9,50€, simples et copieux,

dont un composé de plats régionaux à 19,50€. Une bonne option pour ceux qui souhaitent "casser la croûte" avant ou après la visite de l'Aljafería. *Av. de Madrid, 3-5 Saragosse Tél. 976 43*

Et aussi…

Pause tapas

Pause sucrée

Bars

L'ARAGON CENTRE ET SUD

43 65 *Ouvert mar.-sam. 13h-16h et 20h30-23h, dim.-lun. 13h-16h Fermé lun. soir et dim. soir.*

🍴 petits prix

La Republicana (plan 14, C2 n°13) Balances à l'ancienne, plaques publicitaires rétro et jolies alcôves en bois pleines de bouteilles et de bocaux, La Republicana a des airs de vieille échoppe. Un cadre bien agréable pour prendre l'*almuerzo* (env. 10€ sans boisson) ou se restaurer. Pour env. 8,50€, vous tenterez la spécialité du lieu, les œufs à la mode républicaine, aragonaise ou portugaise. Pour un assortiment de tapas, comptez 15€. Menu du jour à 11€ avec boissons et menu à 14€ offrant plus de spécialités aragonaises : *miga, ternasco*... C/ *de Méndez Núñez, 38 Saragosse* Tél. 976 39 65 09 *Ouvert lun.-ven. 9h-0h, sam. 12h-0h, dim. 12h-17h*

🍴 prix moyens

El Fuelle (plan 14, D2 n°14) C'est la *bodega típica aragonesa*, avec ses poutres en bois, ses serveurs en costume traditionnel et son ambiance de vieille chaumière. Les viandes à la braise y sont bonnes et les entrées variées – goûtez le *queso viejo*, excellent fromage fort. Les menus dégustation à 24,50€ et 31,50€ sont à découvrir, mais les portions pourraient être plus généreuses et le service plus avenant. Réservation conseillée ! C/ *Mayor, 59 Saragosse* Tél. 976 39 80 33 www.el-fuelle.com *Ouvert lun.-sam. 13h-16h et 19h30-0h, dim. 13h-16h*

🍴 prix élevés

Los Cabezudos (plan 14, D2 n°15) Ici, la bonne humeur se lit sur tous les visages ! Et pour cause, les tapas et les plats sont variés et excellents !

Coquillages, poisson, fromages, charcuterie... il y en a pour tous les goûts, mais il faudra compter 35-40€/pers. Menu dégustation à 60€. C/ *de Antonio Agustín, 12-14 Saragosse* Tél. 976 39 27 32 *Ouvert été : tlj. 14h30-0h30 ; reste de l'année : tlj. 14h30-16h et 20h-0h30*

Hébergement

La plupart des pensions et *hostales* bon marché sont regroupés dans le quartier historique, mais leur confort est parfois succinct. En été, ajoutez l'air conditionné (clim.) à vos critères de sélection. Lors des Fiestas del Pilar, en octobre, les prix s'envolent : c'est la seule vraie haute saison locale et la réservation est vivement conseillée.

🧳 très petits prix

Albergue Juvenil Baltasar Gracián (plan 14, A3 n°20) Installés au 1er étage de la résidence universitaire, des dortoirs de 2, 4 et 8 lits (une cinquantaine de couchages en tout) attendent les visiteurs de passage. Sanitaires communs, wifi, laverie (1-2€), salle TV... Un tableau presque parfait, si ce n'est la situation excentrée et la fermeture à minuit. Comptez env. 11,50-13,50€/pers. ; pour les moins de 26 ans, env. 16-17,50€ avec draps et petit déjeuner. Serviettes de toilette non fournies. Menu à env. 6€ sf en été. C/ *de Franco y López, 4 (bus n°s 22, 24 ou 38 de la Pl. de España) Saragosse* Tél. 902 08 89 05 www.alberguesde aragon.com *Réception 12h-20h Carte Fuaj obligatoire*

Hostal Navarra (plan 14, D2 n°21) Cette pension familiale loue des chambres aux tailles et prix assez inégaux (plus élevés le week-end et durant les fêtes), mais très propres. Celles qui possèdent des salles de bains récemment refaites à neuf sont évidemment les plus chères (60€, 50€ avec douche). D'autres se contentent d'une salle de bains commune et ne coûtent que 40€. Pas de petit déjeuner. *C/ de San Vicente Paúl, 30 Saragosse Tél. 976 29 16 84 ou 628 74 97 12 www.hnavarra.com*

Hotel San Jorge (plan 14, C2 n°22) À 2min de la basilique Del Pilar, des chambres doubles avec clim. à 35€ c'est presque une aubaine (ajoutez 3,50€ pour le petit déjeuner). L'ensemble est très correct et l'accueil tout sourire : on vous conseille vivement de réserver. Check in automatique (avec CB) en semaine, parking privé (12€/j.). *C/ Mayor, 4 Saragosse (angle de la C/ Don Jaime I) Tél. 976 39 74 62*

🧳 prix moyens

Hotel Las Torres (plan 14, C1 n°24) Toutes climatisées, les chambres sont claires et impeccables, et pour celles qui donnent sur la Plaza del Pilar, les coupoles bigarrées de la basilique complètent un décor élégant. Le tarif, de 60€ à 75€ selon la vue, passe à 120€ pour les Fiestas del Pilar en octobre et les grands salons de la Feria de Muestras. Petit déj. 9€. À noter, le spa ouvert de 17h à 21h30 est libre d'accès pour les pensionnaires. *Pl. del Pilar, 11 Saragosse Tél. 976 39 42 50 www.hotellastorres.com*

🧳 prix élevés

Hotel Hispania (plan 14, C1 n°25) Ce 2-étoiles de 46 chambres se dresse sur le grand boulevard face au marché central ; préférez les chambres donnant sur l'arrière, plus calmes. Toutes sont grandes, nettes, avec clim. et wifi. Double de 86,40€ à 118,40€ selon la saison, petit déj. 7€. Pour 4€ de plus, vous aurez accès à la piscine voisine, et pour 7€ au Spa. Parking 15€/j. Promotions sur le site en basse saison (double à partir de 42€ avec petit déj.). *Av. de César Augusto, 103 Saragosse Tél. 976 28 49 28 www.hotelhispania.com*

Hotel Sauce (plan 14, C2 n°23) Une situation centrale. Encore une valeur sûre concernant le confort et la propreté, comme l'annoncent les murs crème immaculés et le décor floral tout en fraîcheur des chambres. Petite cafétéria au rdc. Double de 44€ à 80€ selon le confort en haute saison ; petit déjeuner 8€. Parking à 13€/j. *C/ de Espoz y Mina, 33 Saragosse Tél. 976 20 50 50 www.hotel sauce.com*

ALCAÑIZ

44600

Saragosse
Alcañiz

Si l'occupation de la région remonte à la préhistoire, c'est la domination maure qui fait passer Alcañiz à la postérité. Son nom serait dérivé de l'arabe al-Kanais, "Les églises". Disputée par les chrétiens aux musulmans tout au long du XIIe siècle, la ville est conquise par Alphonse II d'Aragon, qui confie en 1179 son château, et donc la défense de la frontière, aux moines-soldats

de l'ordre de Calatrava. C'est dans cette forteresse que Jacques Ier préparera la reconquête de Valence, épopée relatée sur les murs mêmes de la Torre del Homenaje. Ces peintures murales offrent, avec l'immense Plaza de España, une bien belle étape sur la route du Maestrazgo, région semi-désertique de l'Est aragonais.

MODE D'EMPLOI

accès

EN VOITURE
À 105km au sud-est de Saragosse et 65km au nord de Morella par la N232, et à 150km env. de la côte catalane par la N420.

EN CAR
Gare routière 5 à 6 cars/j. en provenance de Saragosse du lundi au samedi, 4 cars le dim. (2h de trajet, env. 10€ AS). Alcañiz se situe également sur la ligne Barcelone (4h30, env. 18€ AS lun.-sam.)-Teruel (2h45, env. 12€ AS) avec 1 ou 2 cars/j. lun.-sam. *Av. de Aragón Tél. 978 83 04 02*

orientation

L'Avenida de Aragón sépare le centre-ville en deux parties bien distinctes : le centre moderne à l'est (construit à partir des années 1950) et le quartier historique à l'ouest. Ce dernier s'organise autour du château et de la Plaza de España. À son pied, le joli Río Guadalope longe la partie nord-ouest de la ville, formant une seconde frontière avec les quartiers ouest.

informations touristiques

Office de tourisme Installé sous la Lonja, il donne accès aux souterrains qui reliaient jadis le château au reste de la ville. Personnel très coopératif. *C/ Mayor, 1 Tél. 978 83 12 13 www. alcaniz.es Ouvert juil.-août : tlj. 10h-14h et 17h-20h ; mars-juin, sept.-oct. :* *tlj. 10h-14h et 16h-19h Parfois fermé dim. ; nov.-fév. : tlj. 10h-14h et 16h-18h Fermé 1er et 6 jan., 23 avr. (fête de San Jorge), 9 et 10 sept. (fêtes patronales), 24, 25 et 31 déc.*

banques et poste

Les **banques** se situent sur l'Av. de Aragón et la Plaza de España.
Poste *C/ Manuel García Pérez Tél. 978 83 02 71 Ouvert lun.-ven. 8h30-14h30, sam. 9h30-13h*

fêtes et manifestations

Semaine sainte Alcañiz fait partie des 22 villages d'Espagne de la **Ruta del Tambor**. La grande **procession del Pregón** (du discours) du Vendredi saint réunit près de 2 000 tambours sur la Plaza de España à 13h pour le départ. Durant plusieurs heures, les puissants roulements résonnent dans toute la ville, symbolisant le tremblement de la Terre et du ciel à la mort du Christ. *Fin mars-début avr.*
San Jorge Rend hommage à saint Georges, patron de l'Aragon – et de la chevalerie –, en mettant scène son combat victorieux sur un terrible dragon. *Plaza de España 23 avr. au matin*
Marché médiéval Spectacles médiévaux, produits de l'artisanat régional et dégustation de spécialités aragonaises. *Plaza de España Deux jours fin avr.*
Fiestas Mayores Elles fêtent le saint patron. *Du 8 au 13 sept.*

DÉCOUVRIR

☆**Les essentiels** La Plaza de España à Alcañiz **Découvrir autrement**
Assistez à la procession del Pregón le Vendredi saint, goûtez le *cordero
al horno*, une des spécialités d'Alcañiz (cf. Carnet d'adresses), déambulez
dans le quartier historique de Valderrobres

Alcañiz

☆**Plaza de España** Cœur historique de la cité, cette place est cernée de
splendides édifices médiévaux et classiques. L'angle que forment la Lonja et
l'Ayuntamiento est le plus célèbre de la région. La première, de style gothique
(fin XIVᵉ-début XVᵉ s.), fut couronnée d'une galerie après la construction du
second (XVIᵉ s.) par soucis d'harmonisation. La façade principale de l'Ayuntamiento présente toutes les caractéristiques de l'architecture Renaissance, mais
on notera l'utilisation des briques de style mudéjar sur la façade latérale. Il est
possible de s'aventurer, avec l'office de tourisme (tarif 2,20€, réduit 1,50€),
dans les souterrains, situés sous l'Ayuntamiento, qui reliaient le château à la
cité médiévale. Mais l'édifice le plus impressionnant de la place reste l'Iglesia
de Santa María la Major, consacrée en 1736 sur les fondations d'une église
gothique dont subsiste le clocher (XIVᵉ s.). Le monumental portail baroque est
l'une des rares notes décoratives de cette construction massive. L'intérieur est
tout aussi vertigineux, avec ses énormes piliers aux chapiteaux composites.
Iglesia de Santa María la Mayor *Ouvert tlj. 11h-13h30 et 16h-19h Entrée libre*

Castillo de los Calatravos Il domine la ville depuis le XIIᵉ siècle. Le pouvoir
autoritaire et souvent controversé des moines soldats de Calatrava ne prit fin
qu'en 1526 avec la Magna Carta, et la forteresse fut transformée au XVIIIᵉ siècle,
à la demande du prince Don Felipe, en un château de plaisance de style aragonais. La Torre del Homenaje (tour de l'Hommage), édifiée au XIVᵉ siècle
contre l'église, renferme de précieuses peintures murales de style gothique.
Dans l'atrium du rdc sont représentés la Cène et le Jugement dernier. Sur les
archivoltes de la porte de communication avec l'église, on aperçoit les défunts
montant au Paradis, tandis qu'à droite les anges rejettent les pécheurs en Enfer.
Les peintures de l'étage illustrent la thématique militaire et chevaleresque.
L'église, d'origine romane (XIIIᵉ s.), abrite un mausolée en albâtre du XVIᵉ siècle,
œuvre du Valencien Damián Forment. Le cloître gothique encercle un petit
potager et conserve quelques peintures murales assez dégradées. *Ouvert juil. :
mer.-dim. 10h-13h et 17h-20h ; août : tlj. 10h-13h et 17h-20h ; mars-juin, sept.-oct. :
mer.-dim. 10h-13h30 et 16h-19h ; nov.-fév. : mer.-dim. 10h-13h30 et 16h-18h Parfois
fermé dim. Tarif 2,20€, moins de 12 ans gratuit Visite guidée env. 4,70€, réduit 3,50€*

Les environs d'Alcañiz

☺**Valderrobres** Aux portes de la réserve naturelle de Puertos de Beceite, cet
attachant petit village d'env. 2 200 habitants conserve un patrimoine médiéval
de toute beauté. On y parle un dialecte voisin du catalan et du valencien, la

Catalogne et la Communauté valencienne étant toutes proches. Dressées au-dessus de la vieille ville, les ruines du château des Heredia (XIVᵉ s.) et l'église gothique Santa María la Mayor, à la somptueuse rosace, gardent le souvenir d'une cité longtemps rattachée à l'archevêché de Saragosse. Le pont médiéval qui enjambe le Río Matarraña permet d'accéder au quartier historique. Derrière le Portal de San Roque, la Plaza de España, ornée d'un Ayuntamiento Renaissance et de belles maisons à galeries, ouvre sur un dédale de ruelles escarpées. *À 37km au sud-est d'Alcañiz par la N232 puis l'A231* **Castillo** *Tél. 978 89 08 86 www. castillodevalderrobres.com Ouvert août: mar.-dim. 10h-14h et 17h-20h30 ; mai-juil., sept. : mar.-sam. 10h-14h et 17h-20h30, dim. 10h30-14h ; oct.-avr. : ven.-sam. 10h-14h et 16h-18h30, dim. 11h-14h Tarif 4€, réduit 2€ (4-11 ans) et 3€ (plus de 65 ans)* **Iglesia de Santa María la Mayor** *Ouverte aux mêmes horaires que le château Visite guidée uniquement*

CARNET D'ADRESSES

Restauration

Parmi les spécialités locales figurent la *torta de pimiento* ("tarte aux poivrons"), le *cordero al horno* ("agneau au four") et les *barrajas* (légumes accompagnés d'une sauce aux amandes et à l'huile d'olive – dont la production régionale est très réputée). Vous trouverez quelques restaurants bon marché le long de l'Avenida de Aragón, et des bars à tapas sur la Plaza de España.

¶¶ très petits prix

La Oficina Le menu du jour à 9€ offre un choix considérable de *primeros* et *segundos platos*, bons et copieux. *Avenida de Aragón, 12* **Alcañiz** *Tél. 978 87 08 01 Ouvert lun.-sam. 7h-16h*

¶¶ prix moyens

Mesón-Asador Casa Luis Un classique. La spécialité de la maison, comme l'indique la qualification *asador* (grill, rôtisserie), ce sont les viandes *a la parrilla*, grillées au feu de bois. Le four-cheminée trône d'ailleurs au fond de la grande salle aux murs vert pistache et aux belles poutres. Comptez env. 28€ à la carte sans les boissons. En semaine, menu du jour à 9€ (16€ le week-end). Menu enfants à 7,50€. Prix HT. *Paseo Andrade, 18* **Alcañiz** *Tél. 978 83 39 20 Ouvert tlj. 13h-16h et 21h-23h*

¶¶ prix élevés

☺ **Meseguer** Face à une station-service, une adresse qui ne paye pas de mine – mais c'est à l'intérieur que tout se passe ! Cuisine traditionnelle de qualité avec une mention spéciale pour la pintade à la truffe. Les champignons de saison sont également divinement préparés. En dessert, laissez-vous tenter par les *montaditos* de pruneaux à l'armagnac... À partir de 35€ à la carte. Menu à 16€ (HT) le samedi. *Av. del Maestrazgo, 9* **Alcañiz** *Tél. 978 83 10 02 Ouvert lun.-sam. 13h-16h Fermé dim. et 1ʳᵉ quinzaine de juil.*

Hébergement

Il y a bien le camping de La Estanca, mais ce serait oublier toute cette myriade de chambres d'hôtes qui vous attendent dans la campagne environnante : idéal pour rayonner entre les petits villages !

camping

La Estanca La seule option pour les campeurs se révèle relativement agréable. Un lac, une piscine et des sanitaires propres, mais le sol est un peu dur et la nationale tout près. Comptez 24€ pour 2 pers. avec tente et voiture et 4€ pour l'électricité. Également des bungalows pour 4-6 pers. à partir de 87€ en haute saison. *C/ de la Estanca, s/n* **Alcañiz** *(par la N232 - à 4km au nord-est d'Alcañiz) Tél. 978 72 20 46 www.campingalcaniz.com Ouvert toute l'année*

prix moyens

Hotel Guadalope Vous voilà aux premières loges ! Campé à l'angle de la Plaza de España, l'hôtel Guadalope offre de superbes vues sur l'ensemble monumental. Confortables, lumineuses, mais un peu bruyantes, les chambres doubles sont louées 80€ avec le petit déjeuner (70€ en basse saison). Également un restaurant et un bar à tapas ouverts tlj. *Pl. de España, 8* **Alcañiz** *Tél. 978 83 07 50 www.hotel guadalope.es*

prix très élevés

Parador La Concordia Voici l'occasion de goûter à la "vie de château" ! Le Parador occupe la partie la plus ancienne du château d'Alcañiz (XIIe s.) et une aile XVIIIe inspirée des palais aragonais. Cadre idyllique à deux pas de la Torre del Homenaje. Faites-vous raconter l'histoire de la Concordia, accord historique signé ici même en 1412. Chambre de 158 à 170€, selon la saison. Au menu du restaurant, œufs à la mode d'Alcañiz, gigot d'agneau et délices à la pâte d'amande. *Castillo Calatravos* **Alcañiz** *Tél. 978 83 04 00 www.parador.es Fermé fin jan.-fév.*

TERUEL

44001

Saragosse

Teruel

Moins de cinq ans après la reconquête de la Tirwal arabe par Alphonse II, en 1171, l'instauration des *fueros*, garantissant privilèges aux citoyens et tolérance entre les communautés, permet de repeupler rapidement la ville. La coexistence pacifique entre chrétiens et musulmans se traduit par la construction de splendides édifices mudéjars. Ainsi, les tours de Teruel, faites de brique et de céramique, se profilent-elles encore au-dessus de la vieille ville. Côté gastronomie, le *jamón serrano* de Teruel ravira les amateurs de charcuterie. Le rude climat montagnard, idéal pour le séchage des jambons de porc blanc ibérique, a valu à la production artisanale locale une AOC dès 1984. Malgré tous ces attraits, cette ville d'environ 36 000 habitants, isolée sur les terres arides du bas Aragon, lutte pour sortir de l'oubli et freiner une émigration endémique.

LES AMANTS DE TERUEL Au début du XIIIe siècle vivaient à Teruel deux tourtereaux de bonne famille, Diego Martínez de Marcilla et Isabel de Segura. Ne pouvant rassembler le montant de la dot, Diego se vit refuser la main de sa belle. Le père de la jeune fille lui accorda cependant un délai

de cinq ans, si bien qu'il quitta Teruel pour aller chercher fortune.
Les années passèrent et, cinq ans et un jour après le départ de son soupirant, Isabel se résolut à épouser, conformément au vœu de son père, un riche seigneur d'Albarracín. À peine était-elle mariée que le malheureux Diego fit son entrée dans Saragosse. Désespéré de s'être trompé d'un jour, il s'introduisit de nuit chez sa bien-aimée pour la supplier de lui accorder un dernier baiser. Celle-ci refusa et il mourut de chagrin sous ses yeux. Le jour de l'enterrement, Isabel pressa finalement ses lèvres sur celles de son amant défunt et mourut sur le champ à son tour.

MODE D'EMPLOI

accès

EN VOITURE
À 180km au sud de Saragosse par l'A23 jusqu'à Daroca, puis la N234. À 145km au nord-ouest de Valence par la N234.

EN TRAIN
4 trains/j. de Valence (2h30 de trajet, env. 17€) et 4 trains/j. de Saragosse (2h10, env. 19€).
Gare ferroviaire Renfe *Camino de la Estación (sous la Escalinata)* Tél. 902 24 02 02 www.renfe.com

EN CAR
Liaisons avec Valence (4-5 AR/j., 2h de trajet, env. 9€), Saragosse (3-10 AR/j., 2h à 2h25, env. 9€). 1 ou 2 cars/j. pour Barcelone ou Tarragone.
Gare routière *Ronda de Ambeles, s/n* Tél. 978 61 07 89 ou 978 79 60 70 www.estacionbus-teruel.com

orientation

Juché sur une éminence, le centre historique, organisé autour de la Plaza del Torico, regroupe tous les monuments d'intérêt dans un périmètre restreint.

informations touristiques

Office de tourisme municipal Plan de la ville à disposition. *C/ San Fran-*

cisco, 1 Tél. 978 64 14 61 www.turismodearagon.com Ouvert juil.-août : tlj. 10h-14h et 16h45-20h ; reste de l'année : lun.-sam. 9h-14h et 16h30-19h, dim. et j. fér. 10h-14h et 16h-19h

circuler en voiture

Le centre historique est piéton. Quatre parkings privés sont installés aux alentours.

banques et poste

Les **banques** sont regroupées sur la Plaza del Torico et Calle Nueva.
Poste *C/ Yagüe de Salas, 19 Tél. 978 61 84 72 Ouvert lun.-ven. 8h30-20h30, sam. 8h30-13h*

fêtes et manifestations

Noces d'Isabel de Segura Remettent en scène la légende des amants de Teruel. Marchés et spectacles médiévaux. *Week-end de fév. le plus proche de la saint Valentin*
Fêtes de la Vaquilla del Ángel La Fiesta Mayor de Teruel, avec lâcher de taureaux, corridas, concerts... *Dim. de juil. le plus proche de la Saint Christophe*
Fêtes du jambon Foire consacrée au célèbre *jámon. En sept.*

DÉCOUVRIR

☆ **Les essentiels** La tour San Salvador et la cathédrale de Teruel, la vieille ville d'Albarracín **Découvrir autrement** Dégustez le jambon de Teruel, visitez la fabrique de céramique Domingo Punter e Hijos

Teruel

Plaza del Torico De la cathédrale aux tours mudéjares, en passant par le mausolée des amants de Teruel, vos pas vous ramèneront toujours sur la Plaza del Torico, cœur du quartier historique. Bordée de vieilles arcades, celle-ci doit son nom à la statuette de taureau en bronze coiffant une fontaine, qui est devenue symbole de la ville. Le charme de la place est accentué par les deux élégantes façades modernistes de la Casa del Torico et de la Casa de la Madrileña. Leurs lignes courbes, leurs balcons en fer forgé et leurs décors sculptés sont un hymne à la nature. Notez par exemple l'abeille sur les balcons de la Madrileña. Pour les amateurs, il existe, non loin de là, deux autres demeures du même style et de la même époque : la Casa Ferrán, dans la Calle Nueva, et la Casa Bayo, sur la Plaza Bretón. *Pas de visite*

● **BOIRE UN VERRE À TORRE ET... À TRAVERS !**
Imaginez que par une froide journée d'hiver, on vous propose d'admirer de tout près la tour de San Salvador, installé bien au chaud, un café fumant entre les mains... Eh bien, c'est chose faite ! Courez donc vous installer dans la mezzanine de ce café-pub branché et levez les yeux : la tour est bien là, derrière une grande verrière !
La Torre C/ del Salvador, 20bis Tél. 978 60 52 63 Ouvert mar.-jeu. et dim. 9h-2h, ven.-sam. 11h-4h30

☆ ☺ **Torre de San Salvador - Torre de San Martín** Ces deux splendides tours mudéjares carrées (XIVe s.), classées Patrimoine mondial de l'Unesco en 1986, furent construites sur le modèle des minarets almohades. Hautes d'environ 40m, elles faisaient office de portes et de tours défensives. Leurs parures extérieures forment une véritable tapisserie, à la géométrie orientale. Les arcs mixtilignes en brique voisinent avec des étoiles, des disques et des cylindres de céramiques vernissées vertes et blanches. **Torre de San Salvador** Ouvert 15 juil.-15 sept. : tlj. 10h14 et 16h-20h ; reste de l'année : mar.-dim. 11h-14h et 16h30-19h30 Tarif 2,50€/1,80€ **Torre de San Martín** Ne se visite pas

☆ ☺ **Catedral de Santa María de Mediavilla** De la façade extérieure, seul le grand clocher (XIIIe s.) date de la période de splendeur du mudéjar. Pourtant l'ensemble reste bien uniforme, la tour-lanterne ayant été construite dans le même style au XVIe siècle et le portail étant l'œuvre d'un architecte néomudéjar du début du XXe siècle. Le clocher diffère des autres tours de Teruel par sa coupole de tuiles vertes et les touches mauves qui pointent entre le vert et le blanc des céramiques vernissées. Mais la vraie richesse de la cathédrale est son plafond *artesonado* mudéjar (XIIIe s.). Couvrant la totalité de la nef, il se déploie comme un livre ouvert où sont peints une foule de personnages, des représentations de scènes religieuses ou agricoles, mais aussi des animaux fantastiques et des motifs géométriques et floraux d'influence nettement islamique. Une galerie à l'étage permet de mieux en apprécier les détails. La grille de style gothique flamboyant qui entoure le chœur est également très appréciée, de même que le retable majeur (XVIe s.), taillé sur bois par le Français Gabriel Joly. *Pl. de la Catedral Tél. 978 61 80 16 Ouvert été : tlj. 11h-14h et 16h-20h ; hiver : tlj. 11h-14h et 16h-19h Les horaires peuvent changer en fonction des messes Visites guidées uniquement 3€, réduit 2€*

Iglesia de San Pedro Église du XIVe siècle à abside et tour mudéjares, également classée au Patrimoine mondial de l'Unesco depuis 1986. La Torre de San Pedro (XIIIe s.), bien que moins haute et plus sobre que ses consœurs, est aussi percée d'une grande porte et arbore un beau revêtement de briques et de céramiques vertes et blanches. Sur les colonnettes, on retrouve les symboles chrétiens et musulmans (clés de saint Pierre, main de Fatma…). La chapelle baroque accolée à l'église abrite le Mausoleo de los Amantes, où les momies présumées des célèbres amants de Teruel reposent dans des sépultures en albâtre réalisées par Juan de Ávalos. La légende est finalement plus attachante que le lieu… *C/ Nueva, 1 Ouvert août : tlj. 10h-20h ; reste de l'année : tlj. 10h-14h et 16h-20h* **Mausoleo de los Amantes** *Tél. 978 61 83 98 Ouvert août : tlj. 10h-20h ; reste de l'année : tlj. 10h-14h et 16h-20h Tarif mausolée 4€, réduit 3€ ; mausolée + église de San Pedro 6€, réduit 5€ ; mausolée + église San Pedro + tour 9€, réduit 7€*

Escalinata Cet étonnant escalier de style néomudéjar (1920-1921) permet de rejoindre la gare à partir du Paseo del Óvalo, à la limite ouest du centre.

Los Arcos Côté nord-est, on pourra jeter un œil à cet ancien aqueduc Renaissance. Sa structure à deux étages, conçue par le Français Pierre Vedel en 1537, permettait à la fois le passage de l'eau et celui des piétons.

Museo Provincial Dans le beau palais Renaissance de la Casa de la Comunidad (XVIe s.), il brosse sur quatre étages un intéressant tableau de la vie et de l'histoire régionales. La section ethnographique présente les travaux agricoles, la forge, la vie quotidienne… sans trop d'artifices, à l'aide de photos et d'objets bien mis en valeur. La section consacrée à la céramique vous fera découvrir l'évolution des motifs vert et blanc de Teruel depuis le XIIIe siècle, ainsi qu'une reconstitution d'une pharmacie du XVIe-XVIIIe siècle. La loggia du dernier étage offre une vue remarquable sur la cathédrale. *Pl. de Fray Anselmo Polanco, 3 Tél. 978 60 01 50 www.museo.deteruel.es Ouvert lun.-ven. et j. fér. 10h-14h et 16h-19h, sam.-dim. 10h-14h Fermé 1er et 6 jan., 2 avr., 24, 25 et 31 déc. et pendant les fêtes de la Vaquilla del Angel Entrée libre*

● **Comment choisir un vrai *jamón* de Teruel ?** Deux critères à vérifier avant d'acheter un *jamón* de Teruel : 17 mois minimum de séchage et une estampille en forme d'étoile à huit branches garantissant l'appellation d'origine de Teruel. Les nombreuses charcuteries de la ville affichent à peu près toutes les mêmes tarifs : à partir de 12€ le kg.

● **Où acheter de la céramique ?** Il n'y a pas que les amants ou le jambon : la céramique de Teruel jouit également d'une grande notoriété ! Cet artisanat, florissant du XIIIᵉ au XVᵉ siècle, porte encore la marque évidente du mudéjar, arborant une belle palette de motifs vert et blanc, où l'on retrouve les symboles chrétiens (poissons, dragons) et musulmans (main de Fatma).

Domingo Punter e Hijos Grand nom de la céramique à Teruel, cette fabrique artisanale produit de nombreuses pièces, peintes à la main et cuites au four. Il est possible de visiter la fabrique. **Fabrique** *Polígono Industrial La Paz 4 Tél. 978 60 28 15 Ouvert lun.-ven. 8h-13h30 et 15h-18h30 sur rdv Fermé les trois premières semaines de juillet* **Magasin** *Pl. de la Catedral, 4* **Teruel** *Ouvert lun.-sam. 10h-14h et 17h-21h ; dim. 11h-13h30*

● **Où boire un verre ?** En plus des terrasses des places Del Torico et Del Óvalo, le week-end, les jeunes aiment à se retrouver dans les bars de nuit autour de la rue de San Esteban et de la place Bretón.

Les environs de Teruel

☆ ☺ **Albarracín** Ancienne place forte arabe et capitale du *taifa* indépendant des Banu-Razin, Albarracín est considéré – à juste titre – comme l'un des plus beaux villages d'Espagne. Il est perché à 1 171m d'altitude sur un promontoire escarpé de roche rose, première esquisse des monts Universels qui s'étirent à l'ouest. Son vieux quartier et ses hautes murailles dominent les gorges du Río Guadalaviar, véritable fossé naturel. À l'intérieur de cette forteresse, les pierres semblent animées d'une magie toute particulière. Les vieilles maisons médiévales au revêtement rose sont si resserrées qu'elles laissent à peine pénétrer le soleil. La cathédrale (XVIᵉ s.) se dresse à deux pas du château (Xᵉ-XIIIᵉ s.). De toute part, la vue sur le village est splendide. En contrebas, au niveau du parc, le Paseo Fluvial invite à une agréable balade le long de la rivière qu'enjambent, par endroits, de petites passerelles en bois. *À 37km au nord-ouest de Teruel* **Office de tourisme** *Tél. 978 71 02 62 Ouvert lun.-sam. 10h-14h et 16h-20h, dim. 10h-14h et 16h-19h* **Cathédrale et château** *Visite guidée uniquement pour la cathédrale, rens. à la Fundación Santa Maria de Albarracín Tél. 978 70 40 35 www.fundacionsantamariadealbarracin.com*

● **LIT CONVERTIBLE !** Laissez-vous envoûter par le charme d'Albarracín et optez pour une nuit – musulmane ? juive ? chrétienne ? – au pied du château... (p.460). ☺ **Casona del Ajimez** *C/ de San Juan, 2* **Albarracín** *Tél. 978 71 03 21 ou 655 84 32 07 www.casonadelajimez.com*

CARNET D'ADRESSES

Restauration, hébergement

Pas question de passer par Teruel sans goûter son fameux *jamón* et faire honneur aux *conservas*, pièces de porc confites dans de l'huile d'olive et des épices.

très petits prix

Hostal Aragón Hors jours d'affluence, le charmant patron n'hésitera pas à vous montrer les chambres. Simples, doubles ou triples, avec ou sans sdb, toutes sont différentes mais affichent la même propreté. Quant à la qualité des matelas, rassurez-vous, le magasin de literie au rdc est tenu par la même famille ! Double de 30 (sans sdb) à 45€ (avec sdb), hors petit déjeuner. *C/ Santa María, 4 Teruel Tél. 978 60 13 87 www.hostalaragon.org*

Fonda del Tozal Avec sa belle façade fleurie et son mobilier à l'ancienne, la Fonda del Tozal est ce qui se rapproche le plus d'une adresse de charme. Il ne faudra cependant pas être trop regardant en ce qui concerne le confort et l'insonorisation. Chambre double avec sdb à 38€ en saison basse et 45€ en été (pas de petit déj.). Wifi. *C/ Rincón, 5 Teruel (3ᵉ rue à gauche en remontant la C/ Tozal à partir de la Pl. del Torico) Tél. 978 61 02 07 ou 978 60 10 22*

petits prix

Hospedería El Seminario Résidence des membres du diocèse, l'immense séminaire de Teruel abrite également une auberge réservée aux hôtes de passage. Les chambres (1-4 pers.) possèdent toutes une sdb et offrent sans aucun doute le meilleur rapport qualité-prix de la ville. L'ensemble est bien sûr un peu austère, mais vous apprécierez le calme qui y règne. Comptez 57€ la double avec petit déj. et 72€ la triple. Cafétéria au rdc (déjeuner à env. 9€, dîner à 7€). *Pl. de Pérez Prado, 2 Teruel Tél. 978 61 99 70 www.hospederiaelseminario.com*

prix moyens

Gregory Cette vaste terrasse est tellement fréquentée aux beaux jours qu'il n'est pas rare de devoir prendre un ticket avant de pouvoir s'asseoir. La qualité et l'abondance de tapas et *raciones* en font un dîner très appréciable. Faites votre choix entre les *cositas de la huerta* (petites choses du potager), *del mar* (de la mer) ou de Teruel (charcuteries et viandes). Comptez 25€. *Paseo Óvalo, 6 Teruel Tél. 978 60 05 80 Ouvert lun.-ven. 7h-1h, sam.-dim. 9h-0h*

Rokelin Spécialisée dans la diffusion des produits gastronomiques de Teruel, la chaîne Rokelin possède plusieurs boutiques dans la vieille ville.

GAMME DE PRIX	RESTAURATION	HÉBERGEMENT
Très petits prix	moins de 12€	moins de 50€
Petits prix	de 12 à 20€	de 50 à 65€
Prix moyens	de 20 à 30€	de 65 à 85€
Prix élevés	de 30 à 50€	de 85 à 130€
Prix très élevés	plus de 50€	plus de 130€

Optez pour celle de la rue Ramón y Cajal. Vaste choix de charcuteries et de fromages à savourer sous forme de *bocadillos*, tapas, assiettes mixtes... Comptez 20-25€ ; menu (servi jusqu'à 16h) à 11€ en sem., 13€ le week-end. *C/ Ramón y Cajal, 7 Teruel Tél. 978 60 93 63 Ouvert tlj. 9h-2h*

🛍 prix élevés

Hotel Torico Plaza Ce bel hôtel moderne est l'un des trois de la chaîne Baco de Teruel. Sa situation privilégiée au cœur du centre historique est complétée par des chambres de haut standing et une décoration très design. Celles de l'étage ouvrent, au choix, sur la Plaza del Torico, la maison moderniste Casa Ferrán ou bien la Torre del Salvador. Le fin du fin ? Les trois suites, localisées sur le toit avec terrasse et Jacuzzi. De 70 à 180€ env. la double standard, et de 180 à 210€ la suite. Petit déj. 7,50€. *C/ de Yagüe de Salas, 5 Teruel Tél. 978 60 86 55 www.bacohoteles.com*

Dans les environs

🍴 🛍 prix moyens

☺ **Hospedería El Batán** Le cadre champêtre de cette ancienne lainerie mérite bien que l'on fasse quelques kilomètres de plus pour dormir au vert. Un cours d'eau traverse la propriété et plusieurs sentiers de randonnée passent à proximité. L'hébergement ne réserve, lui aussi, que des bonnes surprises : chambres douillettes à 71€ ou appartement indépendant pour 4 pers. avec cheminée à 105€. Petits délices régionaux et cuisine fusion à découvrir au restaurant, qui n'est pas réservé aux pensionnaires (menu dégustation à 45€, demi-pension à env. 136€ pour 2 pers.). Petit déj. 9€. *Tramacastilla del Albarracín (sur*

l'A1512 après Torres de Albarracín, au km43) Tél. 978 70 60 70 www.elbatan. es Restaurant fermé mar. (sauf pour les pensionnaires)

☺ **Casa de Santiago** Restaurée avec beaucoup de goût, cette belle bâtisse vous promet un séjour des plus cosy. Confort irréprochable, décor de fer forgé, de bois et de couleurs chaudes. Double de 64 à 70€, suite à 89-95€. Bonne cuisine traditionnelle servie au restaurant, également ouvert aux non-résidants, compter 20-25€. *Subida a las Torres, 11 Albarracín (de la Pl. Mayor, suivre la C/ de Santiago, puis bifurquer à droite en direction des remparts) Tél. 978 70 03 16 www.casadesantiago.net Restaurant ouvert 14h-15h30 et 21h-22h30*

☺ **Casona del Ajimez** Installé juste au-dessous du château d'Albarracín, cet hôtel de charme propose six perles rares ! La décoration raffinée des chambres puise ses sources dans les trois grandes religions du pays : deux chambres chrétiennes, deux chambres juives et deux chambres musulmanes (nos préférées, avec leurs mezzanines). Jardin sous les cyprès et les tours du château. Comptez 76€ la double et 5€ le petit déjeuner (prix HT). *C/ de San Juan, 2 Albarracín Tél. 978 71 03 21 ou 655 84 32 07 www.casonadelajimez.com*

GEOREGION

LA COMMUNAUTÉ VALENCIENNE

★ ☺ VALENCE

de 46000 à 46026

Troisième ville d'Espagne avec quelque 800 000 habitants, Valence (València) est un pôle économique d'importance, grâce aux plaines agricoles fertiles de la *huerta*. Mais la capitale de la Communauté valencienne n'a rien d'un géant impersonnel. Le visiteur tombe vite sous le charme de ses rues animées, bordées d'édifices gothiques et baroques. Nombreux monuments historiques, gastronomie alléchante (avec en vedette l'incontournable paella), longue plage de sable fin... Valence séduit ! Sans oublier un art consommé de la fête qui étourdira les plus blasés : la vie nocturne trépidante du quartier d'El Carmen n'a rien à envier à celle de Barcelone ! En mars, la semaine des Fallas met véritablement la ville en transe. D'autres événements majeurs ont fait de Valence une capitale sportive d'envergure : après le succès, en 2007, de la 32e Coupe de l'America à la voile (suivie d'une réédition en février 2010), la ville a accueilli, de 2008 à 2012, le Grand Prix d'Europe de Formule 1, sans compter qu'elle abrite l'un des clubs de football les plus titrés d'Espagne ! Bref, il est inconcevable de traverser l'Espagne orientale sans y faire escale quelques jours.

LE JOYAU D'AL-ANDALUS Fondée par les Romains en 138 av. J.-C., la ville, délimitée par une muraille de 1 km autour de l'actuelle cathédrale et du site de l'Almoina, connaît une expansion notable au Ier siècle de notre ère. Au VIe siècle, Valence, christianisée, est sous domination wisigothe. Conquise par les musulmans en 714, elle devient, au Xe siècle, la capitale d'une *taifa*, l'un des nombreux royaumes d'Al-Andalus créés après la dissolution du califat de Cordoue. De cette époque de splendeur subsiste une organisation efficace du réseau d'irrigation des campagnes environnantes et l'institution du tribunal des Eaux (p.472). En 1095, le Cid Campeador s'empare de la ville. À la mort du célèbre mercenaire chrétien, en 1099, elle est reprise par les Almoravides, puis sera définitivement reconquise par les armées du roi Jacques Ier d'Aragon, en 1238. Ce dernier fonde le royaume de Valence et le dote de lois qui resteront en vigueur jusqu'en 1707. Après la Reconquête, le paysage urbain change radicalement, notamment avec la construction de la cathédrale. À la Renaissance, Valence devient l'une des principales puissances méditerranéennes, grâce au commerce de la soie ; son économique et culturelle est énorme. Au début du XVIIe siècle, l'expulsion des Maures, qui formaient une part importante et active de la population, provoque une crise économique durable. Avec les guerres qui embrasent les XVIIIe et XIXe siècles, la situation politique se dégrade à son tour. Soulevée contre les Français en 1808, la ville est occupée par Suchet en 1812. Puis, au début du XXe siècle, Valence profite de la croissance économique espagnole. Une prospérité qu'illustre l'architecture moderniste, omniprésente en ville et dans la région. Après les années noires de la guerre civile, puis la dictature de Franco, la cité retrouve de sa superbe en devenant la capitale de la Communauté valencienne.

LA COMMUNAUTÉ VALENCIENNE

MODE D'EMPLOI

accès

EN AVION
Aéroport de Manises (plan 15, A1) Il accueille des vols nationaux et internationaux, notamment en provenance de Paris-Roissy CDG (Air Europa, Air France), de Paris-Orly (Vueling), de Bruxelles (Vueling, Iberia) et de Zurich (Swiss) (p.50). *Manises (à 8km à l'ouest du centre par l'A3) Tél. 913 21 10 00 ou 902 40 47 04 www.aena.es*
Office de tourisme *Ouvert lun.-ven. 8h30-20h30, w.-e. et j. fér. 9h30-17h30*
Radio-taxi Manises Station face au hall des arrivées. Env. 20€ la course et 25min de trajet jusqu'au centre de Valence. *Tél. 961 52 11 55*
Metrovalencia Les lignes 3 et 5 du métro relient l'aéroport au centre de Valence toutes les 10-20min du lun. au sam. de 5h30 à 0h, le dim. de 7h à 23h20. Trajet 20-25min. Tarif env. 5€ *Tél. 900 46 10 46 www.metrovalencia. es* **Fernanbus** Arrêt des bus en face du hall des départs. La ligne n°150 dessert Quart de Poblet et Mislata avant de gagner le centre-ville. Départs toutes les 25min de 5h25 à 22h, billet 1,45€. *Tél. 961 50 00 82 www.fernanbus.es*

EN VOITURE
Valence est à 351km au sud-ouest de Barcelone par l'AP7 (Autopista del Mediterráneo, payante) et à 357km à l'est de Madrid par l'A3.

EN TRAIN
De Barcelone, trains fréquents (3-5h de trajet, env. 27,50-45€ AS). De Madrid, env. 15 trains/j. (1h40 de trajet en train à grande vitesse AVE, env. 80€ AS, 6h30 en train express régional, env. 25€ AS). De Saragosse, 3 départs/j. en semaine : comptez 4h30 à 5h de trajet et 33€ AS.

Estacíon del Norte (plan 16, B4) La gare centrale de Valence. *C/ Xàtiva, 24 Tél. 902 32 03 20 www.renfe.com*
Estación Joaquín Sorolla (plan 17, A3) Accueille les trains à grande vitesse (AVE). *C/ San Vicente Mártir, 171 Tél. 902 43 23 43 ou 963 80 36 23 www.renfe.com*

EN CAR
Gare routière (plan 17, A1) *Av. Menéndez Pidal, 11 Tél. 963 46 62 66*
Alsà De Barcelone, de 4 à 9 cars/j. (4h15 de trajet, env. 30€). D'Alicante, 18 cars/j. (2h30, 20-25€). *Tél. 902 42 22 42 www.alsa.es*

EN BATEAU
Estación Marítima (plan 17, D3) Plusieurs compagnies de ferries relient le port de Valence aux îles Baléares. Comptez 66-85€ et 3-4h de traversée pour Ibiza. *Av. Muelle del Turia, s/n* **Liaison avec le centre-ville** *en métro, ligne 5 ou 6 jusqu'à la station "Marítim-Serrería", puis tramway www.directfer ries.es/balearia*

orientation

Le centre-ville s'étend sur la rive sud du Río Turia (aujourd'hui asséché et transformé en une coulée verte). Les quartiers historiques de la Cathédrale et d'El Carmen s'étendent dans sa partie nord ; au centre, le quartier populaire du Mercado Central, le grand marché couvert de Valence ; au sud, l'hôtel de ville trône sur la Plaza del Ayuntamiento. On se rend aisément à pied d'un de ces quartiers à l'autre. À 4km à l'est du centre-ville s'étend le quartier de Malvarrosa, bordé par la longue plage de sable du même nom.

circuler en voiture

Pratique pour gagner les lieux nocturnes éloignés (attention, les routes sont dangereuses), l'usage de la voiture est vivement déconseillé dans le centre-ville : réseau de rues complexe, voies à sens unique, stationnement difficile. L'idéal est de se garer dans l'un des parkings de la ville, puis de visiter celle-ci en bus ou à pied. La vitesse est limitée à 30km/h dans le centre et à 50km/h dans l'agglomération. Pendant les Fallas, l'ensemble du centre-ville est fermé à la circulation automobile.

transports urbains

De manière générale, le bus convient parfaitement aux déplacements dans le centre-ville et les quartiers adjacents, tandis que le métro est plus pratique pour se rendre en banlieue, notamment au port et à la plage. L'agglomération valencienne a été découpée en 4 zones concentriques, de A à D.

MÉTRO

L'agglomération dispose de cinq lignes de métro. Les lignes 3 (rouge) et 5 (verte) desservent l'aéroport. La ligne 4 (bleue) mène aux plages, en changeant à la station "Benimaclet" pour prendre le tramway qui mène à Malvarrosa. Les rames circulent de 5h/5h30 à 23h30.
Metro de Valencia *Tél. 900 46 10 46 www.metrovalencia.es*

BUS

Le réseau compte près d'une centaine de lignes desservant, pour la plupart, la place de l'Hôtel de Ville et la gare. Les lignes n°5 et n°95 font le tour de la cité, la n°10 traverse la ville du sud-est au nord-ouest. Les bus circulent tlj. de 5h à 22h30. Sur 9 lignes, le service est assuré jusqu'à 1h30 (lun.-mer.) ou 3h (jeu.-sam.). Évitez le bus touristique, cher (env. 16€) et sans grand intérêt.
EMT (Empresa Municipal de Transportes de Valencia) *Pl. Correo Viejo, 5 Tél. 963 15 85 15 www.emt valencia.es www.turisvalencia.es*

TITRES DE TRANSPORT

Ils sont vendus en station, dans les agences agréées, bureaux de tabac et kiosques. **Tickets de métro** À l'unité de 1,50€ (1 zone) à 3,90€ (4 zones) ; Bonometro 10 trajets de 7,20€ (1 zone) à 20€ (4 zones) ; Bonotransbordo (10 trajets en zone A avec 1 correspondance en bus) 9€.
Tickets de bus À l'unité 1,50€ ; Bonobús plus (10 trajets avec correspondance, valables 1h) 8€.
Trajets illimités bus & métro Ticket 1j. 4€, 2j. 6,70€, 3j. 9,70€. **Valencia Tourist Card** Trajets illimités en métro ou en bus dans les zones A et B et sur les lignes 3 et 5 du métro entre l'aéroport et le centre-ville. Réductions dans les musées, boutiques et restaurants agréés. En vente à l'office de tourisme, au point infotourisme de l'aéroport et dans les stations Xàtiva et Benimaclet. 1j. 15€, 2j. 20€, 3j. 25€. (-10% pour un achat en ligne) Tél. 900 70 18 18 900 7 0 18 18 www.valenciatouristcard.com

Tableau kilométrique

	Valence	El Palmar	Teruel	Játiva	Guadalest
El Palmar	21				
Teruel	146	164			
Játiva	62	55	218		
Guadalest	148	134	303	75	
Alicante	178	165	334	129	63

LA COMMUNAUTÉ VALENCIENNE

TAXIS

Toutes les voitures sont blanches, et une lumière verte indique qu'elles sont disponibles. Station principale sur la Plaza del Ayuntamiento. À éviter pour les petits trajets. Tarif minimum : env. 4€.

Télé Taxi *Tél. 963 57 13 13*
Radio-taxi *Tél. 963 70 33 33*

VALENBISI

Ce système de vélos en libre-service fonctionne comme les Vélib parisiens. Quelque 275 stations sont disséminées dans la ville. Attention : on ne peut pas acheter le pass (minimum 7j., 12,21€, utilisation gratuite du vélo pendant 30min, 1,02€ les 30min suivantes, puis 3,05€/h supplémentaire) dans toutes les stations. Un excellent moyen de découvrir Valence, d'autant que la ville dispose de 130km de pistes cyclables. Plans du réseau dans les offices de tourisme et sur www. valenbisi.es. *Tél. 902 00 65 98*

informations touristiques

Office de tourisme de Valence (plan 16, C4) Demandez le plan du centre-ville et celui des lignes de métro/bus. *Pl. del Ayuntamiento s/n Tél. 963 52 49 08 Ouvert lun.-sam. 9h-19h, dim. et j. fér. 10h-14h*

Office de tourisme de la Communauté valencienne (plan 16, D3) *C/ Paz, 48 Tél. 963 98 64 22 Ouvert lun.-ven. 10h-18h, sam. et j. fér. 10h-14h*

Point d'information touristique Renfe (plan 17, A3) *Estación Joaquín Sorolla C/ San Vicente Mártir, 171 Tél. 963 80 36 23 Ouvert lun.-ven. 10h-18h, w.-e. 10h-15h*

Point d'information touristique Reina (plan 16, C2) *Pl. Reina, 19 Tél. 963 15 39 31 Ouvert lun.-sam. 9h-19h, dim. et j. fér. 10h-14h*

Point d'information touristique de l'aéroport (plan 15, A1) *Aéroport de Manises Tél. 961 53 02 29 Ouvert lun.-ven. 8h30-20h30, w.-e. 9h30-17h30*

VALENCIA MUSEU OBERT

Vous pouvez faire une visite guidée interactive de Valence. Recherchez les panneaux carrés "Valencia Museu Obert", signalant les principaux musées et sites d'intérêt de la ville, composez le 0034 650 800 200 sur votre téléphone portable, sélec-

À chacun son quartier

Quartier de la Cathédrale (plan 16) Le centre historique de Valence s'articule autour de la cathédrale et de son tribunal des Eaux (p.468)
El Carmen (plan 16) Cet agréable lieu de promenade en journée est aussi le rendez-vous des noctambules avec ses bars festifs (p.474)
Quartier du Mercado Central (plan 16) Très animé, le quartier des marchands, qui prospéra à la Renaissance, charme par ses monuments et ses placettes pittoresques (p.481)
Quartier de l'Ayuntamiento (plan 16) C'est là que les décisions se prennent et que les aficionados se retrouvent depuis le XIXe siècle (p.484)
L'ancien cours du Río Turia (plans 15, 16 et 17) À sec depuis que le fleuve a été canalisé et dévié, il a été réaménagé en une promenade agrémentée de terrains de football, aires de jeux, jardins et plans d'eau (p.488)

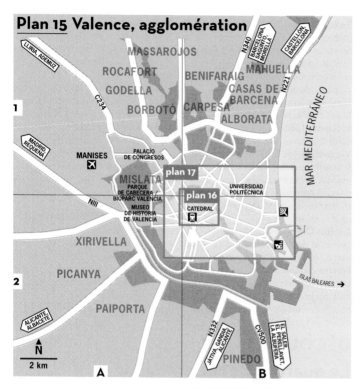

Plan 15 Valence, agglomération

tionnez la langue désirée et le numéro de référence figurant sur le panneau et bénéficiez de passionnantes informations sur le lieu où vous vous trouvez. La communication, payante (de 12 à 18 centimes la minute pour les usagers de Movistar, un peu plus cher pour les autres opérateurs), dure env. 2min.

consulats

Généralement ouverts du lundi au vendredi de 9h30-10h à 12h30-14h.
De France (plan 16, D3) C/ Cronista Carreres, 11 1°A Tél. 963 51 03 59
De Belgique (plan 16, A4) Gran Vía de Ramón y Cajal, 33 Tél. 963 80 29 09
De Suisse (plan 16, D3) C/ Cronista Carreres, 9 7°I Tél. 963 51 88 16

banques et poste

Vous trouverez des banques aux abords de l'hôtel de ville et sur Gran Vía del Marqués del Turia (plan 17, B2) **Poste principale (plan 16, C4)** Pl. del Ayuntamiento, 24 Tél. 963 51 23 70 Ouvert lun.-ven. 8h30-20h30, sam. 9h30-14h

fêtes et manifestations

Cabalcada de los Reyes Magos - Epifanía Défilé costumé des Rois mages avec distribution de bonbons aux enfants. Ouverture des cadeaux le lendemain, jour de l'Épiphanie. 5 et 6 jan.
San Vicente Mártir Procession et grand messe en l'honneur du saint patron de la ville. 22 jan.

Fallas de San José cf. Folles Fallas (p.486). *www.fallas.com mi-mars*

Semana Santa Marinera Messes et processions dans toute la ville, particulièrement dans les quartiers proches du port. *Mars-avr.*

Fiesta de San Vicente Ferrer Spectacles d'enfants retraçant les miracles accomplis par ce saint, mort en 1419. *Le dimanche après Pâques*

Virgen de los Desamparados De la basilique à la cathédrale, danses, messe, procession, *mascletà* et marché populaire en l'honneur de la patronne de la ville. *Plaza de la Virgen Le 2e week-end de mai*

Corpus Christi (Fête-Dieu) Défilé de géants et de chars soutenant des personnages bibliques. *Fin mai-début juin*

Noche de San Juan Les Valenciens se réunissent sur les plages, autour de feux de joie, pour fêter la nuit la plus courte de l'année. *Nuit du 23 au 24 juin*

Feria de Julio Concerts, projections et théâtre en plein air, corridas, concours de fanfares, feux d'artifice et célèbre bataille de fleurs... *Tout le mois de juillet*

Tomatina Des visiteurs du monde entier affluent à Buñol (39km à l'ouest de Valence) le dernier mercredi d'août pour se livrer à une gigantesque bataille de tomates. Cette tradition qui remonte à l'après-guerre donne lieu à trois jours de mêlées épiques (et maraîchères, donc) dans les rues du village et de fêtes endiablées dans Valence. *Dernière semaine d'août*

Día de la Comunidad Valenciana On célèbre la reconquête de la ville par Jacques Ier d'Aragon (1238)... et, comme c'est la Saint-Dionisio (la Saint-Valentin locale), les femmes se voient offrir par leur amoureux du massepain enveloppé dans un foulard. La veille, festival international de feux d'artifice. *Le 9 oct.*

DÉCOUVRIR
Le quartier de la Cathédrale

☆ **Les essentiels** La cathédrale et le tribunal des Eaux **Découvrir autrement** Admirez les fresques médiévales de l'Almudín et savourez les délicieux *churros* de la Horchatería El Siglo

☆ **Catedral (plan 16, C2)** Cette immense cathédrale fut érigée de 1262 à 1429 sur les fondations d'une mosquée (elle-même bâtie sur les restes d'un temple romain) et abondamment remaniée au XVIIIe siècle. Ce qui surprend ici, outre le tracé général, c'est la juxtaposition des styles. En témoignent ses trois portails, magnifiques. À noter que l'on peut maintenant admirer les fresques du XVe siècle, d'une beauté à couper le souffle, que l'on a découvertes dans l'abside et restaurées. *Pl. de la Reina Tél. 963 91 81 27 www.catedralde valencia.es Ouvert 20 mars-oct.: lun.-sam. 10h30-18h30, dim. et j. fér. 14h-18h30 ; nov.-19 mars : lun.-sam. 10h-17h30, dim. et j. fér. 10h-14h Tarif 4,50€, réduit 3€ (inclus audioguide en français, musée et Capilla de Santo Cáliz)* **Museo** *Ouvert 20 mars-oct. : lun.-ven. 10h-18h30, sam. 10h-17h30, dim. et j. fér. 14h-17h30 ; nov.-19 mars : lun.-sam. 10h-17h30, dim. et j. fér. 10h-14h* **Tour du Miguelete** *Ouvert tlj. 10h-13h et 16h30-19h Tarif 2€, moins de 14 ans 1,50€*

Les portails Sur la Plaza de la Reina donne la Puerta de los Hierros ("porte des Fers", du XVIIIe s.), de style baroque. La Puerta de los Apóstoles ("porte des Apôtres", du XIVe s.), devant laquelle se réunit chaque jeudi le tribunal des Eaux, est un chef-d'œuvre gothique. De l'autre côté de l'édifice s'ouvre la Puerta del Palau ("porte du Palais"), le portail primitif de style roman.

Les chapelles En entrant, on est frappé par la majesté de la nef et du chœur, tous deux réalisés au XIIIe siècle. Les aménagements néoclassiques du XVIIIe siècle sont un peu tristes. Outre l'abside baroque richement ornée, on remarque les innombrables chapelles dédiées à des saints locaux. Pas un seul ne manque, de la Virgen del Pilar à la Virgen de los Desamparados, patronne de Valence. On retrouve bien sûr San Vicente Mártir, le plus célèbre martyr de la ville, supplicié par les Romains. Son bras momifié est exposé sous un globe de cristal, dans une chapelle à l'arrière de l'abside. Âmes sensibles s'abstenir… À droite de l'entrée, on accède à la **Capilla del Santo Cáliz**. Les pierres de taille des murs, où sont accrochés des tableaux anciens, sont à peine éclairées par un vitrail. Une atmosphère idéale pour découvrir la relique qui trône dans son écrin doré : cette coupe d'agate serait rien moins que le Saint-Graal, le calice utilisé par le Christ lors de la Cène.

Musée Au fond de cette chapelle, le musée renferme une superbe collection d'art sacré, comportant des peintures polychromes sur bois. Celles du maître

LA COMMUNAUTÉ VALENCIENNE

Terre et paix

☆ **Tribunal de las Aguas (plan 16, C2)** Si l'agriculture valencienne est aussi prospère, c'est grâce à l'immense réseau d'irrigation qui, depuis plus de deux mille ans, traverse et fertilise les plaines de la *huerta*. Ses sept grandes artères alimentent un grand nombre de canaux secondaires, tous creusés par les Romains au Ier siècle av. J.-C. Un réseau qu'il faut entretenir et coordonner avec autorité. C'est ainsi, que tous les jeudis matins, l'insolite tribunal des Eaux se réunit pour discuter des problèmes d'irrigation. Une coutume au rituel immuable, instaurée par le calife de Cordoue Abd al-Rahmân III en 960 ! Sous la Puerta de los Apóstoles de la cathédrale, des fauteuils en bois et cuir du XVIIe siècle disposés en demi-cercle accueillent huit représentants du monde agricole. Élus par leurs pairs pour deux ans, ils portent la blouse noire traditionnelle des *huertanos*. Un huissier armé d'une hallebarde annonce solennellement l'ordre du jour. Les agriculteurs appelés à comparaître pour avoir enfreint les règles d'utilisation des canaux écoutent les décisions du tribunal, orales et sans appel. Les délibérations s'effectuent en valencien, et les amendes sont prononcées en *lliures valencianes*, la monnaie du royaume médiéval de Valence. Afin d'éviter toute dérive, les juges ne bénéficient d'aucune immunité particulière et ils peuvent être poursuivis au cours de leur mandat. Soyez à l'heure, car l'audience ne dure que quelques instants s'il n'y a pas eu de plainte… quand il pleut, le tribunal siège dans le bâtiment d'en face. Après la cérémonie, les juges ôtent leur blouse, et tout le monde se retrouve pour trinquer dans l'un des bistrots du quartier ! *Catedral, Puerta de los Apóstoles Jeu. 12h*

LA COMMUNAUTÉ VALENCIENNE

Plan 16 Valence, vieille ville

CONVENTO DEL CARMEN
MUSEO SIGLO XIX

Plaza del Centenar de la Paloma

IVAM JULIO GONZÁLES

EL CARMEN

MUSEO DEL CORP

MUSEO DE PREHISTORIA Y DE LAS CULTURAS DE VALENCIA

Paseo de Pechina

Calle del Doctor Sanchis Bergon

30

Calle de la Beneficencia

Calle del Marqués de Caro

Calle de los Rotero

Plaza del Carmen

Plaza de la Santa Cruz

Calle de Ripalda

Calle de San Ramón

11

Calle de Corona

Calle de Santo Tomas

Plaza de Mosén Sorell (Mercado)

Calle del Portal de Mare Vella

Calle del Doctor Beltran Bigorra

Calle del Turia

Calle Baja

Calle Alta

MUSEO DE LOS SOLDADITOS DE PLOMO

Plaza Manis

Calle del Pintor Zariñena

Plaza del Músico Lopez Chavarri

36

Calle de los Caballeros

9

21

C. del Rey Don Jaime

Plaza Tossal

38

32

33

25

Calle de la Cocinas

18

17

Plaza del Negrito

Calle de Paloma

JARDIN BOTANICO

TORRES DE QUART

Calle Quart

Calle de Moro Zeit

40

Calle de las Danzas

26

Calle de En Bou

Calle de Murillo

19

64

Calle de la Lonja

44

Calle de Carda

LONJA DE LOS MERCADERES

63

Calle de Borrull

Calle del Pintor Domingo

34

C. de Sta Teresa

Calle de Botellis

10

Pl. Lope Ve

Calle del Turia

Calle de Vilena

Plaza de la Ciudad de Brujas

Plaza del Mercado

Plaza del Doctor Collado

Calle de Lepanto

Calle de los Carniceros

Plaza de Don Juan de Villarrasa

66

C. de los Derechos

Pl. de la Encarnación

Calle Balmes

41

MERCADO CENTRAL

Calle de los Cerrajeros

Calle de Simon Ortiz

Calle de Juan de Mena

C. de San Pedro Pascual

Calle de Guillen Sorolla

MERCADO CENTRAL

Gran Via de Fernando El Católico

Calle de Espinosa

Avenida del Barón de Cárcer

Calle de los Adressadors

Calle del Maestro Palau

Plaza del Pilar

Calle de Roger de Flor

C. de les Garrigues

Calle de San Vicente Mártir

46

ANGEL GUIMERÁ

Calle del Hospital

C. de les Quevedo

Calle en Sanz

Calle Sangre

Calle de Angel Guimerá

BIBLIOTECA PUBLICA PROVINCIAL

Calle 48 de Padilla

Calle del Doctor Sanchis Sivera

ANGEL GUIMERÁ

ANGEL GUIMERÁ

MUSEO VALENCIANO DE LA ILUSTRACIÓN Y LA MODERNIDAD

AYUNTAMIENTO MUSEO MUNICIPAL

Calle de Guillem de Castro

Calle Huesca

C. del Arzobispo Mayoral

C. del Convento San Francisco

49

Gran Via de Ramón Y Cajal

Calle de María Llácer

Calle de Sandia

Calle de Espartero

Plaza de San Augustin

C. de San Pablo

Calle de Cuenca

XÀTIVA

Calle del Palleter

Calle de Jesús

Calle de Xàtiva

Calle de Navarra

Calle del Convento Jerusalem

Calle de Pelayo

ESTACIÓN D NORTE

A

B

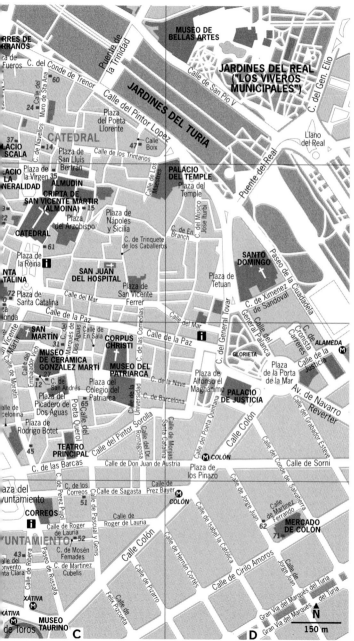

MUSEO DE
BELLAS ARTES

JARDINES DEL REAL
("LOS VIVEROS
MUNICIPALES")

C. del Gen. Elio

RRES DE
RRANOS

za de
Fueros   C. del Conde de Trenor

Puente de la Trinidad

Calle de San Pío V

C. del Muro de Sta Ana

Calle del

60

24

Calle de los Navellos

37
LACIO
SCALA

14

CATEDRAL

JARDINES DEL TURIA

Calle del Pintor Lopez

Plaza
del Poeta
Llorente

Llano
del Real

Calle de San Luis
Bertrán

47   Calle
Boix

Puente del Real

ACIO
NERALIDAD

Plaza de
la Virgen 35

Calle de los Trintarios

ALMUDÍN

CRIPTA DE
SAN VICENTE MARTIR
(ALMOINA) 15

3
2

CATEDRAL

61

Plaza de
la Reina

Plaza de
la Virgen

Plaza del
Arzobispo

Plaza de
Nápoles
y Sicilia

C. de Trinquete
de los Caballeros

Calle de los Maestros

PALACIO
DEL TEMPLE

Plaza del
Temple

C. del Músico José Iturbi

C. de En
Branch

SANTO
DOMINGO

Paseo de la Ciudadela

NTA
TALINA

72 Plaza de
Santa Catalina

ta
onda

SAN JUAN
DEL HOSPITAL

Plaza de
San Vicente
Ferrer

Plaza de
Tetuan

Calle del Mar

C. de Ximenez
de Sandoval

Calle de la Paz

Calle del Mar

Calle del General Tovar

C. de las Comedias

General Palanca

SAN
MARTÍN

MUSEO
DE CERÁMICA
GONZALEZ MARTI

12

Calle de Moratín

Calle del Embajador Vich

C. del Marques de Dos Aguas

Calle de En Sala

C. de
San Andrés

CORPUS
CHRISTI

MUSEO DEL
PATRIARCA

Calle de la Paz

Calle del

C. de la Nave

GLORIETA

Plaza de
Alfonso el
Magnánimo

Plaza de
la Porta
de la Mar

ALAMEDA

C. del Cronista Carreres

Calle de la Justicia

Av. de Navarro Reverter

Calle del Grabador Esteve

22

Plaza del
Colegio del
Patriarca

Plaza del
Picadero de
Dos Aguas

Plaza de
Rodrigo Botet

45

Calle del Poeta Querol

65

C. de Barcelona

Calle de la Universidad

Calle del Pintor Sorolla

Calle del Dr Romagosa

Calle de Morjas

Santa Catalina

PALACIO
DE JUSTICIA

Calle del Poeta Quintana

TEATRO
PRINCIPAL

C. de las Barcas

Calle de Don Juan de Austria

COLÓN

Calle Colón

Plaza de
los Pinazo

Calle del Conde de Sorni

Calle de Sorni

aza del
untamiento

C. de Perez Pujol

C. de los Correos

51

Calle de Sagasta

Calle de Prez Bayer

COLÓN

Calle de Salvatierra

Calle de
Martínez
Ferrando

62

CORREOS

Calle de Pascual y Genís

Calle de Roger
de Lauria

Calle de
Roger de Lauria

MERCADO
DE COLÓN

71

UNTAMIENTO

43

alle del
onvento
ta Clara

52

C. de Mosén
Femades

C. de Martinez
Cubells

Calle de Ribera

Paseo de Russafa

Calle Colón

Calle de Isabel la Católica

Calle de Hernán Cortés

Calle de Pizarro

Calle de Cirilo Amoros

Calle de
Jorge Juan

Calle de
Jorge Juan

Jorge Juan

XATIVA

XÁTIVA

MUSEO
TAURINO
de Toros

C

Calle de
Felix Pizcueta

D

Gran Vía del Marqués del Turia

Gran Vía del Marqués del Turia

N

150 m

de Bonastre, et surtout de Jacomart, valent à elles seules le détour. À noter également, deux œuvres de Goya consacrées à San Francisco de Borgia.

Tour du Miguelete Enfin, la visite ne serait pas complète sans l'ascension de la tour du Miguelete, symbole de Valence. Construit de 1381 à 1424, ce clocher tire son nom de celui de la principale cloche de l'époque. La hauteur de la tour est égale au périmètre de sa base octogonale, soit 51m. On accède au sommet par un escalier très raide de 207 marches. L'effort en vaut la peine, car, d'en haut, le panorama est superbe : terrasses des quartiers du Carmen et du marché, stade de Mestalla et, par beau temps, la mer…

☆ **Tribunal de las Aguas** (plan 16, C2) Ne manquez pas les audiences du tribunal des Eaux, qui se réunit au pied de la cathédrale tous les jeudis, cf. *Terre et paix* (p.464). *Catedral, Puerta de los Apóstoles Jeu. 12h*

Almudín (plan 16, C2) La halle au blé municipale aménagée en 1455 dans une ancienne forteresse musulmane est devenue un splendide espace d'exposition. Admirez les fresques des XVIᵉ et XVIIᵉ siècles, des scènes de la vie agricole, qui ornent ses murs. *Pl. San Luis Beltrán, 1 Tél. 963 52 54 78 Ouvert mar.-sam. 10h-14h et 15h-19h, dim. 10h-15h Ouvert pendant les expositions Tarif 2€, dim. et j. fér. gratuit*

Cripta de San Vicente Mártir – Almoina (plan 16, C2) Tout près de la cathédrale, des fouilles ont mis au jour une crypte riche en vestiges historiques. C'est là que San Vicente Mártir, le saint patron de la ville, aurait été détenu avant de subir le supplice de la roue. Le clou de la visite est une chapelle funéraire, qui communiquait avec la cathédrale wisigothique et qui fut reconvertie en hammam sous le califat de Cordoue. À voir également, une fresque et les fragments d'un sarcophage de l'époque romaine. Intéressant son et lumière en plusieurs langues dont le français. Centré sur l'histoire du martyr, il permet de mieux appréhender l'évolution historique et architecturale de Valence. À deux pas, le **site archéologique de l'Almoina** regroupe les vestiges du *cardo maximus* (axe majeur nord-sud) et du forum de la cité romaine, ceux de la cathédrale wisigothique et du lieu où aurait été martyrisé San Vicente. *Pl. Arzobispo, 1 Tél. 963 94 14 17 Ouvert mar.-sam. 10h-14h et 15h-19h, dim. et j. fér. 10h-15h* **Son et lumière** *env. toutes les heures Tarif 2€, réduit 1€ Réservation conseillée*

☺ **Iglesia de San Juan del Hospital (plan 16, C2)** On la devine à peine de la rue, mais c'est la plus belle église d'une ville qui n'en manque pourtant pas. La plus ancienne aussi, fondée en 1238 par l'ordre militaire de Saint-Jean-de-Jérusalem, ou de Malte, dont la célèbre croix à huit points orne l'église en plusieurs endroits. Le XIIIe siècle fut pour Valence une époque de transition, de l'art musulman à l'art chrétien, puis du roman au gothique. L'architecture de l'église porte la trace de ces bouleversements. Les portes latérales et les contreforts de la nef sont romans. La forme de la nef unique et l'alignement des briques témoignent d'influences almohade et mozarabe. À gauche en entrant, on peut voir des colonnes mauresques du Xe siècle. Enfin, le gothique se manifeste dans les arcs ogivaux de certaines chapelles et dans le dessin des fenêtres de l'abside. *C/ Trinquete de los Caballeros, 5 Tél. 963 92 29 65 Ouvert lun.-sam. 9h30-13h30 et 17h-21h, dim. 11h-14h et 17h-21h Entrée libre*

Bars à tapas valenciens

Bar Pilar	481
Tasca Tacolia	481
Bar El Kiosko	483
Sidrería El Molinón	484
Cava Siglos	499
Pepita Pulgarcita	499
Maridaje	499
Cervecería Maipi	500
La Bodeguilla del Gato	500
De Calle	500
Seu Xerea	501

Palacio de la Generalidad (plan 16, C2) Face à la cathédrale, de l'autre côté de la Plaza de la Virgen et de sa fontaine célébrant le Río Turia, source d'abondance, s'élève un beau palais de style gothique tardif. Bâti en 1421 pour accueillir la Generalitat, ou gouvernement du royaume de Valence, l'édifice abrite aujourd'hui le Conseil régional. L'aspect massif des façades contraste avec la finesse des colonnettes soutenant les arcs de ses fenêtres. On ne manquera pas d'aller admirer les boiseries ouvragées du Salón de Cortes ("chambre des Cours") et sa fresque de Juan de Zaruñena (XVIe s.). La Sala Dorada et l'Oratoire valent aussi le coup d'œil. *C/ Caballeros, 2 Tél. 963 86 34 61 Visite en castillan ou en valencien sur rdv (1 sem. avant) lun.-ven. 9h-13h Entrée libre*

Torres de Serranos (plan 16, C1) Ces hautes tours gothiques protègent le nord du quartier de la Cathédrale. Leur construction débuta en 1392. Elles ont survécu au démantèlement des remparts (1865). *Pl. de los Fueros Tél. 963 91 90 70 Ouvert mi-mars-mi-oct.: mar.-sam. 10h-19h, dim. et j. fér. 10h-15h ; mi-oct.-mars : mar.-sam. 10h-18h, dim. et j. fér. 10h-15h Tarif 2€, réduit 1€, moins de 7 ans, dim. et j. fér. gratuit*

● Où s'offrir un éventail ?

Guantes Camps (plan 16, C2 n°61) Cette vénérable ganterie (1886), qui donne sur la cathédrale, fait aussi commerce d'éventails depuis les années 1960, et elle compte de prestigieux créateurs de mode parmi sa clientèle. Du modèle à 1€, pour affronter les chaleurs estivales de Valence, aux pièces les plus luxueuses (plusieurs milliers d'euros), le choix est vaste, dans une boutique qui respire la tradition. *Pl. Reina 19 Tél. 963 92 39 81 Ouvert lun.-sam. 9h-13h30 et 17h-20h*

● Où savourer une *horchata*, des *churros* ?

Horchatería El Siglo (plan 16, C2 n°72) Fondée en 1836, cette *horchatería* ne manque pas de caractère. On y va sans façon boire un café le dimanche, en sortant de la messe, ou goûter l'excellente *horchata de chufa* (lait de souchet) maison, que l'on appelle ici *crema de chufa*. Et puis, les *churros* sont divins (5,40€ le *chocolate con churros* au comptoir). *Pl. Santa Catalina, 11 Tél. 963 91 84 66 Ouvert dim.-ven. 8h-21h*

Horchatería Santa Catalina (plan 16, C2 n°70) Cette maison fondée en 1909 a conservé tout son cachet, et l'on peut y déguster l'une des meilleures *horchatas con fartón* (brioche) de Valence ou tremper ses *churros* dans un délicieux chocolat chaud... s'il reste une table de libre dans sa magnifique salle décorée de céramiques. *Pl. Santa Catalina, 6 Tél. 963 91 23 79 www.horchateriasanta catalina.com Ouvert lun.-ven. 9h15-21h, w.-e. 9h15-21h30*

El Carmen

☆ **Les essentiels** L'Ivam **Découvrir autrement** Faites une pause détente au jardin botanique et commencez une nuit de fête au Radio City (cf. Carnet d'adresses)

Au nord-ouest du centre historique, le Barrio del Carmen a conservé ses impasses et ses ruelles médiévales pleines de charme. C'est là que serait née la tradition des Fallas. Aujourd'hui, c'est le quartier par excellence des bars et de la fête. La Calle de los Caballeros, bordée de palais et de patios gothiques, qui court dans sa partie sud, est le cœur battant des nuits valenciennes. Dans la journée, le Carmen est un agréable lieu de promenade, où l'on flâne de place en place (Mosén Sorell, Santa Cruz, del Carmen). On y trouve par ailleurs de remarquables musées.

☆ **IVAM - Instituto Valenciano de Arte Moderno (plan 16, A1)** Ce musée d'Art moderne et contemporain occupe un grand bâtiment des années 1980 à l'architecture anguleuse. Ses salles sont distribuées autour d'un escalier aux formes originales. Le rez-de-chaussée est consacré aux œuvres (toiles, sculptures, dessins et bijoux) du Catalan Julio González (1876-1942). À l'étage vous attend une bonne collection couvrant les différentes formes d'expression artistique des XXe et XXIe siècles, en Espagne (Picasso, Tapiès, Arroyo, Juan Muñoz, etc.) et ailleurs (Klee, Bacon, Erró, Boltanski, Bruce Nauman, Tony Cragg, etc.). Le fonds du musée est si riche (plus de 10 600 œuvres) que l'exposition est régulièrement renouvelée. Un agrandissement des lieux assez original, conçu par un cabinet d'architecture japonais, est prévu pour les années futures. En sortant, ne manquez pas la Sala de la Muralla, dont l'entrée se trouve à gauche, sous l'édifice. Aménagée dans les fondations du musée, autour d'un pan entier de la muraille médiévale (XIVᵉ s.), elle accueille des expositions temporaires. *C/ Guillén de Castro, 118 Tél. 963 86 30 00 www.ivam. es Ouvert mar.-dim. 10h-19h Tarif 2€, réduit 1€, dim. gratuit*

Casa-Museo Benlliure (plan 17, A1)

Le peintre José Benlliure (1855-1937), surtout connu pour ses grandes fresques historiques et ses portraits, acquit à la fin du XIXᵉ siècle cette élégante maison néoclassique dressée sur le quai du Río Turia. Transformée en musée, elle retrace la carrière de l'artiste et celles de son frère, le sculpteur Mariano Benlliure, et de son fils Peppino en un foisonnement de tableaux, de sculptures et de dessins. S'y ajoutent des œuvres d'autres artistes valenciens, tels Joaquín Sorolla (maître de Peppino) et Antonio Muñoz Degrain, acquises par les Benlliure. Les pièces à vivre, élégamment meublées, restituent parfaitement l'atmosphère des demeures bourgeoises de la Belle Époque, et l'atelier du peintre, qui se cache au fond d'un luxuriant jardin méditerranéen, n'a guère changé depuis. *C/ Blanquerías, 23 Tél. 963 91 16 62 Ouvert mi-mars-mi-oct. : mar.-sam. 10h-14h et 15h-19h, dim. et j. fér. 10h-15h ; mi-oct.-mi-mars : mar.-sam. 10h-14h et 15h-18h, dim. et j. fér. 10h-15h Tarif 2€, réduit 1€, dim. et j. fér. gratuit*

☺ Convento del Carmen – Museo Siglo XIX (plan 16, B1)

Installé dans l'ancien couvent del Carmen, le musée du XIXᵉ siècle, annexe du Museo de Bellas Artes, accueille de belles expositions temporaires, mais c'est surtout son cadre splendide qui mérite le détour. L'ensemble architectural, dont certains éléments remontent au XIIIᵉ siècle, est organisé autour de deux élégants cloîtres. Le premier, gothique (XVᵉ s.), magnifiquement restauré, ouvre sur le second, Renaissance (XVIᵉ s.), planté d'orangers et cerné d'une galerie supérieure. Un très bel endroit, frais et reposant. *C/ Museo, 2-4 Tél. 963 15 20 24 Ouvert mi-juin-oct. : mar.-dim. 11h-14h et 17h-20h ; nov.-mi-juin : mar.-dim. 11h-19h Entrée libre*

Museo del Corpus (plan 16, B1)

Il présente tous les éléments du décorum qui entoure l'une des plus anciennes processions espagnoles de la Fête-Dieu : chars triomphaux, figures monumentales et costumes de cérémonie, vieux pour certains de plusieurs siècles. L'espace est un peu exigu pour que l'on profite pleinement de la beauté et de la rareté de certains éléments de la collection, mais cela n'enlève rien à leur valeur historique. Des photos de processions d'autrefois et les présentations didactiques très bien conçues permettent de s'imprégner de l'ambiance extraordinaire de cette cérémonie ancestrale. *C/ Roteros, 8 Tél. 963 15 31 56 Ouvert mars-oct. : mar.-sam. 10h-14h et 15h-19h, dim. et j. fér. 10h-15h ; nov.-fév. : mar.-sam. 10h-14h et 15h-18h, dim. et j. fér. 10h-15h Entrée libre*

☺ IBER – Museo de los Soldaditos de Plomo (plan 16, B1-B2)

Derrière la façade néo-Renaissance du palais Malferit se cache l'une des plus belles collections de soldats de plomb au monde : près d'un million de figurines ! Les neuf salles d'exposition vous feront voyager dans le temps et l'espace avec leurs passionnantes vitrines, dont certaines abritent de gigantesques dioramas,

LA COMMUNAUTÉ VALENCIENNE

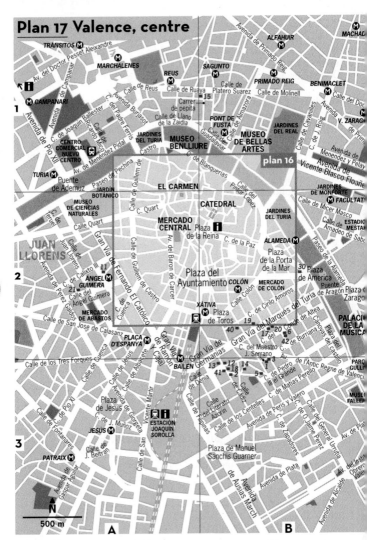

Plan 17 Valence, centre

GEOPLUS

Trois jours à Valence

Des joyaux gothiques de sa vieille ville au décor futuriste de sa Cité des arts et des sciences, appréciez le riche patrimoine architectural et culturel de la troisième ville d'Espagne. Mais surtout, profitez des nuits joyeuses et colorées d'une des métropoles les plus festives d'Europe : découvrez la Valence qui danse !

Vendredi

MATINÉE

9h Estación del Norte (p.485)
Admirez la façade et le grand hall de ce bijou moderniste (1917).

9h30 Plaza del Ayuntamiento (p.484) Là s'élèvent la fastueuse façade de la mairie et d'autres beaux immeubles du premier tiers du XXᵉ siècle. Remarquez les boîtes aux lettres en forme de têtes de lion du bureau de poste central.

9h45 Mercado Central (p.482) Appréciez les verrières, mosaïques et céramiques de cette immense halle moderniste (1914-1928), arpentez ses allées animées et découvrez quelques spécialités régionales sur ses étals colorés.

10h30 Guillermo Pedros (p.483) Comme les Valenciens, avalez un *cafecito* à l'un des comptoirs établis aux abords du bâtiment... et achetez une poêle à paella dans l'une des échoppes voisines.

11h Lonja de los Mercaderes (p.482) En face du marché central, l'ancienne bourse de commerce étale les splendeurs gothiques qui lui ont valu d'être classée au patrimoine mondial de l'humanité.

11h15 Bugalú (p.483) Craquez pour un vêtement rétro ou un accessoire original dans cette boutique de mode pointue.

11h30 Plaza Redonda (p.482) Sur cette placette rondelette, céramistes et merciers entretiennent l'âme de Valence.

11h45 Horchatería Santa Catalina (p.474) Pour une *horchata con fartón* ou un *chocolate con churros* dans un décor centenaire.

12h15 Guantes Camps (p.474) Trop chaud ou un peu froid ? Offrez-vous un éventail ou des gants chez ce "bon faiseur" historique.

12h30 Catedral (p.468) Incontournable ! Elle recèlerait rien moins que le Saint Graal. Ne manquez pas son musée d'Art sacré. Et pour embrasser la ville du regard, grimpez au sommet de son clocher.

13h30 Flânerie jusqu'aux Torres de Serranos (p.473) Remontez les rues Novellos et Muro de Santa Ana jusqu'aux altières tours gothiques qui défendaient jadis l'entrée nord de la ville. De paisibles ruelles vous ramèneront vers la cathédrale.

14h Déjeuner à l'Abadía d'Espí (p.501) Une carte régionale qui respecte les saisons... et une jolie cave, pour les amateurs.

APRÈS-MIDI

15h30 Museo del Patriarca (p.485) Une inestimable collection de tableaux de maîtres européens dans un remarquable complexe Renaissance.

16h30 **Séance shopping** (p.487), (p.487), (p.487), (p.487), (p.487) Faites les magasins chics de la Calle Poeta Querol avant de gagner la plus populaire mais tout aussi commerçante Calle Colón.

18h **Mercado de Colón** (p.486) Pause soda au frais, sous la haute charpente métallique d'une splendide halle moderniste.

18h30 **Espacio 1880** (p.487) Dans ce temple du *turrón*, comment résister à une petite dégustation ? Poursuivez ensuite le lèche-vitrine dans le quartier de Ruzafa.

SOIRÉE

20h30 **Apéritif au Tula Café** (p.496), L'une des terrasses les plus agréables de Ruzafa.

21h30 **Dîner chez Ricard Camarena** (p.501) Une table étoilée à la cuisine innovante et au cadre contemporain.

23h **Slaughterhouse** (p.496) Refaites le monde autour de quelques verres dans cette boucherie transformée en bar-librairie.

OU Café del Duende (p.497) Pour un spectacle de flamenco.

0h **Las Ánimas** (p.497) Passage obligé par ce club phare des nuits valenciennes pour une mise en jambes cool : lumières tamisées, décor rétro, musique jazzy et funky.

1h **Calypso** (p.497) Une *discoteca* tout bonnement géniale ! Ambiance survoltée et rythmes fifties et sixties sur lesquels on se laisse emporter par la foule. *Caliente* !

Samedi

MATINÉE

10h30 **Ciudad de las Artes y las Ciencias** (p.490). Admirez l'ensemble architectural réalisé par Santiago Calatrava, trait d'union

> **CONSEIL** Pour vivre à l'heure valencienne, ne déjeunez pas avant 14h et dînez après 21h30. Vous risquez, sinon, de vous retrouver devant un rideau de fer baissé... ou entre touristes.

futuriste entre Valence et sa façade maritime.

11h30 **Jardines del Turia** (p.489) Enfourchez un Valenbisi (p.466) pour remonter jusqu'au parc de Cabecera, la coulée verte aménagée dans le lit asséché du Río Turia.

12h **Museo de Historia de Valencia** (p.489) Voyagez dans le temps, de la Valentia romaine à la métropole contemporaine.

OU Bioparc Valencia (p.488) Transportez-vous en Afrique, dont ce parc animalier a fidèlement reconstitué quatre grands biotopes.

13h30 **Pause déjeuner au parc de Cabecera** (p.488) Achetez un en-cas et une boisson à l'un de ses kiosques et déjeunez dans la verdure. Faites ensuite un petit tour en pédalo sur le lac... ou une sieste sur sa rive.

APRÈS-MIDI

15h30 **Barrio del Carmen** (p.474) Laissez-vous prendre au charme des placettes et des ruelles, jalonnées de palais gothiques, de ce quartier bien connu des noctambules.

16h **Ivam** (p.474) Découvrez un très riche musée d'art moderne et contemporain... et un tronçon de la muraille médiévale de la cité.

OU L'Iber (p.475) Revivez vos rêves d'enfant devant cette incroyable collection de soldats de plomb.

17h30 **Casa de los Dulces** (p.481) Shopping gourmand dans une confiserie historique.

18h **Únic Daily Goodness** (p.481) Frottez-vous à l'avant-garde ➤

GEOPLUS

▶ valencienne dans ce sympathique bar-restaurant *arty*.

SOIRÉE

20h Bar Pilar (p.481) Croquez quelques moules et tapas dans cette vénérable maison du Carmen.

21h Café de las Horas (p.495) **OU Café Infanta** (p.495) Partagez un pichet d'*agua de Valencia* ou d'innocents jus de fruit dans un paisible décor néobaroque ou sur une terrasse joyeuse et bondée.

22h Seu-Xerea (p.501) Une des meilleures tables de Valence pour un dîner de tapas ou une escapade gustative au bord du Mékong.

0h El Negrito Bar (p.483) Une autre *agua de Valencia* ou un café ?

0h30 Fox Congo Et c'est *party* ! À vous les mojitos, la Northern Soul, le R'n'b et les rythmes latinos.

1h30 Radio City (p.497) Plus grand, plus rock. Et puis tout le monde connaît !

4h Deseo 54 (p.498) L'un des rares clubs encore ouverts s'il vous reste un peu d'énergie à dépenser sur une piste de danse...

Dimanche

MATINÉE

10h30 Rendez-vous au port de plaisance (p.491) Admirez le bâtiment Veles i Vents construit pour accueillir la Coupe de l'America en 2007.

11h Reales Atarazanas (p.491) Visitez les anciens chantiers navals du roi d'Aragon (1338), transformés en espaces d'expositions.

12h Museo del Arroz (p.492) Découvrez l'histoire de la riziculture valencienne dans ce moulin du début du XXe siècle.

13h30 Déjeuner à La Pepica (p.501) Faites comme Ernest Hemingway : déjeunez dans cette institution un peu compassée du front de mer, mais qui sert l'une des meilleures paellas de Valence.

APRÈS-MIDI

15h El Cabanyal (p.492) Petite promenade digestive dans ce quartier populaire classé, aux maisonnettes colorées.

15h30 Plage de Malvarrosa (p.492) Impossible de résister plus longtemps à l'appel de la mer ? Cap sur cette grande plage de sable fin. Vous trouverez des douches sur la plage voisine, Las Arenas.

OU Oceanogràfic (p.490) L'un des plus vastes parcs marins d'Europe. Pour son aquarium-tunnel long de 70m, son théâtre sous-marin et sa reconstitution des écosystèmes des deux pôles.

SOIRÉE

20h Tasca Ángel (p.498) Retour dans la vieille ville pour croquer quelques sardines au sel accompagnées d'un verre de vin rouge au comptoir.

21h30 La Bodeguilla del Gato (p.500) Pour conclure ces trois jours en beauté, savourez les excellentes tapas de cette table pittoresque proche du Mercado Central... Un petit goût de "revenez-y" ?

● **CONSEIL** L'été, pas d'hésitation, prenez un taxi à destination du port pour aller danser sous les étoiles au Las Ánimas del Puerto (p.498) jusqu'au lever du jour.

à l'image de la bataille d'Almansa (25 avril 1807) et de ses 5 000 soldats en ordre. On peut aussi y voir une reconstitution de l'assassinat de Jules César, des batailles illustrant la conquête du Nouveau Monde et d'intéressantes scènes préhistoriques. *C/ Caballeros, 20-22 Tél. 963 91 86 75 www.museoliber. org Ouvert mer.-dim. 11h-14h et 16h-19h Tarif 5€, réduit 1€, moins de 4 ans gratuit*

Torres de Quart (plan 16, A2) À l'ouest du quartier d'El Carmen se signale une imposante porte de l'ancienne muraille, flanquée de deux tours hémisphériques du XVIᵉ siècle, pendant occidental des Torres de Serranos (p.473). Leurs murs portent encore les cicatrices des batailles livrées par les Valenciens aux troupes napoléoniennes. *C/ Guillén de Castro, 89 Tél. 963 52 54 78 Ouvert mi-mars-mi-oct. : mar.-sam. 10h-19h, dim. et j. fér. 10h-15h ; mi-oct.-mi-mars : mar.-sam. 10h-18h, dim. et j. fér. 10h-15h Tarif 2€, réduit 1€, mois de 7 ans, dim. et j. fér. gratuit*

Jardín Botánico (plan 16, A2) Fondé en 1567 par l'université pour l'étude des plantes médicinales et transplanté là en 1802, il compte des centaines d'espèces végétales du monde entier… et autant de chats ! Le long des allées désertes, on découvre des eucalyptus, des bassins fleuris et des fontaines musicales, ainsi que des plantations d'orangers ou encore un vaste champ de cactus. À voir, également, la serre tropicale et l'Umbráculo, étonnant édifice 1900. Visite guidée sur réservation. *C/ Quart, 80 Tél. 963 15 68 00 ou 963 15 68 18 (Rés.) www.jardibotanic. org Ouvert mai-août : mar.-dim. 10h-21h ; avr., sept. : mar.-dim. 10h-20h ; mars, oct. : mar.-dim. 10h-19h ; nov.-fév. : mar.-dim. 10h-18h Tarif 2€ ; réduit 1€ ; avec la Valencia Tourist Card 1,80€ ; moins de 7 ans, 31 jan., 18 et 22 mai, 5 juin gratuit*

● Où faire provision de douceurs ?

La Casa de los Dulces (plan 16, C1 n°60) L'une des plus anciennes pâtisseries-confiseries de Valence, véritable corne d'abondance pour les amateurs de sucreries en tous genres. L'occasion de goûter quelques spécialités locales : *peladillas* (dragées), *mazapanes* (fruits déguisés et autres figurines en pâte d'amande), *pastelitos de boniato* (biscuits à la patate douce et au citron)… *Muro de Santa Ana, 4-6 Tél. 963 91 93 41 Ouvert lun.-sam. 10h-14h et 16h30-20h30, dim. 10h-15h et 17h-21h*

● Où aller *tapear* ?

Bar Pilar (plan 16, B2 n°18) Voilà plus de 80 ans que *la Pilareta*, comme on l'appelle affectueusement, sert en juillet-août ses fameuses *clóchinas* : de petites moules valenciennes, à l'exquise chair blanche. À ne pas rater ! Le reste de l'année, on se "contente" de moules galiciennes (env. 6,90€), de tapas ou de *montaditos* (petits sandwichs) à partir de 2,50€. Pour dîner de tapas, comptez 15-18€. *C/ Moro Zeit, 13 Tél. 963 91 04 97 Ouvert tlj. 12h-0h*

Tasca Tacolia (plan 16, C1 n°24) Saluons la devise des propriétaires de ce petit bistrot (*tasca*) : "Low cost, high quality". On y sert des tapas à base de produits ibériques (*jamón, chorizo, lomo, queso*…) d'excellente qualité donc, mais à des prix abordables (10-20€). Sympa ! *C/ Muro de Santa Ana, 3 Ouvert tlj. 10h-0h*

● Où humer l'air du temps ?

Únic Daily Goodness (plan 16, B2 n°36) Ce bar inauguré au printemps 2013 se veut un agitateur de tendances en musique, art et design. Un cadre pointu (murs de brique immaculée ou de bois brut mais téléphones et machines à écrire détournés en luminaires) pour un cocktail ou plusieurs (7-14€) et une actu *lifestyle*. *Pl. Sant Jaume, 2 Tél. 963 92 05 70 www.unicdailygoodness.com*

Le quartier du Mercado Central

☆**Les essentiels** Le Mercado Central et la Lonja de los Mercaderes
Découvrir autrement Déambulez sur le marché aux puces le dimanche et prenez un verre au Negrito Bar sur la Plaza del... Negrito

☆ ☺ **Mercado Central (plan 16, B3)** L'un des plus grands marchés couverts d'Europe (8 000m²) ! Faites-en d'abord le tour, pour apprécier l'architecture de ce bel édifice moderniste (1914-1928), tout en structures métalliques, verrières et azulejos, qui a été entièrement restauré dans les années 2000. La mosaïque qui couronne l'entrée principale représente une corne d'abondance, annonciatrice de ce qui vous attend à l'intérieur. Les produits de la *huerta* et de la mer envahissent chaque matin ses étals. Poissons, coquillages et crustacés, quantité de jambons, des fleurs et tous les fruits et légumes imaginables. Un étourdissant festival de couleurs ! *Pl. del Mercado www.mercadocentral valencia.es Ouvert lun.-sam. 7h30-14h30*

☆ ☺ **Lonja de los Mercaderes (plan 16, B2)** La bourse de commerce de la fin du XVe siècle est sans doute le plus bel édifice de la ville. C'est en tout cas l'un des fleurons du gothique civil en Europe, qui plus est magistralement restauré. Au cœur de la cité, en face du marché, la Lonja témoigne de l'extraordinaire puissance marchande de Valence à l'aube du Siècle d'Or. On y négociait notamment de la soie (d'où son nom de Lonja de la Seda). L'architecte Pere Compte, qui participa aux chantiers de la cathédrale et du Palacio de la Generalidad, a signé là son chef-d'œuvre. L'extérieur impressionne, avec ses créneaux ouvragés et ses inquiétantes gargouilles. Faites donc le tour du bâtiment le soir, quand il est éclairé. À l'intérieur, on est tout de suite frappé par les 24 colonnes torsadées du **Salón de las Columnas**. Telle une étrange palmeraie, elles montent vers des voûtes semées d'étoiles. Tout autour de la salle, une frise latine rappelle les devoirs d'honnêteté du marchand. À gauche en entrant on peut voir l'escalier en colimaçon – dépourvu d'axe central, une prouesse technique pour l'époque – qui mène au donjon (El Torreón) où étaient incarcérés fraudeurs et mauvais payeurs. Au-dessus du portail principal, une fresque sculptée montre d'ailleurs le sort qui était réservé aux marchands peu scrupuleux. De l'autre côté du patio planté d'orangers s'élève le consulat (Consulado), dont le style annonce la Renaissance. Le tribunal des Affaires maritimes et commerciales siégeait dans le salon du rez-de-chaussée. Par la suite, la Lonja servit tour à tour de caserne, de grenier, de salle de bal et même d'hôpital lors des épidémies de choléra (XIXe s.). *Pl. del Mercado Tél. 963 52 54 78 Ouvert 15 mars-15 oct. : mar.-sam. 10h-19h ; 16 oct.-14 mars : mar.-sam. 10h-18h ; dim.-lun. 10h-15h 2€, réduit 1€, moins de 7 ans gratuit*

Plaza de Lope de Vega et Plaza Redonda (plan 16, B2-C2) À l'est de la Lonja, la Plaza de Lope de Vega s'étend de part et d'autre d'un pâté de maisons. On peut y visiter l'église de Santa Catalina, à l'intérieur gothique et à la tour baroque, ou déambuler dans les rues environnantes, très populeuses. Au sud de Santa Catalina, la Plaza Redonda (surnommée "El Clot"), aménagée en rond autour d'une halle, est l'une des plus anciennes et des plus charmantes de la ville.

● Où chiner, s'habiller tendance ?

Marché aux puces (plan 16, C3) Le dimanche, les stands du *mercadillo* s'égrènent tout autour de la Plaza del Mercado et dans les rues voisines, drainant une foule de badauds. *Pl. Redonda Dim. matin*

Marché aux dentelles et marché aux oiseaux (plan 16, C3) Sur la Plaza Redonda, les merciers qui officient en semaine cèdent la place le dimanche aux vendeurs d'oiseaux du *mercadillo*. Allez-y de préférence tôt le matin ou en fin d'après-midi. *Pl. Redonda Toute la sem.*

Bugalú (plan 16, B2 n°63) Voilà une adresse presque mythique, où les modeux viennent fureter parmi les vêtements d'inspiration rétro et les accessoires originaux. Pour se composer une tenue stylée... ou pour le simple plaisir des yeux ! *C/ Lonja, 6 Tél. 963 91 84 49 Ouvert lun.-sam. 10h-14h et 17h-20h30, dim. 10h30-14h30*

Madame Bugalú y su caniche asesino (plan 16, B2 n°64) À deux pas de la précédente, en plus sophistiquée et pour ces dames exclusivement. Des tenues colorées et ultra-féminines et des accessoires exclusifs. *C/ Danzas, 3 Tél. 963 15 44 76 http://madamebugalu.es Ouvert lun.-sam. 10h-14h et 17h-20h30*

● Où s'acheter une poêle à paella ?

Guillermo Pedros (plan 16, B2 n°66) Les échoppes accolées au marché central vendent des articles de ménage traditionnels : poêles à paella en fonte (*paellas*), cocottes en terre cuite, outres... Tout pour ensoleiller votre cuisine une fois rentré(e) ! *Pl. Mercado, 20 Tél. 963 91 60 21*

● Où faire une pause déjeuner ?

Bar El Kiosko (plan 16, B2 n°10) De grandes baies vitrées donnent sur la charmante Plaza del Doctor Collado et les murs élégants de la Lonja. Les gens du voisinage viennent ici à toute heure manger de copieuses tapas (poulpe à la galicienne à env. 6€, sardines fraîches à env. 1€ pièce), des sandwichs généreux (à partir de 2,70€), ou le gargantuesque menu du jour à 11€, comportant une spécialité de riz différente chaque jour. Mention spéciale à l'*arroz al horno* (riz au four). *C/ Derechos, 38 Tél. 963 91 01 59 Ouvert lun.-sam. 7h30-0h Fermé semaine sainte et j. fér.*

● Où boire un verre, grignoter des tapas ?

☺ **El Negrito Bar (plan 16, B2 n°33)** Quand il fait beau, les tables envahissent la jolie Plaza del Negrito, jusqu'au pied de sa fontaine. Le bar, à la décoration simple et colorée, résonne d'une musique jeune et joyeuse, qui, mystère, semble toujours convenir à votre état d'esprit. Une clientèle plutôt bigarrée vient y prendre une ou deux *cañas* à la lueur de petites lampes vertes, avant de se diriger vers les bars de la Calle de los Caballeros toute proche. Vous pouvez aussi poursuivre la soirée sur place : en fin de semaine, le Negrito reste ouvert jusqu'à l'aube. *Pl. Negrito, 1 Tél. 963 91 42 33 http://cafenegrito.com Ouvert tlj. 16h-3h*

☺ **Sidrería El Molinón (plan 16, B2 n°17)** Une salle tout en longueur, bondée le soir. Commandez du cidre, pour admirer la dextérité du service, et une grande assiette de charcuterie et fromage (env. 16€), festival de saveurs garanti ! Les *pimientos de padrón*, de petits piments verts (env. 4,50€ la portion), sont réservés aux initiés : *"unos pican, otros no..."* ("certains piquent, d'autres pas..."). *Mercado Central C/ Bolsería, 40 Tél. 963 91 15 38 Ouvert tlj. 13h30-16h15 et 20h-0h*

Le quartier de l'Ayuntamiento

☆**Les essentiels** La Plaza del Ayuntamiento, le Museo del Patriarca, la Estación del Norte **Découvrir autrement** Assistez à une corrida lors des Fallas en mars, faites une pause en terrasse sous les arcades du Mercado de Colón après vos achats au magasin Corte Inglés

☆**Plaza del Ayuntamiento (plan 16, C4)** Cette grande place triangulaire a toujours été un lieu de rencontre et de décision. Elle accueillit le palais du sultan Abu-Zeyt, puis le couvent San Francisco, détruit au XIXe siècle. Ses façades actuelles datent pour la plupart du premier tiers du XXe siècle. On dirait que les promoteurs ont rivalisé de hauteur et de fantaisie dans la construction des tours qui dominent chacune d'elles. Celle de l'hôtel de ville se distingue par son faste. L'édifice abrite le Museo Histórico Municipal, dont la collection comprend des cartes et des plans de Valence depuis l'époque romaine, des gravures anciennes et des symboles du royaume de Jaime Ier dit le Conquérant, ainsi que le *Llibre dels Furs* du XIIIe siècle. **Museo Histórico Municipal** *Pl. Ayuntamiento, 1 (accès par la porte principale de la mairie) Tél. 963 52 54 78 Ouvert lun.-ven. 9h-14h Tarif 2€, réduit 1€*

Edificio de Correos Y Telegrafos (plan 16, C4) La Poste centrale occupe depuis 1923 ce magnifique édifice conçu par Miguel Angel Navarro, qui mêle des notes baroques, modernistes et néoclassiques. Entrez dans le grand hall pour admirer sa haute verrière et, en ressortant, glissez vos cartes postales dans l'une des mythiques boîtes aux lettres en forme de têtes de lions installées sur la partie gauche de l'édifice. *Pl. del Ayuntamiento, 24*

Museo de Cerámica González Martí (plan 16, C3) L'intérêt du musée tient d'abord à son cadre singulier : un palais gothique du XVe siècle, remanié en 1740 à la demande du marquis de Dos Aguas. Le portail principal réalisé à cette occasion constitue le chef-d'œuvre absolu du baroque valencien. Sculpté dans une magnifique pierre d'albâtre, il ne laissera personne indifférent. Formes végétales, animales et humaines s'y mêlent en une composition qui confine au délire. Son auteur, Ignacio Vergara, mourut d'ailleurs fou. Le patio, calme et harmonieux, annonce la thématique galante et rococo de l'intérieur. Car le goût du marquis pour les femmes et les jeux de l'amour transparaît partout, des fresques et sculptures de la chambre et du boudoir jusqu'à la décoration de la grande salle de bal. Les salles, organisées sur plusieurs étages autour du patio, abritent désormais une intéressante collection de céramiques. Celle-ci donne un bon aperçu de l'évolution de l'artisanat valencien, riche et varié, que perpétuent de nos jours les fabriques de Manises. Les influences arabes se font sentir dans les pièces aménagées aux XIIIe et XIVe siècles. Plus tard, les styles italiens ou français furent à l'honneur. Sans oublier la vogue des productions chinoise et japonaise du XVIIIe siècle. Au deuxième étage a été reconstituée une cuisine valencienne d'autrefois. Également une collection de costumes et de parures et une galerie de peinture. *Palacio Marqués de Dos Aguas C/ Poeta Querol, 2 Tél. 963 51 63 92 Ouvert mar.-sam. 10h-14h et 16h-20h (0h le sam. en août), dim. et j. fér. 10h-14h Tarif 3€, réduit 1,50€, sam. soir et dim. matin gratuit*

☆ **Museo del Patriarca (plan 16, C3)** Articulé autour d'un magnifique cloître, ce complexe Renaissance composé du séminaire et de l'église del Corpus Christi renferme des œuvres d'art inestimables des XVIe et XVIIe siècles : peintures du Greco (*L'Adoration des bergers*), de Francisco de Ribalta, de maîtres italiens et flamands. La plupart ont été réunies par le fondateur de l'institution, l'archevêque et vice-roi de Valence saint Juan de Ribera (1532-1611), érudit et mécène dont vous ne manquerez pas d'admirer la statue, signée Mariano Benlliure. *C/ Nave, 1 Tél. 963 51 41 76 Ouvert tlj. 11h-13h30 Tarif 2€*

☺ **Muvim – Museo Valenciano de la Ilustración y de la Modernidad (plan 16, B4)** Dans un magnifique édifice moderne signé du Sévillan Guillermo Vázquez Consuegra, ce musée propose un voyage à travers cinq siècles d'histoire des sciences, des modes de pensée et des moyens de communication, illustrés par de nombreuses scènes visuelles et autres expériences interactives. Ainsi, on découvre la vie des civilisations méditerranéennes depuis le Moyen Âge, on s'imprègne du quotidien d'un monastère, on visite le Paris révolutionnaire, on regarde à travers un télescope ancien, on s'attarde sur les détails de grandes découvertes scientifiques et l'on se penche, au bout du compte, sur les implications sociologiques de ces siècles d'évolution sur la pensée et les modes de vie actuels. Passionnant ! *C/ Guillén de Castro, 8 ou C/ Quevedo, 10 Tél. 963 88 37 30 www.muvim.es Ouvert mar.-sam. 10h-14h et 16h-20h, dim. et j. fér. 10h-20h Fermé 1er jan., 1er mai et 25 déc. Entrée libre*

● **OLÉ !** Les meilleures corridas de l'année ont lieu pendant les Fallas de mars et la feria de Valence, en juillet. Places 14-121€ env. *Billets aux guichets ou par tél.* **Plaza de Toros (plan 16, C4)** *C/ Xàtiva, 28 Tél. 963 20 40 63 ou 902 10 17 17 www.torosvalencia. com Mars, juil., oct.*

☆ **Estación del Norte (plan 16, B4)** Que vous ayez ou non un train à prendre, ne manquez pas d'aller admirer la gare centrale de Valence, fleuron du style moderniste inauguré en 1917 et classé en 1983. La façade ornementée est dominée par un aigle majestueux, symbole de vitesse voulu par la Compañía de los Caminos de Hierro del Norte de España, dont l'emblème, une étoile rouge à cinq branches, est visible en maints coins et recoins de l'édifice. L'exubérante décoration du grand hall, d'inspiration viennoise, mêle bois, fer forgé et mosaïques, et sa magnifique fresque en céramique, due au Valencien Gregorio Muñoz Dueñas, rend un hommage coloré aux richesses champêtres de la *huerta* de Valence. *C/ Xàtiva, 24*

Plaza de Toros (plan 16, C4) La Plaza de Toros (1851-1859) se voulait une version réduite et modernisée du Colisée romain. Le résultat, assez réussi, fait honneur au néoclassicisme valencien. Les aficionados pourront découvrir la riche histoire de la corrida valencienne dans le Museo Taurino, consacré notamment à de grandes figures locales. *C/ Xàtiva, 28* **Museo Taurino** *Pasaje Dr. Serra, 10 Tél. 963 88 37 38 www.museotaurinovalencia.es Ouvert mar.-sam. 10h-19h, dim.-lun. 10h-14h (hors corridas) Tarif 2€, réduit 1€*

Mercado de Colón (plan 16, D4) Cette splendide halle moderniste (Francisco Mora, 1916) a rouvert ses portes après une restauration poussée. Vaste charpente métallique, murs de brique, marquises de verre, piliers parés de céramiques multicolores vantant les productions de la huerta de Valence…

Folles Fallas

Fallas de San José S'il est un événement que les Valenciens attendent avec impatience, ce sont bien les Fallas. Ces fêtes, qui remonteraient au XVIIIe siècle, comptent parmi les plus exubérantes d'Espagne – c'est dire ! Elles se déroulent la semaine précédant le 19 mars, les manifestations les plus populaires ayant lieu du 15 au 19. Pendant ces quelques jours, le centre-ville devient un immense espace piéton, où se succèdent cérémonies et fêtes. Jadis, le 19 mars, les charpentiers de la ville célébraient saint Joseph, patron de leur profession, en sortant dans la rue leurs *parots* – les échafaudages soutenant les candélabres qui éclaireraient leur atelier l'hiver –, se débarrassant des chutes de bois et autres déchets en les entassant pour y mettre le feu. Un jour, quelqu'un eut l'idée de se servir de son *parot* pour en faire un pantin ridicule. La tradition était née. Aujourd'hui, les *ninots*, ces figures colorées et souvent gigantesques (jusqu'à 25m de haut !) que l'on promène dans les rues sont de véritables œuvres d'art. Toute l'année, les différents quartiers de la ville, réunis en autant de commissions, préparent l'événement : il faut trouver un thème (souvent satirique), sélectionner le meilleur artiste *fallero* et subventionner son travail. Les plus grands d'entre eux, tels Juan Carlos Molès ou Julio Monterrubia, sont de véritables stars locales. Quand arrivent les Fallas, les *ninots* sont exhibés dans la rue et un jury récompense les meilleures créations. Le soir du 19 mars a lieu la *cremà* : les *ninots* sont brûlés dans une ambiance de fête teintée de nostalgie. Un vote populaire désignera le pantin qui aura l'honneur d'échapper aux flammes. Il rejoindra alors la collection du Museo Fallero. Le soir, de somptueux feux d'artifice sont tirés sur l'ancien cours du Río Turia. Chaque jour, à 14h, des milliers de pétards éclatent aux quatre coins de la ville : c'est la *mascletà*. On peut aussi admirer les *falleras*, belles jeunes femmes choisies pour représenter leur commission. Parées comme des reines et entourées d'une véritable cour, elles rivalisent pour le titre de reine des Fallas. Enfin, c'est lors des Fallas qu'ont lieu les plus belles corridas de l'année. *www.fallas.com Mi-mars*

Une merveille, aujourd'hui classée et transformée en galerie commerciale, que se partagent quelques boutiques et tables chics. Les commerces de bouche ont été relégués au sous-sol. *C/ Jorge Juan, 20 Galerie ouverte tlj. de 8h à 1h30 (mais chaque boutique a ses horaires d'ouverture)*

● Où craquer pour une tenue "olé olé" ?

Amparo Fabra (plan 17, B2 n°42) La boutique d'un couturier spécialisé dans la confection de costumes traditionnels et réputé dans toute la Comunidad Valenciana : des étoffes et des tenues sont magnifiques, mais aussi de très beaux éventails et peignes de mantille. *C/ Maestro Gozalbo, 14 Tél. 963 95 56 50 www.amparofabra.com Ouvert lun.-ven. 10h-13h30 et 17h-20h, sam. 10h-13h30 Fermé en août*

● Où s'habiller griffé ?

Low Cost Shop (plan 16, C3 n°65) Dans un décor d'aérogare, des vêtements et accessoires griffés (Alexander McQueen, Moschino, Lagerfeld, etc.) sont proposées à des prix *low cost*. Conçu par le fils du couturier valencien Alex Vidal, ce magasin sera la première étape de votre circuit shopping dans les rues chics de la ville. *C/ Salvá, 2 Tél. 963 51 32 83*

● Où s'offrir un petit plaisir design ?

Caroline (plan 17, B3 n°41) Ce *curiosity shop* est une véritable caverne d'Ali Baba : objets design chinés dans toute l'Europe, gadgets et accessoires de mode, tee-shirts d'artistes valenciens... Une halte indispensable pour ceux qui veulent ne pas rentrer les mains vides ou se faire un petit plaisir design. *C/ Cádiz, 25 Tél. 667 66 51 22 www.caroline.com.es Ouvert lun.-ven. 11h-14h et 17h-21h, sam. 11h30-14h30 et 17h30-21h30*

● Où faire des emplettes gourmandes ?

Espacio 1880 (plan 16, D4 n°62) Cette ancienne bijouterie, sise à deux pas du Mercado de Colón, commercialise tous les produits de la prestigieuse marque de *turrón* "1880" (l'année où fut mise au point la recette originale du fameux nougat ibérique), présentés comme de véritables articles de luxe. Des coffrets assortiment (recette classique aux amandes et miel, mais aussi nougat au thym ou au safran, crème de touron, etc.) et un salon privé où faire une dégustation, en solo ou en groupe. *C/ Jorge Juan, 19 Tél. 963 94 48 35 www.espacio1880.com Ouvert lun.-sam. 10h-14h et 17h-20h (17h30-20h30 en été) Fermé sam. après-midi en été et sam. en août*

La Bodega de Alicia (plan 17, B2 n°40) Cette élégante bodega propose plusieurs dizaines de références de vins espagnols sélectionnés avec soin, ainsi que des produits gourmets de la région de Valence. Des conseils passionnés vous guideront dans vos achats. *C/ Félix Pizcueta, 18 Tél. 963 51 71 94 www.labodegadealicia.com Ouvert lun.-sam. 10h30-14h et 17h-20h30 Fermé en août*

● Où s'accorder une pause salée et/ou sucrée ?

Casa de l'Ortxata (plan 16, D4 n°71) Installée sous les hauts et magnifiques volumes du Mercado de Colón, cette *horchatería* est la seule à posséder un certificat d'artisanat de la Comunidad Valenciana. Il est vrai que son *horchata* est savoureuse – dommage que son cadre, soit un peu impersonnel... *C/ Jorge*

Juan, s/n Tél. 963 52 73 07 www.casadelorxata.com Ouvert tlj. 8h-22h30 (jusqu'à 2h ven. et sam. en été)

Conté (plan 17, B2 n°30) On trouve dans ce magasin et salon de thé une sélection des meilleurs crus du monde et tous les accessoires nécessaires à leur préparation. On peut aussi commander de délicieuses salades et pâtisseries et des goûters adaptés au breuvage roi de la maison, à déguster dans la salle dont les tons chauds et les lumières douces favorisent la sérénité. *C/ Sorni, 37 Tél. 963 44 44 80 Ouvert lun.-sam. 9h-21h, dim. 17h-21h Fermé 2e quinzaine d'août*

L'ancien cours du Río Turia

☆**Les essentiels** La Cité des arts et sciences **Découvrir autrement** Admirez les somptueux feux d'artifice lancés des Jardines del Turia lors des Fallas, en mars ; passez une soirée flamenco au Café del Duende (cf. Carnet d'adresses)

La crue d'octobre 1957, qui inonda une bonne partie de Valence et fit 80 morts, décida la municipalité à dévier le cours du Río Turia dans les années 1960, et ce sont de magnifiques jardins méditerranéens, les **Jardines del Turia**, qui prospèrent désormais dans l'ancien lit du fleuve. Cette plaisante coulée verte s'étire du parc de Cabecera, dans le faubourg nord-ouest de Mislata, jusqu'à la futuriste Cité des arts et des sciences, au sud-est de la ville, en passant par le palais de la Musique. Ses allées ombragées, ses plans d'eau et ses pelouses invitent à la balade, à la sieste ou au jogging (sauf par temps de canicule !). De ci, de là, de petits kiosques et quelques tables permettent de savourer une glace ou une boisson fraîche en toute tranquillité, et l'on se distrait en observant les sportifs sur les terrains aménagés à leur intention le long de la promenade.

Parque de Cabecera (plan 15, A1-A2) À l'extrémité nord-ouest des jardins du Turia, le parc de Cabecera prolonge la grande ceinture verte de la vieille ville. C'est sans doute l'un des plus beaux espaces verts de Valence (33,4ha), avec ses pins, son grand lac, sur lequel paressent des cygnes et où les plus romantiques s'offriront un tour en barque, et ses petits bars bucoliques. Un agréable but de promenade… *Av. Pío Baroja Ouvert 24h/24*

Bioparc Valencia (plan 15, A1) L'habitat naturel des hôtes de ce parc animalier a été minutieusement reconstitué pour permettre au visiteur de se sentir "en immersion" dans ces écosystèmes et de prendre conscience de leur complexité. Sont ainsi représentés quatre grands biotopes africains : la savane, ses lions, ses éléphants et ses girafes ; la forêt équatoriale et ses grands singes ; la forêt malgache et ses lémuriens ; enfin les milieux humides où prospèrent crocodiles et hippopotames, notamment. Si l'on peut y voir de nombreuses espèces en voie de disparition, la star incontestable du parc est un rhinocéros blanc, Cirilo, né en captivité en 1990. Ouvert depuis 2008, Bioparc Valencia est le parc zoologique le plus grand d'Europe (100 000m^2). *Av. Pío Baroja, 3 Tél. 902 25 03 40 www.bioparcvalencia.es Ouvert avr.-juin : tlj. 10h-20h ; juil.-août : tlj. 10h-21h ; sept. : tlj. 10h-19h ; oct.-mars : tlj. 10h-18h Tarif 23,80€, enfants 18€, plus de 65 ans 17,50€, moins de 4 ans gratuit*

Museo de Historia de Valencia (plan 15, A2) De la Valentia romaine à la métropole contemporaine, ce musée aménagé dans le premier réservoir moderne de Valence (1850) invite à traverser le temps de la plus belle des manières : "Valence au Moyen Âge", "la ville des Bourbons", "la cité de la Vapeur", "la modernité tronquée" sont autant de thématiques détaillées de manière ludique. Outre des objets et documents d'époque, il donne à voir des reconstitutions minutieuses de scènes de la vie quotidienne et d'événements historiques. *C/ Valencia, 42 (en face du parc de Cabecera, au niveau du pont du 9-Octobre) Tél. 963 70 11 05 www.mhv.com.es Ouvert mar.-sam. 10h-19h, dim. et j. fér. 10h-15h (hiver : mar.-sam. jusqu'à 18h) Tarif 2€, réduit 1€*

Museo de Bellas Artes (plan 16, D1) Sa grande coupole couverte de tuiles bleues se profile sur la rive nord-est du Río Turia. Le musée occupe l'ancien séminaire de San Pío V. À gauche de l'entrée, un vaste espace accueille des expositions temporaires de qualité. Les collections permanentes du musée sont organisées autour de l'élégant patio et dans une aile inaugurée en 2003. La section d'art religieux médiéval et Renaissance met à l'honneur les primitifs valenciens du XVe s., de Miquel Alcanyis à Pere Nicolau, et de remarquables peintures polychromes sur bois, notamment celles de Jacomart. Remarquez également le sombre autoportrait de Vélasquez, le *Saint Jean Baptiste* du Greco et les scènes enfantines croquées par Goya. Dans la section consacrée au baroque valencien, on pourra admirer les toiles de José de Ribera, né à Játiva en 1591. La collection des XIXe et XXe siècles présente un intérêt moindre. On y découvre cependant d'amusantes scènes quotidiennes et des personnages hauts en couleur. Renseignez-vous sur les nouveautés exposées. *C/ San Pío V, 9 Tél. 963 87 03 00 http://museobellasartesvalencia.gva. es Ouvert lun. 11h-17h, mar.-dim. 10h-19h Entrée libre*

Jardines del Real – "Los Viveros Municipales" (plan 16, D1) Le plus populaire des parcs municipaux jouxte le musée des Beaux-Arts. Les Viveros, comme on les appelle ici, occupent l'ancienne propriété d'un palais de plaisance des émirs d'Al-Andalus, qui passa ensuite aux rois de Valence. Le domaine accueillit une importante collection zoologique dès le XVe siècle puis un jardin d'acclimatation au XIXe siècle. En 1810, pour empêcher les troupes napoléoniennes d'y établir leurs quartiers, les Valenciens rasèrent la résidence royale. Les jardins abritent encore le **Museo de Ciencias Naturales** et son impressionnante section consacrée aux dinosaures, mais le zoo a été transféré au Bioparc en 2007. Au hasard de la promenade, on découvre des jardins intimes et de petits cafés aux terrasses accueillantes. *C/ San Pío V, s/n Tél. 963 52 54 78 Ouvert tlj. 7h30-20h30 (21h30 en été)* **Museo de Ciencias Naturales** *Tél. 963 52 54 78 Ouvert mar.-dim. 10h-19h (18h en hiver) Tarif 2€, réduit 1€, j. fér. et dim. gratuit*

Jardines del Turia (plan 16, C1-D1) En passant sous le Puente de Aragón, un pont gothique aux piliers massifs, on débouche sur cet agréable parcours, très fréquenté le dimanche. Le chemin se faufile au milieu des orangers et des palmiers. Il dessert un vaste bassin, au pied du Palacio de la Música. N'hésitez pas à pousser les portes de ce bel auditorium (1987) conçu par José María García de Paredes : l'architecture du hall est très convaincante. Plus loin,

● **UN PARC POUR LILLIPUTIENS !**
Dans les Jardines del Turia, entre les ponts del Regne et de l'Ángel Custodi, le Parque Gulliver met en scène la silhouette du géant, dont les bambins peuvent dévaler les flancs, les cheveux ou les bras... **Parque Gulliver (plan 17, B3)** *Tramo 12 Tél. 963 37 02 04 Ouvert juil.-août : tlj. 10h-14h et 17h-21h ; reste de l'année : tlj. 10h-20h Entrée libre*

une zone de récréation, le parc Gulliver (cf. ci-contre) résonne des cris d'enfants. Tout au fond se dessine la silhouette futuriste de la Cité des arts et des sciences. **Palacio de la Música** *Paseo de la Alameda, 30 Tél. 963 37 50 20 Ouvert lun. 10h-13h30 et 17h-21h30 Spectacles à 19h30 ou 20h15* **Parque Gulliver** *Tramo 12 Tél. 963 37 02 04 Ouvert juil.-août : tlj. 10h-14h et 17h-21h ; reste de l'année : tlj. 10h-20h Entrée libre*

Museo Fallero (plan 17, B3) Entièrement consacré à la tradition des Fallas, ce musée rassemble tous les *ninots indulats* (figurines "graciées" par vote populaire et ayant ainsi échappé à la crémation à l'issue de la fête) élus depuis 1934. Il abrite également de nombreux costumes, accessoires et photos de ces fêtes traditionnelles. Pour mieux comprendre le phénomène des Fallas et leur évolution au fil du temps, *Pl. Monteolivete, 4 Tél. 963 52 54 78 Ouvert mar.-sam. 10h-19h (18h en hiver), dim. et j. fér. 10h-15h Tarif 2€, réduit 1€, moins de 7 ans gratuit*

☆ **Ciudad de las Artes y las Ciencias (plan 17, C3)** Le magistral projet de l'architecte valencien Santiago Calatrava a su redonner vie à l'ancien cours du Río Turia et relier la ville à sa façade maritime en illustrant deux thèmes : la nature et l'eau. Cette Cité des arts et des sciences compte six éléments principaux, dont le **Palau de les Arts Reina Sofía** (2005). Cet immense complexe dédié aux arts de la scène (75m de haut et environ 40 000m^2 de superficie), dont l'enveloppe blanche évoque un casque couronné d'une plume, se mire dans un grand bassin. Ses quatre salles de spectacle (dont deux de plus de 1 400 places), dotées d'équipements de pointe, accueillent opéras, concerts, ballets, pièces de théâtre... Plus au sud, au milieu d'un bassin, se dresse le cinéma panoramique **Hemisfèric** (1998), "œil" géant dont les paupières métalliques s'ouvrent et se ferment au gré des spectacles. Il abrite une salle de projection Imax et un planétarium. À l'arrière-plan se profile la jolie silhouette de l'Umbracle, un jardin suspendu au-dessus du parking de la Cité. La façade nord du Museu de les Ciènces Príncipe Felipe (2000) offre le profil d'une vague, d'une cascade de cristal... ou d'un squelette de baleine. En pénétrant à l'intérieur, on a une meilleure idée de son architecture complexe. On remarque ainsi les piliers de la façade sud, en forme d'arbres. L'entrée du musée se trouve au 1er étage, mais on pourra mieux étudier la charpente de l'édifice, une merveille d'équilibre et de légèreté, du 2e étage. Le musée, dont la louable devise est "Interdit de ne pas toucher, de ne pas penser, de ne pas sentir", propose des dizaines d'expériences interactives, de passionnantes présentations scientifiques dans un esprit toujours ludique et curieux. Les expositions changent régulièrement, l'idéal consiste à consulter le site Internet du musée, www.cac.es, où les expositions du moment sont présentées en détail. Quant au complexe de l'**Oceanogràfic**, ouvert en 2002, il s'impose comme l'un des plus vastes parcs marins d'Europe : 80 000m^2 de superficie et 42 millions de litres d'eau salée y reconstituent les principaux écosystèmes marins du globe, des paysages glacés de l'Arctique et de l'Antarctique aux mers tropicales, et leur faune. On peut ainsi observer les représentants de quelque 500 espèces différentes, des plus fascinantes (poissons multicolores, coraux) aux plus terrifiantes (requins, barracudas). Les attractions majeures de l'Oceanogràfic sont l'aquarium-tunnel long de 70m et le delphinarium. L'**Ágora** est venue parachever la Cité des arts et des sciences en 2009. Cette vaste esplanade posée sur l'eau et protégée par une armature ellipsoïdale de béton, d'acier et de verre accueille des concerts, des rencontres sportives et autres manifestations d'envergure. *Av. Autopista del Saler, 1-7 (bus nᵒˢ35 et 95, métro l. 3 et 5) Tél. 902 10 00 31 (rés.) www.cac.es www.lesarts.com* **Hemisfèric** *Ouvert tlj. 11h-21h Tarif 8,80€, réduit 6,85€* **Museu de les Ciènces** *Ouvert dim.-ven. 10h-19h (21h en été), sam. 10h-21h Tarif 8€, réduit 6,20€* **Oceanogràfic** *Ouvert mi-juin-mi-juil. : tlj. 10h-20h ; mi-juil.-août : tlj. 10h-0h ; sept.-mi-juin : dim.-ven. 10h-18h, sam. 10h-20h (le w.-e. à partir de 11h30) Tarif 27,90€, réduit 21€ Hemisfèric+Museu 12,60€, réduit 9,60€ Museu+Oceanogràfic 29,70€, réduit 22,55€, Hemisfèric+Oceanogràfic 30,30€, réduit 23€ Tarif général 36,25€, réduit 27,55€* **Ágora** *programme sur www.cac.es*

La façade maritime de Valence

☆**Les essentiels** Les Arsenaux royaux (Reales Atarazanas) **Découvrir autrement** Flânez dans les ruelles du Cabañal, puis enfourchez un Valenbisi pour remonter le Paseo Marítimo, allez fêter la Saint-Jean sur la plage de la Malvarrosa

Puerto (plan 17, D3) Sélectionné pour accueillir les éliminatoires de la coupe Louis-Vuitton en 2007, puis la finale de la 32ᵉ édition de la Coupe de l'America, le port de plaisance de Valence, situé au nord de son port de commerce, fit l'objet d'une restructuration d'envergure en 2006. Les ferries pour les Baléares partent désormais du port de commerce, juste au sud.

Marina Real Juan Carlos I (plan 17, D3) On a percé un canal pour relier plus rapidement la marina à la zone des régates, édifié des bases d'accostage et de travail pour les différentes équipes de course, un pavillon minimaliste de 4 étages et 10 000m², "Veles e Vents", pour accueillir les spectateurs VIP, et aménagé une vaste zone de chalandise (restaurants, bars et boutiques), dont le "deck" offrait une vue imprenable sur le départ de la course. Toutes ces installations ont également accueilli la finale de la 33ᵉ coupe de l'America, en 2010. La marina a conservé, toutefois, ses entrepôts (*tinglados*) à charpente métallique et décor de céramique polychrome de la fin du XIXᵉ siècle, ainsi que sa gare maritime néoclassique, signalée par une tour de l'horloge (1916).

☆**Reales Atarazanas (plan 17, D3)** Ne manquez surtout pas de visiter les anciens arsenaux royaux, aujourd'hui classés. Ces cinq bâtiments gothiques (1338), anciens chantiers navals du roi d'Aragon, ont été magistralement restaurés et accueillent aujourd'hui des expositions et autres manifestations culturelles. *Pl. Juan Antonio Benlliure, s/n Tél. 963 52 54 78*

☺ **El Cabañal – El Cabanyal (plan 17, D2)** Il dessine une trame régulière de ruelles bordées de maisonnettes colorées et de bodegas à l'ouest du front de mer, entre la marina et l'Avenida de los Naranjos. L'origine de ce quartier populaire où cohabitent pêcheurs, retraités modestes et gitans remonte au Moyen Âge. Il constitua une municipalité indépendante de 1837 à 1897 et, au début du XXe siècle, sa popularité auprès des artistes, puis des estivants en général, lui fit adopter l'architecture alors en vogue : balcons en fer forgé, décor mêlant stucs et carreaux de faïence vernissée. Classé Bien d'intérêt culturel en 1993, El Cabañal est menacé depuis 1998 par un plan de prolongement de l'avenue Blasco Ibáñez jusqu'à la mer. Le ministère de la Culture a ordonné la suspension du projet en 2011, donnant ainsi raison à l'association "Salvem el Cabanyal", qui s'oppose aux destructions envisagées et milite pour la réhabilitation du quartier, mais la municipalité semble tabler sur la lente dégradation de l'habitat et de la voirie, qu'elle s'est bien gardée d'enrayer, pour parvenir à ses fins.

Casa-museo de la Semana Santa Marinera (plan 17, D2) Ce petit musée rassemble les *pasos* (représentations de la Passion du Christ), étendards et vêtements portés par les différentes confréries lors des processions de la Semaine sainte, une tradition qui remonte au XVe siècle parmi les marins pêcheurs de Valence. *C/ Rosario, 1 Tél. 963 24 07 45 www.semanasantamarinera. org Ouvert mar.-sam. 10h-14h et 15h-19h (18h en hiver), dim. et j. fér. 10h-15h Entrée libre*

Museo del Arroz (plan 17, D2) Production emblématique de la région s'il en est, le riz a son musée à Cabañal, un moulin du début du XXe siècle réhabilité. Les machines d'époque remises en état de marche permettent de suivre les différentes étapes du traitement de la céréale. Le musée retrace également l'histoire de la riziculture régionale. *C/ Rosario, 3 Tél. 963 67 62 91 www.museoarrozvalencia.es Ouvert mar.-sam. 10h-14h et 15h-19h (18h en hiver), dim. et j. fér. 10h-15h Tarif 2€, réduit 1€*

Paseo Marítimo (plan 17, D1-D2) Cette agréable promenade plantée, jalonnée de cafés et de restaurants de fruits de mer, suit le littoral sur plusieurs kilomètres pour relier le port, au sud, à la Patacona, au nord, en longeant les plages de Las Arenas et de la Malvarrosa.

● **Aller à la plage** Vastes et bien entretenues, les plages de Las Arenas et de la Malvarrosa sont les plus proches du centre-ville. On y trouve des sanitaires et postes de secours. Plusieurs bus, dont les n°32, ainsi que les lignes de métro nos5 et 6 les desservent.

● **Assister à un match de football**
Estadio de Mestalla (plan 17, B2-C2) Le Valencia Club de Fútbol est l'un des meilleurs clubs d'Espagne et l'un des 25 plus riches du monde. Attention, les grandes rencontres de Coupe d'Europe ou de championnat – notamment contre le Real Madrid et le FC Barcelone – affichent souvent complet... De 22 à 120€ la place selon les équipes, dans un stade qui peut accueillir 55 000 spectateurs, en attendant l'inauguration du Nou Mestalla (75 000 places), dont le chantier pharaonique est à l'arrêt depuis 2009. *Av. Suecia, s/n À quelques rues du Río Turia et de la station de métro Aragon Tél. 963 60 17 10 www.valenciacf.es*

Les environs de Valence

Vers la Costa del Azahar

Sagunto La silhouette massive de la citadelle de Sagunto (Sagunt en valencien), perchée sur le dernier contrefort de la Sierra Calderona, impressionne le voyageur en provenance de Valence. Occupé depuis l'âge du bronze, le site entra dans l'histoire en 219 av. J.-C., lors des guerres opposant Rome à Carthage. Les chefs de Sagonte s'étaient alliés aux Romains, alors que le traité mettant fin à la première guerre punique plaçait la ville sous influence carthaginoise. Hannibal décida alors de l'assiéger. Arrivés trop tard, les renforts romains furent repoussés à la mer. Les péripéties du siège, qui dura huit mois, ont été retranscrites par Tite-Live. Les Sagontins opposèrent une résistance héroïque aux Carthaginois avant de capituler. Mais les conditions imposées par Hannibal à leur reddition étaient si dures que nombre d'entre eux préférèrent se jeter, avec tous leurs biens, dans un grand brasier allumé sur le forum. Pour faire bonne mesure, Hannibal fit décapiter les survivants mâles en âge de porter une arme. La prise de Sagonte fut l'une des causes principales de la deuxième guerre punique. En 212 av. J.-C., Scipion l'Africain reprit la ville, la fortifia et en fit un important centre d'influence romaine dans la région. La citadelle, qui mêle des vestiges ibères, romains, wisigothiques et maures, est protégée par des remparts de l'époque médiévale. Le temps y a fait son œuvre, bien aidé par Napoléon, les guerres carlistes et enfin les bombardements de la guerre civile. L'office de tourisme fournit un plan des éléments encore visibles. L'esplanade principale, la Plaza de Armas, présente quelques vestiges de constructions médiévales et ceux du forum, de la basilique, de la curie et d'une citerne antiques. La plaza de la Conejera porte essentiellement des vestiges de l'occupation maure (713-1239). La Plaza de la Ciudadela et la Plaza del Dos de Mayo, à l'extrémité de la crête, offrent un vaste panorama sur l'arrière-pays. Non loin de l'entrée de la forteresse, dans la rue qui descend vers le centre-ville moderne en traversant l'ancien quartier juif, s'élève la maison dite de Mestre Penya (XIXe-XVe s.), transformée en musée archéologique. La collection comprend 320 objets précieux exhumés par les archéologues de la citadelle, du centre-ville de Sagunto et de ses environs, notamment des céramiques de l'âge du bronze et un *Toro Ibérico* sculpté dans le grès au IVe siècle av. J.-C. Le musée possède aussi une intéressante collection d'inscriptions ibériques, latines et hébraïques et présente l'évolution urbaine de Sagunto. L'immense théâtre romain (8 000 places) aménagé au Ier siècle au pied de la citadelle possède une acoustique remarquable ; il a fait l'objet d'une restauration très controversée dans les années 1990. *À environ 23km de Valence Par la V21 ou l'AP7-E15* **Office de tourisme** *Tél. 962 65 58 59 www.sagunto.es http://turismo.sagunto.es Ouvert juil.-août : lun. 10h-14h30 et 16h30-19h30, mar.-ven. 9h-14h30 et 16h-19h30, sam.-dim. 9h-14h ; sept.-juin : lun.-ven. 9h30-14h30 et 16h-18h30, sam.-dim. 9h-14h* **Teatro romano** *Tél. 962 61 72 67 Ouvert mar.-sam. 10h-18h (20h mars-oct.), dim. 10h-14h Entrée libre* **Museo Histórico**

LA COMMUNAUTÉ VALENCIENNE

● **SE FAIRE MENER EN BATEAU...**
Menées par des pêcheurs en retraite, les barques permettent d'approcher les grands échassiers (hérons cendrés, aigrettes) et de comprendre comment le travail des hommes a peu à peu modifié le paysage (canaux d'irrigation, écluses...). La balade en barque est comprise dans le prix du billet d'accès au parc en bus touristique – cf. Bus touristique Valence-El Palmar (p.494). **Parque Natural de la Albufera**

C/ Castillo, 23 Ouvert mar.-sam. 11h-20h, dim. et j. fér. 11h-15h Entrée libre

☆ **Parque Natural de la Albufera** L'immense lagune de la Albufera fait l'admiration des voyageurs depuis près de deux millénaires. Cette baie antique est désormais séparée de la Méditerranée par une étroite bande de sédiments accumulés au fil des siècles par les courants marins et les cours d'eau. Un paradis pour les oiseaux migrateurs, pour les hommes aussi, qui y pêchent et y entretiennent de gigantesques rizières. Pourtant, l'Albufera peine désormais à montrer ses richesses, à cause d'un aménagement du territoire incon-séquent et de la proximité d'un pôle industriel. Campé sur une île de la lagune, le bourg d'**El Palmar** attire les foules en fin de semaine et en haute saison. Une visite de sa criée vous donnera un aperçu de la vie des pêcheurs locaux. Mais le charme du village tient surtout aux canaux qui le bordent. Le meilleur moyen de découvrir la lagune reste la promenade en barque à moteur, d'autant que les petites routes qui traversent les marécages de l'Albufera sont fermées au public. *El Palmar* **Criée d'El Palmar** *Lonja Tél. 961 62 03 47 www.cpescadoreselpalmar.com* **Bus touristique Valence-El Palmar (plan 16, C2)** *7/j. de juin à sept. (lun.-sam.) et 3/j. en mars-mai et oct.-déc. (jeu.-lun., fréquence plus élevée les jours fériés) Départ Pl. de la Reina Le billet inclut une promenade en barque sur la lagune Tél. 963 41 44 00 www.valenciabusturistic.com* **Bus régulier pour El Saler** *Départs toutes les 30min env. (toutes les heures en hiver) de l'intersection de la Gran Vía de las Germanías et de la C/ Sueca, derrière l'Estación del Norte Arrêt au bord de la lagune, près de l'intersection de la route d'El Palmar Tél. 963 49 12 50 www.autocaresherca.com*

● **Aller à la plage**
Playa de El Saler À 12km au sud de Valence, la Playa de El Saler, longue bande sablonneuse séparant l'Albufera de la Méditerranée, compte quelques-unes des plages les plus fréquentées en été. Plages exclusivement réservées aux amoureux des plaisirs balnéaires et aux fêtards qui aiment la foule. *Le long de la CV500 Bus régulier au départ de Valence direction Perelló partant de l'intersection de la Gran Vía de las Germanías et de la C/ Sueca*

● **Jouer au golf**
Parador de El Saler Voici l'un des meilleurs terrains de golf du monde au dire des spécialistes : un 18-trous verdoyant au beau milieu des dunes ! *Av. Pinares, 151 El Saler (route d'El Saler, au km16) Tél. 961 61 11 86 www.parador.es*

CARNET D'ADRESSES

Lieux de sortie

Au **sud du centre-ville**, de nombreux bars s'alignent le long de la Gran Vía del Marqués del Turia et autour de la Plaza Cánovas del Castillo. Dans ce secteur, les bars branchés et restaurants chics de **Ruzafa** sont très fréquentés le soir. Les étudiants aiment aussi commencer la soirée dans les bars de la **Zona Aragón** (Av. de Aragón et Av. de Vicente Blasco Ibáñez), entre le stade et l'université. Ce quartier abrite quelques boîtes animées après 4h, notamment dans la Zona Budy. À l'ouest des Torres de Quart, près de l'ancien **Mercado de Abastos**, la Calle de Juan Llorens rassemble des pubs à l'espagnole. Enfin, il y a notre quartier préféré, **El Carmen**, plus "alternatif" : une foule de restaurants, bars à tapas, clubs et boîtes dans un petit périmètre. L'action se déroule le long de la Calle de los Caballeros, entre les Plazas de la Virgen et Tossal. **Côté mer**, la fête bat son plein en été Calle de Eugenia Viñes, près de la plage de Malvarrosa.

Bars

Café de la Seu (plan 16, C2 n°29) Ce petit bar qui ne paie pas de mine, caché dans une paisible ruelle voisine de la cathédrale, se remplit vite en début de soirée. On s'y retrouve pour profiter de sa large sélection de cafés et de thés ou pour un apéritif. *Catedral C/ Santo Cáliz, 7 Tél. 963 91 57 15 www.cafedelaseu.com Ouvert lun.-jeu. 18h-1h30, ven.-sam. 18h-2h*

☺ **Café de las Horas (plan 16, C1 n°37)** Dans une ambiance néobaroque (tentures, dorures, lustres, fontaines et plafonds décorés), on peut déguster l'une des meilleures *aguas de Valencia* ou piocher dans la sélection de cafés et de thés chauds et froids. La petite terrasse, toute proche de la cathédrale, est des plus agréables. Le soir, l'ambiance se fait jazzy. *El Carmen C/ Conde de Almodóvar, 1 Tél. 963 91 73 36 Ouvert lun.-jeu. 10h-1h30, ven.-sam. 10h-2h, dim. 11h-1h30*

Café La Infanta (plan 16, B2 n°38) La Plaza del Tossal, dans le Barrio del Carmen, est le rendez-vous des fêtards. La terrasse du Café Infanta est donc prise d'assaut tous les soirs, comme ses trois salles à la décoration chaleureuse, par une clientèle, plutôt jeune. Idéal pour partager un pichet d'*agua de Valencia* (jus d'orange, mousseux et triple sec) entre amis en début de soirée. *El Carmen Pl. Tossal, 3 Tél. 963 92 16 23 Ouvert tlj. 16h-2h*

☆ L'art de la *marcha*

Les nuits valenciennes jouissent d'une réputation qui a dépassé les frontières de la Communauté et même du pays. L'art de la *marxa* ("fête" ; prononcer "marcha") tient ici du sacerdoce, du jeudi soir au dimanche matin ! De manière générale, les restaurants restent animés jusqu'à plus de 23h30, heure à laquelle on se dirige vers les bars. Les clubs et les bars-lounge ne font pas le plein avant 1h30 ou 2h, mais ils restent ouverts jusqu'à l'aube !

LA COMMUNAUTÉ VALENCIENNE

Laboratorio (plan 16, C2 n°35) Une clientèle dans la trentaine et plus, mais nettement *hipster* ; un cadre un brin décalé, kitsch mais pas trop ; des plats du jour (4€), un menu à 10€ le soir, des *dim sum* et des wraps pour les petites faims, et des bières, vins et cocktails pour les grandes soifs (1-6€). Et puis des *paella parties* (3€), des soirées Erasmus ou "only for girls". On est bien au laboratoire ! Le comptoir est magnifique et la terrasse, dans la ruelle, bien agréable. *Pl. des Cors de la Mare de Deu, 3 Tél. 963 92 61 93 Ouvert tlj. 18h30-1h30*

Clandestino Bar (plan 16, C3 n°31) Un bar théâtral et bien garni, avec plus de 80 marques de gin et d'autres spiritueux, et une élégante salle néo-baroque, tout en or pâle, noir et rouge. Le lieu idéal pour laisser filer le temps autour de cocktails originaux (8-11 €) ou pour commencer la soirée en beauté. *Ayuntamiento C/ Marqués de Dos Aguas, 6 Tél. 963 52 99 38 Ouvert dim.-jeu. 18h-1h ; ven.-sam. 18h-3h*

Tula Café (plan 17, B3 n°18) Voilà un cadre original et coloré dans lequel déguster une pâtisserie, un jus de fruit, un *granizado*... ou un apéritif sur une agréable terrasse. Les prix sont aussi sympathiques que l'ambiance (3,50€ le *granizado*, 2,50€ le jus de fruits frais, 7,50-8€ le cocktail), assurée par une sélection musicale soignée, diffusée 24h/24 sur Tularadio ! *Ruzafa C/ Cádiz, 62 Tél. 963 41 50 95 www. tulacafe.es Ouvert tlj. 9h-1h30*

Cosecha Roja (plan 17, B3 n°12) Ce petit bar-librairie du quartier de Ruzafa est spécialisé dans le roman noir, et son propriétaire, Miguel, intarissable sur le sujet. On y trouve plus de 1 500 "polars" (en espagnol) et une ambiance plus festive que celle des histoires qui garnissent les rayonnages... Cosecha Roja accueille régulièrement des concerts... et un écrivain une fois par mois. Avant 22h, la librairie draine la majeure partie de la clientèle. Ensuite, c'est l'heure de l'apéritif ! *Ruzafa C/ Sevilla, 20 Tél. 696 93 54 43 Ouvert lun.-ven. 17h-23h*

☺ **Slaughterhouse (plan 17, B3 n°13)** Sans doute l'un des plus atypiques et festifs du quartier de Ruzafa, ce bar-librairie est l'endroit idéal où débuter une soirée réussie. La décoration rappelle qu'il s'agit d'une ancienne boucherie, et les cocktails portent des noms de héros de romans. Quant à l'enseigne, Slaughterhouse, elle a été inspirée aux patrons par le roman de Kurt Vonnegut *Abattoir 5*. La clientèle branchée vient savourer un verre de vin et picorer de fines tranches de jambon, dans une atmosphère bon enfant, qui culmine vers 21h. Pour accréditer sa réputation de lieu pluridisciplinaire, Slaughterhouse expose en permanence les œuvres d'artistes locaux. *Ruzafa C/ Denia, 22 Tél. 963 28 77 55 www.slaughterhouse.es Ouvert lun.-sam. 19h-1h30 Fermé 10 j. en août*

☺ **Café Berlin (plan 17, B3 n°17)** Dans ce café dont la déco mixe les styles indus et bohème, on vient le soir

---

Ambiente

Certaines adresses sont classées *ambiente* dans les programmes de sorties. Il faut comprendre : l'atmosphère y est résolument gay, quoique ouverte à tous. Ambiance... assurée !

boire une bière ou un verre de vin accompagné d'un sandwich (2,50€), d'une salade (5-6€) ou d'une pâtisserie maison (à partir de 2€)... Mais aussi voir de belles expos, lire un livre, échanger en allemand ou prendre un cours de crochet ! À goûter : le thé au cannabis et les mojitos. *Ruzafa C/ Cádiz, 22-24 Tél. 963 81 00 24 Ouvert mar.-dim. 19h-2h*

Clubs

Fox Congo (plan 16, B2 n°32) Un bar-boîte à la clientèle bigarrée, mais dans l'ensemble plutôt décontractée. Les plaques de cuivre martelé qui tapissent les murs et la décoration originale du comptoir attirent l'œil. Dance, R'n'B, soul et pop. *El Carmen C/ Caballeros, 35 Tél. 963 92 55 27 Ouvert tlj. 19h-3h30*

Café del Duende (plan 16, A1 n°30) Le lieu de Valence où écouter et voir du flamenco. Il accueille les jeudi, vendredi et samedi des concerts et des récitals de flamenco *(env. 8€) El Carmen C/ Turia, 62 (à l'ouest du Carmen) Tél. 630 45 52 89 www.cafedelduende.com Ouvert jeu. 22h-2h30, ven.-sam. 22h-3h30, dim. 19h-23h*

Radio City (plan 16, B2 n°34) Un club-salle de spectacle plein de couleurs... et de bonnes idées. Soirée flamenco le mardi, théâtre le dimanche, concerts programmés régulièrement, expositions et danse tous les jours... sans oublier le festival de courts métrages du printemps. L'occasion de faire de nombreuses rencontres. Pas étonnant donc si le Radio City est devenu le QG des étudiants Erasmus. *Mercado Central C/ Santa Teresa, 19 Tél. 963 91 41 51 www.radiocityvalencia.com Ouvert tlj. 23h-3h30*

El Loco Club (plan 17, A2 n°11) Une scène phare pour les musiques actuelles, tendance underground. Tout le monde se retrouve sur la piste balayée par les spots pour danser sur du rock indé, de la soul et de la power pop. *Mercado Central C/ Erudito Orellana, 12 Tél. 963 51 85 21 www.lococlub.org Ouvert jeu.-sam. 23h-3h30*

☺ **Calypso (plan 17, B3 n°14)** En milieu de soirée, vers minuit-1h, les noctambules se ruent au Calypso, un temple des musiques en vogue dans les années 1950 et 1960 : rock, rhythm'n'blues, surf, soul, *rocksteady*... Tout le monde joue le jeu, et les serveurs en tenue vintage se chargent – si besoin en était – de l'animation. Succès oblige, bain de foule et chaleur tropicale assurés... Boissons 5-10€ (cocktails). *Ruzafa C/ Carlos Cervera, 9 Tél. 658 37 63 42 Ouvert jeu. 21h-3h30, ven.-sam. 23h-3h30*

Las Ánimas (plan 17, B2 n°19) Un incontournable des nuits valenciennes ! Ce vaste club des abords de la Gran Vía mêle savamment lampes Tiffany, objets de brocante et mobilier rétro pour ressusciter le cadre chaleureux, tout en clair-obscur, des bars de la Belle Époque. La musique, elle, est résolument plus moderne : jazzy et funky en début de soirée, R'n'B et house après 1h. *Ruzafa C/ Pizarro, 31 Tél. 902 10 85 27 ou 670 50 06 18 www.lasanimaspub.com Ouvert jeu.-sam. 23h-7h*

Upper Club (plan 17, B2 n°20) On vient à l'Upper Club savourez des cocktails préparés dans les règles de l'art (6-12€), de la bonne musique dès l'afterwork... et profiter, l'été, de la grande terrasse en plein centre-ville. *Ruzafa Gran Via Marques del Turia, 40 Tél. 661 68 06 68 www.upperclub.es Ouvert lun.-mer. 16h-1h ; jeu.-sam. 18h-3h30 ; dim. 16h-2h*

Deseo 54 (plan 17, B1 n°15) Ce club élégant et spacieux est le rendez-vous de la Valence gay. Jeu de lasers étudié, house internationale et electro *hype*. Entrée gratuite jusqu'à 2h avec flyer ou promotions web, sinon 10€ avec un cocktail ou 15€ avec deux cocktails. Conso 8-10€. *Río Turia* C/ *Pepita, 15* Tél. 697 69 91 66 www.deseo54.com *Ouvert ven.-sam. 1h-7h30*

Black Note (plan 17, C2 n°10) Un club de qualité qui propose des concerts de jazz et de blues en début de semaine. Les vendredi et samedi soirs, des DJ font vibrer la salle sur des musiques plutôt funky et latino. *San José* C/ *Polo y Peylorón, 15 (près du stade et de l'Av. de Aragón)* Tél. 963 93 36 63 www. blacknoteclub.com *Ouvert mar.-sam. 21h-3h30*

Vivir sin Dormir (plan 17, D2 n°16) Ce bar-restaurant de plage archi classique dans la journée change radicalement le soir… Le rythme s'accélère singulièrement à mesure que les fêtards affluent. La salle, immense, est systématiquement bondée. Musiques variées (pop, rock, acid-jazz, etc.) et tables de billard. *Front de mer* C/*Paseo Neptuno, 42* Tél. 963 72 77 77 www.vivirsindormir.com *Ouvert dim.-jeu. 11h-3h, ven.-sam. 11h-4h*

☺ **Las Ánimas del Puerto (plan 17, D2 n°9)** *Grande !* Deux *dancefloors* (les plus belles terrasses de la région) et deux styles musicaux différents s'offrent aux danseurs l'été. Le reste de l'année, on s'amuse à l'étage. Soirées thématiques et sets de DJ internationaux. Le spot idéal pour assister aux compétitions de Formule 1, dont le circuit passe à côté… ou au lever du soleil ! *Front de mer Edificio Docks Paseo de Neptuno, s/n* Tél. 902 10 85 27 www.lasanimasdelpuerto.com *Ouvert fin mai-oct. : mer.-sam. 0h-7h ; reste de l'année : jeu.-sam. 0h-7h*

Restauration

Difficile d'échapper à la paella, plat emblématique de la région. Parmi la kyrielle de spécialités à base de riz, notre préférée est l'*arroz negro*, un riz cuit dans l'encre de seiche. Le grand atout de la gastronomie valencienne, ce sont ses ingrédients, fraîchement récoltés dans les champs de la *huerta* ou débarqués des bateaux de pêche…

🍴 **très petits prix**

Tasca Ángel (plan 16, B2 n°26) La réputation de ce bar de poche tient autant à la truculence de son patron qu'aux délicieuses sardines au sel (3,50€ la portion) qu'on y déguste au comptoir avec un verre de vin rouge. *Mercado Central* C/ *Purísima, 1* Tél. 963 91 78 35 *Ouvert lun.-sam. 10h30-15h et 19h30-23h30 Fermé en août*

Bocatería Ñam (plan 16, C n°27) Des sandwichs froids et chauds (3,50-6€), des soupes, des salades et quelques plats. Fraîcheur et petits prix garantis. Menu à 12€ le midi. *Ayuntamiento* C/ *San Andrés, 4* Tél. 963 51 48 37 www. bocaterianam.com *Ouvert lun.-sam. 13h30-16h et 20h30-0h*

☺ **La Utilelana (plan 16, C3 n°12)** Ce restaurant sert une excellente cuisine familiale à prix doux. Azulejos aux murs, serveuses empressées et souriantes malgré l'affluence. Plats du jour à env. 10€ (excellent *arroz a banda*) et plats traditionnels copieux : *pollo al ajillo* (env. 5,50€) et *cordero al horno* (spécialité maison, env. 9,90€). Prix HT. *Ayuntamiento* Pl. *Picadero de Dos Aguas, 3 (à côté du palais du Marqués de Dos Aguas)* Tél. 963 52 94 14 *Ouvert lun.-ven. 13h15-16h et 21h-23h, sam. 13h15-16h Fermé j. fér. et 15 j. en été*

🍴 petits prix

La Lluna (plan 16, A1 n°11) Ce restaurant végétarien s'est spécialisé dans la conception de plats traditionnels copieux et savoureux, réalisés uniquement avec des produits bio. Soupes variées et, pour les gros appétits, lasagnes vertes ou tartes. Comptez 8€ pour le menu du jour (à midi), 19,80€ pour le menu dégustation et de 15 à 25€ à la carte. *El Carmen* C/ San Ramón, 23 Tél. 963 92 21 46 *http://restaurantelalluna.es* Ouvert lun.-sam. 9h-16h et 20h-0h Fermé 2 sem. en août

Cava Siglos (plan 16, B2 n°9) Pierres apparentes et mur de bouteilles pour ce temple de la dégustation de vins où vieillissaient jadis les grands crus destinés aux hauts dignitaires du royaume. Aujourd'hui, les nectars accompagnent des tapas gastronomiques (*bocaditos de sabor valenciana* à 1,70€), à déguster dans un décor chaleureux. *El Carmen* C/ Caballeros, 12 Tél. 963 91 62 71 www.cavasiglos.com Ouvert tlj. 16h-1h

Pepita Pulgarcita (plan 16, B2 n°21) Ce petit restaurant de la Calle de los Caballeros séduit la jeunesse valencienne avec son sobre cadre contemporain (bois clair et skaï beige) et ses plats simples. Comptez 15-20€ pour quelques tapas et un verre de vin. *El Carmen* C/ Caballeros, 19 Tél. 963 91

46 08 Ouvert mar.-dim. 12h-16h et 20h-1h30

Maridaje (plan 17, B3 n°2) Maridaje, comme l'union du vin et de la gastronomie. Ce restaurant de tapas inventives, au cadre feutré, est devenu un incontournable du quartier de Ruzafa. Le midi, le menu à 10€ est plus que réjouissant, mais on peut jouer cette fameuse carte du mariage en se laissant conseiller un vin différent pour accompagner chaque plat (12-14€). *Ruzafa* C/ Sevilla, 27 Tél. 963 81 62 06

Se restaurer à petits prix à Valence

Pour manger à petits prix, rendez-vous au **Mercado Central**. Autour des halles, des commerces vendent des sandwichs et plats du jour vraiment bon marché. **Aux abords de la cathédrale**, on trouve d'autres bonnes adresses, avec des menus du jour à 10€ env. Enfin, nombre de restaurants d'**El Carmen** et de **Malvarrosa** proposent des cartes alléchantes.

www.maridaje-valencia.com *Ouvert lun.-sam. 12h30-16h30 et 19h30-1h30 (et dim. 12h30-16h30 de sept. à mai) Fermé 15-31 août*

Cervecería Maipi (plan 17, B3 n°1) Une très bonne adresse. Les tapas, posées sur le comptoir, sont toutes plus appétissantes les unes que les autres. Les petits poulpes en sauce (*pulpitos*, 6-9€) sont délicieux. *Ruzafa C/ Maestro José Serrano, 1 Tél. 963 73 57 09 Ouvert lun.-sam. 13h30-16h et 20h30-23h30 (fermé sam. en juil.-août) Fermé 15 j. autour de la sem. sainte*

🍴 **prix moyens**

La Lola (plan 16, C2 n°22) La nouvelle cuisine espagnole a trouvé là l'une de ses plus belles expressions. La Lola combine créativité culinaire – la carte, d'inspiration méditerranéenne, est renouvelée chaque jour – et cadre "pop" coloré, que prolonge une terrasse donnant sur les tours de la cathédrale. Menus du soir à 25€ en sem. et le week-end, et à 30€ lors des spectacles de flamenco. *Catedral C/ Subida de Toledano, 8 Tél. 963 91 80 45 www.lalolarestaurante.com Ouvert tlj. 13h30-15h30 et 20h30-1h30*

☺ **La Bodeguilla del Gato (plan 16, B2 n°25)** Pas étonnant qu'il faille parfois patienter pour pouvoir s'attabler dans cette belle bodega, carrelée et voûtée, de la vieille ville. Difficile de faire son choix, en effet, tant la carte des tapas est longue et la sélection de vins sympathique. *Salmonejo* (soupe

froide) à 4,40€ et *rabo de toro* (queue de bœuf) à 13,50€. Prévoyez 20-25€ pour un repas copieux. Un must, à la (très bonne) réputation méritée. *Mercado Central C/ Catalans, 10 Tél. 963 91 82 35 Ouvert tlj. 20h30-1h*

Carosel (plan 16, B2 n°19) Sur une placette voisine du Mercado Central, voici une cantine design du plus bel effet. Murs et sol blanc ou en béton ciré, rehaussés de détails chaleureux : petites fleurs champêtres et mobiles tournicotant au plafond. Deux plats au choix sont proposés chaque jour. Un menu (chaud ou froid, viande ou poisson) à 15€ le midi et à 22€ le soir. De 20 à 30€ à la carte. Moderne, original et sympathique... *Mercado Central C/ Taula de Canvis, 6 Tél. 961 13 28 73 Ouvert juil.-août : mar.-sam. 13h30-15h30 et 20h30-23h ; sept.-juin : mar. et dim. 13h30-15h30, mer.-sam. 13h30-15h30 et 20h30-23h*

De Calle (plan 17, B2 n°6) Un cadre faussement industriel qui mêle bois, brique et béton ciré, et que vient réchauffer un mobilier savamment disparate – à chaque table son style. On vient là pour déjeuner, dîner, ou simplement prendre un verre entre amis à des prix très corrects (menu midi 9,90€, soir 20 et 29€, comptez 25-30€ à la carte). Le thon grillé et le filet de bœuf au foie gras complètent une carte des tapas et entrées déjà fort copieuse. *Ruzafa C/ Conde de Altea, 12 Tél. 963 95 11 78 www.de-calle. com Ouvert lun.-ven. 13h-2h, sam. 20h-2h Fermé 2 sem. en août*

GAMME DE PRIX	RESTAURATION	HÉBERGEMENT
Très petits prix	moins de 12€	moins de 50€
Petits prix	de 12 à 20€	de 50 à 65€
Prix moyens	de 20 à 30€	de 65 à 85€
Prix élevés	de 30 à 50€	de 85 à 130€
Prix très élevés	plus de 50€	plus de 130€

Casa Botella (plan 17, B3 n°5) À un jet de pierre du marché de Ruzafa, une honnête cuisine de bistrot (carpaccio de crevettes, tartare de saumon, tourte à l'agneau et patate douce, fondant chocolat-orange) et de bons vins à des prix raisonnables. Menus le midi en sem. 12-18€ et le week-end à 15-20€. Comptez env. 15€ le plat à la carte. *Ruzafa C/ Pintor Salvador Abril, 28 Tél. 654 84 93 33 www.casa botella.com Ouvert mar. et dim. 13h-17h, mer.-sam. 13h-17h et 20h-23h30 Fermé 2 sem. autour du 15 août*

🍴 prix élevés

Abadía d'Espí (plan 16, C2 n°15) Un restaurant décoré avec goût, sur lequel règne une atmosphère romantique. Le chef, Juan Carlos Espí, a concocté une carte qui s'inspire de vieilles recettes régionales, mettant à l'honneur les produits de saison. L'un des principaux atouts de cette adresse reste sa cave, riche en crus de la Rioja, de la Ribera del Duero ou de la région de Valence. À la carte, comptez 32-38€. Menus du midi 24-27€. *Catedral Pl. Arzobispo, 6 Tél. 963 51 20 77 www.abadiadespi. com Ouvert lun.-sam. 13h30-16h et 20h30-1h, dim. 13h30-16h Fermé dim. en juil.-août et 1 sem. en août*

☺ **Seu Xerea (plan 16, C1 n°14)** Dans une belle et spacieuse demeure ancienne, un décor moderne, aux détails recherchés, pour une cuisine faussement simple, qui exalte les bons produits. La carte, renouvelée tous les quinze jours, combine recettes méditerranéennes (polenta aux légumes grillés, mozarella et pesto) et asiatiques (confit de porc à la birmane). Menu déj. à 15€, menu de tapas à 32€ et menu dégustation (7 plats) à 49€. Comptez 40€ à la carte. *El Carmen C/ Conde Almodóvar, 4 Ouvert lun.-* sam. 13h30-15h30 et 20h30-23h

☺ **Ricard Camarena Restaurante (plan 17, B3 n°3)** Un cadre élégant, épuré mais chaleureux, et une cuisine innovante de haute volée, élaborée par le plus célèbre des jeunes chefs valenciens (une étoile au Michelin). Ricard Camarena aime les saveurs franches et puissantes : le thon et les câpres sont ses produits fétiches. Menus dégustation 75€ (5 plats)-90€ (9 plats). Comptez 45€ à la carte. *Ruzafa C/ Doctor Sumsi, 4 Tél. 963 35 54 18 Fermé dim. soir et lun.*

La Pepica (plan 17, D2 n°4) Cette institution (1898) un peu surannée de la plage de Malvarrosa cultive son prestige. Le service est impeccable, les paellas et fruits de mer sont excellents... et les maillots de bain proscrits. La terrasse est immense, tout comme la salle, dont les dizaines de tables alignées accueillent des familles endimanchées. Comptez 30€ pour une somptueuse paella de langouste, 14,30€ pour une paella *valenciana*. Réservation conseillée. *Front de mer Paseo Neptuno, 2 Malvarrosa Tél. 963 71 03 66 www.lapepica.com Ouvert lun.-sam. 13h-16h et 20h30-22h45, dim. 13h-16h Fermé 15 j. en nov.*

Dans les environs

💼 petits prix

Cañas y Barro La paisible terrasse de ce restaurant un peu excentré d'El Palmar donne sur un canal et d'immenses rizières. Ouvert depuis 1974, il propose de délicieuses spécialités régionales : paellas, donc, mais aussi un remarquable *all i pebre* (anguille sauce piquante 10€) et un *arroz a banda* ("riz à part") aussi réussi. Plusieurs menus du jour (11-19€) et un menu dégustation à 25€. Une des meilleures adresses d'El Palmar, village réputé pour ses restaurants. *El Palmar C/ Caudete, 9 (à 21km au sud-est de Valence) Tél. 961 62 01 97 Ouvert mer.-ven. et dim.-lun. 10h-18h, sam. 10h-18h et 20h-0h*

Hébergement

À Valence, les pensions sont légion, mais la plupart mériteraient une sérieuse rénovation – ce qui ne les empêche pas de pratiquer des tarifs exagérément élevés ! Si vous avez le sommeil léger, sachez que le double vitrage est quasi inexistant. Presque tous les établissements sont réunis dans un périmètre limité, entre la Plaza del Ayuntamiento et le Mercado Central, hormis quelques adresses chics autour de la cathédrale et des palaces internationaux excentrés. Les inconditionnels du farniente pourront dormir les pieds dans l'eau à Malvarrosa.

🧳 très petits prix

Center Valencia YH (plan 16, C1 n°50) Difficile de trouver mieux placé que cette auberge de jeunesse, à une minute à pied de la cathédrale, donc au cœur du centre historique. Ses 170 lits sont répartis en dortoirs de 2, 4, 6 ou 8 couchages disposant presque tous de sanitaires. Terrasse solarium sur le toit, accès gratuit à Internet et ordinateurs à disposition, ensemble très propre, moderne et bien tenu, accueil chaleureux... Que demander de plus... Le tout à des prix raisonnables, de 22€ la nuitée en été à 32€ pendant les Fallas. *Catedral C/ Samaniego, 18 Tél. 963 91 49 15 www.center-valencia.com*

Albergue Juvenil Ciudad de València (plan 16, A3 n°41) Dans un bel immeuble ancien du centre-ville,

cette auberge de jeunesse dispose de dortoirs de 2 à 8 lits, avec sdb sur le palier – 8 douches pour une cinquantaine de lits –, et de chambres doubles avec sdb. En saison haute, comptez 19-21€ la nuitée en chambre double et 15-17,50€ en dortoir de 4, 6 ou 8 lits. Petit déj. inclus. *Mercado Central C/ Balmes, 17 Tél. 963 92 51 00 www.alberguedevalencia.com Autre adresse C/ Llanterna, 17*

Hospedería del Pilar (plan 16, B2 n°40) Une *hospedería* correcte. Accueil efficace et ambiance "sac-à-dos", avec salle de TV et clés déposées à la réception. Les chambres, rénovées, disposent toutes d'une sdb. Certainement l'adresse la plus calme de Valence (le marché est à deux pas), mais tout près des bars d'El Carmen. Comptez 40€ la double avec clim. *Mercado Central Pl. del Mercado, 19 Tél. 963 91 66 00 www.hospederiadelpilar.com*

🧳 petits prix

☺ **Hostal Antigua Morellana (plan 16, B2 n°44)** Une pension haut de gamme de 18 chambres cosy, au milieu d'un dédale de rues, entre la Lonja et la Pl. de la Reina. Il dispose désormais d'une chambre adaptée aux personnes à mobilité réduite. Le charme de l'ancien (l'édifice remonte au XVIIIe s.) allié au confort le plus moderne (TV, tél., clim., wifi, etc.). Accueil professionnel. Double avec sdb et clim. de 50 à 55€ en haute saison (75€ pendant les Fallas). Pas de petit déj. *Entre la cathédrale et le Mercado Central C/ En Bou, 2 Tél. 963 91 57 73 www.hostalam.com*

Hostal El Cid (plan 16, B3 n°42) Dans l'une des plus belles parties de la vieille ville, près de la Pl. Redonda. Un immeuble ancien de cinq étages, sans ascenseur, bien rénové. En montant le petit escalier, au milieu des azulejos et des vieilles poteries, on se dit que cette pension a du charme. Les chambres sont très correctes, même si certains sanitaires laissent à désirer. De 44€ la double avec lavabo à 52€ la chambre tout équipée. On vous fera un prix si vous êtes seul. *Entre Catedral et Ayuntamiento* C/ *Cerrajeros, 13 Tél. 963 92 23 23 www. hostalelcid.es*

Hotel Florida (plan 16, B4 n°48) Ce deux-étoiles des années 1950 a pour principal atout la proximité de la gare et du centre-ville. Pour le reste, les 45 chambres sont bien tenues et leur niveau de confort est plus que raisonnable (tél., TV, clim.). À condition d'éviter celles qui donnent sur la rue, très passante, on y trouve tous les ingrédients d'un séjour agréable... Comptez 50-60€ la double, sans petit déj. *Ayuntamiento* C/ *Padilla, 4 Tél. 963 51 12 84 www.hotelflorida-valencia.es*

Hostal Moratín (plan 16, C3 n°45) De tous les *hostales* qui gravitent autour de la Plaza del Ayuntamiento, c'est l'un des plus recommandables : chambres très simples, mais confortables et très propres. L'accueil chaleureux et la salle commune bien arrangée vous feront vous sentir comme chez vous. Double à 48€ avec douche et 55€ avec sdb (90-110€ pendant les Fallas). Parking 13€/j. *Ayuntamiento* 4e *et* 5e *étages* C/ *Moratín, 15 Tél. 963 52 12 20 www. hmoratin.com Fermé sem. Noël*

🧳 prix moyens

Hotel Villarreal (plan 17, A2 n°21) À environ 15min de marche du centre, dans un joli immeuble contemporain, une vingtaine de chambres sans charme particulier, mais calmes et confortables, et un accueil professionnel et plutôt chaleureux. Env. 78€ la double, sans petit déj., en haute saison et 120€ lors des Fallas. *Mercado Central* C/ *Angel Guimera, 58 Tél. 963 82 46 33 www.hotel-villarreal. com*

Hostal Venecia (plan 16, B3 n°46) Un *hostal* 2 étoiles, en plein centre. Jolies chambres aux tons clairs, avec toutes les commodités (sèche-cheveux inclus). Celles qui donnent sur la Pl. del Ayuntamiento ne sont pas les plus calmes, mais lors des Fallas, vous serez aux premières loges ! Double à 80€ (125€ HT pendant les Fallas), petit déj. buffet en sus (5,90€). *Ayuntamiento* C/ *En Llop, 5 Tél. 963 52 42 67 www.hotel-venecia.com*

Hostal R. Alicante (plan 16, C4 n°43) Tenu par un Français, ce petit hôtel décontracté donne sur une des rues piétonnes voisines de l'Ayuntamiento. Accueil sympathique, chambres plutôt petites, mais assez confortables. On ne regrettera que le manque de propreté de l'ensemble. Évitez les chambres côté rue. Simple à partir de 25€, double à env. 70-80€ en été et lors des Fallas. *Ayuntamiento* C/ *Ribera, 8 Tél. 963 51 22 96*

LA COMMUNAUTÉ VALENCIENNE

GAMME DE PRIX	RESTAURATION	HÉBERGEMENT
Très petits prix	moins de 12€	moins de 50€
Petits prix	de 12 à 20€	de 50 à 65€
Prix moyens	de 20 à 30€	de 65 à 85€
Prix élevés	de 30 à 50€	de 85 à 130€
Prix très élevés	plus de 50€	plus de 130€

Hotel Alkazar (plan 16, C4 n°52) À un jet de pierre de l'Ayuntamiento et de la gare, cet hôtel surprend par sa grande enseigne des années 1950 au charme désuet. L'intérieur est plus moderne... Toutes les chambres ont été rénovées en 2010 et aménagées avec goût et un vrai souci du confort. La petite rue Mosén Femades est très calme. L'adresse parfaite, toute proche de l'hypercentre. En haute saison, comptez 85€ la chambre double, sans petit déj. Le restaurant du rez-de-chaussée est réputé pour ses fruits de mer. *Ayuntamiento C/ Mosén Femades, 11 Tél. 963 51 55 51 ou 963 52 95 75 www.hotelalkazar.es*

Hotel Continental (plan 16, C4 n°51) Ce deux-étoiles plutôt chic de 45 chambres est proche de l'Ayuntamiento, des monuments de la vieille ville et des rues les plus commerçantes de Valence. Les chambres sont sobres mais plaisantes, et leur prix raisonnable compte tenu des prestations (TV, clim., etc.) : selon la saison, comptez de 60 à 100€ pour deux. Petit déjeuner 2€. *Ayuntamiento C/ Correos, 8 Tél. 963 53 52 82 www.contitel.es*

🧳 prix élevés

Hotel Valencia (plan 16, B4 n°49) À deux pas de la Plaza del Ayuntamiento et de la gare, ce deux-étoiles sans charme, mais central, donne sur une petite rue calme (les chambres sur la rue sont plus lumineuses). Les chambres sont simples, mais propres. En haute saison, comptez 108€ la double. *Ayuntamiento C/ Convento San Francisco, 7 Tél. 963 51 74 60 www. hotel-valencia.com*

☺ **Hotel Ad Hoc Monumental (plan 16, C1 n°47)** Derrière la cathédrale, cette belle demeure fin XIXᵉ s.

baigne dans une atmosphère intimiste et romantique : briques et bois apparents dans les 28 chambres, mobilier d'antiquaire raffiné et l'une des meilleures tables de la ville, discrètement installée au rdc. Env. 90-131€ la double (240€ lors des Fallas et salons) en haute saison. Petit déj. 3,20€. Quand on aime... *Catedral C/ Boix, 4 Tél. 963 91 91 40 www.adhochoteles.com*

Hotel Sol Playa (plan 17, D2 n°20) Services et un confort dignes d'un 3-étoiles pour ce 2-étoiles récent. Chambres impeccables, ultrapropres et très bien équipées. Certaines regardent le large, comme la n°106. Env. 90€ la double (50€ en basse saison), petit déj. inclus. *Front de mer Paseo de Neptuno, 56 Malvarrosa Tél. 963 56 19 20 www.hotelsolplaya. com Ouvert toute l'année*

Dans les environs

🧳 prix très élevés

Parador de El Saler Les amateurs de golf (p.494) ne manqueront pas de séjourner dans ce Parador. L'établissement dont l'architecture moderne fait la part belle au verre, s'intègre parfaitement au parc de la Albufera. Les chambres, d'une sobre élégance, offrent une vue splendide sur le golf et la mer. Chambre double à env. 230€ HT. Deux suites avec Jacuzzi et terrasse. *Av. de los Pinares, 151 El Saler (à 12km au sud de Valence) Tél. 961 61 11 86 www.parador.es*

★ ☺ **MORELLA**

12300

Morella est sans doute la plus belle surprise de toute la Communauté valencienne. Lorsqu'on aperçoit pour la première fois sa citadelle, juchée au sommet d'une montagne, on ne peut qu'être saisi par cette apparition. Il fait bon vivre dans cette ville fortifiée de l'arrière-pays, dont l'origine remonte à la plus haute Antiquité. Morella est certes un peu loin de tout, perdue tout au nord de la région de Valence, surtout pour ceux qui ne voyagent pas en voiture. Mais sa qualité de vie, l'hospitalité de ses habitants et la beauté de son cadre médiéval valent amplement le détour. Sans oublier la nature sauvage des Ports, région montagneuse dont Morella est le chef-lieu.

LA COMMUNAUTÉ VALENCIENNE

MODE D'EMPLOI

accès

EN VOITURE
À 175km au nord-ouest de Valence par la CV10 et 211km par l'AP7 (sortie 43, N340 jusqu'à Vinaròs, puis N232). L'hiver, vérifiez que les cols situés dans le dernier tiers du parcours ne sont pas fermés par la neige.

EN TRAIN ET EN CAR
De nombreux trains relient Valence à Castellón de la Plana (de 40 à 55min de trajet, *www.renfe.com*), où l'on peut prendre un car pour Morella.
Autos Mediterráneo Du lun. au ven., cars pour Morella à partir de la gare routière de Castellón à 8h30 et 15h30, sam. à 13h30. Dans l'autre sens, départ devant la tour de Beneito à Morella à 8h05 et 15h45 en semaine, sam. à 8h15. *Calle de Carcagente, 1* **Castellón de la Plana** *Tél. 964 40 19 36 ou 964 22 00 54 www.autosmediterraneo.com*

orientation

En contrebas du château, entourées de remparts, les ruelles du centre-ville montent à flanc de colline.

Office de tourisme En face de la Puerta de San Miguel. *Plaza de San Miguel, s/n Tél. 964 17 30 32 www.morellaturistica.com Ouvert lun.-sam. 10h-14h et 16h-18h, dim. 10h-14h*

banques et poste

Vous trouverez des **banques** dans la rue principale de la citadelle.
Poste *C/ San Nicolás, 10 Tél. 964 16 03 13 Ouvert lun.-ven. 8h30-14h30, sam. 9h-12h30*

marchés, fêtes et manifestations

Marché Les arcades abritent un marché hebdomadaire depuis le XIIIe siècle. *C/ Blasco de Alagón Ouvert dim. 8h-14h*
Festival baroque La basilique prête son cadre à ce festival international de musique d'orgue renommé. *Début août*
Anunci del Sexenni Depuis 1672, année où la Vierge de Villavana aurait mis fin à une épidémie de peste, Morella lui offre tous les six ans une neuvaine solennelle (la prochaine

aura lieu en 2018). Et chaque année, l'Anunci, la préparation de cet événement, transforme les rues de la vieille ville en une mer de papiers colorés (jusqu'à 100t) sous laquelle défilent les carrosses. *2ᵉ quinzaine d'août, pendant 9 j.*

Fiesta de Sant Roc Courses de taureaux et fanfares dans les rues de la vieille ville. *2ᵉ quinzaine d'août*

Feria de Morella Privilège accordé par le roi Jacques 1ᵉʳ aux habitants de la ville en 1256, cette grande foire réunit une centaine d'échoppes gastronomiques et artisanales sur le Paseo de La Alameda. *2ᵉ week-end de sept.*

DÉCOUVRIR
Morella

☆ **Les essentiels** Les fortifications de Morella **Découvrir autrement** Gravissez la pente du Castillo de Morella jusqu'au sommet et profitez d'une vue éblouissante, faites le plein de produits locaux Calle Principal

☆ Difficile de détailler séparément tel ou tel site, tant chaque recoin de la citadelle recèle de surprises. Les **remparts** du XIVᵉ siècle, tout d'abord, qui courent sur 2 500m. À intervalles réguliers, de belles portes gothiques donnent accès à la cité et à son entrelacs de ruelles médiévales. La Calle del Sol, par exemple, est bordée de maisons gothiques dont les encorbellements, peu rassurants, surplombent le passant. Des rues pentues, ou *costas*, montent vers le cœur de Morella. La plus belle est la Costa de San Joan, large et ombragée. Elle donne sur la Costa de Prades, qui débouche sur la petite place de la **basilique Santa María la Mayor**, sans conteste l'édifice le plus fameux de la ville. Après la visite de la basilique, montez au château. En redescendant, vous rejoindrez la rue principale, la Calle de Blasco de Alagón. Bordée de commerces, elle est reconnaissable aux harmonieuses façades de ses palais et à ses arcades anciennes.

Basílica de Santa María la Mayor Sa construction débuta au XIIIᵉ siècle, après la reconquête de la ville sur les Musulmans (1232). Elle a fait l'objet d'importants remaniements baroques au XVIIIᵉ siècle. L'extérieur impressionne, notamment le haut clocher ouvert, de formes géométriques et d'aspect très moderne. À l'intérieur, trois belles rosaces, réalisées à Valence au XIVᵉ siècle, dessinent sur le sol des motifs colorés. On est d'abord surpris par la position du chœur, surélevé de plusieurs mètres pour pouvoir accueillir un plus grand nombre de fidèles. L'escalier à vis qui y mène est admirable, orné de scènes bibliques polychromes sculptées dans l'albâtre. Derrière se dresse un splendide portique Renaissance représentant le Jugement dernier : Jésus et les apôtres encadrés, d'un côté, par un ange et, de l'autre, par un diable. Autre élément remarquable, l'orgue monumental, réalisé par F. Turull en 1719. L'abside ne passe pas inaperçue non plus, avec son foisonnement de dorures témoignant de la richesse économique de Morella à l'époque baroque. Le retable du maître-autel, achevé en 1677, est dû au Valencien

Vicent Dolç. Le musée de la Basilique recèle de belles peintures Renaissance, âge d'or de la cité. *Pl. del Arciprestal Ouvert mar.-dim. 11h-14h et 16h-18h* **Musée** : *mêmes horaires que la Basilique Tarif 1€*

Castillo Actuellement l'accès à la forteresse se fait par le cloître du Convento de San Francisco, premier monastère de Morella (1272). Un petit chemin permet de gravir en boucle la pente du château, perché à 1 092m sur un promontoire rocheux. L'occupation du site remonte à la préhistoire, et toutes les civilisations de la péninsule s'y sont succédé, des Ibères aux Maures en passant par les Wisigoths. Touchée par les guerres, la forteresse en ruine se restaure petit à petit. La vue du sommet est époustouflante. *Tél. 964 17 31 28 Ouvert juin-oct. : tlj. 11h-19h ; nov.-mai : tlj. 11h-17h Tarif 3,50€, réduit 2,50€*

● **Où acheter des spécialités locales ?** La Calle Príncipal de Morella est bordée d'échoppes de toutes sortes. On peut y acheter le meilleur de la gastronomie locale : succulents jambons, eau-de-vie... L'autre valeur sûre de la zone d'Els Ports : les couvertures colorées tissées à la main. Les prix – tourisme oblige – sont toutefois un peu élevés. Vous en obtiendrez bien souvent de meilleurs dans les petits villages environnants.
Pastor de Morella Cette *quesería* établie à l'entrée de la vieille ville écoule la production d'éleveurs passionnés. Parmi les spécialités régionales figurent un solide fromage au lait cru de brebis (*queso de leche cruda*) et un autre parfumé à la truffe noire (*Morella Trufat*). On y trouve aussi des assortiments de charcuterie locale. *Barri Hostal Nou, s/n Tél. 964 17 31 21 export@quesosdecati. com quesosdemorella.com Visite de la fromagerie sur rdv*

● **Où boire un verre ?**
Ronaldo À l'heure de l'apéritif, ce petit bar à tapas de la rue principale se remplit vite. *C/ Segura Barreda, 1 Tél. 630 96 87 41 Ouvert lun.-ven. 9h-0h, sam.-dim. 9h-1h*

Les environs de Morella

La route des villages médiévaux

La zone d'Els Ports, outre de magnifiques paysages, abrite de merveilleuses bourgades médiévales – **Palanques**, **Benifassa** et **Portell de Morella**, et, plus au sud, **Vilafranca**, **Ares del Maestrat** et **Culla** –, où l'on peut se promener quelques heures et parfois trouver des trésors de gastronomie ou d'artisanat. Si vous restez plusieurs jours, cela vaut vraiment la peine de partir à l'aventure sur les petites routes.

Sur la Costa del Azahar

Peñíscola Baignée par les belles eaux de la Costa del Azahar – la côte de la Fleur d'oranger –, Peñíscola n'est pas exempte des inconvénients de cette région très touristique : urbanisme sauvage, tourisme de masse l'été. Mais cette station balnéaire jouit d'un atout réel : tout au bout du petit cap qui limite la plage se dresse une splendide citadelle, le **château du pape Luna**. Construit au tout début du XIVᵉ siècle par les Templiers, comme en témoigne une croix noire au-dessus du portail, le château fut remanié à l'arrivée de l'antipape Benoît XIII – l'Aragonais Pedro Martínez de Luna, déchu de son trône en Avignon. Des notices, aux murs, permettent de mieux comprendre l'organisation de cette forteresse ainsi transformée en palais pontifical, dont la pierre de taille blanche se détache sur le bleu profond de la Méditerranée. Çà et là apparaît l'écusson un peu dérisoire du pape déchu, reconnaissable à son croissant de lune. Les terrasses du château offrent un panorama saisissant sur la vieille ville et la côte déchiquetée, au sud de Peñíscola. À droite de la terrasse principale, un petit escalier mène à la salle d'étude où Luna, homme d'une vaste culture, avait fait installer une bibliothèque. Il avait aussi ordonné que l'on perce une fenêtre supplémentaire, orientée vers… Rome ! L'église du château mérite que l'on s'y attarde un instant. À droite de l'abside, on devine la marque de la dalle funéraire sous laquelle Luna fut enterré en 1423, avant que ses restes ne soient transférés dans son château d'Illueca, près de Saragosse. À l'extérieur, un escalier ancien descend vers la salle du conclave, qui jouit d'une acoustique extraordinaire. C'est là que deux cardinaux fidèles à l'antipape auraient élu son successeur. En redescendant du château, on se perd dans les ruelles tortueuses de la vieille ville, bordées de maisons anciennes, toutes blanches et aux balcons fleuris. Le port de pêche s'anime en fin d'après-midi avec le retour des bateaux. *À 146km au nord-est de Valence par l'AP-7* **Office de tourisme** *Paseo Maritimo* *Tél. 964 48 02 08 www.peniscola.es www.todopeniscola.com Ouvert été : lun.-ven. 9h-20h, w.-e. et j. fér. 10h-13h et 16h30-20h ; hiver : lun.-ven. 9h30-13h30 et 16h-19h, sam. 10h-13h et 16h-19h, dim. et j. fér. 10h-13h* **Castillo** *Tél. 964 48 00 21 Ouvert Pâques-15 oct. : tlj. 9h30-21h30 ; 16 oct.-Pâques : tlj. 10h30-17h30 Fermé 1ᵉʳ et 6 jan., 9 sept., 9 oct. et 25 déc. Tarif env. 3,50€, réduit 2,50€, moins de 10 ans gratuit*

Têtu comme un pape

Né en Aragon en 1324, Pedro de Luna fut élu pape par les cardinaux d'Avignon en 1394. Depuis 1378, l'Église était déchirée par le schisme d'Occident, avec un pape à Rome et un autre (ou antipape) en Avignon. Le sieur Luna avait promis de mettre fin à cette division s'il était élu, en renonçant à son titre et en laissant ainsi le champ libre au pape romain. Cela lui valut le soutien du roi de France Charles VI. Mais, sitôt élu sous le nom de Benoît XIII, Luna oublia ses promesses. L'Église de France se retira de son obédience et Charles VI, furieux d'avoir été abusé, fit assiéger son palais avignonnais en 1398. Le pontif déchu parvint à s'échapper en 1403 et, après quelques pérégrinations, s'exila à Peñíscola, en Aragon (le dernier État à le reconnaître). Il allait y finir ses jours, en 1424, à quatre-vingt-quinze ans, non sans avoir désigné, par l'intermédiaire des deux cardinaux qui l'avaient accompagné dans sa retraite, un nouvel antipape, Clément VIII…

CARNET D'ADRESSES

Restauration

Que de plaisirs gastronomiques ! Les produits du terroir, servis tout au long de l'année, sont ici légion : truffes, jambon de taureau (*cecina*) ou de porc, escargots, de bons vins et une excellente huile d'olive. Tous les restaurants sont situés au milieu de la citadelle, sur la rue principale et ses parallèles.

🍴 prix moyens

El Mesón del Pastor Un classique. La grande spécialité de la maison est le lapin truffé (*conejo trufado*). La recette fait des envieux, mais le patron vous l'affirmera : c'est bien là qu'elle est née. En dessert, laissez-vous tenter par les *dulces de la casa*. Comptez 20-25€ à la carte. *Costera de Jovani, 7 Morella www.hoteldelpastor. com Ouvert août : jeu.-mar. 13h-16h et 21h-23h Mêmes horaires j. fér. et ponts ; reste de l'année : jeu.-ven. et dim.-mar. 13h-16h, sam. 13h-16h et 21h-23h*

😊 **Restaurante Casa Pere** Dans la rue principale, non loin de l'Ayuntamiento. La salle de restaurant est à l'étage, mais l'idéal est de s'asseoir au comptoir, pour choisir parmi les tapas. Des ingrédients excellents, un savoir-faire familial et une bonne dose d'imagination. Un jambon de taureau ? Des cèpes en saison ou une spécialité d'escargots ? Menu du jour 12€ ; 15-20€ à la carte. *C/ Blasco de Alagón, 22 Morella Tél. 964 16 02 15 Ouvert tlj. 12h30-16h et 20h-0h Bar ouvert tlj. 7h-0h*

🍴 prix élevés

Daluan Une adresse (presque) confidentielle, dans une ruelle parallèle à la rue principale. Le Daluan joue la carte de l'élégance, dans le fond comme dans la forme : on innove en cuisine avec des produits locaux et de saison (la viande vient des abords immédiats de Morella et la carte change quatre fois par an), et le cadre intimiste de la salle est des plus agréables. Menu du midi à 14,50€, menu gastronomique servi midi et soir à 25€. Comptez 30-35€ à la carte. *Callejón Cárcel, 4 Morella Tél. 964 16 00 71 www.daluan.es Ouvert juin-août : tlj. 13h-16h30 et 20h30-23h ; reste de l'année : dim.-mer. 13h-16h30, ven.-sam. 13h-16h30 et 20h30-23h Fermé 2e quinzaine de jan.*

Hébergement

On serait tenté de ne séjourner à Morella que pour profiter de la qualité de son hôtellerie : de petites merveilles étonnamment bon marché, toutes situées dans la citadelle et tenues avec un sérieux et une hospitalité irréprochables. Par ailleurs, des chambres d'hôtes de plus en plus nombreuses apparaissent dans les villages des environs. Vieilles bâtisses perdues dans la nature et mobilier ancien : un excellent moyen de découvrir la région. Même si les maisons sont souvent louées à la semaine, certains propriétaires acceptent de louer des chambres à la nuit à des prix avantageux. **Central de información Morella** *Tél. 964 17 31 17*

🍴 🧳 petits prix

Hostal La Muralla Des chambres simples, mais confortables (chauffage, sdb et TV). Comme son nom l'indique, l'hôtel est installé près des remparts, au pied des larges escaliers menant au cœur de la citadelle. Les chambres du 2e étage ont une superbe vue sur la campagne, par-delà les fortifications. Murs chaulés, plantes sur tous les paliers, accueil sympathique. Une bonne adresse pour 52€ la double en haute saison, petit déjeuner compris. *C/ Muralla, 12* **Morella** *Tél. 964 16 02 43 www.hostalmuralla.com*

Hotel El Cid Cet hôtel-restaurant voisine, lui aussi, avec les remparts, et ses étages supérieurs jouissent d'une vue imprenable sur les environs, gages de levers de soleil inoubliables ! Les 24 chambres sont un peu vieillottes, mais propres et confortables (chauffage, sdb, tél., TV, balcon). Le restaurant sert des spécialités régionales (notamment du gibier et des fromages d'Els Ports), et le café du rdc est relativement fréquenté le soir. En haute saison, comptez 59€ pour deux, 69€ avec les petits déj., et 93€ en demi-pension. L'hôtel loue deux chambres simples, de 30 à 35€ selon la saison (59€ en pension complète). *Plaza Porta San Mateu, 3* **Morella** *(à l'entrée de la vieille ville, quand on arrive de la côte) Tél. 964 16 01 25 www.hotelelcid. blogspot.fr*

🍴 📖 prix élevés

Hotel Rey Don Jaime Au cœur de la citadelle, ce 3-étoiles loue 44 chambres (dont une suite) spacieuses et colorées (les couvre-lits tissés main sont une tradition locale) avec vue panoramique sur le centre historique ou sur les collines. En haute saison, la simple est louée 66€ et la double 86€, taxes et petit déjeuner inclus. Le Don Jaime dispose d'un bon restaurant de cuisine traditionnelle. Réservation impérative. *C/ Juan Giner, 6* **Morella** *Tél. 964 16 09 11 www. reydonjaimemorella.com Fermé 3 sem. en déc.*

Dans les environs

📖 très petits prix

☺ **Hostal Guimerá** Mirambel est l'un des plus beaux villages de la province de Teruel, un petit bijou médiéval admirablement restauré, à l'écart de toute agitation. Cette petite pension loue 15 chambres proprettes et confortables (sdb, chauffage, TV et wifi), dont cinq donnent sur la montagne, à un prix plus que raisonnable : 34€ la double, 24€ la simple, quelle que soit la saison. Petit déj. 3€. Également un restaurant (menu à 12€ sans les boissons). *C/ Agustín Pastor, 28* **Mirambel** *(28km à l'ouest de Morella) Tél. 964 17 82 69 www.hostalguimera.com*

Pensión Julián Cette surprenante pension est installée au fond d'une sorte de hangar agricole, au cœur du bourg. C'est pourtant une charmante adresse, parfaitement tenue par Mme Julian depuis plus de 40 ans. Les 10 chambres (4 avec sdb, 6 avec lavabo privatif et sanitaires communs) sont simples, mais aménagées avec goût, comme les parties communes. Demandez la n°10, qui donne sur les toits et les montagnes. En saison haute, comptez 26€ pour une chambre simple et 43€ la double, petit déjeuner inclus. *C/ García Valiño, 6* **Cantavieja** *(43km à l'ouest de Morella) Tél. 964 18 50 05*

🍴 📖 prix moyens

Hotel Balfagón L'imposante bâtisse, récemment restaurée, abrite un spa, une piscine flambant neuve et 46 chambres et suites extrêmement confortables, dont certaines jouissent d'une vue époustouflante sur les montagnes. Le service est irréprochable, et les tarifs sont relativement intéressants compte tenu des prestations :

de 69€ la double standard à 140€ la suite junior en haute saison. Petit déj. 9,50€, demi-pension 27,50€/pers.

Av. Maestrazgo, 20 **Cantavieja** *(43km à l'ouest de Morella) Tél. 964 18 50 76 www.hotelbalfagon.com*

★ ☺ **JÁTIVA** Xàtiva   46800

Sous ses faux airs de vieille dame tranquille, cette petite ville dynamique de 33 000 habitants dissimule un art de vivre appréciable et l'une des histoires les plus riches de la région. Elle possède un impressionnant château et un magnifique centre historique. On dit que quand il vint la reconquérir en 1244, Jacques Ier, saisi par sa beauté, hâta les préparatifs de l'attaque. Son important patrimoine médiéval et Renaissance rappele que, de 1204 à 1707, Játiva demeura la deuxième ville la plus prospère du royaume de Valence. On y retrouve aussi l'esprit de ses enfants illustres, tels le peintre José de Ribera ou la famille Borja, plus connue sous le nom italianisé de Borgia, qui donna deux papes à la chrétienté, Calixte III et Alexandre VI. Mais la plupart des monuments de Játiva datent du XVIIIe siècle, car la ville fut incendiée lors de la guerre de Succession d'Espagne, en 1707, par les troupes de Philippe V. Ce qui valut à ce dernier la haine éternelle des habitants, manifestée de la plus amusante façon, par exemple, au Musée municipal.

MODE D'EMPLOI

accès

EN VOITURE
À 62km au sud de Valence par l'A7, dir. Albacete puis la N340 dir. Alicante.

EN TRAIN
De nombreux trains partent de Valence et d'Alicante en semaine, un peu moins le week-end (30min de trajet, 5-15,90€ env. AS de Valence ; 1h15, 11,95-22,30€ AS d'Alicante).
Gare Renfe *C/ Caballero Ximen de Tovía (au nord du centre, non loin des hôtels et de la vieille ville) Tél. 902 24 02 02 www.renfe.es*

EN CAR
Plusieurs compagnies desservent les villes alentour.

Gare routière *C/ Caballero Ximen de Tovía (près de la gare Renfe) Horaires à l'OT*

orientation

L'Alameda Jaume I sépare la nouvelle ville, au nord, du centre historique qui s'étire au pied de la forteresse, au sud.

informations touristiques

Office de tourisme Accueillant et bien documenté. Vous pourrez obtenir un plan détaillé des rues et des informations sur les randonnées et voies d'escalade de la région. *Alameda Jaume I, 50 Tél. 962 27 33 46 www.xativa.es www.xativaturismo.com Ouvert été : mar.-dim. 10h-14h et 16h-*

19h ; reste de l'année : mar.-dim. 10h-14h et 16h-18h

adresses utiles

Les **banques** sont regroupées Av. de la República Argentina et Baixada de l'Estació.

Poste *Alameda Jaume I, 33 (en face de l'OT) Tél. 962 27 51 68 Ouvert lun.-ven. 9h-13h et 16h-18h, sam. 9h30 et 13h*

marché

Marché *Pl. del Mercado Ouvert mar. et ven. 8h-13h30*

DÉCOUVRIR

☆ **Les essentiels** Le quartier historique et le château de Játiva **Découvrir autrement** Mêlez-vous à la foule de la Plaza del Mercado un jour de marché, visitez le palais de Gandia, offrez-lui un dîner romantique au milieu des orangers, à l'Hostería Mont Sant (cf. Carnet d'adresses)

Játiva

☆ **Centre historique** Assez étendu, le quartier historique de Játiva est l'un des plus intéressants de la région. Il est délimité par l'Alameda (Av. Albereda Jaume I), au sud. Une avenue large comme les Champs-Élysées, dont les trottoirs étonnent par leur démesure. On y trouve quelques beaux édifices, comme l'Ayuntamiento et, en face, la Casa Botella, exemple d'architecture moderniste, avec ses azulejos verts et ses formes élégantes (pas de visite). Plus loin, le théâtre municipal, tout en verre et en métal, présente des lignes épurées dessinées par Gerardo Ayala. On rentre dans le quartier historique par la Calle de la Porta de San Francisco. Vous noterez aisément la différence entre les rues du bas, larges et bordées de belles demeures seigneuriales, et les ruelles hautes, plus étroites, où vivait le petit peuple. L'idéal est de flâner à sa guise à travers les places, souvent ponctuées de belles fontaines baroques ou gothiques. La Plaza del Mercado connaît une grande animation le mardi et le vendredi matin. Une tradition commerçante qui remonte au Moyen Âge. À droite part la Calle Corretgería, bordée d'édifices anciens, dont le musée de l'Almodí. En remontant vers la gauche, on débouche sur la Plaza de Calixto III, l'une des plus belles de Játiva. D'un côté, la collégiale Santa María, de l'autre, l'ancien hôpital, un remarquable bâtiment gothique. En empruntant les ruelles derrière la collégiale, on arrive sur la Plaza de Alejandro VI, sur laquelle se dresse la maison natale de Rodrigo de Borgia, devenu pape en 1492 sous le nom d'Alexandre VI. Au bout de la Calle de Pedro, à l'orée de la vieille ville, s'élève la Fuente de los Veinticinco Caños (1806) où s'abreuvaient jadis les troupeaux en provenance de Gandia ou d'Albaida. Juste en face, le Jardín del Beso offre une halte ombragée.

Colegiata-Basílica de Santa María On lui donne ici le nom de *Seu* (cathédrale), mais Santa María n'a jamais accédé à ce rang. Játiva peut certes se vanter d'avoir élevé deux papes (leurs statues trônent devant l'entrée), mais non de posséder une cathédrale. La construction, commencée au xvᵉ siècle, s'est poursuivie sur plusieurs siècles et n'a jamais été achevée : le second clocher manque. À tel point qu'on en a fait un dicton : "C'est plus long que les travaux de la *Seu*." La façade, terminée en 1920, ne fera pas l'unanimité. À l'intérieur, on se rend compte des dimensions gigantesques de la nef, aussi étendue que la cathédrale de Valence, mais plus haute. Parmi les chapelles latérales, on remarquera celle dédiée à Notre-Dame de Lourdes. De manière générale, l'ornementation souvent excessive, avec un déferlement de dorures, témoigne de la prospérité que connut autrefois Játiva. Le musée de la Collégiale contient une collection de grande qualité. Les pièces maîtresses en sont les beaux retables polychromes de Jacomart et de son brillant disciple Reixach, deux des meilleurs primitifs valenciens du XVe siècle. Outre un retable extraordinaire dans la première salle (avec en haut l'écusson des Borgia), on trouve trois de leurs œuvres dans la salle suivante, dont une émouvante Marie Madeleine. Elles furent commandées par Alfons de Borja i Llançol en 1455, à l'occasion de son élection pontificale sous le nom de Calixte III. *Par la Plaza de Calixto III Tél. 962 27 38 36 www.seudexativa.com Ouvert mar.-dim. 10h-13h30* **Colegiata** *Entrée libre* **Museo** *Tarif 2,20€, réduit 1,20€*

Museo Municipal-Almodí Installé dans l'Almodí, l'ancien grenier et bourse au blé du XVIe siècle, il possède une collection d'art assez intéressante. Le patio, transformé en dépôt lapidaire, expose des inscriptions romaines, ou encore des blasons tel celui des Borgia, frappé d'un taureau. Au 1er étage, on remarquera surtout une toile de Ribera (1591-1652), l'enfant du pays. Au 2e étage, dans la salle du fond, est exposé un portrait du roi Philippe V contemplant le grand incendie de Játiva. Un conservateur rancunier l'accrocha un jour la tête en bas et l'usage est resté ! À gauche s'ouvre la salle la plus intéressante du musée. Plusieurs œuvres de Ribera, sombres et caractérisées par la grande expressivité des visages, y côtoient un retable de la Transfiguration du début du XVIe siècle signé du maître de Borbotó et un admirable calvaire gothique (XIVe s.), qui se dressait jadis sur la route de Valence. Enfin, la petite collection archéologique du 3e étage recèle une vasque islamique (*pila*) à motif anthropomorphe du XIe siècle. *C/ Corretgeria, 46 Tél. 962 27 65 97 Ouvert 16 sept.-14 juin : mar.-ven. 10h-14h et 16h-18h, w.-e. et j. fér. 10h-14h ; 15 juin-15 sept. : mar.-ven. 9h30-14h30, w.-e. et j. fér. 10h-14h Tarif 2,20€, réduit 1,20€, dim. et moins de 10 ans gratuit Billet combiné avec le Castillo 3,10€, réduit 1,60€*

José de Ribera, le "petit Espagnol"

José de Ribera est l'un des plus grands peintres espagnols, illuminant de son réalisme sans concessions le XVIIe siècle. Né à Játiva en 1591, il effectue en fait l'essentiel de sa carrière en Italie, après avoir étudié auprès de Ribalta à Valence. Ce sont ainsi les Italiens qui lui donnent le surnom d'"*Españoleto*", "petit Espagnol". Il connaît vite la gloire en Italie et en Espagne, et meurt à Naples en 1652. Ses œuvres figurent dans les plus grands musées du monde, notamment au Prado et au Louvre. Plusieurs de ses toiles sont exposées au Musée municipal de Játiva.

☆ **Castillo** Avec ses trente tours, ce fut longtemps la principale forteresse du royaume d'Aragon. Accrochés aux flancs escarpés du mont Vernissa, ses remparts ont conservé un reste de majesté. Le château comprend deux parties distinctes. Le Castillo Mayor, au sommet du mont, occupe l'emplacement d'une citadelle ibérique, tandis que le Castillo Menor, en contrebas, se dresse sur des fondations romaines.

La région de Valence en amoureux	
Hotel Ad Hoc Monumental (Valence)	504
Morella	505
Hostería Mont Sant	516
Cabo de la Nau	518

Après la Reconquête et la création du royaume de Valence, le château servit de prison royale. Jacques II d'Urgell, prétendant malheureux au trône d'Aragon, y croupit jusqu'à sa mort, en 1433. Du sommet du Castillo Mayor, on a une vue étendue sur la vieille ville et la plaine agricole. La chapelle Sainte-Marie, construite à la demande de Marie de Castille, épouse d'Alphonse le Magnanime, pour adoucir la réclusion de Jacques d'Urgell, renferme le sarcophage du comte. Prévoir 1h30 de visite et de bonnes chaussures. *Tél. 962 27 42 74 Ouvert mi-mars-déc. : mar.-dim. 10h-18h ; jan.-mi-mars : mar.-dim. 10h-18h Tarif 2,40€, réduit 1,20€, mois de 10 ans gratuit Billet combiné avec le Museo de l'Almodí 3,10€, réduit 1,60€ Accès à pied, en voiture (parking gratuit devant l'entrée) ou en train touristique (départ devant l'office de tourisme, env. 4,20€)*

☺ **Iglesia Sant Feliu** Cette petite église blanche à flanc de colline est sans doute le monument le plus séduisant de Játiva. Elle fut érigée au XIIIᵉ siècle, sur les fondations de la cathédrale wisigothique de Saetabis – la Játiva romaine. C'est l'une des églises les plus anciennes de la région. Son architecture harmonieuse et originale appartient au gothique primitif catalan, avec un plan rectangulaire et une nef unique couverte d'un toit à double pente. Le portail est roman, comme l'étonnant chapiteau qui fait office de bénitier. La nef, d'un seul tenant, est décorée de splendides fresques médiévales. Ses oculi trahissent l'influence romane. À droite de l'autel figurent des panneaux réalisés au XIVᵉ siècle pour le monastère voisin de Mont Sant. *À droite, dans la montée vers le château, face à l'ermitage San Josep (parking en contrebas) Ouvert avr.-sept. : tlj. 10h-13h et 16h-19h ; oct.-mars : tlj. 10h-13h et 15h-18h En cas de fermeture, s'adresser à l'OT Entrée libre*

Les environs de Játiva

Gandía

Capitale de la riche région agricole et maritime de la Safor, dominée par la haute cime du mont portant le même nom (1 011m), Gandía a des allures de vieille aristocrate un peu nostalgique. Les Borgia, originaires de Játiva, devinrent au XVᵉ siècle ducs de Gandía. Les fastes de leur règne sont bien loin, mais ils ont laissé quelques beaux monuments, tel le palais ducal. Précision utile : la plage n'est qu'à 5km de Gandía. *À 65km de Valence par l'AP7-E15 (sorties Xeresa, par le nord, et Oliva, par le sud), ou par la N332 au départ des autres villes côtières*

Palacio Ducal Il permet de découvrir la splendeur d'une famille aussi puissante que controversée, et la personnalité de Francisco de Borja y Aragón, noble devenu jésuite, puis saint patron de Gandía. La visite commence par le Patio de Armas, seule partie du palais ayant gardé son aspect gothique. L'escalier majestueux et les meneaux des fenêtres trahissent une influence florentine. Dans les salles suivantes, vous remarquerez l'écusson des Borgia, sur lequel se détache la silhouette rouge d'un taureau. La Galería Dorada est l'un des moments forts de la visite. Refaite au XVIIe siècle, elle arbore des stucs et des dorures baroques. La fresque du plafond représente la canonisation de Saint François de Borgia, avec en bas les deux papes de la famille. Au-dessus de chaque porte, les portraits des ducs de Gandía ont été remplacés par ceux de jésuites illustres. Au fond, une extraordinaire mosaïque en céramique de Manises représente les quatre éléments (terre, eau, air et feu). La salle des Coronas (couronnes) se distingue par ses magnifiques azulejos de Manises (XVIe s.). La Sainte-Chapelle, près de la sortie, renferme le crucifix qui, selon la légende, aurait parlé à San Francisco, alors qu'il priait pour le salut de l'impératrice Isabelle. *C/ Duc Alfons el Vell, 1 Tél. 962 87 14 65 www.palauducal. com Ouvert juin-sept. : lun.-sam. 10h-14h et 16h-20h, dim. 10h-14h ; oct.-mai : lun.-sam. 10h-14h et 15h-19h, dim. 10h-14h Visite guidée en espagnol lun.-sam. à 11h, 12h, 17h et 18h, dim. 11h et 12h, durée 1h Tarif 7€, retraités et enfants 12-18 ans 6€, enfants 7-11 ans 5€, moins de 7 ans gratuit Audioguide en français 2€*

CARNET D'ADRESSES

Restauration, hébergement

🍴 très petits prix

Casa Floro Un très bon restaurant familial, sur la place du marché. Une petite salle charmante et un grand sens de l'hospitalité. La Casa Floro fait le plein à midi. Il faut dire qu'elle sert depuis des décennies l'un des meilleurs *arroz al horno* de Játiva. *Menu de la Casa* à env. 10€ en semaine et à 12€ le samedi. *Pl. del Mercado, 46 Játiva Tél. 962 27 30 20 Ouvert lun.-sam. 13h30-16h Fermé en août*

🍴 🧳 prix élevés

Casa La Abuela La "Grand-mère" en question est représentée sur les azulejos de la façade. Cet édifice 1900, au cadre rustique assez chic, sert une cuisine régionale imaginative, réputée jusqu'à Valence. Au menu, qui change en fonction du marché, figurent d'excellents poissons et soupes, comme la *sopa de ajos tiernos*, à base d'ail frais et d'œufs pochés (servie oct.-mars). À midi, en semaine, menu à 15€ HT, boisson non comprise. Tous les jours est proposé un menu de spécialités régionales à 21€. À la carte, comptez 30-40€. *C/ Reina, 17 Játiva Tél. 962 28 10 85 www.casalaabuela.es Ouvert lun. et jeu.-sam. 13h-15h45 et 20h30-22h45, mar.-mer. et dim. 13h-15h45*

Vernisa Hotel Un 2-étoiles très confortable, mais qui mériterait d'être rafraîchi. Comptez de 85€ à 120€ la double en haute saison. Évitez celles qui donnent sur l'avenue. Petit déj. 5-6€ ; demi-pension 15-19€ selon la saison. *C/ Académico Maravall, 1 Játiva Tél. 962 27 10 11 www.hotelvernisa.es*

☺ **Hostería Mont Sant** En 1320, le roi d'Aragon Jacques II fait construire un monastère cistercien sur les fondations d'un palais musulman. Voilà pour le cadre. Le petit hôtel Mont Sant, situé au milieu de la montée vers le château de Játiva, jouit d'une tranquillité et d'une vue hors pair. Magnifiquement restauré, perdu au milieu de jardins d'orangers, il accueille ses hôtes avec beaucoup de raffinement. La décoration, travaillée jusqu'au moindre détail, vaut le coup d'œil : pierres apparentes, mobilier ancien, ouvrages médiévaux. Les chambres du bâtiment principal ont été refaites en 2013. Un luxe qui a son prix : de 104€ la chambre double à 256€ la suite en haute saison, petit déj. inclus. Le restaurant est excellent et des plus romantiques : menu gastronomique à 40€, demi-pension 40€ également. *Carretera del Castillo, s/n* **Játiva** *Tél. 962 27 50 81 www.mont-sant.com*

DÉNIA

03700

Les Romains consacrèrent cette ville à la déesse Diane et en firent un des ports les plus actifs de toute la Méditerranée. Dénia conserve des traces de son riche passé marchand, mais son trafic portuaire est aujourd'hui dominé par les ferries à destination des îles Baléares toutes proches. Excepté à l'ouest de sa longue plage de sable, les urbanistes ont su garder les pieds sur terre... Le centre de la petite cité, dominé par une vénérable forteresse, se prête à une brève escale. L'été, et tous les week-ends de l'année, vous trouverez à Dénia une jeunesse fougueuse, aimant faire la fête et attirée par une offre diversifiée d'activités "nature", de la randonnée à la plongée sous-marine. Au fait, pensez à déguster une paella à l'une des terrasses du port, où la recette serait née.

MODE D'EMPLOI

accès

EN VOITURE
Entre Valence (105km) et Alicante (90km) par la N332 ou l'A7-E15 (payante), sortie n°62.

EN TRAIN
Liaison avec Alicante, station Luceros ou Mercado, (14-16 trains/j.), avec différents arrêts le long de la Costa Blanca. Env. 12€ AR.

Gare FGV *Paseo del Saladar Tél. 965 78 04 45 ou 900 72 04 72 www.fgv.es www.tramalicante.es*

EN CAR
Gare routière *Pl. del Archiduque Carlos (près du stade)*
Alsà La compagnie relie plusieurs fois/j. Dénia à Valence, Alicante et à la Costa Blanca. *Tél. 902 42 22 42 www.alsa.es*

EN BATEAU
Gare maritime *Muelle de la Pansa, s/n Recinto Portuario*
Balearia Relie tlj. Dénia à Ibiza (env. 2h30, à partir de 112,20€ AR) et à Palma de Majorque (env. 5h30). *Estacíon Maritima* Tél. 902 16 01 80 *www.balearia.com www.aferry.fr*

orientation

Le centre rassemble le port, une esplanade littorale et le quartier historique, tapi dans l'ombre de la forteresse. À l'ouest s'étendent les plages : la petite Playa del Raset, d'abord, puis la plus longue Playa de les Marines.

informations touristiques

Office de tourisme Voisin de la gare, il est tenu par une équipe dynamique et accueillante. *C/ Manuel Lattur, 1 Tél. 966 42 23 67 www.denia.net Ouvert juil.-août : tlj. 9h-14h et 16h-21h ; sept.-oct., avr.-juin : lun.-ven. 9h-14h et 16h-20h, sam. 10h-14h et 16h-20h, dim. et j. fér. 10h-14h ; nov.-mars : lun.-sam. 9h-14h et 16h-19h30, dim. et j. fér. 10h-14h*

banques et poste

Les **banques** sont regroupées sur la C/ Marqués de Campo.
Poste *C/ Patricio Ferrandiz, 38 Tél. 965 78 15 33 Ouvert lun.-ven. 8h30-20h30, sam. 9h30-13h*

DÉCOUVRIR

☆**Les essentiels** El castell de Guadalest **Découvrir autrement** Grignotez des tapas dans un bar de la Calle Loreto, allez à la criée au retour des chalutiers, plongez près des calanques de la Punta Negra

Dénia

Au pied du château, autour de la Calle de San Francisco les ruelles de l'ancienne médina ont gardé leur étroitesse et leur tracé accidenté. La **Calle Loreto**, jalonnée de bars à tapas, donne sur la Plaza de la Constitución, où se dresse l'édifice classique de la mairie (Ayuntamiento). Plus bas, la Calle del Marqués de Campo est bordée de banques, de magasins et de restaurants.

Castillo-Museo Arqueológico Dès l'époque romaine, l'importance stratégique du site entraîna la construction d'une forteresse, dont la Torre del Galliner, à l'est du château, est le seul vestige. Les Maures érigèrent un palais défendu par plusieurs lignes de fortifications - le portail du château date de cette époque – dominant la médina, dont les ruelles blanches du centre ont gardé la physionomie générale. Après la Reconquête, divers seigneurs s'y établirent. Même s'il est difficile d'imaginer les métamorphoses successives des lieux, leur visite est l'occasion d'une agréable balade avec vue sur la ville et, par temps clair, les îles Baléares. Ne manquez pas le Musée archéologique du château. Comme en témoignent ses céramiques et jarres décorées, Daniya devint au XIᵉ siècle l'un des foyers artistiques et culturels les plus brillants d'Al-

Andalus. Les Ibères, présents quatre siècles av. J.-C., ont laissé de magnifiques bronzes. *Accès en voiture Déconseillé, compte tenu de l'étroitesse des rues de la vieille ville À pied Par les escaliers partant derrière la mairie Tél. 966 42 06 56 Ouvert juil.-août ; juin : tlj. 10h-13h30 et 16h-19h30 ; sept. : tlj. 10h-13h30 et 16h-20h ; oct. : tlj. 10h-13h et 15h-18h30 ; nov.-mars : tlj. 10h-13h et 15h-18h ; avr.-mai : tlj. 10h-13h30 et 15h30-19h Tarif 3€, réduit 2€, enfants 1€*

Puerto L'esplanade de Cervantès est le lieu de promenade préféré des habitants. Son nom évoque l'une des heures de gloire de la ville : l'écrivain (qui n'était pas encore connu) y débarqua après des années de déportation. Sa statue trône sur la promenade. Allez faire un tour du côté de la criée, pour assister au déchargement des chalutiers.

● Où boire un verre ?

Pub Paddy O'Donnell Près du centre historique, un pub des plus classiques. La seule touche méditerranéenne est la grande terrasse de l'arrière-cour. Hors saison, c'est le seul endroit où vous trouverez âme qui vive le soir en semaine. Salle bondée le week-end dès minuit. *C/ Mar, 20*

Missing Cet immense pub lounge est bien agréable avec ses multiples niveaux et recoins où il fait bon boire un verre. La grande salle descend vers un beau jardin intérieur avec deck, alcôves, canapés et lampions à la lumière douce. Calme en début de soirée, bien plus animé après minuit. *Cocktail 8-9€. C/ Mar, 30 Tél. 965 78 00 67 Ouvert tlj. 19h-3h30*

● Où aller danser ?

À Dénia, les choses sont simples. La fête bat son plein à partir de 2h du matin, presque tous les jours en été, le vendredi et le samedi soir le reste de l'année. Auparavant, rien à signaler. Rendez-vous donc au centre commercial de Las Brisas, au km3 de la route qui longe les plages à l'ouest de Dénia, vers 2h. Il y a foule devant les pubs. On boit beaucoup, on danse déjà, dans une ambiance vraiment sympathique. Vers 3h30-4h, en route pour Les Fonts, un autre centre commercial, au km4.

Les environs de Dénia

La Costa Blanca

Jávea (Xàbia) Cette ville jouit d'un cadre vraiment exceptionnel : une baie incurvée au pied des montagnes, à l'eau émeraude. Un lieu de promenade idéal en fin d'après-midi. Pour les adeptes de la marche, un circuit part de la Playa del Tango, près du port. Ce chemin balisé mène au cap San Antonio, avant de remonter vers la crête du promontoire, sur laquelle s'alignent onze moulins à vent. *À une dizaine de kilomètres à l'est de Dénia* **Office de tourisme** *Pl. de la Iglesia, 4 Tél. 965 79 43 56 www.xabia.org Ouvert été : lun.-ven. 9h-13h30 et 16h30-20h, sam. 10h-13h30 ; reste de l'année : lun.-ven. 9h-13h30 et 16h-19h30, sam. 10h-13h30*

Cabo de la Nau Le point le plus oriental de la côte méditerranéenne de l'Espagne. La route qui part de Jávea est jalonnée de nombreux points de vue, qui méritent tous une halte. Attention, en été, la circulation peut vite se révéler dissuasive. Ses abords sont hérissés de résidences et de restaurants, mais le cap vaut le détour. Le meilleur point de vue est celui que vous aurez en contrebas du parking. Au crépuscule, les côtes déchiquetées du sud, tombant abruptement dans la mer, ne manquent pas de romantisme. *À env. 15km de Dénia*

Calpe (Calp) Voilà l'un des pires cauchemars urbanistiques de la Costa Blanca. Consacrez votre visite au fameux Peñón de Ifach, ce majestueux rocher qui domine le port. On l'aperçoit à des kilomètres, de la côte ou de l'intérieur des terres. Les marins phéniciens connaissaient déjà le "rocher du Nord", Gibraltar étant celui du Sud. Ce gros bloc vertical de 332m sert de refuge à des milliers d'oiseaux marins et les autorités ont eu la bonne idée d'en faire un parc naturel. Son ascension prend env. 1h15. *À 35km env. de Dénia par la N332 dir. Alicante* **Office de tourisme** *Pl. del Mosquit Tél. 965 83 85 32 www.calpe.es Ouvert juin-sept. : lun.-sam. 9h-21h ; oct.-mai : lun.-ven. 9h-18h, sam. 9h-14h*

☺ **Altea** Ce village de pêcheurs transformé en station balnéaire est la destination la plus agréable de la Costa Blanca. Son quartier historique, perché sur un rocher, domine la côte. Peu étendu, il ne se visite qu'à pied. Le mieux est de gravir ses ruelles pavées, entre les murs blancs et les balcons fleuris. Les artères les plus pittoresques rayonnent à partir de l'église paroissiale, dont les clochetons sont couverts de céramique bleu et blanc du plus bel effet. La Calle Mayor est célèbre pour son pavement à motifs géométriques et ses petits restaurants. En fin de journée, les monuments d'Altea s'illuminent. Attablez-vous alors à la terrasse d'un des bars-restaurants panoramiques de la bourgade pour profiter de la vue sur la côte. Autre attraction d'Altea, la longue promenade du front de mer, qui part du rond-point voisin de l'office de tourisme. Et si vous ne pouvez résister à l'appel de la Grande Bleue, deux plages de galets vous attendent : Cabo Blanch et Cabo Negret. *À 44km au sud-ouest de Denia par l'AP7 (sortie n°64) et la N332, dir. Alicante* **Office de tourisme** *Pl. José Mª Planelles, 1 Tél. 965 84 41 14*

☆ **Guadalest** Un château accroché à un étroit promontoire rocheux, dans un décor tourmenté de montagnes. Un bastion quasi imprenable, construit par les Maures au XIe siècle et qu'un séisme faillit détruire en 1644. On y accède à pied, par un étroit tunnel creusé dans la roche. On visite d'abord la Casa Orduña, construite juste après le séisme par le gouverneur basque nommé par le marquis de Guadalest : une cuisine à l'ancienne, des œuvres d'art, mais aussi des documents intéressants sur la bourgeoisie espagnole des XVIIIe et XIXe siècles. Une lettre du pape, affichée dans la bibliothèque, autorise Don Carlos de Orduña à posséder des ouvrages d'auteurs peu catholiques comme Spinoza, Condillac, Locke et Cabanis… Au sommet de la forteresse somnolent les ruines du château. Belle vue sur les montagnes et, par temps clair, sur la mer et le fameux Peñon de Ifach. Le cimetière paroissial, au sommet de la butte,

Plonger	
Cabo de San Antonio	520
Isla de Tabarca	530

constitue une curiosité. Les villageois pensaient ainsi rapprocher leurs défunts des cieux. En redescendant, on parcourt les ruelles aux murs blancs, dont le tracé épouse les formes de la roche. À 20km à l'ouest d'Altea, dir. Alcoy **Castell de Guadalest** Ouvert été : tlj. 10h30-19h ; reste de l'année : tlj. 10h30-18h Tarif 3€, réduit 1,50€, moins de 4 ans gratuit **Office de tourisme** Av. de Alicante Tél. 965 88 52 98 www.guadalest.es Ouvert juil.-oct. : tlj. 10h-14h et 15h-19h ; mars-juin : tlj. 10h-14h et 15h-18h ; nov.-fév. : tlj. 10h-14h et 15h-17h

● Admirer les fonds marins

Les côtes à l'est de Dénia sont propices à la plongée, en particulier les calanques situées de part et d'autre de la **Punta Negra**. Le meilleur site reste la réserve naturelle marine du **cap San Antonio**, près de Jávea. Ces fonds, accidentés et lumineux, abritent une riche faune aquatique. Accès réservé aux plongeurs confirmés, sur autorisation (photocopies de la pièce d'identité, du carnet de plongée et de l'assurance à l'office de tourisme).

CARNET D'ADRESSES

Restauration, hébergement

🍴 très petits prix

Sal i Sucre Des tapas, des sandwichs, des hamburgers, des crêpes, des glaces, de la bière et une terrasse face à la mer. Voilà la formule gagnante de ce petit restaurant sans prétention, mais à la déco soignée ! Comptez entre 10 et 15€. C/ Bellavista, 12 **Dénia** Tél. 96 642 21 70 www.grupoelraset. com/salisucre Ouvert avr.-oct. : tlj. 9h30-1h ; nov.-mars : 10h-0h

🧳 petits prix

Hostal L'Anfora Sur l'esplanade, face au port de Dénia. Situé au-dessus du restaurant du même nom, cet hostal bien tenu propose des chambres propres et accueillantes. Bien situé, à 200m à pied de la plage. Comptez 60€ la double en haute saison et 2,50€ pour le petit déjeuner. Esplanada de Cervantes, 8 **Dénia** Tél. 966 43 01 01 www.hostallanfora.com

Hostal Residencia Cristina Une des adresses économiques de Dénia, derrière le château. Les chambres, pas très récentes, sont cependant calmes et propres. Double à env. 60€ en haute saison. À savoir : on vous demandera certainement de payer d'avance. Av. del Cid, 5 **Dénia** Tél. 966 42 31 58 www.hostal-cristina. com

🍴 🧳 prix moyens

La Seu Derrière les murs de cette maison médiévale du vieux Dénia se cache une table résolument contemporaine et créative. D'excellents tapas et picadetes de fruits de mer et poisson (1,75-10€), des salades colorées (env. 12€), des planches de jambon ou de fromage et des viandes de choix pour les affamés. Un menu dégustation à 18€ le midi, un autre à 22€ le soir. Comptez 25-35€ à la carte. C/ Loreto, 59 **Dénia** Tél. 96 642 44 78 www.laseu.es Ouvert lun.-sam. 8h-23h

Hotel El Castillo Les rénovations de 2009 et 2011 ont rendu ce 2-étoiles accessible aux personnes à mobilité réduite. Les 14 chambres, impeccables et très agréables, présentent une décoration design très réussie. De plus, l'accueil est charmant. Chambre double à 80€ en haute saison. Comptez 2,50€ pour le petit déjeuner. *Av. del Cid, 7* **Dénia** *(derrière le château) Tél. 966 43 52 60 www. hotelcastillodenia.com*

🧳 prix élevés

Hotel Villamor Un petit 2-étoiles design installé à 100m de la plage de Las Marinas et à 3km du port de Dénia. Les chambres, lumineuses et décorées dans un style audacieux et amusant, ne manquent de rien, et l'on s'y sent à l'aise. Piscine, location de vélos et de voitures, cyber corner avec wifi gratuit, salon TV... Double 112€ (118€ avec wifi), suite 130€ en haute saison, prix dégressifs selon le nombre de nuitées. Petit déj. compris pour les réservations en ligne. Parking 9€/j. *Camí Entrador de Llobell, 1* **Dénia** *Tél. 96 578 96 73 www. hotelvillamor.com*

Dans les environs

🧳 petits prix

☺ **Hostal Tres Molins** Un vrai coup de cœur. Cette pension occupe une vieille maison de ville (pierres et poutres apparentes) à quelques minutes en voiture de Dénia. Les trois moulins sont ceux qui dominent le bourg. Loin de l'agitation des plages, on trouve là une grande hospitalité,

dans un cadre naturel magnifique. Demandez la chambre Montgo, assez petite, mais dotée d'une terrasse donnant sur les falaises rouges du parc naturel de Montgo. Hors saison, la double est louée 45€ (57€ en haute saison). *C/ Pare Pere, 7* **Jésus Pobre** *(à 10km au sud de Dénia par la CV725 jusqu'à La Xara, puis à gauche par la CV735) Tél. 965 75 64 32 www. tresmolins.com*

🍴🧳 prix moyens

☺ **Casa Vital** En contrebas des autres restaurants, regroupés sur la place de l'église, on s'attable sur une fabuleuse terrasse dominant la mer et les maisons blanches d'Altea pour déguster une salade (6-9€), un assortiment de tapas (10,50-18,50€), un saumon à la norvégienne ou des côtelettes d'agneau (13,50€). *C/ Salamanca, 11* **Altea** *(47km au sud-ouest de Dénia) Tél. 965 84 09 36 www.casavital.com Ouvert tlj. 11h-16h et 19h-23h Fermé mi-déc.-jan.*

Hotel Jávea À un jet de pierre du port, mais un peu à l'écart de l'agitation, cet hôtel ne brille pas par son architecture. Il dispose néanmoins de 24 chambres spacieuses, bien tenues et récemment refaites à neuf. Seules les n°s 404 ou 405, nanties d'un balcon, donnent sur la mer (90€ en haute saison). Les autres sont louées 72-80€ selon leur taille et leur situation. Le restaurant du dernier étage offre une vue imprenable sur la baie. *C/ Pio X, 5* **Jávea** *(à 10km au sud-est*

GAMME DE PRIX	RESTAURATION	HÉBERGEMENT
Très petits prix	moins de 12€	moins de 50€
Petits prix	de 12 à 20€	de 50 à 65€
Prix moyens	de 20 à 30€	de 65 à 85€
Prix élevés	de 30 à 50€	de 85 à 130€
Prix très élevés	plus de 50€	plus de 130€

LA COMMUNAUTÉ VALENCIENNE

de Dénia par la CV736) Tél. 965 79 54 61 www.hotel-javea.com Fermé jan.-fév.

 prix élevés

Hotel Solymar Ce deux-étoiles n'est pas de prime jeunesse, mais ses chambres ont été récemment rénovées. Celles qui sont orientées vers la mer disposent d'un balcon, tandis que celles qui donnent sur le vaste patio respirent la tranquillité. Doubles de 95 à 115€, selon l'emplacement. Petit déj. 6€. Av. del Mediterráneo, 180 Jávea (à 10km au sud-est de Dénia par la CV736) Tél. 966 46 19 19 www. hotelsolymarjavea.es

prix très élevés

Parador de Jávea Le grand luxe. Peinture contemporaine aux murs et marbre au sol, une atmosphère feutrée, des chambres lumineuses et spacieuses, décorées avec goût. Mais comment résister à la grande piscine et aux jolis jardins qui donnent sur la baie ? Chambre double avec vue sur la mer à 180-200€, petit déj. compris. Prix HT. Playa del Arenal Av. del Mediterráneo, 233 Jávea (à 10km au sud-est de Dénia par la CV736) Tél. 965 79 02 00 ou 902 54 79 79 (rés.) www. parador.es

ALICANTE

de 03001 à 03559

Capitale de la Costa Blanca, haut lieu du tourisme, Alicante (environ 334 000 habitants) ne se limite pas aux images de superficialité et de monstruosité urbaine qui collent si bien à sa voisine, Benidorm. Différence de taille : elle possède une longue histoire, inscrite dans ses murs. Tossal de Manises, une fondation ibère du IVe siècle av. J.-C., devint la cité romaine de Lucentum, dont les ruines se visitent. C'est avec l'occupation maure qu'Alicante s'implanta sur son site actuel, au pied du mont Benacantil. Elle fut reconquise en 1247 par Alphonse X le Sage, puis rattachée au royaume d'Aragon. Au XIXe siècle, le chemin de fer lui apporta une nouvelle prospérité. Aujourd'hui, dynamique et estudiantine, elle possède un art de vivre bien à elle qui séduira vite le voyageur.

MODE D'EMPLOI

accès

EN AVION
Aéroport d'El Altet Nombreuses liaisons domestiques – avec Barcelone (Vueling) et Madrid (Iberia) notamment – et internationales, dont Paris-Orly (Vueling), Bruxelles et Paris-Beauvais (Ryanair), Bâle-Mulhouse (Easyjet Switzerland), etc. (p.50). À 9km au sud-ouest d'Alicante sur la route d'Elche Tél. 913 21 10 00 ou 902 40 47 04 www.aena.es
Subus Ses bus relient l'aéroport à Alicante toutes les 20 à 30min de 6h30 à 23h40 (env. 2,75€). Ils stationnent

au niveau 2 (départs) de l'aérogare. Comptez 40min de trajet. *Tél. 965 14 09 36 ou 902 10 69 92 http://aerobusalicante.es*
Radio Taxi Elche Comptez 18-20€ pour une course en taxi jusqu'au centre-ville. *Tél. 965 42 77 77 www.radiotaxielche.es*

EN VOITURE
Alicante est desservie par l'A7-E15 (sorties nos 68 à 71), payante.

EN TRAIN
Gare Renfe (plan 18, A3) Nombreux trains quotidiens à partir de Barcelone via Tarragone (env. 57€), Valence (env. 16-30€) ou Murcie (env. 10,75-17,90€). *Av. de Salamanca Tél. 902 24 02 02*
Gare FGV Trains pour la Costa Blanca. *Av. de Villajoyosa, 2 Tél. 900 72 04 72 www.fgvalicante.com*

EN CAR
Gare routière (plan 18, B4) *Muelle de Poniente, s/n C/ Portugal, 17 Tél. 965 13 01 04*
Alsà La compagnie dessert les principales villes de la côte, Valence, Barcelone (via Tarragone) et les grandes villes d'Andalousie. De Valence, car toutes les heures entre 6h et 21h15 (2h30 de trajet, env. 22,55€). De Barcelone, 10 cars/j. (8h, env. 47€). *Tél. 902 42 22 42 www.alsa.es*

orientation

Les rues partent en faisceau du **port**, selon un plan radial. Ceinturé par la Gran Vía, le **centre-ville** est desservi par les *avenidas* Elche, Del Catedrático Soler et De Aguilera à l'ouest, par les *avenidas* Del Maestro Alonso et Novelda, puis Alcoy au nord, et par les *avenidas* Villajoyosa et de Dénia à l'est. Le quartier historique de **Santa Cruz** s'étale au pied du **château**, face au port. À l'ouest de la Rambla

de Méndez Núñez s'étend la **ville moderne**, avec la gare et la gare routière. La **Playa del Postiguet** jouxte le port. L'autre plage touristique, la **Playa de San Juan**, s'étend à quelques kilomètres au nord, de l'autre côté du cap de las Huertas.

transports urbains

Tam (Autobuses Urbanos de Alicante) *Tél. 965 14 09 36 www.subus.es*
Tramway *Tél. 900 72 04 72 www.fgvalicante.com*
Radio-taxi *Tél. 965 91 01 23*
Télé Taxi *Tél. 965 10 16 11*

représentations diplomatiques

Attention, ces bureaux sont ouverts généralement du lundi au vendredi de 9h à 13h-14h.
Consulat de Belgique *Esplanada, 1 Cedex 5° Tél. 965 92 91 47*

banques et poste

Les **banques** se trouvent au bord de la Rambla de Méndez Núñez et de l'Avenida del Doctor Gadea (plan 18, B3), de l'Avenida Alfonso X el Sabio et de l'Esplanada (Paseo Maritimo).
Poste (plan 18, C3) *Pl. Gabriel Miró, 7 Tél. 965 13 18 87 Ouvert lun.-ven. 8h30-20h30, sam. 9h30-14h*

informations touristiques

Office de tourisme municipal (plan 18, B4) C'est le bureau principal, accueillant et fort bien documenté. *C/ Portugal, 17 Tél. 965 92 98 02 www.alicanteturismo.com Ouvert avr.-oct.: lun.-ven. 9h30-14h ; nov.-mars : lun.-ven. 9h-14h Autre adresse : Esplanada de España, 1 lun.-ven. 9h30-14h et 16h15-19h, sam. et j. fér. 10h-14h 965 14 70 38*

LA COMMUNAUTÉ VALENCIENNE

LA COMMUNAUTÉ VALENCIENNE

Office de tourisme régional (plan 18, C2) *Rambla de Méndez Núñez, 23* Tél. 965 20 00 00 www.comunitat valenciana.com *Ouvert lun.-ven. 10h-18h, sam. 10h-14h*

fêtes et manifestations

Semaine sainte C'est évidemment l'occasion d'interminables processions. Les 47 figures saintes (*pasos*) que l'on promène dans la ville comptent parmi les plus belles d'Espagne. L'immense figure de la Sainte Cène nécessite à elle seule 208 porteurs. *Alicante Fin mars-début avr.*

Pèlerinage de la Santa Faz Lors du deuxième jeudi suivant la Semaine sainte se déroule le deuxième pèlerinage du pays après la Romería del Rocío (Andalousie). Près de 200 000 pèlerins se rendent à cette occasion au monastère de la Santa Faz. *Alicante Deuxième jeudi après Pâques*

Feux de la Saint-Jean Les Hogueras de San Juan sont les plus grandes fêtes de l'année. Du 20 au 24 juin, les rues de la ville résonnent du bruit des concours de pétards (*mascletas*). Des concerts ont lieu un peu partout, ainsi que des manifestations taurines. Le 22 juin a lieu une offrande de fleurs à la Virgen del Remedio. Le 23, un grand défilé rassemble les groupes folkloriques internationaux. Enfin, la nuit de la Saint-Jean arrive. Les feux d'artifice sont lancés du château, donnant le signal de la fête : de hautes figures en carton peint, souvent satiriques, sont brûlées dans toute la ville. Certaines années, à la fin du mois de juin, un marché médiéval anime les ruelles du quartier de Santa Cruz. *Alicante 20-24 juin*

Moros y Cristianos Chaque année, en avril, Alcoy rend hommage à saint Georges, qui l'aurait sauvée d'une attaque maure au XIIIe siècle. On rejoue la prise du château et sa reconquête. Processions et autres festivités se succèdent joyeusement. Quatre quartiers d'Alicante rendent également hommage à saint-Georges en décembre, juin, juillet et août. *Se renseigner auprès de l'office de tourisme pour les dates Alcoy 22-24 avril*

Misteri d'Elx Ce drame en deux actes chanté en valencien décrit en une série de tableaux la mort de la Vierge Marie. Après plusieurs processions dans les rues d'Elche, sont mises en scène la Mort, l'Assomption et le Couronnement de la Vierge dans la basilique. *Elche 14-15 août*

DÉCOUVRIR
Alicante

☆**Les essentiels** Le Maca et le Marq **Découvrir autrement** Visitez Alicante lors des fêtes de la Saint-Jean, dégustez des raciones arrosées de rioja au Restaurante Ibéricos et allez danser dans un pub de la Plaza San Cristobal le week-end (cf. Carnet d'adresses)

En remontant la Calle Mayor en direction du château, on débouche sur la Plaza de Santa María, sur laquelle donnent l'église éponyme et le musée d'Art contemporain d'Alicante (Maca). Un peu plus bas, dans la Calle de Gravina, s'élève l'incontournable Museo de Bellas Artes. En retournant vers la Plaza de San Cristóbal, épicentre de la vie nocturne, on longe de nombreuses demeures cossues. La plupart ont été édifiées au XVIIIe siècle, âge d'or de la ville, par les riches marchands avaient obtenu le droit de commercer avec les Amériques. On en trouve ainsi plusieurs dans la Calle de los Labradores. L'entrelacs des rues, au cœur du quartier, signale d'anciens souks. Si vous avez le temps, promenez-vous sur les hauteurs, autour de la Plaza de Quijano, une des plus vieilles de la ville (peu recommandable cependant la nuit). Il flotte sur ces vieilles pierres un parfum de bohème. L'ermitage de San Roque (un des saints patrons d'Alicante) se dresse dans la rue du même nom. Ce sanctuaire du XVIe siècle, remanié au XIXe, abrite un très révéré *Cristo Gitano*. De là, on peut rejoindre le quartier de Santa Cruz, et flâner dans ses ruelles pentues et pleines de charme.

● **TRANSPORTS DE NUIT**

Du Muelle de Levante, on peut rejoindre la Marina de Poniente en prenant la vedette, assez chère, mise à la disposition des fêtards. Car comme un panneau l'indique, il est interdit de traverser la baie à la nage ! L'été, un train de nuit de la compagnie FGV, le TRAMnochador, permet aux noctambules de rejoindre Benidorm et les clubs géants du littoral en toute sécurité. À partir de 22h, 3,50€ Rens. à l'OT ou à la gare FGV **FGV** www.tramalicante.es

Basílica de Santa María (plan 18, D2) La plus ancienne église d'Alicante (XIVe s.) s'élève sur les fondations de la grande mosquée d'Alicante. De ses deux tours, seule celle de droite, en forme de "L", est d'origine ; l'autre fut ajoutée en 1713. Le portail, remanié dans le style baroque, est dû à Juan Bautista Borja. Le maître-autel rococo date lui aussi du XVIIIe siècle. L'église a été élevée au rang de basilique en 2007. *Pl. de Santa María Tél. 965 21 26 62 Ouvert tlj. 10h30-12h et 18h-19h30*

☆**MACA – Museo de Arte Contemporáneo de Alicante (plan 18, D2)** Après des années de travaux, l'ancien Museo de la Asegurada a rouvert ses portes en mars 2011. Ce musée d'Art contemporain, installé dans un magnifique édifice baroque (1685), a tout pour plaire. Il s'est constitué en 1977 grâce aux quelque 750 œuvres offertes à la municipalité par le peintre Eusebio Sempere (1923-1985) et s'est enrichi depuis de la collection personnelle de Juana Francés (1924-1990). Outre le travail de ces deux artistes originaires de la région, on peut y admirer des œuvres de Picasso, Braque, Miró, Dalí, Bacon, Tàpies, Vazarely, Adami, Dine, ou encore celles du collectif Equipo Crónica et d'autres mouvements avant-gardistes du XXe siècle. Le musée accueille également des expositions temporaires et des spectacles de danse contemporaine. *Pl. de Santa María, 3 Tél. 965 21 31 56 www.maca-alicante.es Ouvert mar.-sam. 10h-20h, dim. et j. fér. 10h-14h Fermé 25 déc., 1er et 6 jan., 2e jeu. après Pâques, 1er mai et 20-24 juin Entrée libre*

MUBAG – Museo de Bellas Artes de Gravina (plan 18, D2) Installé dans le bel hôtel particulier des comtes de Lumiares (1748-1808), il présente les œuvres (peinture, sculpture et mobilier) des plus grands artistes de la région, du XVIe siècle à 1920. Le rez-de-chaussée accueille des expositions temporaires, mises en valeur par les beaux volumes de ses arcades de pierre. La plus grande salle du 1er étage regroupe les tableaux-épreuves réalisés par les artistes qui postulaient pour des bourses d'études aux Beaux-Arts de Madrid, Paris ou Rome.

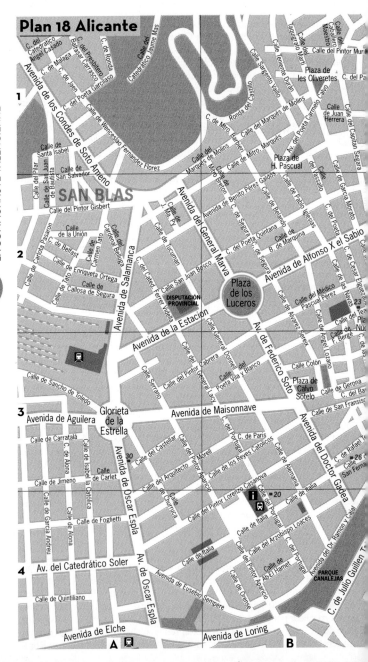

Plan 18 Alicante

PLAZA
DE TOROS

Calle de la Cuesta de la Fábrica

Calle de Vázquez de Mella

MUSEO ARQUEOLOGICO →
PROVINCIAL

MONTE
BENACANTIL

Calle de Díaz Moreu
Calle de Paraiso
Calle Nueva Baja
Calle Nueva Alta
Calle de la Huerta

Avenida de Jaume II

Calle del Calderón de la Barca

Calle de San Vicente

Calle de Pozo
Calle de la Esperanza

SAN
ANTÓN

CASTILLO
DE SANTA BARBARA

Calle de Díaz Moreu
Calle de Pozo
Calle de Tratalgar
Calle de la Huerta

SANTA
CRUZ

RCADO
NTRAL

Avenida de Jaume II

ERMITA DE
SANTA CRUZ

ASCENSOR
DEL CASTILLO

Calle del Gen.
Calle de Rivera
Calle de San Bartolomé
Calle de Alvarez

Calle de
San Lluís
Plaza del
Quijano

ERMITA DE
SAN ROQUE

C. de San Roque

SAN
ROQUE

15

Calle del Virgen del Socorro

la Construcción

Plaza de
San Cristóbal

17
Arsenola
EL
BARRI

14
Calle de Toledo

C. de San Pascual

Avenida de Juan Bautista Lafora

TEATRO

MUSEU DE
FOGUERES

12
C. de
Sto Tomás

C. del Virgen de Belen

C. del Carmen

Pl. del Virgen
del Remedio

MACA
Calle de Villavieja

SANTA
MARIA

Pl. de
Sta Maria

Calle de los Castaños

CATEDRAL
DE SAN NICOLÁS

22
C. de las Monjas

19

C. Mayor 21
C. de Jorge Juan

MUBAG

Plaza de
Santa Faz

C. de Gravina

24

Calle de Balén

25

Calle de Gerona

C. de Rivera

C. de Bilbao

Calle de Rafael Altamira

AYUNTAMIENTO

PLAYA
DEL POSTIGUET

11

10

Calle Mayor

16

C. de San Fernando

Plaza de la
Puerta del Mar

Calle de
la Colonia
Manero Molla

31

je Mco. Pl. de
Gabriel Miró
CORREOS

Calle de San Fernando

ESPLANADA DE ESPAÑA

Paseo del Conde de Vallellano

MARINA
MUELLE
DE LEVANTE

PUERTO

13

MAR MEDITERRÁNEO

ESTACíON
MARITIMA

MARINA
E PONIENTE

ORAN →

C

D

N
150 m

Au 2e étage est exposée une belle série de gravures du XIXe siècle. Cet étage accueille également des expositions temporaires, souvent remarquables ! C/ Gravina, 13-15 Tél. 965 14 67 80 www.mubag.org Ouvert juil.-août : mar.-sam. 11h-21h, dim. et j. fér. 11h-15h ; sept.-juin : mar.-ven. 10h-20h, dim. et j. fér. 10h-14h Entrée libre

Museu de Fogueres – Museo de Hogueras (plan 18, C2) Ce musée retrace l'évolution locale des fêtes de la Saint-Jean, symboles de la purification par le feu, depuis leur officialisation en 1926. La collection donne à voir de nombreux étendards, costumes et objets festifs, mais l'on s'attardera surtout devant les Ninots, ces personnages de taille variable, en bois et papier mâché, destinés à être brûlés en l'honneur du saint, mais dont les plus beaux sont traditionnellement "graciés". Av. Rambla Méndez Núñez, 29 Tél. 965 14 68 28 www.hogueras.org/web/lesfogueres/museo.php Ouvert juin-sept. : mar.-sam. 10h-14h et 18h-21h, dim. et j. fér. 10h-14h ; oct.-mai : mar.-sam. 10h-14h et 18h-21h, dim. et j. fér. 10h-14h Entrée libre

Castillo de Santa Bárbara (plan 18, D1) Il domine la ville du haut du mont Benacantil. Autour de l'alcazaba, le palais fortifié d'époque mauresque, s'élèvent des remparts du XVIe siècle et quelques bâtiments ajoutés au XVIIIe. La vue de la terrasse sommitale est splendide. La cour intérieure du château, plantée de cactus, est propice à la promenade. La plupart des salles accueillent de beaux espaces d'exposition. Av. de Juan Bautista Lafora, 6 En voiture de la C/ Vázquez de Mella (parking) À pied, suivre la route ou prendre l'ascenseur creusé dans la montagne à partir de l'Av. Jovellanos (env. 2,40€ AR, moins de 5 ans gratuit) Tél. 965 92 77 15 www.castillodesantabarbara.com Ouvert été : tlj. 10h-22h ; reste de l'année : tlj. 10h-20h Expositions 10h-14h et 16h-20h Castillo : entrée libre Expositions : 4€, moins de 6 ans 3€

☆ MARQ – Museo Arqueológico Provincial de Alicante (hors plan 18 par D1) Ce musée a reçu en 2004 le prix du meilleur musée européen. Comme son nom l'indique, il rassemble les plus beaux témoignages de la longue histoire d'Alicante et de sa région. La mise en valeur des pièces et l'économie muséographique adoptée par les concepteurs – des montages vidéo parfois spectaculaires alternant avec des présentations plus classiques, mais toujours pédagogiques – ont amplement mérité cette distinction internationale. La galerie préhistorique analyse les preuves d'une occupation humaine du territoire remontant à 100 000 ans – et détaille, notamment, l'art de tailler la pierre –, et se termine avec l'âge du bronze. La section consacrée à la Contestania montre comment, des échanges entre les peuples indigènes et le monde méditerranéen naquit, vers le VIIIe siècle av. J.-C., la culture ibère, que glorifie le buste de la *Dama de Cabezo Lucero*. L'exposition nous transporte ensuite dans la Lucentum romaine par le biais de vestiges éclairant autant la vie quotidienne que les méthodes architecturales ou les rites funéraires de ses habitants. La section médiévale passe en revue les huit siècles de coexistence des traditions chrétienne, islamique et judaïque dans la région, pointant l'avance conceptuelle, scientifique et technique d'Al-Andalus sur le reste de l'Europe. Enfin, dans la galerie d'histoire moderne et contemporaine, quelque 300 objets illustrent l'évolution politique, économique et socioculturelle d'Alicante de 1500 à 1931. Ne manquez pas l'impressionnante salle consacrée à l'archéologie sous-marine, avec sa reconstitution d'un bateau coulé au Ve siècle. *Pl. Doctor Gómez Ulla Tél. 965 14 90 00 ou 965 14 90 06 (Rés. visite guidée) www.marqalicante.com Ouvert juil.-août : mar.-sam. 11h-14h et 18h-0h, dim. et j. fér. 11h-14h ; sept.-juin : mar.-sam. 10h-19h, dim. et j. fér. 10h-14h Tarif 3€, réduit 1,50€, moins de 15 ans gratuit Possibilité de visite guidée en espagnol, français, anglais et valencien 1,50€, moins de 7 ans gratuit*

● Où s'offrir des douceurs ?

Turrones Teclo (plan 18, C3 n°31) Il est des maisons sur lesquelles le temps ne semble pas avoir de prise. Celle-ci confectionne, en effet, du *turrón* depuis 1824 – et de l'avis de beaucoup, le meilleur de la région –, ce qui la classe parmi les plus anciennes confiseries d'Alicante. Le célèbre nougat se décline dans la boutique en mille et une recettes, toutes plus délicieuses les unes que les autres (comptez 6,75-7,95€ la boîte de 350g et 13-16,35€ celle de 500g). *C/ Rafael Altamira, 12 Tél. 965 20 11 15 ou 965 14 34 99 Ouvert lun.-ven. 10h-14h et 17h-20h, sam. 10h-14h et 16h-20h, dim. 11h-14h*

Pastelería Torreblanca (plan 18, A3 n°30) Voici l'une des pâtisseries les plus célèbres d'Espagne – Torreblanca a même confectionné le gâteau de mariage du prince Felipe. Autant dire que cet établissement, où l'art pâtissier se rapproche de la haute couture, est (bien) fréquenté. On s'en doutera, les prix sont à la hauteur de sa réputation : *mille-feuille 3€, panettone 24€. Av. Oscar Espla, 30 Tél. 965 98 58 89 www.torreblanca.net Ouvert lun.-sam. et j. fér. 10h-21h, dim. 10h-20h*

● Où manger sur le pouce, savourer un *chocolate con churros* ?

Churrería Santa Faz (plan 18, C3 n°10) Une bonne adresse à la lisière du quartier historique, pour manger sur le pouce ou déguster un *chocolate con churros* (env. 3€ les 6). La grande salle est plutôt anonyme et le long comptoir en inox, pris d'assaut à l'heure du déjeuner, mais les sandwichs sont savoureux et l'accueil cordial. *C/ Mayor, 4 Tél. 965 20 09 43 http://churreriasantafaz.com Ouvert tlj. 7h-0h*

● Où sortir, faire la fête ?
Vous trouverez des bars à tapas Calle de San Rafael, sous l'ermitage de Santa Cruz. Dans les bars de la Calle de los Labradores se côtoient faune underground et trentenaires en goguette. Sur la Plaza de San Cristóbal et la Rambla de Méndez Núñez donnent des pubs bondés

en fin de semaine, où l'on peut souvent danser. Autre quartier festif, celui du port, avec ses terrasses et ses bars lounge. La vie nocturne s'étend sur les deux rives de la marina, même si le Muelle de Levante emporte notre préférence. Les bars du centre ferment à 3h ou 4h du matin, ceux du port à 6h. Les plus courageux pourront pousser jusqu'à Benidorm et ses boîtes de nuit géantes.

Isla Marina (plan 18, D2 n°1) Cette "oasis blanche" du bord de mer – mais pas trop loin du centre – offre des vues sublimes sur la baie d'Alicante et comprend un restaurant, un pub, un *beach club* et une boîte de nuit. Entrée gratuite sf dim. (12-15€ avec un cocktail). *Av. Villajoyosa, 4 Tél. 965 26 57 28 www.facebook. com/isla.marina Ouvert mai-sept. : mar.-dim. 12h-4h*

Artespiritu (plan 18, C2 n°2) Ce petit bar nanti de deux terrasses accueille des DJ du jeudi au samedi soir. Électro, *groove*, reggae... Cocktails autour de 7-10€. *Pl. San Cristóbal, 26 Tél. 965 04 27 94 Ouvert tlj. 11h-3h30 (selon l'affluence)*

● Se baigner, plonger

Isla de Tabarca Minuscule (2km sur 400m) et donc interdite aux voitures, Tabarca est la seule île habitée de la Communauté valencienne. Elle prit au XVIIIe siècle le nom de Nueva Tabarca quand le roi Charles III décida d'y installer des familles génoises longtemps exilées à Tabarca, à la frontière algéro-tunisienne. L'île fut alors fortifiée pour résister aux assauts des pirates barbaresques. On peut profiter de sa plage et de sa grande réserve marine, propice à la plongée (avec tuba ; bouteilles sur autorisation).

Navettes Kon Tiki Elles relient l'île au port d'Alicante. Env. 6-8 AR/j. à Pâques et l'été ; 1 AR/j. (départ 11h15, retour 17h, 50min de traversée) du 10 sept. au 31 oct. ; 1 AR/j. jeu., sam. et dim. de nov. à fév. et en avr.-juin, si la mer le permet... et que le capitaine est de bonne humeur. Mieux vaut s'assurer des départs par téléphone au siège de la compagnie ou à l'OT. Tarif AR 18€. *Calle del Ingeniero Lafarga, 2 Tél. 686 99 45 39 ou 686 99 45 38 http://cruceroskontiki.com*

Les environs d'Alicante

☆ Les essentiels La palmeraie d'Elche, le centre historique d'Orihuela
Découvrir autrement Assistez au marché médiéval d'Orihuela début février

Elche (Elx)

La deuxième ville de la province d'Alicante (230 500 hab.) est mondialement connue pour son *Mystère* (*Misterio de Elche - Misteri d'Elx*), drame chanté en valencien depuis le XVe siècle lors des fêtes de l'Assomption, et pour son immense palmeraie, toutes deux classées au patrimoine mondial de l'humanité par l'Unesco. Si la partie sud de l'agglomération, moderne et sans grand charme, n'a guère d'intérêt, la vieille ville invite à la promenade. Outre la magnifique basilique Santa María, dont la construction débuta en 1672, elle recèle un très beau musée archéologique et maints monuments historiques, dont la Calaforra, une imposante tour almohade (XIIe-XIIIe s.), et un élégant hôtel de ville gothique du XVe siècle. *À 25km au sud-ouest d'Alicante par l'A31* **Office de tourisme** *Pl. Parque, 3 Tél. 966 65 81 96 www.visitelche. com Ouvert lun.-ven. 9h-19h, sam. 10h-19h, dim. et j. fér. 10h-14h*

Basílica de Santa María C'est la troisième église édifiée sur le site de la grande mosquée médiévale. Sa construction débuta en 1672 et prit fin en 1784. Sa façade et son portail de l'Asunción sont des joyaux du baroque valencien. Il est possible de grimper jusqu'au clocher pour jouir d'une vue magnifique sur la palmeraie. En chemin, des panneaux explicatifs présentent les différents éléments de la basilique et relatent son histoire. *Plaza del Congreso Eucarístico s/n Tél. 965 45 15 40 Ouvert tlj. 7h-13h et 17h30-21h Entrée libre* **Accès à la tour** *juil.-sept. : tlj. de 11h-19h (17h le reste de l'année) Tarif 2€, réduit 1€, moins de 5 ans gratuit*

Museu de la Festa Pour en savoir plus sur le *Mystère d'Elche*, allez voir la collection de costumes et autres souvenirs liés à cette célébration de la Vierge, et ne manquez pas le documentaire consacré à la fête que ce petit musée projette plusieurs fois par jour. *C/ Major de la Vila, 25 Tél. 965 45 34 64 Ouvert mar.-sam. 10h-14h et 15h-18h, dim. et j. fér. 10h-14h Tarif 3€, Plus de 65 ans 1,50€, étudiants 1€, moins de 6 ans, personnes handicapées et dimanche gratuit*

MAHE – Museo Arqueológico y de Historia de Elche Installé dans le Palacio de Altamira, non loin de la basilique, le musée d'Archéologie et d'Histoire d'Elche retrace l'histoire de la ville depuis le néolithique à l'aide de nombreux objets, documents et panneaux interactifs (en espagnol et en anglais). N'espérez pas pouvoir y admirer la *Dame d'Elche* ; ce buste de femme à la coiffure élaborée, joyau de la sculpture ibère devenu l'un des symboles de la ville, est jalousement conservé au Musée archéologique national de Madrid, au grand dam des Ilicitanos ! *Diagonal del Palau, 7 Tél. 966 65 82 03 Ouvert lun.-sam. 10h-18h, dim. et j. fér. 10h-15h Tarif 3€, Plus de 65 ans 1,50€, étudiants 1€, moins de 6 ans, personnes handicapées et dim. gratuit*

☆ **Palmeraie d'Elche** Si l'initiative de planter des palmiers-dattiers dans la région revient aux Carthaginois, voire aux Phéniciens, c'est aux Maures que l'on doit le développement des palmeraies d'Elche à partir du Xe siècle, grâce à un savant réseau d'irrigation. À son apogée, au XVIIe siècle, l'oasis abritait plus de 200 000 palmiers, dont les fruits étaient récoltés à l'automne. Protégée depuis les années 1930, elle couvre encore 430ha, compte plus de 20 000 arbres et figure au patrimoine mondial de l'humanité depuis 2000. Divisée en parcelles (Parque Municipal, Huerto del Cura, Huerto de la Torre, Huerto del Gato, etc.), elle se visite à pied ou à vélo. *Ouvert tlj. 10h-coucher du soleil*

Huerto del Cura Sur 13 000m², ce magnifique "jardin de curé" réunit un harmonieux ensemble d'espèces méditerranéennes et tropicales, dont maints cactus et différents spécimens de palmiers. Le joyau de ce jardin rafraîchissant : un palmier impérial, extrêmement rare avec ses sept bras symétriques nés d'un même tronc, haut de 2m. *Porta de la Morera, 49 Tél. 965 45 19 36 www.huertodelcura.com/jardines/ Ouvert juil.-août : tlj. 10h-20h30 ; sept. : tlj. 10h-19h30 ; oct. : lun.-sam. 10h-19h, dim. 10h-18h ; nov.-fév. : lun.-sam. 10h-17h30, dim. 10h-15h ; mars : lun.-sam. 10h-18h30, dim. 10h-17h ; avr. : lun.-sam. 10h-19h30, dim. 10h-18h ; mai-juin : lun.-sam. 10h-20h, dim. 10h-18h Entrée 5€, étudiants et retraités 3€, enfants 2,50€*

Museo del Palmeral Installé dans une ferme traditionnelle, au sein du Huerto San Plácido, il retrace l'histoire de la palmeraie d'Elche et présente en détail l'économie du palmier-dattier. Instructif ! C/ *Porta de la Morera*, 12 *Tél. 965 42 22 40 Ouvert mar.-sam. 10h-14h et 15h-18h, dim. et j. fér. 10h-14h Tarif 1€, réduit 0,50€*

La Alcudia L'occupation de cette éminence riveraine du Río Vinalopó remonte au IVᵉ millénaire avant notre ère. À partir du VIᵉ siècle av. J.-C. y prospéra une colonie ibère connue sous le nom grec d'Helike, toponyme que les Romains transformèrent plus tard en Ilici. Le site a livré la fameuse *Dame d'Elche* en 1897, et les fouilles dont il a fait l'objet de 1935 à 1997 ont permis de dégager les vestiges de villas, de maisons d'artisans et d'édifices publics témoignant d'une occupation continue du site jusqu'au VIIIᵉ siècle de notre ère – les conquérants arabes déplacèrent ensuite Elche dans la plaine. Le centre d'interprétation, à l'entrée du site, retrace l'évolution de la Alcudia et présente les plus beaux objets usuels et œuvres d'art (céramiques, sculptures, mosaïques, etc.) exhumés par les archéologues. Le reste de ces trouvailles est exposé dans un autre petit musée, installé parmi les ruines. *À 3,5km au sud d'Elche Ctra Dolores km2 Tél. 966 61 15 06 Ouvert avr.-sept. : mar.-sam. 10h-20h, dim. 10h-15h ; sept.-mars : mar.-ven. 10h-20h, sam. 10h-17h, dim. 10h-15h Tarif 5€, réduit 2€, moins de 5 ans gratuit* **Musées** *www.laalcudia.ua.es Tarif 3€, réduit 1€*

● Où prendre le petit déjeuner, où déguster un cocktail en soirée ?

Suquer Un classique d'Elche, dans la vieille ville, en face de la Calaforra. Ici, on prend un bon petit déjeuner le matin ou un cocktail le soir ! Bonne ambiance et bonne musique. Terrasse ouverte toute l'année. C/ *Pere Ibarra, 10* **Elche** *Tél. 965 42 66 47*

● Où siroter un thé, boire un verre, sortir ?

☺ **Tetería La Tartana** Cette maison XIXᵉ typique du vieil Elche a conservé son décor d'inspiration mauresque et son mobilier d'époque. Une invitation au voyage, dans le temps et par-delà la Méditerranée puisque saveurs et atmosphère vous emmènent au Maroc. Tapas à 1€, cocktails, bières... et plus de 40 variétés de thés et infusions (vous êtes bien dans une *tetería*) ! Le jeudi, mojitos à 3€ à partir de 22h et rencontres littéraires. Sur commande, couscous, dattes fraîches et pain aux figues. L'endroit idéal où passer une soirée tranquille entre amis. C/ *Nueva de San Antonio, 17 Tél. 655 65 46 87 Ouvert dim.-mer. 16h30-23h30 ; jeu.-sam. 16h30-2h*

Orihuela

Ce charmant chef-lieu de canton de la province d'Alicante possède une his-toire fort riche, en témoignent ses nombreuses églises et autres monuments. Orihuela fut au VIIIᵉ siècle la capitale d'un royaume wisigoth englobant une partie de l'actuelle province d'Alicante et presque toute la Murcie. Baignée par le Río Segura, elle doit aux musulmans, qui l'occupèrent du IXᵉ au XIIIᵉ siècle, sa belle palmeraie. Son ☆ **centre historique** recèle plusieurs beaux palais et maisons nobles et, surtout, une quinzaine d'églises, de couvents et d'ermitages. Le fleuron de ce patrimoine sacré est la cathédrale (Catedral del Salvador), de style gothique catalan. Sa partie la plus ancienne, une tour qui servit de prison épiscopale, remonte au début du XIVᵉ siècle. Autre monument prestigieux, le couvent dominicain (Convento de Santo Domingo), qui abrita l'université d'Orihuela de 1569 à 1824. Il possède deux magnifiques cloîtres, l'un Renaissance et l'autre baroque (1727-1737), et une église à la décoration exubérante. Comme les précédents, l'**église** Santas Justa y Rufina, un joyau gothique du XIVe-XVe siècle, a été classée. L'horloge qui orne sa tour est l'une des plus anciennes d'Espagne (1439). Ne manquez pas de visiter l'église conventuelle Saint-Sébastien (Convento de San Sebastián), un édifice Renaissance remanié au XVIIIe siècle. Elle abrite, en effet, depuis décembre 2009, le magnifique retable baroque de *Nuestra Señora de la Consolación* (1665) provenant d'un couvent de Durango bombardé en 1936. L'office de tourisme édite un circuit guidé des principales églises et couvents de la cité. À voir également, le Museo de la Muralla, qui protège les vestiges d'un tronçon de la muraille antique, de bains maures, de maisons médiévales et d'un palais gothique. Enfin, sachez que le premier ou le deuxième week-end du mois de février, le plus grand Mercado Medieval d'Espagne (5km de stands) investit la vieille ville avec ses artisans, ses bateleurs, ses concours de fauconnerie et ses tournois, drainant des visiteurs de toute l'Europe. *À 60km au sud-ouest d'Alicante par la E15/A7, sortie n°81* **Office de tourisme** *Pl. Marqués de Rafal, 5 Tél. 965 30 46 45 www.orihuelaturistica.es* **Catedral del Salvador** *C/ Ramón y Cajal, s/n Ouvert mar.-ven. 10h30-14h et 16h-18h30, sam. 10h30-14h* **Convento de Santo Domingo** *C/ Adolfo Claravana, 51 Ouvert mar.-ven. 9h30-13h30 et 16h-19h, sam. 10h-14h et 16h-19h, dim. et j. fér. 10h-14h* **Iglesia de las Santas Justa y Rufina** *Plaza Salesas, 1 Ouvert mar.-ven. 10h-14h et 16h-18h30, sam. 10h-14h* **Iglesia de San Sebastián** *Pl. San Sebastián Ouvert seulement pour les messes (horaires à l'OT)* **Museo de la Muralla** *C/ Río, s/n Ouvert juil.-août : mar.-sam. 10h-14h et 17h-20h, dim. et j. fér. 10h-14h ; sept.-juin : mar.-sam. 10h-14h et 16h-19h, dim. et j. fér. 10h-14h*

CARNET D'ADRESSES

Restauration

Les petits budgets trouveront leur bonheur dans la vieille ville, Calle de San Francisco ou dans les rues voisines de la gare routière. Des restaurants y proposent des menus du jour à 10€ environ. Le soir, on peut grignoter une pizza ou un sandwich dans El Barrio, notamment à l'angle des rues de San Pascual et de los Labradores, au pied de la cathédrale. Sur l'Esplanada de España et le Muelle de Levante, au port de plaisance, s'alignent des enseignes proposant différents types de cuisine, à tous les prix. C'est là que vous trouverez les meilleurs restaurants de fruits de mer d'Alicante.

🍴 petits prix

Taberna Ibérica (plan 18, C2 n°14) La truculente María José tient depuis 40 ans ce restaurant du quartier San Roque. Elle concocte une délicieuse paella et n'utilise que des produits locaux (le porc provient de l'exploitation familiale). Il faut parfois patienter pour avoir une table... mais cela en vaut la peine ! Menu paella à 15€. *C/ Toledo, 18 Alicante Tél. 965 21 62 58 www.tabernaiberica.com Ouvert tlj. 12h-17h30 et 19h-0h*

La Ambrossia Bar (plan 18, C2 n°17) Caché dans une rue tranquille de la vieille ville, ce chaleureux petit bar à vins ne compte que 6 tables. Avec ses deux tabourets, le petit comptoir dressé à l'extérieur invite à profiter de la douceur du soir. Oscar, le chef, a la conversation facile et il réussit parfaitement les *huevos rotos con bacalao al pil-pil* (œufs brouillés au cabillaud, 11€). *C/ Argensola, 8 Alicante Tél. 627 98 55 37 ou 966 27 02 55 Ouvert mar.-sam. 13h-16h30 et 20h-0h30, lun. 20h-0h30 Fermé 1 ou 2 sem. en sept. Réservation conseillée le week-end*

Alioli (plan 18, C2 n°19) Tonneaux, poutres et ambiance jazzy pour ce chaleureux petit bar à vins et à tapas. L'endroit idéal où déguster une coupelle de *champiñoncitos con crema camembert y jamón* accompagnée d'un bon verre de rioja. Comptez 15-20€ pour ne manquer de rien. *C/ Miguel Soler, 12 Alicante Tél. 679 20 44 18 Ouvert mar.-jeu. 19h-0h, ven.-sam. 12h-16h et 19h-0h*

🍽 prix moyens

Mesón de Labradores (plan 18, C2 n°12) Dans la Calle de los Labradores, au cœur d'El Barrio. Familles et fêtards se mêlent dans un brouhaha sympathique. On trouve toujours une table, malgré l'effervescence de la fin de semaine. L'endroit rêvé pour un repas entre deux verres. *Montaditos* énormes et savoureux, plats traditionnels de qualité, et une longue liste de tapas. Menu du jour à 20€ servi au déjeuner et au dîner. Comptez 25€ env. à la carte. *C/ Labradores, 19 Alicante Tél. 965 20 48 46 Ouvert tlj. 13h-16h30 et 19h30-0h*

☺ **Restaurante Ibéricos (plan 18, C3 n°11)** Un bar à tapas haut de gamme, véritable royaume du jambon. Les produits sont d'une qualité irréprochable, et regarder le serveur préparer les *raciones* met l'eau à la bouche, mais il faudrait tout essayer. On conseillera la seiche

dans son encre (env. 6€), la viande de taureau sauce piquante (env. 4€) ou encore les oreilles de porc grillées (8€ env.). Le *cochinillo* (porcelet) et le *cordero* (agneau) rôtis à la castillane figurent aussi à la carte. Il ne reste qu'à commander un rioja des grands jours pour arroser le tout. Menus à 14,90€ et 20,20€. *C/ Gerona, 5 Alicante Tél. 965 21 30 08 www.gourmet-iberico.com Ouvert lun.-sam. 12h-16h et 21h-0h, dim. 12h-16h*

La Taberna del Gourmet (plan 18, C3 n°16) Cette "taverne" porte bien son nom : si vous voulez vous régaler de tapas à Alicante, c'est ici qu'il faut venir. La carte est longue et la qualité des produits irréprochable : fruits et légumes bio, viandes et charcuterie labellisées et poissons frais du marché. Le tout proposé dans un cadre chic d'épicerie fine où les huiles les plus prestigieuses côtoient d'excellents vins. Menu Tapeo 27,50€, menu dégustation 55€. Carte 15-25€. *C/ San Fernando, 10 Alicante Tél. 965 20 42 33 www.latabernadel gourmet.com Ouvert tlj. 11h-0h30*

🍽 prix élevés

☺ **Restaurante Dársena (plan 18, D4 n°13)** Installée dans un édifice moderne et lumineux du port de plaisance, cette table est loin d'être la plus chère d'Alicante, et c'est la meilleure pour le poisson, les fruits de mer et les plats à base de riz. L'idéal, c'est de pouvoir dîner à l'étage, face aux gros hublots qui donnent sur la marina. Env. 40€ à la carte. Tenue correcte conseillée. *Marina Deportiva, Muelle de Levante, 6 Alicante Tél. 965 20 75 89 ou 965 20 73 99 www.darsena.com Ouvert juil.-août : mar.-sam. 13h-16h et 20h-23h30, dim. 13h-16h ; sept.-juin : mar.-sam. 13h-16h et 20h-23h, dim. 13h-16h*

La Ereta (plan 18, D2 n°15) Deux menus dégustation, renouvelés tous les quinze jours pour vous faire profiter des produits de saison, et des propositions gastronomiques qui donnent un coup de jeune aux incontournables de la cuisine régionale. Avec, en prime, une vue imprenable sur la baie d'Alicante. Comptez entre 40 et 65€. *Parque de la Ereta s/n Alicante Tél. 965 143 250 www.laereta. es Ouvert mar.-sam. 14h-15h30 et 21h-22h30*

Dans les environs

prix élevés

Pernil L'un des meilleurs restaurants d'Elche, situé dans la partie basse de la ville. Cet établissement chic, mais pas prétentieux, est une institution. On peut s'installer dans la salle du fond, face au Río Vinalopó, pour déguster l'une des spécialités de riz de la maison, ou se contenter d'une délicieuse assiette de *pernil ibérico* (jambon cru) au comptoir. La cave est bien garnie et le sommelier de bon conseil. Comptez 40€ le repas. *C/ Juan Ramón Jiménez, 4 Elche (à 25km au sud-ouest d'Alicante par l'A31) Tél. 966 61 33 03 Ouvert tlj. 13h-16h et 20h30-0h*

Hébergement

Les pensions bon marché sont regroupées autour de la gare routière. De manière générale, elles sont peu reluisantes et surtout très bruyantes. De même que la plupart des 1-étoile et 2-étoiles.

petits prix

Pensión Portugal (plan 18, B4 n°20) Kiko réserve un accueil chaleureux à ses hôtes et propose des chambres vieillottes mais grandes et propres, avec TV et clim. Seul, le bruit de la rue reste un sérieux problème. Les chambres donnant sur le patio sont un peu sombres, mais c'est un moindre mal. La double est louée 44€ en haute saison (34€ sans sdb) ; la simple revient à 28€ (25€ sans sdb). *C/ Portugal, 26, 1er étage Alicante (en face de la gare routière) Tél. 965 92 92 44 www.pensionportugal.es*

Pensión La Milagrosa (plan 18, D2 n°21) Des chambres propres et lumineuses, louées 50€ avec sdb, et 40€ avec sanitaires sur le palier. Également des chambres simples (35€ avec sdb) et 15 appartements (60€). La petite cuisine à disposition et la terrasse qui domine le château compenseront le manque d'intimité. Ascenseur. Parking (15€/j.). *C/ Villavieja, 8 Alicante (à côté de l'église Santa María) Tél. 965 21 69 18 www.lamilagrosa.eu*

Hostal Cataluña (plan 18, C3 n°25) Centrale, à 10min à pied de la plage, cette pension est relativement confortable, mais gagnerait à être rafraîchie. Il est vrai que la chambre double ne coûte que 45€, la simple 30€ et la triple 55€. *C/ Gerona, 11 Alicante Tél. 965 20 73 66 www.alicante-hostales.es*

☺ **Hostal Les Monges Palace (plan 18, C2 n°22)** Derrière l'Ayuntamiento, à deux pas du centre historique et de la plage. Disons-le sans détour, les hôtels du quartier font pâle figure à côté. Cette pension a été aménagée avec un soin frôlant la perfection : grande terrasse, mobilier et sdb à l'ancienne, décoration différente pour chaque chambre, sans compter de petits détails comme la radio stéréo avec commande intégrée dans le mur. On se sent vite chez soi !

Double à partir de 54€ (61€ pour une sdb avec baignoire, et 100€ pour la sdb grand luxe, avec sauna et Jacuzzi). Petit déj. buffet 6€. Parking 12€/j. C/ San Agustín, 4 *Alicante* Tél. 965 21 50 46 www.lesmonges.es

Hotel R. San Remo (plan 18, B2n23)
À l'angle de la Calle del Teatro, près de la Plaza Nueva, un établissement moderne d'un excellent rapport qualité-prix. L'accueil, charmant, peut se faire en français, ce qui facilite les choses. Toutes les chambres sont spacieuses, confortables et bénéficient du double vitrage. La n°502 possède une miniterrasse donnant sur la rue (un peu animée, soit). Double à env. 50€ en haute saison. C/ Navas, 30 *Alicante* Tél. 965 20 95 00 www.hotelsanremo.net

☺ **Hotel de Sal (plan 18, C2 n°27)**
Un hôtel récent (2008), dans un immeuble ancien, dont la cage d'escalier a conservé ses belles mosaïques. C'est l'un de nos préférés à Alicante. Il dispose de 9 chambres doubles avec sdb et de 6 dortoirs (de 6 couchages chacun) à la déco individualisée et très colorée. Le toit-terrasse fait office de solarium et offre une belle vue de la vieille ville, tandis que le bar animé du rdc accueille régulièrement des expositions. Simple, moderne et efficace : clim., tél., Internet, coffres-forts, etc. En haute saison, la double revient à 40-50€ selon la taille, le lit en dortoir à 20€, petit déj. compris. C/ Carmen, 9 *Alicante* Tél. 965 21 17 20 hostaldesal.com/en

📖 prix moyens

Hotel El Alamo (plan 18, B3 n°26)
Dans cet hôtel ouvert depuis 1947, on se fait fort d'installer une relation personnelle avec la clientèle, ce qui rend le séjour d'autant plus agréable. Les chambres disposent d'une déco acidulée et individualisée, avec une note exotique. La simple revient à 55,60€, la double de 68 à 75€, la triple à 98€ et le studio à 110€. C/ San Fernando, 56 *Alicante* Tél. 965 21 83 55 www.hotel alamoalicante.com

Tryp Ciudad de Alicante (plan 18, D3 n°24) Entre la plage et le centre historique. Un 3-étoiles du groupe Meliá, confort et service irréprochable garantis. De fait, cet hôtel est vraiment séduisant. Les chambres du 5e étage, les "supérieures" (102€), tranquilles et lumineuses, ont une petite terrasse où il fait bon lézarder. Demandez la n°505. À partir de 80€ la double ; en basse saison, profitez des offres de fin de semaine à 56 ou 60€. Parking 9€/j. C/ Gravina, 9 *Alicante* Tél. 902 14 44 40 (Rés.) ou 965 21 07 00 www.solmelia.com

Dans les environs

📖 très petits prix

Hostal María Cet établissement familial vous attend de l'autre côté du Río Vinalopó, près de la palmeraie. Les parties communes sont bien aménagées et les chambres très propres. L'hostal en loue 9 avec sanitaires (42€ en haute saison) et 13 autres avec sanitaires sur le palier (17€ la simple en haute saison). Il est possible de manger sur place pour 10€. Av. Libertad, 4 *Elche* Tél. 965 46 02 83 hostedatremaria@hotmail.com

GEOREGION

LA RÉGION DE MURCIE

MURCIE

de 30001 à 30012

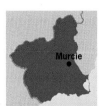

Murcie

Fondée au IXᵉ siècle par les émirs de Cordoue, Mursiya vit naître le philosophe Ibn Arabî en 1165 et c'était alors l'une des plus belles cités de l'Espagne musulmane. Alphonse X le Sage, qui fut chargé de la reconquérir, la décrivait comme "la meilleure ville de toute l'Andalousie après Séville". Minarets bleus, palais aux jardins paradisiaques et l'une des murailles les plus impressionnantes d'Al-Andalus, tout cela a disparu. Mais Murcie a conservé de cet âge d'or un réseau d'irrigation sophistiqué qui fait la richesse de son agriculture. La *huerta* qui s'épanouit dans les plaines riveraines du Río Segura est l'un des principaux potagers d'Espagne. Murcie, ville de 441 000 habitants, terrienne et commerçante, vit paisiblement à distance de la côte et de ses foules. Mais en fin de semaine, la vieille dame s'encanaille, et ses rues se remplissent d'étudiants. L'été, cependant, les habitants s'exilent, et on les comprend : la chaleur y est souvent insupportable.

LA RÉGION DE MURCIE

MODE D'EMPLOI

accès

EN AVION
Aéroport de San Javier Il devrait être, à terme, remplacé par l'aéroport international de Corvera, dont la date d'ouverture est sans cesse repoussée. Pas de liaison directe en bus avec le centre-ville. *San Javier (à 47km env. au sud-est de Murcie direction Mar Menor par l'A30 puis la C3319) Tél. 968 17 20 00 ou 968 17 20 64 www.aena-aeropuertos.es*
Latbus La ligne 73 de la compagnie relie directement l'aéroport San-Javier à la gare routière de Murcie.

Départ de l'aéroport tlj. à 17h45, 19h15 et 22h45. Départ de Murcie à 13h, 15h15 (lun., ven. et dim.) et 17h45. Comptez 45 min de trajet et 8€. *Tél. 968 35 08 86 www.latbus.com*
Unión Radio Taxi Mar Menor Comptez env. 58 € (et 0,35€ par bagage) et 30min de trajet pour une course en taxi de l'aéroport au centre-ville. Supplément de 30% dim., j. fér. et tlj. après 23h. *Tél. 968 57 33 00 www.taxiaeropuertomurcia. com*

EN VOITURE
À 75km au sud-ouest d'Alicante.

Tableau kilométrique

	Murcie	Alicante	Carthagène	Águilas
Alicante	82			
Carthagène	54	123		
Águilas	111	182	84	
Caravaca de la Cruz	78	150	123	75

EN TRAIN

Gare Renfe del Carmen (plan 19, B4) Plusieurs trains quotidiens entre Murcie et Valence (3h30 environ de trajet, à partir de 19,80€ AS), Alicante (1h15 de trajet, à partir de 9,20€ AS) et Carthagène (1h de trajet, à partir de 5,25€ AS) ; un train par jour de Lorca (1h de trajet, env. 15€ AS). *Pl. de la Industria (bus nº9) Tél. 902 24 02 02 www.renfe.com*

EN CAR

Des compagnies desservent les principales destinations de la région, ainsi que Barcelone et Valence.

Gare routière (plan 19, A3) *C/Sierra de la Pila, 3 Barrio de San Andrés À l'ouest du centre-ville, près du Museo Salzillo Tél. 968 29 22 11 http://estaciondeautobusesdemurcia.com Bureau d'informations ouvert tlj. de 7h à 22h*

orientation

Le centre-ville occupe la rive nord du Río Segura. Il rassemble, de part et d'autre de la Gran Vía del Escultor Francisco Salzillo, les principaux sites d'intérêt.

informations touristiques

Office de tourisme municipal (plan 19, C4) Vous pourrez y trouver le plan de la ville. *Pl. del Cardenal Belluga Tél. 968 35 87 49 www.murciaturistica.es www.turismodemurcia.es Ouvert juin-sept. : lun.-sam. 10h-14h et*

16h30-21h, dim. et j. fér. 10h-14h ; oct.-mai : lun.-sam. 10h-14h et 16h30-20h30, dim. et j. fér. 10h-14h

banques et poste

Les **banques** se trouvent sur la Gran Vía del Escultor Francisco Salzillo et la Plaza Circular.

Poste centrale (plan 19, B1) *À l'angle de la Pl. Circular et de l'Av. del General Primo de Rivera Tél. 968 23 68 87 Ouvert lun.-ven. 8h30-20h30, sam. 9h30-14h*

fêtes et manifestations

Semaine sainte Les processions nocturnes, dans le bruit des chaînes que traînent les pénitents et des centaines de tambours résonnant dans l'obscurité, sont déconseillées aux âmes sensibles... *Fin mars-début avr.*

Fêtes du printemps Défilés en costumes traditionnels de la *huerta*, dégustation de produits du pays, danses, fanfares... Le tout s'achevant avec la fameuse cérémonie de l'"enterrement de la sardine" (Entierro de la Sardina). Initiée par des étudiants en 1851, elle met en scène la fin du jeûne du carême, symbolisé par une sardine que l'on brûle dans la joie. *La semaine suivant le lun. de Pâques*

DÉCOUVRIR

☆ **Les essentiels** La cathédrale et le musée Salzillo de Murcie, le théâtre romain de Carthagène **Découvrir autrement** Déjeunez dans l'ambiance chic du Gran Casino de Murcie (cf. Carnet d'adresses), profitez des plages du Parque Regional de Calblanque

Murcie

Murcie compte maints monuments historiques et quantité de petites places. La **Plaza del Cardenal Belluga** (plan 19, C4) jouit d'une situation stratégique entre la cathédrale et le bel édifice rococo du palais épiscopal. À l'est du centre-ville, la **Plaza de San Juan** (plan 19, D4) a été aménagée sur le site où Jacques Ier fit camper ses armées avant de reconquérir la ville. Plus au nord, on pourra admirer des vestiges de la muraille médiévale sur la **Plaza de Santa Eulalia** (plan 19, D3). La nuit, les vitraux éclairés de l'église du même nom vous émerveilleront. Au nord de la cathédrale, la Calle de la Trapería, bordée de petits cafés animés à toute heure, débouche sur la Plaza de Santo Domingo (plan 19, C2). Outre le marché, celle-ci accueillait jadis tournois, exécutions et corridas. Cette vaste esplanade bordée de terrasses s'éveille en fin de semaine, quand les familles viennent s'y promener ou se reposer au pied de son immense ficus. Non loin de là, la **Plaza de Julián Romea** (plan 19, B2), plus calme, étend ses pavés sous la façade pastel du Teatro Romea (1862). Ce théâtre à l'italienne a déjà été touché par deux incendies, mais on lui en prédit un troisième, malédiction qui tiendrait au fait qu'il s'élève sur un cimetière de moines. De l'autre côté de la Gran Vía, en redescendant vers le fleuve, on découvre la **Plaza de las Flores** (plan 19, B3), sans doute la plus charmante. Ses terrasses, au pied des églises de San Pedro et de Santa Catalina, sont prises d'assaut le dimanche à midi.

☆ **Catedral de Santa María (plan 19, C3)** Murcie est fière de sa cathédrale Sainte-Marie, dont le clocher – le plus haut d'Espagne – domine le centre-ville de ses 93m. Si, comme celui-ci, la cathédrale présente une architecture composite, c'est que sa construction, lancée en 1385, dura près de quatre siècles. La façade principale, réalisée dans les années 1740, est résolument baroque, avec ses formes complexes, sa profusion de balustrades, de niches et de statues. Au-dessus de la grande baie du second étage, on remarque une croix de Caravaca portée par des anges. Le joli portail latéral de los Apóstoles (1488), qui donne sur la place du même nom, est gothique, tout comme l'intérieur. La nef, achevée en 1462, est de style catalan. Ses bas-côtés et le vaste déambulatoire desservent une vingtaine de chapelles, où reposent d'illustres Murciens. Les plus remarquables sont la **Capilla de los Vélez** (1507), dans l'abside, dont le style gothique témoigne d'influences mauresques, et la **Capilla de los Junterones**, sur le bas-côté droit, de style Renaissance. La **Capilla Mayor** abrite une urne contenant le cœur d'Alphonse X le Sage. Les stalles Renaissance du chœur proviennent du monastère San Martín de Valdeiglesia. Il fallut, en effet, remplacer celles d'origine,

À L'HEURE DU P'TIT TAPEO...

On y vient d'abord pour le cadre irrésistible de la Plaza de las Flores : la terrasse du Mesón Murcia se reconnaît à ses grandes tentures pourpres, dressées de jour comme de nuit. Un bon endroit pour grignoter quelques tapas à midi ou à l'heure de l'apéritif. Vous l'aurez compris, la spécialité de la maison, ce sont les délicieux jambons qui pendent au plafond. *Ración* de jambon *ibérico de bellota*, env. 10€. **Mesón Murcia (plan 19, B3 n°1)** *Pl. Flores*, 6 *Tél. 968 22 12 73 Ouvert tlj. 9h-0h*

LA RÉGION DE MURCIE

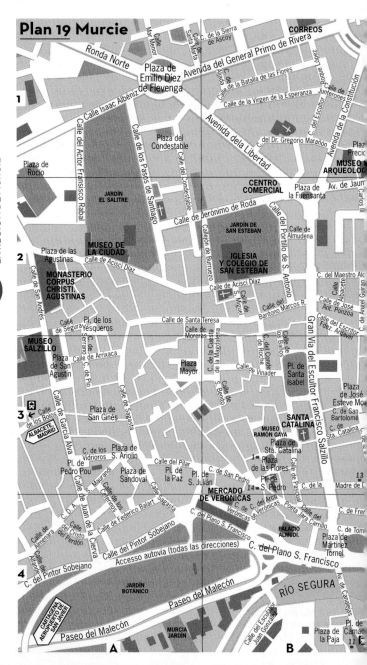

Plan 19 Murcie

CORREOS

Calle Mar Menor
C. de la Sierra de Ascoy
Calle de Santa Marta

Ronda Norte
Avenida del General Primo de Rivera

Plaza de
Emilio Diez
de Flevenga

Avenida de la Ajada
Calle de la Batalla de las Flores
Calle de Junterones
Calle Escultor Ismael

Calle de Isaac Albéniz

Calle de la Virgen de la Esperanza

Avenida dela Libertad

del Dr. Gregorio Marañón

Avenida de la Constitución

Plaza de Rocio

Plaza del
Condestable

JARDÍN
EL SALITRE

MUSEO
ARQUEOLÓG

Plaz
Preci

Calle del Actor Francisco Rabal

Calle de los Pasos de Santiago

Calle del Condestable

CENTRO
COMERCIAL

Plaza de
la Fuensanta

Av. de Jaum

Carlos III

Calle de Jerónimo de Roda

JARDÍN DE
SAN ESTEBAN

Calle del Portillo de S. Antonio

Calle de Almudena

Plaza de las
Agustinas

MUSEO DE
LA CIUDAD

Calle de Acisci Díaz

C. del Maestro Alc

MONASTERIO
CORPUS
CHRISTI.
AGUSTINAS

Calle de Acisci Díaz

Calle de
Albacete

Calle de
José
Ant. Ponzoa

Calle de San Andrés

Callejón de Burruezo

IGLESIA
Y COLEGIO DE
SAN ESTEBAN

Calle de
S. Miguel

Calle del
Baritono Marcos R.

Calle del Escritor
Fdez. Ardavín

C. de Ángel Guirao

Calle de Segura

Pl. de los
Yesqueros

Calle de Santa Teresa

Calle de
Moreras

Gran Vía del Escultor Francisco Salzillo

MUSEO
SALZILLO

Calle de Arrixaca

Calle de Serrano

Plaza
de San
Agustín

Calle de Pío

Calle de Sagasta

Plaza
Mayor

Calle de la Cuesta

Calle de S. Benito

Calle de
Roche
Calle de
los Baños

C. del Conde
de Vinader

Pl. de
Santa
Isabel

Plaza
de José
Esteve Mo

MUSEO
RAMÓN GAYA

SANTA
CATALINA

C. de San
Bartolomé

C. de
Sta. Catalina

Plaza de
San Ginés

Calle de García Alva

C. de los
Bolos

ALBACETE
MADRID

C. de los
Vidrioros

Plaza de
S. Ariolin

Calle del Pilar

Pl. de
Pedro Pou

Plaza de
Sandoval

Pl. de
la Paz

Pl. de
S. Julián

C. de San Pedro

Plaza de
Sta. Catalina

Plaza
de las Flores

Calle de Sagasta

Calle de Juan de la Cierva

Maurandi

Calle de los
Caleros

MERCADO
DE VERÓNICAS

Pl. de
S. Pedro

Calle de Pascual

Calle de Santa Catalina

13

Madre de L

C. de Frei

C. de la

Calle de
Almenara

C. D. A.

Calle
del Cristo
del Perdón

Calle de Federico Balart

C. del Plano S. Francisco

C. de
Verónicas

C. del Arco
de Verónicas

PALACIO
ALMUDÍ

Poeta Jara Carrillo

C. de Tom

Plaza de
Martínez
Tornel

Calle de Altade

Calle del Pintor Sobejano

Accesso autovía (todas las direcciones)

C. del Plano S. Francisco

CARTAGENA
AEROPUERTO DE
SAN JAVIER

JARDÍN
BOTÁNICO

Paseo del Malecón

RÍO SEGURA

Calle del Escultor
Juan González

Av. de Canalejas

Paseo del Malecón

MURCIA
JARDÍN

Plaza de
la Paja

Pl. de
Camac

1 F

A

B

N

100 m

C · D

Restauration (n°1 à 8)		Restaurante Real Casino		**Hébergement** (n°11 à 14)	
Barverde	**8** C4	de Murcia	**6** C3	Hotel Hesperia	**13** B3
Café del Arco	**2** C2	Restaurante Salzillo	**5** D3	Hotel Zenit	**14** B3
Los Arroces		Rincón de Pepe	**4** D3	La Huertanica	**12** C3
del Romea	**3** B3	Torero	**7** C3	Pensión Segura	**11** B4
Mesón Murcia*	**1** B3				

*À RETROUVER DANS LA PARTIE DÉCOUVRIR

comme l'orgue et le maître-autel, après l'incendie de 1854. **Son musée**, installé dans l'ancien cloître gothique, expose des vêtements sacerdotaux, de précieux objets de culte, des œuvres du sculpteur Salzillo (cf. ci-après Museo Salzillo), des retables et des statues du XIVe-XIXe siècle, ainsi que des vestiges archéologiques de l'époque musulmane. *Pl. Belluga Tél. 968 21 63 44 Ouvert juil.-août : lun.-ven. 7h-13h et 18h-20h, sam.-dim. 7h-13h et 18h-21h ; reste de l'année : tlj. 7h-13h et 17h-20h Musée et clocher fermés pour une durée indéterminée Entrée libre*

Casino (plan 19, C3) Il ne s'agit pas d'un casino, mais d'une sorte de club mondain dont les membres se réunissent pour discuter, lire ou écouter des récitals de musique et de poésie. Créé en 1847 et longtemps florissant, le club compte désormais près de mille membres. Le porche d'entrée (1901), inspiré du style mauresque de l'Alhambra de Grenade, et les deux salles de la façade retiennent l'attention quand on descend la Trapería. Vitraux multicolores et formes harmonieuses, l'ensemble est plutôt réussi. L'intérieur témoigne d'un surprenant mélange de styles. Le casino possède un élégant restaurant (p.550). *C/ de la Trapería, 18 Tél. 968 21 53 99 www.casinomurcia. com Casino Ouvert tlj. 10h30-19h Salons : dim.-jeu. 10h-0h, ven.-sam. 10h-3h Tarif 5€ avec audioguide*

Museo Ramón Gaya (plan 19, B3) Il rassemble, dans deux splendides maisons bourgeoises du XIXe siècle, les œuvres de cet artiste né à Murcie en 1910. *Pl. de Santa Catalina Tél. 968 22 10 99 www.museoramongaya.es Ouvert mi-juin-début sept. : lun.-ven. 10h-14h et 17h-20h ; reste de l'année : lun.-sam. 10h-14h et 17h-20h, dim. et j. fér. 11h-14h Entrée libre*

☆ **Museo Salzillo (plan 19, A3)** Installé dans l'église de Jesús, il présente l'œuvre du célèbre sculpteur murcien Francisco Salzillo (1707-1783). La collection comprend huit *pasos* – ces statues en bois polychrome que l'on promène dans les rues lors des processions du vendredi saint – et une crèche qui comprend plus de 550 santons évoquant les traditions et les habits du pays murcien au XVIIe siècle. *Pl. de San Agustín, 3 Tél. 968 29 18 93 www.museosalzillo.es Ouvert 15 juin-15 sept. : lun.-sam. 10h-14h ; reste de l'année : lun.-sam. 10h-17h, dim. et j. fér. 11h-14h Tarif 5€, réduit 4€*

 L'HISTOIRE EN SANTONS
Plus de 550 figurines autour d'un enfant Jésus d'à peine 7cm de haut : trésor baroque miniature, la fameuse crèche de Francisco Salzillo fait rêver petits et grands...

Museo Monasterio de Santa Clara la Real (plan 19, C2) Les clarisses occupent depuis 1365 le palais de plaisance bâti au

XIIe-XIIIe siècle par les émirs de Murcie. À la fin du XVe siècle, elles lui adjoignirent un cloître et une église de style gothique tardif, remaniée dans le style baroque au XVIIIe siècle. La partie sud du complexe, détruite dans les années 1960, a fait place au nouveau couvent. En revanche, les restes de l'aile nord du palais islamique ont été exhumés et amplement restaurés depuis les années 1980. On peut ainsi admirer son patio agrémenté d'un grand bassin et de jardins ainsi que les stucs de ses arcades. L'ancienne salle d'audience qui prolonge ce portique accueille la petite collection d'art arabo-andalou issue du chantier archéologique. La riche collection d'art sacré de Santa Clara est exposée dans l'aile orientale du complexe. *Gran Via Alfonso X el Sabio, 1 Tél. 968 27 23 98 www.museosantaclara.com Ouvert juil.-août : mar.-dim. 10h-13h ; reste de l'année : mar.-sam. 10h-13h et 16h-18h30, dim. et j. fér. 10h-13h Entrée libre*

MUBAM – Museo de Bellas Artes de Murcia (plan 19, D2) Fondé en 1864, il occupe depuis 1910 un ancien couvent et retrace l'évolution de la vie artistique régionale de la Renaissance au début du XXe siècle. Ainsi, au rez-de-chaussée, peut-on admirer, notamment, des œuvres du maître de la Renaissance valencienne Juan de Juanes (v. 1510-v. 1580), du préténébriste murcien Pedro de Orrente (1580-1644), ou encore de son concitoyen Nicolás de Villacis (1616-1694), disciple de Velázquez. Dans la salle III du 1er étage, consacrée au Siècle d'or espagnol, des scènes religieuses et des statues polychromes anonymes côtoient des toiles de maîtres comme Juan Valdés Leal (*San Juan Bautista*, 1658) et Murillo (*Ecce Homo*, 1670-1680), ainsi que l'une des premières et des plus belles acquisitions du musée, attribuée au Valencien José de Ribera : *San Jerónimo escriturario (1613)*. Au 2e étage sont présentés les grands courants picturaux du XIXe siècle et du début du XXe siècle, notamment le costumbrisme, avec José María Sobejano (*Mientras rule no es chamba*, 1875) mais aussi Joaquín Sorolla (*Estudio para el cuadro "El 2 de Mayo", 1884*), et le régionalisme avec Juan Antonio Gil Montejano (*El Viático en la huerta*, 1876) et Inocencio Medina Vera (*Un día más*, 1915). La loggia accueille l'intéressante collection de sculptures d'Antonio Campillo. Les expositions temporaires se tiennent dans un bâtiment annexe. *C/ Obispo Frutos, 12 Tél. 968 23 93 46 ww.museobellasartesmurcia. com Ouvert juil.-août : mar.-dim. 10h-14h ; reste de l'année : mar.-sam. 10h-14h et 17h-20h, dim. et j. fér. 11h-14h (horaires sujets à modification) Entrée libre*

● Où faire son marché ?
Mercado Público de Verónicas (plan 19, B3-B4) En vous rapprochant du fleuve, prenez le temps d'admirer les belles lignes du Mercado Público, de style moderniste. Primeurs, poissonniers... *Ouvert lun.-sam. 8h-14h Jeu. grand marché*

● Où sortir, boire un verre ?
Murcie est une ville d'étudiants aux soirées animées en fin de semaine. Le centre-ville fourmille de bars, surtout au nord et à l'ouest de la cathédrale. À l'angle de la Calle de Montijo et de la Calle de los Infantes, près de la Plaza Cetina (plan 19, C3), quelques cafés relativement calmes, tout indiqués en début de soirée. Plus agités, ceux de la Calle de Vara de Rey (plan 19, D3) font le plein de 22h à 1h. Le quartier de Santa Eulalia, autour de la Calle de la Trinidad (plan 19, D2), attire un public jeune et plutôt rock, avec

quelques accents de salsa et de musique électro. Cet entrelacs de ruelles est l'ancien quartier juif de Murcie. Les 25-40 ans un peu chic se retrouvent après minuit dans les bars-boîtes voisins de l'église de San Lorenzo et de la Plaza de Europa (plan 19, C3-D3). Vers 3h-4h, la foule se déplace vers les discothèques de la banlieue (Zona Atalayas).

Les environs de Murcie

Santuario de la Fuensanta La première pierre de ce beau sanctuaire baroque fut posée en 1694. Mais l'intérêt de la visite tient essentiellement au cadre exceptionnel du parc régional de Carrascoy et El Valle, qui s'étend sur près de 2 000 ha dans la Cordillera Sur. *Algezares (5km au sud de Murcie) Tél. 968 84 22 01 Ouvert tlj. 9h-13h et 16h-18h30 Entrée libre*

Vers la Costa Cálida

Carthagène Elle doit sa fondation, au début du IIIe siècle av. J.-C., au général carthaginois Hasdrubal l'Ancien. La position stratégique de Qart Hadasht (Ville Nouvelle), une baie naturellement protégée et facile à défendre, à la pointe sud-est de l'Espagne, ne pouvait que susciter les convoitises. Les Romains s'en emparèrent au cours des guerres puniques, fondant l'une de leurs colonies les plus prospères, Carthago Nova. Tour à tour wisigothe, byzantine puis maure, avant d'être conquise en 1245 par les Castillans, la cité ne recouvra tout son lustre qu'au XVIe siècle, quand, nantie de solides défenses, elle devint l'une des principales bases navales espagnoles. À sa vocation commerciale et militaire s'ajouta, au XIXe siècle, une importante activité industrielle et minière. Toujours orientée vers son grand port et son arsenal, la ville actuelle (env. 218 000 hab.) a entrepris de mettre en valeur un riche patrimoine culturel. Les férus d'histoire antique, les amoureux des vieux débarcadères et les passionnés d'architecture moderniste y trouveront leur compte. *À 60km au sud-est de Murcie par l'A30 Liaisons en train et en car* **Office de tourisme** *Plaza del Ayuntamiento, s/n. Tél. 968 12 89 55 www. cartagenapuertodeculturas.com www.cartagenaturismo.es Ouvert été : lun.-sam. 10h-14h et 17h-19h, dim. 10h30-13h30 ; reste de l'année : lun.-sam. 10h-14h et 16h-18h, dim. 10h30-13h30*

Le centre-ville Il s'étend entre le port et les deux collines. L'esplanade du **Paseo de Alfonso XII,** aménagée le long du port, constitue une agréable promenade ponctuée de jolis kiosques colorés, sur laquelle veille fièrement le *Peral*. Il s'agirait du premier sous-marin, mis au point par Isaac Peral en 1884 (ne se visite pas). Vous pourrez également admirer les belles demeures modernistes édifiées par les riches familles de Carthagène au début du XXe siècle. Certaines se distinguent par la fantaisie de leurs formes et l'ornementation fastueuse de leurs façades. Ainsi, dans la Calle Mayor, rue commerçante du centre, remarquez les belles mosaïques de la **Casa Llagostera** (1916), le porche de marbre gris du grand casino et les miradors blancs de la **Casa Cervantes** (1900). Mais l'édifice le plus impressionnant reste sans conteste le **Gran Hotel** (1917), avec sa façade colorée, sa coupole imposante, ses balcons débordant de stucs et ses ferronneries ouvragées.

Le **Palacio Consistorial** (1907), qui trône sur la Plaza del Ayuntamiento, abrite l'hôtel de ville : un étrange édifice triangulaire, dont chaque façade arbore un style différent. Amoureux de vieilles pierres, rendez-vous au pied de la colline de la Concepción, où fut érigé, à la fin du Ⅰᵉʳ siècle av. J.-C., le ☆**Teatro romano**. Au sommet, sous les arènes modernes, l'amphithéâtre, de la même époque, est l'un des plus anciens d'Espagne. À voir aussi, les vestiges de la muraille punique et le **Castillo de la Concepción**, restaurés en 2003. Un ascenseur panoramique et une passerelle conduisent jusqu'au château à partir de la Calle Gisbert, taillée dans la colline en 1878. Enfin, signalons deux musées particulièrement intéressants. Le **Museo Arqueológico**, installé au-dessus de la nécropole de San Anton (Ⅳᵉ s.), possède l'une des plus importantes collections épigraphiques de la péninsule. Le **Museo Nacional de Arqueología Subacuática (ARQUA)** expose les fruits de fouilles sous-marines menées le long de la côte murcienne, dont deux ensembles de l'époque phénicienne et des éléments provenant d'épaves romaines de l'île d'Escombreras. **Teatro romano** *Plaza Condesa Peralta Tél. 968 50 48 02 www.teatroromanocartagena.org* **Musée** *Ouvert mai-sept. : mar.-sam. 10h-20h, dim. 10h-14h ; oct.-avr. : mar.-sam. 10h-18h, dim. 10h-14h* **Café** *ouvert tlj. 10h-23h Billet musée et théâtre 6€/5€* **Museo Arqueológico** *C/ Ramón y Cajal, 45 Tél. 968 12 89 68 www.museoarqueologicocartagena.es Ouvert mar.-ven. 10h-14h et 17h-20h, sam.-dim. 11h-14h Entrée libre* **ARQUA** *Paseo Alfonso XII, 22 Tél. 968 12 11 66 http://museoarqua.mcu.es Ouvert 15 avr.-15 oct. : mar.-sam. 10h-21h, dim. et j. fér. 10h-15h ; 16 oct.-14 avr. : mar.-sam. 10h-20h, dim. et j. fér. 10h-15h Fermé 1ᵉʳ et 6 jan., 1ᵉʳ mai, 24, 25 et 31 déc. Tarif 3€, gratuit pour les moins de 18 ans et plus de 65 ans, pour tous sam. à partir de 14h, dim., 18 avr., 18 mai, 12 oct. et 6 déc.*

● DES PLAGES DE RÊVE...
Au pied des falaises du parc se nichent des criques prisées des naturistes, souvent désertes en semaine. Le parc possède aussi une série de longues plages, dont les plus fréquentées sont celles de Calblanque (à l'est) et de Negrete (à l'ouest), même si la baignade n'y est pas surveillée. Point info dans chacune des deux zones. **Parque natural de Calblanque** *À 1km de l'entrée du parc, bifurquer à gauche pour gagner les plages de l'Est (Cala Arturo, Cala Magre et Playa de Calblanque) ou à droite vers celles de l'Ouest (Las Cañas, Playa Larga, Negrete et La Cala, naturiste). Navettes gratuites sam., dim. et j. fér.*

Parque Regional de Calblanque, Monte de las Cenizas y Peña del Águila L'un des rares sites épargnés par l'urbanisation massive de la côte, ce parc naturel est un incontournable lieu de promenade… et de baignade. Protégeant 2 528ha de sierra et 13km de côtes, au sud du Cabo de Palos, il renferme une flore variée (près de 670 espèces et sous-espèces végétales), tandis que ses marais salants et ses roselières constituent un important lieu d'hivernage pour les flamants roses et autres échassiers. Autres trésors naturels du parc, les dunes fossiles qui ourlent ses longues plages. À l'intérieur des terres alternent plaines dénudées et zones de végétation arbustive, tandis que sur les hauteurs subsistent quelques forêts de pins d'Alep, hélas mises à mal par les incendies ces dernières années. *À env. 30km à l'est de Carthagène sur la RM12 dir. Cabo de Palos Au niveau de la sortie n°10, un grand* *panneau "Parque de Calblanque" signale la piste qui dessert le parc. L'été, des navettes gratuites relient l'entrée du parc aux plages les sam., dim. et j. fér., la circulation étant alors interdite dans l'enceinte de cet espace protégé*

Mar Menor Cette ancienne baie de 170km², dont la profondeur n'excède pas 8m, a été peu à peu séparée de la Méditerranée par une étroite bande de terre appelée La Manga ("manche") del Mar Menor. On s'attendrait donc à y trouver de paradisiaques plages de sable fin mais, comme dans maints autres endroits, un développement touristique incontrôlé a, hélas, défiguré les abords de la lagune de manière effrayante. Si vous voulez passer une journée à la plage, essayez la Playa del Pedrucho, au milieu de la Manga. *À 30km à l'est de Carthagène par la N332 et la MU312* **Office de tourisme** *Av. de la Manga km0 Tél. 968 14 61 36*

● **Plongez !**
Islas Hormigas Club de Buceo Du petit port de Cabo de Palos, au bout de la péninsule, embarquez pour les îles Fourmis (Hormigas), et découvrez leurs fonds protégés depuis 1995, dans lesquels dorment d'intéressantes épaves. Env. 50€ la plongée, équipement compris. *Paseo de la Barra, 15 Cabo de Palos Cartagena Tél. 968 14 55 30 www.islashormigas.com Ouvert toute l'année*

CARNET D'ADRESSES

Restauration, hébergement

N'oubliez pas le Mesón Murcia (cf. encadré À l'heure du p'tit *tapeo*...), adresse de restauration à petits prix.

🍴 🏠 très petits prix

Torero (plan 19, C3 n°7) Ce bar à tapas, qui donne sur la paisible Plaza Cetina, appartient au torero Enrique Portillo, natif de Murcie. Rien d'étonnant donc, si tout y rappelle le monde de la tauromachie, jusqu'aux *montaditos* (mini-sandwichs) qui portent des noms de toreros célèbres. C'est ainsi que Dominguín désigne un piquant *queso fresco a la plancha con pimiento del piquillo y anchoa*. Les *empanadillas* maison valent aussi le détour. Personnel jeune et sympathique. Comptez 10€ pour un petit grignotage. *Pl. Cetina, 1 Murcie Tél. 968 21 44 57 Ouvert tlj. 8h-0h*

Pensión Segura (plan 19, B4 n°11) Une pension sympathique du Barrio del Carmen, sur la rive sud du Segura. On vous reçoit avec le sourire sous des plafonds étonnamment bas. Rassurez-vous : ils sont plus hauts dans les 14 chambres. Propre et

GAMME DE PRIX	RESTAURATION	HÉBERGEMENT
Très petits prix	moins de 12€	moins de 50€
Petits prix	de 12 à 20€	de 50 à 65€
Prix moyens	de 20 à 30€	de 65 à 85€
Prix élevés	de 30 à 50€	de 85 à 130€
Prix très élevés	plus de 50€	plus de 130€

assez tranquille la nuit, quand les voitures désertent l'Avenida Canalejas. Chambre double de 30 à 45€ (sdb, clim. TV, wifi) selon la saison, petit déj. 2,50€. *Pl. de los Camachos, 14* **Murcie** *Tél. 968 21 12 81 www.pensionsegura.es*

🧳 petits prix

Hotel Hesperia (plan 19, B3 n°13) Un trois-étoiles moderne à quelques encablures de la cathédrale. Ses 120 chambres sont spacieuses et tout confort. Celles qui donnent sur la petite rue Madre de Dios sont plus lumineuses, sans être forcément bruyantes. Chambre double 55€, petit déj. buffet 9€. Promotions fréquentes sur le site Internet de l'hôtel. *C/ Madre de Dios, 4* **Murcie** *Tél. 968 21 77 89 www.hesperia.es*

☺ **La Huertanica (plan 19, C3 n°12)** Cet hôtel central donne sur une rue piétonne. L'accueil est très professionnel, et le confort presque inespéré pour un 2-étoiles. Les chambres doubles, aux tons chauds, reviennent à 50€-60€. Parking payant au soussol (11€/j.). *C/ Infantes, 3-5* **Murcie** *Tél. 968 21 76 68 www.hotellahuerta nica.com*

🍴🧳 prix moyens

☺ **Café del Arco (plan 19, C2 n°2)** Entièrement rénové en 2010, ce restaurant design est plutôt séduisant : lumières tamisées, long bar blanc mat, murs "végétalisés" et de sinueuses claustras en iroko pour atténuer la démarcation entre intérieur et extérieur. Cette modernité tranche sur les vieilles pierres de l'église Santo Domingo, dans l'ombre de laquelle s'étend la terrasse. La cuisine joue aussi cette opposition de styles en réinventant les classiques (croquettes de poulet et coulis de fruits rouges),

tandis que la *minicocina del Arco* permet de multiplier les découvertes avec ses portions de tapas (pas très copieuses) à 2, 3 ou 4€. Prévoyez 20€ le repas. *Arco de Santo Domingo, 1* **Murcie** *Tél. 968 21 97 67 Ouvert tlj. 7h-1h*

Los Arroces del Romea (plan 19, B3 n°3) Le cadre est sans prétention, mais le chef maîtrise parfaitement les spécialités de riz : riz noir, riz au lapin, riz aux légumes, entre autres. Menu à 25€. *Pl. Julián Romea, 1* **Murcie** *Tél. 968 21 84 99 www.losarroces.es Ouvert tlj. 9h-16h30*

Barverde (plan 19, C4 n°8) L'endroit tout indiqué pour prendre l'apéritif ou pour se restaurer au calme, dans un cadre contemporain (et vert, comme son nom l'indique) ou en terrasse, près de la cathédrale. À la carte : tapas (env. 3€), salades de saison, spécialités régionales à base de riz, viande (rognons, queue de taureau), poisson (tartare de thon, colin au four, etc.) et une belle carte des vins. Il faut absolument goûter les *alcachofas salteadas con foie* (artichauts sautés au foie gras) ! Env. 30€ pour un repas copieux. *Pl. Apostoles, 16* **Murcie** *Tél. 868 91 11 85 www.barverde.com Ouvert mar.-sam. 12h-16h30 et 20h-1h, dim. 12h-16h30 Fermé lun. (sauf fér.), dim. en juil., sam.-dim. en août*

Hotel Zenit (plan 19, B3 n°14) Sa situation centrale est l'un de ses principaux atouts, et ses 61 chambres en font l'un des plus grands hôtels de Murcie. Pour le reste, les chambres sont propres, confortables (minibar, coffre-fort, wifi, etc.) et plutôt avenantes pour un hôtel de chaîne, mais un peu bruyantes le soir pour celles qui donnent sur la petite Plaza de San Pedro. Comptez 65€ la double, et 55€ la simple, avec le petit déj. – qu'il est possible de commander sans gluten.

Promotions régulières sur le site Internet. *Pl. San Pedro, 5-6 **Murcie** Tél. 968 21 47 42 www.zenithoteles.com*

🍴 prix élevés

☺ **Restaurante Real Casino de Murcia (plan 19, C3 n°6)** La rénovation générale du casino, en 2010, a rendu tout son lustre à ses dorures, moulures et colonnes. Deux grandes salles élégantes et un charmant patio protégé par une grande verrière accueillent les gourmets et les aficionados du chef Francisco Manuel Reyes. La cuisine murcienne est ici à l'honneur : *bacalao en dos vizcaínas* (morue aux deux sauces), *paletilla de cabrito* (palette de chevreau)... Le menu gastronomique à 35€ est un must. *C/ Trapería, 18 **Murcie** Tél. 968 22 28 09 wwwrestauranterealcasino.com Ouvert lun.-sam. 10h-23h, dim. 10h-16h Fermé en août*

Rincón de Pepe (plan 19, D3 n°4) Voilà une institution murcienne (1925) établie dans une ruelle calme, voisine de la cathédrale. Attenant à l'hôtel du même nom, le Rincón de Pepe se fait fort d'accommoder avec brio les produits régionaux les plus frais : filet de rouget à l'encre de sèche et sa vinaigrette de tomates au thym, viande braisée aux asperges et pommes de terre, glaces et sorbets maison. Menus à partir de 35€. *C/ Apóstoles, 34 **Murcie** Tél. 968 21 22 39 www.restauranterincondepepe.com Ouvert mar.-sam. 14h-16h et 21h-0h, dim.-lun. 14h-16h Bar à tapas ouvert tlj. 12h-16h et 20h-0h*

☺ **Restaurante Salzillo (plan 19, D3 n°5)** Une excellente table typique de Murcie. À ne pas manquer : les *migas del tío Joaquín* (pain émietté, poivrons et ail... pas toujours à la carte), le *bacalao al pil-pil* (morue à l'ail) ou la salade de tomates *en rodajas con bonito* (au thon). Menus de 35€ à 60€. À midi, au bar, bonne formule à 20€. Réservation conseillée. *C/ de Cánovas del Castillo, 28 **Murcie** Tél. 968 22 01 94 www.restaurantesalzillo.com Ouvert lun.-sam. 13h30-17h et 20h30-0h, dim. 13h-17h Fermé sam.-dim. en juil. et 1 sem. en août*

Dans les environs

🍴 petits prix

☺ **El Rincón de Miguel** Une adresse cinquantenaire, récemment relookée, mais où jambons et saucisses sèchent encore derrière le bar. Plusieurs salles et une grande terrasse protégée du soleil pour grignoter quelques tapas ou apprécier une généreuse cuisine du marché. Ses *raciónes de calamares*, ses spécialités de viande et sa plantureuse carte des vins ont fait la réputation du Rincón de Miguel. De 15 à 20€ le repas (copieux). *C/ Bodegones, 3 **Cartagena** Tél. 868 06 24 17 Ouvert lun.-sam. 7h-16h30 et 20h-0h, dim. 7h-16h30*

Colombus La jolie salle carrelée de noir et blanc, dont l'un des murs est garni de bouteilles, et la petite terrasse de ce restaurant glacier historique (1932) donnent sur la grand-rue de Carthagène. Le Colombus propose une excellente paella et un *arroz de la casa* qui mêle fruits de mer et viande (comptez 26€ pour deux). Les tapas, notamment les *gambas al ajillo* (10€) et la *tortilla* (3€ la portion), sont tout aussi recommandables. *C/ Mayor, 18 **Cartagena** Tél. 968 50 10 68 Ouvert lun.-sam. 8h30-0h*

LORCA

30800

Agglomération la plus ancienne de la vallée du Guadalentín et dotée, de ce fait, d'un riche patrimoine archéologique et architectural, Lorca n'a, hélas, pas été épargnée par les catastrophes : carnages de la Reconquista, quand ce grand centre agricole se trouvait sur la frontière entre les royaumes chrétien et musulman, épidémies de peste et de fièvre jaune, sécheresses et famines répétées, inondations et séismes. Le dernier en date, survenu le 11 mai 2011, fit 9 morts et des milliers de sans-abri. Depuis, la vie a repris son cours, et l'extraordinaire héritage baroque de la cité est en cours de restauration, mais certains de ses monuments ne rouvriront pas avant 2016. Seuls se visitent, à l'heure où nous mettons sous presse, la grande forteresse médiévale du Soleil, qui domine Lorca, et ses musées consacrés aux pasos de la Semaine sainte. De fait, les somptueuses processions pascales qui font la fierté des Lorquinos depuis des lustres continuent d'attirer les foules.

MODE D'EMPLOI

accès

EN VOITURE
À 65km au sud-ouest de Murcie par l'A7 puis la N340A.

EN TRAIN
Gare Renfe Sutullena Liaisons régulières avec Murcie. Un train par jour de Barcelone, Valence et Alicante. *Esplanada de la Estación Tél. 902 24 02 02 www.renfe.com*

EN CAR
Plusieurs liaisons quotidiennes avec Murcie et Carthagène.
Gare routière *Esplanada de la Estación (à côté de la gare Renfe)*

orientation

Le centre historique s'étend au sud du Río Guadalentín, tapi sous le flanc oriental de la forteresse.

informations touristiques

Centre des visiteurs – Taller del Tiempo Tous les renseignements pratiques sur la ville et son actualité culturelle. Le centre organise des visites guidées du centre historique, et son musée interactif qui retrace l'épopée de Lorca depuis le néolithique permet de mieux imaginer la ville telle qu'elle était avant le séisme de mai 2011. C'est également le point de départ du train touristique. En vente : six pass, dont deux à 12€, réduit 9€. Le premier inclut le train touristique, le centre des visiteurs et les visites des musées et du château ; le second inclut le train touristique, le centre des visiteurs et le château. *Antiguo Convento de la Merced, Puerta de San Ginés Tél. 902 40 00 47 www.lorcatallerdeltiempo.com Ouvert été : tlj. 10h-14h et 16h-20h ; reste de l'année : mar.-sam. 10h-14h et 16h-20h, dim. et j. fér. 10h-14h*

fêtes et manifestations

Feria de Lorca Animations, concerts, corridas et expositions dans la vieille ville. *2ᵉ quinzaine de sept. pendant 10 j.*

Fiestas de San Clemente Mise en scène de la prise de Lorca par les troupes alphonsines. Batailles entre Maures et Chrétiens à la forteresse du Soleil et signature de la paix... avec une paëlla géante ! *Fin nov.*

DÉCOUVRIR

☆ **Les essentiels** Les musées des pasos Azul et Blanco à Lorca **Découvrir autrement** Escaladez le pic de la Aguilica, près d'Águilas, pour profiter du panorama sur la côte, plongez de nuit sur la côte d'Águilas pour observer une faune marine abondante

Lorca

Au cœur du Casco Antiguo, la Plaza de España symbolise le faste de la Renaissance lorquina. Aux belles façades colorées des demeures construites par la noblesse locale répond l'imposante collégiale San Patricio, dont la façade baroque cache un intérieur Renaissance. Au nord-ouest de la place se dressent les élégantes colonnades de l'Ayuntamiento (XVIIᵉ-XVIIIᵉ s.). À deux pas de là, on débouche sur la minuscule Plaza del Caño, dominée par les arches de la Casa del Corregidor (1750), l'actuel palais de justice, et le Pósito, grenier du XVIᵉ siècle qui abrite aujourd'hui les archives municipales. Le séisme de 2011 a fragilisé le Palacio de Guevara (1691-1705) et son portail, chef-d'œuvre du baroque régional dont les colonnes torsadées et stucs encadrent les armes de Juan de Guevara, chevalier de Saint-Jacques.

QUAND PASSENT LES PASOS
Lors de la Semaine sainte, les quatre grandes confréries de Lorca, identifiées à une couleur (*azul, blanco, encarnado* et *morado*), font assaut de libéralités pour offrir au public les processions et défilés les plus somptueux. On peut admirer les costumes brodés, ornements de chars et bannières de ces fameux *pasos*, souvent d'une richesse éblouissante, dans les musées de ces quatre confréries... et d'autres encore au Museo Salzillo de Murcie.

☆ **Museo del Paso Azul et Museo del Paso Blanco** Des quatre musées consacrés aux *pasos* de la Semaine sainte, ceux des confréries Azul et Blanco renferment les plus somptueuses parures. **Museo del Paso Azul** *C/ Nogalte, 7 Tél. 968 47 20 77 Ouvert lun.-sam. 10h-14h et 17h-20h* **Museo del Paso Blanco** *Pl. de Santo Domingo Tél. 689 78 25 04 Ouvert tlj. 10h30-14h et 16h30-19h Tarif 3€, réduit 2,50€, moins de 4 ans gratuit*

Castillo - Fortaleza del Sol Construite au XIIIᵉ siècle sur ordre d'Alphonse X le Sage, la forteresse est dominée par l'imposante silhouette des tours Alfonsina et Del Espolón (mises à mal par le séisme et en cours de restauration). Plus qu'une forteresse, c'est un véritable espace thématique qui transporte les visiteurs au XIIIe siècle. Vous voilà accueillis par des acteurs qui tiennent le rôle de chevalier, tailleur de pierre, philosophe musulman, alchimiste, ou par un véritable archéologue, qui vous guide à travers les divers espaces de la forteresse et à différentes périodes. Une excellente visite interactive pour comprendre l'histoire d'une ville-frontière entre Maures et chrétiens, les techniques d'irrigation ou l'artisanat local. Les aménagements se poursuivent, et un hôtel Parador de tourisme a vu le jour en 2010 sur ce même promontoire. *Accès en voiture (parking 2€), en train touristique ou à pied à partir du centre des visiteurs Tél. 902 40 00 47 www.lorcatallerdeltiempo.com Ouvert mars-déc. : tlj. 10h30-18h30 Dernière entrée 1h avant la fermeture Tarif château 8€, réduit 6,50€*

Les environs de Lorca

Vers la Costa Cálida

Águilas À l'extrême sud de la Costa Cálida, Águilas réserve une heureuse surprise. Construite au XVIIIe siècle par les architectes du roi Charles III pour offrir un débouché maritime aux plaines agricoles de la *huerta*, la ville est entièrement tournée vers la mer. Dominant le port à 85m d'altitude, le Castillo de San Juan de las Águilas a été construit sur les ruines des différentes fortifications qui s'y sont succédé depuis les guerres puniques, et renforcé au XVIIIe siècle pour protéger la ville des corsaires d'Afrique du Nord.. La Plaza de España, grande place du centre-ville, vaut également le coup d'œil, avec son élégant jardin et la façade de l'Ayuntamiento, de style néomudéjar (XIXe siècle). Enfin, ne manquez pas la facile ascension du pic de la Aguilica, qui surplombe la côte, tout au bout de la Playa de las Delicias. *À 100km au sud de Murcie par la N340 (jusqu'à Lorca, sortie n°591) ou l'A7, puis la C3211 ; par la N332 de Carthagène* **Accès en train** *3 trains/j. de Murcie et Alicante, via Lorca (5 en été) ; le trajet est une attraction en soi, car la voie ferrée coupe à travers montagnes et canyons* **Accès en car** *Nombreuses liaisons quotidiennes entre Águilas et Murcie, Lorca et Carthagène (service réduit le week-end) ; 2-3 cars/j. entre Águilas (port) et Calabardina en été* **Office de tourisme** *Pl. de Antonio Cortijos Tél. 968 49 31 73 www.aguilas.org Ouvert juil.-sept. : lun.-ven. 9h-14h et 17h-21h, sam. 10h-14h et 17h-21h ; mai-juin : lun.-ven. 9h-14h et 17h-20h, sam. 10h-14h et 17h-20h ; oct.-avr. : lun.-ven. 9h-14h et 17h-19h, sam. 10h-14h et 17h-19h ; dim., j. fér., jeu. et ven. saints, 24 et 31 déc. : 10h-14h Fermé 25 déc. et 1er jan.* **Castillo** *Accès par la rue Murillo Tél. 670 95 98 24 Ouvert 15 juin-15 sept. : mar.-ven. 11h-13h et 16h-21h, w.-e. et j. fér. 11h-14h et 18h30-21h ; 16 sept.-14 juin : mar.-ven. 11h30-13h30 et 16h-18h, w.-e. et j. fér. 11h30-14h30 et 16h-18h Tarif 2€, gratuit enfants, étudiants et plus de 65 ans*

● **Faire de la plongée** La côte d'Águilas, remarquablement préservée et riche en calanques isolées, est l'un des meilleurs sites de plongée du pays. Ses épaves et ses grottes sous-marines ont acquis une grande renommée. La faune reste abondante, fait assez rare en Méditerranée. Pour en profiter pleinement, les clubs organisent de fascinantes plongées nocturnes (cf. GEO-Pratique, Plongée sous-marine). Les plus belles sorties – et les plus délicates – sont réservées aux plongeurs expérimentés, munis de leur carnet de plongée.

● **Randonner dans le parc régional du cap Cope et vers la pointe de Calnegre** Un magnifique parc naturel côtier, au nord d'Águilas. Ses nombreux sentiers desservent des calanques désertes, dans un paysage époustouflant. L'ascension du cap Cope est un grand classique.
Cabo Cope À 7km à l'est d'Águilas par la D14 au nord de Calabardina
Punta de Calnegre À 12km au nord-est d'Águilas par la N332, puis la D21 ou la D20

CARNET D'ADRESSES

Restauration, hébergement

🍴 🧳 **très petits prix**

Rincón de los Valientes La légende veut que les braves (*los valientes*) venaient jadis se défier en duel dans cette impasse. Aujourd'hui, c'est pour une table qu'il faut se battre, à l'heure du déjeuner. Car, outre son cadre agréable, le Rincón propose une cuisine traditionnelle de qualité à prix minis (plat autour de 8€). En semaine, on peut choisir sans crainte le menu du jour à 10€. *Rincón de los Valientes C/ Nogalte, 3 Lorca Tél. 968 44 12 63 Ouvert lun.-jeu. 10h-16h, ven.-dim. 10h-16h et 20h30-0h*

Hostal El Carmen La pension s'élève dans une impasse, juste au-dessus du restaurant Rincón (mêmes propriétaires). Des chambres irréprochables : mobilier simple en rotin, jolies sdb et clim. Simple à 20€, double à 40€ (le prix affiché, plus élevé, ne s'applique que pendant la Semaine sainte) et triple immense, à 60€. *Rincón de los Valientes C/ Nogalte, 3 Lorca Tél. 968 46 64 59*

🍴 🧳 **petits prix**

Casa Cándido À midi, les petits budgets trouveront leur bonheur parmi les nombreux *guisos* (ragoûts) de viande et de légumes (6€ env.) ou choisiront le copieux menu à 9€. On s'installe dans la grande salle, (totalement rénovée en 2013), le long des tonneaux de vin. Le soir, rendez-vous dans le beau patio couvert pour des plats plus élaborés ou de délicieuses côtelettes d'agneau. Comptez 20€ le dîner. *C/ de Santo Domingo, 13 Lorca Tél. 968 46 69 07 Ouvert tlj. 8h-23h*

Merendero Padilla Feliciano Padilla dirige cette "guinguette" depuis les années 1960. Et le moins que l'on puisse dire, c'est que cette petite affaire familiale a pris de l'ampleur ! Elle est, en effet, devenue le lieu de sortie privilégié des Lorquinos, qui viennent s'y restaurer entre voisins. L'endroit est incroyable : des dizaines de tables (quelque 900 couverts !) dressées sous une

GAMME DE PRIX	RESTAURATION	HÉBERGEMENT
Très petits prix	moins de 12€	moins de 50€
Petits prix	de 12 à 20€	de 50 à 65€
Prix moyens	de 20 à 30€	de 65 à 85€
Prix élevés	de 30 à 50€	de 85 à 130€
Prix très élevés	plus de 50€	plus de 130€

immense tente ouverte, tel un grand banquet de mariage organisé autour d'une cuisine aux allures de ruche, où s'affairent jusqu'à 70 personnes. On s'y régale de spécialités locales, tels les *buñuelos de bacalao* (beignets de morue) et le *conejo frito al ajillo* (lapin à l'ail) et de tout l'éventail des tapas traditionnelles. Un lieu à découvrir absolument, typique tout autant qu'atypique, et surtout délicieusement convivial. Prévoyez 20€ pour un dîner plantureux. *Alameda del Corregidor Lapuente, 49* **Lorca** *Tél. 968 46 81 82 www.merendero padilla.com Ouvert fin avr.-fin sept. : tlj. 19h-0h*

Dans les environs

🏨 **petits prix**

Pensión Madrid Ce petit hôtel-restaurant familial occupe le 1er étage d'un grand immeuble moderne, juste au-dessous du château, donc au cœur d'Águilas, à 200m de ses deux plages principales. C'est là son principal atout. Les chambres sont simples mais propres et agréables,

et le restaurant sert de bons plats de ménage. Comptez 50€ la chambre double et 30€ la simple, petit déjeuner inclus, en juil.-août, et 40€/25€ le reste de l'année. Ajoutez 8€/pers. pour la demi-pension. *Pl. de Robles Vives, 4* **Águilas** *(36km au sud de Lorca) Tél. 968 41 11 09 http://elma dridaguilas.blogspot.fr*

🍴 **prix moyens**

El Faro Un restaurant de fruits de mer plutôt haut de gamme, à la sortie sud de la ville. La terrasse face à la plage est des plus agréables et le service impeccable quoique un peu guindé. Menu à 10€ le midi en semaine et un menu à 15€ le soir. De 15€ à 39€ à la carte. *C/ José M. Pereda, s/n* **Águilas** *(36km au sud de Lorca) Tél. 968 41 28 83 Ouvert jeu.-lun. 9h-0h, mar. 9h-17h*

LA RÉGION DE MURCIE

CARAVACA DE LA CRUZ 30400

Caravaca de la Cruz

Murcie

Mais qu'est-ce qui a bien pu valoir à cette cité de 26 000 habitants d'être élue "ville sainte" ? Un miracle s'y serait produit en 1231, soit douze ans avant que les Chrétiens la reprissent aux Maures. Deux anges portant une croix à trois branches seraient apparus au sultan Abu-Zeyt, lui demandant qu'il laisse son prisonnier, le prêtre Chirinos, célébrer la messe. Édifié par cette vision, le sultan se convertit aussitôt. Sur les lieux de l'apparition, on éleva un sanctuaire et, après la Reconquête, la ville fut placée sous la protection des Templiers, puis des chevaliers de Saint-Jacques. De nos jours, Caravaca mérite une visite, autant pour ses monuments historiques que pour la beauté de la campagne environnante.

MODE D'EMPLOI

accès

EN VOITURE
À 60km au nord de Lorca par la C3211 et à 75km à l'ouest de Murcie par la RM15.

EN CAR
De Murcie, un car toutes les heures en semaine ; service réduit le week-end. Un seul car/j. AR de Lorca, Valence et Barcelone.
Gare routière *C/ Maestro Pelayo Gallego Tél. 699 91 75 18*

orientation

Le quartier historique s'étend au sud-ouest du sanctuaire de la Vraie Croix, séparé de la ville moderne par la Gran Vía.

informations touristiques

Office de tourisme Informations sur la ville, les itinéraires de randonnée et les circuits de spéléologie des environs. *C/ de las Monjas, 17 Tél. 968 70 24 24 www.caravaca.org www.turismocaravaca.com Ouvert mi-juin-sept. : lun.-ven. 10h-14h30 et 17h-20h, sam. 10h30-14h et 16h30-19h30, dim. et j. fér. 10h30-14h ; oct.-mi-juin : lun.-ven. 10h-14h30 et 16h30-19h30, sam. 10h30-14h et 16h-19h, dim. et j. fér. 10h30-14h*

fêtes et manifestations

Festival de Guitarra Ciudad de Caravaca Un festival de musique classique espagnole, animé par des compositeurs, musiciens et chanteurs de renommée internationale. *4 jours en mars*
Festivités de la Santísima y Vera Cruz – Moros y Cristianos "Défilés", "ambassades" et procession célébrant la Reconquista. *1er-5 mai*
Fête des Caballos del Vino Des chevaux portant des armures richement décorées montent au sanctuaire dans la liesse populaire. *2 mai*
Marché médiéval Regroupe plus de 200 artisans costumés, venus de toute l'Espagne. Dégustations de spécialités locales, ateliers d'artisanat, animations pour les enfants. *Début déc., 2 jours de 11h à 21h*

banques et poste

Banques Elles sont regroupées sur la Gran Vía.
Poste *Gran Vía, à l'angle de l'Av. Maruja Garrido Tél. 968 70 78 62 Ouvert lun.-sam. 9h-14h*

DÉCOUVRIR

☆ **Les essentiels** La Basílica de la Santísima y Vera Cruz. **Découvrir autrement** Suivez le tracé de l'ancienne voie ferrée Caravaca-Baños à vélo, promenez-vous à Cehegín lors du marché artisanal

Caravaca de la Cruz

L'Iglesia del Salvador (XVIe s.) illustre avec brio l'architecture Renaissance. Chaque jour à 11h30, lors des années de jubilé – tous les sept ans ; la prochaine en 2017 –, les pèlerins s'y réunissent pour rejoindre la basilique de la Vraie Croix. La Calle Mayor, qui part de l'église, a été tracée à la même époque. Au niveau du n°32 de cette rue, l'Iglesia de San José vaut également le déplacement pour sa décoration rococo. La plus belle église du genre, dans tout le Sud-Est espagnol ! Sa voisine, l'impressionnante église jésuite (XVIIe-XVIIIe s.), ouvre ses portes à des expositions. **Parroquia del Salvador** *Calle Nueva, 8 Tél. 968 70 83 03 Ouvert tlj. 10h30-13h30 et 18h30-20h Entrée libre* **Antigua Iglesia de la Compañía de Jesús** *Calle Mayor, 32 Tél. 968 70 56 82 (lun.-ven. – Casa de la Cultura) ou 968 70 24 24 (sam.-dim. – OT) Ouverte lors des expositions : mar.-dim. 10h-14h et 18h-21h*

☆ **Basílica de la Santísima y Vera Cruz** Cette église de pèlerinage est perchée sur une éminence dominant le vieux Caravaca et protégée par de solides remparts du XIXe siècle. De style Renaissance tardif, elle a remplacé la chapelle édifiée après la Reconquête, dans l'enceinte de l'ancienne forteresse maure, pour accueillir un fragment de la Vraie Croix. La première pierre de l'édifice actuel fut posée en 1617, et le frontispice baroque ajouté un siècle plus tard. Taillé dans du marbre gris et rose, c'est l'élément le plus marquant du sanctuaire. Le maître-autel doré de la basilique est frappé de l'emblème de l'ordre de Saint-Jacques. La sacristie abrite un petit musée d'art sacré (orfèvrerie, décorations et peinture). *Accès à pied ou en voiture (parking gratuit devant l'entrée) www.lacruzdecaravaca.es Ouvert été : tlj. 10h-14h et 16h-20h ; hiver : tlj. 10h-14h et 16h-19h Messe du pèlerin tlj. à 8h30 et 12h, et sam.-dim. à 17h Entrée libre* **Museo de la Vera Cruz** *Tél. 968 70 56 20 (association Caravaca Jubilar, qui s'occupe des visites) Ouvert mar.-ven. et dim. 10h-14h, sam. 10h-14h et 16h-19h Tarif 4€, étudiants et plus de 65 ans 3€, enfants 2€*

Les environs de Caravaca de la Cruz

Moratalla Ce petit village, avec son écheveau de ruelles médiévales, est un lieu attachant, hors du temps… *À 14km au nord de Caravaca par la C415 www.ayuntamientomoratalla.net*

☺ **Cehegín** Ce gros bourg abrite l'un des plus beaux quartiers historiques de la région, cadre idéal dans lequel flâner lorsque s'y tient (le dernier dimanche du mois, en principe) un marché artisanal. *À 6,5km à l'est de Caravaca par la C415 www.turismocehegin.es*

● Randonner à vélo, à cheval, à pied
Vía Verde Caravaca de la Cruz-Baños de Mula Avis aux cyclistes, aux randonneurs et aux cavaliers : il est possible de suivre sur ses 48km la voie ferrée qui reliait jadis Caravaca de la Cruz à Baños de Mula (à 38km de Murcie) en empruntant aqueducs et tunnels, et de profiter ainsi de beaux paysages en toute tranquillité. C'est dans cette direction que la route est la plus facile, tout en descente, idéale pour les vélos. *Rens. à l'OT de Caravaca*

LA RÉGION DE MURCIE

CARNET D'ADRESSES

Restauration, hébergement

🍴 très petits prix

El Horno Deux adresses pour le prix d'une ! La cafétéria de la rue principale de Caravaca fait tellement parler d'elle que le patron en a ouvert une deuxième, dans le centre historique. Spécialités à base de café, avec ou sans alcool, et excellentes pâtisseries levantines. Pour un *cortado* (café noisette) et un *pastel de carne* (feuilleté à la viande), comptez 1€ et 1,60€. *Av. de la Constitución ou C/ Mayor, 5-7* **Caravaca de la Cruz** *Tél. 968 70 26 14 Ouvert lun.-ven. 8h-22h30, sam.-dim. 9h-2h*

La Paz Un bon restaurant à prix doux. Le menu du jour, offrant un grand choix d'entrées et de plats, coûte 8€. Excellente *perdiz en escabeche* à 11€. *C/ Simancas, 12* **Caravaca de la Cruz** *Tél. 968 70 14 35 Ouvert lun.-sam. 8h-0h*

La Peña Taurina Ce petit restaurant dispose d'une jolie terrasse rafraîchie par des brumisateurs, dans une petite rue calme de la vieille ville. Comme l'indique l'enseigne, la décoration et la cuisine sont placées sous le signe de la tauromachie, et les *aficionados* se réunissent régulièrement dans l'arrière-salle. Commandez sans hésiter l'*arroz de rabo de toro* (riz à la queue de taureau, 18€ pour 2 pers.), un régal. *C/ Mayor, 43* **Caravaca de la Cruz** *Tél. 968 70 30 52 Ouvert tlj. 9h-0h*

🍴 🧳 petits prix

Hospedería Nuestra Señora del Carmen Ce couvent de carmes déchaussés, fondé en 1537, ouvre quelques chambres aux voyageurs. Loin d'être austères, celles-ci sont simples mais très confortables. Et deux d'entre elles (nos préférées) donnent sur le vaste et magnifique jardin potager de la congrégation. Une excellente adresse, à quelques pas de la vieille ville, à des prix très abordables : 33€ la simple, 55€ la double. Petit déjeuner 3,30€, autres repas sur commande. Wifi dans les chambres, parking gratuit. *C/ Corredera, 7* **Caravaca de la Cruz** *Tél. 968 70 85 27 www.hospederiacaravaca.org*

🍴 🧳 prix moyens

Hotel Central Caravaca Ce 3-étoiles moderne offre un confort abordable, avec un bon restaurant au rdc. Double à 68€ avec petit déj. en juil.-août ; de 100 et 125€ lors de la féria, début mai (réservez le plus tôt possible !). *Gran Vía, 18* **Caravaca de la Cruz** *Tél. 968 70 70 55 www.hotelcentral caravaca.com*

Hotel Almunia Un havre de paix au cœur de la vieille ville. Récemment rénové, cet hôtel propose 10 chambres extrêmement confortables et chics. Elles donnent sur une petite rue calme ou sur un joli patio où murmure une fontaine. L'accueil est chaleureux et l'ambiance générale invite à la détente. Les prix sont à la hauteur des prestations, un peu élevés. Comptez 75€ la double en semaine (dim.-jeu.) et 78€ le week-end, petit déj. compris. *C/ Ingeniero Oñate, 3-5* **Caravaca de la Cruz** *Tél. 968 70 57 37 www.almunia-hr.es*

GEODOCS

EN SAVOIR PLUS

BIBLIOGRAPHIE

histoire et société

Al-Andalus, vestiges d'une utopie
A. Kacem, Riveneuve, Paris, 2013
Barcelones M. Vázquez Montalbán
et G. Tyras, Le Seuil, Paris, 2002
Catalogne : une nation millénaire
M. Bourret, Autrement Jeunesse,
Paris, 2009
**Famille Borgia : histoire et
légende (La) R. Carrasco,** PUM,
Montpellier, 2013
**Histoire de l'Espagne, des
origines à nos jours** Ph. Nourry,
Taillandier, Paris, 2013

art et architecture

Art catalan (L') M. Durliat,
Arthaud, Paris, 1963
Art gothique en pays catalan (L')
J.-P. Reynal, Privat, Toulouse, 2005
Barcelone J. de la Monmany,
A. A. Ferrer, Cité de l'Architecture
et du Patrimoine, Paris, 2013
Baroque catalan J.-L. Antoniazzi,
D. Fernandez, F. Ferranti, Herscher,
Paris, 2011
Dalí, l'œuvre peint (1904-1989)
R. Descharmes et G. Neret,
Taschen, Paris, 2007
Gaudí, bâtisseur visionnaire
P. Thiébaut, coll. "Découvertes",
Gallimard, Paris, 2001
Goya, d'or et de sang J. Baticle,
coll. "Découvertes", Gallimard, Paris,
1986
Miró, le peintre aux étoiles
G. Lolivier et J.-P. Miró, coll.
"Découvertes", Gallimard, Paris, 2004
**Modernisme : Gaudi, Domènech i
Montaner, Puig i Cadafalch** Place
des Victoire, Paris, 2013
Monde de Picasso (Le) J. Finlay,
Larousse, Paris, 2011
Peinture espagnole (La) Collectif,
Connaissance des arts, Paris, 2011

Picasso, le sage et le fou,
P. du Bouchet et M.-L. Bernadac,
coll. "Découvertes", Gallimard, Paris,
2007
Puzzle catalan (Le) Tarragó Llibert,
Autrement, Paris, 2007
**Symbologie du temple
de la Sagrada Familia : Gaudi,
Barcelone** A. Fargas, Triangle
Postals, Sant Lluis, 2009
Temple de la Sagrada Familia (Le)
Collectif, Triangle Postals, Sant Lluis,
2004
Velázquez, peintre hidalgo
J. Baticle, coll. "Découvertes",
Gallimard, Paris, 1989
Vie secrète de Salvador Dalí (La)
S. Dalí, coll. "L'Imaginaire",
Gallimard, Paris, 2002

gastronomie

Des tapas à Barcelone L. Sirieix,
Hachette pratique, Paris, 2013
**Vrai Goût de Barcelone en
50 recettes (Le)** J.-L. André et J.-F.
Mallet, La Martinière, Paris, 2011

littérature

Calvo, Juan Les Lunes de
Barcelone, LGF, Paris, 2013
Casavella, Francisco Le jour du
Watusi, Actes Sud, Arles, 2005
Cercas, Javier Les Soldats de
Salamine, LGF, Paris, 2005
Etxebarría, Lucía Amour, Prozac et
autres curiosités, 10/18, Paris, 2001
González Ledesma, Francisco
La ville intemporelle ou Le vampire
de Barcelone, Atalante, Nantes,
2008 ; Les rues de Barcelone,
coll. "Folio policier", Gallimard, Paris,
2013 ; Histoire de Dieu à un coin
de rue, coll. "La Noire",
Gallimard, Paris, 1993
García Lorca, Federico Œuvres
complètes, coll. "Bibliothèque de la
Pléiade", Gallimard, Paris, 1990

Genet, Jean *Journal du voleur*, coll. "Folio", Gallimard, Paris, 1982

Goût de Barcelone (Le) Collectif, Mercure de France, Paris, 2003

Kessel, Joseph *Une balle perdue*, coll. "Folio junior", Gallimard, Paris, 1998

Lauryssens, Stan *Ma vie criminelle avec Salvador Dali*, Archipel, Paris, 2010

Mac Orlan, Pierre *La Bandera*, coll. "Folio", Gallimard, Paris, 1972

Malraux, André *L'Espoir*, coll. "Folio", Gallimard, Paris, 1972

Marsé, Juan *Calligraphie des rêves*, Bourgois, Paris, 2012

Mendoza, Eduardo *La Ville des Prodiges*, Points, Paris, 2007 ; *Une comédie légère*, Points, Paris, 1999 ; *La Vérité sur l'affaire Savolta*, Points, Paris, 1998

Monzó, Quim *Le Meilleur des Mondes*, Jacqueline Chambon, Nîmes, 2003 ; *Le Pourquoi des Choses*, Idem, 1995 ; *L'Île de Maians*, Idem, 1994

Orwell, Georges *Hommage à la Catalogne*, 10/18, Paris, 2000

Pérez-Reverte, Arturo *Le Cimetière des bateaux sans nom*, Le Seuil, Paris, 2001

Pieyre de Mandiargues, André *La Marge*, coll. "Folio", Gallimard, Paris, 1981

Pla, Josep *Pain et raisin*, Autrement, Paris, 2010

Rodoreda, Mercè *Miroir brisé*, Autrement, Paris, 2011 ; *La Place du Diamant*, coll. "L'Imaginaire", Gallimard, Paris, 2006

Ruiz Zafòn, Carlos *Marina*, Robert Laffont, Paris, 2011 ; *L'Ombre du Vent*, LGF, Paris, 2006

Vázquez Montalbán, Manuel *Les Mers du Sud : une enquête de Pepe Carvalho*, Points, Paris, 2011 ; *La Rose d'Alexandrie*, 10/18, Paris, 1999 ; *Moi, Franco*, Le Seuil, Paris, 1994

randonnée

Pyrénées centrales : randonnées, ascensions, escalades, vol. 7 : Post, Maladeta A. Armengaud, A. Jolis, Cairn, Pau 2013

Randonnées inédites en Catalogne occidentale et en Val d'Aran A. Boyer, PRNG Éditions, Cressé, 2011

Sur les traces des Cathares : le chemin des Bonhommes FFR, Paris, 2010

Vos 30 randonnées en Val d'Aran et Pallars B. Mateo, Rando Éditions, Tarbes, 2013

Spécial *niños*

Enquêtes de Mirette : qué calor à Barcelone ! J. Fanny, L. Audouin, Sarbacane, Paris, 2010

Isabelle de Castille : journal d'une princesse espagnole (1466-1469) C. Meyer, coll. "Mon histoire", Gallimard Jeunesse Paris, 2009

Joal Mirò : la couleur des rêves, S. Andrews, Éd. Palette, Paris 2008

Monde fou, fou, fou de Dali (Le) A. Wenzel, Éd. Palette, Paris, 2004

Pays de Pedro Venegas (Au) Livre-CD, coll. "Des mots pour voyager", Actes Sud Junior, Arles, 2005

Écouter

Ville-Monde Barcelone Un documentaire produit par Hélène Frappat, réalisé par Angélique Tibau, prise de son de Pierre Quintard, mixage de Bernard Lagnel (2013). *Deux heures d'émission à écouter et télécharger librement sur http://www.franceculture.fr/emission-villes-mondes-ville-monde-barcelone-1-2013-03-17*

EN SAVOIR PLUS

GEO**PLUS**

Lexique

Premiers contacts

Je ne parle pas espagnol / catalan
No hablo español / No parlo català
Oui, Non Sí / Si, No / No
Salut Hola / Hola
Bonjour Buenos días / Bon dia
Bonsoir Buenas tardes / Bona tarda
Bonne nuit Buenas noches / Bona nit
Au revoir Adios / Adéu
Enchanté Encantado / Encantat
Comment allez-vous ? ¿ Qué tal ? / Què tal ?
Très bien, merci Muy bien, gracias / Molt bé, gràcies
S'il vous plaît Por favor / Si us plau
Je vous en prie De nada / De res
Excusez-moi Perdón / Perdó
Au revoir Adiós / Adéu
À bientôt Hasta luego / Fins després
Je ne comprends pas No entiendo / No ho entenc
Quelle heure est-il ? ¿ Qué hora es ? / Quina hora és ?
Je me suis perdu Me he perdido / M'he perdut
Je cherche... Estoy buscando... / Estic buscant...

Compter

Zéro Cero / Zero
Un Uno / Un

LE CATALAN EN LIGNE

● http://dcvb.iec.cat
Dictionnaire de catalan de Catalogne et Valence

● www.parla.cat
Espace virtuel d'apprentissage

Deux Dos / Dos, dues
Trois Tres / Tres
Quatre Cuatro / Quatre
Cinq Cinco / Cinc
Six Seis / Sis
Sept Siete / Set
Huit Ocho / Vuit
Neuf Nueve / Nou
Dix Diez / Deu
Vingt Veinte / Vint
Trente Treinta / Trenta
Quarante Cuarenta / Quaranta
Cinquante Cincuenta / Cinquanta
Soixante Sesenta / Seixanta
Soixante-dix Setenta / Setanta
Quatre-vingts Ochenta / Vuitanta
Quatre-vingt-dix Noventa / Noranta
Cent Cien, ciento / Cent

Se repérer dans l'espace

Nord Norte / Nord
Sud Sur / Sud
Est Este / Est
Ouest Oeste / Oest
Proche Cerca / A prop
Loin Lejos / Lluny
À gauche A la izquierda / A l'esquerra
À droite A la derecha / A la dreta
Tout droit Todo recto / Tot recte
Aéroport Aeropuerto / Aeroport
Auberge de jeunesse Albergue juvenil / Alberg juvenil
Autoroute Autopista (payante), autovía (gratuit) / Autopista, autovia
Arènes Plaza de toros / Plaça de toros
Avenue Avenida, rambla / Avingunda
Banque Banco / Banc
Bureau de tabac Estanco / Estanc

Cabine téléphonique Cabina / *Cabina*
Camping Camping / *Càmping*
Cathédrale Catedral / *Catedral, seu*
Chambre d'hôtes Casa rural / *Casa de pagès*
Château Castillo / *Castell*
Consulat Consulado / *Consolat*
Église Iglesia / *Església*
Hôpital Hospital / *Hospital*
Hôtel Hotel / *Hotel*
Marché Mercado / *Mercat*
Monastère Monasterio / *Monestir*
Gare ferroviaire Estación de trenes / *Estació de tren*
Gare routière Estación de autobuses / *Estació d'autobusos*
Librairie Librería / *Llibreria*
Mairie Ayuntamiento / *Ajuntament*
Musée Museo / *Museu*
Office de tourisme Oficina de turismo / *Oficina de turisme*
Palais Palacio / *Palau*
Parking Aparcamiento / *Aparcament*
Pharmacie Farmacia / *Farmàcia*
Place Plaza / *Plaça*
Plage Playa / *Platja*
Port Puerto / *Port*
Poste Correos / *Correus*
Police, gendarmerie Policía, guardia civil / *Policia, guàrdia civil*
Quartier Barrio / *Barri*
Promenade Paseo / *Passeig*
Restaurant Restaurante / *Restaurant*
Rue Calle / *Carrer*
Station de métro Estación de metro / *Estació de metro*
Station-service Gasolinera / *Benzinera*
Supermarché Supermercado / *Supermercat*
Tour, clocher Torre / *Torre*
Vieille ville Casco antiguo / *Casc antic, ciutat vella*
Village Pueblo / *Poble*
Ville Ciudad / *Ciutat*

PRONONCIATION

● **En castillan**
L'accent tonique est marqué sur la pénultième (avant-dernière syllabe) sauf indication (accent aigu). Les mots se terminant par "d", "l", "r" ou "z" sont accentués sur la finale.

● **En catalan**
la présence d'un accent grave sur une voyelle ouvre sa prononciation ("ò" se prononce comme dans "pomme"). Attention, dans l'est de la Catalogne, le "e" en fin de phrase se prononce "a".

● **Consonnes**
ñ se prononce "gn"
s "ss"
g "gu", "r" dur gutturral devant "e" et "i", "j" en catalan
v "b"
r roulé
c "k", "th" anglais devant "e" et "i"
ç "ss" en catalan
ch "tch"
ll "y" ("l" mouillé)
z "th" anglais
j ("jota") "r" dur guttural, "j" en catalan
x "j", "ch" en catalan.

● **Voyelles**
a se prononce "a", **e** "é", **i** "i", **o** "o" fermé, **u** "ou", **y** "i"

Se repérer dans le temps

Mois Mes / *Mes*
Janvier Enero / *Gener*
Février Febrero / *Febrer*
Mars Marzo / *Març*
Avril Abril / *Abril*
Mai Mayo / *Maig*
Juin Junio / *Juny*
Juillet Julio / *Juliol*
Août Agosto / *Agost*

▶

GEO**PLUS**

➤ **Septembre** Septiembre / *Setembre*
Octobre Octubre / *Octubre*
Novembre Noviembre / *Novembre*
Décembre Diciembre / *Desembre*
Jour Día / *Dia*
Semaine Semana / *Setmana*
Lundi Lunes / *Dilluns*
Mardi Martes / *Dimarts*
Mercredi Miércoles / *Dimecres*
Jeudi Jueves / *Dijous*
Vendredi Viernes / *Divendres*
Samedi Sábado / *Dissabte*
Dimanche Domingo / *Diumenge*
Aujourd'hui Hoy / *Avui*
Hier Ayer / *Ahir*
Avant-hier Anteayer / *Abans d'ahir*
Demain Mañana / *Demà*
Après-demain Pasado mañana / *Demà passat*
Matin Mañana / *Matí*
Midi Medio día / *Migdia*
Après-midi Tarde / *Tarda*
Soir Tarde (avant 20h), noche / *Vespre*
Nuit Noche / *Nit*
Tôt Temprano / *Aviat*
Tard Tarde / *Tard*

À l'hôtel

Avez-vous une chambre de libre ?
¿ Tiene habitación libre ? / *Tenes una habitació lliure ?*
Chambre double, simple Habitación doble, individual / *Habitació doble, individual*
Lit double Cama de matrimonio / *Llit de matrimoni*
Avec douche, salle de bains Con ducha, baño / *Amb dutxa, bany*
Air conditionné Aire acondicionado / *Aire condicionat*
Toilettes Servicios / *Serveis*

Combien coûte la chambre ?
¿ Cuanto cuesta la habitación ? / *Quant val l'habitació ?*
Demi-pension Media pensión / *Mitja pensió*
Pension complète Pensión completa / *Pensió completa*
TTC IVA incluido / *IVA inclòs*
Cher, bon marché Caro, barato / *Car, barat*

Au restaurant

Je voudrais réserver une table
Quisiera reservar una mesa / *Voldria reservar una taula*
Entrée Entrada, primer plato / *Entrant, primer plat*
Plat principal Segundo plato / *Segon plat*
Fromage Queso / *Formatge*
Dessert Postre / *Postre*
Huile, vinaigre Aceite, vinagre / *Oli, vinagre*
Sel, poivre, sucre Sal, pimienta, azúcar / *Sal, pebre, sucre*
Pain, beurre Pan, mantequilla / *Pa, mantega*
Bon appétit Buen provecho / *Bon profit*
L'addition La cuenta / *El compte*
cf. Gastronomie (p.42),
cf. Boissons (p.57),
cf. Restauration (p.70)

Glossaire

Glossaire

Arc outrepassé Arc en "fer à cheval", caractéristique de l'architecture islamique
Artesonado Plafond en bois à caissons, souvent orné de peintures colorées, typique de l'architecture mudéjare
Azulejos Carreaux de céramique colorés (émaillés), employés pour

le revêtement des murs
ou des sols

Chevet Partie extérieure
de l'abside d'une église

Chrisme Monogramme du Christ
formé par les lettres grecques "X"
et "P" (Christos)

Churrigueresque Au début du
XVIIIe siècle, la famille d'architectes
des Churriguera donna son nom
à ce style poussant à l'extrême
les lois du baroque : colonnes
salomoniques, stucs luxuriants
et entrelacs de formes
géométriques

Cistercien Ordre monastique fondé
en 1098 à l'abbaye de Cîteaux
(France) prônant un retour
à l'ascétisme et à l'austérité, tant
dans les mœurs des moines que
dans l'architecture des monastères

Costumbrismo Style pictural apparu
à la fin du XIXe siècle, centré sur
les coutumes (*costumbres*) et l'âme
des régions espagnoles

Descente de croix Scène biblique
représentant le Christ détaché
de sa croix, que l'on rencontre
le plus souvent dans l'art roman
sur de magnifiques groupes sculptés

Herrerien Style Renaissance,
dépouillé, monumental et équilibré,
du nom de Herrera, l'architecte à qui
l'on doit l'Escurial de Madrid (XVIe s.)

Lombard Art roman primitif (X^e-
XIe s.) venu de Lombardie (Italie),
caractérisé par une ornementation
faite de bandes verticales
et d'arcatures aveugles

Modernisme Courant architectural
et artistique innovant, ayant pour
chef de file A. Gaudí, qui s'est créé
en Catalogne dans la veine de l'Art
nouveau français et du modern style
anglais (fin XIXe-début XXe s.)

Mudéjar De l'arabe *mudayyan*,
"soumis". Musulmans demeurés en
Espagne après la Reconquête,
et qui durent choisir entre

la conversion et l'exil en 1502.
Style mariant les techniques
et motifs hispano-mauresques avec
les évolutions de l'architecture
chrétienne (XIIe-XVIe s.)

Pantocrator Le Christ "tout-
puissant", représenté en majesté,
tenant les Évangiles dans la main
gauche et bénissant de la droite

Parement d'autel Panneau peint
ornant le devant d'un autel

Plateresque Style Renaissance,
caractérisé par une ornementation
riche et fouillée (XVIe s.)

Remplage Ensemble des décors
en pierre de l'intérieur d'une baie

Renaixença "Renaissance"
catalane. Mouvement culturel
du XIXe siècle revendiquant l'héritage
artistique, intellectuel et traditionnel
de la Catalogne

Retable Meuble en bois (ou en
pierre) contenant un tableau,
un bas-relief ou une statue et contre
lequel s'appuie l'autel d'une église

Sgraffite Procédé de décor mural
par grattage, sur plusieurs couches
de couleurs superposées

Tour-lanterne Tour élevée
à la croisée du transept, percée
de grande baies permettant
l'éclairage de la nef (*cimborrio*)

Trencadís Décoration à base d'éclats
de céramiques colorées, utilisée
par les architectes modernistes
et inspirée d'une technique
mauresque

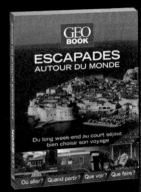
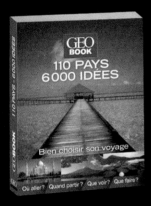
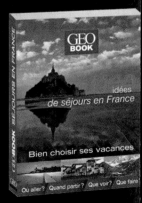

AIDEZ-NOUS À CONSTRUIRE DES GEO**GUIDE** QUI RÉPONDENT ENCORE MIEUX À VOS ENVIES !

Merci de nous retourner ce questionnaire à l'adresse suivante :

Questionnaire GEO**GUIDE** – BP 67 – 59053 Roubaix Cedex 1

VOS VOYAGES

● **Combien de séjours à but touristique effectuez-vous chaque année ?**

En France ❑ 1 ❑ 2 ❑ 3 et +
À l'étranger ❑ 1 ❑ 2 ❑ 3 et +

● **Vous partez pour** (plusieurs réponses possibles, hors visite parents et amis) **:**

La France ❑ 1 semaine ❑ 2 semaines ❑ 3 semaines et +
L'étranger ❑ 1 semaine ❑ 2 semaines ❑ 3 semaines et +

● **Combien de week-ends à but touristique effectuez-vous chaque année ?**
(hors visite parents et amis)

En France ❑ 1 ❑ 2 ❑ 3 et +
À l'étranger ❑ 1 ❑ 2 ❑ 3 et +

● **Vous partez** (plusieurs réponses possibles) **:**

	Voyage en France	Voyage à l'étranger	Week-end
Seul	❑	❑	❑
En couple	❑	❑	❑
En famille	❑	❑	❑
Avec des amis	❑	❑	❑
En voyage organisé	❑	❑	❑

VOS GUIDES DE VOYAGE

● **Quand vous partez, combien et quel type de guides achetez-vous ?**

	Voyage en France	Voyage à l'étranger	Week-end
Guides pratiques *	......	......	......
Guides culturels **	......	......	......

*axés sur les informations pratiques et les adresses, contenant plus de texte et de cartes que de photographies
**axés sur l'histoire et la culture, contenant beaucoup de photographies et d'illustrations

● **Combien de temps avant votre départ achetez-vous votre (vos) guide(s) ?**

	Voyage en France	Voyage à l'étranger	Week-end
Entre 3 et 6 mois avant	❑	❑	❑
Dans le mois qui précède	❑	❑	❑
Sur place	❑	❑	❑

● **Avec les guides de quelles collections partez-vous le plus souvent ?** (plusieurs réponses possibles) ....
....

● **Cherchez-vous de l'information sur votre destination ailleurs que dans les guides de voyage ?**
❑ Oui ❑ Non
Si oui, où : ❑ presse magazine ❑ sites internet des offices de tourisme
❑ forums de voyageurs ❑ offices de tourisme (sur place)
❑ voyagistes en ligne ❑ autre : ....

GEO**GUIDE** Espagne côte est

VOTRE GEOGUIDE

● **Si vous avez acheté ce guide vous-même, pourquoi avez-vous choisi GEOGUIDE ?**
(plusieurs réponses possibles) :

- ❏ conseil de votre entourage
- ❏ conseil de votre libraire
- ❏ publicité
- ❏ article de presse
- ❏ confiance dans les guides Gallimard
- ❏ confiance dans le magazine GEO
- ❏ vous l'avez découvert sur votre lieu d'achat

Dans ce dernier cas, qu'est-ce qui a motivé l'achat de ce GEOGUIDE ?

- ❏ format
- ❏ couverture
- ❏ rabat proposant des cartes dépliantes
- ❏ photographies couleur
- ❏ présentation intérieure en couleurs
- ❏ contenu pratique
- ❏ contenu culturel
- ❏ volume d'information
- ❏ prix
- ❏ autre : ....

● **Que pensez-vous de votre GEOGUIDE et de ses différentes rubriques ?**

Concernant les informations culturelles, vous avez trouvé GEOGUIDE :
❏ Très fiable ❏ Fiable ❏ Assez fiable ❏ Pas du tout fiable

Concernant les informations pratiques (horaires, coordonnées...), vous avez trouvé GEOGUIDE :
❏ Très fiable ❏ Fiable ❏ Assez fiable ❏ Pas du tout fiable

Votre opinion sur la sélection d'adresses :

	Qualité des adresses		Nombre d'adresses	
	Suffisante	Insuffisante	Suffisant	Insuffisant
Hébergement	❏	❏	❏	❏
Restauration	❏	❏	❏	❏
Monuments, sites	❏	❏	❏	❏
Balades et randonnées	❏	❏	❏	❏
Activités de loisirs	❏	❏	❏	❏
Shopping	❏	❏	❏	❏

● **Avez-vous des remarques et suggestions ?** ....
....
....

● **Repartirez-vous avec un GEOGUIDE ?** ❏ Oui ❏ Non

VOUS

● **Vous êtes :** ❏ un homme ❏ une femme

● **Votre âge :** ❏ – de 25 ans ❏ 25-34 ans ❏ 35-44 ans ❏ 45-64 ans ❏ 65 ans et +

● **Votre profession :**
❏ agriculteur ❏ profession libérale ❏ cadre supérieur ❏ encadrement et technicien
❏ employé ❏ ouvrier ❏ retraité ❏ sans activité professionnelle ❏ étudiant

● **Êtes-vous lecteur du magazine GEO ?** ❏ Oui ❏ Non

Quel est votre magazine préféré ? ....

Merci de nous indiquer votre adresse

Nom : ....

Adresse : ....

Code postal : .... Ville : .... Pays : ....

Acceptez-vous d'être contacté(e) par mail sur les nouveautés GEOGUIDE ? ❏ Oui ❏ Non

Adresse mail : ⎿⏌⎿⏌⎿⏌⎿⏌⎿⏌⎿⏌⎿⏌⎿⏌⎿⏌⎿⏌⎿⏌⎿⏌⎿⏌⎿⏌⎿⏌⎿⏌⎿⏌⎿⏌

INDEX

F

J

L

G-H-I

M

N-O

P

X

Z

LÉGENDES DES CARTES ET DES PLANS

Cartes

- **Aaa** Ville ou site étape
- Autoroute et 2x2 voies
- Route principale
- Route secondaire
- Autre route
- Zone urbaine
- - - - Frontière d'État
- .... Limite administrative
- -..-..- Parc naturel
- ● Site remarquable
- ▲ Sommet
- ⇌ Col
- Panorama
- Liaison maritime

Profondeur
(en mètres)
- Plus de 2 000
- De 200 à 2 000
- Moins de 200

Altitude
(en mètres)
- De 0 à 100
- De 100 à 200
- De 200 à 500
- De 500 à 1 000
- De 1 000 à 1 500
- Plus de 1 500

Plans

- Axe urbain
- Zone urbaine
- Espace vert
- Cimetière
- Voie ferrée
- 🄸 Office de tourisme
- Aéroport
- Gare ferroviaire
- Gare routière
- Liaison maritime (standard)
- Liaison maritime (rapide)
- Gîte de montagne
- Station de sports d'hiver
- Plage
- Site de plongée

● AUTEURS
GEOPANORAMA David Fauquemberg, Jordi Canal
GEOPRATIQUE David Fauquemberg, Julie Subtil, Séverine Bascot
GEORÉGION Barcelone et ses environs David Fauquemberg, Antoine Leonetti, Séverine Bascot, Cesc Castro et Rosario Santa María Fernandez
La Costa Daurada et l'arrière-pays Julie Subtil, Antoine Biboud, Cesc Castro
La Costa Brava et l'arrière-pays David Fauquemberg, Julie Subtil, Raphaëlle Duchemin, Cesc Castro
Les Pyrénées catalanes David Fauquemberg, Julie Subtil, Raphaëlle Duchemin
Les Pyrénées aragonaises Julie Subtil, Raphaëlle Duchemin
L'Aragon centre et sud Julie Subtil, Antoine Biboud, Raphaëlle Duchemin
La communauté valencienne David Fauquemberg, Julie Subtil, Antoine Biboud, Óscar Checa
La région de Murcie David Fauquemberg, Julie Subtil, Antoine Biboud
● **CRÉDITS PHOTOGRAPHIQUES Couverture et 3** © Gavin Hellier/Agefotostock. **6** © José Nicolas/hemis. fr. **8** © Cynoclub/Fotolia.fr. **48 haut** © Jacques Bravo/Photononstop. **bas** © Christina Garcia Rodero/Agence Vu. **84** © Ingolf Pompe/hemis.fr. **236 haut et bas** © Alain Félix/hemis.fr.
302-303 © Foto Zihlman/Fotolia.fr. **304-305** © Fazon/Fotolia.fr. **306-307** © Skouratroulio/Fotolia.fr. **308** © hemis.fr. **309** © Christina Garcia Rodero/Agence Vu. **310-311** © Hervé Hugues/hemis.fr. **312-313** © Hervé Hugues/hemis.fr. **314-315** © Wazymolo/Fotolia.fr. **316-317** © Christina Garcia Rodero/Agence Vu. **318-319** © Carlos Munoz-Yagür/hemis.fr. **320** © Monlee/Fotolia.fr. **321** © Martin Garnham/Fotolia.fr. **322-323** © Anibal Trejo/Fotolia.fr. **324-325** © Pierre Jacques/hemis.fr. **428 haut** © Daniel Scheinder/ Photononstop. **bas** © Iolanda Astor/Agefotostock.
● **CARTOGRAPHIE INFOGRAPHIQUE** Édigraphie.
● **REMERCIEMENTS** Merci à Inès Royo, Hélène Fullana, Chloé Guiraud, Martine Subtil, André Gasson, Pedro Gervas, Yvonne Villaret (Centre d'études catalanes), Franck Fries, Neus Ollè, Neus Miró, David Sabroso, Pep et... *toda la gente de Tortosa.* Merci aussi à Montse Planas, Ricardo da Silva, Suya Maiko et Carmo Requejo ainsi qu'à Emmanuelle Poiret (Agència Catalana de Turisme), Ester Giner (Turismo Valencia) et Fernando dos Santos.
● **MISE À JOUR 2014** Céline Chabaud
● **PUBLICITÉ Régie publicitaire** LM la Pub 112 bis, rue Cardinet 75017 Paris. **Responsable de clientèle** Laurence Ountzian Tél. 01 44 29 04 66.
● **GALLIMARD LOISIRS** 5, rue Gaston-Gallimard 75328 Paris Cedex 07.
Tél. 01 49 54 42 00 contact@geo-guide.fr www.geo-guide.fr
La collection GEOGuide a été créée en association entre Prisma Presse/GEO et Gallimard Loisirs.

© Gallimard Loisirs 2015. **Premier dépôt légal** février 2004
Dépôt légal Janvier 2015. **Numéro d'édition** 270617. **ISBN** 978-2-74-243832-7.
Photogravure IPR (Gentilly). **Impression** LEGO (Italie).

DANS LA COLLECTION GEOGUIDE

France
- Alpes du Nord
- Alpes du Sud
- Alsace
- Ardèche Drôme
- Auvergne
- Balades à Paris
- Bordelais Landes
- Bourgogne
- Bretagne Nord
- Bretagne Sud
- Charente-Maritime Vendée
- Châteaux de la Loire
- Corse
- Corse des villages
- Côte d'Azur
- Guadeloupe
- Languedoc
- Lot Aveyron Tarn
- Lyon et sa région
- Marseille
- Martinique
- Basse-Normandie
- Haute-Normandie et Côte fleurie
- Paris
- Paris la nuit
- Paris les immanquables
- Pays basque
- Pays de la Loire
- Périgord-Dordogne, Quercy-Lot, Agenais
- Provence
- Provence des villages
- Pyrénées
- Réunion
- Strasbourg et la route des vins
- Roussillon Pays cathare
- Tahiti Polynésie française
- Volcans d'Auvergne
- Week-ends bio en France
- Week-ends dans les îles

Monde
- Andalousie
- Argentine
- Baléares
- Bali
- Barcelone
- Belgique
- Bruxelles
- Canaries
- Crète
- Croatie
- Cuba
- Égypte
- Espagne, côte est
- Fès, Meknès
- Florence Sienne
- Grèce continentale
- Îles grecques et Athènes
- Irlande
- Istanbul
- Italie du Nord
- Italie du Sud
- Lacs italiens
- Lisbonne
- Londres
- Maroc
- Marrakech et le sud marocain
- Maurice
- Mexique
- Naples et la côte amalfitaine
- New York
- Pays basque
- Portugal
- Pouilles
- Québec
- Rome
- Sardaigne
- Sénégal
- Seychelles
- Shopping à Londres
- Shopping à New York
- Sicile
- Thaïlande
- Toscane Ombrie
- Tunisie
- Turquie
- Vallée du Nil
- Venise

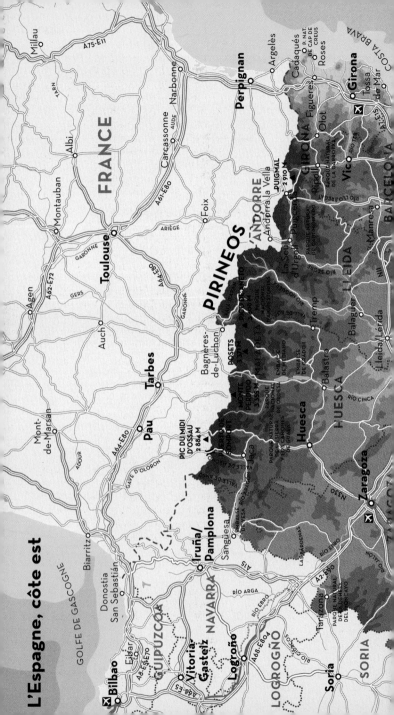